to Neil

may loving-kindness reign
in your heart,

with fond complicity

[illegible]
15/9/2013

PLAIDOYER POUR L'ALTRUISME

DU MÊME AUTEUR

Chez NiL éditions

Chemins spirituels, 2010
L'Art de la méditation, 2008
La Citadelle des neiges, 2005
Plaidoyer pour le bonheur, 2003
L'Infini dans la paume de la main,
avec Trinh Xuan Thuan, 2000
Le Moine et le Philosophe,
avec Jean-François Revel, 1997

Chez d'autres éditeurs

108 sourires, La Martinière, 2011
Bhoutan, terre de sérénité, La Martinière, 2008
Un voyage immobile, La Martinière, 2007
Tibet, regards de compassion, La Martinière, 2006
Himalaya bouddhiste, La Martinière, 2002
Moines danseurs du Tibet, Albin Michel, 1999
L'Esprit du Tibet, 1996, (réédition) La Martinière, 2011

TRADUCTIONS DU TIBÉTAIN

Dilgo Khyentsé Rinpotché,
Au cœur de la compassion,
Padmakara, 2008
Dilgo Khyentsé Rinpotché,
Les Cent Conseils,
Padmakara, 2003
Shabkar, autobiographie d'un yogi tibétain,
Padmakara, 2013
Dilgo Khyentsé Rinpotché,
Le Trésor du cœur des êtres éveillés,
Le Seuil, coll. «Points Sagesse», 1996

Matthieu Ricard

PLAIDOYER POUR L'ALTRUISME

La force de la bienveillance

NiL

ISBN 978-2-84111-623-2

À mes maîtres spirituels, Sa Sainteté le Dalaï-lama, Kangyur Rinpotché et Dilgo Khyentsé Rinpotché, et tous ceux qui m'ont ouvert les yeux sur la compassion.

À ma mère, Yahne Le Toumelin, et à ma sœur Ève, qui m'ont enseigné l'altruisme par l'exemple.

À Christophe et Pauline André, complices en altruisme.

À mes amis et mentors scientifiques grâce à qui ce livre a quelque crédibilité : Daniel Batson, Richard Davidson, Paul Ekman, Tania Singer, Antoine Lutz, Paul Gilbert, Richard Layard et tous ceux qui m'ont éclairé sur de si nombreux points.

À ma fidèle éditrice Nicole Lattès, et toute son équipe, pour leur soutien durant ce long travail.

À ceux qui ont tant contribué à améliorer ce livre, Christian Bruyat, Marie Haeling, Carisse Busquet et Françoise Delivet.

À mes amis, collaborateurs et bienfaiteurs de l'association Karuna-Shechen, qui mettent la compassion en action par leur contribution à plus de cent projets humanitaires.

À Raphaële Demandre, qui ne laisse jamais passer une occasion d'aider ceux qui sont dans le besoin.

Enfin et surtout, à tous les êtres, qui sont la raison d'être de l'altruisme.

«Rien n'est plus puissant qu'une idée dont le temps est venu.»

Victor Hugo

Introduction

J'ai peu d'inclination à parler de moi et préfère donner la parole aux grands penseurs qui ont inspiré mon existence. Pourtant, vous raconter quelques étapes de mon cheminement personnel vous aidera à comprendre comment j'en suis venu à rédiger ce livre et à défendre les idées que j'y présente.

Après avoir grandi en Occident, je me suis rendu en Inde pour la première fois en 1967, à l'âge de vingt ans, afin d'y rencontrer des grands maîtres du bouddhisme tibétain, dont Kangyur Rinpotché, qui allait devenir mon principal guide spirituel. La même année, j'ai commencé une thèse en génétique cellulaire sous la direction de François Jacob, à l'Institut Pasteur. Je dois à ces années de formation scientifique d'avoir appris à apprécier l'importance de la rigueur et de l'honnêteté intellectuelles.

En 1972, ma thèse terminée, j'ai décidé de m'établir à Darjeeling, auprès de mon maître. Pendant les nombreuses années qui ont suivi cette rencontre, que ce soit en Inde, puis au Bhoutan, au Népal et au Tibet, j'ai mené une vie simple. Je recevais à peine une lettre par mois, je n'avais ni radio ni journaux, et ne savais guère ce qui se passait dans le monde. J'étudiais auprès de mes maîtres spirituels, Kangyur Rinpotché, puis, après sa mort en 1975, Dilgo Khyentsé Rinpotché. J'ai ainsi passé un certain nombre d'années en retraite contemplative dans un ermitage. Je me suis également consacré du mieux que je le pouvais aux activités des monastères auxquels j'étais rattaché : Ogyen Kunzang Chöling à Darjeeling et Shéchèn au Népal, tout en œuvrant à la préservation de l'héritage culturel et spirituel du Tibet. Grâce aux enseignements que j'ai reçus de ces maîtres, j'ai pris conscience des bienfaits inestimables de l'altruisme.

En 1997, j'ai reçu un message de France, me proposant d'engager un dialogue avec mon père, le philosophe Jean-François Revel. La publication du livre issu de ces entretiens qui se sont déroulés au Népal, *Le Moine et le Philosophe*, a marqué la fin d'une vie tranquille et anonyme, mais elle m'a offert en contrepartie de nouvelles opportunités.

Au terme d'un quart de siècle d'immersion dans l'étude et la pratique du bouddhisme, loin de la scène occidentale, je me suis retrouvé de nouveau confronté aux idées contemporaines. J'ai renoué avec le monde scientifique en dialoguant avec l'astrophysicien Trinh Xuan Thuan (*L'Infini dans la paume de la main*, 2000). J'ai également pris part aux rencontres de l'*Institut Mind and Life*, une organisation placée sous l'égide du Dalaï-lama et fondée par le neuroscientifique Francisco Varela, qui a pour but de favoriser les échanges entre la science et le bouddhisme. En 2000, j'ai commencé à participer activement à des programmes de recherche en neurosciences dont l'objectif est d'analyser les effets, à court et à long terme, de l'entraînement de l'esprit par la méditation.

Mon expérience s'est donc constituée au confluent de deux grandes influences, celle de la sagesse bouddhiste de l'Orient et celle des sciences occidentales.

À mon retour d'Orient, mon regard avait changé, et le monde aussi. J'étais maintenant habitué à vivre au sein d'une culture et parmi des personnes dont la priorité était de devenir de meilleurs êtres humains en transformant leur manière d'être et de penser. Les préoccupations ordinaires du gain et de la perte, du plaisir et du déplaisir, de la louange et de la critique, de la renommée et de l'anonymat, y étaient considérées comme puériles et sources de déboires. Par-dessus tout, l'amour altruiste et la compassion constituaient les vertus cardinales de toute vie humaine et se trouvaient au cœur du chemin spirituel. J'ai été, et je suis toujours particulièrement inspiré par la vision bouddhiste selon laquelle chaque être humain possède en lui un potentiel inaltérable de bonté et d'épanouissement.

Le monde occidental que je retrouvais, un monde où l'individualisme est apprécié comme une force et comme une vertu, au point de souvent virer à l'égoïsme et au narcissisme, était d'autant plus déconcertant.

En m'interrogeant sur les sources culturelles et philosophiques de cette différence, je me suis souvenu de Plaute pour lequel «l'homme est un loup pour l'homme[1]», affirmation reprise et amplifiée par Thomas Hobbes qui parle de «la guerre de tout homme contre tout homme[2]», de Nietzsche qui affirme que l'altruisme est la marque des faibles, et enfin de Freud qui assure n'avoir «découvert que fort peu de "bien" chez les hommes[3]». Je pensais qu'il ne s'agissait là que de quelques esprits pessimistes ; je mesurais mal l'impact de leurs idées.

Soucieux de mieux comprendre ce phénomène, je constatais à quel point supposer que tous nos actes, nos paroles et nos pensées sont motivés par l'égoïsme a longtemps influencé la psychologie occidentale, les théories de l'évolution et de l'économie, jusqu'à acquérir la force d'un dogme dont la validité n'a guère été contestée que récemment. Le plus surprenant reste la persistance de grands esprits à vouloir déceler à tout prix une motivation égoïste à l'origine de chaque acte humain.

En observant la société occidentale, force m'était de convenir que les «sages» n'étaient plus des modèles, mais qu'on leur avait substitué les gens célèbres, riches ou puissants. L'importance démesurée accordée à la consommation et au goût du superflu ainsi que le règne de l'argent me faisaient penser que beaucoup de nos contemporains avaient oublié le but de l'existence – atteindre un sentiment de plénitude – pour se perdre dans les moyens.

Par ailleurs, ce monde semblait en proie à une curieuse contradiction, puisque les sondages de popularité mettaient aux premières places Gandhi, Martin Luther King, Nelson Mandela et Mère Teresa. Pendant des années, l'abbé Pierre fut, selon ces mêmes sondages, le Français le plus populaire. Ce paradoxe s'éclaira quelque peu quand je pris connaissance d'une enquête au cours de laquelle on avait demandé à quelques centaines d'Américains du Nord : «Qui admirez-vous le plus, le Dalaï-lama ou Tom Cruise ?» À cette question, 80 % répondirent : «Le Dalaï-lama.» Puis on les questionna plus avant : «Si vous pouviez choisir, qui, des deux, préfériez-vous être ?» «Tom Cruise», déclarèrent 70 % des gens. Cela montre que reconnaître les vraies valeurs humaines ne nous empêche pas d'être séduits par le miroir aux alouettes de la richesse, du pouvoir et de la célébrité et de préférer l'image de la facilité à l'idée d'un effort de transformation spirituelle.

Dans la réalité quotidienne, en dépit du lot de violences qui afflige le monde, notre existence est le plus souvent tissée d'actes de coopération, d'amitié, d'affection et de prévenance. La nature n'est pas que «griffes et crocs couverts de sang», comme le déplorait le philosophe Alfred Tennyson[4]. Par ailleurs, contrairement aux idées reçues et à l'impression que nous donnent les médias, toutes les études de fond, synthétisées dans un récent ouvrage de Steven Pinker, professeur à Harvard, montrent que la violence, sous toutes ses formes, n'a cessé de diminuer au cours des siècles derniers[5].

Au contact de mes amis scientifiques, je fus toutefois rassuré de constater que, durant les trente dernières années, cette vision déformée de la nature humaine avait été corrigée par un nombre croissant de chercheurs démontrant que l'hypothèse de l'égoïsme universel était démentie par l'investigation scientifique[6]. Daniel Batson, en particulier, fut le premier psychologue qui s'attacha à prouver, en ayant recours à des protocoles scientifiques rigoureux, que l'altruisme véritable existait et ne se réduisait pas à une forme d'égoïsme déguisé.

La force de l'exemple

Quand j'étais jeune, j'ai souvent entendu dire que la bonté était la qualité la plus admirable de l'être humain. Ma mère me le montrait constamment par ses actes et, autour de moi, nombre de personnes que je respectais m'ont incité à avoir bon cœur. Leurs paroles et leurs actions étaient une source d'inspiration et m'ouvraient un champ de possibilités qui nourrissait mes espérances. J'ai été élevé dans un milieu laïc et personne ne m'a inculqué de dogmes sur l'altruisme ou la charité. La seule force de l'exemple m'a appris bien davantage.

Depuis 1989, j'ai l'honneur de servir d'interprète français au Dalaï-lama, qui déclare souvent : «Ma religion, c'est la bonté», et dont la quintessence de l'enseignement est : «Tout être, même hostile, redoute comme moi la souffrance et cherche le bonheur. Cette réflexion nous amène à nous sentir profondément concernés par le bonheur d'autrui, ami ou ennemi. C'est la base de la compassion authentique. Rechercher le bonheur en restant indifférent aux autres est une erreur tragique.» Cet enseignement, le Dalaï-lama l'incarne au quotidien. Devant chacun, la visiteuse ou le passant croisé à l'aéroport, il est toujours totalement et immédiatement présent, avec un regard débordant d'une bonté qui pénètre votre cœur pour y déposer un sourire, avant de s'en aller discrètement.

Il y a quelques années, alors que je m'apprêtais à partir en retraite dans les montagnes du Népal, je sollicitai quelques conseils auprès du Dalaï-lama. «Au début, médite sur la compassion, au milieu médite sur la compassion, à la fin, médite sur la compassion», me répondit-il.

Tout pratiquant doit d'abord se transformer lui-même avant de pouvoir se mettre efficacement au service des autres. Toutefois, le Dalaï-lama insiste sur la nécessité de jeter un pont entre la vie contemplative et la vie active. Si la compassion sans sagesse est aveugle, la compassion sans action est hypocrite. C'est sous son inspiration et celle de mes autres maîtres spirituels que, depuis 1999, je consacre mes ressources et une grande partie de mon temps aux activités de Karuna-Shechen*. Il s'agit d'une association humanitaire, composée d'un groupe de volontaires dévoués et de généreux bienfaiteurs, qui construit et finance des écoles, des cliniques, des hospices au Tibet, au Népal et en Inde. Karuna-Shechen a accompli plus de cent vingt projets.

Les défis d'aujourd'hui

Notre époque est confrontée à de nombreux défis. L'une de nos difficultés majeures consiste à concilier les impératifs de l'économie, de la recherche du bonheur et du respect de l'environnement. Ces impératifs correspondent à trois échelles de temps, le court, le moyen et le long terme, auxquelles se superposent trois types d'intérêts – les nôtres, ceux de nos proches et ceux de tous les êtres.

L'économie et la finance évoluent à un rythme toujours plus rapide. Les marchés boursiers s'envolent et s'écroulent d'un jour à l'autre. Les nouvelles méthodes de transactions à très haute vitesse, conçues par les équipes de certaines banques et utilisées par les spéculateurs, permettent d'effectuer 400 millions de transactions par seconde. Le cycle de vie des produits devient extrêmement court. Aucun investisseur n'est prêt à placer son argent dans des bons du Trésor remboursables au bout de cinquante ans ! Ceux qui vivent dans l'aisance rechignent à réduire leur train de vie pour le bien des plus démunis et pour celui des générations à venir, tandis que ceux qui vivent dans le besoin aspirent légitimement à davantage de prospérité, mais aussi à entrer dans une société de consommation qui encourage l'acquisition du superflu.

La satisfaction de vie se mesure, elle, à l'aune d'un projet de vie, d'une carrière, d'une famille et d'une génération. Elle se mesure aussi à la qualité de chaque instant qui passe, des joies et des souffrances qui colorent notre existence, de nos relations aux autres ; elle s'évalue en

* Voir www.karuna-shechen.org.

outre par la nature des conditions extérieures et par la manière dont notre esprit traduit ces conditions en bien-être ou en mal-être.

Quant à l'environnement, jusqu'à récemment, son évolution se mesurait en termes d'ères géologiques, biologiques et climatiques, de dizaines de millénaires, sauf lors de catastrophes planétaires dues à l'impact d'astéroïdes géants ou d'éruptions volcaniques. De nos jours, le rythme de ces changements ne cesse de s'accélérer du fait des bouleversements écologiques provoqués par les activités humaines. En particulier, les changements rapides qui se sont produits depuis 1950 ont défini une nouvelle ère pour notre planète, l'*Anthropocène* (littéralement l'« ère des humains »). C'est la première ère dans l'histoire du monde où les activités humaines modifient profondément (et, pour l'instant, dégradent) l'ensemble du système qui maintient la vie sur terre.

Pour nombre d'entre nous, la notion de « simplicité » évoque une privation, un rétrécissement de nos possibilités et un appauvrissement de l'existence. Pourtant, l'expérience montre qu'une simplicité volontaire n'implique nullement une diminution du bien-être, mais apporte au contraire une meilleure qualité de vie. Est-il plus agréable de passer une journée avec ses enfants ou entre amis, chez soi, dans un parc ou dans la nature, ou de la passer à courir les magasins ? Est-il plus plaisant de jouir du contentement d'un esprit satisfait ou de constamment vouloir davantage – une voiture plus coûteuse, des vêtements de marque ou une maison plus luxueuse ?

Le psychologue américain Tim Kasser et ses collègues de l'université de Rochester ont mis en évidence le coût élevé des valeurs matérialistes[7]. Grâce à des études s'étendant sur une vingtaine d'années, ils ont démontré qu'au sein d'un échantillon représentatif de la population, les individus qui concentraient leur existence sur la richesse, l'image, le statut social et autres valeurs matérialistes promues par la société de consommation, sont moins satisfaits de leur existence. Centrés sur eux-mêmes, ils préfèrent la compétition à la coopération, contribuent moins à l'intérêt général et se préoccupent peu des questions écologiques. Leurs liens sociaux sont affaiblis et, s'ils comptent beaucoup de relations, ils ont moins de vrais amis. Ils manifestent moins d'empathie et de compassion à l'égard de ceux qui souffrent et ont tendance à instrumentaliser les autres selon leurs intérêts. Ils sont, paradoxalement, en moins bonne santé que le reste de la population. Ce consumérisme immodéré est étroitement lié à un égocentrisme excessif.

En outre, les pays riches, qui profitent le plus de l'exploitation des ressources naturelles, ne veulent pas réduire leur train de vie. Ce sont pourtant eux les principaux responsables des changements climatiques et des autres fléaux (accroissement des maladies sensibles aux changements climatiques, la malaria, par exemple, qui se propage dans de nouvelles régions ou à des altitudes plus élevées dès que la température minimale augmente) affectant les populations les plus démunies, celles dont, précisément, la contribution à ces bouleversements est la plus insignifiante. Un Afghan produit deux mille cinq cents fois moins de CO_2 qu'un Qatari et mille fois moins qu'un Américain. Le magnat américain Stephen Forbes déclarait sur une chaîne de télévision conservatrice (Fox News), à propos de l'élévation du niveau des océans : «Modifier nos comportements parce que quelque chose va se produire dans cent ans est, je dirais, profondément bizarre[8].» N'est-ce pas en réalité une telle déclaration qui est absurde? Le patron du plus grand syndicat de la viande aux États-Unis, quant à lui, est encore plus ouvertement cynique : «Ce qui compte, dit-il, c'est que nous vendions notre viande. Ce qui se passera dans cinquante ans n'est pas notre affaire[9].»

Or tout cela nous concerne, concerne nos enfants, nos proches et nos descendants, ainsi que l'ensemble des êtres, humains et animaux, maintenant et dans l'avenir. Concentrer nos efforts uniquement sur nous-même et nos proches, et sur le court terme, est l'une des manifestations regrettables de l'égocentrisme.

L'individualisme, par ses bons côtés, peut favoriser l'esprit d'initiative, la créativité et l'affranchissement de normes et de dogmes désuets et contraignants, mais il peut aussi très vite dégénérer en égoïsme irresponsable et en narcissisme galopant, au détriment du bien-être de tous. L'égoïsme est au cœur de la plupart des problèmes auxquels nous faisons face aujourd'hui : l'écart croissant entre les riches et les pauvres, l'attitude du «chacun pour soi», qui ne fait qu'augmenter, et l'indifférence à l'égard des générations à venir.

La nécessité de l'altruisme

Nous avons besoin d'un fil d'Ariane qui nous permette de retrouver notre chemin dans ce dédale de préoccupations graves et complexes. L'altruisme est ce fil qui peut nous permettre de relier naturellement les trois échelles de temps – court, moyen et long termes – en harmonisant leurs exigences.

L'altruisme est souvent présenté comme une valeur morale suprême, aussi bien dans les sociétés religieuses que laïques. Pourtant, il n'aurait guère de place dans un monde entièrement régi par la compétition et l'individualisme. Certains s'insurgent même contre le « diktat de l'altruisme », qu'ils perçoivent comme une exigence de sacrifice, et prônent les vertus de l'égoïsme.

Or, dans le monde contemporain, l'altruisme est plus que jamais une nécessité, voire une urgence. Il est aussi une manifestation naturelle de la bonté humaine, dont nous avons tous le potentiel, en dépit des motivations multiples, souvent égoïstes, qui traversent et parfois dominent nos esprits.

Quels sont en effet les bienfaits de l'altruisme au regard des problèmes majeurs que nous avons décrits ? Prenons quelques exemples. Si chacun d'entre nous cultivait davantage l'altruisme, c'est-à-dire si nous avions plus de considération pour le bien-être d'autrui, les investisseurs, par exemple, ne se livreraient pas à des spéculations sauvages avec les économies des petits épargnants qui leur ont fait confiance, dans le but de récolter de plus gros dividendes en fin d'année. Ils ne spéculeraient pas sur les ressources alimentaires, les semences, l'eau et autres ressources vitales à la survie des populations les plus démunies.

S'ils avaient davantage de considération pour la qualité de vie de ceux qui nous entourent, les décideurs et autres acteurs sociaux veilleraient à améliorer les conditions de travail, de vie familiale et sociale, et de bien d'autres aspects de l'existence. Ils seraient amenés à s'interroger sur le fossé qui se creuse toujours plus entre les plus démunis et ceux qui représentent 1 % de la population mais qui détiennent 25 % des richesses*. Enfin, ils pourraient ouvrir les yeux sur le sort de la société dont ils profitent et sur laquelle ils ont bâti leur fortune.

Si nous témoignions de plus d'égards pour autrui, nous agirions tous en vue de remédier à l'injustice, à la discrimination et au dénuement. Nous serions amenés à reconsidérer la manière dont nous traitons les espèces animales, les réduisant à n'être que des instruments de notre domination aveugle qui les transforme en produits de consommation.

Enfin, si nous faisions preuve de plus de considération pour les

* Ces chiffres concernent la situation aux États-Unis.

générations à venir, nous ne sacrifierions pas aveuglément le monde à nos intérêts éphémères, ne laissant à ceux qui viendront après nous qu'une planète polluée et appauvrie.

Nous nous efforcerions au contraire de promouvoir une économie solidaire qui donne une place à la confiance réciproque et valorise les intérêts d'autrui. Nous envisagerions la possibilité d'une économie différente, celle que soutiennent maintenant nombre d'économistes modernes*, une économie qui repose sur les trois piliers de la prospérité véritable : la nature dont nous devons préserver l'intégrité, les activités humaines qui doivent s'épanouir, et les moyens financiers qui permettent d'assurer notre survie et nos besoins matériels raisonnables**.

La plupart des économistes classiques ont trop longtemps fondé leurs théories sur l'hypothèse que les hommes poursuivent exclusivement des intérêts égocentristes. Cette hypothèse est fausse, mais elle constitue néanmoins le fondement des systèmes économiques contemporains constitués sur le principe du libre-échange que théorise Adam Smith dans *La Richesse des nations*. Ces mêmes économistes ont fait l'impasse sur la nécessité pour chaque individu de veiller au bien d'autrui afin que la société fonctionne harmonieusement, nécessité pourtant clairement formulée par le même Adam Smith dans la *Théorie des sentiments moraux*.

Oubliant également l'accent mis par Darwin sur l'importance de la coopération dans le monde du vivant, certaines théories contemporaines de l'évolution considèrent que l'altruisme n'a de sens que s'il est proportionnel au degré de parenté biologique nous reliant à ceux qui portent une partie de nos gènes. Nous verrons comment de nouvelles avancées dans la théorie de l'évolution permettent d'envisager la possibilité d'un altruisme étendu qui transcende les liens de proximité familiaux et tribaux et met en valeur le fait que les êtres humains sont essentiellement des « supercoopérateurs***. »

Contrairement à ce que donne à penser l'avalanche de nouvelles cho-

* Notamment Joseph Stiglitz, Dennis Snower, Richard Layard et Ernst Fehr, ainsi que les acteurs du mouvement du BNB (« bonheur national brut ») promulgué par le Bhoutan et maintenant sérieusement envisagé par le Brésil, le Japon et d'autres pays.

** Ces trois piliers correspondent au concept de « mutualité » développé par l'économiste Bruno Roche.

*** Notamment dues aux travaux de David Sloan Wilson, Elliott Sober, E. O. Wilson et Martin Nowak.

quantes qui figurent souvent à la une des médias, de nombreuses études montrent que lorsque survient une catastrophe naturelle, ou un autre type de drame, l'entraide est davantage la règle que le chacun pour soi, le partage que le pillage, le calme que la panique, le dévouement que l'indifférence, et le courage que la lâcheté[10].

Qui plus est, l'expérience de milliers d'années de pratiques contemplatives atteste que la transformation individuelle est possible. Cette expérience millénaire a été maintenant corroborée par les recherches en neurosciences qui ont montré que toute forme d'entraînement – l'apprentissage de la lecture ou d'un instrument de musique, par exemple – induit une restructuration dans le cerveau, tant au niveau fonctionnel que structurel. C'est ce qui se passe également lorsque l'on s'entraîne à développer l'amour altruiste et la compassion.

Les travaux récents de théoriciens de l'évolution* mettent quant à eux l'accent sur l'importance de l'évolution des cultures, plus lente que les changements individuels mais beaucoup plus rapide que les changements génétiques. Cette évolution est cumulative et se transmet au cours des générations par l'éducation et l'imitation.

Ce n'est pas tout. En effet, les cultures et les individus ne cessent de s'influencer mutuellement. Les individus qui grandissent au sein d'une nouvelle culture sont différents, parce que leurs nouvelles habitudes transforment leur cerveau par le biais de la neuroplasticité, et l'expression de leurs gènes par le biais de l'épigénétique. Ces individus contribueront à faire évoluer leur culture et leurs institutions, et ainsi de suite de sorte que ce processus se répète à chaque génération.

Pour récapituler, l'altruisme semble être un facteur déterminant de la qualité de notre existence, présente et à venir, et ne doit pas être relégué au rang de noble pensée utopiste entretenue par quelques naïfs au grand cœur. Il faut avoir la perspicacité de le reconnaître et l'audace de le dire.

Mais qu'est-ce que l'altruisme ? L'altruisme véritable existe-t-il ? Comment apparaît-il ? Peut-on devenir plus altruiste et, si oui, comment ? Quels sont les obstacles à surmonter ? Comment construire une société plus altruiste et un monde meilleur ? Telles sont les principales questions que nous tenterons d'approfondir dans cet ouvrage.

---

* Notamment ceux de Robert Boyd et Peter J. Richerson. Voir Richerson, P. J., et Boyd, R. (2005). *Not by Genes Alone.*

I

QU'EST-CE QUE L'ALTRUISME ?

Vivre, c'est être utile aux autres.
Sénèque

1

La nature de l'altruisme

Quelques définitions

L'altruisme est-il «le souci désintéressé du bien d'autrui», c'est-à-dire une *motivation*, un état d'esprit momentané, comme le définit le dictionnaire Larousse, ou une «*disposition* à s'intéresser et à se dévouer à autrui», selon le dictionnaire Robert, indiquant ainsi un trait de caractère plus durable? Les définitions abondent et, parfois, se contredisent. Si l'on veut montrer que l'altruisme véritable existe et favoriser son expansion dans la société, il est donc indispensable de clarifier la signification de ce terme.

Le terme «altruisme», dérivé du latin *alter*, «autre», fut utilisé pour la première fois au XIXe siècle par Auguste Comte, l'un des pères de la sociologie et le fondateur du positivisme. L'altruisme, selon Comte, suppose «l'élimination des désirs égoïstes et de l'égocentrisme, ainsi que l'accomplissement d'une vie consacrée au bien d'autrui[1].»

Le philosophe américain Thomas Nagel précise que l'altruisme est «une inclination à agir en tenant compte des intérêts d'autres personnes et en l'absence d'arrière-pensées[2]». C'est une détermination rationnelle à agir issue de «l'influence directe qu'exerce l'intérêt d'une personne sur les actions d'une autre, du simple fait que l'intérêt de la première constitue la motivation de l'acte de la seconde[3].»

D'autres penseurs, confiants dans le potentiel de bienveillance présent chez l'être humain, vont plus loin et, comme le philosophe américain Stephen Post, définissent l'amour altruiste comme un «plaisir désintéressé produit par le bien-être d'autrui, associé aux actes – soins et services – requis à cette fin. Un amour illimité étend cette bienveillance à tous les êtres sans exception, et de manière durable[4]». L'*agapé* du christianisme est un amour inconditionnel envers d'autres êtres humains, et l'amour altruiste et la compassion du bouddhisme, *maitri* et *karuna*, s'étendent à tous les êtres sensibles, humains et non humains.

Certains auteurs mettent l'accent sur le passage à l'acte, alors que d'autres considèrent que c'est la motivation qui définit l'altruisme et qualifie nos comportements. Le psychologue Daniel Batson, qui a consacré sa carrière à l'étude de l'altruisme, précise que «l'altruisme est une motivation dont la finalité ultime est d'accroître le bien-être d'autrui[5]». Il distingue clairement l'altruisme en tant que finalité ultime (mon but est explicitement de faire le bien de l'autre) et en tant que moyen (je fais le bien de l'autre en vue d'accomplir mon propre bien). À ses yeux, pour qu'une motivation soit altruiste, le bien d'autrui doit constituer un *but en soi**.

Parmi les autres modalités de l'altruisme, la *bonté* correspond à une manière d'être qui se traduit spontanément en actes dès que les circonstances le permettent; la *bienveillance*, issue du latin *benevole*, «vouloir le bien de l'autre», est une disposition favorable envers autrui, accompagnée d'une volonté de passer à l'acte. La *sollicitude* consiste à se soucier durablement et avec vigilance du sort de l'autre : concerné par sa situation, on veille à pourvoir à ses besoins, à favoriser son bien-être et à remédier à ses souffrances. Le *dévouement* consiste à se mettre avec abnégation au service de personnes ou d'une cause bénéfique à la société. La *gentillesse* est une forme de douce prévenance qui se manifeste dans notre manière de nous comporter avec autrui. La *fraternité* (et la *sororité*, pour reprendre une expression de Jacques Attali) procède du sentiment d'appartenir à la grande famille humaine dont tout représentant est perçu comme un frère ou une sœur dont le sort nous importe; la fraternité évoque aussi des notions de bonne entente, de cohésion et d'union. L'*altruité* est définie par le biologiste Philippe Kourilsky comme «l'engagement délibéré à agir pour la liberté des autres[6]». Le sentiment de *solidarité* avec un groupe plus ou moins étendu de personnes naît lorsqu'on doit affronter ensemble des défis et des obstacles communs. Par extension, ce sentiment peut être ressenti envers les plus démunis d'entre nous, ou ceux qui sont affectés par une catastrophe; c'est la communauté de destin qui nous unit.

* Batson rejoint sur ce point Emmanuel Kant qui écrivait : «Agis toujours de telle sorte que tu traites l'humanité [...] comme une fin et jamais simplement comme un moyen», *Fondements de la métaphysique des mœurs* (1785).

L'acte seul ne définit pas l'altruisme

Dans son ouvrage intitulé *The Heart of Altruism* («L'Essence de l'altruisme»), Kristen Monroe, professeur de sciences politiques et de philosophie à l'université d'Irvine en Californie, propose de réserver le terme «altruisme» à des *actes* accomplis pour le bien d'autrui au prix d'un risque et sans rien attendre en retour. Selon elle, les bonnes intentions sont indispensables à l'altruisme, mais elles ne suffisent pas. Il faut aussi agir, et l'action doit avoir un but précis, celui de contribuer au bien-être d'autrui[7].

Monroe reconnaît pourtant que les motifs de l'acte comptent davantage que leurs conséquences[8]. Il nous semble donc préférable de ne pas restreindre l'usage du terme *altruisme* à des comportements extérieurs, car ils ne permettent pas, en eux-mêmes, de connaître avec certitude la motivation qui les a inspirés. De même que l'apparition de *conséquences indésirables et imprévues* ne remet pas en cause la nature altruiste d'une action destinée au bien d'autrui, l'*entrave au passage à l'acte*, indépendante de la volonté de celui qui veut agir, ne diminue en rien le caractère altruiste de sa motivation.

De plus, pour Monroe, un acte ne peut être considéré comme altruiste s'il ne comporte pas un risque et n'a aucun «coût», réel ou potentiel, pour celui qui le commet. Un individu altruiste sera certes prêt à prendre des risques pour accomplir le bien d'autrui, mais le simple fait de prendre des risques pour quelqu'un d'autre n'est ni nécessaire ni suffisant pour qualifier un comportement d'altruiste. On peut imaginer qu'un individu se mette en danger pour aider quelqu'un avec l'idée de gagner sa confiance et d'en retirer des avantages personnels suffisamment importants pour justifier les périls encourus. Par ailleurs, certaines personnes acceptent de courir un danger pour des raisons purement égoïstes, par exemple, pour rechercher la gloire en accomplissant un exploit périlleux. À l'opposé, un comportement peut être sincèrement dévoué au bien d'autrui, sans pour autant comporter de risque notable. Celui qui, mû par la bienveillance, fait don d'une partie de sa fortune ou passe des années au sein d'une organisation caritative à aider des personnes en difficulté ne prend pas nécessairement de risque; pourtant son comportement mérite selon nous d'être qualifié d'altruiste.

C'est la motivation qui colore nos actes

Nos motivations, qu'elles soient bienveillantes, malveillantes ou neutres, colorent nos actes comme un tissu colore le morceau de cristal sous lequel il se trouve. La seule apparence des actes ne permet pas de distinguer un comportement altruiste d'un comportement égoïste, un mensonge destiné à faire du bien d'un autre proféré pour nuire. Si une mère pousse brusquement son enfant vers le bas-côté de la rue pour l'empêcher d'être écrasé par une voiture, son acte n'est violent qu'en apparence. Si quelqu'un vous aborde avec un grand sourire et vous couvre de compliments à la seule fin de vous escroquer, sa conduite peut sembler bienveillante, mais ses intentions sont manifestement égoïstes.

Dans son ouvrage *Altruism in Humans* («L'Altruisme chez l'être humain»), Daniel Batson propose un ensemble de critères permettant de qualifier nos motivations d'altruisme[9].

L'altruisme exige une motivation : un réflexe instinctif ou un comportement automatique ne peuvent être qualifiés d'altruiste ou d'égoïste, quelles qu'en soient les conséquences, bénéfiques ou nuisibles.

Il arrive aussi que nous accomplissions le bien d'autrui pour des raisons qui ne sont ni altruistes ni égoïstes, notamment par sens du devoir ou pour faire respecter la justice.

La différence entre l'altruisme et l'égoïsme est qualitative et non pas quantitative : c'est la *qualité* de notre motivation et non son *intensité* qui détermine sa nature altruiste.

Diverses motivations, altruistes et égoïstes, coexistent en notre esprit et peuvent se neutraliser lorsque nous considérons simultanément nos intérêts et ceux d'autrui.

Le passage à l'acte dépend des circonstances et ne qualifie pas la nature altruiste ou égoïste de nos motivations.

L'altruisme ne requiert pas un sacrifice personnel : il peut même engendrer des bienfaits personnels dans la mesure où ces derniers ne constituent pas la finalité ultime de nos comportements, mais n'en sont que des conséquences secondaires.

En essence, l'altruisme réside bien dans la motivation qui anime un comportement. Il peut être considéré comme authentique tant que le désir du bien d'autrui constitue notre préoccupation principale, même si cette préoccupation ne s'est pas encore concrétisée en actes.

Par contraste, l'égoïste, non content d'être centré sur lui-même, considère les autres comme des instruments au service de ses intérêts. Il n'hésite pas à négliger, voire à sacrifier le bien d'autrui lorsque cela s'avère utile pour parvenir à ses fins.

Compte tenu de notre capacité limitée à contrôler les événements extérieurs et de notre ignorance du tour qu'ils prendront à long terme, nous ne pouvons pas non plus qualifier un acte d'altruiste ou d'égoïste sur la base de la simple constatation de ses conséquences immédiates. Donner de la drogue ou un verre d'alcool à quelqu'un qui suit une cure de désintoxication, sous prétexte qu'il souffre des symptômes du sevrage, lui procurera sans doute un soulagement momentané apprécié, mais un tel geste ne lui fera aucun bien à long terme.

En revanche, en toutes circonstances, il nous est possible d'examiner attentivement et honnêtement notre motivation et de déterminer si elle est égoïste ou altruiste. L'élément essentiel est donc l'intention qui sous-tend nos actes. Le choix des méthodes relève des connaissances acquises, de notre perspicacité et de nos capacités à agir.

Donner toute son importance à la valeur de l'autre

Accorder de la valeur à l'autre et être concerné par sa situation, voilà qui représente deux composantes essentielles de l'altruisme. Lorsque cette attitude prévaut en nous, elle se manifeste sous la forme de la bienveillance envers ceux qui pénètrent dans le champ de notre attention et elle se traduit par la disponibilité et la volonté de prendre soin d'eux.

Lorsque nous constatons que l'autre a un besoin ou un désir particulier dont la satisfaction lui permettra d'éviter de souffrir ou d'éprouver du bien-être, l'empathie nous fait tout d'abord ressentir spontanément ce besoin. Ensuite, le souci de l'autre engendre la volonté d'aider à le satisfaire. À l'inverse, si nous accordons peu de valeur à l'autre, il nous sera indifférent : nous ne tiendrons aucun compte de ses besoins ; peut-être ne les remarquerons-nous même pas[10].

L'altruisme n'exige pas de « sacrifice »

Le fait d'éprouver de la joie à faire le bien d'autrui, ou d'en retirer de surcroît des bienfaits pour soi-même, ne rend pas, en soi, un acte égoïste. L'altruisme authentique n'exige pas que l'on souffre en aidant les autres et ne perd pas son authenticité s'il s'accompagne d'un sentiment de profonde satisfaction. De plus, la notion même de sacrifice est très relative : ce qui apparaît comme un sacrifice à certains est ressenti comme un accomplissement par d'autres ainsi que l'illustre l'histoire qui suit.

Sanjit « Bunker » Roy, avec qui notre association humanitaire Karuna-Shechen collabore, raconte qu'à l'âge de vingt ans, fils de bonne famille éduqué dans l'un des plus prestigieux collèges de l'Inde, il était destiné à une belle carrière. Sa mère le voyait déjà médecin, ingénieur ou fonctionnaire de la Banque mondiale. Cette année-là, en 1965, une terrible famine éclata dans la province du Bihar, l'une des plus pauvres de l'Inde. Bunker, inspiré par Jai Prakash Narayan, ami de Gandhi et grande figure morale indienne, décida d'aller voir sur place avec des amis de son âge ce qui se passait dans les villages les plus affectés. Il en revint quelques semaines plus tard, transformé, et déclara à sa mère qu'il voulait aller vivre dans un village. Après un moment de silence consterné, sa mère lui demanda : « Et qu'est-ce que tu vas faire dans un village ? » Bunker répondit : « Travailler comme ouvrier non qualifié pour creuser des puits. »

« Ma mère tomba presque dans le coma », raconte Bunker. Les autres membres de la famille tentèrent de la rassurer en lui disant : « Ne t'inquiète pas, comme tous les adolescents, il fait sa crise d'idéalisme. Après avoir peiné quelques semaines sur place, il déchantera vite et reviendra. »

Mais Bunker ne revint pas et resta quarante ans dans les villages. Pendant six ans, il creusa au marteau-piqueur trois cents puits dans les campagnes du Rajasthan. Sa mère ne lui adressa plus la parole pendant des années. Quand il s'installa au village de Tilonia, les autorités locales ne comprenaient pas non plus :

« Êtes-vous poursuivi par la police ?

— Non.

— Avez-vous échoué à vos examens ? Ou à obtenir un poste de fonctionnaire ?

— Non plus. »

Quelqu'un de son extraction sociale et doté d'un pareil niveau d'éducation n'était pas à sa place dans un pauvre village.

Bunker se rendit compte qu'il pouvait faire davantage que de creuser des puits. Il observa que les hommes qui avaient fait des études partaient vers les villes et ne contribuaient absolument plus à aider leurs villages. « Les hommes sont inutilisables », proclama-t-il avec malice. Il valait donc mieux éduquer les femmes, et particulièrement les jeunes grands-mères (35-50 ans) qui disposaient de plus de temps que les mères de famille. Même si elles étaient analphabètes, il était possible de les former pour qu'elles deviennent des «ingénieures solaires», compétentes dans la fabrication de panneaux voltaïques. De plus, il y avait peu de risques qu'elles quittent leur village.

Bunker fut longtemps ignoré, puis critiqué par les autorités locales et les organisations internationales, y compris par la Banque mondiale. Mais il a persévéré et a formé des centaines de grands-mères illettrées qui ont assuré l'électrification solaire de près d'un millier de villages en Inde et dans de nombreux autres pays. Son action est désormais soutenue par le gouvernement indien et par d'autres organisations ; elle est citée en exemple un peu partout dans le monde. Il a aussi conçu des programmes destinés à utiliser les savoir-faire ancestraux des paysans, notamment la manière de recueillir l'eau de pluie pour alimenter des citernes de capacité suffisante afin de pourvoir aux besoins annuels des villageois. Auparavant, les femmes devaient s'infliger plusieurs heures de marche quotidienne pour ramener de lourdes jarres d'eau souvent polluée. Au Rajasthan, il a fondé le Barefoot College (le «Collège des pieds nus»), dans lequel même les enseignants n'ont aucun diplôme mais partagent leur expérience fondée sur des années de pratique. Tout le monde y vit simplement, dans le style des communautés de Gandhi, et personne n'est payé plus de 100 euros par mois.

Il s'est, bien sûr, réconcilié avec sa famille, qui est maintenant fière de lui. Ainsi, pendant de nombreuses années, ce qui semblait à ses proches un sacrifice insensé a constitué pour lui une réussite qui l'emplissait d'enthousiasme et de satisfaction. Loin de le décourager, les difficultés qu'il a rencontrées sur sa route n'ont fait que stimuler son intelligence, sa compassion et ses facultés créatrices. À ce jour, et depuis quarante ans, Bunker a mené à bien une multitude de projets remarquables dans 27 pays. Qui plus est, tout son être rayonne du contentement d'une vie réussie.

Pour enseigner aux villageois de manière vivante, Bunker et ses collaborateurs organisent des représentations mettant en scène de grandes marionnettes en papier mâché. En guise de clin d'œil à ceux qui le regardaient de haut, ces marionnettes sont fabriquées avec des rapports recyclés de la Banque mondiale. Bunker cite Gandhi : «D'abord ils vous ignorent, puis ils rient de vous, puis ils vous combattent, puis vous gagnez.»

Être attentif et avisé face aux besoins de l'autre

Selon le philosophe Alexandre Jollien : «La première qualité de l'amour altruiste, c'est d'être à l'écoute attentive des besoins de l'autre. L'altruisme naît des besoins de l'autre et les rejoint[11].» Et, se référant au sage indien Swami Prajnanpad, Alexandre ajoute :

«L'altruisme est un art de la précision. Il ne consiste pas à donner tout en vrac, mais à être proche de l'autre et de ses besoins. Lorsque Swami Prajnanpad affirme que "l'amour, c'est du calcul", il se réfère à un calcul de précision qui permet d'être parfaitement adapté à la réalité et aux besoins de l'autre. Trop souvent, on se fait une idée du bien et on la plaque sur autrui. On dit : "Ça, c'est ton bien", et on impose ce bien à l'autre. Aimer l'autre, ce n'est pas aimer un alter ego. Il faut laisser l'autre être autre et se dépouiller de tout ce qu'on pourrait projeter sur lui, se dépouiller de soi pour aller vers l'autre, dans l'écoute et la bienveillance.»

Mon père, Jean-François Revel, fut catastrophé quand je lui annonçai que j'allais quitter ma carrière scientifique pour aller vivre dans l'Himalaya auprès d'un maître spirituel. Il eut la bonté de respecter mon choix et de rester silencieux. Il expliqua plus tard, après la publication du livre *Le Moine et le Philosophe :* «À vingt-six ans, Matthieu était un adulte et c'était à lui de décider comment mener sa vie.»

Dans le monde de l'aide humanitaire, il n'est pourtant pas rare que des organisations bien intentionnées décident de la manière de «faire le bien» de certaines populations, sans vraiment être à l'écoute des souhaits et besoins réels des bénéficiaires potentiels. Le décalage entre les programmes d'aide et les aspirations des populations locales est parfois considérable.

États mentaux momentanés et dispositions durables

Pour Daniel Batson, l'altruisme n'est pas tant une manière d'être qu'une force motivante orientée vers un but, force qui disparaît lorsque ce but est atteint. Batson envisage ainsi l'altruisme comme un état mental momentané lié à la perception d'un besoin particulier chez une autre personne, plutôt que comme une disposition durable. Il préfère parler d'*altruisme* que d'*altruistes*, puisque, à tout moment, une personne peut abriter en elle un mélange de motivations altruistes envers certaines personnes et égoïstes envers d'autres. L'intérêt personnel peut aussi entrer en compétition avec l'intérêt d'autrui et créer un conflit intérieur.

Il nous semble cependant légitime de parler également de *dispositions* altruistes ou égoïstes selon les états mentaux qui prédominent habituellement chez une personne, tous les degrés entre l'altruisme inconditionnel et l'égoïsme borné étant concevables. Le philosophe écossais Francis Hutcheson disait de l'altruisme qu'il n'était pas «un mouvement accidentel de compassion, d'affection naturelle ou de reconnaissance, mais une humanité constante, ou le désir du bien public de tous ceux à qui notre influence peut s'étendre, désir qui nous incite uniformément à tous les actes de bienfaisance, et nous pousse à nous informer correctement de la meilleure manière de servir les intérêts de l'humanité[12]». Pour sa part, l'historien américain Philip Hallie estime que «la bonté n'est pas une doctrine ou un principe : c'est une façon de vivre[13]».

Cette disposition intérieure durable s'accompagne d'une vision du monde particulière. Selon Kristen Monroe, «les altruistes ont simplement une manière différente de voir les choses. Là où nous voyons un étranger, ils voient un être humain, l'un de leurs semblables... C'est cette perspective qui constitue le cœur de l'altruisme[14]».

Les psychologues Jean-François Deschamps et Rémi Finkelstein ont également montré l'existence d'un lien entre l'altruisme considéré comme une *valeur personnelle* et les comportements prosociaux, le bénévolat notamment[15].

De plus, nos réactions spontanées face à des circonstances imprévisibles reflètent nos dispositions profondes et notre degré de préparation intérieure. La plupart d'entre nous tendront la main à celui qui vient de tomber à l'eau. Un psychopathe ou une personne dominée par la haine regardera peut-être le malheureux se noyer sans lever le petit doigt, voire avec une satisfaction sadique.

Fondamentalement, dans la mesure où l'altruisme imprègne notre esprit, il s'exprime instantanément lorsque nous sommes confrontés aux besoins de l'autre. Comme l'écrivait le philosophe américain Charles Taylor : «L'éthique ne concerne pas seulement ce qu'il est bon de faire, mais ce qu'il est bien d'être[16].» Cette vision des choses permet d'inscrire l'altruisme dans une perspective plus vaste et d'envisager la possibilité de le *cultiver* en tant que *manière d'être*.

2

Étendre l'altruisme

L'altruisme c'est comme des cercles dans l'eau quand on jette une pierre. Les cercles sont tout petits au début, puis ils s'agrandissent pour embrasser la surface entière de l'océan.

Alexandre Jollien[1]

Pour la plupart d'entre nous, il est naturel de se montrer sincèrement bienveillant à l'égard d'un être cher ou de toute personne bien intentionnée à notre égard. Mais il semble a priori plus difficile d'étendre cette bienveillance à de nombreux individus et, tout particulièrement à ceux qui nous traitent mal. Pourtant, nous avons la capacité, par le raisonnement et par l'entraînement mental, de les inclure dans la sphère de l'altruisme en comprenant que la bienveillance et la compassion ne sont pas simplement des «récompenses» attribuées en fonction de bons comportements, mais qu'elles ont pour but essentiel de favoriser le bonheur des êtres et de remédier à leurs souffrances. J'évoquerai en particulier les méthodes proposées par le bouddhisme à cette fin. Ce faisant, mon but n'est pas d'inciter le lecteur à adopter cette voie spirituelle, mais de souligner la valeur universelle de certains points issus de la philosophie et de la pratique du bouddhisme. Ces qualités s'inscrivent dans ce que le Dalaï-lama appelle la *promotion des valeurs humaines* ou l'*éthique séculière*, une éthique qui n'est pas opposée, par principe, aux religions mais ne dépend d'aucune d'entre elles[2].

L'altruisme et la compassion ont pour vocation de s'étendre ainsi le plus largement possible. Il faut simplement comprendre que notre bien et celui du monde ne peuvent reposer sur l'indifférence au bonheur de l'autre et sur le refus de voir les souffrances autour de nous[3].

Amour altruiste, compassion et empathie

Le bouddhisme définit l'*amour altruiste* comme «le désir que tous les êtres trouvent le bonheur et les causes du bonheur». Par «bonheur», le bouddhisme n'entend pas seulement un état passager de bien-être ou une sensation agréable, mais une manière d'être fondée sur un ensemble de qualités qui incluent l'altruisme, la liberté intérieure, la force d'âme, ainsi qu'une juste vision de la réalité[4]. Par «causes du bonheur», le bouddhisme ne se réfère pas seulement aux causes immédiates du bien-être, mais à ses racines profondes, à savoir la poursuite de la sagesse et d'une plus juste compréhension de la réalité.

Ce désir altruiste s'accompagne d'une constante disponibilité envers autrui alliée à la détermination de faire tout ce qui est en notre pouvoir pour aider chaque être en particulier à atteindre un authentique bonheur. Le bouddhisme rejoint sur ce point Aristote pour qui «aimer bien» consiste à «vouloir pour quelqu'un ce que l'on croit être bien» et «être capable de le lui procurer dans la mesure où on le peut[5]».

Il ne s'agit pas là d'une simple position dogmatique qui décréterait que «la souffrance est le Mal», mais de la prise en considération du souhait de chaque être d'échapper à la souffrance. Une attitude purement normative, dont le but serait de mettre fin à la souffrance en tant qu'entité abstraite, comporterait le risque que l'on soit moins attentif aux êtres eux-mêmes et à leurs souffrances spécifiques. C'est pourquoi le Dalaï-lama nous donne ce conseil : «Pour éprouver une compassion et une bienveillance véritables envers autrui, nous devons choisir une personne réelle comme sujet de méditation et accroître notre compassion et notre amour bienveillant à l'égard de cette personne avant de l'étendre à d'autres. Nous travaillons sur une personne à la fois ; sinon, notre compassion risque de se diluer dans un sentiment trop général et notre méditation y perdra en concentration et en force[6].» De plus, l'histoire nous a montré que lorsque l'on définit le bien et le mal de façon dogmatique, toutes les dérives sont possibles, depuis l'Inquisition jusqu'aux dictatures totalitaires. Comme le disait souvent mon père Jean-François Revel : «Les régimes totalitaires proclament : "Nous savons comment vous rendre heureux. Il suffit que vous suiviez nos directives. Toutefois, si vous n'êtes pas d'accord, nous aurons le regret de devoir vous éliminer[7]."»

L'amour altruiste se caractérise par une bienveillance inconditionnelle à l'égard de l'*ensemble des êtres* susceptible de s'exprimer à tout instant en faveur de *chaque être en particulier.* Elle imprègne l'esprit et s'exprime de façon appropriée selon les circonstances pour répondre aux besoins de tous.

La compassion est la forme que prend l'amour altruiste lorsqu'il est confronté aux souffrances d'autrui. Le bouddhisme la définit comme «le souhait que tous les êtres soient libérés de la souffrance et de ses causes» ou, comme l'écrit poétiquement le moine bouddhiste Bhante Henepola Gunaratana : «Le dégel du cœur à la pensée de la souffrance de l'autre[8].» Cette aspiration doit être suivie de la mise en œuvre de tous les moyens possibles pour remédier à ses tourments.

Ici encore, les «causes de la souffrance» incluent non seulement les causes des souffrances immédiates et visibles, mais aussi les causes profondes de la souffrance, l'*ignorance* en premier lieu. L'ignorance est ici comprise comme une compréhension erronée de la réalité nous amenant à entretenir des états mentaux perturbateurs tels que la haine et le désir compulsif et à agir sous leur emprise. Ce type d'ignorance nous conduit à perpétuer le cycle de la souffrance et à tourner le dos au bien-être durable.

L'amour bienveillant et la compassion sont donc les deux facettes de l'altruisme. C'est leur objet qui les distingue : l'amour bienveillant souhaite que tous les êtres connaissent le bonheur, tandis que la compassion se focalise sur l'éradication de leurs souffrances. L'amour et la compassion doivent durer aussi longtemps qu'il y aura des êtres et aussi longtemps qu'ils souffriront.

Nous définirons ici l'*empathie* comme étant la capacité d'entrer en *résonance affective* avec les sentiments d'autrui et de *prendre conscience de sa situation.* L'empathie nous alerte en particulier sur la nature et l'intensité des souffrances éprouvées par autrui. On pourrait dire qu'elle *catalyse la transformation de l'amour altruiste en compassion.*

L'importance de la lucidité

L'altruisme *doit être éclairé par la lucidité et la sagesse.* Il ne s'agit pas d'accéder inconsidérément à tous les désirs et caprices des autres. L'amour véritable consiste à associer une bienveillance sans limites à un discernement sans faille. L'amour ainsi défini doit prendre en compte les tenants et les aboutissants de chaque situation et se demander : « Quels vont être les bienfaits et les inconvénients à court et à long terme de ce que je vais faire ? Mon acte va-t-il affecter un petit ou un grand nombre d'individus ? » Transcendant toute partialité, l'amour altruiste doit considérer lucidement la meilleure façon d'accomplir le bien des autres. L'impartialité requiert de ne pas favoriser quelqu'un simplement parce qu'on éprouve à son égard plus de sympathie que pour une autre personne qui se trouve également, voire davantage, dans le besoin.

Se réjouir du bonheur d'autrui et cultiver l'impartialité

À l'amour altruiste et à la compassion, le bouddhisme ajoute la *joie devant le bonheur et les qualités d'autrui* ainsi que l'*impartialité.*

La *réjouissance* consiste à éprouver du fond du cœur une joie sincère face aux accomplissements et aux qualités d'autrui, envers ceux qui œuvrent au bien d'autrui et dont les projets bienfaisants sont couronnés de succès, ceux qui ont réalisé leurs aspirations au prix d'efforts persévérants, et ceux encore qui possèdent de multiples talents. Cette joie et cette appréciation s'accompagnent du souhait que leur bien-être et leurs qualités ne déclinent pas, mais se perpétuent et s'accroissent. Cette faculté de se féliciter des qualités d'autrui sert également d'antidote à la comparaison sociale, à l'envie et à la jalousie, lesquelles reflètent une incapacité à se réjouir du bonheur d'autrui. Elle constitue également un remède à une vision sombre et désespérée du monde et de l'humanité.

L'*impartialité* est une composante essentielle de l'altruisme, car le souhait que les êtres trouvent le bonheur et soient délivrés de leurs souffrances ne doit dépendre ni de nos attachements personnels ni de la façon dont les autres nous traitent ou se comportent envers nous. L'impartialité adopte le regard d'un médecin bienveillant et dévoué qui se réjouit lorsque les autres sont en bonne santé et se préoccupe de la guérison de tous les malades, quels qu'ils soient.

L'altruisme peut en effet être influencé par la sentimentalité et induire des attitudes partiales. Si, lors d'un voyage dans un pays pauvre, je rencontre une bande d'enfants et que l'un d'entre eux m'a l'air plus sympathique que les autres, le fait de lui accorder un traitement de faveur procède d'une intention bienveillante, mais témoigne également d'un manque d'équité et de perspicacité. Il se pourrait que d'autres enfants présents aient eu davantage besoin de mon aide.

De même, si l'on se préoccupe du sort de certains animaux simplement parce qu'ils sont «mignons», et que l'on reste indifférent à la souffrance de ceux qui nous semblent répugnants, il s'agit d'un faux-semblant d'altruisme, induit par des préjugés et des préférences affectives. D'où l'importance de la notion d'impartialité. Selon le bouddhisme, l'altruisme doit s'étendre à l'ensemble des êtres sensibles, quels que soient leur aspect, leur comportement et leur degré de proximité avec nous.

À l'image du soleil qui brille de manière égale sur les «bons» comme sur les «méchants», sur un paysage magnifique comme sur un tas d'ordures, l'impartialité s'étend à tous les êtres sans distinction. Lorsque la compassion ainsi conçue se porte sur une personne malfaisante, elle ne consiste pas à tolérer, encore moins à encourager par l'inaction son attitude malveillante et ses actes nuisibles, mais à considérer cette personne comme gravement malade ou atteinte de folie, et à souhaiter qu'elle soit libérée de l'ignorance et de l'hostilité qui l'habitent. Autrement dit, il ne s'agit pas de contempler les actes nuisibles avec équanimité, voire avec indifférence, mais de comprendre qu'il est possible d'éradiquer leurs causes comme on peut éliminer les causes d'une maladie.

Le caractère universel de l'altruisme étendu n'en fait pas pour autant un sentiment vague et abstrait, déconnecté des êtres et du réel. Il ne nous empêche pas d'évaluer avec lucidité le contexte et les circonstances. Au lieu de se diluer dans la multitude et la diversité des êtres, l'altruisme étendu est renforcé par leur nombre et la variété de leurs besoins particuliers. Il s'applique spontanément et de façon pragmatique à chaque être qui se présente dans le champ de notre attention.

En outre, il n'exige pas l'obtention d'un succès immédiat. Personne ne peut s'attendre à ce que tous les êtres cessent de souffrir du jour au lendemain, comme par miracle. À l'immensité de la tâche doit donc répondre la magnitude du courage. Ce qui fait dire à Shantideva, maître bouddhiste indien du VIIe siècle :

> *Aussi longtemps que l'espace perdurera,*
> *Et aussi longtemps qu'il y aura des êtres,*
> *Puissé-je moi aussi demeurer*
> *Pour dissiper la souffrance du monde !*

Surmonter la peur

L'un des aspects importants de l'amour altruiste est le courage. Un altruiste véritable est prêt à aller sans hésitation et sans crainte vers les autres. Le sentiment d'insécurité et la peur sont des obstacles majeurs à l'altruisme. Si nous sommes affectés par la moindre contrariété, rebuffade, critique ou insulte, nous nous en trouvons affaiblis et pensons surtout à nous protéger. Le sentiment d'insécurité nous incite à nous renfermer sur nous-mêmes et à garder nos distances vis-à-vis d'autrui. Pour devenir plus altruiste, il nous faut développer une force intérieure qui confère le sentiment de disposer des ressources intérieures nous permettant de faire face aux circonstances sans cesse changeantes de l'existence. Forts de cette confiance, nous sommes alors prêts à nous ouvrir aux autres et à manifester de l'altruisme. C'est pour cela que l'on parle dans le bouddhisme de «compassion courageuse». Gandhi disait aussi : «L'amour ne craint rien ni personne. Il tranche la peur à sa racine même.»

Étendre la compréhension des besoins de l'autre

Plus on est concerné par le sort de celui qui connaît des difficultés, plus la motivation de le soulager se renforce. Mais il importe d'identifier clairement et correctement les besoins d'autrui et de comprendre ce qui lui est vraiment nécessaire afin de pourvoir à ses différents degrés de bien-être*. D'après le bouddhisme, le *besoin ultime* de tout être vivant est d'être libre de la souffrance sous toutes ses formes, y compris celles qui ne sont pas immédiatement visibles et procèdent de l'ignorance.

* Pour Daniel Batson la *sollicitude empathique* est une émotion orientée vers autrui, engendrée par la perception que l'autre se trouve dans le besoin et en harmonie avec cette perception. Voir Batson, C. D. (2011). *Altruism in Humans.* Oxford Univ. Press, p. 11.

Reconnaître que ce besoin est partagé par tous les êtres permet d'étendre l'altruisme aussi bien aux amis qu'aux ennemis, aux familiers qu'aux inconnus, aux êtres humains qu'à tous les êtres vivants. Dans le cas d'un ennemi, par exemple, le besoin que l'on prend en compte n'est certes pas l'accomplissement de ses desseins malveillants, mais la nécessité de déraciner les causes qui les ont engendrés.

De l'altruisme biologique à l'altruisme étendu

Le Dalaï-lama distingue deux types d'amour altruiste : le premier se manifeste spontanément du fait des dispositions biologiques que nous avons héritées de l'évolution. Il reflète notre instinct de prendre soin de nos enfants, de nos proches et plus généralement de ceux qui nous traitent avec bienveillance.

Cet *altruisme naturel* et inné ne nécessite aucun entraînement. Sa forme la plus puissante est l'amour parental. Toutefois, il reste limité et partial, car il dépend généralement de nos liens de parenté ou de la façon dont nous percevons, favorablement ou défavorablement, les autres ainsi que de la manière dont ils nous traitent.

La sollicitude à l'égard d'un enfant, d'une personne âgée ou d'un malade naît souvent de notre perception de leur vulnérabilité et de leur besoin de protection. Nous avons certes la faculté de nous émouvoir du sort d'autres enfants que des nôtres et d'autres personnes que nos proches, mais l'altruisme naturel ne s'étend pas facilement à des inconnus, encore moins à nos ennemis. Il est également inconstant puisqu'il peut disparaître lorsqu'un ami ou un parent jusqu'alors bien disposé à notre égard change d'attitude et nous traite soudain avec indifférence, voire avec hostilité.

L'*altruisme étendu*, au contraire, est impartial. Chez la plupart des gens, il n'est pas spontané et exige d'être cultivé. « La sympathie, bien qu'acquise comme instinct, se fortifie aussi beaucoup par l'exercice et par l'habitude[9] », écrivait Darwin. Quel que soit notre point de départ, nous avons tous la possibilité de cultiver l'altruisme et de transcender les limites qui le confinent au cercle de nos proches.

L'altruisme instinctif, acquis au cours de notre évolution, en particulier celui de la mère pour son enfant, peut servir de base à l'altruisme plus étendu, même si telle n'était pas là sa fonction initiale. Cette idée a été défendue par nombre de psychologues, comme William McDougall, Daniel Batson et Paul Ekman, soutenue par certains philosophes dont Elliott Sober et le spécialiste de l'évolution David Sloan Wilson[10].

Cette extension comporte deux étapes principales : d'une part, on *perçoit les besoins* d'un plus grand nombre d'êtres, tout particulièrement ceux que l'on avait considérés jusqu'alors comme des étrangers ou des ennemis. D'autre part, on *donne de la valeur* à un ensemble d'êtres sensibles beaucoup plus vaste, qui dépasse le cercle de nos proches, du groupe social, ethnique, religieux, national qui est le nôtre, et qui s'étend même au-delà de l'espèce humaine[11].

Il est intéressant de noter que Darwin a non seulement envisagé cette expansion, mais qu'il la jugeait nécessaire : «La sympathie, pour les causes que nous avons déjà indiquées, tend toujours à devenir plus large et plus universelle. Nous ne saurions restreindre notre sympathie, en admettant même que l'inflexible raison nous en fît une loi, sans porter préjudice à la plus noble partie de notre nature[12].»

C'était aussi l'idéal exprimé par Einstein dans une lettre écrite en 1921 :

> L'être humain est une partie du tout que nous appelons l'univers, une partie limitée par le temps et l'espace. Il fait l'expérience de lui-même, de ses pensées et de ses sentiments comme d'événements séparés du reste, c'est là une sorte d'illusion d'optique de sa conscience. Cette illusion est une forme de prison pour nous, car elle nous restreint à nos désirs personnels et nous contraint à réserver notre affection aux quelques personnes qui sont les plus proches de nous. Notre tâche devrait consister à nous libérer de cette prison en élargissant notre cercle de compassion de manière à y inclure toutes les créatures vivantes et toute la nature dans sa beauté[13].

Cette démarche commence par la prise de conscience suivante : si je regarde au plus profond de moi, je souhaite ne pas souffrir. Je ne me réveille pas le matin en pensant : «Puissé-je souffrir toute la journée et, si possible, toute ma vie.» Lorsque j'ai reconnu cette aspiration en moi-même, que se passe-t-il si je me projette mentalement dans la conscience d'un autre être ? Comme moi, il est peut-être sous l'emprise de toutes sortes de tourments et d'une grande confusion mentale, mais, comme moi, ne préférerait-il pas, si cela lui était possible, ne pas souffrir lui aussi ? Il partage mon désir d'échapper à la souffrance et ce désir est digne de respect.

Il existe malheureusement des personnes qui, faute d'avoir pu bénéficier de conditions qui leur auraient permis de s'épanouir, se nuisent à elles-mêmes volontairement, s'automutilent ou commettent des actes de désespoir allant jusqu'au suicide[14]. Le manque d'amour, de sens, de confiance en soi, et l'absence d'une direction claire dans leur vie pèsent si lourd que cela les conduit parfois à l'autodestruction. Ces actes extrêmes sont un cri de désespoir, un appel au secours, une manière de s'exprimer pour ceux qui ne savent pas comment trouver le bonheur, ou qui en ont été empêchés par la brutalité des conditions extérieures.

Aspects émotionnels et cognitifs de l'altruisme et de la compassion

Être ému par la souffrance de l'autre, ressentir soi-même de la souffrance parce qu'il souffre, être joyeux lorsqu'il est en joie et triste lorsqu'il est affligé relèvent de la résonance émotionnelle.

En revanche, discerner les causes immédiates ou durables, superficielles ou profondes des souffrances d'autrui et engendrer la détermination d'y remédier relèvent de la connaissance et de la compassion « cognitive ». Cette dernière est liée à la compréhension de l'ensemble des causes de la souffrance. De ce fait, sa dimension est plus vaste et ses effets plus importants. Ces deux aspects de l'altruisme, affectif et cognitif, sont complémentaires et ne constituent pas deux attitudes mentales séparées et étanches. Chez certaines personnes, dans un premier temps l'altruisme prend la forme d'une expérience émotionnelle plus ou moins forte susceptible de se transformer ensuite en altruisme cognitif lorsque la personne commence à analyser les causes de la souffrance. Cependant, l'altruisme reste limité s'il est cantonné à sa seule composante émotionnelle.

En effet, selon le bouddhisme, *la cause fondamentale de la souffrance est l'ignorance*, cette confusion mentale qui déforme la réalité et engendre une pléiade d'événements mentaux perturbateurs, allant de la haine au désir compulsif, en passant par la jalousie et l'arrogance. Si l'on s'intéresse uniquement aux causes secondaires de la souffrance, c'est-à-dire à ses manifestations visibles, on ne pourra jamais y remédier pleinement.

Si un navire subit une avarie, il ne suffit pas d'évacuer l'eau des cales à grand renfort de personnel. Il est indispensable de colmater la brèche par laquelle l'eau s'engouffre.

L'amour et la compassion fondés sur le discernement

Pour étendre l'altruisme, il est nécessaire de prendre conscience des divers degrés de la souffrance. Quand le Bouddha parlait d'«identifier la souffrance», il ne se référait pas aux souffrances évidentes dont nous sommes si souvent témoins ou victimes : les maladies, les guerres, les famines, l'injustice ou la perte d'un être cher. Ces souffrances, celles qui nous touchent directement (nos proches, nous) et indirectement (via les médias ou nos expériences vécues) et les souffrances issues des injustices socio-économiques, des discriminations et des guerres sont manifestes aux yeux de tous. Ce sont les causes latentes de la souffrance que le Bouddha a souhaité mettre en lumière, des causes qui peuvent ne pas se manifester sur-le-champ sous la forme d'expériences pénibles, mais qui n'en constituent pas moins une source constante de souffrances.

En effet, nombre de nos souffrances prennent leurs racines dans la haine, l'avidité, l'égoïsme, l'orgueil, la jalousie et autres états mentaux que le bouddhisme regroupe sous l'appellation de «toxines mentales» parce qu'ils empoisonnent littéralement notre existence et celle des autres. D'après le Bouddha, l'origine de ces perturbations mentales est l'ignorance. Cette ignorance ne relève pas d'un simple manque d'information, mais d'une vision distordue de la réalité et d'une incompréhension des causes premières de la souffrance. Comme l'explique le maître tibétain contemporain Chögyam Trungpa : «Lorsque nous parlons d'ignorance, il ne s'agit pas du tout de stupidité. Dans un sens, l'ignorance est très intelligente, mais c'est une intelligence complètement à sens unique : l'on réagit uniquement à ses propres projections au lieu de voir simplement ce qui est[15].»

L'ignorance est en effet liée à une méconnaissance de la réalité, c'est-à-dire de la nature des choses, libre des fabrications mentales que nous lui surimposons. Ces fabrications creusent un fossé entre la façon dont les choses nous apparaissent et leur nature véritable : nous prenons pour permanent ce qui est éphémère et pour bonheur ce qui n'est le plus souvent que source de souffrance – la soif de richesses, de pouvoir, de renommée et de plaisirs passagers.

Nous percevons le monde extérieur comme un ensemble d'entités autonomes auxquelles nous attribuons des caractéristiques qui nous semblent leur appartenir en propre. Les choses nous apparaissent comme intrinsèquement «plaisantes» ou «déplaisantes» et nous répartissons rigidement les gens entre «bons» ou «mauvais», «amis» ou «ennemis», comme s'il s'agissait de caractéristiques inhérentes à ces personnes. Le «moi», ou l'ego qui les perçoit, nous semble tout aussi réel et concret. Cette méprise engendre de puissants réflexes d'attachement et d'aversion et, aussi longtemps que notre esprit reste obscurci par ce manque de discernement, il tombera sous l'emprise de la haine, de l'attachement, de l'avidité, de la jalousie ou de l'arrogance, et la souffrance sera toujours prête à surgir.

Si l'on se réfère à la définition de l'altruisme de Daniel Batson comme étant un état mental lié à la perception d'un besoin particulier chez l'autre, le besoin ultime énoncé par le bouddhisme consiste à dissiper cette vision erronée de la réalité. Il ne s'agit nullement d'imposer une vision dogmatique particulière de ce qu'elle est, mais de fournir les connaissances nécessaires pour pouvoir, par le biais d'une investigation rigoureuse, combler le fossé qui sépare la perception des choses de leur nature véritable. Cette attitude consiste, par exemple, à ne pas prendre pour permanent ce qui est de nature changeante, à ne pas percevoir des entités indépendantes dans ce qui n'est que relations interdépendantes, et à ne pas imaginer un «moi» unitaire, autonome et constant dans ce qui n'est qu'un flux d'expériences sans cesse changeantes dépendant de causes innombrables. Le Bouddha a toujours dit : «N'acceptez pas mes enseignements par simple respect pour moi, examinez-les comme on éprouve l'or en le frottant, en le martelant, en le faisant fondre au creuset.» Ce faisant, il offre simplement une carte ou un carnet de voyage permettant de marcher sur les traces de quelqu'un qui a déjà parcouru le chemin que l'on souhaite emprunter.

De ce point de vue, la connaissance, ou la sagesse, est la juste compréhension de la réalité, à savoir le fait que tous les phénomènes résultent du concours d'un nombre illimité de causes et de conditions sans cesse changeantes. Comme un arc-en-ciel qui se forme lorsque le soleil brille sur un rideau de pluie et s'évanouit dès que l'une de ces conditions disparaît, les phénomènes existent sur un mode essentiellement interdépendant et n'ont pas d'existence autonome et permanente.

Cette connaissance ne satisfait pas uniquement une curiosité intellectuelle, son but est essentiellement thérapeutique. Comprendre l'interdépendance permet notamment de détruire le mur illusoire que notre esprit a dressé entre soi et autrui. Cela met en évidence les fondements erronés de l'orgueil, de la jalousie et de la malveillance. Tous les êtres étant interdépendants, leur bonheur et leur souffrance nous concernent intimement. Vouloir construire son bonheur sur la souffrance d'autrui est non seulement immoral, mais irréaliste. L'amour et la compassion universels sont des conséquences directes d'une juste compréhension de cette interdépendance.

Il n'est donc pas nécessaire de ressentir émotionnellement les états d'âme de l'autre pour nourrir une attitude altruiste. Par contre, il est indispensable d'être conscient de son désir d'échapper à la souffrance, de lui accorder de la valeur et d'être intimement concerné par l'accomplissement de ses aspirations profondes. Plus l'amour altruiste et la compassion sont de type cognitif, plus ils donnent de l'ampleur à l'altruisme, et moins ils sont affectés par les perturbations émotionnelles telles que la détresse engendrée par la perception de la souffrance d'autrui. Au lieu d'engendrer de la bienveillance, cette perception de la douleur peut inciter à se replier sur soi-même, ou encore favoriser l'émergence d'une sentimentalité qui risque de faire dévier l'altruisme vers le favoritisme.

Adopter l'attitude du médecin

L'altruisme étendu ne dépend pas de la façon dont se comportent ceux auxquels il s'adresse car il se situe à un niveau plus fondamental. Il se manifeste lorsque nous prenons pleinement conscience du fait que les êtres se comportent de façon nuisible parce qu'ils sont sous l'emprise de l'ignorance et des poisons mentaux que celle-ci engendre. Nous sommes alors en mesure de dépasser nos réactions instinctives face aux comportements malveillants, car nous comprenons que ceux-ci ne diffèrent en rien de celui d'un malade mental agressant ceux qui l'entourent : nous nous conduisons alors à la manière d'un médecin. Si un patient souffrant de troubles mentaux frappe le praticien qui l'examine, ce dernier ne va pas le battre à son tour mais, au contraire, le soigner.

À première vue, il peut sembler incongru de traiter un ennemi avec bienveillance : «Il me veut du mal, pourquoi lui voudrais-je du bien?» La réponse du bouddhisme est simple : «Parce que lui non plus ne veut pas souffrir, parce que lui aussi est sous l'emprise de l'ignorance.» Face au malfaiteur, l'altruisme véritable consiste à souhaiter que ce dernier prenne conscience de sa déviance et cesse de nuire à ses semblables. Cette réaction, qui est à l'opposé du désir de se venger, de punir en infligeant une autre souffrance, n'est pas une preuve de faiblesse, mais de sagesse.

La compassion n'exclut pas de faire tout ce qui est possible pour empêcher l'autre de nuire à nouveau. Elle n'empêche pas d'utiliser tous les moyens disponibles pour mettre fin aux crimes d'un dictateur sanguinaire, par exemple, mais elle s'accompagnera nécessairement du souhait que la haine et la cruauté disparaissent de son esprit. En l'absence de toute autre solution, elle ne s'interdira pas le recours à la force, à condition que celle-ci ne soit pas inspirée par la haine, mais par la nécessité de prévenir de plus grandes souffrances.

L'altruisme ne consiste pas non plus à minimiser ou à tolérer les méfaits des autres, mais à remédier à la souffrance sous toutes ses formes. L'objectif est de briser le cycle de la haine au lieu d'appliquer la loi du talion. Si l'on rendait «œil pour œil, dent pour dent, disait Gandhi, le monde serait bientôt aveugle et édenté». Plus subtilement, Shantideva écrivait : «Combien tuerai-je de scélérats ? Il s'en trouve partout et en venir à bout jamais ne se pourra. Mais si je tue la haine, j'aurai raison de tous mes ennemis[16].»

«Aussi hideuse que soit la vie d'un homme, la première chose à faire est de chercher à le comprendre[17]», écrit le philosophe américain Alfie Kohn. Asbjorn Rachlew, l'officier de police qui supervisa l'interrogatoire d'Anders Breivik, l'auteur fanatique des crimes de masse récemment commis en Norvège, déclarait : «Nous ne frappons pas du poing sur la table, comme on le voit au cinéma, nous devons laisser la personne parler le plus possible, et pratiquer l'"écoute active", puis, à la fin, nous lui demandons : Comment expliquez-vous ce que vous avez fait[18] ?» Si l'on veut prévenir la résurgence du mal, il est essentiel de saisir d'abord pourquoi et comment il a pu surgir.

L'altruisme n'est ni une récompense ni un jugement moral

La pratique de l'amour altruiste et de la compassion n'a pas pour but de récompenser une bonne conduite, et son absence n'est pas une sanction punissant des comportements répréhensibles. L'altruisme et la compassion ne sont pas fondés sur des jugements moraux, même s'ils n'excluent certes pas ces jugements. Comme l'écrit André Comte-Sponville : «Nous n'avons besoin de morale que faute d'amour.» La compassion en particulier a pour but d'éliminer toutes les souffrances individuelles, quelles qu'elles soient, où qu'elles soient, et quelles qu'en soient les causes. Considérés de la sorte, l'altruisme et la compassion peuvent être impartiaux et illimités.

La possibilité de mettre un terme aux souffrances des êtres renforce l'altruisme

«On se fatigue de la pitié lorsque la pitié est inutile[19]», écrivait Camus. La pitié impuissante et distante devient *compassion*, c'est-à-dire désir intense de libérer autrui de ses souffrances, lorsque l'on prend conscience de la *possibilité* d'éliminer ces souffrances et que l'on reconnaît les moyens d'accomplir ce but. Ces diverses étapes correspondent aux *Quatre Nobles Vérités* exprimées par le Bouddha lors de son premier enseignement, au parc des Biches, à Sarnath, près de Bénarès. La première est la *vérité de la souffrance qui doit être reconnue* pour ce qu'elle est, sous toutes ses formes, visibles et subtiles. La deuxième est la vérité des *causes de la souffrance*, l'ignorance qui entraîne la malveillance, l'avidité et bien d'autres états mentaux perturbateurs. Ces poisons mentaux ayant des causes qui peuvent être éliminées, la *cessation de la souffrance* – la troisième vérité – est donc possible. La quatrième vérité est celle de la *voie* qui transforme cette possibilité en réalité. Cette voie, c'est le processus qui met en œuvre toutes les méthodes permettant d'éliminer les causes fondamentales de la souffrance.

L'ignorance n'étant finalement rien de plus qu'une erreur, il est toujours possible de la dissiper. Prendre, dans la pénombre, une corde pour un serpent engendre la peur, mais dès qu'on éclaire cette corde et que l'on reconnaît sa nature véritable, cette peur n'a plus de raison d'être. L'ignorance est donc un phénomène adventice qui n'affecte pas la nature ultime des choses : elle la dérobe simplement à notre compréhension. C'est pourquoi la connaissance est libératrice. Comme on peut le lire dans l'*Ornement des soutras* : «La délivrance est l'épuisement de l'erreur.»

Si la souffrance était une fatalité liée à la condition humaine, s'en inquiéter sans cesse ne ferait qu'ajouter inutilement à nos tourments. Comme le disait le Dalaï-lama sur un ton léger : «S'il n'y a aucun remède à la souffrance, pensez-y le moins possible, allez à la plage et buvez une bonne bière.» En revanche, si les causes de nos souffrances peuvent être éliminées, il serait regrettable d'ignorer cette possibilité. Comme l'écrivait au XVIIIe siècle le septième Dalaï-lama :

> *S'il existe un moyen de se libérer de la souffrance,*
> *Il est approprié d'utiliser chaque instant pour l'obtenir.*
> *Seuls les insensés souhaitent souffrir davantage.*
> *N'est-il pas triste d'ingérer sciemment du poison*[20] *?*

Du point de vue du bouddhisme, le *nirvana* n'est pas une « extinction », mais le fait pour un être particulier d'atteindre l'Éveil et de se libérer ainsi de l'ignorance et de la souffrance. Cela ne signifie pas que la souffrance cessera d'exister en tant que phénomène universel dans ce que le bouddhisme appelle *samsara*, ou monde conditionné par la douleur, mais que chaque être a individuellement la possibilité de s'en affranchir. La prise de conscience de cette possibilité confère à la compassion une tout autre dimension qui la différencie de la pitié impuissante. Dans un enseignement donné à Paris en 2003, le Dalaï-lama proposait l'exemple suivant :

> Imaginez que du cockpit d'un petit avion de tourisme volant à basse altitude, vous aperceviez un naufragé qui nage au milieu de l'océan Pacifique : il vous est impossible de lui porter secours ou d'alerter qui que ce soit. Si vous pensez : « Quelle tristesse ! », votre pitié est caractérisée par un sentiment d'impuissance.
>
> Si, maintenant, vous apercevez une île que le naufragé ne peut voir à cause de la brume, mais qu'il pourrait atteindre s'il nageait dans la bonne direction, votre pitié se transformera en compassion : conscient de la possibilité de survie du malheureux, vous souhaiterez du fond du cœur qu'il aperçoive cette île si proche, et vous tenterez par tous les moyens possibles de lui donner une indication.

L'altruisme authentique repose donc sur la compréhension des causes de la souffrance et sur la conviction que chacun a le potentiel nécessaire pour s'en libérer. Comme il s'appuie davantage sur le discernement que sur les émotions, il ne se manifeste pas nécessairement chez le sage par les émotions intenses qui accompagnent habituellement l'expression de l'empathie affective. Il présente en outre la caractéristique d'être exempt d'attachements égocentrés fondés sur des concepts de sujet et d'objet considérés comme des entités autonomes. Enfin, l'altruisme s'applique à l'ensemble des êtres.

De ce fait, sur la voie du bouddhisme, l'amour altruiste et la compassion conduisent à l'inébranlable détermination d'atteindre l'Éveil (la compréhension de la réalité ultime associée à l'affranchissement de l'ignorance et des afflictions mentales) pour le bien des êtres. Cette résolution courageuse, appelée *bodhicitta*, a donc deux buts : l'Éveil et le bien des êtres. On s'affranchit soi-même de l'ignorance pour devenir capable de délivrer les autres des causes de la souffrance.

Cette vision des choses conduit également à envisager la possibilité de *cultiver* l'altruisme. En effet, nous avons la capacité de nous familiariser avec de nouvelles manières de penser et avec des qualités présentes en nous à l'état embryonnaire, mais nous ne les développerons que grâce à un entraînement. Contempler les bienfaits de l'altruisme nous encourage à nous engager dans cette démarche. En outre, mieux comprendre les mécanismes d'un tel entraînement nous permet de prendre toute la mesure du potentiel de changement qui est le nôtre.

3

Qu'est-ce que l'empathie ?

L'empathie est un terme de plus en plus fréquemment employé, aussi bien par les scientifiques que dans le langage courant. Il recouvre en fait plusieurs états mentaux distincts que nous allons nous efforcer de préciser. Le mot « empathie » est une traduction du mot allemand *Einfühlung*, qui renvoie à la capacité de « ressentir l'autre de l'intérieur » ; il fut utilisé pour la première fois par le psychologue allemand Robert Vischer en 1873 pour désigner la projection mentale de soi-même dans un objet extérieur – une maison, un vieil arbre noueux ou une colline balayée par les vents – auquel on s'associe subjectivement*. À sa suite, le philosophe Theodor Lipps étendit cette notion pour décrire le sentiment d'un artiste qui se projette par son imagination non seulement dans un objet inanimé mais aussi dans l'expérience vécue d'une autre personne. Il proposa l'exemple suivant pour illustrer le sens de ce vocable : nous participons intensément à la marche d'un funambule en équilibre sur sa corde raide. Nous ne pouvons nous empêcher d'*entrer* dans son corps et de faire mentalement chaque pas avec lui[1]. De surcroît, nous ajoutons à cela des sensations d'inquiétude et de vertige dont le funambule est fort heureusement exempt.

L'empathie peut être déclenchée par une *perception affective* du ressenti de l'autre ou par l'*imagination cognitive* de son vécu. Dans les deux cas, la personne fait clairement la distinction entre son ressenti et celui d'autrui, à la différence de la *contagion émotionnelle* durant laquelle cette différenciation est plus floue[2].

---

* Le terme anglais *empathy* fut utilisé pour la première fois au début du XXe siècle, pour traduire *Einfühlung*, par le psychologue Edward Titchener.

L'empathie affective survient donc spontanément lorsque nous entrons en résonance avec la situation et les sentiments d'une autre personne, avec les émotions qui se manifestent par ses expressions faciales, son regard, le ton de sa voix et son comportement.

La dimension cognitive de l'empathie naît en évoquant mentalement une expérience vécue par autrui, soit en imaginant ce qu'*elle* ressent et la manière dont son expérience l'affecte, soit en imaginant ce que *nous* ressentirions à sa place.

L'empathie peut conduire à une motivation altruiste, mais elle peut aussi, quand on se trouve confronté aux souffrances d'autrui, engendrer un sentiment de détresse et d'évitement qui incite à se replier sur soi-même ou à se détourner des souffrances dont on est témoin.

Les significations attribuées par certains penseurs et différents chercheurs au mot « empathie », ainsi qu'à d'autres concepts proches tels que la sympathie et la compassion, sont multiples et peuvent, de ce fait, aisément prêter à confusion. Toutefois, les recherches scientifiques menées depuis les années 1970-1980, notamment par les psychologues Daniel Batson, Jack Dovidio et Nancy Eisenberg, ainsi que, plus récemment, par les neuroscientifiques Jean Decety et Tania Singer, ont permis de mieux cerner les nuances de ce concept et d'examiner ses liens avec l'altruisme.

Entrer en résonance avec l'autre

L'empathie affective consiste donc à entrer en résonance avec les sentiments de l'autre, la joie comme la souffrance. Inévitablement nos propres émotions et projections mentales se mêlent à la représentation des sentiments d'autrui, parfois sans que l'on puisse les distinguer les uns des autres.

Selon le psychologue Paul Ekman, éminent spécialiste des émotions, cette prise de conscience empathique se déroule en deux étapes : nous commençons par reconnaître ce que l'autre ressent, puis nous entrons en résonance avec ses sentiments[3]. Comme le montra Darwin dans son traité intitulé *L'Expression des émotions chez l'homme et les animaux*, l'évolution nous a équipés de la capacité de lire les émotions d'autrui sur les expressions de son visage, d'après le ton de sa voix et sa posture physique[4]. Toutefois, ce processus est déformé par nos propres émotions et nos préjugés qui agissent comme des filtres. Ainsi Darwin mit-il quelque temps avant de militer avec passion pour l'abolition de l'esclavage. Il fallut pour cela qu'il soit profondément troublé par la manière dont étaient traités les esclaves qu'il avait rencontrés lors de sa navigation de plusieurs années sur le *Beagle*. Selon les théories qui avaient cours à son époque, les Blancs et les Noirs avaient des origines différentes ; ces derniers occupaient un niveau intermédiaire entre l'homme et l'animal, et ils étaient traités en conséquence. Ce n'est qu'après avoir été confronté au sort des esclaves et ressenti au plus profond de lui-même leurs souffrances que Darwin devint un ardent avocat de l'abolition de l'esclavage.

Résonances convergentes et divergentes

Ekman distingue deux types de résonance affective. La première est la résonance *convergente* : je souffre quand vous souffrez, j'éprouve de la colère lorsque je vous vois en colère. Si, par exemple, votre femme rentre à la maison dans tous ses états parce que son patron s'est mal comporté avec elle, vous êtes indigné et vous vous exclamez avec colère : « Comment a-t-il pu te traiter de la sorte ! »

Dans la résonance *divergente*, au lieu de ressentir la même émotion que votre femme et de vous mettre en colère, vous prenez du recul et, tout en manifestant votre sollicitude à son égard, vous dites : « Je suis vraiment désolé que tu aies eu affaire à un tel rustre. Que puis-je faire pour toi ? Veux-tu une tasse de thé, ou préfères-tu que nous allions faire une promenade ? » Votre réaction accompagne les émotions de votre femme, mais sur une tonalité émotionnelle différente. Le recul vous permet de lui venir en aide en désamorçant les sentiments de colère et d'amertume qu'elle éprouve. Dans les deux cas, les gens apprécient que l'on se préoccupe ainsi de leurs sentiments.

En revanche, si vous n'entrez pas facilement en résonance avec les sentiments de votre femme, vous direz quelque chose du genre : « Tu en as bavé ? Bof, et moi donc ! Tu n'as qu'à te faire une raison », ce qui ne lui apportera guère de réconfort.

Empathie et sympathie

En français, dans le langage courant, le mot « sympathie » a conservé son sens étymologique, issu du grec *sumpatheia*, « affinité naturelle ». Éprouver de la sympathie envers quelqu'un signifie que l'on ressent une certaine affinité avec cette personne, que l'on se sent en accord avec ses sentiments, et qu'on la considère avec bienveillance*. La sympathie nous ouvre à l'autre et amenuise les barrières qui nous séparent de lui. Lorsque l'on dit à quelqu'un : « Vous avez toute ma sympathie », cela indique que l'on comprend les difficultés dans lesquelles se trouve la personne et que l'on convient que ses aspirations à s'en affranchir sont justifiées, ou encore qu'on lui manifeste un soutien bienveillant.

Mais Darwin ainsi que certains psychologues, comme Nancy Eisenberg[5], une pionnière de l'étude de l'altruisme, définissent plus précisément la sympathie comme la sollicitude ou la compassion pour une autre personne, sentiment qui nous amène à souhaiter qu'elle soit heureuse ou que son sort s'améliore.

Selon Nancy Eisenberg, nous commençons par ressentir une résonance émotionnelle généralement associée à une résonance cognitive, qui nous fait prendre en considération la situation et le point de vue de l'autre. Le souvenir de nos propres expériences passées s'ajoute à ces sentiments pour déclencher une mobilisation intérieure. L'ensemble de ce processus entraîne une réaction face au sort d'autrui. Cette réaction dépendra notamment de l'intensité de nos émotions et de la manière dont nous les contrôlons. Une réaction d'aversion ou d'évitement peut également se produire.

Selon les cas, ces réactions conduiront à la sympathie et aux comportements prosociaux altruistes, ou bien à la détresse égocentrée, laquelle se traduira soit par un comportement d'évitement, soit par une réaction prosociale égoïste qui nous porte à venir en aide avant tout pour calmer notre anxiété.

Le primatologue Frans de Waal, quant à lui, considère la sympathie comme une forme active de l'empathie : « L'empathie est le processus par lequel nous rassemblons des informations à propos de quelqu'un

* Il est intéressant de noter que le mot grec *sumpatheia* signifie également « interdépendance mutuelle ».

d'autre. La sympathie, en revanche, reflète le fait d'être concerné par l'autre et le désir d'améliorer sa situation[6]. » Essayons de préciser les rapports entre l'empathie et l'altruisme pour y voir plus clair dans toutes ces définitions.

Est-il nécessaire de ressentir ce qu'autrui ressent pour manifester de l'altruisme à son égard ?

Entrer en résonance affective avec autrui peut certes aider à déclencher une attitude altruiste, mais il n'est nullement indispensable que je ressente ce qu'autrui ressent. Imaginons que je sois assis dans l'avion à côté d'une personne terrifiée par les voyages aériens et visiblement figée dans un malaise inexprimable. Le temps est au beau fixe, le pilote expérimenté et même si je me sens personnellement à l'aise, cela ne m'empêche pas d'éprouver et de manifester une sollicitude sincère envers cette personne et de tenter de la rassurer au mieux par une présence calme et chaleureuse. Pour ma part, ne ressentant aucune anxiété, je ne suis pas troublé *par* ce qu'elle ressent, mais j'éprouve de la sollicitude *pour* elle et ce qu'elle éprouve. C'est précisément ce calme qui me permet de lui offrir cet accompagnement de réassurance.

De même, si je sais que la personne en face de moi est atteinte d'une maladie grave, bien qu'elle ne l'ait pas encorc appris ou qu'elle n'en souffre pas encore physiquement, j'éprouve un puissant sentiment d'amour et de compassion. Dans ce cas, il n'est pas question de ressentir ce qu'elle ressent, puisqu'elle ne souffre pas encore.

Cela dit, imaginer ce qu'autrui ressent en entrant en résonance affective avec lui peut éveiller en moi une compassion plus intense et une sollicitude empathique plus active, parce que j'aurai clairement pris conscience de ses besoins par mon expérience personnelle. C'est cette capacité à ressentir ce qu'autrui ressent qui fait défaut chez ceux que le sort des autres indiffère, les psychopathes en particulier.

Se mettre à la place de l'autre

S'imaginer à la place de l'autre, se demander quels sont ses espoirs et ses craintes, et considérer la situation de son point de vue sont, lorsque l'on prend la peine de faire cette démarche, de puissants moyens d'éprouver de l'empathie. Pour être concerné par le sort d'autrui, il est essentiel de considérer attentivement sa situation, d'adopter son point de vue et de se rendre compte de ce que l'on ressentirait si l'on se trouvait soi-même dans cette situation. Comme le remarquait Jean-Jacques Rousseau : «Le riche n'a que peu de compassion pour le pauvre car il ne sait pas s'imaginer pauvre.»

Il importe en effet de donner un visage à la souffrance d'autrui : ce dernier n'est pas une entité abstraite, un objet, un individu lointain fondamentalement séparé de moi. Nous entendons parfois parler de situations tragiques qui restent pour nous désincarnées. Puis nous voyons des images, des visages, des regards, nous entendons des voix, et tout change. Plus que les appels des organisations humanitaires, les visages émaciés et les corps squelettiques des enfants du Biafra, diffusées par ces organisations et les médias du monde entier, ont fait davantage pour mobiliser les nations et les inciter à remédier à la tragique famine qui a sévi entre 1968 et 1970*. Quand nous percevons la souffrance de l'autre de manière palpable, la question ne se pose plus : je lui accorde spontanément de la valeur et je me sens concerné par son sort.

Un instituteur américain raconte comment, durant les premières années de l'épidémie du sida, alors que la maladie était frappée du sceau de l'infamie, la plupart des jeunes de sa classe affichaient une attitude très négative à l'égard des malades touchés par ce mal. Certains allaient jusqu'à affirmer que ceux-ci «méritaient de mourir». D'autres préféraient se détourner d'eux en disant : «Je ne veux rien avoir à faire avec ces gens-là.» Mais après que l'instituteur eut projeté un documentaire sur le sida qui donnait un visage aux souffrances des mourants, la plupart des élèves furent ébranlés et certains avaient les larmes aux yeux[7].

De nombreux soldats ont relaté qu'en trouvant dans les poches ou le sac de l'adversaire tué ses papiers d'identité et les photos de sa famille, ils visualisaient soudain la vie de cet homme et comprenaient qu'il était leur semblable. Dans son roman intitulé *À l'ouest, rien de nouveau*, inspiré de ce qu'il avait vécu, Erich Maria Remarque décrit les sentiments d'un jeune soldat allemand qui vient de tuer un ennemi de ses propres mains et s'adresse à lui :

---

* De nos jours, l'abondance et la répétition régulière de telles images dans les médias ont fini par éroder la réaction empathique et ont engendré une résignation apathique au sein de l'opinion publique. Voir Boltanski, L. (2007). *La Souffrance à distance*, Gallimard, Folio.

Tu n'as été pour moi qu'une idée, une combinaison née dans mon cerveau et qui a suscité une résolution ; c'est cette combinaison que j'ai poignardée. À présent, je m'aperçois pour la première fois que tu es un homme comme moi. J'ai pensé à tes grenades, à ta baïonnette et à tes armes ; maintenant c'est ta femme que je vois, ainsi que ton visage et ce qu'il y a en nous de commun. Pardonne-moi, camarade. Nous voyons les choses toujours trop tard. Pourquoi ne nous dit-on pas sans cesse que vous êtes, vous aussi, de pauvres chiens comme nous, que vos mères se tourmentent comme les nôtres et que nous avons tous la même peur de la mort, la même façon de mourir et les mêmes souffrances ? Pardonne-moi, camarade ; comment as-tu pu être mon ennemi[8] ?

Le philosophe américain Charlie Dunbar Broad le constate très justement : « Une grande partie de la cruauté que les gens applaudissent ou tolèrent l'est uniquement parce que ces personnes sont trop stupides pour s'imaginer être elles-mêmes dans la position des victimes, ou parce qu'elles s'abstiennent délibérément de le faire[9]. »

Est-il nécessaire de réfléchir longtemps pour s'imaginer le supplice d'une femme adultère lapidée pierre après pierre, ou les sentiments d'un condamné à mort, coupable ou innocent, sur le point d'être exécuté, ou encore le désespoir d'une mère qui voit mourir son enfant ? Devons-nous attendre que la souffrance de l'autre s'impose à nous avec une intensité telle qu'il ne nous est plus possible de l'ignorer ? N'est-ce pas ce même aveuglement qui conduit au meurtre et à la guerre ? Kafka écrivait à ce propos : « La guerre est un manque d'imagination monstrueux. »

Dans mon enfance, j'ai vécu pendant plusieurs années avec l'une de mes grands-mères qui, pour le gamin que j'étais, avait tout d'une grand-mère « gâteau ». Lorsque nous étions en vacances en Bretagne, cette bonne grand-mère passait souvent ses après-midi à pêcher à la ligne sur les quais du port du Croisic, à côté d'un groupe de vieilles Bretonnes portant la coiffe en dentelle blanche des Bigoudens. Il ne me serait jamais venu à l'idée que toutes ces charmantes dames pouvaient se livrer à autre chose qu'à une activité parfaitement honorable. Comment ma grand-mère aurait-elle pu vouloir faire du mal à qui que ce soit ? Les petits poissons frétillants qu'elle sortait de l'eau ressemblaient à des jouets scintillant dans la lumière. Certes, il y avait un moment pénible lorsqu'ils étouffaient dans le panier d'osier et que leurs yeux devenaient vitreux, mais je détournais vite le regard et préférais observer le petit bouchon qui flottait à la surface de l'eau, en espérant qu'il allait s'enfoncer à nouveau, signe annonciateur d'une nouvelle prise. Manifestement, je ne m'étais pas imaginé un seul instant dans la peau du poisson !

Quelques années plus tard, alors que j'avais treize ans, une amie me fit remarquer à brûle-pourpoint : « Comment ? Tu pêches ! » Son ton à la fois étonné et réprobateur et son regard étaient suffisamment éloquents. « Tu pêches ? » Soudainement, la scène m'apparut dans toute sa réalité : le poisson tiré de son élément vital par un crochet de fer qui lui transperce la bouche, se « noyant » dans l'air comme nous dans l'eau. Pour attirer le poisson vers l'hameçon, j'avais aussi transpercé un asticot vivant pour en faire un appât, sacrifiant ainsi une vie pour en sacrifier plus facilement une autre.

Cette bonne grand-mère n'était donc pas « gâteau » pour tout le monde. Ni elle ni moi n'avions jusque-là pris la peine de nous mettre à la place de l'autre. Comment avais-je pu si longtemps détourner ma pensée de ces souffrances ? Le cœur serré, je renonçai immédiatement à la pêche qui n'était pour moi qu'un sinistre loisir et quelques années plus tard je devins végétarien pour le restant de mes jours.

Je sais que de telles préoccupations pour de petits poissons peuvent sembler excessives ou dérisoires en comparaison des drames qui dévastent la vie de tant d'êtres humains de par le monde, mais il me semble qu'il est important de comprendre que la compassion véritable ne doit pas connaître de barrières. Si nous manquons de compassion à l'égard de certaines souffrances et de certains êtres, nous risquons de manquer de compassion pour toutes les souffrances et tous les êtres. Nous sommes spontanément plus enclins à éprouver de la sympathie pour quelqu'un dont nous percevons les liens communs qu'ils ont avec nous, liens qui peuvent être d'ordre familial, ethnique, national, religieux ou refléter simplement nos affinités. Toutefois, l'empathie devrait s'étendre jusqu'à devenir une résonance qui naît de notre humanité partagée et du fait que nous partageons avec tous les êtres sensibles la même aversion à l'égard de la souffrance[10].

Dans la vie quotidienne, se mettre à la place des autres et regarder les choses de leur point de vue est une nécessité si l'on veut vivre en harmonie avec nos semblables. Sinon, nous risquons de nous enfermer dans nos fabrications mentales qui déforment la réalité et engendrent des tourments inutiles. Si je crois que le conducteur de la rame de métro «me ferme la porte au nez», je suis contrarié et je me demande : «Pourquoi la ferme-t-il juste devant *moi*? Il aurait quand même pu me laisser passer!» En ce cas, j'ai omis d'adopter le point de vue du conducteur, qui ne voit qu'un flot continu de passagers anonymes et fermera forcément les portes devant *quelqu'un* avant de faire démarrer la rame.

Les diverses formes d'empathie : le point de vue des sciences humaines

Le psychologue Daniel Batson a montré que les diverses acceptions du mot «empathie» procèdent finalement de deux questions : «Comment puis-je *connaître* ce que l'autre pense et ressent?» et : «Quels sont les facteurs qui m'amènent à être *concerné* par le sort de l'autre et à y *répondre* avec sollicitude et sensibilité[11] ?»

Batson a recensé huit modalités différentes du terme «empathie», qui sont reliées mais ne constituent pas simplement divers aspects du même phénomène[12]. Après les avoir analysées, il en est venu à la conclusion que seule l'une de ces formes, qu'il nomme «sollicitude empathique», est à la fois nécessaire et suffisante pour engendrer une motivation altruiste[13].

La première forme, la *connaissance de l'état intérieur de l'autre*, peut nous fournir des raisons d'éprouver de la sollicitude à son égard, mais n'est ni suffisante ni indispensable pour faire naître une motivation altruiste. On peut en effet être conscient de ce que quelqu'un pense ou ressent, tout en restant indifférent à son sort.

La deuxième forme est l'*imitation motrice et neuronale.* Preston et de Waal furent les premiers à proposer un modèle théorique pour les mécanismes neuronaux qui sous-tendent l'empathie et la contagion émotionnelle. Selon ces chercheurs, le fait de percevoir quelqu'un dans une situation donnée induit notre système neuronal à adopter un état analogue au sien, ce qui entraîne un mimétisme corporel et facial accompagné de sensations similaires à celles de l'autre[14]. Ce processus d'imitation par observation des comportements physiques est aussi à la base des processus d'apprentissage transmis d'un individu à un autre. Selon la neuroscientifique Tania Singer, ce modèle ne distingue pas clairement l'empathie, dans laquelle on établit sans ambiguïté la différence entre soi et l'autre, d'une simple contagion émotionnelle, dans laquelle nous confondons nos émotions avec celles de l'autre. D'après Batson, ce processus peut contribuer à engendrer des sentiments d'empathie, mais ne suffit pas à les expliquer. En effet, nous n'imitons pas systématiquement les actions des autres : nous réagissons intensément en observant un joueur de foot marquer un but, mais nous ne nous sentons pas forcément enclins à imiter ou à résonner émotionnellement avec quelqu'un qui est en train de ranger ses papiers ou de manger un plat que nous n'aimons pas.

La troisième forme, la *résonance émotionnelle*, nous permet de ressentir ce que l'autre ressent, que ce sentiment soit de la joie ou de la tristesse[15]. Il nous est impossible de vivre exactement la même expérience que quelqu'un d'autre, mais nous pouvons éprouver des émotions similaires. Rien de tel pour nous mettre de bonne humeur que d'observer un groupe d'amis tout à la joie de se retrouver ; à l'inverse, le spectacle de personnes en proie à une détresse intense nous émeut, voire nous fait venir les larmes aux yeux. Ressentir approximativement le vécu de l'autre peut déclencher une motivation altruiste, mais ici encore, ce type d'émotion n'est ni indispensable ni suffisant[16]. Dans certains cas, le fait de ressentir l'émotion de l'autre risque d'inhiber notre sollicitude. Si, face à une personne terrorisée, nous commençons à ressentir nous aussi de la peur, nous pourrons être davantage concernés par notre propre anxiété que par le sort de l'autre[17]. De plus, pour engendrer une telle motivation, il suffit de prendre conscience de la souffrance de l'autre, sans qu'il soit nécessaire de souffrir soi-même.

La quatrième forme consiste à *se projeter intuitivement dans la situation de l'autre*. C'est l'expérience à laquelle se référait Theodor Lipps en utilisant le mot *Einfühlung*. Cependant, pour être concerné par le sort de l'autre, il n'est pas nécessaire de s'imaginer tous les détails de son expérience : il suffit de savoir qu'il souffre. De plus, on risque de se tromper en imaginant ce que l'autre ressent.

La cinquième forme est de *se représenter le plus clairement possible les sentiments d'autrui* en fonction de ce qu'il vous dit, de ce que vous observez, et de votre connaissance de cette personne, de ses valeurs et de ses aspirations. Toutefois, le simple fait de se représenter ainsi l'état intérieur d'autrui ne garantit pas pour autant l'émergence d'une motivation altruiste[18]. Une personne calculatrice et mal intentionnée peut utiliser la connaissance de votre vécu intérieur pour vous manipuler et vous nuire.

La sixième forme consiste à *imaginer ce que nous ressentirions si nous étions à la place d'autrui* avec notre propre caractère, nos aspirations et notre vision du monde. Si l'un de vos amis est grand amateur d'opéra ou de rock and roll et que vous ne supportez pas ce genre de musique, vous pouvez certes imaginer qu'il ressent du plaisir et vous en réjouir, mais si vous étiez vous-même assis au premier rang, vous n'éprouveriez que de l'irritation. C'est pourquoi George Bernard Shaw écrivait : «Ne faites pas aux autres ce que vous souhaiteriez qu'ils vous fassent, car ils n'ont pas forcément les mêmes goûts que vous.»

La septième forme est la *détresse empathique* que l'on ressent quand on est témoin de la souffrance d'autrui ou qu'on l'évoque. Cette forme d'empathie risque davantage de déboucher sur un comportement d'évitement que sur une attitude altruiste. En effet, il ne s'agit pas là d'une préoccupation *pour* l'autre ni de se mettre *à la place* de l'autre, mais d'une anxiété personnelle déclenchée *par* l'autre[19].

Un tel sentiment de détresse n'entraînera pas nécessairement une réaction de sollicitude ni une réponse appropriée à la souffrance de l'autre, surtout si nous pouvons diminuer notre anxiété en détournant notre attention de la douleur qu'il éprouve.

Certaines personnes ne supportent pas de voir des images bouleversantes. Elles préfèrent détourner le regard de ses représentations qui leur font mal, plutôt que de prendre acte de la réalité. Or choisir une échappatoire physique ou psychologique n'est guère utile aux victimes et il vaudrait mieux prendre pleinement conscience des faits et agir en vue d'y remédier.

Ainsi, lorsque la philosophe Myriam Revault d'Allonnes écrit : «C'est pour ne pas souffrir moi-même que je ne veux pas que l'autre souffre, et je m'intéresse à lui pour l'amour de moi... La compassion n'est donc pas un sentiment altruiste[20]», elle décrit la *détresse empathique* et non la compassion au sens où nous l'entendons dans cet ouvrage, à savoir un état d'esprit qui procède directement de l'amour altruiste et se manifeste lorsque cet amour est confronté à la souffrance. La compassion véritable est centrée sur l'autre et non sur soi-même.

Lorsque nous sommes principalement préoccupés par nous-mêmes, nous devenons vulnérables à tout ce qui peut nous affecter. Prisonnier de cet état d'esprit, la contemplation égocentrique de la douleur des autres mine notre courage; elle est ressentie comme un fardeau qui ne fait qu'accroître notre détresse. Dans le cas de la compassion, au contraire, la contemplation altruiste de la souffrance des autres décuple notre vaillance, notre disponibilité et notre détermination à remédier à ces tourments.

S'il advient que la résonance avec la souffrance de l'autre entraîne une détresse personnelle, nous devons rediriger notre attention vers l'autre et raviver notre capacité de bonté et d'amour altruiste. Pour illustrer ce propos, j'aimerais relater l'histoire suivante que m'a confiée une amie psychologue.

> Au Népal, j'ai eu un jour une jeune femme, Sita, qui est venue consulter parce que sa sœur venait de se suicider par pendaison. Elle était hantée par la culpabilité de n'avoir pu empêcher un tel geste, habitée par les images de sa sœur qu'elle cherchait partout dans les foules et qu'elle attendait le soir. Incapable de se concentrer, elle pleurait toute la journée et, quand elle n'avait plus de larmes, elle était plongée dans une prostration dont il était difficile de la sortir. Lors de l'une de nos séances, elle m'a regardée droit dans les yeux ; elle était l'incarnation de la souffrance. Elle m'a dit à brûle-pourpoint : « Savez-vous ce que c'est de perdre une sœur de cette façon-là ? Je ne m'en remettrai jamais ; depuis ma naissance, nous partagions la même chambre, nous faisions tout ensemble. Je n'ai pas su la retenir. »
>
> Je lui ai pris la main et, devant l'intensité insoutenable de sa souffrance, je me suis sentie vaciller. Il m'est revenu en mémoire le suicide de ma cousine germaine à seize ans et j'ai dû faire un énorme effort de contrôle sur moi pour ne pas pleurer moi aussi. J'étais touchée de plein fouet par une résonance émotionnelle consciente. Et je savais que si je pleurais avec Sita, je ne pourrais pas l'aider. J'ai attendu un moment, en gardant ses mains dans les miennes, je lui ai demandé de pleurer tout son saoul et de respirer doucement. Je faisais de même pour calmer ma propre émotion. J'étais consciente d'être envahie par les assauts de son désespoir. J'ai réussi à me calmer, à la regarder elle, Sita, à ne plus considérer mon cœur qui cognait, mes yeux qui s'embrumaient de larmes, et à enrayer les souvenirs de cette cousine.
>
> Enfin, quand l'acmé émotionnelle s'est émoussée et que j'ai senti que Sita se désengageait peu à peu de l'emprise des images traumatiques, je lui ai dit simplement : « Je comprends votre chagrin ; vraiment je le comprends. Mais, vous savez, vous n'êtes pas la seule dans

ce cas. » J'ai attendu un moment pour savoir si elle m'écoutait, avant de poursuivre : « Moi aussi, j'ai perdu une cousine presque au même âge que vous. Je sais à quel point c'est douloureux. Mais j'ai compris et accepté que je ne pouvais rien faire à ce moment-là. Que ce n'était pas ma faute. Et que l'on peut guérir de cette douleur. » Elle a brusquement levé la tête pour me scruter à nouveau droit dans les yeux, pour voir si je disais la vérité et, au-delà, pour vérifier s'il était vraiment possible de revenir d'un tel choc. À ma grande surprise, elle s'est levée et m'a prise dans ses bras, en murmurant : « Je vais essayer. Merci. »

Dans la première partie de la consultation, la thérapeute a clairement été sous l'emprise de la détresse empathique. Pendant quelques minutes, bien qu'elle éprouvât de la compassion, elle était impuissante à aider sa patiente, tant il y avait communauté et projection d'affects. Ce n'est que lorsqu'elle s'est ressaisie en se recentrant sur l'autre et sur sa douleur qu'elle a été capable de trouver les mots susceptibles de l'aider à surmonter sa souffrance.

La huitième forme, la *sollicitude empathique*, consiste à *prendre conscience des besoins d'autrui* et à éprouver ensuite un *désir sincère de lui venir en aide.* Selon Daniel Batson[21], seule cette sollicitude empathique est une réponse tournée *vers l'autre* – et non *vers soi* –, réponse qui est à la fois nécessaire et suffisante pour déboucher sur une motivation altruiste. En effet, face à la détresse d'une personne, l'essentiel est d'adopter l'attitude qui lui apportera le plus grand réconfort et de décider de l'action la plus appropriée pour remédier à ses souffrances. Que vous soyez ou non bouleversé, que vous ressentiez ou non les mêmes émotions qu'elle, est secondaire.

Daniel Batson conclut donc que les six premières formes d'empathie peuvent chacune contribuer à l'engendrement d'une motivation altruiste, mais qu'aucune d'entre elles ne garantit l'émergence d'une telle motivation, pas plus qu'elles n'en constituent les conditions indispensables. La septième, la détresse empathique, va clairement, elle, à l'encontre de l'altruisme. Seule la dernière, la sollicitude empathique, est à la fois nécessaire et suffisante pour faire naître une motivation altruiste en notre esprit et nous inciter à l'action.

Pitié et compassion

La pitié est un sentiment de commisération égocentrée, souvent condescendant, qui n'indique nullement une motivation altruiste. On fera, par exemple, la charité, imbu d'un sentiment de supériorité. Comme le dit un proverbe africain : «La main qui donne est toujours plus haute que celle qui reçoit.» Le philosophe Alexandre Jollien précise : «Dans la pitié, il y a donc une humiliation pour celui qui la reçoit. L'altruisme et la compassion procèdent dans l'égalité, sans humilier l'autre.» Paraphrasant Spinoza, Alexandre ajoute : «Dans la pitié, ce qui est premier c'est la tristesse. Je suis triste que l'autre souffre, mais je ne l'aime pas vraiment. Dans la compassion, ce qui est premier c'est l'amour[22].»

Le romancier Stefan Zweig avait lui aussi bien saisi cette différence lorsqu'il écrivait que la pitié sentimentale n'est en réalité que «l'impatience du cœur de se débarrasser au plus vite de la pénible émotion qui vous étreint devant la souffrance d'autrui, qui n'est pas du tout la compassion, mais un mouvement instinctif de défense de l'âme contre la souffrance étrangère. Et l'autre, la seule qui compte, est la pitié non sentimentale mais créatrice, qui sait ce qu'elle veut et est décidée à persévérer jusqu'à l'extrême limite des forces humaines[23]». Cette pitié sentimentale s'apparente à la détresse empathique que nous avons décrite plus haut.

Le point de vue des neurosciences : contagion émotionnelle, empathie et compassion

Une nomenclature et une analyse légèrement différentes ont été proposées par la neuroscientifique Tania Singer, directrice de l'Institut Max-Planck des neurosciences de Leipzig, et la philosophe Frédérique de Vignemont. En se fondant sur l'étude du cerveau, elles ont distingué trois états : la contagion émotionnelle, l'empathie et la compassion[24]. Pour elles, ces trois états affectifs diffèrent d'une représentation *cognitive* qui consiste à se faire une idée des pensées et des intentions d'autrui et à adopter sa perspective subjective, sans pour autant entrer en résonance *affective* avec lui*.

* Ce que les spécialistes appellent «théorie de l'esprit».

Singer et Vignemont définissent l'empathie comme (1) un état affectif (2) semblable (*isomorphe* en langage scientifique) à l'état affectif de l'autre (3) déclenché par l'observation ou l'imagination de l'état affectif de l'autre et qui implique (4) la prise de conscience que c'est bien l'autre qui est la source de notre état affectif[25]. Une telle approche de l'empathie n'est pas fondamentalement différente de celle proposée par Daniel Batson, mais elle nous aide à mieux appréhender les modalités de cet état mental complexe.

Une caractéristique essentielle de l'empathie est donc d'entrer en résonance affective avec l'autre, tout en faisant clairement la distinction entre soi et lui : je sais que mon ressenti vient de l'autre, mais je ne confonds pas mes sentiments avec les siens. Il s'avère que les personnes qui ont du mal à distinguer clairement leurs émotions de celles d'autrui peuvent aisément être submergées par la contagion émotionnelle et, de ce fait, n'accèdent pas à l'empathie qui est l'étape suivante[26].

L'intensité, la clarté et la qualité, positive ou négative, de l'émotion manifestée par l'autre, ainsi que l'existence de liens affectifs avec la personne qui souffre, peuvent avoir une grande influence sur l'intensité de la réponse empathique de l'observateur[27]. Les ressemblances et le degré d'intimité entre les protagonistes, l'évaluation précise des besoins de l'autre[28] et l'attitude de la personne qui souffre vis-à-vis de celui qui perçoit sa souffrance (le fait, par exemple, que la personne qui souffre soit en colère contre son interlocuteur) constituent autant de facteurs qui moduleront l'intensité de l'empathie.

Les caractéristiques de la personne qui ressent de l'empathie vont aussi influer. Si, par exemple, je ne suis pas sujet au vertige, j'aurai du mal à entrer en résonance empathique avec une personne en proie à ce trouble, mais cela ne m'empêchera pas de prendre conscience du fait qu'elle a besoin d'aide ou de réconfort.

Le contexte aura également son importance. Si j'estime, par exemple, que la joie de quelqu'un est inappropriée, voire déplacée (dans le cas de celui qui se félicite d'un acte de vengeance, par exemple), je n'entrerai pas en résonance affective avec cette personne[29].

Dans le cas de la *contagion émotionnelle*, je ressens automatiquement l'émotion de l'autre sans savoir que c'est lui qui la provoque ni être vraiment conscient de ce qui m'arrive. Selon les cas, le diamètre de ma pupille change, mon cœur ralentit ou s'accélère, ou je regarde à droite et à gauche avec inquiétude, sans être conscient de ces manifestations physiques. Dès le moment où je pense : «Je suis anxieux parce qu'il est anxieux», on ne parle plus de contagion émotionnelle mais d'*empathie*, de *résonance affective consciente.*

La contagion émotionnelle, la détresse, par exemple, existe chez les animaux et les jeunes enfants. Ainsi, un bébé se met à pleurer quand il entend un autre bébé pleurer ; mais cela ne signifie pas nécessairement qu'ils éprouvent de l'empathie, ni qu'ils sont concernés l'un par l'autre. Il faudrait savoir s'ils peuvent faire la distinction entre eux-mêmes et autrui, ce qui n'est pas facile à déterminer puisqu'on ne peut les interroger. Chez les jeunes enfants, les premiers signes de distinction entre soi et l'autre, comme les premiers signes d'empathie apparaissent entre dix-huit et vingt-quatre mois.

La *compassion* est ici définie par Tania Singer et ses collègues comme la *motivation* altruiste d'*intervenir* en faveur de celui qui souffre ou est dans le besoin. C'est donc une prise de conscience profonde de la souffrance de l'autre, couplée avec le désir de la soulager et de faire quelque chose pour son bien. La compassion implique donc un sentiment chaleureux et sincère de sollicitude mais n'exige pas que l'on ressente la souffrance de l'autre, comme c'est le cas pour l'empathie[30].

Olga Klimecki, qui était alors chercheuse au sein du laboratoire de Tania Singer, résume ainsi le point de vue des chercheurs : dans la dimension affective, je ressens un sentiment à votre égard, dans la dimension cognitive, je vous comprends, et dans la dimension motivationnelle, je veux vous aider[31].

Pour illustrer ces différents états mentaux, prenons l'exemple d'une femme dont le mari est terrifié par les vols en avion et considérons les diverses réactions que cette femme peut avoir envers lui.

1. Elle est assise à côté de son mari, sans lui prêter attention. Mais à mesure qu'il commence à respirer plus vite, sans qu'elle en soit véritablement consciente, sa respiration s'accélère et elle devient plus agitée. Il s'agit là de *contagion émotionnelle.* En effet, si quelqu'un lui demande comment elle se sent, elle pourra répondre : «Ça va...», ou, tout au plus : «Je ne sais pas pourquoi, mais je ne me sens pas très à l'aise.» Or, si vous mesurez son rythme cardiaque, la dilatation de sa pupille ou d'autres paramètres physiologiques, vous constaterez la présence de signes d'anxiété. En prise à la contagion émotionnelle, cette femme n'est donc pas consciente des sentiments de l'autre et n'a qu'une perception confuse des siens.

2. Elle se rend compte qu'elle est concernée par le fait que son mari est très anxieux. Elle ressent maintenant de l'*empathie* pour lui. Elle éprouve elle-même un certain malaise, elle sent sa respiration et son pouls s'accélérer. Elle est consciente de ressentir de la détresse parce que son mari est en proie à cette émotion. Il n'y a pas de confusion entre elle et lui. Elle entre en résonance affective avec lui, mais ne cherchera pas nécessairement à l'aider. Ce sont là les caractéristiques de l'empathie. Celle-ci n'a pas encore engendré une motivation altruiste.

3. Elle n'est pas anxieuse ; elle ressent plutôt une sensation chaleureuse de sollicitude et la motivation de faire quelque chose pour atténuer son tourment. Elle pense : «Moi ça va, mais mon mari est bouleversé. Que faire pour qu'il ne soit pas affecté à ce point ? Je vais lui prendre la main et tenter de le calmer et de le réconforter.» Il s'agit là, selon Tania Singer, de *compassion.*

4. Lorsque la perspective est *purement cognitive*, la composante affective est absente. La femme ne fonctionne que sur un mode conceptuel. Elle se dit : «Je sais que mon mari a peur en avion. Je dois prendre soin de lui et être attentionnée à son égard.» Elle ne ressent ni anxiété ni sentiment chaleureux. Elle a juste un schéma mental qui lui rappelle que les gens qui ont la phobie des voyages en avion ne se sentent pas bien et en déduit que tel est le cas de son mari et elle lui prend la main en pensant que cela lui fera du bien.

Les recherches de Tania Singer et de son équipe ont montré que l'empathie, la compassion et la prise de perspective cognitive reposent toutes sur des bases neuronales différentes et correspondent donc à des états mentaux clairement distincts[32].

Les bienfaits de l'empathie

Les neuroscientifiques considèrent que l'empathie présente deux avantages importants. Tout d'abord, comparé à l'approche cognitive, l'empathie affective offre sans doute un chemin plus direct et plus précis pour prédire le comportement d'autrui. On a en effet observé que le fait de partager avec autrui des émotions similaires active en nous des réactions mieux adaptées à ce qu'il ressent et à ses besoins.

Deuxièmement, l'empathie nous permet d'acquérir des connaissances utiles sur notre environnement. Si, par exemple, je vois quelqu'un qui souffre après s'être brûlé sur une machine, le fait d'entrer en résonance affective avec lui me fait éprouver un sentiment d'aversion envers cette machine, sans avoir à faire moi-même l'expérience douloureuse de la brûlure. Ainsi, l'empathie est un outil efficace pour évaluer, par l'intermédiaire de l'expérience d'autrui, le monde qui m'entoure. Enfin, l'empathie est également un précieux outil de communication avec autrui*.

Quel état mental conduit à l'altruisme ?

Nous avons vu précédemment, que parmi les huit types d'empathie recensés par Daniel Batson, seule la *sollicitude empathique* était nécessaire et suffisante pour engendrer une motivation altruiste. Qu'en est-il des catégories envisagées par Tania Singer et ses collègues neuroscientifiques ?

La *contagion émotionnelle* peut servir de *précurseur* à l'empathie mais, en elle-même, elle n'aide en rien à engendrer une motivation altruiste puisqu'elle s'accompagne d'une confusion entre soi et autrui. Elle peut même constituer un obstacle à l'altruisme, lorsque l'on est submergé par cette contagion émotionnelle et que, désorienté, on ne se préoccupe que de soi-même.

L'*empathie*, ou résonance affective, est elle aussi neutre a priori. Selon les circonstances et les individus, elle peut évoluer en sollicitude et engendrer le désir de pourvoir aux besoins d'autrui. Mais l'empathie peut aussi déclencher une détresse qui focalise notre attention sur nous-mêmes et nous détourne des besoins de l'autre. Pour cette dernière raison, l'empathie ne suffit pas en elle-même à engendrer l'altruisme.

L'*approche cognitive* peut, en revanche, constituer une étape vers l'altruisme mais, comme l'empathie, elle n'est ni nécessaire ni suffisante à la genèse d'une motivation altruiste. Elle risque également d'engendrer des comportements totalement égoïstes, comme dans le cas des psychopathes qui n'éprouvent ni empathie ni compassion, mais sont experts à deviner les pensées d'autrui et utilisent cette faculté afin de les manipuler.

---

* Dans diverses pathologies – le narcissisme, la psychopathie et les troubles de la personnalité –, différentes composantes de la chaîne des réactions affectives impliquées dans les interactions sociales ne fonctionnent pas normalement et l'empathie est inhibée. Voir chapitre 27, «Les caresses de l'empathie».

Reste donc la *compassion* dont l'essence est une motivation altruiste, nécessaire et suffisante pour que nous désirions le bien d'autrui et engendrions la volonté de l'accomplir par l'action. En effet, cette compassion est consciente de la situation de l'autre, elle est associée au désir de soulager sa souffrance et de lui procurer du bien-être. Enfin, elle n'est pas parasitée par une confusion entre les émotions ressenties par l'autre et les nôtres.

Ainsi l'importance de la compassion ouverte à tous les êtres souffrants est-elle mise en évidence par les psychologues, qui parlent de sollicitude empathique, par les neuroscientifiques et par le bouddhisme où elle occupe une place centrale.

4

De l'empathie à la compassion dans un laboratoire de neurosciences

En 2007, je me trouvais avec Tania Singer dans le laboratoire de neurosciences de Rainer Goebel à Maastricht, en tant que collaborateur et cobaye d'un programme de recherche sur l'empathie. Tania me demandait d'engendrer un puissant sentiment d'empathie en imaginant des personnes affectées par de grandes souffrances. Tania utilisait une nouvelle technique d'IRMf (imagerie par résonance magnétique fonctionnelle) utilisée par Goebel qui présente l'avantage de suivre les changements d'activité du cerveau en temps réel (IRMf-tr), alors qu'habituellement les données ne peuvent être analysées qu'a posteriori. Selon le protocole de ce type d'expérience, le méditant, moi-même en l'occurrence, doit alterner une vingtaine de fois des périodes durant lesquelles il engendre un état mental particulier, ici l'empathie, avec des moments où il relâche son esprit dans un état neutre, sans penser à rien de particulier ni appliquer aucune méthode de méditation.

Lors d'une pause, au bout d'une première série de périodes de méditation, Tania me demanda : « Qu'est-ce que tu fais ? Cela ne ressemble pas du tout à ce que nous observons habituellement lorsque des personnes ressentent de l'empathie pour la souffrance de l'autre. » J'expliquai brièvement que j'avais médité sur la compassion inconditionnelle, m'efforçant de ressentir un puissant sentiment d'amour et de bonté envers des personnes en proie à la souffrance, mais aussi à l'égard de tous les êtres sensibles.

De fait, l'analyse complète des données, réalisée ultérieurement, confirma que les réseaux cérébraux activés par la méditation sur la compassion étaient très différents de ceux liés à l'empathie que Tania étudiait depuis des années. Dans les études précédentes, des personnes non entraînées à la méditation observaient une personne qui était assise près du scanner et recevait des décharges électriques douloureuses dans la main. Ces chercheurs ont alors constaté qu'une partie du réseau cérébral associé à la douleur est activée chez les sujets qui ne font qu'observer quelqu'un en train de souffrir. Ils souffrent donc de voir la souffrance de l'autre. Plus précisément, deux aires du cerveau, l'insula antérieure et le cortex cingulaire, sont fortement activées lors de cette réaction empathique et leur activité est corrélée avec une expérience affective négative de la douleur[1].

Lorsque je m'engageai dans la méditation sur l'amour altruiste et la compassion, Tania constata que les réseaux cérébraux activés étaient très différents. En particulier, le réseau lié aux émotions négatives et à la détresse n'était pas activé lors de la méditation sur la compassion, tandis que certaines aires cérébrales traditionnellement associées aux émotions positives, à l'amour maternel, par exemple, l'étaient[2].

Seule l'empathie se fatigue, pas la compassion

De là naquit l'idée d'explorer ces différences afin de distinguer plus clairement entre la résonance empathique avec la douleur de l'autre et la compassion éprouvée pour sa souffrance. Nous savions également que la résonance empathique avec la douleur peut conduire, lorsqu'elle est maintes fois répétée, à un épuisement émotionnel et à la détresse. C'est ce que vivent souvent les infirmières, les médecins et les soignants qui sont constamment en contact avec des patients en proie à de grandes souffrances. Ce phénomène appelé *burnout* en anglais est traduit en français sous les termes « épuisement émotionnel » ou encore « fatigue de la compassion ». Il affecte les gens qui « craquent » lorsque les soucis, le stress ou les pressions auxquels ils doivent faire face dans leur vie professionnelle les affectent au point qu'ils deviennent incapables de poursuivre leurs activités. Le burnout touche tout particulièrement les personnes confrontées quotidiennement aux souffrances des autres, le personnel soignant et les travailleurs sociaux notamment. Aux États-Unis, une étude a montré que 60 % du personnel soignant souffre ou a souffert du burnout et qu'un tiers en est affecté au point de devoir interrompre momentanément ses activités[3].

Au cours de discussions avec Tania et ses collaboratrices, nous avons constaté que la compassion et l'amour altruiste étaient associés à des émotions positives. Nous en sommes donc venus à l'idée que le burnout était en fait une « fatigue de l'empathie » et non de la compassion. Cette dernière, en effet, loin de mener à la détresse et au découragement, renforce notre force d'âme, notre équilibre intérieur et notre détermination courageuse et aimante à aider ceux qui souffrent. En essence, de notre point de vue, l'amour et la compassion n'engendrent ni fatigue ni usure, mais aident au contraire à les surmonter et à les réparer, si elles surviennent[4].

Lorsqu'un méditant bouddhiste s'entraîne à la compassion, il commence par réfléchir aux souffrances qui affligent les êtres vivants et à leurs causes. Pour ce faire, il se représente ces différentes formes de détresse de la manière la plus réaliste possible, et ce, jusqu'à ce qu'elles lui deviennent insupportables. Cette démarche empathique a pour but d'engendrer une aspiration profonde à remédier à ces souffrances. Mais ce simple désir ne suffisant pas, il faut cultiver la détermination de tout mettre en œuvre pour les soulager. Le méditant est ainsi amené à réfléchir aux causes profondes de la souffrance, telle que l'ignorance qui déforme la perception de la réalité, ou encore aux toxines mentales que sont la haine, le désir-attachement et la jalousie, qui ne cessent d'engendrer de nouvelles souffrances. Le processus conduit alors à une disponibilité accrue à l'égard des autres et à une volonté d'agir pour leur bien.

Cet entraînement à la compassion va de pair avec l'entraînement à l'amour altruiste. Pour cultiver cet amour, le méditant commence par se représenter un être cher envers lequel il éprouve une bienveillance sans limites. Il s'efforce ensuite d'étendre peu à peu cette même bienveillance à tous les êtres, à l'image d'un soleil qui brille et éclaire sans distinction tout ce qui se trouve dans son champ.

Ces trois dimensions – l'amour de l'autre, l'empathie (qui est résonance avec la souffrance d'autrui) et la compassion – sont naturellement reliées. Au sein de l'amour altruiste, l'empathie se manifeste lorsque l'on se trouve confronté aux souffrances des êtres, confrontation qui engendre la compassion (le désir de remédier à ces souffrances et à leurs causes). Ainsi lorsque l'amour altruiste passe au travers du prisme de l'empathie, il devient compassion.

Le point de vue du méditant

Revenons à l'expérience : la première séance du lendemain matin fut consacrée à l'empathie. Il s'agissait d'engendrer le plus intensément possible un sentiment d'empathie pour la souffrance d'une autre personne, un être cher par exemple. L'idée était de se concentrer exclusivement sur l'empathie, sans faire intervenir l'amour altruiste ni la compassion, et d'éviter donc qu'ils se manifestent spontanément. En isolant ainsi l'empathie, nous espérions être en mesure de mieux comprendre ce sentiment et d'identifier les aires cérébrales spécifiques qu'il active.

Pendant la méditation, en revanche, j'utilisais toutes mes facultés de concentration pour engendrer l'état mental choisi – ici l'empathie – afin de le rendre le plus net, le plus stable et le plus intense possible. Je le ravivais s'il faiblissait, et je le suscitais à nouveau si une distraction l'avait momentanément dissipé. Pendant chaque séance d'environ une heure et demie, les périodes de méditation, qui durent aux alentours d'une minute, alternent avec des périodes de repos de trente secondes. Il s'agissait toutefois d'un repos très relatif puisqu'il ne faut pas bouger de plus de quelques millimètres pendant toute la durée de l'expérience.

Ce jour-là, le sujet de la méditation sur l'empathie m'avait été fourni par un documentaire bouleversant de la BBC que j'avais vu la veille. Il était consacré aux conditions de vie d'enfants handicapés mentaux dans un hôpital roumain qui, bien que nourris et lavés quotidiennement, étaient pratiquement abandonnés à leur sort. La plupart d'entre eux étaient d'une maigreur effrayante. L'un était si frêle qu'il s'était cassé la jambe rien qu'en marchant. Les aides-soignantes s'étaient contentées de lui mettre une attelle de fortune et de le laisser dépérir sur son grabat. Lorsque l'on faisait leur toilette, la plupart des enfants gémissaient de douleur. Un autre enfant, squelettique lui aussi, était assis par terre dans le coin d'une pièce nue, hochant indéfiniment la tête, le regard vide. Tous semblaient tellement perdus dans leur résignation impuissante qu'ils ne levaient même pas les yeux vers les aides-soignantes qui s'approchaient d'eux. Tous les mois, plusieurs enfants mouraient.

J'imaginais aussi une personne chère terriblement blessée dans un accident de voiture, gisant dans son sang au bord d'une route la nuit, loin de tout secours ; à mon désarroi s'était même mêlée de l'aversion pour ce spectacle sanglant.

Ainsi, pendant presque une heure, en alternance avec de courtes périodes neutres, je me représentai le plus intensément possible ces souffrances sans nom. Entrer en résonance avec cette douleur devint rapidement intolérable. Leur intensité créait une distance, un malaise incapacitant qui m'empêchait d'aller spontanément vers les enfants. Une expérience courte mais très intense d'empathie dissociée de l'amour et de la compassion m'avait déjà mené au *burnout*.

C'est à ce moment précis que j'entendis Tania me dire dans les écouteurs que si j'étais disposé à faire une séance de plus dans le scanner, nous pouvions passer tout de suite à la méditation sur la compassion, qui avait été programmée pour l'après-midi.

J'acceptai donc avec enthousiasme tant je ressentais intensément combien l'amour et la compassion manquaient à l'empathie ressentie isolément. À peine eus-je fait basculer l'orientation de ma méditation vers l'amour et la compassion que mon paysage mental se transforma du tout au tout. Les images de la souffrance des enfants étaient toujours aussi présentes et fortes, mais au lieu de créer en moi un sentiment de détresse et d'impuissance difficile à supporter, je ressentais à présent un profond courage lié à un amour sans limites envers ces enfants.

Or, en méditant à présent sur la compassion, tout se passait comme si j'avais ouvert un barrage libérant des flots d'amour et de compassion imprégnant les souffrances de ces enfants. Chaque atome de souffrance était remplacé par un atome d'amour. La distance qui me séparait d'eux s'effaçait. Au lieu de ne savoir comment approcher cet enfant si fragile qui gémissait au moindre contact ou cette personne ensanglantée, je les prenais maintenant mentalement dans mes bras, les baignant de tendresse et d'affection. Et j'étais convaincu que, dans une situation réelle, j'aurais su entourer ces enfants d'une tendresse qui ne pouvait que leur apporter du réconfort.

Certains objecteront qu'il n'y a rien d'altruiste dans tout cela et que le méditant se fait du bien en soulageant sa détresse. À cela, on répondra tout d'abord qu'il n'y a aucun mal à ce que le méditant se délivre des symptômes de la détresse, lesquels peuvent avoir un effet paralysant et risquent de recentrer ses préoccupations sur lui-même, au détriment de la présence attentive qu'il pourrait offrir à celui qui souffre. Ensuite, et c'est là le point le plus important, les émotions et les états mentaux ont indéniablement un effet contagieux. Si celui qui est en présence d'une personne qui souffre ressent de l'angoisse, cela ne peut qu'aggraver l'inconfort mental de celle-ci. À l'opposé, si la personne qui vient en aide rayonne de bienveillance, s'il se dégage d'elle un calme apaisant, et enfin, si elle sait se montrer attentionnée, il ne fait aucun doute que le patient sera réconforté par cette attitude. Enfin, la compassion et la bienveillance développent chez celui qui les ressent la force d'âme et le désir de venir en aide à autrui. La compassion et l'amour altruiste ont donc un aspect chaleureux, aimant et positif que n'a pas la simple empathie à l'égard de la souffrance de l'autre.

Pour revenir à mon expérience personnelle, si je constatais que la méditation sur l'empathie se heurtait à une limite, celle du burnout, il me semblait au contraire qu'on ne pouvait pas se lasser de l'amour ni de la compassion. En effet, ces états d'esprit nourrissaient à la fois mon courage au lieu de le miner et renforçaient ma détermination à aider autrui au lieu d'accroître mon désarroi. Je continuais d'être confronté à la souffrance, mais l'amour et la compassion conféraient une qualité *constructive* à ma manière d'aborder les souffrances de l'autre et amplifiaient mon inclination et ma détermination à lui venir en aide. Il était donc clair, de mon point de vue, que s'il y avait une « fatigue » de l'empathie conduisant au syndrome d'épuisement émotionnel, il n'y avait pas de fatigue de l'amour et de la compassion.

Une fois les données longuement analysées, Tania m'expliqua que les revirements de mon expérience s'étaient accompagnés de modifications significatives de l'activité de certaines zones de mon cerveau. Ces modifications avaient principalement affecté l'insula antérieure et le cortex cingulaire antérieur associés à l'empathie. L'équipe s'aperçut en particulier que, lorsque je passais à la compassion, certaines régions du cerveau habituellement stimulées en cas d'émotions positives étaient davantage activées que lorsque je restais dans l'empathie. Ces travaux de recherche se poursuivent aujourd'hui et des publications scientifiques sont en cours[5].

En combinant une investigation introspective précise à une analyse des données fournies par le scanner, on allie de manière instructive l'approche dite « à la première personne », celle du méditant, avec l'approche « à la troisième personne », celle du chercheur. On entrevoit ici les bénéfices pour la recherche d'une telle collaboration entre méditants chevronnés et scientifiques.

Tania Singer et ses collègues ont depuis entrepris une étude longitudinale*, un projet baptisé «ReSource», qui vise à entraîner sur une année un groupe de volontaires novices à une multitude de capacités affectives et cognitives, des capacités mentales qui incluent l'empathie et la compassion[6].

Avant de s'engager dans un projet de si grande envergure, les chercheurs ont mené à bien plusieurs programmes de formation d'une semaine avec des sujets novices qui ont pratiqué des méditations sur l'amour altruiste et sur l'empathie. Cette étude préliminaire a déjà montré que, chez la plupart des gens, l'empathie ressentie face à la souffrance de l'autre est systématiquement corrélée avec des sentiments entièrement négatifs – douleur, détresse, inquiétude, découragement. La signature neuronale de l'empathie est similaire à celle des émotions négatives. De manière générale, on sait que les réseaux neuronaux impliqués dans l'empathie envers la douleur de l'autre (l'insula antérieure et le cortex cingulaire) sont aussi activés lorsque nous ressentons nous-mêmes de la douleur.

Tania Singer et ses collègues ont donc divisé une centaine de sujets en deux groupes. L'un méditait sur l'amour et la compassion, tandis que l'autre ne travaillait que sur l'empathie. Les premiers résultats montrent qu'à l'issue d'une semaine de méditations orientées vers l'amour altruiste et la compassion, des sujets novices perçoivent de manière beaucoup plus positive et bienveillante des extraits de vidéos montrant des personnes en souffrance. «Positive» ne signifie nullement ici que les observateurs considèrent la souffrance comme acceptable, mais qu'ils réagissent à celle-ci par des états mentaux constructifs, comme le courage, l'amour maternel, la détermination à trouver un moyen d'aider, et non des états mentaux «négatifs», qui engendrent plutôt la détresse, l'aversion, le découragement et l'évitement[7].

De plus, l'empathie cesse d'être systématiquement corrélée avec une perception négative et dérangeante de la souffrance de l'autre. On attribue ce changement au fait que ces sujets se sont entraînés à éprouver des sentiments de bienveillance envers autrui dans toutes les situations. Ils sont ainsi capables d'aborder une situation pénible avec amour et compassion, et de faire preuve de résilience face à la douleur de l'autre. Habituellement, la résilience se situe du côté du patient; c'est, d'après la

* Cette expression désigne une étude qui observe pendant des mois, voire des années l'évolution de sujets. Bornemann, B., & Singer, T. (2013). «The ReSource study training protocol», in T. Singer, & M. Bolz (Eds.) *Compassion : Bridging Practice and Science*. A multimedia book [E-book].

définition de Boris Cyrulnik, sa capacité à vivre et à surmonter un trauma en faisant appel à ses ressources intérieures[8]. Nous entendons ici par résilience la capacité de l'observateur à surmonter son sentiment de détresse initial et à lui substituer une bienveillance et une compassion actives. Des données mesurant l'activité cérébrale de ces sujets novices ont aussi montré que le réseau neuronal du sentiment d'affiliation et de la compassion est activé, ce qui n'est pas le cas dans le groupe qui ne médite que sur l'empathie.

En revanche, lorsque les sujets consacrent une semaine à cultiver uniquement l'empathie et à entrer en résonance affective avec les souffrances des autres, ils continuent à associer l'empathie à des valeurs négatives et manifestent une perception accrue de leur souffrance, parfois au point de ne pouvoir contrôler leurs émotions et leurs larmes. Pour ces sujets, les affects négatifs augmentent à la vue des vidéos dépeignant des scènes de souffrance. Ce groupe de participants a également éprouvé plus de sentiments négatifs vis-à-vis des scènes habituelles de la vie quotidienne, ce qui montre que l'entraînement à la résonance empathique augmente la sensibilité aux affects négatifs dans les situations ordinaires. Certains sujets ont affirmé qu'ils ressentaient davantage d'empathie pour tous ceux qu'ils croisaient dans la vie quotidienne, qu'il s'agisse de proches ou d'inconnus. L'une des participantes a témoigné qu'en regardant les gens autour d'elle en prenant le tramway le matin, elle commençait à voir de la souffrance partout[9].

Conscients de ces effets potentiellement déstabilisants, Tania Singer et Olga Klimecki ont ajouté un entraînement à l'amour altruiste (une heure par jour) après la semaine consacrée à l'empathie. Elles ont alors observé que cet ajout contrebalançait les effets négatifs de l'entraînement à l'empathie : les affects négatifs retombaient à leur niveau de départ et les affects positifs augmentaient. Ces résultats étaient, ici aussi, associés à des changements correspondants dans les réseaux cérébraux associés respectivement à la compassion, aux affects positifs et à l'amour maternel[10]. En outre, les chercheurs ont également pu montrer qu'une semaine d'entraînement à la compassion augmentait les comportements prosociaux dans un jeu virtuel spécialement conçu pour mesurer la tendance à aider autrui. En comparaison, une semaine d'entraînement à la mémoire n'a induit aucune amélioration des comportements prosociaux[11].

Dans le laboratoire de neurosciences de Richard Davidson, à Madison dans le Wisconsin, le chercheur français Antoine Lutz et ses collaborateurs ont également étudié ce phénomène. Ils ont ainsi montré que chez seize méditants de longue date qui engendrent un état de compassion, des aires cérébrales impliquées dans l'amour maternel et le sentiment d'appartenance – comme l'insula médiane (et non antérieure comme dans la douleur) –, ainsi que des aires liées à la «théorie de l'esprit» (la représentation des pensées de l'autre) sont activées par l'écoute d'enregistrements de voix exprimant la détresse, ce qui n'est pas le cas chez des méditants novices[12]. Ces observations confirment le fait que les méditants expérimentés sont à la fois plus sensibles et plus concernés par les souffrances d'autrui et qu'ils réagissent non pas en éprouvant une détresse accrue, mais en ressentant de la bienveillance et que l'on peut donc «s'entraîner» à acquérir ces états d'âme.

Imprégner l'empathie de compassion

Je discutais récemment avec une infirmière qui, comme la plupart de ses collègues, est continuellement confrontée aux souffrances et aux problèmes des patients dont elle s'occupe. Elle me disait que dans les nouvelles formations de personnel soignant, l'accent était mis sur la «nécessité de garder une distance émotionnelle vis-à-vis des malades» pour éviter le fameux burnout qui affecte tant de professionnels de la santé. Cette femme très chaleureuse, dont la simple présence rassure, me confia ensuite : «C'est curieux, j'ai l'impression de gagner quelque chose lorsque je m'occupe de ceux qui souffrent, mais lorsque je parle de ce "gain" à mes collègues, je me sens un peu coupable de ressentir quelque chose de positif.» Je lui décrivis brièvement les différences qui semblent exister entre la compassion et la détresse empathique. Cette différence concordait avec son expérience et prouvait qu'elle n'avait aucune raison de se sentir coupable. Contrairement à la détresse empathique, l'amour et la compassion sont des états d'esprit positifs, qui renforcent la capacité intérieure à faire face à la souffrance d'autrui.

Si un enfant est hospitalisé, la présence à ses côtés d'une mère aimante qui lui tient la main et le réconforte avec d'affectueuses paroles lui fera sans doute plus de bien que l'anxiété d'une maman submergée de détresse empathique qui, ne pouvant supporter la vue de son enfant malade, fait les cent pas dans le couloir. Rassurée par mes explications, cette amie infirmière me confia qu'en dépit des scrupules qu'elle avait de temps à autre, ce point de vue s'accordait avec son expérience de soignante.

À la lumière de ces recherches préliminaires, il semblerait donc logique de former à l'amour altruiste et à la compassion ceux dont le métier consiste à s'occuper quotidiennement de personnes qui souffrent. Une telle formation aiderait également les proches (parents, enfants, conjoints) qui prennent soin de personnes malades ou handicapées. L'amour altruiste crée en nous un espace positif qui sert d'antidote à la détresse empathique et empêche que la résonance affective ne s'amplifie au point de devenir paralysante et d'engendrer l'épuisement émotionnel caractéristique du burnout. Sans l'apport de l'amour et de la compassion, l'empathie livrée à elle-même est comme une pompe électrique dans laquelle l'eau ne circule plus : elle va rapidement s'échauffer et brûler. L'empathie doit donc prendre place dans l'espace beaucoup plus vaste de l'amour altruiste. Il importe également de considérer l'aspect cognitif de la compassion, autrement dit la compréhension des différents niveaux de la souffrance et de ses causes manifestes ou latentes Ainsi, nous sera-t-il possible de nous mettre au service des autres en les aidant efficacement tout en préservant notre force d'âme, notre bienveillance et notre paix intérieure. Comme l'écrit Christophe André : «Nous avons besoin de la douceur et de la force de la compassion. Plus on est lucide sur ce monde, plus on accepte de le voir tel qu'il est, et plus on se rend à cette évidence : nous ne pouvons rencontrer toutes les souffrances que l'on rencontre dans une vie d'humain, sans cette force et sans cette douceur[13].»

5

L'amour, émotion suprême

Nous avons présenté jusqu'ici l'altruisme comme une *motivation*, comme le désir d'accomplir le bien d'autrui. Dans ce chapitre, nous allons présenter les recherches de Barbara Fredrickson et de quelques autres psychologues sur une approche de l'amour, considéré ici comme une *résonance positive* entre deux ou plusieurs personnes, une émotion certes passagère mais renouvelable à l'infini. Cette *émotion* recoupe la notion d'altruisme sur de nombreux points et en diffère sur d'autres.

Barbara Fredrickson, de l'université de Caroline du Nord, est avec Martin Seligman l'une des fondatrices de la psychologie positive. Elle a été l'une des premières psychologues à attirer l'attention sur le fait que les émotions positives telles que la joie, le contentement, la gratitude, l'émerveillement, l'enthousiasme, l'inspiration et l'amour sont bien plus qu'une simple absence d'émotions négatives. La joie n'est pas la simple absence de tristesse, et la bienveillance n'est pas une simple absence de malveillance. Les émotions positives comportent une dimension supplémentaire qui ne se réduit pas à la neutralité de l'esprit : elles sont source de profondes satisfactions. Cela signifie que pour s'épanouir dans l'existence, il ne suffit pas de neutraliser les émotions négatives et perturbatrices, il faut aussi favoriser l'éclosion d'émotions positives.

Les recherches de Fredrickson ont montré que ces émotions positives nous ouvrent l'esprit en ce qu'elles nous permettent d'envisager les situations selon une perspective plus vaste, d'être plus réceptifs à autrui et d'adopter des attitudes et des comportements souples et créatifs[1]. À l'opposé de la dépression, qui provoque souvent une plongée en vrille, les émotions positives engendrent une spirale ascendante. Elles nous rendent également plus résilients et nous permettent de mieux gérer l'adversité.

Du point de vue de la psychologie contemporaine, une émotion est un état mental souvent intense qui ne dure que quelques instants mais qui est susceptible de se reproduire de nombreuses fois. Les spécialistes des émotions, Paul Ekman et Richard Lazarus en particulier, ont identifié un certain nombre d'émotions fondamentales, parmi lesquelles la joie, la tristesse, la colère, la peur, la surprise, le dégoût et le mépris – reconnaissables par des expressions faciales et des réactions physiologiques bien caractérisées –, auxquelles s'ajoutent l'amour, la compassion, la curiosité, l'intérêt, l'affection et les sentiments de honte et de culpabilité[2]. Au fil des jours, l'accumulation de ces *émotions* momentanées influence nos *humeurs*, et la réitération des humeurs modifie peu à peu nos dispositions mentales, nos traits de caractère. À la lumière de récents travaux de recherche, Barbara Fredrickson avance que, de toutes les émotions positives, l'amour est l'*émotion suprême.*

Les dictionnaires le définissent comme «l'inclination d'une personne pour une autre» (Larousse), et plus précisément comme une «disposition favorable de l'affectivité et de la volonté à l'égard de ce qui est senti ou reconnu comme bon» (Le Robert). Au-delà, la variété des définitions de l'amour ne surprendra pas, car comme l'écrivait la poétesse et romancière canadienne Margaret Atwood : «Les Eskimos ont cinquante-deux termes pour désigner la neige en raison de l'importance que la neige a pour eux. Il devrait y en avoir autant pour l'amour[3].»

Barbara Fredrickson, quant à elle, définit l'amour comme une *résonance positive* qui se manifeste lorsque trois événements surviennent simultanément : le *partage* d'une ou plusieurs émotions positives, une *synchronie* entre le comportement et les réactions physiologiques de deux personnes, et l'*intention* de contribuer au bien-être de l'autre, intention qui engendre une sollicitude mutuelle[4]. Cette résonance d'émotions positives peut durer un certain temps, voire s'amplifier comme la réverbération d'un écho, jusqu'à ce que, inévitablement, comme c'est le sort de toutes les émotions, elle s'évanouisse.

Selon cette définition, l'amour est à la fois plus vaste et plus ouvert, et sa durée plus courte qu'on ne l'imagine généralement : «L'amour ne dure pas. Il est beaucoup plus éphémère que la plupart d'entre nous ne veulent bien le reconnaître. En revanche, il est indéfiniment renouvelable.» Les recherches de Fredrickson et de ses collègues ont en effet montré que si l'amour est très sensible aux circonstances et nécessite certaines conditions préalables, une fois que l'on a identifié ces conditions, on peut reproduire ce sentiment d'amour un nombre incalculable de fois par jour[5].

Pour bien saisir ce que ces recherches peuvent nous apporter, il faut prendre du recul par rapport à ce que nous appelons habituellement «amour». Il ne s'agit pas ici d'amour filial ou d'amour romantique, ni d'un engagement par le mariage ou de tout autre rituel de fidélité. «Le fondement de ma notion d'amour est la science des émotions», écrit Fredrickson dans son récent ouvrage, paru aux États-Unis, destiné au grand public, *Love 2.0*, qui est une synthèse de l'ensemble de ses travaux[6].

Les psychologues ne nient certes pas que l'on puisse considérer l'amour comme un lien profond susceptible de durer des années, voire une vie entière; ils ont également mis en évidence les bienfaits considérables de ces liens pour la santé physique et mentale[7]. Ils estiment cependant que l'état durable appelé «amour» par la plupart des gens est le *résultat* de l'accumulation de nombreux moments, beaucoup plus courts, durant lesquels est ressentie cette résonance émotionnelle positive.

De même, c'est l'accumulation de *dissonances affectives*, moments répétés de partage d'émotions négatives, qui érode et finit par détruire ces liens profonds et de longue durée. Dans le cas de l'attachement possessif, par exemple, cette résonance disparaît; dans le cas de la jalousie, elle s'empoisonne et se transforme en résonance négative.

L'amour permet de voir l'autre avec sollicitude, bienveillance et compassion. Il se rattache ainsi à l'altruisme dans la mesure où l'on devient sincèrement concerné par le sort d'autrui et par son propre bien[8]. C'est loin d'être le cas d'autres types de relations. Plus tôt dans sa carrière, Fredrickson s'était intéressée à ce qu'elle considère comme étant aux antipodes de l'amour, à savoir le fait de considérer la femme (ou l'homme) comme un «objet sexuel», qui peut avoir autant d'effets dommageables que l'amour en a de positifs. Il s'agit là en effet d'un investissement non pas dans le bien-être de l'autre mais dans son apparence physique et sa sexualité, non pas *pour l'autre*, qui n'est alors considéré que comme un instrument, mais pour *soi-même*, pour son propre plaisir[9].

À un degré moindre, l'attachement possessif étouffe la résonance positive. Ne pas nourrir de tels attachements ne signifie pas que l'on aime moins quelqu'un, mais que l'on n'est pas préoccupé avant tout par l'amour de soi à travers l'amour que l'on prétend porter à l'autre.

L'amour est altruiste quand il se manifeste comme la joie de partager la vie de ceux qui nous entourent, amis, compagnes, femme ou mari, et de contribuer à leur bonheur, instant après instant. Au lieu d'être obsédé par l'autre, on est concerné par son bonheur ; au lieu de vouloir le posséder, on se sent responsable de son bien-être ; au lieu d'attendre anxieusement une gratification de sa part, on sait donner et recevoir avec joie et bienveillance.

Cette résonance positive peut être ressentie à tout moment par deux ou plusieurs personnes. Un tel amour n'est donc pas réservé à un conjoint ou à un partenaire amoureux, il ne se réduit pas aux sentiments de tendresse que l'on ressent pour ses enfants, ses parents ou ses proches. Il peut survenir à tout moment, avec une personne assise à côté de nous dans un train, quand notre attention bienveillante a suscité une attitude analogue, dans le respect et l'appréciation mutuels.

Ce concept d'amour conçu comme une résonance mutuelle diffère toutefois de l'altruisme étendu tel que nous l'avons défini précédemment qui, pour sa part, consiste en une bienveillance inconditionnelle, pas nécessairement mutuelle, et qui ne dépend pas de la manière dont l'autre nous traite ou se comporte.

La biologie de l'amour

L'amour en tant que résonance positive est profondément inscrit dans notre constitution biologique et résulte, sur le plan physiologique, de l'interaction de l'activité de certaines aires cérébrales (liées à l'empathie, à l'amour maternel et au sentiment de satisfaction), de l'ocytocine (un peptide fabriqué dans le cerveau qui influence les interactions sociales), et du nerf vague (lequel a pour vertu de calmer et de faciliter le lien avec autrui).

Les données scientifiques collectées au cours des deux dernières décennies ont montré comment l'amour, ou son absence, modifie fondamentalement notre physiologie et la régulation d'un ensemble de substances biochimiques, substances qui peuvent même influencer la façon dont nos gènes s'expriment au sein de nos cellules. Cet ensemble d'interactions complexes affecte profondément notre santé physique, notre vitalité et notre bien-être.

Lorsque deux cerveaux s'accordent

Il arrive fréquemment que deux personnes qui conversent et passent du temps ensemble se sentent parfaitement au diapason l'une de l'autre. Dans d'autres cas, la communication ne passe pas, et l'on n'apprécie guère le temps partagé.

C'est précisément ce qu'a étudié l'équipe de Uri Hasson à l'université de Princeton. Ces neuroscientifiques ont pu montrer comment les cerveaux de deux personnes liées par une conversation adoptent des configurations neuronales très semblables et entrent en résonance. Ils ont constaté que le simple fait d'écouter attentivement les paroles de quelqu'un d'autre et de lui parler déclenche l'activation des mêmes aires cérébrales dans les deux cerveaux d'une façon remarquablement synchrone*. Hasson parle d'«un même acte accompli par deux cerveaux». Dans le langage courant, on dira que «deux esprits se rencontrent». Uri Hasson estime que ce couplage des cerveaux est essentiel à la communication[10]. Il a aussi montré qu'il était très prononcé dans l'insula, une aire du cerveau qui, nous l'avons vu**, est au cœur de l'empathie et indique une résonance émotionnelle[11]. La synchronisation est particulièrement élevée durant les moments les plus émotionnels de la conversation[12].

Ces résultats ont amené Fredrickson à déduire que les micro-moments d'amour, de résonance positive, sont eux aussi un seul acte accompli par deux cerveaux. Une bonne compréhension mutuelle est, selon elle, source d'une sollicitude mutuelle, à partir de laquelle les intentions et les actes bienveillants vont spontanément se manifester[13]. Notre expérience subjective passe ainsi d'une attention habituellement focalisée sur le «moi» à une attention plus généreuse et ouverte au «nous»[14].

Mais ce n'est pas tout. L'équipe de Uri Hasson a aussi montré que notre cerveau allait même jusqu'à *anticiper* de quelques secondes l'expression de l'activité du cerveau de l'autre. Une conversation durant laquelle se produit une résonance empathique positive entraîne ainsi

* Il s'agit bien de réactions au contenu de la conversation et non pas simplement au son de la voix de l'autre, ou de sa propre voix quand on parle. En effet, la synchronisation des activités cérébrales cesse si l'autre personne parle une langue étrangère, le russe par exemple, que celui qui écoute ne comprend pas.

** Voir chapitre 4, «De l'empathie à la compassion dans un laboratoire de neurosciences».

une anticipation émotionnelle de ce que l'autre personne est sur le point de dire. C'est un fait qu'être très attentif à l'autre nous amène la plupart du temps à anticiper le déroulement de ce qu'il nous raconte et les sentiments qu'il va exprimer.

On a beaucoup parlé du phénomène des « neurones miroirs ». Ils sont présents dans de minuscules aires du cerveau et sont activés lorsque l'on voit, par exemple, quelqu'un d'autre faire un geste qui nous intéresse[15]. Ces neurones furent découverts par hasard dans le laboratoire de Giacomo Rizzolatti, à Parme, en Italie. Les chercheurs étudiaient l'activation d'un type particulier de neurones chez le singe qui prend une banane. Or c'est en prenant leur repas au laboratoire, en présence des singes, qu'ils s'aperçurent que l'enregistreur crépitait chaque fois qu'un chercheur portait de la nourriture à sa bouche : les neurones des singes étaient, eux aussi, activés. Cette découverte révélait que les mêmes zones cérébrales sont activées chez une personne qui accomplit un geste et chez celle qui l'observe. Les neurones miroirs peuvent donc fournir une base élémentaire à l'imitation et à la résonance intersubjective. Toutefois, le phénomène de l'empathie, qui inclut des aspects émotionnels et des aspects cognitifs, est beaucoup plus complexe et implique de nombreuses aires du cerveau.

L'ocytocine et les interactions sociales

Les recherches dans le domaine de la chimie du cerveau ont également conduit à d'intéressantes découvertes dans le domaine des interactions sociales, après que Sue Carter et ses collaborateurs ont mis en évidence les effets d'un peptide, l'ocytocine, qui est fabriqué dans le cerveau par l'hypothalamus et qui circule également dans tout le corps. Ces chercheurs étudiaient les campagnols des champs, lesquels sont monogames, contrairement à leurs homologues des montagnes. Ils constatèrent que le niveau d'ocytocine était plus élevé dans le cerveau des premiers que dans celui des seconds. Ils montrèrent ensuite que si l'on augmente artificiellement le niveau d'ocytocine dans le cerveau des campagnols de prairie, leur tendance à rester ensemble et à se blottir l'un contre l'autre est encore plus forte qu'à l'accoutumée. En revanche, si on inhibe la production d'ocytocine chez les mâles des prairies, ils deviennent aussi volages que leurs cousins des montagnes[16].

L'ocytocine est aussi liée à l'amour maternel. Si l'on inhibe la production d'ocytocine chez les brebis, elles négligent leurs agnelets nouveau-nés. À l'inverse, quand une rate lèche ses petits et s'occupe d'eux attentivement, le nombre de récepteurs sensibles à l'ocytocine dans l'amygdale (une petite aire du cerveau essentielle à l'expression des émotions) et dans les régions sous-corticales du cerveau augmente[17]. Les ratons ainsi traités avec affection s'avèrent ensuite plus calmes, plus curieux et moins anxieux que les autres. Les travaux de Michael Meaney ont également montré que chez les ratons qui sont entourés de soins par leur mère durant les dix premiers jours de la vie, l'expression des gènes qui induisent le stress est bloquée[18].

Chez les humains, le taux d'ocytocine augmente fortement durant les relations sexuelles, mais aussi lors de l'accouchement et juste avant la lactation. Bien qu'il soit difficile d'étudier par des techniques non invasives les fluctuations plus subtiles de l'ocytocine chez les humains, les recherches ont été grandement facilitées lorsque l'on s'est aperçu que l'ocytocine inhalée par vaporisation parvenait jusqu'au cerveau. Cette technique a permis de montrer que les personnes qui ont respiré une bouffée d'ocytocine perçoivent mieux les signaux interpersonnels, regardent plus souvent les yeux des autres, font plus attention à leurs sourires et aux nuances émotionnelles subtiles exprimées par les expressions faciales. Ils manifestent ainsi une capacité accrue à appréhender correctement les sentiments d'autrui[19].

Au laboratoire de Ernst Fehr à Zurich, Michael Kosfeld et Markus Heinrichs ont demandé à des volontaires de participer à un «jeu de confiance» après avoir inhalé soit de l'ocytocine, soit un placebo[20]. Lors de ce jeu, il leur fallait décider quelle somme ils acceptaient de prêter à un partenaire, qui pouvait ensuite soit les rembourser, soit garder l'argent. Malgré le risque de déloyauté, ceux qui avaient inhalé l'ocytocine faisaient *deux fois plus confiance* à leur partenaire que ceux qui avaient reniflé un placebo*. D'autres chercheurs ont prouvé que, lors du partage d'une information devant rester confidentielle, la confiance en l'autre est augmentée de 44 % à la suite d'une inhalation d'ocytocine[21]. Un ensemble de travaux a maintenant établi qu'inhaler des bouffées d'ocytocine rendait plus confiant, plus généreux, plus coopératif, plus sensible

* Ces chercheurs ont montré que l'ocytocine n'augmente pas la prise de risque en général (sauter en parachute, par exemple), mais plus spécifiquement le fait d'accepter de courir un risque lorsque l'on décide de faire confiance à quelqu'un d'autre, alors que nos intérêts sont en jeu.

aux émotions d'autrui, plus constructif dans les communications et plus charitable dans ses jugements.

Des neuroscientifiques ont même démontré qu'une seule inhalation d'ocytocine suffisait pour inhiber la partie de l'amygdale qui est activée quand on éprouve de la colère, de la peur et que l'on se sent menacé, et pour stimuler la partie de l'amygdale qui est normalement activée lors d'interactions sociales positives[22].

Plus généralement, les chercheurs ont démontré que l'ocytocine joue un rôle important dans les réactions qui consistent à « calmer et connecter », dans les comportements qui mènent à un « apaisement et à une mise en relation », par opposition au réflexe de fuite ou d'attaque[23]. Elle apaise, en effet, les phobies sociales et stimule notre capacité à nous lier aux autres[24]. Les êtres ayant besoin de liens enrichissants, non seulement pour se reproduire, mais aussi pour survivre et prospérer, l'ocytocine a été qualifiée par des neurobiologistes de « grande facilitatrice de vie[25] ».

L'ocytocine a donc connu son heure de célébrité après avoir été baptisée dans les médias d'« hormone de l'amour » et d'« hormone des câlins ». La situation est en fait plus complexe. L'ocytocine a un effet indubitable sur la nature des interactions sociales, mais pas uniquement de manière positive. Il est avéré que, si elle encourage la confiance et la générosité dans certaines situations et pour certaines personnes, dans d'autres circonstances et pour des individus dotés de traits de caractère différents, elle peut tout aussi bien augmenter la jalousie, la propension à se réjouir du malheur des autres, ainsi que le favoritisme envers les membres de son propre clan[26]. Une étude a ainsi montré qu'après avoir inhalé de l'ocytocine, certains volontaires étaient plus coopératifs avec ceux qu'ils considéraient comme étant « des leurs », mais moins coopératifs avec ceux qui appartenaient à d'autres groupes[27].

Il semble donc que, selon les situations et les individus, l'ocytocine puisse dans certains cas renforcer nos comportements prosociaux et dans d'autres nos tendances à discriminer entre nos proches et ceux qui n'appartiennent pas à notre groupe. L'observation de ces effets en apparence contradictoires a conduit Sue Carter à avancer l'hypothèse que ce peptide cérébral participerait à un système de régulation des comportements sociaux, et que son action se surimposerait à la toile de fond de notre histoire personnelle et de nos traits émotionnels. L'ocytocine agirait aussi en intensifiant notre attention aux signaux sociaux, nous aidant ainsi à les remarquer. Sous l'effet de ce neuropeptide, une nature sociable se manifestera pleinement, tandis que chez un tempérament anxieux ou jaloux, l'ocytocine ne fera qu'exacerber ces sentiments. À ce jour, aucune étude spécifique n'a été faite sur les effets potentiels de l'ocytocine sur nos motivations altruistes et il reste donc encore beaucoup à explorer sur son rôle dans les rapports humains.

Calmer et s'ouvrir aux autres : le rôle du nerf vague

Le nerf vague relie le cerveau au cœur et à divers autres organes. En situation de peur, quand notre cœur bat la chamade et que nous sommes prêts à prendre la fuite ou à faire face à un adversaire, c'est lui qui ramène le calme dans notre organisme et facilite la communication avec l'autre.

En outre, le nerf vague stimule les muscles faciaux, nous permettant d'adopter des expressions en harmonie avec celles de notre interlocuteur et de le regarder fréquemment dans les yeux. Il ajuste aussi les minuscules muscles de l'oreille médiane qui permettent de se concentrer sur la voix de quelqu'un au milieu d'un bruit ambiant. Son activité favorise ainsi les échanges et accroît les possibilités de résonance positive[28].

Le *tonus vagal* reflète l'activité du nerf vague et peut être évalué en mesurant l'influence du rythme respiratoire sur le rythme cardiaque. Un *tonus vagal* élevé est bon pour la santé physique et mentale. Il accélère les battements du cœur quand nous inspirons (ce qui permet de distribuer rapidement le sang fraîchement oxygéné) et les ralentit quand nous expirons (ce qui le ménage à un moment où il est inutile de faire circuler le sang rapidement). Normalement, notre tonus vagal est extrêmement stable d'une année sur l'autre, influençant notre santé au fil du temps. Cependant, il diffère notablement d'une personne à l'autre.

On a constaté que ceux qui ont un tonus vagal élevé s'adaptent mieux physiquement et mentalement à des circonstances changeantes, sont plus aptes à réguler leurs processus physiologiques internes (sucre sanguin, réponse inflammatoire) ainsi que leurs émotions, leur attention et leur comportement. Ils sont moins sujets aux crises cardiaques et récupèrent plus rapidement en cas d'infarctus[29]. Le tonus vagal est aussi un indicateur de la robustesse du système immunitaire. Par ailleurs, un tonus vagal élevé est associé à une diminution de l'inflammation chronique qui, elle, augmente les risques d'accident vasculaire cérébral, de diabète et de certains types de cancers[30].

Ces données quelque peu techniques prennent une importance particulière lorsque l'on sait que Barbara Fredrickson et son équipe ont démontré qu'il était possible d'améliorer considérablement le tonus vagal en ayant recours à la méditation sur l'amour altruiste.

Cultiver l'amour au quotidien

Ayant constaté les qualités des émotions positives en général et de l'amour en particulier, Barbara Fredrickson s'est demandé comment mettre en évidence des liens de cause à effet (et non de simples corrélations) entre l'accroissement de l'amour altruiste et l'augmentation des qualités que nous avons décrites dans ce chapitre : la joie, la sérénité et la gratitude par exemple. Elle décida de comparer dans des conditions rigoureuses un groupe destiné à éprouver chaque jour davantage d'amour et d'autres émotions bénéfiques avec un groupe témoin, la répartition entre les deux groupes se faisant par tirage au sort. Restait à savoir comment amener les sujets de l'un des groupes à ressentir davantage d'émotions positives.

C'est alors que la chercheuse s'intéressa à une technique ancestrale pratiquée depuis deux mille cinq cents ans par les méditants bouddhistes : l'entraînement à l'amour bienveillant, ou amour altruiste, souvent enseigné en Occident sous le nom de *metta* (le terme pali, la langue originelle du bouddhisme). Fredrickson se rendit compte que cette pratique, dont le but est précisément de produire au fil du temps un changement méthodique et volontaire, correspondait exactement à ce qu'elle recherchait[31].

Elle enrôla pour l'expérience cent quarante adultes en bonne santé (soixante-dix dans chaque groupe), sans inclination spirituelle particulière ni expérience de la méditation. L'expérience dura sept semaines. Pendant ce temps, les sujets du premier groupe, répartis en équipes d'une vingtaine de personnes, reçurent un enseignement sur la méditation de l'amour altruiste donné par un instructeur qualifié, et pratiquèrent ensuite, généralement seuls et pendant une vingtaine de minutes par jour, ce qu'ils avaient appris. Durant la première semaine, on mit l'accent sur l'amour bienveillant envers soi-même ; pendant la deuxième, sur les proches, et pendant les cinq dernières semaines, la méditation eut non seulement pour objet les proches des participants, mais aussi tous ceux qu'ils connaissaient, puis des inconnus et, finalement, l'ensemble des êtres.

Les résultats furent très clairs : ce groupe, qui n'était constitué pourtant que de novices en matière de méditation, avait appris à calmer son esprit et, plus encore, à développer remarquablement sa capacité d'amour et de bienveillance. Comparés aux personnes du groupe témoin (à qui l'on offrit de participer au même entraînement une fois l'expérience terminée), les sujets qui avaient pratiqué la méditation éprouvaient plus d'amour, d'engagement dans leurs activités quotidiennes, de sérénité, de joie, et d'autres émotions bienfaisantes[32]. Au cours de l'entraînement, Fredrickson remarqua également que les effets positifs de la méditation sur l'amour altruiste persistaient durant la journée, en dehors de la séance de méditation et que, jour après jour, l'on observait un effet cumulatif.

Les mesures de la condition physique des participants montrèrent aussi que leur état de santé s'était nettement amélioré. Même leur tonus vagal, dont nous avons vu qu'il ne changeait normalement pas au cours du temps, avait augmenté[33]. Au point que le psychologue Paul Ekman, lors de l'une de nos rencontres, suggéra de créer des «gymnases de l'amour altruiste»; il faisait allusion à ces salles de culture physique que l'on trouve un peu partout dans les villes, en raison des bienfaits, eux aussi amplement démontrés, de l'exercice physique régulier sur la santé.

Amour et altruisme : émotion passagère et disposition durable

À l'issue de ce chapitre, quelques réflexions s'imposent. Les travaux de recherche que nous venons de mentionner sont pour sûr passionnants, et les diverses pratiques que Barbara Fredrickson décrit sont susceptibles d'améliorer considérablement la qualité de vie de chacun d'entre nous. Pour Barbara, avec qui j'ai eu l'occasion de discuter de ces questions, «*l'amour est avant tout une émotion*, un état momentané qui surgit pour imprégner votre esprit comme votre corps[34]». Il exige aussi, selon elle, la présence de l'autre :

Cela signifie que lorsque vous êtes seul, à penser à ceux que vous aimez, à réfléchir à vos liens d'amour passés, à aspirer à davantage d'amour, ou même quand vous pratiquez la méditation sur l'altruisme, ou que vous écrivez une lettre d'amour passionnée, vous ne faites pas, à ce moment précis, l'expérience de l'amour véritable. Il est vrai que les sensations fortes que vous éprouvez tandis que vous êtes seul sont importantes et jouent un rôle absolument essentiel pour votre santé et votre bien-être. Mais elles ne sont pas (encore) partagées, et il leur manque donc l'ingrédient essentiel et indéniablement physique de la résonance. La présence physique est la clé de l'amour, de la résonance positive[35].

Sans dénier en aucune façon l'importance et la qualité toute particulière des interactions physiques avec un autre être humain, il ne faut pas pour autant perdre de vue deux dimensions supplémentaires et essentielles de l'altruisme.

Si les émotions ne durent pas, en revanche, leur répétition finit par engendrer des *dispositions* plus durables. Quand une personne douée d'une disposition altruiste entre en résonance avec une autre, cette résonance sera toujours empreinte de bienveillance. Lorsque cette disposition est faible, les résonances positives momentanées peuvent être, dans les instants qui suivent, associées à des motivations égoïstes qui en limiteront les effets positifs. D'où l'importance, comme c'est le cas dans la méditation bouddhiste étudiée par Barbara Fredrickson, de cultiver avec persévérance non seulement des moments de résonance positive, mais une motivation altruiste *durable*.

Cela nous amène à la deuxième dimension : l'aspect cognitif, plus vaste encore que l'aspect émotionnel et moins vulnérable aux changements d'humeur. Cette dimension cognitive permet d'étendre à un grand nombre d'êtres, y compris ceux que nous n'aurons jamais l'occasion de rencontrer, un altruisme sans limites. C'est aussi en intégrant ces différentes dimensions liées aux émotions momentanées et renouvelables, aux processus cognitifs et aux dispositions durables que l'amour altruiste pourra atteindre son point optimal.

6

L'accomplissement du double bien, le nôtre et celui d'autrui

Selon la voie bouddhiste, comme dans bien d'autres traditions spirituelles, contribuer à la réalisation du bien d'autrui est non seulement la plus souhaitable des activités, mais aussi la meilleure façon d'accomplir indirectement notre propre bien. La poursuite d'un bonheur égoïste est vouée à l'échec, tandis que l'accomplissement du bien d'autrui constitue l'un des principaux facteurs d'épanouissement et, ultimement, de progrès vers l'Éveil.

L'idéal du bouddhisme est la *bodhicitta* : «l'aspiration à atteindre l'Éveil pour le bien des êtres». En outre, cette aspiration est le seul moyen d'atteindre le bonheur pour soi-même, comme l'écrit Shantideva, maître bouddhiste indien du VIIe siècle, dans son ouvrage intitulé *Le Chemin vers l'Éveil* :

> *Tous les bonheurs du monde viennent*
> *De la recherche du bonheur d'autrui ;*
> *Toutes les souffrances du monde viennent*
> *De la recherche de son propre bonheur.*
>
> *À quoi bon en dire davantage ?*
> *Comparez seulement l'être puéril*
> *Qui agit dans son propre intérêt*
> *Et le sage qui œuvre au bien des autres*[1] !

Ce point de vue n'est pas étranger à la pensée occidentale. L'évêque philosophe Joseph Butler[2], l'un des premiers à réfuter les thèses de Thomas Hobbes sur l'universalité de l'égoïsme, écrivait :

> Ainsi, il apparaît fort peu probable que notre bien personnel s'accroisse dans la même mesure que notre infatuation par l'amour de nous-même. [...] Cette aspiration [celle de l'amour de soi] peut devenir prédominante au point de se décevoir elle-même, et même de contredire son propre but, celui de notre bien personnel.

Dans l'*Émile ou De l'éducation*, Jean-Jacques Rousseau distingue l'amour de soi – le fait d'éprouver du contentement quand nos aspirations sont satisfaites –, tout à fait compatible avec la bienveillance pour autrui, et l'amour-propre qui nous dicte de placer systématiquement nos intérêts avant ceux d'autrui, et exige que le monde entier prenne nos désirs en considération.

Pour autant, l'accomplissement du bien d'autrui n'implique pas le sacrifice de notre propre bonheur, bien au contraire. Pour remédier aux souffrances d'autrui, nous pouvons choisir de payer de notre propre personne, renoncer à certaines de nos possessions ou à notre confort. En effet, si nous sommes mus par une motivation altruiste sincère et déterminée, nous vivrons ce geste comme une réussite et non un échec, un gain et non une perte, une joie et non une mortification. L'abnégation dite «sacrificielle» et, à ce titre, décriée par les zélateurs de l'égocentrisme[3], n'est sacrifice que pour l'égoïste. Pour l'altruiste, elle devient une source d'épanouissement. La qualité de notre vécu ne s'en trouve pas diminuée, mais augmentée. «L'amour est la seule chose qui double à chaque fois qu'on le donne», disait Albert Schweitzer. On ne peut donc plus parler de sacrifice puisque, subjectivement, l'acte accompli, loin d'avoir été ressenti comme une souffrance ou une perte, nous a, au contraire, apporté la satisfaction d'avoir agi de manière juste, désirable et nécessaire.

Lorsque l'on parle du «coût» d'une action altruiste, ou des sacrifices consentis en faveur des autres, il s'agit souvent de sacrifices extérieurs – notre confort physique, nos ressources financières, notre temps, etc. Mais ce coût extérieur ne correspond pas pour autant à un coût intérieur. Même si nous avons consacré du temps et des ressources à l'accomplissement du bien d'autrui, si cet acte est vécu comme un gain intérieur, la notion même de coût s'évanouit.

De plus, si nous reconnaissons la valeur de l'aspiration commune à tous les êtres sensibles d'échapper à la souffrance, il nous paraîtra raisonnable et souhaitable d'accepter certaines difficultés pour leur assurer de grands bienfaits. De ce point de vue, s'il se trouve qu'une action altruiste nous fait indirectement du bien, tant mieux ; si elle ne nous fait ni bien ni mal, cela n'a pas d'importance ; et si elle exige certains sacrifices, cela en vaut la peine, puisque notre sentiment d'adéquation avec nous-mêmes s'en trouve accru.

Tout est une question de mesure et de bon sens : si la diminution de la souffrance est le critère principal, il serait déraisonnable de sacrifier notre bien-être durable pour que l'autre puisse jouir d'un avantage mineur. L'effort consenti doit avoir un sens. Il serait absurde de risquer notre vie pour repêcher une bague que quelqu'un a laissé tomber dans l'eau, ou de dépenser une somme importante pour donner une caisse de bouteilles d'alcool à un ivrogne malade. Par contre, cela aurait un sens de sauver la vie de la personne si elle était tombée à l'eau avec sa bague au doigt, et d'utiliser notre argent pour aider l'ivrogne à se débarrasser de l'alcoolisme qui le tue.

Un acte est-il égoïste lorsqu'on en retire un avantage ?

Un acte désintéressé ne l'est pas moins si l'on est satisfait de l'avoir accompli. On peut retirer une satisfaction d'un geste altruiste sans que cette satisfaction ait motivé notre acte. En outre, l'individu qui fait un geste altruiste pour des raisons purement égoïstes risque d'être déçu en n'obtenant pas l'effet escompté. La raison en est simple : seul un acte bienveillant issu d'une motivation également bienveillante peut engendrer une satisfaction profonde.

Lorsqu'un paysan cultive son champ et y plante du blé, c'est en vue de moissonner assez de grain pour nourrir sa famille. En même temps, les tiges du blé lui fournissent de la paille. Mais personne ne soutiendra que le paysan a consacré une année de labeur à la seule fin d'engranger de la paille.

John Dunne, professeur au département des religions de l'université d'Emory aux États-Unis, parle avec une pointe d'humour d'« économie bouddhiste » pour désigner la façon dont les bouddhistes perçoivent les pertes et les profits véritables. Ainsi, si je sors vainqueur d'un conflit financier, je m'enrichis extérieurement, mais je paie le prix intérieur de l'hostilité qui trouble mon esprit en y laissant les empreintes du ressentiment. Je me suis donc appauvri intérieurement. À l'inverse, si j'accomplis un acte de générosité désintéressée, je m'appauvris extérieurement, mais je m'enrichis intérieurement en termes de bien-être. Le «coût» matériel qui peut être comptabilisé comme une «perte» extérieure s'avère être un «gain» intérieur. En fait, du point de vue de l'économie psychologique, tout le monde est gagnant : celui qui donne avec générosité et celui qui reçoit avec gratitude.

D'après le grand maître tibétain Dilgo Khyentsé Rinpotché, le bouddhiste véritable est celui qui «répond aux besoins d'autrui spontanément, par compassion naturelle, et n'espère jamais de récompense. Comme les lois de causalité s'appliquent nécessairement, ses actions pour le bien des êtres porteront assurément des fruits – sur lesquels il ne tablera jamais. Jamais, non plus, il ne pensera qu'on ne lui témoigne pas assez de gratitude ou qu'il devrait être traité avec plus d'égards, mais il se réjouira du fond du cœur et se sentira pleinement satisfait si celui qui lui a fait du tort change d'attitude[4]».

Ce concept d'économie intérieure fait appel à une notion souvent mal comprise, celle de «mérite». Dans le bouddhisme, les mérites ne sont pas des «bons points» de vertu, mais des énergies positives qui permettront de faire le plus grand bien aux autres tout en étant heureux soi-même. Dans ce sens, les mérites sont comme une plantation dont on a pris grand soin et qui fournit une abondante moisson, capable de combler tout le monde.

Tout le monde y perd ou tout le monde y gagne

La recherche du bonheur égoïste semble vouée à l'échec pour plusieurs raisons. Tout d'abord, du point de vue de l'expérience personnelle, l'égoïsme, né du sentiment exacerbé de l'importance de soi, s'avère être une perpétuelle source de tourments. L'égocentrisme multiplie nos espoirs et nos craintes et nourrit les ruminations de ce qui nous affecte. L'obsession du «moi» nous conduit à magnifier l'impact du moindre événement sur notre bien-être, à regarder le monde dans un miroir déformé. Nous projetons sur ce qui nous entoure des jugements et des valeurs fabriqués par notre confusion mentale. Ces projections constantes nous rendent non seulement misérables, mais aussi vulnérables à toutes les perturbations extérieures et à nos propres automatismes de pensée, qui entretiennent en nous une sensation de malaise permanent.

Dans la bulle de l'ego, la moindre contrariété prend des proportions démesurées. L'étroitesse de notre monde intérieur fait qu'en rebondissant sans cesse sur les parois de cette bulle, nos états d'esprit et nos émotions s'amplifient de manière disproportionnée et envahissante. La moindre joie devient euphorie, le succès nourrit la vanité, l'affection se fige en attachement, l'échec nous plonge dans la dépression, le déplaisir nous irrite et nous rend agressifs. Nous manquons des ressources intérieures nécessaires pour gérer sainement les hauts et les bas de l'existence. Ce monde de l'ego est comme un petit verre d'eau : quelques pincées de sel suffisent à le rendre imbuvable. À l'inverse, celui qui a fait éclater la bulle de l'ego est comparable à un grand lac : une poignée de sel ne change rien à sa saveur. Par essence, l'égoïsme ne fait que des perdants : il nous rend malheureux et nous faisons, à notre tour, le malheur de ceux qui nous entourent.

La deuxième raison tient au fait que l'égoïsme est fondamentalement en contradiction avec la réalité. Il repose sur un postulat erroné selon lequel les individus sont des entités isolées, indépendantes les unes des autres. L'égoïste espère construire son bonheur personnel dans la bulle de son ego. Il se dit en substance : «À chacun de construire son propre bonheur. Je m'occupe du mien, occupez-vous du vôtre. Je n'ai rien contre votre bonheur, mais ce n'est pas mon affaire.» Le problème est que la réalité est tout autre : nous ne sommes pas des entités autonomes et notre bonheur ne peut se construire qu'avec le concours des autres. Même si nous avons l'impression d'être le centre du monde, ce monde reste celui des autres.

L'égoïsme ne peut donc être considéré comme une façon efficace de s'aimer soi-même, puisqu'il est la cause première de notre mal-être. Il constitue une tentative particulièrement maladroite d'assurer son propre bonheur. Le psychologue Erich Fromm, rejoignant la pensée bouddhiste, éclaire ainsi ce comportement : «S'aimer soi-même est nécessairement lié au fait d'aimer une autre personne. L'égoïsme et l'amour de soi, loin d'être identiques, sont en fait deux attitudes opposées. L'égoïste ne s'aime pas trop, mais trop peu; en fait, il se hait[5].» L'égoïste est un être qui ne fait rien de sensé pour être heureux. Il se hait parce que, sans le savoir, il fait tout ce qu'il faut pour se rendre malheureux et cet échec permanent provoque une frustration et une rage intérieure qu'il retourne contre lui et contre le monde extérieur.

Si l'égocentrisme est une constante source de tourments, il en va tout autrement de l'altruisme et de la compassion. Sur le plan de l'expérience vécue, l'amour altruiste s'accompagne d'un profond sentiment de plénitude et, comme nous le verrons par ailleurs, c'est aussi l'état d'esprit qui déclenche l'activation la plus importante des aires cérébrales associées aux émotions positives. On pourrait dire que l'amour altruiste est la plus positive de toutes les émotions positives.

De plus, l'altruisme est en adéquation avec la réalité de ce que nous sommes et de ce qui nous entoure, à savoir le fait que tout est foncièrement interdépendant. La perception habituelle de notre vie quotidienne peut nous porter à croire que les choses ont une réalité objective et indépendante, mais, en fait, elles n'existent qu'en dépendance d'autres choses.

La compréhension de cette interdépendance universelle est la source même de l'altruisme le plus profond. En comprenant à quel point notre existence physique, notre survie, notre confort, notre santé, etc. dépendent des autres et de ce que nous fournit le monde extérieur – remèdes, nourriture, etc. – il devient facile de nous mettre à leur place, de vouloir leur bonheur, de respecter leurs aspirations et de nous sentir intimement concernés par l'accomplissement de ces aspirations.

La supériorité de l'altruisme sur l'égoïsme ne repose donc pas seulement sur des valeurs morales, mais aussi sur le bon sens et sur une juste perception de la réalité.

L'altruisme est-il intrinsèquement lié à notre bien-être ?

De même que la chaleur survient inévitablement lorsqu'on allume un feu, le véritable altruisme va naturellement de pair avec une profonde satisfaction personnelle. Lorsque nous accomplissons spontanément un acte bienveillant – en permettant, par exemple, à un être de retrouver la santé ou la liberté, ou encore d'échapper à la mort – n'avons-nous pas l'impression d'être en adéquation avec notre nature la plus intime ? Ne souhaiterions-nous pas connaître plus fréquemment une telle disposition d'esprit qui fait que les illusoires barrières inventées par l'égocentrisme entre le «moi» et le monde s'évanouissent, ne serait-ce qu'un instant, et que nous éprouvons un sentiment de communauté de nature, qui reflète l'interdépendance essentielle de tous les êtres ?

À l'inverse, lorsque nous reprenons nos esprits après avoir été momentanément envahis par une violente colère, ne disons-nous pas souvent : « J'étais hors de moi » ou : « Je n'étais plus moi-même » ? Les états mentaux nuisibles tendent à nous éloigner toujours un peu plus de ce sentiment d'adéquation avec soi-même que le philosophe Michel Terestchenko appelle la « fidélité à soi ». Il propose de substituer à une conception de l'altruisme envisagé comme « la déprise, l'anéantissement, la dépossession de soi, le désintéressement sacrificiel qui s'abandonne à une altérité radicale (Dieu, la loi morale ou autrui) », la notion d'une « relation bienveillante avec autrui qui résulte de la présence à soi, de la fidélité à soi, de l'obligation, éprouvée au plus intime de soi, d'accorder ses actes avec ses convictions (philosophiques, éthiques ou religieuses) en même temps qu'avec ses sentiments (d'empathie ou de compassion), et parfois même, plus simplement encore, d'agir en accord avec l'image de soi, indépendamment de tout regard ou jugement d'autrui, de tout désir social de reconnaissance[6] »

La nature de la relation entre bonté et bonheur s'éclaircit alors. Les deux s'engendrent et se renforcent l'un l'autre ; ils procèdent d'un accord avec nous-mêmes. Platon disait : « L'homme le plus heureux est celui qui n'a dans l'âme aucune trace de méchanceté[7]. »

L'altruisme, la bonté et le bonheur ont également un sens du point de vue de l'évolution des animaux sociaux que nous sommes. L'amour, l'affection et le souci de l'autre sont, à long terme, essentiels à notre survie. Le nouveau-né ne survivrait pas plus de quelques heures sans la tendresse de sa mère ; un vieillard invalide mourrait rapidement sans les soins de ceux qui l'entourent. Nous avons besoin de recevoir de l'amour pour pouvoir et pour savoir en donner.

II

L’ALTRUISME VÉRITABLE EXISTE-T-IL ?

Toute vérité franchit trois étapes :
D’abord, elle est ridiculisée.
Ensuite, elle subit une forte opposition.
Puis elle est considérée comme ayant toujours été une évidence.
Arthur Schopenhauer

7

L'altruisme intéressé et la réciprocité généralisée

Les simulacres de l'altruiste sont légion. On peut faire le bien d'autrui dans l'attente calculée d'une contrepartie, dans le désir d'être loué ou d'éviter le blâme, ou encore pour soulager le sentiment d'inconfort ressenti devant la souffrance d'autrui. L'« altruisme intéressé » est lui une mixture d'altruisme et d'égoïsme. Ce n'est pas une façade hypocrite, puisqu'il tend sincèrement à contribuer au bien d'autrui, mais il reste conditionnel et ne s'exerce que dans la mesure où il contribue également à nos propres intérêts.

Les êtres humains acceptent volontiers de se rendre mutuellement des services et, tout en veillant à leurs intérêts, utilisent ces services rendus comme une monnaie d'échange. Les échanges commerciaux équitables, les pratiques d'échange dans les sociétés traditionnelles, le don et contre-don, en sont des exemples. Cette pratique est compatible avec le respect d'autrui, dans la mesure où l'on agit de manière équitable et que l'on veille à ne nuire à personne. L'altruisme intéressé n'est donc pas nécessairement trompeur. Néanmoins si un acte profitable à un individu a été accompli dans l'intention d'en retirer un bénéfice, on ne peut le qualifier d'altruisme pur. De plus, faute d'être animée par une attitude bienveillante, la simple pratique de l'échange finit souvent dans la méfiance, la dissimulation, la manipulation, voire l'hostilité.

L'altruisme intéressé peut aussi relever de l'égoïsme pur et simple. Comme l'observait La Rochefoucauld : « Nous nous persuadons souvent d'aimer les gens plus puissants que nous, et néanmoins c'est l'intérêt seul qui produit notre amitié. Nous ne nous donnons pas pour le bien que nous leur voulons faire, mais pour celui que nous voulons recevoir[1]. » L'altruiste ne serait-il qu'un « égoïste raisonnable » pour reprendre l'expression de Remy de Gourmont? Sommes-nous incapables de faire mieux?

L'altruisme intéressé et la réalisation du bien commun

Certains auteurs comme Jacques Attali et André Comte-Sponville considèrent que la recherche de l'altruisme intéressé, rationnel et équitable est, dans un premier temps, un objectif plus réaliste que l'avènement dans nos sociétés d'un altruisme désintéressé. Jacques Attali évoque l'interdépendance des comportements humains comme principe fondateur de cet altruisme intéressé :

> L'altruisme intéressé est le point de passage entre la liberté et la fraternité. Je crois que notre civilisation ne survivra que si elle est capable de faire en sorte que chacun trouve son bonheur dans le bonheur des autres[2]. [...] On a intérêt au bonheur de l'autre; la paix chez nous dépend du recul de la pauvreté ailleurs[3].

Pour l'économiste Serge-Christophe Kolm, ce «point de passage» est la réciprocité générale :

> L'altruisme volontaire et sans contrainte de la réciprocité [...] fonde sur les libertés individuelles les actes positifs envers autrui qui sont la trame du sentiment communautaire : c'est la réconciliation de la liberté et de la fraternité[4].

Une société harmonieuse serait donc celle qui trouve un juste équilibre entre les intérêts de chaque individu et ceux de la communauté et favorise une atmosphère de bienveillance réciproque. *Cette bienveillance naît de* la compréhension que c'est *à la seule condition de respecter ce juste équilibre* que le bien de chacun a le plus de chances d'être accompli. Ce qu'énonce ainsi Comte-Sponville : «Je crois donc que tout l'art de la politique, c'est de rendre des individus égoïstes plus intelligents, ce que j'appelle la "solidarité" et ce que Jacques Attali appelle l'"altruisme intéressé". Il s'agit de faire comprendre aux gens que c'est leur intérêt que de prendre en compte les intérêts de l'autre[5].»

La réciprocité à long terme

Une réciprocité qui s'avère équitable à long terme est une composante essentielle de toute société humaine et d'un grand nombre de sociétés animales. La coopération est en effet essentielle à la survie des animaux sociaux. Selon Darwin : «Les instincts sociaux poussent l'animal à trouver du plaisir dans la société de ses semblables, à éprouver une certaine sympathie pour eux, et à leur rendre divers services. [...] Les animaux sociables se défendent réciproquement [...] et s'avertissent réciproquement du danger[6].»

Un exemple de réciprocité souvent décrit chez les animaux est celui d'une espèce de chauve-souris, le vampire commun d'Amérique latine. Ces vampires vivent en groupe d'une vingtaine d'individus, principalement des femelles et leurs petits. La nuit, ils chassent les animaux de ferme dont ils boivent le sang. Mais nombre d'entre eux reviennent bredouilles au petit matin, une nuit sur trois en moyenne. Si, par malheur, un vampire ne trouve pas à se nourrir deux nuits de suite, ce qui est fréquent chez les jeunes, il ne survivra vraisemblablement pas jusqu'à la troisième nuit en raison de ses besoins métaboliques élevés. L'affamé va alors s'approcher d'une congénère pour quémander de la nourriture. Cette dernière accepte presque toujours de lui régurgiter une partie du sang collecté durant la nuit.

L'éthologue Gerald Wilkinson, qui a longuement étudié ces chauves-souris, a montré que ces régurgitations ne sont pas seulement le fait de femelles apparentées (mères-filles ou proches parentes), mais aussi de femelles non apparentées qui ont établi des alliances pouvant durer une dizaine d'années : ces femelles restent souvent ensemble et se livrent à davantage de toilettage mutuel que les autres. Toutefois, si une femelle refuse à plusieurs reprises de régurgiter du sang pour les autres, elle sera ignorée par le groupe, voire expulsée du perchoir de la communauté. De ce fait, elle risquera de mourir d'inanition lorsqu'à son tour elle aura besoin de sang[7].

Dans les sociétés humaines, la réciprocité constitue la texture d'une communauté équilibrée au sein de laquelle chacun est disposé à rendre service à l'autre et manifeste de la gratitude lorsqu'un service lui est rendu. Dans une communauté où les gens se connaissent bien, chacun tient pour acquis que les autres se comporteront de manière bénéfique à leur égard lorsque le besoin s'en fera ressentir. S'il arrive qu'un membre de la communauté ne joue pas le jeu, qu'il jouisse de l'obligeance d'autrui sans lui rendre la pareille, il sera rapidement ostracisé par ses pairs.

Dans les hautes vallées du Zanskar, situées à l'extrême nord-ouest de l'Inde, la vie communautaire est réglée par une telle réciprocité durable. Dans les villages, chaque année à tour de rôle, un quartier d'une dizaine de foyers est désigné pour prendre en charge les préparatifs des fêtes du Nouvel An. Par ailleurs, chaque famille doit, à tour de rôle, offrir un banquet au voisinage, au cours duquel une nourriture riche et abondante est préparée. Il s'agit là d'ententes tacites que chacun se sent tenu de respecter. Il se forme également au Zanskar des confréries de gens liés non par le sang, mais par un serment pris lors d'un rite religieux. À chaque événement familial important, tels la naissance, le mariage ou la mort, les membres de cette confrérie s'entraident. Lors d'un décès, par exemple, ils prennent en charge les dépenses et l'organisation des funérailles. Au cours des récentes années, nombre de jeunes ont émigré vers les villes des plaines indiennes et ces conventions de réciprocité sont devenues lourdes à assumer pour ceux qui sont restés au village. Toutefois, il serait mal vu de les abandonner, et les villageois tentent à tout prix de les préserver [8].

Ce système de réciprocité est très différent d'un accord ou d'une transaction commerciale. Personne n'est lié par un contrat et ne peut contraindre quiconque à «rembourser sa dette». Aucune autorité extérieure ne s'en mêle. Il serait inconcevable, voire risible, d'aller trouver le chef du village pour se plaindre que la famille Untel n'a pas donné de fête depuis bien longtemps. Les bavardages suffisent. Soit on reste dans le cercle de la réciprocité, soit on en sort, avec les conséquences que ce désistement aura en termes d'isolement.

Les peuplades des Andes, qui ont vécu avant et pendant l'Empire inca, étaient structurées en unités sociales qui rassemblaient de nombreuses familles. Les membres de la communauté se rendaient des services similaires pour les travaux des champs, la construction des maisons, etc. Cependant, on tenait un compte très précis des tâches effectuées et la réciprocité impliquait des heures de service équivalentes : on était bien conscient d'avoir aidé à labourer cinq sillons ou d'avoir donné une pièce d'étoffe qui avait exigé tant d'heures de tissage et l'on attendait en contrepartie un service proportionnel en nombre d'heures de travail ou en valeur. Là aussi, la réciprocité avait une grande valeur d'enrichissement et de préservation du lien social[9].

La réciprocité quantifiée peut mener à des situations extrêmes, comme chez le peuple ik en Afrique, où l'on peut, contre le gré du propriétaire, labourer son champ ou réparer son toit pendant qu'il a le dos tourné, dans le but de lui imposer une dette de gratitude qu'on ne manquera pas de réclamer en temps utile. «Une fois, j'ai vu tellement de gens sur un toit pour le réparer qu'il était sur le point de s'écrouler, et tout cet empressement en dépit des protestations du propriétaire que personne n'écoutait[10]», rapporte Colin Turnbull, l'anthropologue qui a étudié le système du don et du contre-don chez les Ik. «Un individu, en particulier, était devenu assez impopulaire, ajoute Turnbull, car il acceptait toutes les aides, mais les repayait sur-le-champ par de la nourriture (ce qui était plus facile que d'accomplir des tâches fatigantes) afin d'annuler immédiatement la dette de gratitude.» Comme le dit un vieil adage scandinave : «L'avare a toujours peur des cadeaux[11].»

Mais, en général, comme le constate Paul Ekman, «au sein des petites communautés et des villages, plus les gens coopèrent, plus la prospérité s'accroît, permettant ainsi aux enfants d'avoir de meilleures chances de survivre. En ce qui concerne les populations de Nouvelle-Guinée que j'ai étudiées il y a cinquante ans et qui n'avaient quasiment jamais eu de contact avec les hommes modernes, travailler ensemble était une nécessité : qu'il s'agisse de faire la cuisine, d'accoucher ou de lutter contre les prédateurs, personne ne veut s'associer avec des querelleurs et des profiteurs. Dans un village, vous ne pouvez pas exploiter les autres en toute impunité sans hériter d'une mauvaise réputation qui est fatale. Ainsi, au fil du temps, le patrimoine héréditaire de l'espèce doit tendre vers la coopération[12]».

La réciprocité inclut également une solidarité qui dépasse le don réciproque. Chez les nomades du Tibet, par exemple, le taux de natalité, mais aussi hélas les taux de mortalité tant maternelle qu'infantile restent élevés. Lorsqu'une mère meurt en couches, les orphelins sont presque automatiquement pris en charge par une famille apparentée vivant dans une tente voisine, et les deux foyers se fondent en un seul, jusqu'à ce que les enfants soient grands ou que le père veuf se remarie.

Tous ceux qui pratiquent ce type de coopération communautaire, des pisteurs de brousse africains iks aux Papous de Nouvelle-Guinée, témoignent de la joie qu'ils éprouvent à unir leurs efforts en vue d'un but commun et affirment que ces moments de travail partagé et de coopération sont parmi les plus appréciés de la vie quotidienne.

L'émergence des villes n'est possible que grâce à une synergie à différents niveaux de coopération. Toutefois, dans une communauté beaucoup plus vaste, comme celle d'une métropole, il est impossible de connaître tous les autres membres de la communauté. Cela facilite l'émergence des champions du « chacun pour soi » et de profiteurs qui peuvent ainsi échapper à l'engagement tacite de réciprocité.

Vers une réciprocité généralisée ?

Les mutuelles et les coopératives représentent une forme de réciprocité volontaire, quasi anonyme (selon la taille et la vocation de ces organismes). Au niveau des États, des institutions comme la Sécurité sociale et l'aide sociale aux personnes âgées, aux nécessiteux, orphelins et aux chômeurs représentent une forme de réciprocité généralisée par l'intermédiaire de l'impôt redistribué par l'État-providence. C'est ce contre quoi s'insurgent les milieux conservateurs ultralibéraux aux États-Unis tout particulièrement.

L'économiste Serge-Christophe Kolm renvoie dos à dos les deux systèmes économiques qui se sont partagé le monde au XXe siècle – le marché capitaliste et la planification totalitaire –, systèmes qui, selon lui, « sont tous deux fondés sur l'égoïsme, l'instrumentalisation pure et simple de l'individu, l'hostilité, le conflit et la concurrence, la domination, l'exploitation et l'aliénation[13] ». Cet économiste défend le modèle alternatif d'une réciprocité générale, « fondée sur le meilleur de l'homme, sur les meilleures relations sociales, et qui les renforcent ». Il précise cette notion de réciprocité : chacun donne à la société et reçoit de l'ensemble des autres. En règle générale, l'origine du don n'est pas connue. Il n'y a pas de donateur spécifique. C'est « tous pour un, un pour tous[14] ».

On voit donc, à la lumière de ce chapitre, que l'altruisme intéressé et l'altruisme réciproque sont très différents de l'égoïsme borné en ce qu'ils permettent de tisser des relations constructives entre les membres de la société. Ils peuvent également servir de tremplin à l'altruisme pur. En effet, à mesure que les gens prennent conscience des vertus de la bienveillance, pourquoi n'abandonneraient-ils pas l'idée et le désir de recevoir quelque chose en retour, en décidant que l'altruisme mérite d'être pratiqué dans le seul but de faire du bien à autrui, sans qu'aucune considération égocentrée entre en ligne de compte.

8

L'altruisme désintéressé

Nous connaissons tous des exemples d'actes qui nous ont paru parfaitement désintéressés. Une anecdote n'a valeur que de témoignage, mais l'accumulation d'anecdotes concordantes, comme celles qui suivent, finit par avoir valeur de preuve.

Joueur de basson à l'opéra de New York, Cyrus Segal attendait l'autobus sur un trottoir de Manhattan, lorsque son précieux instrument, qu'il avait posé à ses côtés, lui fut subrepticement dérobé. Il jouait de cet instrument depuis vingt-cinq ans et, bien qu'il l'eût assuré, Cyrus était catastrophé. Chaque basson a sa personnalité, et il savait qu'il ne retrouverait jamais exactement le même compagnon. Un peu plus tard, un vagabond entra dans un magasin de musique et proposa le basson pour la modeste somme de 10 dollars (alors qu'il était estimé à 12 000 dollars). Le vendeur, qui venait d'une famille de musiciens, imagina sans peine ce que le propriétaire devait ressentir et décida sur-le-champ d'acheter l'instrument, non sans l'avoir marchandé à 3 dollars ! Puis il demanda à tous les musiciens qui visitaient sa boutique s'ils avaient entendu parler d'un collègue victime d'un vol de basson. Dans les jours qui suivirent, la nouvelle arriva aux oreilles de Cyrus qui se rendit en hâte à la boutique et reconnut son cher instrument. Le vendeur, Marvis, ne demanda aucune récompense et refusa même que Cyrus lui rende les 3 dollars[1]. Voilà qui n'est sans doute pas aussi héroïque que de sauter dans l'eau glacée pour sauver quelqu'un qui se noie, mais qui constitue manifestement un bel exemple d'acte généreux et désintéressé.

En 2010, Violet Large et son mari Allen, qui vivaient en Nouvelle-Écosse, au Canada, gagnèrent plus de 11 millions de dollars au loto. Plutôt que de s'acheter une nouvelle maison et de vivre de manière plus luxueuse, le couple décida qu'«il était préférable de donner que de recevoir» et distribua 98 % de cette somme à des organisations caritatives locales et nationales. «Nous n'avons pas acheté une seule chose, déclara Violet, nous n'en avions pas besoin[2].» Ce à quoi Allen ajouta : «Le bonheur ne s'achète pas. Cet argent que nous avons gagné, ce n'était rien. La chose que nous avons, c'est elle et moi.»

Stan Brock passa des années dans la forêt amazonienne parmi les Indiens wapishana, à vingt-six heures de marche du premier médecin. Il vit tant de personnes mourir faute de soins qu'il se promit d'apporter une aide médicale dans la région. Après avoir connu son heure de gloire à la suite de reportages télévisés où on le voyait à cheval attraper des animaux sauvages au lasso et lutter dans un marécage avec un anaconda, il se dit que cela n'avait aucun sens et qu'il était temps de faire quelque chose de valable.

Établi ensuite aux États-Unis, il s'indigna de voir tant de ses concitoyens privés d'accès aux soins de santé, notamment de soins dentaires et ophtalmologiques. Il décida d'organiser des camps sanitaires itinérants dans lesquels des milliers de patients pauvres viennent se faire soigner dès l'ouverture des portes non sans avoir parfois passé pour cela la nuit dans le froid. Grâce à ses centaines de volontaires, la fondation caritative qu'il a fondée, RAM (Remote Area Medical), a maintenant soigné plus d'un demi-million de patients aux États-Unis. Avec de vieux avions, il retourne aussi en Guyane pour apporter des soins dans les régions les plus reculées. Âgé maintenant de soixante-dix-sept ans, Stan a fait vœu de pauvreté et ne possède ni maison, ni voiture, ni compte en banque, ni bien d'aucune sorte. Il dort sur un tapis qu'il déroule sur le sol de son bureau. À un journaliste de la BBC qui lui lança un jour lors d'une interview : «Ça ne doit pas être drôle tous les jours pour vous!», il répondit : «Au contraire! J'apprécie chaque instant!»

Ce ne sont là que quelques témoignages. Gardons-nous de conclure hâtivement qu'ils sont rares pour la simple raison qu'ils sont remarquables. Il existe des centaines d'histoires semblables qui, toutes, en disent plus que de longs raisonnements.

Le désintéressement évalué en laboratoire

Le caractère désintéressé d'un comportement peut être mis en évidence expérimentalement[3]. Le psychologue Leonard Berkowitz demanda à un groupe de volontaires de fabriquer des boîtes en papier sous le contrôle d'un superviseur. Puis on informa la moitié des volontaires que leur performance, bien qu'anonyme, influerait sur la façon dont le superviseur serait noté.

Il s'est avéré que les participants de ce groupe travaillèrent mieux et plus longtemps que les membres de l'autre groupe, à qui on n'avait rien dit à propos du superviseur. Les premiers agirent donc spontanément et anonymement pour le bien d'un superviseur qu'ils ne reverraient jamais. On ne peut donc pas attribuer leur comportement à l'espoir d'une quelconque rétribution.

Par ailleurs, des sociologues ont montré que la fréquence des actes altruistes diminuait lorsqu'ils étaient assortis d'une récompense matérielle. Une étude effectuée sur un grand nombre de donneurs de sang a révélé que moins de 2% des donneurs espéraient une contrepartie à leur don. La quasi-totalité des donneurs exprimaient simplement leur désir d'aider ceux qui en avaient besoin[4]. Bien plus, une étude célèbre, réalisée en Angleterre, a révélé que le fait de rémunérer les donneurs faisait chuter leur nombre. L'attribution d'une rémunération dégradant la qualité de leur acte altruiste, les donneurs habituels étaient moins inspirés à rendre service[5]. De fait, la quantité de sang donné rapportée au nombre d'habitants était, jusqu'alors, nettement supérieure en Angleterre qu'aux États-Unis où les dons sont rémunérés.

L'explication la plus simple

Lorsque l'on offre un vrai cadeau de manière sincère à quelqu'un, la beauté du geste tient au fait de faire plaisir et non d'espérer quelque chose en retour. L'autre reçoit votre présent avec d'autant plus de joie qu'il sait que votre geste ne s'accompagne d'aucun calcul. C'est toute la différence entre un cadeau offert de bon cœur à une personne que l'on aime et, par exemple, un cadeau commercial, dont tout le monde sait qu'il est intéressé.

Deux chercheuses américaines, Nancy Eisenberg et Cynthia Neal[6], ont travaillé avec des enfants de trois à quatre ans, estimant qu'il était peu probable que leurs réponses soient influencées par l'hypocrisie ou par l'intention de manipuler leur interlocuteur. Lorsque les enfants de maternelle observés par ces chercheuses partageaient spontanément avec les autres ce qu'ils avaient ou qu'ils réconfortaient un enfant triste ou mécontent, elles leur demandaient les raisons de leur geste en leur posant des questions comme : « Pourquoi as-tu donné cela à John ? » L'examen des réponses a montré que la grande majorité des enfants faisait explicitement référence au fait que l'autre avait besoin d'aide : « Il avait faim », répondit, par exemple, l'un d'eux qui avait partagé son goûter. Les enfants ne mentionnaient jamais la crainte d'être punis par l'instituteur ou réprimandés par leurs parents s'ils n'aidaient pas leurs camarades. Seuls quelques-uns ont répondu qu'ils espéraient quelque chose en retour, comme être bien vus, par exemple.

Lucille Babcok, qui a reçu la médaille de la Commission Carnegie pour « faits d'héroïsme[7] », n'avait pas l'impression de la mériter : « Je n'ai pas honte de l'avoir obtenue, mais je me sens embarrassée car je n'avais pas envisagé les choses sous cet aspect-là. » Il en va de même pour les « Justes » qui sauvèrent des Juifs lors des persécutions nazies : les honneurs auxquels ils ont eu droit par la suite ont été considérés comme accessoires, inattendus, embarrassants, voire « indésirables » par certains. La perspective de tels honneurs n'était jamais entrée en ligne de compte dans la motivation de leurs actes. « C'était tout simple rapporte un sauveteur, je n'ai rien fait de grandiose. Je n'ai jamais considéré les risques ou imaginé que mon comportement pourrait entraîner un blâme ou une reconnaissance. Je pensais que je faisais juste ce que je devais faire[8]. »

Il y a donc des situations dans lesquelles l'altruisme véritable est l'explication la plus simple et la plus vraisemblable de comportements qui se produisent constamment dans notre vie quotidienne. Un altruisme qui se situe au-delà de la louange et du blâme. Les arguments habituels de ceux qui s'ingénient à déceler des motivations égoïstes derrière tout acte altruiste ne résistent guère à l'analyse.

Ainsi que le souligne le philosophe et moraliste Charlie Dunbar Broad : « Comme cela se produit souvent en philosophie, des gens intelligents acceptent a priori une idée erronée, et consacrent ensuite des efforts et une ingénuité sans fin pour expliquer selon leur présupposé de simples faits qui vont pourtant de toute évidence à l'encontre de cette idée[9]. »

Le père Ceyrac qui, pendant soixante ans, s'est occupé de trente mille enfants défavorisés dans le sud de l'Inde, me dit un jour : « Malgré tout, je suis frappé par l'immense bonté des gens, même de ceux qui semblent avoir le cœur et l'œil fermés. Ce sont les autres, tous les autres, qui fondent la trame de nos vies et forment la matière de nos existences. Chacun est une note dans le "grand concert de l'univers", comme le disait le poète Tagore. Personne ne peut résister à l'appel de l'amour. On craque toujours au bout d'un certain temps. Je pense réellement que l'homme est intrinsèquement bon. Il faut toujours voir le bon, le beau d'une personne, ne jamais détruire, toujours chercher la grandeur de l'homme, sans distinction de religion, de caste, de pensée.»

Se défaire du cynisme

L'esprit critique est certes une qualité première de l'investigation scientifique, mais s'il tourne au cynisme et au dénigrement systématique de tout ce qui semble relever de la bonté humaine, il n'est plus une preuve d'objectivité, mais un signe d'étroitesse d'esprit et de pessimisme chronique. J'en ai eu la preuve en côtoyant pendant plusieurs semaines une équipe de télévision qui préparait un reportage sur le Dalaï-lama. J'ai retrouvé les membres de cette équipe au Népal, aux États-Unis et en France où je les aidais de mon mieux à pouvoir filmer divers événements privés auxquels participait le Dalaï-lama ainsi qu'à obtenir une interview avec lui. Jusqu'à ce que je finisse par m'apercevoir que leur objectif principal était de chercher des fautes qu'ils estimaient cachées dans les actions et la personne du Dalaï-lama[10]. Vers la fin du tournage, je dis au réalisateur : «Quand on a affaire à certaines des grandes figures morales de notre temps, des personnes comme Nelson Mandela, Desmond Tutu, Vaclav Havel ou le Dalaï-lama, ne pensez-vous pas qu'il vaut mieux essayer de se mettre à leur niveau, plutôt que de tenter de les rabaisser au nôtre?» Je n'eus droit qu'à un ricanement gêné.

Nous sommes tous un mélange de qualités et de défauts, d'ombre et de lumière. Sous l'emprise d'une paresse malveillante, il est sans doute plus facile de renoncer à devenir meilleur que de reconnaître l'existence de la bonté humaine et de faire des efforts pour la cultiver. C'est pourquoi, quand on est témoin de cette bonté, mieux vaut s'en inspirer que la dénigrer, et faire de son mieux pour lui donner une plus grande place dans notre existence.

9

La banalité du bien

Un mendiant reçoit deux billets de cinquante roupies – somme relativement conséquente au Népal –, il en donne la moitié à son compagnon d'infortune. Une infirmière épuisée après une nuit de garde éprouvante reste néanmoins quelques heures de plus pour assister un mourant qui part seul. Ma sœur, Ève, qui s'est occupée toute sa vie d'enfants en difficulté, n'a jamais hésité à se lever en pleine nuit pour accueillir une enfant qui fuguait. Dans le métro, un Maghrébin percevant l'état d'angoisse d'une voyageuse qu'il ne reverra jamais, lui murmure : «Ne t'inquiète pas, ma fille, ça va passer.» Au terme d'une journée trop remplie, un ingénieur rentre de son bureau et fait cinq cents mètres de plus pour montrer à un étranger perdu dans la capitale le chemin de son hôtel.

On a pu parler de la banalité du mal*». Mais l'on pourrait aussi parler de la «banalité du bien», en se représentant les mille et une expressions de solidarité, de prévenance et d'engagement en faveur du bien d'autrui qui jalonnent nos vies quotidiennes et exercent une influence considérable sur la qualité de la vie sociale. De plus, ceux qui accomplissent ces innombrables actes d'entraide et de sollicitude disent généralement qu'il est bien «normal» d'aider son prochain. S'il est justifié d'évoquer cette notion de banalité, c'est aussi parce qu'elle est en quelque sorte silencieuse : le bien de tous les jours est anonyme; il ne fait pas la une des

* C'est la philosophe Hannah Arendt qui parla de la «banalité du mal» à propos d'Adolf Eichmann, l'administrateur nazi des camps de concentration qui, lors de son procès, s'efforça de donner de lui l'image d'un fonctionnaire banal, d'un homme comme tout le monde qui ne faisait que remplir ses fonctions et exécuter des ordres. Arendt, H. (1966). *Eichmann à Jérusalem : Rapport sur la banalité du mal* (éd. revue et augmentée, 1991). Gallimard, Folio Histoire.

médias à la manière d'un attentat, d'un crime crapuleux, ou de la libido d'un homme politique. Et, enfin, s'il y a banalité c'est encore le signe que nous sommes tous potentiellement capables de faire du bien autour de nous.

L'omniprésence du bénévolat

«L'aide est un acte conforme à la nature. Ne te lasse jamais d'en recevoir ni d'en apporter[1]», disait Marc Aurèle. Entre un cinquième et un tiers de la population européenne, selon le pays concerné, soit plus de 100 millions d'individus, participe à des activités bénévoles[2]. Aux États-Unis, ce chiffre avoisine les 50 % de la population et englobe surtout des femmes et des retraités qui, lorsqu'ils disposent de temps libre, considèrent de leur devoir de rendre service à d'autres membres de la société[3]. Le bénévolat américain est particulièrement développé dans le domaine des arts et contribue au fonctionnement de nombreuses institutions culturelles. Environ 1 500 personnes, par exemple, travaillent gratuitement pour le musée des Beaux-Arts de Boston. Par ailleurs, les trois quarts des habitants des États-Unis font des dons chaque année à des associations caritatives.

En France, le nombre de bénévoles serait aux alentours de 14 millions, soit un Français sur quatre (dont un tiers a plus de soixante ans)[4]. Ceux qui consacrent au moins deux heures par semaine à leur activité de solidarité sont un peu plus de 3 millions[5]. En 2004, le bénévolat représentait l'équivalent de 820 000 emplois à temps plein[6]. Les bénévoles travaillent presque toujours pour des associations dont la seule raison d'être est de prêter assistance à ceux qui sont dans le besoin. La production de services non marchands par ces bénévoles améliore sans aucun doute le bien-être de tous.

L'engagement solidaire peut aller bien au-delà d'une simple activité de bénévolat. Le volontariat au service de projets et d'organisations humanitaires, notamment, représente un degré d'implication supplémentaire. L'on pourrait remplir des volumes pour témoigner de ceux qui, à tout moment, partout dans le monde, se dédient au service de leur prochain. Citons deux exemples parmi tant d'autres[7].

Un contentement de chaque instant

En 2010, j'ai rencontré Chompunut, une Thaïlandaise d'une quarantaine d'années, rayonnante de santé physique et mentale. Elle m'a raconté son histoire : «Enfant, j'ai toujours été attirée par l'idée d'aider ceux que la société délaisse. On m'avait dit que les conditions de détention des prisonniers étaient désastreuses dans mon pays. Je suis devenue infirmière et me suis portée volontaire pour travailler quelques années dans une prison à Bangkok. J'ai alors entendu dire que le sort des prisonniers était pire encore à Surat Thani, une ville côtière du golfe de Thaïlande. Cela fait maintenant dix ans que j'y travaille. Faute d'argent, il n'y a pas de médecin dans la prison, et je suis toute seule à m'occuper de la santé de 1 300 prisonniers. Certains sont réputés dangereux et on ne m'autorise à les voir qu'au travers de barreaux. Mais je trouve toujours un moyen de leur donner des soins ou simplement de leur prendre la main et de leur dire quelques paroles réconfortantes. Je n'ai jamais eu de problèmes. Ils me respectent car ils savent mieux que quiconque que je ne suis là que pour eux et que je fais tout ce que je peux pour les aider. Les crimes qu'ils ont commis ne me regardent pas. Lorsqu'ils vont vraiment mal, je peux les faire transférer temporairement dans un hôpital.»

Être la seule femme dans une prison, en charge de la santé de 1 300 hommes, pourrait être une épreuve psychologique difficile à surmonter. Portée par sa détermination, Chompunut accomplit sa mission sans peine : «Il y a tant à faire et ils vont si mal. Chacun de mes gestes soulage une souffrance, ce qui est pour moi un contentement de chaque instant.»

L'incroyable histoire de Joynal Abedin

À soixante et un ans, au Bangladesh, Joynal Abedin pédale toute la journée sur un rickshaw, un moyen de transport commun en Asie qui est un gros tricycle muni d'une banquette arrière prévue pour deux personnes mais sur laquelle il n'est pas rare que trois ou quatre passagers prennent place. Abedin gagne l'équivalent de 1 à 2 euros par jour.

«Mon père est mort parce que nous ne pouvions pas l'emmener à l'hôpital, qui était à deux jours de marche d'ici. J'étais tellement en colère! Les gens d'ici pensent que, parce que nous sommes pauvres, nous sommes impuissants. Je voulais prouver qu'ils avaient tort.»

Joynal Abedin est parti pour la ville avec une seule chose en tête : construire une clinique dans son village, Tanhashadia. Il s'est promis de ne revenir que lorsqu'il aurait suffisamment d'argent pour lancer le chantier.

Il a pédalé pendant trente ans, mettant chaque jour de côté une partie de ses gains. À l'âge de soixante ans, il avait épargné l'équivalent de 3000 euros, de quoi réaliser son projet. Il est revenu au village et a construit une petite clinique ! Au début, il n'a pas réussi à trouver de médecins. « Ils ne me faisaient pas confiance », confie-t-il. Il débuta donc avec du personnel paramédical. Mais, rapidement, les gens ont apprécié le travail incroyable qu'il accomplissait, et il a reçu de l'aide. À présent, la clinique du village, bien que modeste, traite environ trois cents patients par jour. Pour l'entretenir, Abedin fait payer aux patients une modeste contribution, à laquelle s'ajoutent les dons, souvent anonymes, qui ont commencé à affluer après que les journaux ont relaté son histoire. À la suite d'un don plus conséquent, il a aussi construit, sur son petit terrain, un centre d'éducation qui peut accueillir cent cinquante enfants.

À soixante-deux ans, Abedin conduit toujours son rickshaw, transportant infatigablement ses passagers, en dédiant chaque coup de pédale au bien-être des patients de sa clinique.

L'émergence des ONG

On recense environ 40000 organisations non gouvernementales (ONG) internationales à travers le monde et un nombre encore beaucoup plus important d'ONG nationales. La Russie compte près de 280000 ONG nationales ; en 2009, l'Inde en comptait plus de 3 millions ! Le nombre des organisations caritatives a doublé aux États-Unis depuis l'an 2000 (près de 1 million à présent). Certes, toutes ne sont pas efficaces et la gestion de certaines d'entre elles a parfois été critiquée. Cependant, ce mouvement, par son ampleur, est l'une des grandes nouveautés des cinquante dernières années et représente un facteur majeur de transformation sociale. Certaines ONG ont un but politique ou sont centrées sur des activités sportives ou artistiques. Toutefois, la plupart ont une vocation sociale : réduction de la pauvreté, assainissement, éducation, santé, aide d'urgence lors d'un conflit ou d'une catastrophe naturelle. D'autres travaillent à la promotion de la paix ou à l'amélioration du sort des femmes.

BRAC (Bangladesh Rural Advancement Committee, la plus grande ONG au monde, a aidé plus de 70 millions de femmes au Bangladesh et dans sept autres pays à sortir de la misère. PlaNet Finance œuvre dans soixante pays pour faciliter la tâche des programmes de microcrédit. D'autres ONG se consacrent à la protection de l'environnement ou des animaux, de manière globale comme Greenpeace et EIA (Environmental Investigation Agency), ou de manière locale comme des dizaines de milliers d'ONG.

Certaines organisations comme Kiva, GlobalGiving et MicroWorld[8] mettent directement et efficacement en relation via Internet des gens dans le besoin et des donateurs désireux d'améliorer la vie des autres. Fondée en 2005, Kiva, par exemple, a permis à plus d'un demi-million de donateurs d'offrir 300 millions de dollars en prêts de type microcrédit dans soixante pays. 98 % de ces prêts ont été remboursés. De même, depuis 2002, GlobalGiving a financé la réalisation de plus de 5 000 projets caritatifs. Quant à MicroWorld, il met en relation des prêteurs potentiels avec des personnes ayant besoin d'un financement pour démarrer une activité qui les aidera à sortir leur famille de la pauvreté. Et il ne s'agit là que de quelques exemples parmi tant d'autres.

Les mythes de la panique, des réactions égoïstes et de la résignation impuissante

Dans un chapitre de son inspirant ouvrage intitulé *La Bonté humaine*, le psychologue Jacques Lecomte a fait un travail de synthèse qui montre clairement que lors de catastrophes la solidarité l'emporte sur l'égoïsme, la discipline sur le pillage, et le calme sur la panique[9]. Pourtant, on nous donne souvent à croire que c'est l'inverse qui se produit. Jacques Lecomte décrit le cas emblématique de l'ouragan Katrina qui, en août 2005, ravagea La Nouvelle-Orléans et les côtes de la Louisiane, en provoquant la rupture des digues du Mississippi. Ce fut l'une des catastrophes naturelles les plus dévastatrices de l'histoire des États-Unis :

> À ce drame vient rapidement s'en rajouter un autre. Car, dès les premiers jours qui suivent cet événement, les médias rendent compte de comportements humains effrayants. Ainsi, le 31 août, un reporter de CNN déclare qu'il y a eu des tirs d'armes à feu et du pillage, et que « La Nouvelle-Orléans ressemble plus à une zone de guerre qu'à une métropole américaine moderne ».

La situation semble si alarmante que Ray Nagin, maire de La Nouvelle-Orléans, ordonne à 1 500 policiers d'interrompre leur mission de sauvetage pour consacrer tous leurs efforts à faire cesser les pillages[10]. Les médias parlent de femmes violées, de meurtres, les policiers eux-mêmes auraient été la cible de tireurs. Le gouverneur de la Louisiane, Kathleen Blanco, déclare alors : «Nous restaurerons la loi et l'ordre. Ce qui me met le plus en colère est que des catastrophes comme celle-ci révèlent souvent ce qu'il y a de pire en l'homme. Je ne tolérerai pas ce genre de comportement[11].» Elle envoie des troupes de la Garde nationale à La Nouvelle-Orléans, avec l'autorisation de tirer sur les truands, en précisant : «Ces troupes reviennent juste d'Irak, sont bien entraînées, ont l'expérience du champ de bataille et sont sous mes ordres pour rétablir l'ordre dans les rues. [...] Ces troupes savent tirer et tuer, elles sont plus que désireuses de le faire si nécessaire, et je m'attends à ce qu'elles le fassent[12].» Cette vision apocalyptique de La Nouvelle-Orléans est diffusée dans le monde entier et le déploiement de forces militaires destinées à rétablir l'ordre dépasse 72000 hommes. Tout cela semble confirmer la croyance selon laquelle, commente Lecomte, «laissé sans contrôle de l'État, l'être humain retournerait à ses penchants naturels les plus vils et meurtriers, sans aucune sensibilité à la souffrance d'autrui. À un détail près : ces effroyables descriptions sont totalement fausses. Les conséquences de cette falsification des faits ont été dramatiques[13].»

En effet, cette hystérie de nouvelles alarmistes a réussi à persuader les secours qu'ils étaient face à une meute de malfaiteurs déchaînés, les empêchant ainsi d'arriver à temps et d'agir efficacement. Que s'est-il donc passé? Les journalistes ont rendu compte de la situation à partir de rumeurs de seconde main. Une fois la frénésie médiatique passée, ils ont fait leur autocritique. Ainsi, un mois après le passage de l'ouragan, le *Los Angeles Times* reconnaissait que : «Les viols, la violence et l'estimation du nombre de morts étaient faux[14].» Le *New York Times* cite Edward Compass, chef de la police de La Nouvelle-Orléans, qui avait déclaré que des voyous avaient pris le contrôle de la ville et que des viols (notamment d'enfants) et des agressions avaient eu lieu. Il a admis que ses déclarations antérieures étaient fausses : «Nous n'avons d'information officielle sur aucun meurtre, ni sur aucun viol ou agression sexuelle. [...] Un premier constat est que la réponse globale des habitants de La Nouvelle-Orléans ne correspondait en rien à l'image générale de chaos et de violence décrite par les médias[15].»

En réalité, des centaines de groupes d'entraide se sont spontanément formés. L'un d'entre eux, qui s'était surnommé les «Robins des bois pilleurs», était constitué de onze amis, bientôt rejoints par des habitants de leur quartier ouvrier. Après avoir conduit leur famille en lieu sûr, ils sont revenus sur place malgré le danger pour participer au sauvetage des habitants.

Pendant deux semaines, ils ont réquisitionné des bateaux et cherché de la nourriture, de l'eau et des vêtements dans des maisons abandonnées. Ils s'étaient imposé le respect de quelques règles, telles que le fait de ne pas porter d'armes. Ce groupe a collaboré avec la police locale et la Garde nationale, qui leur ont confié des survivants à faire sortir de la zone dangereuse[16].

Finalement, «bien que quelques actes de délinquance aient eu lieu, la très grande majorité des activités spontanées ont été de nature altruiste[17]». Selon un agent du maintien de l'ordre : «La plupart des gens se sont vraiment, vraiment, vraiment aidés les uns les autres, et ils n'ont rien demandé en retour.»

Selon les investigations du Centre de recherche sur les catastrophes, la décision de militariser la zone a également eu pour conséquence d'augmenter le nombre des victimes. Certaines personnes ont refusé de quitter leur logement en raison des informations selon lesquelles la ville était infestée de pilleurs, et les secouristes ont eu peur d'approcher des zones sinistrées[18]. Ainsi, en se focalisant sur la lutte contre une violence imaginaire, «les responsables officiels ont échoué à tirer pleinement avantage de la bonne volonté et de l'esprit altruiste des habitants et des ressources de la communauté. [...] En affectant au maintien de l'ordre ceux qui participaient au sauvetage, les responsables ont placé la loi et l'ordre avant la vie des victimes de l'ouragan[19]».

Ce qui s'est passé à La Nouvelle-Orléans n'est pas un cas isolé. Un mythe répandu veut que, lors de catastrophes, les gens réagissent par la panique et le «chacun pour soi». Les médias et les films de fiction nous ont habitués à voir des scènes de panique, des séquences de foules entières qui s'enfuient en hurlant de terreur dans le plus total désordre. Ce faisant, on confond souvent les réactions de peur, tout à fait légitimes, qui incitent à s'éloigner le plus vite possible du danger, avec les réactions de «panique» au cours desquelles les gens perdent le contrôle d'eux-mêmes et se comportent de manière irrationnelle[20]. Selon les sociologues, une personne est prise de panique lorsqu'elle se sent coincée sur le lieu du danger; que la fuite, qui lui semble être sa seule chance de survie, semble impossible; et qu'elle pense que personne ne peut venir à son secours[21]. Dans de tels cas la peur devient une panique incontrôlée.

Le Centre de recherche sur les catastrophes de l'université du Delaware, aux États-Unis, a rassemblé la plus grande base de données existant au monde sur les réactions humaines face aux catastrophes. Il ressort de l'analyse de toutes ces informations que trois croyances largement répandues sont des mythes : la panique générale, l'augmentation massive des comportements égoïstes, et même criminels, et le sentiment d'impuissance dans l'attente des secours.

En outre, Thomas Glass et ses collaborateurs de l'université Johns-Hopkins ont analysé les réactions humaines lors de dix catastrophes majeures qui ont fait de nombreuses victimes : tremblements de terre, déraillements de train, crash d'avion, explosions de gaz, ouragan, tornade et explosion d'une bombe suivie d'un incendie. Dans tous les cas, ils ont constaté que les victimes avaient spontanément formé des groupes animés par des leaders, qu'ils avaient appliqué des règles admises par tous, et s'étaient réparti les rôles en vue de la survie du plus grand nombre possible de personnes[22].

Le sociologue Lee Clarke a écrit : «Durant l'attentat du World Trade Center, le 11 septembre 2001, les témoins s'accordent à dire que la panique a été pratiquement absente, tandis que la coopération et l'entraide étaient fréquentes. En dépit du nombre élevé de victimes, 99 % des occupants qui se trouvaient au-dessous du niveau d'impact des avions ont survécu, essentiellement grâce à l'absence de panique[23].»

Le sociologue anglais John Drury et ses collaborateurs corroborent l'observation de Lee Clarke : «Lors des attentats à Londres en 2005 (trois explosions dans le métro et une dans un bus), qui ont coûté la vie à 56 personnes et en ont blessé 700, le comportement le plus fréquent fut l'assistance portée à autrui, qui était la plupart du temps un parfait inconnu, alors que la peur de nouvelles explosions ou de l'effondrement du tunnel était dans tous les esprits[24]. [...] Aucune des personnes interviewées n'a énoncé de propos relevant de l'égoïsme. En revanche sont revenus à de multiples reprises des mots tels qu'"unité", "similitude", "affinité", "partie d'un groupe", "tout le monde", "ensemble", "chaleur", "empathie". [...] Tous ces témoignages ont conduit les chercheurs à parler d'"identité commune".»

Enrico Quarantelli, cofondateur du Centre de recherche sur les catastrophes, conclut : «Désormais, je ne crois plus que le terme "panique" puisse être traité comme un concept des sciences sociales. C'est un label extirpé des discours populaires... Durant toute l'histoire de nos recherches, portant sur plus de 700 cas, je serais bien embarrassé pour citer [...] ne serait-ce que quelques manifestations marginales qui relèveraient de la panique[25].»

Lors de la plupart des catastrophes, les actes de pillage caractérisés sont l'exception. Selon Enrico Quarantelli, il faut en effet faire une distinction entre «pillage» et «appropriation justifiée». Cette dernière consiste à prendre, en raison de l'urgence, des objets et commodités disponibles – inutilisés ou abandonnés – avec l'intention de les rendre dans la mesure du possible, sauf lorsqu'il s'agit de produits de consommation immédiate : nourriture, eau, médicaments, indispensables à la survie. Les chercheurs ont également constaté que, lorsqu'il y a pillage, c'est rarement le fait de groupes organisés, mais d'individus qui le font en se cachant, et dont le comportement est condamné par les autres survivants[26].

Dans le cas du tsunami qui a dévasté les côtes japonaises en 2011, l'absence du moindre comportement de pillage, de vol et d'indiscipline a été telle que les médias, qui étaient cette fois présents au cœur du drame, n'ont pu que s'émerveiller, à juste titre, devant les admirables qualités prosociales du peuple japonais. Sans doute s'expliquent-elles par ce sentiment d'appartenance à une communauté dans laquelle chacun se sent proche et responsable de l'autre, et par la civilité et le sens du devoir qui, dans la culture japonaise, l'emportent sur l'individualisme.

Catastrophes naturelles, attentats, accidents... ce sont là, bien entendu, des circonstances exceptionnelles qui n'ont rien de banal. Mais en les évoquant dans ce chapitre sur la «banalité du bien», nous avons souhaité mettre l'accent sur le fait que, même dans de telles circonstances, les comportements les plus courants sont l'entraide, le secours et la solidarité, tandis que l'indifférence, l'égoïsme, la violence et la cupidité sont, eux, exceptionnels.

10

L'héroïsme altruiste

Jusqu'où l'altruisme désintéressé peut-il aller? De nombreuses études montrent que, lorsque le coût de l'aide est trop élevé, les comportements altruistes se font moins fréquents. Mais ils sont loin d'être inexistants. Si les exemples de courage et de détermination à venir au secours d'autrui en dépit de risques considérables sont qualifiés d'héroïques, ce n'est pas nécessairement à cause de leur rareté – on entend parler d'actes héroïques presque quotidiennement – mais parce que nous mesurons le degré de hardiesse et de dévouement que de tels actes exigent, tout en nous demandant sans doute quelle aurait été notre propre réaction dans la même situation.

Le 2 janvier 2007, Wesley Autrey et ses deux filles attendaient le métro à la station de la 137e Rue-Broadway à New York. Tout à coup, leur attention fut attirée par un jeune homme en proie à une crise d'épilepsie. Wesley intervint rapidement en empruntant un stylo pour lui maintenir la mâchoire ouverte. Une fois la crise terminée, le jeune homme se releva mais, encore à moitié étourdi, il vacilla et tomba du quai[1].

Alors qu'il gisait sur les rails, Wesley aperçut les phares d'un train à l'approche. Il confia ses filles à une femme, pour qu'elle les retienne éloignées du bord du quai, et il sauta sur la voie. Il espérait pouvoir ramener le jeune homme sur le quai, mais comprit qu'il n'en aurait pas le temps. Alors, il se jeta sur le corps du jeune homme et le plaqua à terre dans le fossé de drainage entre les deux rails. Le conducteur du train eut beau freiner à fond, le train passa presque tout entier au-dessus d'eux. Il restait si peu d'espace que le dessous du train laissa de la graisse sur la casquette de Wesley. Plus tard, Wesley dit aux journalistes : «Je n'ai pas l'impression d'avoir fait quelque chose d'exceptionnel. Je me suis simplement dit : "Quelqu'un doit intervenir, sinon le type est fichu".»

Il expliqua que, grâce à son expérience, il avait pu prendre sa décision en une fraction de seconde : «Je travaille dans la construction et nous sommes souvent dans des espaces restreints. J'ai donc bien regardé, et ma rapide estimation s'est révélée exacte. Il y avait juste assez de place.»

Selon Samuel et Pearl Oliner, professeurs émérites de l'université de Humboldt en Californie, qui ont consacré leur carrière à la sociologie de l'altruisme et plus particulièrement à l'étude des Justes qui sauvèrent de nombreux Juifs durant la persécution nazie, l'altruisme est héroïque quand :

— il a pour but d'aider quelqu'un d'autre ;
— il implique un risque ou un sacrifice majeur ;
— il n'est pas associé à une récompense ;
— il est volontaire[2].

Comme la précédente, l'aventure suivante, rapportée par Kristen Monroe, remplit sans nul doute ces quatre critères :

> Un homme d'une quarantaine d'années s'adonnait fréquemment à la marche dans les collines du sud de la Californie. Au cours de l'une de ses randonnées, il entendit une mère hurler. Un puma venait d'emporter son jeune fils. L'homme courut dans la direction où, selon les indications de la mère, le puma avait emporté l'enfant et suivit sa trace jusqu'à ce qu'il le retrouve. Les mâchoires du puma tenaient fermement sa proie encore en vie. L'homme ramassa un bâton et attaqua l'animal, si bien que le puma lâcha le petit garçon pour se retourner vers lui. L'audacieux marcheur parvint à repousser le puma et rendit l'enfant, grièvement blessé mais vivant, à sa mère. Alors que, grâce à son intervention, la mère et l'enfant faisaient route en toute sécurité vers l'hôpital, il s'éclipsa[3].

L'événement fut bien sûr rapporté par la mère reconnaissante, ce qui valut à l'homme une notoriété dont il ne voulait guère, pas plus que de la distinction de Héros décernée par la Commission Carnegie, qui récompense chaque année aux États-Unis des actes particulièrement héroïques. Le sauveteur fit tout son possible pour échapper à l'attention générale, refusant tous les entretiens, y compris celui qu'avait sollicité

Kristen Monroe qui écrivait alors son livre, *The Heart of Altruism* («Au cœur de l'altruisme»). Dans sa lettre de refus courtoise mais ferme, il expliquait qu'«il n'avait pas souhaité les honneurs, que l'attention dont il faisait l'objet de la part de la presse et de la télévision était déplacée et que les louanges publiques lui étaient très déplaisantes».

Nous n'avons, pour la plupart d'entre nous, aucun moyen de savoir comment nous agirions confrontés à pareille situation. En général, une mère réagit toujours pour sauver son enfant et, quand elle risque sa vie pour lui, elle n'a pas besoin de réfléchir. Mais certains agissent de même pour de parfaits étrangers. En dépit du puissant a priori d'après lequel nous serions tous fondamentalement égoïstes, les exemples de sauveteurs héroïques apportent des arguments majeurs permettant de remettre en cause ce dogme. Il reste que certains vont objecter : «Ceux-là sont des saints, nous, nous ne sommes pas comme eux», une position qui évite commodément d'avoir à cultiver l'altruisme dans sa vie.

Héroïsme et altruisme

Pour Philip Zimbardo et ses collègues psychologues de l'université de Stanford, l'héroïsme implique l'acceptation volontaire d'un niveau de danger ou de sacrifice qui va bien au-delà de ce qui est normalement attendu de chacun[4]. L'auteur de l'acte héroïque n'a donc pas l'obligation morale d'accepter ce risque. Dans le cas d'un danger physique, il doit également transcender sa peur pour agir de façon rapide et décisive[5].

Zimbardo identifie trois grandes formes d'héroïsme : martial, civil et social. L'*héroïsme martial* implique des actes de bravoure et d'abnégation qui vont au-delà de ce qu'exigent la discipline militaire et le sens du devoir, donner sa vie pour sauver ses compagnons, par exemple. L'*héroïsme civil*, celui de quelqu'un qui plonge dans l'eau glacée pour sauver celui qui se noie, implique un péril auquel l'acteur n'est généralement pas préparé et qui n'est pas guidé par un code d'obéissance ou d'honneur. L'*héroïsme social* – celui de militants contre le racisme au temps de l'apartheid en Afrique du Sud ou celui des employés qui dénoncent un scandale dans l'entreprise – est moins spectaculaire et se manifeste généralement sur une période plus longue que les actes liés aux deux premières formes d'héroïsme. Si l'héroïsme social ne comporte généralement pas de danger physique immédiat, le prix à payer peut être très élevé, entraînant, par exemple, la perte d'un emploi ou l'ostracisme de la part de collègues ou de la société[6].

En 1984, Cate Jenkins, une chimiste de l'Agence de protection de l'environnement des États-Unis, reçut de Greenpeace un dossier montrant que les études scientifiques produites par Monsanto et censées prouver l'innocuité des PCB (polychlorobiphényles) avaient été falsifiées, et que Monsanto savait que ces produits chimiques étaient hautement toxiques. Cate alerta ses supérieurs et leur soumit un rapport accablant. Mais le vice-président de Monsanto intervint auprès des supérieurs de l'Agence de protection de l'environnement, et le rapport fut enterré jusqu'à ce que, outrée, Cate décidât de le livrer à la presse. Mal lui en prit : elle fut mutée, puis harcelée pendant des années au point que sa vie devint infernale. C'est pourtant grâce à elle que la collusion entre le gouvernement et Monsanto fut mise au jour et que de nombreuses victimes des PCB et de l'«agent orange» (utilisé au Vietnam comme défoliant) purent être dédommagées[7].

Zimbardo propose une vision *situationniste* de l'héroïsme. Il soutient que la plupart des gens sont capables d'héroïsme lorsque les conditions exigent une intervention rapide et courageuse. Si les situations servent de catalyseurs indispensables à l'héroïsme, la décision de celui qui intervient est prise dans l'intimité de sa conscience. Pour de nombreux héros, comme ceux qui ont sauvé des Juifs poursuivis par les nazis, l'engagement héroïque est lié à un examen de conscience guidé par des normes morales profondément ancrées dans la personne[8].

Dans une enquête réalisée auprès de 3700 adultes d'Amérique, Zeno Franco et Philip Zimbardo ont demandé aux participants quelle était pour eux la différence entre l'héroïsme et le simple altruisme[9]. 96% des personnes interrogées estimèrent que sauver des gens lors d'un incendie relevait de l'héroïsme le plus pur, tandis que seulement 4% déclarèrent le percevoir comme simplement altruiste*. En revanche, dans le cas des lanceurs d'alarmes et autres héros sociaux, les réponses ont été plus mitigées : 26% des participants estimaient que cette forme d'action n'est ni héroïque ni altruiste, peut-être en raison des controverses qui lui sont souvent associées[10]. Certains ont défini l'altruisme comme une aide désintéressée, et l'héroïsme comme l'altruisme appliqué à des situations extrêmes.

* Dans le cas d'un soldat qui donne sa vie pour sauver ses compagnons, 88% des personnes interrogées considéraient cet acte comme héroïque, 9% comme altruiste et 3% comme n'appartenant ni à l'une ni à l'autre de ces catégories.

L'histoire de Lucille

Lucille eut une vie mouvementée. Dès son plus jeune âge, elle manifesta spontanément du courage pour venir en aide aux autres. Petite fille, alors que l'Amérique des années 1950 vivait encore à l'heure d'une intense discrimination raciale, elle prit résolument parti pour une fillette noire que le chauffeur du bus scolaire refusait d'admettre dans son véhicule avec la poule qu'elle portait. Lucille fit monter la petite fille et la fit asseoir à côté d'elle, ce qui était considéré comme scandaleux à cette époque. Ce comportement attira à Lucille et à sa mère les foudres de la population locale. Plus tard, alors qu'elle était engagée volontaire dans l'armée américaine, Lucille fut envoyée en Afrique. En dépit de sa frêle stature, elle en vint un jour à jeter à l'eau un sergent qui frappait violemment un homme au bord d'une rivière. Le sergent se vengea et battit Lucille si brutalement qu'elle resta handicapée pour le restant de sa vie. Ce qui ne l'empêcha pas de continuer à porter secours à autrui, comme le montre ce témoignage recueilli par Kristen Monroe[11].

> Le 29 juillet[12], je travaillais à mon bureau [...] quand j'ai entendu un hurlement : «Mon Dieu, au secours! Vous me faites mal! Au secours!» J'ai regardé par la fenêtre et j'ai vu un homme qui empoignait une jeune fille. Il s'agissait de ma voisine, qui était en train de laver sa voiture. Il saisit la fille par sa queue-de-cheval, la traîna derrière la voiture et la jeta sur le trottoir.
>
> Je savais qu'il fallait faire quelque chose, et le faire sur-le-champ. À cette heure-là, j'étais seule dans le voisinage. Je suis lourdement handicapée. Je portais deux appareils orthopédiques, un pour ma jambe et un autre pour mon dos, et je revenais juste de l'hôpital.

Mais Lucille est sortie. En dépit du fait qu'elle a besoin d'une canne pour marcher, elle dévala de son mieux les marches de sa maison et se mit à courir vers le violeur et la jeune femme. Lorsqu'elle arriva, elle se trouva en présence d'un géant d'un mètre quatre-vingt-quinze qui avait déjà déchiré la chemise de la jeune fille et s'apprêtait à la violer. Elle cria à l'homme de la lâcher, mais il ne prêta aucune attention à la vieille femme.

Je me suis rapprochée de lui pour lui répéter de la lâcher. Il a légèrement détourné la tête pour me regarder mais il a continué. J'ai levé ma canne et je l'ai frappé à la nuque et sur la tête. Ça l'a obligé à se lever. Il s'est avancé vers moi. J'ai dit : «Approche, je vais te tuer. Vas-y, approche. On ne plaisante pas avec moi.» Et j'ai crié à la fille : «Va à la maison et ferme la porte à clé; je me fiche de ce qui arrivera; surtout ne le laisse pas entrer!»

Après, les gens m'ont demandé : «Vous avez eu peur?» Oui, j'ai eu peur. Il avait l'air si brutal que j'ai cru que j'étais fichue. Mais je ne pouvais pas supporter qu'il fasse du mal à un être humain, à une innocente. Je n'ai pas été élevée comme ça.

Il m'a frappée à l'épaule. Je lui ai flanqué un autre coup de canne. J'ai continué à le frapper. Il restait planté là à me donner des coups de poing, mais je ne reculais pas. À nouveau j'ai crié à la jeune fille : «File, rentre dans la maison!»

Quand elle est enfin rentrée chez elle, j'ai compris que si je n'attrapais pas ce gars, ce serait encore un de ces cas dont on dit : «Bon, on n'a pas vraiment de preuve.» Alors, je me suis dit : «Tu as commencé, tu vas jusqu'au bout.»

Je me suis mise à le rosser avec ma canne. Il me menaçait : «Espèce de salope, j'vais t'buter.» Je lui ai répondu : «D'accord, vas-y.» Finalement, il s'est détourné et il a couru vers sa voiture. Je l'ai poursuivi. Au moment où il rentrait dans la voiture, je lui ai coincé le pied dans la portière en me disant : «Ça va l'immobiliser.» Et puis je me suis mise à hurler : «Appelez la police! Pour l'amour du ciel, appelez la police!»

Alors, il est descendu de voiture et s'est mis à courir. Je savais que tout ce qui me restait à faire était de l'empêcher de s'enfuir. Je l'ai poursuivi en brandissant ma canne, et mon cœur a failli me lâcher. Vous savez, c'était vraiment l'enfer.

Un homme est arrivé en disant : «Qu'est-ce qui se passe?» J'ai répondu : «Ce type a essayé de violer une jeune fille juste là-bas.» «Rentrez. Je m'en occupe», a-t-il répondu. J'ai fait demi-tour et je suis revenue à la maison.

Les forces de l'ordre sont finalement arrivées et l'agresseur a été maîtrisé et arrêté. Lucille s'en tira avec des contusions :

Mais quand vous êtes enragée comme je l'étais, vous ne sentez pas la douleur. Vous savez, ces hommes-là [les violeurs] sont des lâches. Si vous vous mettez à hurler très fort, ça peut changer la situation. [...] Il s'agit d'être suffisamment concerné par quelqu'un, un être humain, de sentir que vous devez vraiment l'aider, coûte que coûte.

Je mesure un mètre soixante-dix, et je pèse cinquante-neuf kilos. Je ne ferais pas de mal à une mouche. Mais j'ai réussi à lui faire peur. Si les gens ne peuvent pas descendre de chez eux et s'impliquer directement dans ce qui se passe, au moins, ils peuvent décrocher leur téléphone et se mettre à leur fenêtre. Il faut faire quelque chose. Il faut se bouger. Est-ce qu'on va rester à rien fiche et laisser les autres nous maltraiter toute la vie ?

Kristen Monroe demanda à Lucille pourquoi ce fut elle, et pas quelqu'un d'autre, qui avait arrêté le viol, alors que tant de gens n'en auraient pas eu le courage ou n'auraient même pas songé à le faire. « J'y ai réfléchi, répondit Lucille. Ma mère et ma grand-mère m'ont appris à combattre toute forme d'injustice. Si je suis là, je suis responsable. Elles m'ont appris à aimer l'humanité tout entière. »

Les actes d'héroïsme n'ont pas toujours une fin aussi heureuse ; on connaît d'innombrables exemples de gens qui ont perdu la vie en tentant de sauver quelqu'un. On raconte qu'au XIXe siècle, un ermite tibétain nommé Dola Jigmé Kalsang arriva un matin sur la place publique d'une bourgade sur laquelle une foule était rassemblée. En s'approchant, il vit qu'un voleur était sur le point d'être mis à mort, et d'une façon particulièrement cruelle puisqu'il était tenu assis sur un cheval en fer qui allait être chauffé au rouge. Dola Jigmé fendit la foule et annonça : « C'est moi qui ai commis le vol. » Un grand silence se fit et le mandarin qui présidait à l'exécution se tourna, impassible, vers le nouveau venu et lui demanda : « Es-tu prêt à assumer les conséquences de ce que tu viens de dire ? » Dola Jigmé acquiesça. Il mourut sur le cheval et le voleur fut épargné. Dans un cas aussi extrême, quelle pouvait être la motivation de Dola Jigmé, sinon une compassion hors du commun ? Étranger en ces lieux, il aurait pu passer son chemin sans que quiconque lui prête la moindre attention.

Plus près de nous, Maximilien Kolbe, un père franciscain, se porta volontaire pour remplacer dans le camp d'Auschwitz un père de famille qui, avec neuf autres, avait été condamné à mourir de faim et de soif en représailles à l'évasion d'un autre prisonnier.

Rappelons-nous aussi l'audace du «rebelle inconnu» qui, le 5 juin 1989, sur un boulevard de Pékin, s'est campé devant un char, immobilisant pendant trente minutes une colonne de dix-sept autres chars qui venait briser le rassemblement pour la liberté du mouvement démocratique chinois sur la place Tian'anmen. Il a réussi à grimper sur le char de tête et aurait dit au conducteur : «Pourquoi êtes-vous ici? Ma ville est dans le chaos à cause de vous. Faites demi-tour et cessez de tuer mon peuple.» Nul ne sait ce qu'il est advenu de lui, mais l'image de sa confrontation avec la puissance aveugle de la tyrannie a été diffusée dans le monde entier et a fait de lui un héros universel.

De tels exemples semblent dépasser nos capacités ordinaires, même si de nombreux parents, des mères en particulier, ont le sentiment d'être prêts à sacrifier leur vie pour sauver leurs enfants. En fin de compte, les récits d'actes héroïques mettent en valeur la part de bonté inhérente à la nature humaine et nous rappellent que les êtres humains sont capables du meilleur comme du pire. À propos de la «banalité de l'héroïsme», Philip Zimbardo écrit : «La plupart des personnes qui se rendent coupables de mauvaises actions ne diffèrent pas radicalement de celles qui sont capables d'actes héroïques en ce qu'elles sont finalement des gens ordinaires[13].» Dans des situations données et à des moments particuliers, l'interaction des circonstances et des tempéraments de chacun fait pencher la balance vers l'altruisme ou l'égoïsme, vers la pure compassion ou vers la pire cruauté.

11

L'altruisme inconditionnel

L'altruisme héroïque prend une dimension supplémentaire quand il se manifeste non seulement dans l'urgence mais également dans la durée, par des actions répétées, difficiles et particulièrement dangereuses pour la personne ou le groupe qui intervient au secours de ceux dont la vie est menacée.

Allemand, Otto Springer vivait à Prague durant la Seconde Guerre mondiale. Il acquit une entreprise dont le précédent propriétaire était juif. Il profita de sa position pour sauver de nombreux Juifs de la déportation vers les camps de concentration en leur fournissant de faux papiers et en corrompant des officiers de la Gestapo. Il travailla avec les réseaux de résistance autrichiens. Il épousa une femme de confession juive afin de la protéger et fut finalement lui-même arrêté et déporté. Même en tant que prisonnier, il réussit à sauver des centaines de Juifs de la mort et à en réchapper lui-même. Par la suite, il se retira en Californie où Kristen Monroe le rencontra[1]. Elle décrit un homme débordant d'humanité et d'enthousiasme, sûr de lui tout en étant d'une grande humilité. Il reconnaissait avoir sauvé de nombreux Juifs, et ajoutait :

> Je ne sais pas si je peux vraiment dire que ce que j'ai fait est de l'altruisme. Si vous voulez un véritable exemple d'altruisme, je peux vous citer un cas incontestable. C'était l'un de mes amis. Un homme extrêmement intelligent, qui s'appelait Kari. [...] Il savait qu'en épousant une femme juive, il pourrait la protéger. Il demanda à ses amis : « Où puis-je trouver une femme juive à épouser ? »

Il y en avait une, qui avait perdu son mari et vivait seule avec ses deux filles. Kari l'épousa et tout alla bien pendant quelque temps. Mais, un jour, la Gestapo vint arrêter sa femme et l'une de ses filles. Toutes les deux furent envoyées à Auschwitz. Kari cacha la petite fille qui restait. Un peu plus tard, tous ceux qui étaient mariés à des Juifs furent contraints de divorcer, sous peine d'être emprisonnés. Tous les amis de Kari lui enjoignirent de signer un acte de divorce, puisque sa femme était malheureusement déjà à Auschwitz. Mais Kari répondit que les Allemands étant très pointilleux, s'il divorçait, ils examineraient son dossier et ne manqueraient pas de découvrir qu'ils n'avaient arrêté que l'une des deux filles et rechercheraient l'autre. Kari considéra que son devoir était de rester marié pour éviter que la Gestapo ne trouve la trace de la petite fille. « Kari finit dans un camp de concentration pour éviter de faire courir à l'enfant le risque d'être découverte. Ça, c'est vraiment de l'altruisme », commente Otto Springer.

Pourquoi Otto avait-il lui-même risqué sa vie pour sauver d'autres personnes ? Il n'était pas religieux, et ne se considérait pas comme quelqu'un de particulièrement vertueux (il disait en plaisantant que sa moralité était juste un petit peu supérieure à celle d'un député américain moyen). Grâce à son entreprise, il aurait pu obtenir un bon poste en Inde, ce qui lui aurait permis de passer les années de guerre en toute sécurité. Pourquoi donc avait-il agi ainsi ?

> Je suis simplement devenu fou d'indignation. Je sentais que je *devais* le faire... Il était impossible de ne pas ressentir de la compassion devant tant de brutalité. Rien de spécial. Personne ne pouvait rester là à ne rien faire quand les nazis sont arrivés.

Et Kristen Monroe de commenter : « Pourtant, Otto et moi savions parfaitement, au fond de nous-mêmes, que la plupart des gens n'ont rien fait. Si tous les gens avaient été "normaux", dans le sens donné par Otto à ce mot, l'Holocauste ne se serait pas produit. » À la fin de leurs entretiens, Monroe écrit :

> Je savais que Otto m'avait mise en présence de quelque chose d'extraordinaire, d'un degré de pureté dont je n'avais jamais été témoin : l'altruisme. Je savais que c'était vrai. Je n'étais pas sûre de

pouvoir pleinement le comprendre moi-même, encore moins de l'expliquer aux autres de manière satisfaisante.

Les sauveteurs savaient tous que s'ils étaient découverts, ils risquaient non seulement leur vie, mais aussi celle des membres de leur famille. Leur décision fut souvent déclenchée par un événement impromptu, comme la rencontre de quelqu'un en fuite, risquant d'être emmené dans un camp de la mort. Mais la poursuite de leur engagement exigea une planification complexe et périlleuse. Leurs actions sont souvent restées méconnues et ils n'ont jamais cherché à s'en prévaloir. Dans la quasi-totalité des cas, loin de retirer le moindre avantage de leur comportement altruiste, ils ont longtemps souffert de ses conséquences sur leur santé ou sur leur situation financière et sociale. Pourtant, aucun n'a regretté ce qu'il avait fait.

L'histoire d'Irene

Irene Gut Opdyke est l'incarnation même du courage et de l'altruisme le plus pur, dans la mesure où tous ses actes ont été dictés par son invincible détermination de sauver d'autres vies au risque constant de perdre la sienne[2].

Elle est née dans un petit village de Pologne, issue d'une famille catholique où l'amour du prochain allait de soi. Elle vécut une enfance heureuse, entourée de ses quatre sœurs et de parents aimants et attentionnés.

Le 1er septembre 1939, au moment du partage de la Pologne entre l'Allemagne et l'URSS, alors qu'elle fait ses études d'infirmière à Radom, les bombardiers allemands rasent une grande partie de la ville. Elle est brusquement coupée de sa famille qu'elle ne reverra pas avant deux ans. Elle a alors dix-sept ans. Elle s'enfuit avec un groupe de combattants et d'infirmières vers la Lituanie où elle est violée par des soldats soviétiques, battue et laissée pour morte. Elle se réveille dans un hôpital russe, les yeux enflés au point de ne rien voir, sauvée par un médecin russe qui, l'ayant trouvée gisante dans la neige, inconsciente, est pris de pitié. Rétablie, elle travaille quelques mois dans cet hôpital comme infirmière avant d'être rapatriée en Pologne.

En 1941, Irene regagne Radom où se sont réfugiés ses parents, qui ont tout perdu et tentent de survivre. Le bonheur des retrouvailles ne dure pas : son père, Tadeusz, est réquisitionné par l'armée allemande pour travailler dans une usine de céramique située sur l'ancienne frontière germano-polonaise. La mère décide de rejoindre son mari avec ses trois plus jeunes filles, laissant Irene seule à Radom avec sa sœur Janina. C'est alors que Irene est le témoin des premières rafles et des pogroms contre les Juifs. Contrainte de travailler à la chaîne dans une usine de munitions, elle rencontre le commandant Rügemer qui dirige l'usine. Impressionné par sa maîtrise de l'allemand (Irene parle couramment quatre langues : polonais, russe, allemand et yiddish), il lui propose de travailler à son service, dans le mess des officiers allemands de la ville.

C'est là, âgée de vingt ans, qu'elle commence à sauver des dizaines de Juifs. Elle commence par un geste apparemment anodin et qui aurait pu lui coûter la vie : elle dépose tous les jours des provisions sous la clôture de barbelés qui sépare le mess des officiers du ghetto de Ternopol. Puis elle s'enhardit. Responsable de la blanchisserie du mess, elle profite de sa position pour faire sortir les Juifs employés dans le camp de travail voisin et les fait intégrer à l'équipe de la blanchisserie où le travail est moins pénible et où ils sont mieux nourris.

Personne ne se méfie de cette employée à la fois frêle et efficace : «J'étais décidée à transformer ma fragilité en avantage.» Elle est ainsi en mesure d'épier les conversations entre le commandant Rügemer et Rokita, le cruel commandant des SS, chargé de l'extermination de tous les Juifs de la ville de Ternopol et de l'Ukraine occidentale. Chaque fois qu'elle obtient des informations concernant une rafle ou des sanctions, elle les communique à ses amis juifs. Elle conduit elle-même dans les forêts de Janowka des personnes qui veulent quitter les camps de travail et les ghettos, en les cachant à l'arrière d'une *dorozka*, une voiture à cheval. «Je ne me suis pas demandé : "Est-ce que je le fais?" mais : "Comment vais-je le faire?" Chacun des pas de mon enfance m'avait menée à cette croisée des chemins. Je devais suivre cette voie, sinon je n'aurais plus été moi-même», dira-t-elle plus tard. Non seulement elle emmène les fugitifs dans la forêt, mais elle les ravitaille régulièrement et leur apporte des médicaments.

En 1943, l'Allemagne commence à battre en retraite devant la poussée des armées de Staline. Le commandant Rügemer décide de s'installer dans une villa de Ternopol. En juillet 1943, le redoutable Rokita jure d'exterminer tous les Juifs de la région avant la fin du mois[3]. Devant l'urgence de la situation, Irene prend des risques inouïs : elle cache ses amis dans un conduit d'aération situé dans la salle de bains du commandant, puis, lorsque tout le monde dort, elle les emmène dans la nouvelle villa réquisitionnée par Rügemer et les installe dans les sous-sols qu'elle a fait aménager à leur intention. Pendant plus d'un an, Irene va cacher onze personnes dans la villa dans laquelle vit le commandant Rügemer !

Un jour, le commandant rentre à l'improviste et découvre Clara et Fanka, deux des protégées d'Irene qui étaient dans la cuisine. Irene accepte à contrecœur de devenir sa maîtresse afin de sauver la vie de ses amies. « Le prix que j'avais à payer n'était rien compte tenu de l'enjeu. J'avais la bénédiction de Dieu. J'étais parfaitement sûre du bien-fondé de mes actes. » Contre toute attente, le commandant garde le secret ; il va même jusqu'à passer ses soirées en compagnie des deux jeunes amies d'Irene, ignorant que le sous-sol de sa villa cache encore neuf autres Juifs.

En 1944, l'armée Rouge avance sur Ternopol et le commandant Rügemer intime à Irene l'ordre d'évacuer la maison et de faire disparaître ses deux amies. Alors que la région est pilonnée par l'artillerie soviétique et que les patrouilles allemandes sillonnent la campagne, Irene emmène de nuit ses onze amis dans la forêt de Janowka, où ils rejoignent d'autres clandestins qui y avaient trouvé refuge.

Lorsque les Allemands quittent Ternopol, Irene est contrainte de suivre le commandant Rügemer, mais, à Kielce, elle s'enfuit et rejoint les partisans polonais qui combattent l'armée Rouge pour libérer la Pologne. Elle est alors arrêtée par les forces d'occupation soviétiques. Elle réussit à s'échapper et est recueillie par des personnes qu'elle avait sauvées pendant la guerre. À la fin de la guerre, elle apprend que tous ses amis sont sains et saufs et vivent à Cracovie.

En 1945, épuisée par ces luttes, la malnutrition et la maladie, elle vit dans le camp de réfugiés de Hessisch-Lichtenau, en Allemagne, jusqu'à ce qu'une délégation des Nations unies, conduite par son futur mari, William Opdyke, recueille son récit et lui obtienne la nationalité américaine. En 1949, elle émigre aux États-Unis. En 1956, elle se marie, une nouvelle vie commence alors en Californie. Évoquant le passé, elle conclut :

> Oui, c'était moi, une fille, avec rien d'autre que mon libre arbitre que je serrais bien fort dans ma main comme une perle d'ambre. [...] La guerre était une série de choix faits par nombre de gens. Certains de ces choix ont été les plus honteux et les plus cruels de toute l'histoire de l'humanité. Mais certains d'entre nous en ont fait d'autres. J'ai fait le mien.

Qui sont les sauveteurs?

Six millions de Juifs, 60 % de ceux vivant en Europe, furent exterminés par les nazis. Selon Samuel et Pearl Oliner, le nombre des sauveteurs qui non seulement ont aidé mais aussi risqué leur vie, sans aucune compensation, s'élèverait à environ 50 000[4].

Un grand nombre de ces sauveteurs ne seront jamais connus et bien d'autres ont péri pour avoir porté assistance aux Juifs, un acte qui était passible de la peine de mort en Allemagne, en Pologne et en France notamment. L'organisation Yad Vashem a rassemblé les noms de 6 000 sauveteurs dont les hauts faits leur ont été signalés par ceux qui leur devaient la vie.

Selon les Oliner, si on compare ces Justes à un échantillon de personnes ayant vécu à la même époque dans les mêmes régions, mais qui ne sont pas intervenues en faveur des opprimés, on constate que nombre de sauveteurs avaient reçu une éducation fondée sur le souci de l'autre et sur des valeurs transcendant l'individualisme. Les parents de sauveteurs parlaient plus fréquemment à leurs enfants de «respect de l'autre, de franchise, d'honnêteté, de justice, d'impartialité, et de tolérance» que de valeurs matérielles. En outre, ils mettaient peu l'accent sur l'obéissance et l'observance de règles strictes. On sait que la tendance à se soumettre à l'autorité a entraîné nombre de citoyens à exécuter des ordres auxquels leur conscience aurait dû les dissuader d'obéir.

La plupart des sauveteurs n'hésitèrent pas à transgresser les règles conventionnelles de la morale – ne pas mentir, ne pas voler, ne pas établir de faux documents –, en vue d'un plus grand bien, celui de sauver les personnes qu'ils protégeaient. Au nombre des ressorts de leur action, les sauveteurs mentionnent très souvent le *souci de l'autre* et de l'*équité*, ainsi que des sentiments d'*indignation* à l'égard des horreurs perpétrées par les nazis.

Les sauveteurs ont fréquemment une approche *universaliste* de l'homme. Plus de la moitié d'entre eux soulignèrent l'importance de la profonde conviction que «les Juifs, comme eux, appartenaient à la catégorie universelle des êtres humains, qui ont tous le droit de vivre sans être persécutés[5]».

Les motivations liées à l'empathie sont citées par les trois quarts des sauveteurs, qui évoquent la *compassion*, la *pitié*, la *préoccupation*, l'*affection*. Cette compassion s'accompagne généralement de la détermination à faire tout ce qui était nécessaire pour sauver autrui : «J'ai décidé que, même si je devais y laisser ma peau, j'allais les aider. [...] C'était nécessaire. Quelqu'un devait le faire. Je ne pouvais rester un spectateur passif de la souffrance qui se perpétuait au quotidien[6].»

L'un d'entre eux, Stanislas, qui protégea un grand nombre de personnes, déclara : «Vous pouvez imaginer la situation? Deux jeunes filles viennent vous voir, l'une a seize ou dix-sept ans, et elles vous racontent que leurs parents ont été tués et qu'elles ont été violées. Que faut-il leur dire? Désolé, c'est déjà complet ici[7]?»

La prise de conscience que «la personne aux abois est mon semblable» est donc souvent citée par les sauveteurs comme étant l'un des facteurs clés qui les a amenés à décider de sauver autrui.

Unis dans l'altruisme

Dans quelques cas, des communautés entières s'unirent pour sauver les Juifs de la déportation. Cette mobilisation se produisit notamment au Danemark et en Italie, où certaines parties de la population se liguèrent pour protéger et cacher systématiquement des familles juives. Il en a été de même en France, dans les régions isolées de la Haute-Loire où les populations protestantes ont été très actives pour faire passer en Suisse de nombreuses personnes juives. Le cas du village du Chambon-sur-Lignon est exemplaire. Les premiers réfugiés à se rendre au Chambon avaient été des républicains espagnols qui avaient échappé aux troupes de Franco. Puis étaient venus des Allemands qui fuyaient le régime nazi, suivis de jeunes Français désireux d'échapper au service du travail obligatoire du gouvernement de Vichy. Mais le groupe de loin le plus important fut celui des Juifs. Ce sont eux qui à la fois étaient le plus en danger et faisaient courir le plus de risques à ceux qui les cachaient.

De fil en aiguille, toute la communauté de ce village s'est organisée pour héberger clandestinement plus de 5000 Juifs, alors que le village lui-même ne comptait que 3300 habitants. Sous l'inspiration de leur pasteur, André Trocmé, les paroissiens mirent en œuvre toutes sortes de stratégies pour cacher et nourrir un grand nombre de personnes, mais aussi pour leur procurer de faux papiers et les conduire en lieu sûr. Dans *Un si fragile vernis d'humanité*, Michel Terestchenko résume le déroulement des événements en s'inspirant du livre consacré par l'historien américain Philip Hallie aux sauveteurs du Chambon[8] :

> Un soir de l'hiver 1940-1941, alors qu'elle était en train de mettre des bûches dans le fourneau de la cuisine, Magda Trocmé, la femme du pasteur, sursauta en entendant frapper à la porte. Lorsqu'elle ouvrit, elle trouva en face d'elle une femme tremblante, frigorifiée par la neige qui la recouvrait, visiblement terrifiée et prête à s'enfuir.
>
> C'était la première Juive fuyant les persécutions nazies à se présenter au presbytère. Dans les années à venir, des centaines d'autres allaient également y trouver refuge. La femme lui demanda d'une faible voix inquiète si elle pouvait entrer. « Naturellement, entrez, entrez », répondit immédiatement Magda Trocmé.

«Pendant le reste de l'Occupation, écrit Hallie, Magda et les autres gens du Chambon apprendront que, du point de vue du réfugié, fermer sa porte à quelqu'un n'est pas seulement un refus d'aider : c'est lui faire du mal. Quelle que soit la raison que vous ayez de ne pas accueillir un réfugié, votre porte fermée le met en danger[9].»

Toutes ces activités étaient bien sûr extrêmement dangereuses, et elles l'ont été de plus en plus à mesure que la guerre tournait au désavantage des nazis, ces derniers se montrant de plus en plus impitoyables[10]. Philip Hallie rapporte ces propos de Magda Trocmé : «Si nous avions dépendu d'une organisation, ça n'aurait pas marché. Comment une grande organisation aurait-elle pu prendre des décisions au sujet de gens qui se pressaient à nos portes ? Quand les réfugiés étaient là, sur votre seuil, les décisions devaient être prises sur-le-champ. La bureaucratie aurait empêché d'en sauver beaucoup. Là, chacun était libre de décider rapidement tout seul[11].»

Michel Terestchenko conclut ainsi :

> Le devoir d'aider autrui était en eux comme une «seconde nature», une «disposition constante». [...] L'action altruiste en faveur des Juifs jaillissait spontanément du plus profond de leur être comme une obligation à laquelle ils ne pouvaient se soustraire, porteuse sans doute de dangers considérables, mais qui n'avait rien de sacrificiel. En agissant ainsi, ils ne renonçaient pas à leur être et à leurs «intérêts» profonds : ils y répondaient, tout au contraire, dans une parfaite conformité et fidélité à eux-mêmes[12].

Une vision du monde : «Nous appartenons tous à la même famille»

Selon Kristen Monroe, qui a étudié les profils de nombreux sauveteurs, il s'avère que ceux-ci étaient d'origines sociales très différentes[13]. Ainsi, pendant les persécutions nazies de la Seconde Guerre mondiale, il y eut, par exemple, un Hollandais sans éducation qui travaillait dans une boutique de fruits secs. Un couple de sauveteurs avait huit enfants dont certains souffrirent de la faim parce que leurs parents partageaient la nourriture avec ceux qu'ils protégeaient. La fille du patron de General Motors en Europe, élevée dans des écoles internationales et parlant plusieurs langues, compte également au nombre de ces sauveteurs. Enfin, une comtesse de Silésie, qui avait grandi dans un château de quatre-vingt-treize pièces, se rebella contre sa famille riche et antisémite, obtint un doctorat en sciences vétérinaires, et travailla dans un cirque, avant de contribuer à sauver de nombreux Juifs.

Après la guerre, certains gouvernements offrirent des compensations financières aux sauveteurs qui se trouvaient dans de grandes difficultés matérielles après avoir protégé des familles juives. Mais la quasi-totalité d'entre eux refusèrent ces compensations[14]. Il faut souligner qu'en outre, nombre d'entre eux furent ostracisés par leurs concitoyens, pendant et après la guerre. On les traita parfois d'« amoureux des Juifs » et leur héroïsme fut souvent l'objet de sarcasmes.

Certains se marièrent dans un autre pays et ne parlèrent même pas à leurs proches de ce qu'ils avaient fait[15]. « Tous les altruistes que j'ai interrogés, écrit Monroe, considéraient comme accessoires les honneurs qui leur avaient été rendus par la suite (notamment la distinction de "Justes parmi les nations", la plus haute distinction civile décernée par l'organisation de l'État hébreu). Pour la plupart d'entre eux, cette récompense, décernée plus de trente ans après les événements, était inattendue ; pour un nombre surprenant, elle s'avérait indésirable. Si les sauveteurs étaient, pour la plupart, contents de la recevoir, ils n'en avaient pas moins agi sans jamais penser à la moindre récompense possible. » Ce dont ils font état, c'est d'une satisfaction profonde d'avoir sauvé des vies.

Selon Monroe, le seul point commun qui se dégage des multiples témoignages des sauveteurs est une *vision du monde et des autres* fondée sur la conscience de l'interdépendance de tous les êtres et leur humanité commune[16]. Il en découle que tous méritent d'être traités avec bienveillance. « J'ai toujours considéré les Juifs comme des frères », confie un sauveteur allemand à l'écrivain Marek Halter[17].

Pour beaucoup, il n'y a pas de gens fondamentalement « bons » ou « mauvais », mais seulement des personnes qui ont eu des vies différentes. Cette compréhension semble donner aux altruistes une grande tolérance et une remarquable capacité à pardonner. Comme le confiait un sauveteur à Samuel et Pearl Oliner :

> La raison en est que tous les hommes sont égaux. Nous avons tous le droit de vivre. Ce n'était rien de moins qu'un massacre et je ne pouvais le supporter. J'aurais aidé un musulman comme un juif. [...]

> C'est comme de sauver quelqu'un qui se noie. Vous ne lui demandez pas quel Dieu il prie. Vous allez simplement le sauver. [...] Ils avaient autant le droit de vivre que moi[18].

Samuel et Pearl en donnent pour preuve le cas d'une femme qui faisait partie d'un groupe cachant des familles juives. Un jour, alors qu'elle passait avec son mari près d'une caserne allemande lors d'un raid aérien, un soldat allemand en sortit en courant, avec une profonde blessure à la tête qui lui faisait perdre beaucoup de sang. Immédiatement, le mari le mit sur sa bicyclette, le transporta à la commanderie allemande, sonna à la porte et partit lorsque la porte s'ouvrit. Plus tard, certains de leurs amis résistants le traitèrent de traître pour avoir «aidé l'ennemi». Le mari répondit : «Non, l'homme était grièvement blessé, il n'était plus un ennemi mais simplement un être humain en détresse.» Cet homme n'acceptait ni d'être considéré comme un «héros» pour avoir sauvé des familles juives ni comme un «traître» pour avoir aidé un soldat allemand grièvement blessé[19]. Ce qui prouve que pour les altruistes héroïques, devant la souffrance, les étiquettes d'appartenance nationale, religieuse et politique tombent d'elles-mêmes.

En résumé, le comportement de tous ces sauveteurs présentait un certain nombre de caractéristiques de l'altruisme véritable. Ils prenaient des risques considérables, à la fois pour eux-mêmes et pour leur famille, et ils n'attendaient strictement rien en retour de leurs actions, sachant que les victimes étaient aux abois, totalement démunies, et qu'elles n'avaient qu'une chance ténue de survivre. Ils auraient pu aisément se dérober à leur sentiment d'obligation morale, puisque cacher des Juifs recherchés par les nazis constituait un acte d'une extrême dangerosité. Il est arrivé que des Juifs cachés envisagent de se livrer eux-mêmes à la Gestapo pour ne pas compromettre la famille qui les abritait, mais la plupart de leurs sauveteurs les en ont fermement dissuadés.

Mordecai Paldiel, qui fut directeur du département des «Justes parmi les nations», en Israël, en conclut que c'est la bonté fondamentale, présente en chacun de nous, qui nous permet de comprendre ces comportements d'altruisme inconditionnel qui, selon lui, démontrent qu'il constitue une prédisposition humaine innée. Il écrit dans le *Jerusalem Post*[20] :

Plus j'examine les actes des «Justes parmi les nations», plus je doute du bien-fondé de la tendance habituelle à magnifier ces actions dans des proportions déraisonnables. Nous avons tendance à regarder ces bienfaiteurs comme des héros : d'où la recherche de motivations sous-jacentes. Cependant, les Justes ne se considèrent eux-mêmes en rien comme des héros, et perçoivent leur comportement durant l'Holocauste comme parfaitement normal. Comment résoudre cette énigme ?

Pendant des siècles, nous avons subi un lavage de cerveau par des philosophes qui ont mis l'accent sur l'aspect détestable de l'homme, soulignant sa disposition égoïste et malveillante, au détriment de ses autres qualités. Consciemment ou non, avec Hobbes et Freud, nous acceptons la proposition selon laquelle l'homme est essentiellement un être agressif, enclin à la destruction, concerné principalement par lui-même, et seulement marginalement intéressé par les besoins des autres. [...]

La bonté nous stupéfie, car nous refusons de la reconnaître comme une caractéristique humaine naturelle. Aussi, nous cherchons longuement une motivation cachée, une explication extraordinaire à ce comportement si particulier. [...]

Au lieu d'essayer de mettre poliment de la distance entre eux et nous tout en louant leurs actions, ne serait-il pas préférable de redécouvrir le potentiel altruiste en nous ? Aider de temps en temps quelqu'un, même si c'est particulièrement difficile, fait partie de notre nature humaine. [...]

Ne cherchons pas des explications mystérieuses à la bonté chez les autres, mais redécouvrons plutôt le mystère de la bonté en nous-mêmes.

12

Au-delà des simulacres, l'altruisme véritable : une investigation expérimentale

Que quelqu'un vole, triche ou commette un acte violent, et on remarquera d'un air désabusé : « C'est le naturel qui revient au galop », ou encore : « Il a montré son vrai visage », sous-entendant que toute autre forme de comportement n'est finalement qu'une façade hypocrite que nous essayons d'afficher avec plus ou moins de succès, mais qui finit tôt ou tard par se fissurer et révéler notre véritable nature. À l'inverse, lorsque quelqu'un fait preuve d'une grande bonté et se dévoue inlassablement au service de ceux qui souffrent, on dira : « C'est un véritable saint », sous-entendant que c'est un comportement héroïque, hors de portée du commun des mortels.

Ceux qui soutiennent que l'homme n'est qu'égoïsme ne manquent pas de donner de multiples exemples de comportements dont la façade altruiste cache une motivation égoïste. Le philosophe et naturaliste américain d'origine espagnole George Santayana proclame :

> Dans la nature humaine, les impulsions généreuses sont occasionnelles et réversibles. [...] Elles constituent d'aimables interludes semblables aux sentiments larmoyants chez un ruffian, ou ne sont que de plaisantes auto-illusions hypocrites. [...] Mais créez une tension, creusez un peu sous la surface, et vous trouverez un homme férocement, obstinément et profondément égoïste[1].

Le biologiste de l'évolution Michael Ghiselin exprime ce point de vue de manière caricaturale dans une phrase souvent citée :

> Ayant pleinement la possibilité d'agir en son propre intérêt, rien mis à part l'opportunisme ne pourrait retenir [l'être humain] de bru-

taliser, de mutiler, d'assassiner son frère, son ami, un de ses parents, ou son enfant. Grattez la peau d'un «altruiste» et vous verrez un hypocrite saigner. [...] Ce qui passe pour de la coopération s'avère être un mélange d'opportunisme et d'exploitation[2].

Même l'amitié n'a pas grâce aux yeux de La Rochefoucauld :

> Ce que les hommes ont nommé amitié n'est qu'une société, qu'un ménagement réciproque d'intérêts, et qu'un échange de bons offices : ce n'est enfin qu'un commerce où l'amour-propre se propose toujours quelque chose à gagner[3].

Un cas de figure

Imaginons que je fasse une randonnée dans l'Himalaya avec quelques personnes, dont des amis proches et quelques inconnus qui se sont joints à nous au départ de l'étape ce matin. Un gîte et un repas nous attendent en fin d'après-midi après le passage d'un col, mais nous n'avons guère de provisions pour la mi-journée. Lors d'une pause, je m'aperçois en fouillant dans mon sac qu'il me reste un bon morceau de fromage et une boule de pain que j'avais oubliés. Première possibilité : je m'éloigne un peu et je mange le tout en catimini. Deuxième possibilité : je partage avec mes amis proches. Troisième possibilité : je vais joyeusement vers le groupe en leur disant : «Regardez ce que j'ai trouvé!» À première vue, ces trois comportements correspondent, respectivement, à l'égoïsme pur et dur, à l'altruisme limité par mes préférences personnelles et à l'altruisme impartial.

Mais la situation n'est pas aussi simple, car même si je partage avec tous, tout dépend de ma motivation. Je peux agir spontanément, conformément à mon caractère bienveillant. Mais il est possible que je partage le pain et le fromage pour des raisons beaucoup moins altruistes : la crainte d'être surpris en train de manger mon casse-croûte tout seul dans un coin; le fait que j'apprécie les compliments et que sacrifier un morceau de fromage me fournit l'occasion d'améliorer mon image auprès de mon entourage; le calcul qu'une fois arrivés à l'étape, mis en condition par mon affabilité, les autres m'inviteront à dîner; le désir de gagner la sympathie de mes compagnons de route qui m'ont ignoré jusqu'alors; ou encore le sens du devoir, mes parents m'ayant inculqué qu'il «faut toujours partager», alors que je meurs d'envie de tout manger.

Cet exemple simple illustre les divers faux-semblants qu'il convient de distinguer de l'altruisme véritable.

Force est de reconnaître que certains gestes hypocrites peuvent être bénéfiques à autrui tout en procédant d'un calcul intéressé, par exemple lorsque l'on offre un cadeau à quelqu'un dans l'espoir d'en retirer un profit. D'autres agissements en apparence altruistes ne sont pas nécessairement inspirés par la volonté de tromper, mais restent principalement motivés par la poursuite de nos propres intérêts ou par de nobles sentiments, comme le sens du devoir, qui ne sont pas pour autant de l'altruisme pur.

L'altruisme à l'épreuve de l'investigation expérimentale

Dans les précédents chapitres, nous avons illustré à l'aide d'expériences vécues quelques-unes des nombreuses manifestations de la bonté humaine, y compris dans les situations les plus dangereuses. Lorsque nous considérons le comportement d'Irene Gut Opdyke, dont nous avons relaté la vie, et celui d'autres personnes qui, en toutes circonstances, aussi menaçantes soient-elles, ont manifesté une détermination et un dévouement sans concession pour éviter des souffrances à autrui, le soustraire à la persécution et veiller à sa survie, il semble a priori déraisonnable de ne pas y reconnaître la marque de l'altruisme le plus sincère.

Persister à expliquer par l'égoïsme l'*ensemble* des comportements humains relève d'un parti pris et l'on serait bien en peine de citer ne serait-ce qu'une seule étude empirique dans la littérature scientifique qui vienne confirmer ce préjugé. Certes, les motivations d'un acte peuvent être de natures diverses, les unes altruistes, les autres égoïstes, mais rien ne permet de nier l'existence de l'altruisme véritable. Malgré tout, les brumes de l'égoïsme universel continuent à flotter dans l'air du temps et à influencer la psyché collective de nos contemporains.

Des années 1930 aux années 1970, le terme «altruisme» apparaît rarement dans les ouvrages de psychologie. En 1975, dans son discours en tant que président de l'Association américaine de psychologie, Donald Campbell résuma ainsi la pensée générale de l'époque : «La psychologie et la psychiatrie [...] non seulement décrivent l'homme comme motivé par des désirs égoïstes, mais enseignent, implicitement ou explicitement, qu'il se doit de l'être[4].»

C'est ce qui a amené le psychologue Daniel Batson à se dire que si l'on voulait couper court à toutes ces objections, il fallait avoir recours à une approche expérimentale systématique. Il justifie ainsi son choix :

> Il peut sembler de mauvais goût de scruter les motivations de celui qui a risqué sa vie pour protéger ceux qui tentaient d'échapper à l'Holocauste, celles des pompiers qui sont morts en conduisant des survivants en lieu sûr lors de l'attentat du World Trade Center, ou celles d'un homme qui soustrait un enfant blessé à l'attaque des requins. Mais si nous voulons vraiment savoir si les humains peuvent être motivés par l'altruisme, une investigation minutieuse est nécessaire[5]. [...]
>
> Des cas comme ceux que nous avons évoqués plus haut sont à la fois réconfortants et inspirants. Ils nous rappellent que les humains – mais aussi les animaux – peuvent faire des choses merveilleuses les uns pour les autres. Il est important de garder cela à l'esprit.
>
> Pour autant, de tels cas ne fournissent pas de preuve décisive de l'existence de l'altruisme. [...] L'altruisme, en effet, ne consiste pas seulement à aider l'autre, fût-ce de façon héroïque. L'altruisme se réfère à une forme particulière de motivation, une motivation dont le but ultime est d'accroître le bien-être de l'autre. [...]
>
> Nous sommes donc contraints d'envisager la possibilité que même un saint ou un martyr peut avoir agi en vue de retirer de son acte un bénéfice personnel. La liste des avantages que l'on peut retirer pour soi en aidant autrui est longue. On peut aider pour recevoir des marques de gratitude, pour qu'on nous admire, pour être satisfait de soi. On peut aussi aider pour éviter la critique, le sentiment de culpabilité ou la honte. On peut aussi vouloir se mettre sur les rangs de ceux qui bénéficieront d'une aide future, au cas où l'on en aurait besoin, pour se garantir une place dans l'histoire ou au paradis, ou encore pour réduire la détresse que provoque en nous la souffrance d'autrui. Si nous voulons apporter des preuves convaincantes de l'existence de l'altruisme, nous ne pouvons pas nous en tenir aux cas spectaculaires. Ils ne nous permettent tout simplement pas de trancher[6].

Lorsqu'il entreprit ses recherches, Daniel Batson savait mieux que quiconque que la plupart des scientifiques attribuaient des comportements en apparence altruistes à des motivations égoïstes, ce qui l'a amené à penser que seuls des tests expérimentaux pouvaient permettre de tirer des conclusions claires sur la nature des motivations en jeu et confirmer ou invalider l'hypothèse de l'existence de l'altruisme d'une manière suffisamment rigoureuse pour convaincre les esprits les plus sceptiques[7].

Étudier l'altruisme au quotidien

Le propos de Daniel Batson n'était donc pas d'étudier l'altruisme héroïque dans ce qu'il a d'exceptionnel, mais de mettre en évidence l'altruisme dans la vie quotidienne.

> La motivation altruiste que je souhaite mettre en évidence n'est pas l'apanage exclusif du héros ou du saint. Il n'est ni exceptionnel ni contre nature. Au contraire, je montrerai que l'altruisme est une motivation qui anime fréquemment chacun d'entre nous. [...] Tant que nous supposerons que l'altruisme [...] est rare et contre nature, nous aurons tendance à le situer aux limites de notre expérience quotidienne, dans des actes d'extrême abnégation. [...] Je veux faire valoir que c'est précisément dans ce vécu de tous les jours que nous pouvons trouver les meilleures preuves du rôle de l'altruisme dans la vie humaine[8].

Comment mettre en évidence cet altruisme de tous les jours ? Au milieu du siècle dernier les behavioristes, conduits par John B. Watson et Burrhus Skinner, ont décidé de s'intéresser exclusivement aux comportements observables sans se préoccuper de ce qui se passe dans la « boîte noire » (le monde intérieur de la subjectivité), refusant de parler de motivations, d'émotions, d'imagerie mentale et même de conscience. En s'interdisant ains: d'investiguer le domaine des motivations, le behaviorisme ne pouvait faire progresser nos connaissances en matière d'altruisme.

Il est clair que la description de nos comportements extérieurs à elle seule ne permet pas de discerner les motivations profondes qui nous animent. Il fallait donc imaginer des tests expérimentaux qui permettent de déterminer sans ambiguïté les motivations des sujets qui y étaient soumis. Batson l'explique ainsi :

Pour ceux qui cherchent à comprendre la nature humaine et les ressources qui nous permettraient de construire une société plus humaine, la motivation compte au moins autant que le comportement. Nous n'avons pas seulement besoin de savoir que les êtres humains (et les animaux) font des choses merveilleuses ; nous avons aussi besoin de savoir pourquoi ils le font[9].

Daniel Batson et les membres de son équipe de l'université du Kansas ont ainsi consacré la plus grande partie de leur carrière à répondre à cette question.

Pourquoi les gens s'entraident-ils ? Ils peuvent être mus par un altruisme authentique, mais ils peuvent aussi obéir à des motivations de type égoïste, que l'on peut subdiviser en trois groupes principaux, selon que le but visé est de réduire un sentiment de malaise, d'éviter une sanction, ou d'obtenir une récompense.

Dans le premier cas, le fait de ressentir de l'empathie pour quelqu'un qui souffre peut provoquer en vous une sensation désagréable. Ce que vous désirez alors, c'est réduire votre sentiment d'anxiété. Aider l'autre est alors l'une des façons de parvenir à vos fins. Toute alternative permettant de réduire votre malaise – notamment en évitant d'être confronté à la souffrance d'autrui – sera tout aussi adéquate. C'est l'une des explications les plus fréquemment citées dans la littérature psychologique des cinquante dernières années et dans la littérature philosophique des siècles derniers.

La sanction redoutée dans le deuxième type de motivation égoïste peut être la perte de biens matériels et d'avantages divers, la détérioration de nos relations avec autrui (réprobation, rejet, réputation entachée) ou un sentiment de mauvaise conscience (culpabilité, honte ou sentiment d'échec).

Enfin, comme nous l'avons vu, la rétribution attendue peut aussi être d'ordre matériel ou relationnel, dépendre des autres (avantages matériels, louanges, réputation, amélioration de notre statut, etc.) ou de soi-même (satisfaction de soi, d'avoir fait son devoir, etc.).

Examinons quelques-unes de ces motivations égoïstes et la façon dont Batson et les membres de son équipe ont montré qu'elles ne peuvent expliquer de manière satisfaisante tous les comportements humains.

Aider pour soulager notre propre détresse

Nous avons vu précédemment que le spectacle de la souffrance d'autrui risque d'induire en nous un sentiment d'inconfort qui peut aller jusqu'à la détresse. C'est le comportement que Daniel Batson a défini comme étant la détresse empathique. Nous nous replions sur nous-mêmes et sommes surtout concernés par l'effet de la souffrance et des émotions qu'elle suscite en nous. Dans ce cas, quel que soit le mode d'intervention choisi – aider l'autre ou se détourner de sa souffrance –, l'acte ne procède pas d'une démarche altruiste.

S'il nous est impossible de nous dérober au spectacle des souffrances d'autrui, l'assistance que nous apportons sera surtout motivée par le désir de soulager notre propre malaise. Si une esquive commode se présente et permet d'éviter la confrontation avec les tourments d'autrui, l'individu préférera généralement cette échappatoire. Selon le moraliste Frank Sharp, là où l'empathie est ressentie comme étant douloureuse, le fait d'aider revient simplement à une tentative de se débarrasser de la façon la plus expéditive possible du malaise engendré en soi par la souffrance de l'autre[10].

Pour un altruiste véritable, un tel sentiment d'inconfort fonctionnera initialement comme un signal d'alarme qui l'avertira de la souffrance d'autrui, et lui fera prendre conscience du niveau de détresse de sa situation. Ainsi averti, l'altruiste utilisera tous les moyens disponibles pour remédier à ce désarroi et à ses causes. Comme l'explique le philosophe américain Thomas Nagel : « La sympathie est la perception douloureuse de la souffrance comme celle d'un état qui doit être soulagé[11]. »

L'expérimentation en laboratoire

Si le stimulus que représente la souffrance d'autrui est la cause principale de mon malaise, deux solutions se présentent donc à moi : soit j'aide l'autre à se débarrasser de sa souffrance (et, par la même occasion, à mettre fin à ma détresse), soit je trouve un autre moyen d'échapper à ce stimulus en m'en éloignant physiquement ou psychologiquement. La fuite psychologique est plus efficace, car si je détourne simplement le regard tout en restant préoccupé par la souffrance de l'autre, je ne me débarrasse pas pour autant de mon sentiment d'inconfort – « loin des yeux» reste «près du cœur». Comment peut-on vérifier par l'expérimentation si un individu particulier obéit à cette première motivation égoïste ou s'il se comporte de façon véritablement altruiste?

Les participantes de l'une des expériences conçues par Daniel Batson sont placées dans des cabines individuelles et observent sur un écran une étudiante, appelée Katie, qui se trouve dans la pièce voisine. On leur explique que Katie est une étudiante qui se prête à une expérience sur ses performances au travail dans des situations déplaisantes. Elle y recevra des décharges électriques d'une intensité sans danger pour elle (deux à trois fois l'équivalent une décharge d'électricité statique), mais néanmoins désagréables. Et cela sur un certain nombre de séances, entre deux et dix, de deux minutes chacune, durant lesquelles elle recevra ces décharges à intervalles irréguliers.

Les observatrices, une quarantaine de femmes lorsque le sujet observé est, comme ici, une femme, sont divisés en deux groupes par tirage au sort*. Les observatrices sont ensuite convoquées, une par une, au laboratoire.

À celles du premier groupe, on explique que Katie fera entre deux et dix séances de tests, mais que l'on n'exige d'elles de n'assister qu'aux deux premières. C'est la situation de l'«échappatoire facile».

Aux observatrices du deuxième groupe, on dit aussi que Katie recevra entre deux et dix séries de décharges électriques, mais qu'elles devront l'observer jusqu'au bout. C'est la situation de l'«échappatoire difficile».

À l'ensemble des observatrices, on explique que Katie se prête à cette étude car elle doit subvenir aux besoins de son jeune frère après la mort de leurs parents dans un accident de voiture, et que la rémunération offerte par le laboratoire l'y aidera.

En outre, à la moitié des observatrices de chaque groupe, on demande de prendre le temps d'*imaginer clairement* la situation de Katie. À l'autre moitié, on raconte simplement l'histoire de Katie, sans demander aucun travail d'imagination. Le but de cette manipulation psychologique est de susciter davantage d'empathie chez les observatrices qui prennent le temps d'imaginer la situation de Katie.

---

* Si le sujet observé est un homme, les observateurs seront également des hommes, afin de supprimer les effets de politesse ou de «galanterie». La possibilité, par exemple, que les hommes se sentent «obligés» d'aider une femme en difficulté compliquerait l'étude par l'addition de paramètres supplémentaires. Toutes ces expériences ont été aussi réalisées avec des hommes et les résultats sont identiques dans les deux cas.

Au début de chaque séance, l'observatrice, assise seule dans un box, voit apparaître sur l'écran d'un circuit interne de télévision, Katie pénétrant dans la pièce d'à côté. En réalité, il s'agit d'un enregistrement vidéo, que les participantes voient les unes après les autres à mesure qu'elles se succèdent au laboratoire. Il est important en effet que le protocole expérimental soit identique pour toutes les observatrices. Katie est en fait une actrice qui ne reçoit pas véritablement de chocs électriques, ce que les observatrices ignorent.

Sur la vidéo, on voit aussi Martha, qui est en charge de l'expérimentation, expliquer à Katie le protocole de l'expérience. On lui dit que les décharges qu'elle va recevoir sont deux à trois fois plus fortes qu'une décharge d'électricité statique, mais ne peuvent pas causer de dommage durable. Une électrode est attachée à son bras. Dès la première séance, au vu des expressions faciales de Katie, il est clair qu'en fin de compte, les décharges lui sont extrêmement pénibles, au point qu'à la fin de la deuxième séance, Martha interrompt l'expérience et rentre dans la pièce pour lui apporter un verre d'eau.

Pendant ce temps, un autre responsable interroge l'observatrice du moment sur ses réactions émotionnelles, en particulier sur son degré de détresse d'une part et sur son degré d'empathie à la vue des réactions douloureuses de Katie, d'autre part.

Puis Martha demande à Katie comment elle se sent. Katie avoue que, lorsqu'elle était petite, il lui est arrivé de tomber sur une clôture électrique en faisant une chute de cheval et qu'à la suite de ce traumatisme, elle réagit très fortement aux chocs électriques, même légers. Martha suggère à Katie d'interrompre l'expérience, mais Katie répond : « Non, j'ai commencé, je veux finir. Même si c'est pénible... votre recherche est importante... je continue. »

Martha propose alors une solution : « La personne qui vous observe de la cabine est, comme vous, une étudiante en psychologie ; peut-être serait-elle disposée à prendre votre place. » Avec un mélange d'hésitation et de soulagement, Katie finit par y consentir. Martha annonce qu'elle va suspendre l'expérience un petit moment et qu'elle sera bientôt de retour. L'écran devient noir.

Le responsable explique à l'observatrice : « Vous avez vu ce qui se passe. Martha suggère que vous preniez la place de Katie. Bien entendu, vous n'êtes absolument pas obligée de le faire et vous pouvez conserver votre rôle d'observatrice. Si vous décidez d'aider Katie, vous prendrez sa place pour les huit dernières séances et c'est elle qui vous observera. Vous ne rencontrerez pas Katie en personne.»

L'expérimentateur ajoute un choix supplémentaire en fonction des groupes : à chacune des observatrices du groupe de l'échappatoire facile, il dit : «Si vous ne souhaitez pas prendre la place de Katie et que vous préférez rester dans votre rôle d'observatrice, sachant que vous avez déjà joué ce rôle pendant deux périodes d'observation, vous êtes libre de partir, après avoir simplement rempli un questionnaire sur les sentiments que vous ressentez en ce moment (anxiété, empathie, etc.).»

Aux observatrices du groupe de l'échappatoire difficile, l'expérimentateur annonce : «Si vous ne souhaitez pas prendre la place de Katie, vous continuerez à l'observer pendant les huit séances restantes.»

Les résultats montrent que, parmi les observatrices dont le degré d'empathie est faible, seulement 18% des femmes anxieuses en regardant Katie choisissent de prendre sa place dans le cas de l'échappatoire facile. Mais, dans le cas de l'échappatoire difficile, 64% des observatrices s'y décident, faute de pouvoir soulager leur détresse en s'échappant.

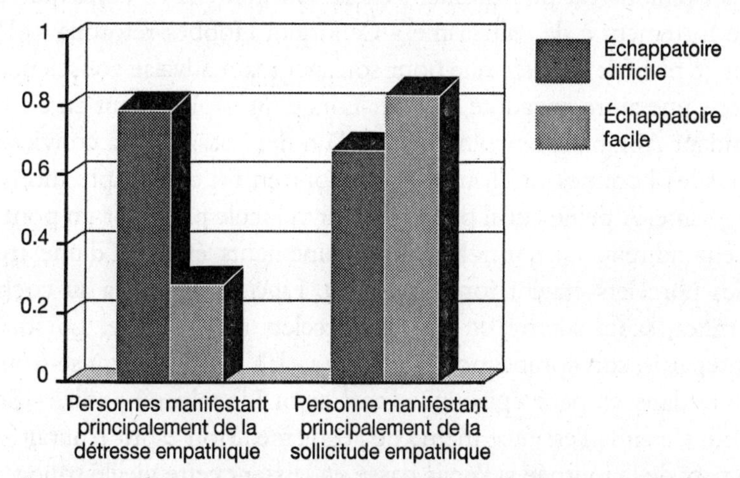

Proportion des personnes qui proposent de prendre la place de Katie et de recevoir de légères décharges électriques. On voit que les personnes chez qui la sollicitude empathique prédomine continuent de prendre la place de Katie alors qu'elles pourraient facilement s'en abstenir. Ce n'est pas le cas des personnes à forte détresse empathique qui prennent la place de Katie uniquement lorsque l'échappatoire est difficile.

* Toutes les sources des figures que l'on trouve dans cet ouvrage sont en fin de volume, p. 877.

En revanche, en moyenne 85 % des observatrices éprouvant une forte empathie et peu de détresse personnelle prennent la place de Katie dans les deux cas, que l'échappatoire soit facile ou difficile. La conclusion est donc que la sollicitude empathique manifestée par ces dernières relève d'un altruisme véritable puisqu'elles interviennent pour le bien de Katie, et pas seulement pour soulager leur propre détresse.

Aider pour éviter une sanction : le sentiment de culpabilité

Certains préfèrent aider autrui, même s'ils ne sont pas spontanément enclins à le faire, parce que cet effort est psychologiquement moins coûteux que d'être en proie à un sentiment de culpabilité.

Thomas Hobbes, qui n'a cessé de proclamer que l'homme était uniquement motivé par son autopréservation – ce qui le conduit à privilégier systématiquement ses intérêts personnels –, fut un jour surpris en train de donner une pièce à un mendiant. Voyant cela, un passant, au fait des opinions du philosophe, s'exclama : «Ah! Ah! Voilà qui ressemble fortement à de l'altruisme.» Ce à quoi Hobbes rétorqua : «Pas du tout, je n'ai fait ce geste que pour soulager ma mauvaise conscience.»

Citons une autre anecdote célèbre. Lors d'un déplacement en coche, le président Abraham Lincoln confia à l'un des passagers sa conviction que tous les hommes qui font du bien sont en fin de compte motivés par l'égoïsme. À peine eut-il parlé que leur véhicule passa sur un pont et qu'ils entendirent, en contrebas, les couinements éperdus d'une truie dont les porcelets étaient tombés à l'eau. Lincoln demanda au cocher de s'arrêter, sauta à terre et tira les porcelets sur la berge. Lorsqu'ils furent repartis, son compagnon remarqua : «Eh bien, Abe, où se trouve l'égoïsme dans ce petit épisode?», ce à quoi Lincoln répondit : «Sois béni, Ed, c'était là l'essence même de l'égoïsme. Mon esprit n'aurait pas été en paix de la journée si j'étais passé en laissant cette vieille truie s'inquiéter de ses petits. Ne comprends-tu pas que je n'ai fait ce geste que pour avoir l'esprit serein?»

Notons néanmoins que le simple fait d'éprouver un sentiment de malaise ou de culpabilité à l'idée de négliger le bien d'autrui n'est pas en soi un signe d'égoïsme. Si nous étions exclusivement égoïstes, nous n'aurions aucune raison d'être troublés par les souffrances d'autrui. Celui chez qui l'égoïsme est prépondérant étouffera les timides protestations de son sentiment de culpabilité en fabriquant des justifications morales à son inaction qui s'expriment souvent par des réflexions telles que : «Après tout, il l'a bien cherché»; «Ces gens-là n'ont que ce qu'ils méritent»; ou : «Les pauvres n'ont qu'à travailler plus.»

À l'extrême limite, afin de se débarrasser de tout sentiment de gêne à l'idée de se comporter en égoïste, certains iront jusqu'à élaborer un système philosophique fondé sur un renversement des valeurs. Tel fut le cas de la philosophe américaine Ayn Rand. L'«égoïsme éthique», qu'elle appela «objectivisme», affirme que l'altruisme est immoral car il exige de nous des sacrifices intolérables et représente une contrainte inacceptable imposée à notre désir de vivre heureux*.

Comment montrer ensuite que les gens n'aident pas simplement pour éviter de se sentir coupables ? Au laboratoire, on explique cette fois aux participantes réparties en deux groupes, toutes étudiantes, qu'elles peuvent éviter à une autre étudiante, Julie, de recevoir des décharges électriques en réussissant un test qu'on leur présente. Mais le test qu'on leur donne est si difficile qu'aucune participante ne le réussit. On dit ensuite à l'un des groupes que le test était relativement facile (ce qui les culpabilise) et à l'autre que ce n'est pas leur faute, le test étant trop difficile.

Les résultats de l'expérience montrent que les sujets à forte empathie restent préoccupés par le sort de Julie, quelle que soit l'explication fournie à leur échec, tandis que *les sujets à faible empathie sont rassurés dès qu'on leur apprend que ce n'est pas leur faute* si Julie a reçu une décharge. On en conclut que ce n'est pas simplement pour avoir bonne conscience que les altruistes viennent en aide à une personne dans le besoin.

L'un des arguments qui fut donc opposé à Batson est qu'une échappatoire physique (quitter le laboratoire) n'implique pas nécessairement une échappatoire psychologique (oublier Katie) liée à un sentiment de malaise ou de culpabilité. Les participantes à forte empathie, celles qui ont pris la place de Katie dans toutes les circonstances, auraient pu se dire : «Oui, mais si je n'aide pas Katie maintenant, je vais me sentir mal par la suite[12]», ce qui est une motivation égoïste. Il importait donc de savoir si, au moment de l'expérimentation, elles anticipaient le tourment que leur causerait la pensée du sort de Katie[13].

* Nous reviendrons plus longuement sur ce point de vue dans le chapitre 25, «Les champions de l'égoïsme».

Les résultats ont montré que les individus à forte empathie souhaitaient être tenus au courant de la situation de Katie un mois plus tard, même lorsque le pronostic concernant sa santé était pessimiste. Tandis que les individus moins empathiques choisissaient en majorité l'échappatoire psychologique – ne plus jamais entendre parler de Katie –, tout comme ils avaient choisi l'échappatoire physique dans la première expérience décrite plus haut.

Les chercheurs en conclurent que, lorsque l'on est sincèrement concerné par le sort de quelqu'un, on n'essaie pas d'éviter d'entendre parler de cette personne si elle va mal simplement parce que l'on redoute le sentiment de malaise que ces mauvaises nouvelles auront sur soi.

Il faut maintenant montrer que les gens n'agissent pas non plus pour *éviter d'avoir à se justifier vis-à-vis d'eux-mêmes de leur non-intervention.* Dans ce cas, on propose aux participantes d'offrir un peu de leur temps pour aider une femme en difficulté. À un premier groupe, on apprend que les autres participantes se sont, en grande majorité, portées volontaires pour aider une fois. Au deuxième, on dit que seule une minorité d'entre elles ont offert leur aide.

On comprend que, si une participante n'a pas envie d'aider, elle peut se dire qu'après tout, elle n'est pas la seule dans ce cas puisque la plupart des autres ont fait comme elle. Les résultats montrent que celles qui éprouvent une forte empathie pour la jeune femme offrent leur aide dans les deux cas de figure, tandis que les personnes à faible empathie se désistent dans le second cas de figure, ce qui leur permet ainsi de justifier leur inaction.

Aider pour éviter la réprobation d'autrui

Si l'on agit de manière altruiste parce que l'on redoute d'être critiqué, alors le geste que l'on fait est subordonné à la considération que l'on escompte d'autrui. Le coût d'un tel geste dont on s'acquitte, bon gré, mal gré, pour l'autre, nous semble moins élevé que l'opprobre de nos semblables. C'est là un motif fréquent chez l'altruiste hypocrite.

Comment être sûr que les gens n'aident pas dans le seul but d'éviter la réprobation d'autrui ? Pour tester cette hypothèse, on constitue un nouveau groupe de participantes auxquelles on propose de passer du temps avec Janet, que l'on présente comme une femme qui traverse une période difficile de sa vie, souffre de la solitude et est à la recherche d'amitiés. On constitue deux sous-groupes. Au premier, on dit que l'expérimentateur et Janet seront informés de leur choix de passer ou non un moment avec elle. À l'autre, on garantit la confidentialité de leur décision.

Comme précédemment, on suscite un sentiment d'empathie chez la moitié des participantes en leur demandant d'imaginer pendant quelques moments le sort de Janet ; tandis qu'on demande simplement à l'autre moitié de lire la requête de Janet dans laquelle elle exprime son désir de rencontrer des gens. Les résultats montrent que les trois quarts des participantes à empathie élevée acceptent de rencontrer Janet, que leur choix soit ou non confidentiel. En revanche, une plus grande proportion des sujets à faible empathie décline l'offre de rencontrer Janet dans le cas où ils bénéficient du couvert de l'anonymat. Cela confirme donc le fait qu'un *altruiste véritable n'est pas influencé par l'anticipation des jugements d'autrui et n'est pas motivé par la reconnaissance sociale*[14].

L'attente calculée d'une contrepartie

Je vous fais une faveur, mais j'en attends une autre en retour, à plus ou moins longue échéance. Cette attente peut être explicite, implicite ou dissimulée. Ce type d'altruisme est fréquemment observé chez les animaux – je te gratte le cou et tu grattes le mien. Les antilopes impalas ont coutume de se lécher mutuellement l'encolure, mais si l'une arrête de le faire, l'autre cesse aussi.

Si l'espoir de bénéficier d'un avantage est notre but ultime, nos calculs intéressés pourront prendre l'apparence de l'altruisme dans le seul objectif d'induire chez l'autre un comportement favorable à notre égard, sans aucune considération pour son propre bien.

On sait que de tels calculs ont parfois des buts à long terme. Par exemple, on couvrira d'attentions, pendant des années, une personne âgée dans l'espoir de recueillir son héritage ; on se ménagera les faveurs des notables du lieu dans la perspective d'en retirer ultérieurement un profit personnel.

Le second simulacre de l'altruisme consiste à faire une faveur à quelqu'un dans le but de recevoir des compliments ou d'être apprécié par cette personne, ou encore à faire des dons charitables afin de se forger une bonne réputation.

Toutefois, nourrir le désir d'établir des relations amicales avec d'autres et, pour ce faire, briser la glace en faisant un geste bienveillant n'est pas en soi égoïste, dans la mesure où l'on ne se propose pas d'instrumentaliser l'autre au service de ses intérêts personnels.

Les louanges ne sont pas non plus pernicieuses en elles-mêmes. Si l'on est sincère dans les actions bénéfiques que l'on entreprend, recevoir des éloges peut constituer un encouragement bienvenu (à condition que la vanité ne s'en mêle pas), et faire des compliments est une preuve de reconnaissance du bien que font les autres. À cet égard, toutefois, un adage bouddhiste enjoint à la prudence : « Considère que les louanges que l'on te fait ne s'adressent pas à ta personne, mais à la vertu que tu as incarnée par tes actes, et que les critiques, en revanche, s'adressent bien à toi et à tes imperfections. »

Toujours est-il que si nous accomplissons un acte, même utile à autrui, dans le seul but d'être complimenté et bien considéré socialement, il s'agit là d'un simulacre d'altruisme. Pour accomplir le bien d'autrui tout en nous apportant un sentiment de plénitude, l'altruisme et la compassion ne doivent pas être égocentrés. Comme l'écrit Christophe André :

> La compassion n'est la compassion que dans l'action gratuite, elle n'est pas – jamais – un investissement en attente de retour. Sinon elle débouchera, tôt ou tard, sur l'amertume et le ressentiment[15].

Aider dans l'espoir d'une récompense : le test expérimental

Si nous aidons quelqu'un dans l'espoir d'obtenir une récompense, nous devrions être moins satisfaits si, au cours de l'opération, quelqu'un d'autre lui vient en aide à notre place, puisque dans ce cas nous ne pouvons plus recevoir la récompense escomptée, matérielle ou sociale. Mais pour l'altruiste, ce qui compte avant tout, c'est que la personne soit aidée : peu importe qui s'en charge. Son degré de satisfaction devrait donc rester le même. C'est ce qu'ont cherché à vérifier Batson et son équipe.

Les gens aident-ils parce qu'ils en retirent une récompense subjective, par exemple, parce que cela les rend de bonne humeur ? Revenons à l'expérience de Katie : si les participantes à forte empathie aident parce qu'elles se sentent bien après avoir aidé – une explication souvent avancée –, elles devraient aider moins volontiers lorsqu'elles n'ont aucun moyen de savoir si leur aide sera efficace. L'expérience a montré que les participantes à forte empathie, placées dans cette nouvelle situation, aident tout autant lorsqu'on leur dit qu'on les tiendra au courant des progrès de la condition de l'étudiante orpheline que lorsqu'on les prévient qu'elles n'auront aucune nouvelle d'elle.

De plus, lorsqu'on leur donne le choix de connaître ou non la situation de Katie un mois plus tard, même en ajoutant que les pronostics ne sont pas très bons, les altruistes sont concernées par le sort de Katie et souhaitent en majorité recevoir de ses nouvelles. *Si elles aidaient uniquement pour se faire plaisir, elles devraient préférer ne pas s'exposer au risque de recevoir de mauvaises nouvelles.*

Et si jamais les gens aidaient pour être fiers d'être «celui qui fait la différence»? Comment savoir si une personne supposée altruiste n'aide pas simplement pour avoir un sentiment de fierté en accomplissant un geste bienveillant? Il suffit de vérifier qu'elle sera tout aussi satisfaite si quelqu'un d'autre agit à sa place. Pour un véritable altruiste, c'est le résultat qui compte, et non la satisfaction d'être le héros de l'affaire.

C'est précisément ce qu'une autre expérience a démontré. Les participants entendent dans un écouteur la voix d'une femme, Suzanne, qui leur explique qu'elle doit réaliser un test d'attention et que, chaque fois qu'elle se trompera, elle recevra une décharge électrique. «Ce n'est pas atroce [*rire nerveux*], mais c'est quand même un bon choc, et j'aimerais autant ne pas faire trop d'erreurs!» ajoute-t-elle, afin de susciter un sentiment d'empathie.

De son côté, dans un premier temps, le participant va accomplir la même tâche que Suzanne, sans aucun risque de recevoir une décharge et, chaque fois qu'il réussit, il annule le choc que Suzanne doit recevoir lorsqu'elle se trompe. On évalue également par un questionnaire le degré d'empathie des participants à l'égard de Suzanne.

Ensuite, dans un second temps, on annonce à ce même groupe de participants qu'en fin de compte, Suzanne ne recevra pas de décharges et que l'expérimentateur se contentera de lui signaler les erreurs qu'elle commettra. Les résultats révèlent que les vrais altruistes (ceux qui ont manifesté le plus d'empathie à l'égard de Suzanne) sont tout aussi satisfaits lorsqu'ils réussissent à épargner à Suzanne des décharges électriques que lorsqu'on leur apprend que, finalement, elle ne recevra aucune décharge. Leur satisfaction est donc liée au fait de savoir que Suzanne n'a pas souffert et non à l'idée que ce sont *eux* qui lui ont épargné la douleur des électrochocs[16].

À mesure que Daniel Batson publiait ses recherches, d'autres chercheurs s'ingéniaient à trouver des explications égoïstes aux résultats observés[17]. Chaque fois, Batson et les membres de son équipe imaginèrent de nouveaux protocoles destinés à répondre spécifiquement aux objections avancées et à mettre à l'épreuve toutes les explications égoïstes concevables[18]. La conclusion fondamentale à laquelle aboutit Batson, à l'issue de ce travail de recherche patient et systématique, est la suivante : «L'examen de vingt-cinq travaux de recherche en psychologie sociale, étalés sur quinze ans, a permis de vérifier l'hypothèse selon laquelle l'altruisme véritable, celui qui a pour seule motivation la réalisation du bien d'autrui, existe bien. [...] À l'heure actuelle, il n'existe aucune explication plausible des résultats de ces études qui serait fondée sur l'égoïsme[19].»

On osait l'espérer, mais cela fait toujours du bien de l'entendre ! Il est en effet crucial de dissiper les préjugés qui ont si longtemps prévalu à propos de l'universalité de l'égoïsme. Si ceux-ci étaient justifiés, s'efforcer de promouvoir une société plus altruiste serait une pure perte de temps. Ce n'est donc pas le cas et, comme le remarque Michel Terestchenko : «En tant qu'hypothèse scientifique qui vise à la prédiction et à la compréhension des conduites humaines, l'égoïsme psychologique a été démenti et réfuté par toute une série d'expériences portant sur l'empathie ; par conséquent, sa prétention à rendre compte de toutes les conduites humaines, même celles qui sont apparemment désintéressées, généreuses, etc., doit être tenue pour fausse. Telle est la seule conclusion scientifique qui, jusqu'à preuve du contraire, s'impose[20].»

Ces travaux de recherche ont donné lieu à de nombreuses discussions[21], mais n'ont toujours pas été réfutés à ce jour. De fait, l'hypothèse altruiste rend mieux compte des comportements d'entraide, de générosité et de bienveillance. Il incombe donc maintenant aux partisans de l'égoïsme universel de justifier leur interprétation en dépit des démentis que leur apportent l'expérience vécue et toutes les investigations scientifiques.

Cette conclusion est capitale : si l'altruisme véritable existe bien, s'il n'est pas l'apanage d'êtres d'exception que sont les héros ou les saints, et si sa présence peut être mise en évidence dans d'innombrables actions de la vie ordinaire, comme l'ont montré les investigations de Daniel Batson, Nancy Eisenberg, Michael Tomasello et d'autres chercheurs, nous pouvons en tirer d'importants enseignements. Cela signifie que, à l'instar de toute autre qualité, l'altruisme peut être cultivé sur le plan personnel et encouragé au niveau sociétal ; qu'à l'école, il n'est pas vain de mettre davantage l'accent sur la coopération, les comportements prosociaux, la solidarité, la fraternité, la non-discrimination et toutes les attitudes qui procèdent de l'altruisme. Et que ce n'est pas faire preuve d'un idéalisme naïf que d'envisager le développement d'une économie qui intègre dans son fonctionnement le souci de l'autre.

Tout le monde sait que l'égoïsme existe – il semble que, sur ce point, nous n'ayons besoin de convaincre personne –, mais quand nous aurons reconnu que l'altruisme est inhérent à la nature humaine, nous aurons fait un grand pas vers l'avènement d'une culture qui s'ouvre sur l'autre au lieu de se replier sur des intérêts purement individualistes.

13

Arguments philosophiques contre l'égoïsme universel

Voir l'homme comme un individu cherchant en toutes circonstances à promouvoir ses intérêts personnels est une conception qui s'est cristallisée sous l'influence du philosophe anglais Thomas Hobbes, qui présente l'homme comme un être foncièrement égoïste, puis fut adoptée par nombre de penseurs contemporains*. Les spécialistes des sciences humaines appellent «égoïsme universel», ou «égoïsme psychologique», la théorie qui postule non seulement que l'égoïsme existe, ce dont personne ne doute, mais qu'il motive tous nos actes. Même si l'on désire le bonheur d'autrui, ce ne serait là qu'un moyen détourné de «maximiser» ses propres intérêts. Si personne ne nie le fait que l'intérêt personnel peut être l'une des raisons pour lesquelles nous aidons autrui, la théorie de l'égoïsme universel va bien au-delà en affirmant que c'est la seule.

David Hume, l'un des grands adversaires de Hobbes, n'était pas tendre avec les tenants de l'égoïsme universel et estimait que ce point de vue relève «de l'examen des faits le plus irréfléchi et le plus précipité qui soit[1]». Il était davantage enclin à observer empiriquement les comportements humains qu'à construire des théories morales. Parlant des penseurs de son temps, il remarquait : «Il est grand temps qu'ils rejettent tout système éthique, aussi subtil et ingénieux soit-il, qui ne repose pas sur les faits et l'observation.» Pour lui, nier l'existence de l'altruisme allait à l'encontre du bon sens :

* Pour un exposé détaillé des positions de ces penseurs, voir Batson, C. D. (1991). *The Altruism Question : Toward a Social Psychological Answer.* Lawrence Erlbaum, chapitres 1 et 2.

> L'objection la plus évidente à l'encontre de l'hypothèse égoïste est que, comme telle, elle contrarie aussi bien le sentiment commun que nos conceptions les plus impartiales ; il faut le plus grand effort de philosophie pour établir un paradoxe aussi extraordinaire. À l'observateur le plus négligent, il apparaît qu'il existe des dispositions telles que la bienveillance et la générosité, des passions telles que l'amour, l'amitié, la gratitude. Ces sentiments ont leurs causes, leurs effets, leurs objets, leurs façons d'opérer, indiqués dans le langage commun et l'observation courante et clairement distingués de ceux des passions égoïstes[2].

Pourtant, confrontés aux nombreux exemples d'altruisme dont ils sont, comme nous tous, témoins dans leur vie quotidienne, les tenants de l'égoïsme universel s'ingénient à leur trouver des explications qui défient le bon sens. À propos d'un homme qui s'était précipité hors de sa voiture et avait plongé sans hésiter dans l'eau glacée pour sauver quelqu'un de la noyade, le sociobiologiste américain Robert Trivers affirme que, sans motif égoïste, « il est clair que le sauveteur ne devrait pas se fatiguer à sauver celui qui est en train de se noyer[3] ».

Le problème est que cette théorie reflète une vision étroite et réductrice des motivations humaines. Le philosophe Joel Feinberg constate :

> Si les arguments en faveur de l'égoïsme psychologique se composaient essentiellement de preuves empiriques obtenues avec soin (rapports bien documentés, expériences vérifiées, sondages, entretiens, données de laboratoire, etc.), le philosophe critique n'aurait rien à redire. Après tout, puisque l'égoïsme psychologique prétend être une théorie scientifique des motivations humaines, c'est au psychologue expérimental et non au philosophe qu'il revient de la valider ou de l'infirmer. Or, en fait, les preuves empiriques de l'égoïsme psychologique sont plutôt rares. [...] C'est en général un « scientifique de salon » qui soutient la thèse de l'égoïsme universel et, en général, ses arguments s'appuient simplement sur ses impressions ou sont, dans une large mesure, de type non empirique[4].

La théorie de l'égoïsme universel se soustrait à toute réfutation par les faits

Une hypothèse scientifique doit non seulement être susceptible de donner lieu à une vérification expérimentale, mais elle doit aussi présenter la possibilité d'être réfutée par des faits qui, s'ils se produisent, prouveront sa fausseté. Or, si une théorie est formulée de telle façon qu'elle soit toujours vérifiée, quels que soient les faits observés, elle ne fait pas progresser l'état des connaissances. Comme l'a montré Karl Popper, une théorie en principe infalsifiable n'est pas scientifique, c'est une idéologie.

L'égoïsme psychologique montre sa faiblesse lorsqu'il prétend expliquer à lui seul *tous* les comportements humains. Il est égoïste de refuser une prune à un enfant (vous voulez la garder pour vous), et il est égoïste de la lui donner (vous faites cela pour avoir bonne conscience ou pour mettre fin aux demandes insistantes de l'enfant, qui vous exaspèrent). Sans vérifier expérimentalement la motivation véritable de la personne, on pourrait avancer, tout aussi arbitrairement, l'hypothèse inverse : il est aussi altruiste de donner une prune à un enfant (vous savez qu'il aime les prunes) que de la lui refuser (vous savez que les prunes lui font mal au ventre).

Le fait d'appliquer le mot « égoïste » à tous nos comportements sans exception conduit à des situations absurdes : le soldat qui se jette sur une grenade pour éviter que ses compagnons ne soient tués serait aussi égoïste que celui qui pousse son camarade sur la grenade pour sauver sa peau. Être égoïste deviendrait ainsi synonyme d'exister et de respirer. Comme l'écrivait Abraham Maslow : « Si le seul outil dont vous disposez est un marteau, il est tentant de traiter toute chose comme s'il s'agissait d'un clou[5]. »

Sur le plan philosophique, les principaux arguments avancés par les tenants de l'égoïsme universel sont les suivants :

— on fait du bien aux autres parce qu'en fin de compte on en retire une satisfaction ;

— un acte héroïque n'est pas vraiment altruiste car son auteur agit impulsivement et n'a pas vraiment de choix ;

— quoi que nous fassions, nous ne pouvons désirer autre chose que notre propre bien, ce qui est en soi une démarche égoïste ;

— tout ce que nous faisons librement étant l'expression de notre volonté et de nos désirs, nos actions sont par conséquent égoïstes.

Fait-on du bien aux autres parce que cela nous fait du bien ?

Certaines personnes déclarent volontiers : «J'ai beaucoup aidé les autres, mais j'en ai retiré une immense satisfaction. C'est eux que je dois remercier.» Les Anglo-Saxons parlent de *warm glow*, que l'on pourrait traduire par «chaude lueur intérieure», ou encore la «douce chaleur intérieure» accompagnée de la satisfaction qui naît de l'accomplissement d'actes de bonté.

Mais une telle hypothèse ne saurait s'appliquer à tous les comportements altruistes. Lorsqu'un pompier se précipite dans une maison en flammes pour en sortir quelqu'un, pourrait-on imaginer qu'il se dise : «Allez, je rentre dans la fournaise. Ah, qu'est-ce que je me sentirai bien après !» Cette hypothèse est évidemment absurde.

Comme le souligne le psychologue Alfie Kohn : «Pour prouver la justesse d'une telle thèse, il ne suffira pas de montrer le sourire qui illumine le visage du sauveteur qui vient d'arracher quelqu'un à la mort. Il lui faudra prouver qu'avant de se lancer dans une intervention risquée, le sauveteur avait déjà en vue ce moment d'émerveillement[6].»

De plus, le fait d'éprouver de la satisfaction en accomplissant un acte altruiste ne rend pas cet acte égoïste, car la recherche de cette satisfaction n'en constitue pas la motivation principale. Si vous partez en randonnée en montagne pour apporter des provisions à un ami immobilisé dans une petite cabane, la marche, certes, est bonne pour votre santé et vous en appréciez les bienfaits, mais ne serait-il pas spécieux d'avancer que c'est parce que la marche vous fait du bien que vous êtes allé ravitailler votre ami ? Le fondateur de la psychologie moderne, William James, donnait cet autre exemple : «Un paquebot à vapeur brûle du charbon en traversant l'Atlantique, on ne saurait cependant en conclure qu'il traverse l'Atlantique dans le but de brûler du charbon[7].»

À vrai dire, si vous faites un calcul égoïste du type : «Je vais être altruiste avec cette personne, parce que je me sentirai bien après», la joie ne sera pas au rendez-vous. La satisfaction naît de l'altruisme véritable, non de l'égoïsme calculateur. Herbert Spencer, philosophe et sociologue anglais du XIXe siècle, l'avait déjà remarqué : «Les bienfaits personnels que l'on retire de l'accomplissement du bien d'autrui [...] ne sont pleinement profitables que si nos actions sont réellement dépourvues d'égoïsme[8].» Bref, ceux qui qualifient d'égoïste toute action altruiste apportant un avantage à celui qui l'a accomplie confondent cause première et effets secondaires.

On peut aussi répondre que les actes altruistes ne sont pas toujours accompagnés d'émotions agréables. Les sauvetages effectués dans l'urgence et ceux qui consistent à protéger des personnes persécutées dans la durée sont souvent précédés ou accompagnés de moments de peur plus ou moins intense. Ces actes se produisent le plus souvent dans des situations tragiques au cours desquelles la façon dont «on se sent» passe au second plan devant l'urgence de l'action à accomplir. Cette tension, parfois extrême, ne saurait être qualifiée d'agréable.

Durant la guerre, Irene Gut Opdyke a maintes fois risqué sa vie pour sauver des Juifs menacés de mort en Pologne. Elle explique clairement la différence entre les émotions ressenties dans le feu de l'action et le sentiment de plénitude éprouvé en se remémorant les faits. Avait-elle conscience de la noblesse de ses actes ? «Sur le moment, je n'en étais pas consciente, témoigne-t-elle, toutefois, plus je vieillis, plus je me sens riche. Si c'était à refaire, je le referais sans rien changer. C'est un sentiment merveilleux de savoir qu'aujourd'hui de nombreuses personnes sont vivantes, que certaines d'entre elles sont mariées et ont des enfants qui eux-mêmes en auront, simplement parce que j'ai eu du courage et de la force[9].» Le fait d'apprécier rétrospectivement la justesse d'une action ne fait qu'ajouter à sa noblesse ; elle ne retire rien à son altruisme.

Il existe une variante à la théorie de l'égoïsme universel, c'est la théorie dite de l'*hédonisme psychologique*, la recherche constante du plaisir, que l'on trouve dans les écrits du philosophe anglais John Stuart Mill[10]. Elle consiste à affirmer : «Nous sommes égoïstes parce que la seule chose que nous désirons vraiment, c'est de connaître des expériences plaisantes, de les prolonger et d'éviter ou d'abréger les expériences déplaisantes.» Selon l'hédonisme psychologique, on n'est donc altruiste que dans la mesure où il nous apporte du plaisir et on évitera de l'être si cela nous permet d'éviter un déplaisir quelconque. Mais cet argument n'a guère de sens : il est dans l'ordre des choses que le sentiment d'avoir accompli un acte que nous avons désiré soit ressenti de manière positive. Et cela par le simple fait que la réalisation de cet acte supprime la tension qui persiste tant que le but de nos efforts n'a pas été atteint[11].

Un coureur qui franchit la ligne d'arrivée, un artisan qui termine la construction d'une maison, un peintre qui achève un tableau, une personne qui finit de laver son linge, tous apprécient d'avoir mené à bien leur travail. Mais on fait la lessive pour avoir du linge propre et non pour éprouver la satisfaction d'avoir «terminé la lessive». De même, le simple fait que la réalisation du bien d'autrui nous procure de la satisfaction n'implique pas que notre motivation soit égoïste, puisque c'est pour le bien d'autrui et non pour notre satisfaction que nous avons agi.

De plus, comme le souligne Feinberg, le fait que nous éprouvions de la satisfaction à l'accomplissement d'un acte altruiste présuppose que nous soyons naturellement enclins à favoriser le bonheur d'autrui. Si nous étions totalement indifférents à son sort, pourquoi éprouverions-nous du plaisir à nous occuper de lui[12] ?

Vous n'aviez pas le choix ?

Dans le cas de sauveteurs intrépides, les partisans de l'égoïsme universel ont encore un argument en réserve. Ils s'appuient sur les déclarations faites par de nombreux héros ordinaires : «Je n'avais pas le choix», disent-ils, après avoir porté secours à d'autres, souvent au péril de leur propre vie. Margot, une femme qui avait pris des risques considérables pour protéger des Juifs persécutés par le nazisme, l'expliquait ainsi à Kristen Monroe : «Quand quelqu'un est en train de se noyer, vous ne faites pas une pause pour réfléchir et vous demander si vous devez agir ou non, si vous devez procéder de telle ou telle manière, etc[13].»

Les tenants de l'égoïsme universel en concluent que l'on ne peut pas qualifier d'altruiste un comportement automatique puisqu'il n'est pas précédé d'une intention. Mais le fait d'avoir agi sans hésitation ne veut pas dire que l'on n'avait pas le choix ni qu'aucune intention ne présidait à l'acte. Cela veut simplement dire que le choix était si clair qu'il a entraîné une action immédiate, ce qui ne revient nullement à se comporter comme un automate.

Daniel Batson observe : «Vous pouvez dire a posteriori – comme nombre de ceux qui se précipitent dans des immeubles en flammes ou plongent dans des eaux dangereuses – que vous n'avez pas réfléchi avant d'agir. Il paraît néanmoins probable que vous avez – et qu'ils ont – réfléchi, faute de quoi l'aide apportée spontanément ne serait pas adaptée aux conditions [...] Il paraît plus juste de dire que vous – et eux – n'avez pas réfléchi attentivement, mais que vous avez quand même réfléchi. La réponse que vous avez apportée était dirigée vers le but à atteindre[14]. »

Lorsque nous devons prendre une décision face à une situation imprévue qui évolue très rapidement et n'autorise pas de tergiversations, notre comportement spontané est l'expression de notre état intérieur. Ce qui ressemble à un comportement instinctif est en réalité la manifestation claire et spontanée d'une manière d'être acquise au fil du temps.

Le fait de désirer son propre bien est-il incompatible avec l'altruisme ?

Il ne faut pas confondre « amour de soi » ou, pour être plus précis, « vouloir son propre bien » et égoïsme. Comme l'explique le philosophe Ronald Milo, l'amour de soi conduit à souhaiter son propre bien, tandis que l'amour égoïste conduit à ne souhaiter *que* celui-ci. Joseph Butler, philosophe anglais et théologien du XVIIIe siècle, souligne la pluralité de nos préoccupations de même que la compatibilité entre vouloir son propre bien et vouloir également celui des autres. Il défend l'« amour de soi éclairé » pour lequel l'un des effets secondaires de l'altruisme peut être de contribuer à la réalisation de notre propre bonheur, sans que cela rende notre motivation initiale égoïste[15]. Par ailleurs, il y a des actes qui contribuent à notre propre bien-être – marcher, dormir, respirer – tout en n'étant ni égoïstes ni altruistes[16].

Si se vouloir du bien était toujours égoïste, souligne Norman Brown, philosophe de l'université de Cambridge, on devrait qualifier d'égoïste le fait de s'évertuer à pratiquer la sagesse ou la vertu, qui sont deux manières louables de s'épanouir dans l'existence[17].

En vérité, l'égoïste pèche principalement par ignorance. S'il comprenait mieux les mécanismes du bonheur et de la souffrance, il accomplirait son propre bien en faisant preuve de bonté à l'égard d'autrui. Jean-Jacques Rousseau le notait : « Je sais et je sens que faire du bien est le plus vrai bonheur que le cœur humain puisse goûter[18]. » Pour le bouddhisme, se vouloir véritablement du bien, c'est aspirer à vivre chaque moment de l'existence comme un moment de plénitude, c'est vouloir atteindre un état de sagesse, affranchi de la haine, du désir égocentré, de la jalousie et des autres poisons mentaux. Un état qui n'est plus perturbé par l'égoïsme et qui s'accompagne d'une bonté prête à s'exprimer à l'égard de tous ceux qui nous entourent.

Agir selon notre volonté et nos désirs rend-il toutes nos actions égoïstes ?

Nous serions égoïstes parce que ce sont nos propres désirs qui nous incitent à agir. Lorsque j'agis librement, je ne fais en fin de compte que ce que je veux et serais par conséquent égoïste. Comme l'explique Norman Brown, cet argument « revient simplement à dire que l'homme est motivé par ses propres désirs – affirmation d'une banalité affligeante. Car il n'est pas louable, mais logiquement impossible d'être motivé par le désir de quelqu'un d'autre, compte tenu du fait qu'un désir n'est que la propension du sujet à l'action[19] ». De ce point de vue, pour être altruiste, une action ne devrait pas avoir été désirée par le sujet qui l'effectue, ce qui est absurde.

De plus, si nous agissions en faveur de l'autre uniquement pour satisfaire notre désir d'aider, il suffirait de penser à autre chose pour faire disparaître ce désir qui nous incommode. Mais ce n'est pas le cas : dès que notre attention revient vers la personne qui a besoin d'assistance, le désir de lui venir en aide resurgit et se maintient tant que nous n'avons pas *fait quelque chose d'utile* pour elle.

La différence entre l'altruisme et l'égoïsme ne tient donc pas au fait que c'est moi qui souhaite quelque chose, mais à la *nature de mon souhait*, qui peut être bienveillante, malveillante ou neutre. Je peux désirer le bien d'autrui, comme je peux désirer le mien. L'égoïsme ne consiste pas simplement à désirer quelque chose, mais à satisfaire des désirs exclusivement centrés sur des intérêts personnels, sans tenir compte des intérêts d'autrui.

De plus, il est possible, dans la plupart des cas, d'infuser de l'altruisme dans des activités en apparence éthiquement neutres. On peut, par exemple, souhaiter vivre longtemps et en bonne santé pour mieux se consacrer au double accomplissement de notre propre bien et de celui des autres. Si cette vision reste constamment présente au cœur de nos pensées, quoi que nous fassions, notre esprit restera empreint de bienveillance.

Le point d'inflexion entre altruisme et égoïsme tient donc à la ***nature de notre motivation.*** C'est notre motivation, le but ultime que nous poursuivons, qui colore nos actes en déterminant leur caractère altruiste ou égoïste. Nous sommes loin de maîtriser l'évolution des événements extérieurs, mais, quelles que soient les circonstances, nous pouvons toujours examiner nos intentions et adopter une attitude altruiste.

Si l'altruisme n'existait pas, il en irait de même de tout autre sentiment à l'égard d'autrui

Joseph Butler a proposé un raisonnement par l'absurde : s'il est vrai que les humains sont purement égoïstes, alors il en découle qu'ils ne sont concernés en aucune façon par le sort des autres. Si c'est le cas, ils ne devraient jamais rien souhaiter de particulier aux autres, ni en bien ni en mal, puisque ces deux désirs, bien qu'opposés, impliquent l'un comme l'autre de s'intéresser au sort d'autrui, positivement ou négativement. Un parfait égoïste pourrait nuire ou faire du bien à autrui pour favoriser ses intérêts, mais il ne saurait sacrifier ses intérêts pour quelque motif que ce soit. Or on sait bien que certaines personnes risquent leur vie pour se venger et faire du tort à autrui. Si elles sont capables de nuire en sacrifiant leurs intérêts, pourquoi ne seraient-elles pas capables de faire le bien de manière désintéressée?

L'égoïsme universel est incompatible avec l'existence de la morale

Toute morale est fondée sur la prise en considération de ce qui est juste et souhaitable pour autrui. Un égoïste radical ne considère les autres que comme des moyens pour arriver à ses fins. Il ne peut donc pas avoir de considération sincère pour leur sort. Dans un monde du «chacun pour soi», il ne pourrait y avoir de sens moral, mais tout au plus des accords établis entre égoïstes pour limiter les dommages qu'ils risqueraient de s'infliger mutuellement.

Si l'égoïsme était vraiment l'unique composante de toutes nos motivations, pourquoi éprouverions-nous le moindre sentiment d'indignation en pensant aux méfaits d'autrui ? Pourquoi nous insurgerions-nous contre les escrocs ou contre le capitaine qui quitte son bateau naufragé avant d'en avoir évacué les passagers ? Nous devrions considérer tous ces actes comme parfaitement normaux.

En vérité, même les personnes les plus égoïstes louent parfois les actes bienfaisants ou généreux accomplis par les autres. Par là, ils reconnaissent implicitement chez l'autre la possibilité de l'altruisme. Or, pour le reconnaître chez l'autre, il faut en déceler la possibilité en soi. Nous ne pouvons prêter à autrui des sentiments qui nous sont complètement inconnus.

De plus, l'égoïste le plus invétéré estimera normal d'être traité équitablement et s'indignera s'il est victime d'une injustice. Or il ne peut revendiquer un traitement équitable sans reconnaître implicitement la valeur de l'équité en elle-même. Si c'est le cas, il doit, lui aussi, accepter d'être équitable envers autrui.

Un nombre croissant de chercheurs, et notamment le psychologue Jonathan Haidt, a vérifié expérimentalement que le sens moral était inné chez l'homme. Selon Haidt, il s'avère que, dans de nombreuses situations, nous ressentons tout d'abord de façon instinctive, ou intuitive, si un comportement est ou non acceptable, puis nous justifions a posteriori nos choix par des raisonnements[20].

En résumé, selon Norman Brown, «la notion d'égoïsme psychologique est considérée par la plupart des philosophes comme l'une des illusions les plus naïves de l'histoire de la philosophie, une conception dangereuse et séduisante de surcroît, qui s'ingénie à associer le cynisme envers les idéaux humains et un vague sens de la méthodologie scientifique, tous deux induisant chez le lecteur ordinaire l'impression d'être sophistiqué, une confusion conceptuelle à laquelle il ne peut pas résister».

Rien, dans le domaine de l'expérience vécue, des études sociologiques ou de l'expérimentation scientifique, ne permet de passer de la constatation de l'existence de l'égoïsme à l'affirmation dogmatique selon laquelle *tous* nos actes sans exception sont motivés par l'égoïsme. L'idée de l'égoïsme universel semble donc reposer davantage sur un a priori intellectuel que sur les connaissances acquises par l'investigation des comportements humains.

Échapper au défaitisme et choisir l'altruisme

Admettre l'idée que l'altruisme et la bonté font partie de la nature humaine est aussi un encouragement à exprimer pleinement ce potentiel dans nos pensées et dans nos actes. En présupposant un égoïsme naturel, nous cherchons à justifier certains de nos comportements antisociaux et sapons toute volonté de remédier à nos défauts. Combien de fois n'entendons-nous pas dire à propos de l'égoïsme : «De toute façon, c'est dans la nature humaine.» Jerome Kagan, professeur à Harvard, décrit ainsi la tendance dans la société nord-américaine à accepter l'idée que l'intérêt personnel prime sur toute autre considération :

> De nombreux Américains préfèrent croire que l'égocentrisme représente, avec la jalousie, la violence et l'inceste, les séquelles inévitables d'un héritage animal que nous devrions apprendre à assumer[21].

Notre opinion sur l'existence de l'altruisme véritable n'est donc pas seulement une question théorique puisqu'elle peut considérablement influencer notre manière de penser et d'agir. Comme le disait Martin Luther King : «C'est à chaque homme de décider s'il marchera dans la lumière de l'altruisme créatif ou dans les ténèbres de l'égoïsme destructeur.»

La bienveillance est-elle plus naturelle que la haine ?

Le Dalaï-lama dit souvent que l'amour est plus naturel que la haine, l'altruisme plus naturel que l'égoïsme, car de la naissance à la mort nous avons tous besoin, pour survivre, de donner et de recevoir de l'amour pour accomplir à la fois notre propre bien et celui d'autrui. En général, ajoute-t-il, nous nous sentons «bien» lorsque nous manifestons de la bonté à autrui, et «mal» lorsque nous nuisons à autrui. Nous préférons la compagnie de personnes bienveillantes ; même les animaux s'éloignent de quelqu'un de coléreux, brutal et imprévisible. Selon lui, le rapport entre bonté et bien-être s'explique par le fait que l'homme est un «animal social» et que, de sa naissance à sa mort, son existence et sa survie dépendent étroitement de l'entraide et de la bienveillance dont il bénéficiera et dont il fera preuve à son tour à l'égard d'autrui.

Comment, dans ce cas, expliquer que l'humanité soit soumise à tant de conflits et de violence ? On peut comprendre la bienveillance comme l'expression d'un état d'équilibre mental de l'être humain et la violence comme un déséquilibre. La haine est une déviance qui provoque la souffrance de celui qui la subit et de celui qui l'inflige. Lorsque l'on suit un chemin de montagne, il s'en faut de peu pour faire un faux pas et dévaler la pente. Lorsque l'on perd nos points de repère et que l'on dévie de notre état d'équilibre, tout devient possible.

Il est donc clair qu'il faut apprendre à maîtriser nos pensées malveillantes dès qu'elles surgissent en notre esprit, tout comme il faut éteindre un feu dès les premières flammes, avant que la forêt tout entière s'embrase. Sans cette vigilance et cette maîtrise, il nous est très facile de nous écarter considérablement de notre potentiel de bienveillance.

Nourrir le potentiel de bonté présent en chaque être

Nombre d'êtres d'exception ont mis l'accent sur le fait que, même dans des circonstances très défavorables, il était presque toujours possible de faire appel au bon côté de la nature humaine, de sorte qu'il se manifeste ouvertement dans les comportements. Nelson Mandela, en particulier, montra comment une telle attitude pouvait être mise au service d'une cause sociale ou politique :

> L'amour naît plus naturellement dans le cœur de l'homme que son contraire. Même aux pires moments de la prison, quand mes camarades et moi étions à bout, j'ai toujours aperçu une lueur d'humanité chez un des gardiens, pendant une seconde peut-être, mais cela suffisait à me rassurer et à me permettre de continuer. La bonté de l'homme est une flamme qu'on peut cacher, mais qu'on ne peut jamais éteindre[22].

Le Dalaï-lama rappelle souvent que l'homme, à la différence des animaux, est la seule espèce capable de faire un bien ou un mal immense à ses semblables. Comment faire en sorte que ce soit le bon côté de la nature humaine qui prenne l'avantage ? On peut trouver une inspiration dans ces paroles attribuées à un vieil homme amérindien : « Une lutte impitoyable se déroule en nous, dit-il à son petit-fils, une lutte entre deux loups. L'un est mauvais – il est haine, avidité, arrogance, jalousie, rancune, égoïsme et mensonge. L'autre est bon – il est amour, patience, générosité, humilité, pardon, bienveillance et droiture. Ces deux loups se battent en toi comme en tous les hommes.» L'enfant réfléchit un instant, puis demanda : «Lequel des deux loups va gagner?» «Celui que tu nourris», répondit le grand-père.

III

L'ÉMERGENCE DE L'ALTRUISME

14

L'altruisme dans les théories de l'évolution

Un éclairage révolutionnaire sur l'évolution du vivant : Charles Darwin

En 1859, Darwin publie *De l'origine des espèces*, texte suivi de plusieurs autres ouvrages fondateurs de la théorie de l'évolution. Il y décrit le mouvement et les étapes successives qui ont fait évoluer les formes les plus élémentaires de la vie vers d'autres formes plus complexes, et notamment vers les états mentaux et les émotions qui caractérisent l'homme et un certain nombre d'espèces animales.

Darwin reconnaissait dans l'être humain des « instincts de sympathie et de bienveillance pour ses semblables, instincts qui sont toujours présents et, dans une certaine mesure, toujours actifs dans son esprit[1] ». Il conçoit la sympathie comme « un élément fondamental des instincts sociaux » et conclut que « l'homme qui ne posséderait pas de semblables sentiments serait un monstre ». Contrairement à une idée largement répandue selon laquelle le darwinisme ne laisserait pas de place à l'altruisme, la théorie évolutionniste insiste sur le développement de l'empathie et de la coopération entre les individus. En effet, n'oublions pas que c'est Herbert Spencer, philosophe anglais surnommé le « bouledogue de Darwin », et non Darwin lui-même, qui a lancé l'expression de « lutte pour la vie ».

À une époque où l'on ne savait encore presque rien de la génétique, les observations minutieuses et la perspicacité de Darwin allaient révolutionner notre compréhension des relations entre les espèces animales et leur histoire. Darwin comprit que la diversité des espèces était le résultat d'un processus long et continu d'adaptation aux conditions environnantes. Faisant preuve d'un remarquable discernement dans l'étude de la nature des relations et des particularités qui avaient échappé à ses prédécesseurs, il rassembla ses découvertes dans une théorie de l'évolution des espèces, fondée sur la combinaison de trois éléments essentiels :

— des mutations génétiques, qui se produisent au hasard et entraînent des variations héréditaires qui différencient les membres d'une espèce ;

— les variations permettant aux individus de mieux survivre et de se reproduire et qui sont favorisées par la sélection naturelle, de sorte que les individus porteurs de ces mutations deviennent de plus en plus nombreux au fil des générations ;

— l'adaptation : si les conditions extérieures changent, il se peut que des individus porteurs d'autres traits soient mieux adaptés aux nouvelles conditions ; sous la pression sélective exercée par le milieu ambiant, ils vont à leur tour prospérer au fil des générations.

Bien qu'issue des découvertes de Gregor Mendel (1822-1884), contemporain de Darwin (1809-1882), la notion de gène n'apparut pas avant la mort de ce dernier, et la structure de l'ADN ne fut élucidée par Watson et Crick que dans les années 1950, ce qui rend d'autant plus remarquable le discernement de Darwin. Aujourd'hui, on parle donc de gènes plutôt que de « traits héréditaires », mais les fondements de la théorie de l'évolution restent inchangés.

De l'apparition de la vie à l'émergence de la coopération et de l'altruisme

La naissance de la vie correspond à l'apparition d'entités capables de maintenir leur intégrité dans un milieu donné et de se reproduire tout en transmettant à la génération suivante l'information nécessaire à la constitution de nouvelles entités. Cette information est codée dans un ensemble de molécules qui constituent les gènes. Les entités qui ont un génome et des caractéristiques très semblables et qui, dans le cas de la reproduction sexuée, se reproduisent entre elles, forment une espèce, végétale ou animale. Elles jouissent donc d'un certain degré d'autonomie tout en étant constamment en interaction dynamique avec leur environnement.

Comment passe-t-on des formes les plus élémentaires d'interactions aux formes les plus complexes des mécanismes psychologiques ? Les divers processus biologiques et les comportements ont tout d'abord une fonction. Par exemple, la fonction de la photosynthèse est de permettre aux plantes d'utiliser l'énergie de la lumière, la fonction de la couvaison de garder les œufs au chaud jusqu'à leur éclosion, celle de la chasse, telle que la pratiquent les animaux sauvages, de se procurer de la nourriture.

À cette notion de *fonction* s'ajoute celle de *besoin*. Pour croître, un arbre a besoin d'eau, d'oxygène, de lumière, d'éléments nutritifs tirés du sol, etc.

Ces processus sont devenus de plus en plus complexes au cours de l'évolution. Les besoins d'une bactérie, d'une huître, d'une souris ou d'un être humain sont différents, mais dans la biosphère toutes ces espèces sont *interdépendantes* les unes des autres.

Dans le règne animal, ces besoins donnent naissance à des *tendances*, qui peuvent aller du simple tropisme d'une bactérie qui se déplace le long d'un gradient de concentration en facteurs nutritifs à la propension d'un ver de terre à s'éloigner d'une surface sèche et brûlante qui met sa survie en danger, pour aboutir à des tendances et pulsions complexes chez les organismes plus évolués.

La dimension du *désir* ou de l'*aspiration* vient s'ajouter aux besoins et aux tendances lorsqu'un organisme acquiert la faculté d'en prendre conscience de façon subjective. Les aspirations orientent et facilitent l'accomplissement des fonctions, besoins et tendances de l'organisme. L'aspiration consciente la plus élémentaire d'un être sensible est celle qui consiste à éviter la souffrance et à rechercher le bien-être. Les aspirations deviennent de plus en plus complexes à mesure que l'appréciation de la souffrance et du bien-être passe du domaine physique au domaine mental.

Lorsqu'un prédateur tue une proie, la fonction vitale de la proie est interrompue, et elle acquiert la fonction de nourriture pour le prédateur. Les besoins et les aspirations de la proie sont contrariés, mais ceux du prédateur sont satisfaits. Le caractère désirable ou indésirable d'une situation est donc une notion relative, qui dépend de points de vue particuliers.

La capacité d'un organisme à prendre conscience de son identité et de ses aspirations va de pair avec une aptitude correspondante à prendre conscience que l'autre a lui aussi une identité et des aspirations propres. De là naît l'*empathie*.

Les aspirations des uns et des autres pouvant concorder ou s'opposer, c'est à ce stade que l'*éthique* entre en scène. Celle-ci est fondée sur une appréciation du caractère désirable ou indésirable d'un comportement (bienfaisant ou nuisible), ou d'une situation (équitable ou injuste), appréciation qui tient compte des aspirations d'autrui sans pour autant négliger les nôtres. Cette évaluation est associée à un jugement de valeur portant sur la nature altruiste ou égoïste de nos motivations.

Un individu qui ne tiendrait strictement aucun compte des besoins et des aspirations des autres instrumentaliserait entièrement ces derniers pour satisfaire ses propres besoins, sans se poser la moindre question sur le bien-fondé de sa motivation et de ses actes, qui seraient alors entièrement égoïstes.

L'altruisme fondé sur la *réciprocité* conduit au « contrat social », c'est-à-dire un ensemble de règles régissant les rapports entre les individus, règles auxquelles on accepte de se conformer parce qu'on en retire soi-même des avantages.

L'éthique prend une dimension supplémentaire lorsque l'individu réfléchit à la validité que possèdent, en elles-mêmes, les aspirations de l'autre, qui n'est plus considéré comme un *moyen,* mais comme une *fin en soi.* Par l'empathie et le raisonnement, qui culminent chez l'être humain, l'individu est maintenant capable de se mettre à la place de l'autre, de considérer son point de vue, de prendre conscience de ses aspirations et de comprendre qu'elles sont tout aussi légitimes que les siennes. Il *respecte* alors l'autre et cesse de le considérer comme un instrument au service de son intérêt personnel.

Lorsque cette prise de conscience de la *valeur de l'autre* engendre une *motivation* et des comportements dont le *but final est d'accomplir le bien d'autrui,* on parle d'*altruisme.* Un acte altruiste peut nous apporter un bénéfice personnel sans que celui-ci ait été le but de notre action. Il peut aussi nous coûter parce que nous décidons de renoncer à certains de nos avantages au profit de l'autre. Il ne s'agit pas pour autant d'un sacrifice, dans la mesure où nous sommes satisfaits d'agir ainsi.

La qualité et le bien-fondé d'une éthique croissent avec son degré d'universalité. Les escrocs, par exemple, peuvent passer leur temps à détrousser les gens tout en respectant une « éthique de brigands » qui les pousse à partager équitablement leur butin. Un malfaiteur ou un tyran peut observer une éthique familiale qui le conduit à se soucier du bien-être de ses enfants, alors même qu'il opprime sans merci le reste de la population. Ces éthiques ne peuvent pas prétendre avoir une valeur universelle.

Notons que la plupart de nos systèmes éthiques ne prennent en compte que les êtres humains. Cela ne remet pas en cause l'utilité de ces systèmes, mais cela en restreint considérablement la portée. Une éthique ne peut être universelle que si elle prend en considération les aspirations de l'ensemble des êtres vivants, dans toutes leurs modalités et avec tous leurs degrés de complexité. Selon une telle éthique, le désir de ne pas souffrir que ressentent tous les êtres doit être respecté, même s'il n'est pas éprouvé par un être doté d'une intelligence supérieure et même s'il n'est pas exprimé dans un langage que nous autres, les êtres humains, sommes capables de comprendre. Ceux qui jouissent d'une intelligence supérieure devraient, en revanche, se servir de cette faculté pour reconnaître chez les autres êtres le même désir d'éviter la souffrance.

L'éthique est fondamentalement liée à l'altruisme. Elle commence avec l'altruisme limité à nos proches et à ceux qui nous veulent du bien, puis elle s'étend aux inconnus qui appartiennent à la même famille humaine que nous, et elle culmine dans l'intérêt porté au sort de tous les êtres sensibles.

Sommes-nous en mesure d'observer une telle éthique ? Nous sommes biologiquement programmés pour l'*altruisme restreint*, mais cette capacité peut servir de fondement à l'*altruisme étendu*.

Coopération *versus* compétition

Darwin envisageait trois types de comportements : les comportements purement automatiques et instinctifs (ceux des organismes les plus simples), les comportements de poursuite des intérêts individuels (souvent au détriment des autres individus) et les comportements issus d'instincts sociaux qui s'expriment notamment par le soin parental et la sympathie à l'égard d'autres membres du groupe. Darwin envisageait clairement la possibilité chez l'homme d'étendre cette sympathie au-delà du cercle familial, du clan, voire de l'espèce humaine :

> À mesure que l'homme avance en civilisation et que les petites tribus se réunissent en communautés plus nombreuses, la simple raison indique à chaque individu qu'il doit étendre ses instincts sociaux et sa

sympathie à tous les membres de la même nation, bien qu'ils ne soient pas personnellement connus de lui.

Ce point atteint, seule une barrière artificielle peut empêcher ses sympathies de s'étendre à tous les hommes de toutes les nations et de toutes les races. L'expérience nous prouve, malheureusement, combien il faut de temps avant que nous considérions comme nos semblables les hommes qui diffèrent considérablement de nous par leur aspect extérieur et par leurs coutumes.

La sympathie étendue en dehors des bornes de l'humanité, c'est-à-dire la compassion envers les animaux, paraît être une des dernières acquisitions morales. [...] Cette qualité, une des plus nobles dont l'homme soit doué, semble provenir incidemment de ce que nos sympathies, devenant plus délicates à mesure qu'elles s'étendent davantage, finissent par s'appliquer à tous les êtres vivants. Cette vertu, une fois honorée et cultivée par quelques hommes, se répand chez les jeunes gens par l'instruction et par l'exemple, et finit par faire partie de l'opinion publique[2].

Pour Paul Ekman, spécialiste des émotions et de leur évolution, Darwin formule ainsi une position proche de celle exprimée en Orient par le bouddhisme[3].

Quant au terme « lutte pour la vie », Darwin lui-même ne l'utilisa que dans un sens métaphorique. En effet, deux chiens peuvent se battre pour un morceau de viande et deux plantes peuvent se « battre » contre la sécheresse pour survivre dans un désert. Les deux chiens luttent *l'un contre l'autre*, tandis que les deux plantes luttent toutes les deux *contre la sécheresse*[4]. Dans ce dernier cas, la « lutte pour la vie » n'implique aucune hostilité entre deux espèces. Certaines espèces sortent gagnantes du processus de l'évolution sans avoir livré la moindre bataille ; elles ont, par exemple, un meilleur système immunitaire, sont pourvues d'yeux, ou d'oreilles qui leur permettent de mieux détecter les prédateurs[5]. De plus, bien que des organismes soient parfois en compétition directe avec des membres d'autres espèces ou de leur propre espèce pour s'approprier des ressources rares et précieuses, ou bien pour établir leur rang dans une hiérarchie sociale, si l'on considère l'*ensemble des interactions* dans le temps, on constate que dans la majorité des cas cette compétition n'est ni violente ni directe[6].

En 1880, le biologiste russe Karl Fedorovitch Kessler, alors doyen de l'université de Saint-Pétersbourg, mit l'accent sur le fait que, à côté de la loi de la lutte réciproque, la loi de l'aide réciproque est beaucoup plus importante pour le succès de la lutte pour la vie et pour l'évolution progressive des espèces[7]. Cette idée, qui s'inscrivait dans la continuité de celles de Darwin, inspira Pierre Kropotkine, géographe et anarchiste russe, à se consacrer à l'étude de l'entraide chez les animaux, dont il consigna les points marquants dans son ouvrage *L'Entraide, un facteur de l'évolution*[8].

La compétition est généralement plus visible et spectaculaire que la coopération. Une rixe dans un lieu public provoque immédiatement un attroupement et attire beaucoup plus l'attention qu'un groupe de personnes qui coopère de multiples façons depuis plusieurs heures. Pourtant, il est raisonnable d'affirmer que le monde du vivant est davantage tissé de coopération que de compétition. De fait, comme l'explique Martin Nowak, directeur du Département de la dynamique de l'évolution à Harvard, l'évolution a *besoin* de la coopération pour être en mesure de construire de nouveaux niveaux d'organisation : les gènes collaborent dans les chromosomes, les chromosomes collaborent dans les cellules, les cellules collaborent dans des organismes et structures plus complexes, ces structures collaborent dans des corps, et ces corps collaborent dans des sociétés[9]. Ainsi, tout au long de l'histoire de la vie, des unités initialement indépendantes se sont assemblées de manière coopérative pour finir, avec le temps, par constituer des individus à part entière, un être humain, par exemple, ou des «superorganismes», comme dans le cas d'une colonie de fourmis. Envisagé dans ce contexte, le mot «coopération» n'implique aucune motivation consciente, puisqu'il s'applique aussi bien à des gènes qu'à des bactéries ou à des animaux supérieurs[10].

En général, les animaux s'associent de façons diverses et plus ou moins complexes. Certains restent solitaires en dehors des brèves périodes de procréation. Les animaux grégaires, à l'inverse, sont attirés par la compagnie de leurs semblables et ont tendance à se regrouper dans des abris communs, sans nécessairement interagir. On passe ensuite, dans l'échelle de la complexité, au stade *subsocial*, caractérisé par l'apparition des *soins parentaux*. À ce stade, les animaux s'investissent considérablement dans l'élevage de leurs petits jusqu'au sevrage. Dans certaines espèces vient ensuite le stade *colonial*, celui des grandes colonies d'oiseaux, par exemple, dans lesquelles les parents ne s'occupent que de leur progéniture, mais sur une aire commune qui favorise la sécurité du groupe. Au stade *communal*, les femelles coopèrent pour prendre soin des jeunes, les nourrir et les protéger. Finalement, au stade dit *eusocial*, le plus complexe, on observe la construction et la défense d'un habitat communal – un nid de fourmis, par exemple – dans lequel les adultes coopèrent à long terme pour élever les jeunes, ainsi qu'une division du travail et une spécialisation des tâches[11].

Expliquer la coopération altruiste a été l'un des grands défis posés à la théorie de l'évolution, puisque cette coopération implique un coût pour l'individu. L'acceptation de ce coût est difficile à expliquer sous l'angle de la «lutte pour la vie», l'individu n'en retirant apparemment aucun avantage pour sa survie. Pourtant, les exemples de ce type de comportement abondent chez les êtres humains, que l'on voit constamment s'engager dans des formes de collaboration fortes, répétées, diverses, souvent coûteuses ou risquées, qui s'étendent, bien au-delà du cercle restreint des proches, à des individus sans aucun lien de parenté[12].

L'altruisme est-il compatible avec la «lutte pour la vie»?

Darwin constatait l'existence de comportements altruistes qui se manifestaient dans des situations où ils s'avéraient utiles au groupe, mais inutiles à l'individu, comme dans le cas des ouvrières stériles d'une société d'insectes. Il se trouvait, disait-il, devant «l'objection la plus sérieuse qu'on puisse faire à ma théorie[13]». La sélection naturelle «ne peut déterminer chez un individu une conformation qui lui serait plus nuisible qu'utile, car il ne peut agir que par et pour son bien[14].» Pour exister, l'altruisme doit avoir une utilité fondamentale pour l'espèce :

> Quelque complexe que soit la manière dont ce sentiment est né, comme il est très important pour tous les animaux qui s'aident et se défendent les uns les autres, il se sera développé au cours de la sélection naturelle; car ces communautés, qui comprenaient le plus grand nombre des individus les plus compatissants, pouvaient mieux prospérer et élever un nombre plus élevé de descendants[15].

C'est le groupe, à défaut de l'individu, qui bénéficiait de l'altruisme. Par la suite, les théoriciens qui ont développé et complété les idées de Darwin ont toujours achoppé sur la question de l'altruisme. Comme l'explique le philosophe de l'évolution Elliott Sober :

> La question de l'altruisme leur posait en effet un problème épineux, puisque a priori il leur semblait qu'un individu qui se comportait de manière totalement égoïste avait un avantage dans la «lutte pour la vie». L'égoïste s'approprierait sans hésitation la nourriture et les autres ressources limitées, évincerait brutalement ses rivaux potentiels au moment de la reproduction, et n'hésiterait pas à tuer les altruistes si cela devait favoriser sa survie. On voyait mal, de ce fait, comment les gènes qui se manifesteraient par un tempérament altruiste auraient pu s'implanter dans une population quelconque.

Dans cette perspective, donner volontairement un avantage à l'autre semble être une contre-indication majeure à l'optimisation des chances de survie de l'individu. Les altruistes devraient logiquement être les éternels perdants de la lutte pour la vie. Pourtant, c'est loin d'être le cas.

De quel altruisme parle-t-on ?

Il faut garder à l'esprit, dans ce chapitre, que lorsque les évolutionnistes parlent d'«altruisme», ils ne s'intéressent pas aux *motivations*, mais uniquement aux *comportements prosociaux*, c'est-à-dire aux comportements *bénéfiques* à d'autres individus, qui ont un coût plus ou moins élevé pour leurs auteurs. Or nous avons défini l'altruisme comme un *état mental*, une *motivation*, une *intention* de pourvoir aux besoins de l'autre, un *désir* de lui faire du bien ou de lui épargner une souffrance. Elliott Sober nomme cette motivation «altruisme psychologique» par opposition à l'«altruisme évolutionnaire[16]».

Pour un évolutionniste, le terme «altruiste» s'applique à des fourmis ouvrières stériles dont le comportement bénéficie à la fourmilière, ou encore à l'oiseau qui lance un cri d'alarme à l'approche d'un prédateur, permettant à ses congénères de fuir en lieu sûr, mais attirant sur lui l'attention du rapace – un comportement qui lui est souvent fatal. Selon la théorie classique de la lutte pour la vie, de tels comportements sacrificiels n'ont guère de sens, puisque, en perdant prématurément la vie, ces « altruistes » laissent moins de descendants que ceux qui survivent. De tels comportements devraient être naturellement éliminés au fil des générations. Même des bactéries, selon Dugatkin, peuvent être considérées comme «altruistes», si leur comportement entraîne une diminution de leur potentiel de reproduction tout en étant bénéfique à celui d'autres bactéries[17]. On voit que nous sommes loin de l'altruisme considéré comme une motivation.

Daniel Batson se souvient d'une remarque de Richard Dawkins, l'auteur du *Gène égoïste*, expliquant qu'une variation génétique qui produirait de mauvaises dents chez les chevaux serait « altruiste » en termes d'évolution, puisque ces chevaux brouteraient moins d'herbe et en laisseraient davantage pour les autres animaux[18]. On pourrait dire pareillement que les humains qui ont une mauvaise haleine sont altruistes parce qu'ils sont moins susceptibles de trouver un conjoint et laissent ainsi à d'autres la possibilité de transmettre leurs gènes à la génération suivante, ce qui n'a guère de sens ni aucun rapport avec l'altruisme ! Comme le précise Batson, « le mot *altruisme* tel que je l'utilise ne renvoie pas aux dents abîmées des chevaux ni à la mauvaise haleine des humains, mais à la motivation spécifique qui a pour but d'accomplir le bien d'autrui ».

Ce détournement par les évolutionnistes de la terminologie normalement utilisée pour désigner les motivations est regrettable, car elle n'a cessé de créer des confusions inutiles. Il aurait certes été préférable que les évolutionnistes utilisent d'autres termes, tels que « bénéfique », « utile », « avantageux » ou « favorable » à autrui, par exemple, pour éviter, comme c'est bien souvent le cas, que leurs discussions sur la nature de l'altruisme évolutionnaire n'influencent notre vision de l'altruisme véritable dans la nature humaine.

Favoriser ceux qui portent nos gènes

Le problème de l'« altruisme évolutionnaire » allait être en partie éclairé par un jeune étudiant anglais, passionné par la question de l'altruisme. Dans les années 1960, à l'université de Cambridge, William Donald Hamilton décida, envers et contre tous, de s'intéresser à l'évolution génétique de l'altruisme. Solitaire et timide, Hamilton ne demanda même pas une table de bureau. Il travaillait chez lui, dans les bibliothèques et même sur les bancs des gares, lorsque les bibliothèques fermaient. Il dut faire face aux critiques répétées de ses professeurs et faillit même devoir interrompre le cours de sa carrière scientifique. Mais il persévéra et publia deux articles, l'un en 1963, l'autre en 1964, qui parurent dans une indifférence totale[19]. Ses directeurs de thèse, estimant qu'il ne méritait pas son doctorat ès sciences, le lui refusèrent jusqu'en 1968. Pourtant, ces deux articles allaient profondément influencer la science de l'évolution. Hamilton y avait décrit, à l'aide d'une équation relativement simple, ce qui allait être considéré comme l'une des grandes découvertes du XXe siècle en matière d'évolution[20].

Darwin parlait de la transmission de «traits» héréditaires plus ou moins favorables à la survie de l'individu, et donc à sa capacité d'engendrer des descendants porteurs de ses traits. Hamilton montra qu'engendrer le plus grand nombre possible de descendants n'était pas l'unique façon d'assurer la transmission de ses gènes aux générations suivantes. Le même objectif peut être atteint si des parents proches, porteurs eux aussi d'une partie des gènes, se reproduisent.

Dans ses deux articles, Hamilton propose une équation, devenue célèbre, qui rend compte de ce que l'on appelle désormais la «sélection de parentèle», selon laquelle les comportements qui aident un individu génétiquement apparenté sont favorisés par la sélection naturelle. Jusqu'alors, on mesurait le «succès reproductif» d'un individu par le nombre de ses descendants porteurs de ses gènes*. Mais Hamilton montra que cette valeur sélective n'est pas seulement proportionnelle au succès de l'individu lui-même, mais aussi au succès de *tous ceux qui lui sont apparentés génétiquement*, ses frères et sœurs, ses nièces et ses neveux. En effet, eux aussi portent une partie des gènes de l'individu en question (la sœur d'un individu donné a en moyenne 50 % de gènes en commun avec lui, un cousin germain, 25 %, une nièce, 12,5 %, etc.).

Le *succès reproductif global* (ou encore la valeur sélective globale appelée *inclusive fitness* par Hamilton) est alors la somme de son succès reproductif *direct* (sa descendance) et de son succès reproductif *indirect* (celui de ses parents qui portent une partie de ses gènes). En fin de compte, ce qui importe, c'est la quantité globale d'exemplaires de nos gènes qui est transmise à la génération suivante, directement ou indirectement.

---

* En termes techniques, on dira que la «valeur sélective» d'un individu est égale à son taux de reproduction.

Les comportements altruistes de certains animaux semblaient soudainement prendre un sens du point de vue de l'évolution. L'équation d'Hamilton formalisait l'intuition du grand généticien J. B. S Haldane selon laquelle il vaut la peine de donner sa vie pour sauver celle d'au moins deux frères ou sœurs, ou quatre cousins ou cousines, ou encore huit neveux ou nièces. Si un loup se sacrifie en se détachant de la meute poursuivie par des chasseurs pour attirer leur attention sur lui, sauvant la vie d'un nombre suffisant de ses frères et sœurs, nièces et neveux, qui portent ses gènes et pourront, eux, se reproduire, alors son sacrifice représente un bénéfice net pour la propagation de ses propres gènes.

Depuis, l'équation d'Hamilton a été vérifiée maintes fois dans la nature, dans les situations les plus complexes. On a montré que chez une espèce d'écureuil terrestre, le spermophile de Belding, par exemple, les individus qui donnent le plus souvent l'alarme à l'approche d'un prédateur – un comportement très risqué car lorsque le prédateur attrape une proie, dans la moitié des cas, il s'agit du malheureux qui a donné l'alarme – sont ceux qui comptent le plus grand nombre de parents dans les environs immédiats[21].

En 1965, le grand spécialiste des insectes sociaux, Edward O. Wilson, découvrit le travail d'Hamilton et contribua largement à sa diffusion dans la communauté scientifique. L'équation d'Hamilton a été vérifiée de manière spectaculaire chez les insectes eusociaux comme les fourmis (qui constituent à elles seules la moitié de la biomasse de tous les insectes réunis), certaines abeilles et autres hyménoptères[22].

Il découle de tout cela qu'une mutation prédisposant à un comportement de type «altruisme évolutionnaire» est favorisée par la sélection naturelle (et non pénalisée comme on le pensait jusqu'alors) pourvu que le coût de l'acte supporté par l'individu «altruiste» soit inférieur au gain correspondant à la propagation de ses gènes par ceux qui lui sont apparentés.

L'odyssée de George Price

Avant d'être reconnu comme un innovateur de génie, William D. Hamilton fut rejoint dans sa quête intellectuelle, jusque-là solitaire, par un esprit original, en la personne de George Price[23]. Né dans une famille pauvre, fils d'un électricien et d'une chanteuse d'opéra, George Price étudia la chimie, puis il fut enrôlé à vingt ans dans le projet Manhattan à l'origine de la bombe atomique. Il travailla quelque temps pour IBM comme inventeur, puis il émigra à Londres. Dans une bibliothèque, il lut par hasard les articles d'Hamilton, qui l'intriguèrent. Il lui écrivit. Ainsi s'engagea une correspondance qui conduisit George Price, à l'origine novice dans le domaine de l'évolution, à construire des modèles mathématiques pour expliquer non seulement la coopération et l'altruisme, mais aussi l'intimidation, l'agressivité et les comportements nuisibles en général. Muni de ses notes, George Price frappa à la porte du bureau de Cedric Smith, directeur du Département de génétique humaine de l'université de Londres. Celui-ci fut si impressionné par ses idées qu'il lui donna sur-le-champ les clés d'un bureau afin de lui permettre de poursuivre ses recherches dans de meilleures conditions.

Finalement, après d'autres échanges avec Hamilton, George Price formula une équation, dite de «covariance», qui rendait compte des divers types de comportements, bienveillants et malfaisants, et du constat que l'on fait dans le monde animal, selon lequel l'altruisme décroît quand on passe de la famille immédiate au groupe pour se muer en agressivité entre individus de groupes différents. De plus, Price montra que, dans des conditions adéquates, l'altruisme pouvait se développer au sein d'un *groupe* d'individus.

Comme ce fut le cas pour Hamilton, les idées de Price furent d'abord ignorées. L'article qu'il envoya à la revue *Nature* fut refusé et, si l'on finit par l'accepter, ce fut uniquement parce que Hamilton refusa de publier son prochain article[24] tant que celui de Price ne le serait pas, expliquant qu'il fondait les développements de son nouvel article sur l'équation de Price. L'article, intitulé «Selection and covariance[25]» («Sélection et covariance») fut donc publié, mais personne n'y prêta attention. Hamilton semblait être la seule personne qui en comprenait la portée. Des années plus tard, la contribution de Price fut reconnue comme l'une des percées majeures du XXe siècle en matière d'évolution.

La réciprocité des comportements bénéfiques

Pendant plus de 98 % de l'histoire humaine, nos ancêtres vécurent comme des chasseurs-cueilleurs[26], en petites tribus coopératives. Les enfants étaient élevés avec l'aide des membres de la famille élargie et, généralement, de la tribu tout entière. Les deux sexes participaient à la recherche de la nourriture, les hommes en chassant et les femmes en ramassant des plantes comestibles[27]. Ces sociétés étaient fondées sur la réciprocité et la coopération.

En 1971, Robert Trivers suggéra que le fait de forger des relations d'échanges et d'entraide à long terme peut faciliter la survie de chaque individu et sa reproduction. Ceux qui respectent la règle de réciprocité en retireront des avantages à long terme que n'auront pas ceux qui font cavalier seul. Selon sa théorie de l'« altruisme réciproque », les individus ont donc intérêt à s'entraider à long terme, même s'ils ne sont pas apparentés. Bien que Trivers ne soit pas, lui non plus, concerné par les motivations et qu'il n'aborde pas la question de l'« altruisme psychologique », la théorie de l'altruisme réciproque élargit le cercle des comportements bénéfiques, si on la compare à celle d'Hamilton qui, elle, ne concerne que des sujets apparentés génétiquement. Selon Trivers, l'altruisme réciproque est susceptible d'avoir évolué chez les espèces qui ont une durée de vie relativement longue, sont interdépendantes, se connaissent suffisamment pour savoir distinguer un individu fiable et susceptible de rendre le service rendu d'un autre qui n'est qu'un profiteur sans scrupule, qui ont une organisation égalitaire et sont collectivement impliquées dans le soin des jeunes[28].

Les recherches de Kim Hill[29] sur les tribus aches des montagnes du Paraguay ont montré que 10 % du temps de cueillette des hommes et des femmes profite à des membres de la tribu qui ne sont pas apparentés, mais qui ont eux-mêmes aidé les autres. Il apparaît aussi que, plus que le degré de parenté, ce sont le souci d'équité et la prise en compte des besoins réels de chacun qui régissent le partage de la nourriture. Une telle réciprocité a d'autant plus de sens chez les Aches que l'approvisionnement alimentaire est irrégulier et aléatoire. L'altruisme réciproque constitue ainsi une forme d'assurance pour les jours où la nourriture se fait rare.

Kim Hill et ses collègues ont également examiné les structures sociales des groupes de chasseurs-cueilleurs qui survivent encore de nos jours dans le monde entier. Ils se sont aperçus qu'en raison de la propension des enfants des deux sexes à quitter le foyer familial, la plupart des membres de ces communautés sont plus souvent amis que parents. L'émergence de la bienveillance envers les étrangers semble donc être apparue chez les humains non par l'intermédiaire des gènes (comme on s'y attendrait si le modèle d'Hamilton s'appliquait aux humains, ce qui, à l'évidence, n'est pas le cas), mais en tant que produit de l'évolution graduelle des cultures[30].

Des gènes égoïstes ?

En 1976, Richard Dawkins a publié un ouvrage qui connut un grand succès, *Le Gène égoïste*, dans lequel il explique que l'aspect le plus fondamental du processus de l'évolution n'est pas la survie des individus, mais celle des gènes[31]. La contribution principale de Dawkins fut de montrer que la sélection et la compétition darwinienne ne s'exercent pas au niveau des espèces ni même des individus, mais au niveau des réplicateurs fondamentaux de l'hérédité que sont les molécules d'ADN qui constituent les gènes. Dawkins exprime cette idée sans ambiguïté lorsqu'il écrit : «Nous sommes des machines à survie – des robots programmés à l'aveugle pour préserver les molécules égoïstes connues sous le nom de gènes.»

Là où Darwin voyait la possibilité pour «la sympathie de s'étendre à tous les hommes de toutes les nations et de toutes les races», voire «en dehors des bornes de l'humanité», c'est-à-dire aux animaux, Dawkins ne nous laisse guère d'illusions :

> L'argument de ce livre, écrit Dawkins, c'est que nous, ainsi que tous les autres animaux, sommes des machines créées par nos gènes. [...] Je dirais que la qualité prédominante d'un gène qui a prospéré est l'égoïsme impitoyable. Cet égoïsme du gène donnera habituellement lieu à un égoïsme dans le comportement individuel.
>
> Il est des circonstances particulières qui font qu'un gène peut mieux réaliser ses propres buts égoïstes en suscitant une forme limitée d'altruisme au niveau des individus. [...] Même si nous souhaitons croire que cela se passe autrement, l'amour universel et le bien-être des espèces en général sont des concepts qui n'ont absolument aucun sens quand on parle d'évolution[32].

Dawkins n'est certes pas opposé à l'idée de bâtir un monde meilleur, mais il pense que nous n'y sommes pas naturellement prédisposés et que, pour atteindre cet objectif, rien ne joue en notre faveur :

> S'il y a une morale humaine à en retirer, c'est que nous devons enseigner à nos enfants à se comporter de manière altruiste, car nous ne pouvons espérer que cette qualité fasse biologiquement partie d'eux-mêmes[33].

Comme nous le verrons dans le chapitre consacré aux animaux et à l'enfance, ce n'est pas du tout ce qui ressort de recherches comme celles de Felix Warneken et Michael Tomasello, dans lesquelles ils concluent : «C'est pourquoi notre thèse est que les tendances altruistes observées au cours des premiers stades de l'ontogenèse humaine témoignent d'une disposition naturelle.» Le fait que non seulement les humains, mais aussi les chimpanzés, s'entraident de manière altruiste indique également que «les racines phylogénétiques de l'altruisme humain pourraient donc remonter à l'ancêtre commun des hommes et des chimpanzés, il y a quelque six millions d'années[34]».

Bien que l'accent mis par Dawkins sur le rôle central des gènes dans le processus évolutif ne prête pas à controverse, l'utilisation de termes psychologiques pour désigner des processus d'une tout autre nature est malheureuse. Le titre même de son ouvrage – *Le Gène égoïste* – a indubitablement contribué à son succès : que serait-il advenu du livre s'il s'était intitulé «De l'autoperpétuation des gènes»? Toutefois, selon la grande éthologue Jane Goodall, ce livre est devenu un best-seller «en partie parce qu'il a fourni à de nombreuses personnes une justification de l'égoïsme et de la cruauté humaine. Ce n'étaient que nos gènes. Nous n'y pouvions rien... Il était peut-être même réconfortant de s'affranchir ainsi de toute responsabilité dans notre mauvaise conduite[35].»

Comme le remarque Frans de Waal : «Les gènes ne peuvent pas davantage être "égoïstes" qu'un fleuve "en colère" ou des rayons de soleil "caressants"; ils sont, au sens propre, des tronçons d'ADN[36].» Même si Dawkins précise qu'il ne s'«intéresse pas à la psychologie des motivations», en utilisant un terme, «égoïsme», qui évoque inévitablement une motivation, il n'a fait qu'aggraver la confusion qui régnait déjà sur la question de la nature de l'altruisme.

Cette ambiguïté n'a pas manqué de frapper les imaginations et de fournir une justification aux comportements les plus individualistes et égoïstes de notre temps. Frans de Waal cite le cas de l'entreprise Enron, qui connut une faillite retentissante en raison de malversations : «Le président d'Enron, Jeff Skilling – à présent sous les verrous –, ne jurait que par *Le Gène égoïste* de Richard Dawkins, et instaura une concurrence acharnée au sein de son entreprise[37]. »

En effet, Skilling institua une commission d'évaluation interne entre collègues, sommés de se juger mutuellement. Puis il « saquait » tous ceux qui obtenaient un faible score. Jusqu'à 20 % des employés passaient à la trappe chaque année, après que ceux-ci avaient été humiliés sur un site Internet où l'on brossait d'eux un portrait peu flatteur. Pour pouvoir survivre dans le monde d'Enron, il fallait donc s'acharner sur ses collègues !

Un retour aux sources

En dépit de sa remarquable conformité à l'organisation de nombreux insectes eusociaux, la théorie d'Hamilton échoue de manière spectaculaire à expliquer les comportements humains, et, de façon générale, tout comportement caractérisé par un haut niveau de coopération indépendant des liens de parenté. Les humains sont, en effet, capables d'élargir le cercle de leur altruisme non seulement à d'autres humains non apparentés, mais aussi à d'autres espèces non humaines, ce qui est encore moins concevable du point de vue de la sélection de parentèle.

Le journaliste scientifique du quotidien britannique *The Guardian* écrivit, à propos des cent quatre-vingts travailleurs japonais de l'usine nucléaire de Fukushima qui ont continué, pendant des mois, à travailler jusqu'à cinquante heures d'affilée pour refroidir les réacteurs endommagés, s'exposant ainsi volontairement à des niveaux de rayonnement gravement nuisibles à leur santé :

> La sélection de parentèle fonctionne bien dans le règne animal, mais elle a peu de chances de pouvoir rendre compte de telles manifestations d'altruisme et de coopération humaine. Un travailleur de l'usine nucléaire japonaise qui souhaiterait propager ses gènes leur rendrait un plus grand service en achetant des billets de train pour partir avec toute sa famille le plus loin possible de Fukushima[38].

Pour ce qui est des animaux qui prennent soin d'autres espèces, comme la tigresse du zoo de Calcutta qui est allée jusqu'à allaiter une portée de porcelets orphelins au lieu de les dévorer, Richard Dawkins déclara dans un documentaire télévisé qu'il s'agissait « de ratés des gènes égoïstes ».

Non seulement les gènes seraient « égoïstes », mais pour leur être fidèles, nous devrions uniquement nous comporter de façon égoïste. Pourtant, tout en restant en accord avec les principes darwiniens de l'évolution, l'altruisme étendu est tout à fait explicable en prenant en compte le rôle fondamental de la coopération dans l'évolution. C'est en tout cas ce qui ressort de découvertes récentes dans le domaine de l'évolution, lesquelles allient une masse considérable d'observations des comportements animaux à de nouveaux modèles mathématiques sur la dynamique des populations.

E. O. Wilson fut, nous l'avons vu, l'un des grands promoteurs de la théorie de sélection de parentèle. « Je dus admettre qu'Hamilton, qui connaissait infiniment moins de choses que moi sur les insectes sociaux, avait réalisé à leur sujet l'unique grande découverte de ce siècle[39] », écrivit-il pourtant en 1971. Pendant quarante ans, cette théorie fondée sur l'importance des liens de parenté a dominé la pensée évolutionniste. Aujourd'hui, parvenu à l'apogée d'une longue et distinguée carrière de chercheur, E. O. Wilson pense qu'il s'est trompé : il est maintenant convaincu que c'est la coopération généralisée, compatible avec la sélection darwinienne classique, qui explique l'émergence et le succès des espèces sociales, comme l'atteste le titre de son dernier ouvrage : *The Social Conquest of Earth* (« La conquête sociale de la Terre »)[40].

D'autres voix, incluant celles d'éminents généticiens comme Luca Cavalli-Sforza et Marcus Feldman, avaient, dès les années 1970, attiré l'attention sur les limitations de la théorie d'Hamilton pour expliquer l'altruisme[41]. Ses successeurs ont eu en effet tendance à considérer la sélection de parentèle comme étant le principe universel de l'évolution, et ont tenté de tout faire entrer tant bien que mal dans cette théorie, y compris la coopération altruiste. Au fil des ans, Wilson conçut, lui aussi, des doutes croissants sur la validité de cette théorie. Ces doutes se cristallisèrent lorsqu'il entreprit de collaborer avec Martin Nowak, biologiste, mathématicien et directeur du Programme de dynamique de l'évolution à Harvard. Wilson pensait que la théorie d'Hamilton était brillante mathématiquement, mais doutait de plus en plus de ses applications au monde réel à mesure que des observations de terrain, toujours plus nombreuses, venaient la contredire. Nowak, au contraire, avait l'impression que la théorie d'Hamilton était bien vérifiée dans la nature, mais, du point de vue d'un mathématicien, il la jugeait obscure et limitée. Leur rencontre contribua à «une libération mutuelle[42]».

Nowak et Corina Tarnita, une brillante mathématicienne de son équipe à Harvard, ont conçu un modèle mathématique plus rigoureux, fondé sur la conception darwinienne classique de la sélection naturelle, qui englobe aussi bien les relations de parenté, quand elles sont impliquées, que les comportements de coopération qui participent à l'évolution. Ce modèle, fondé sur la dynamique et la génétique des populations, prend en considération la variété des interactions qui se produisent dans une population, au niveau individuel comme au niveau collectif[43].

La nécessité de cette nouvelle formulation était double : disposer d'une théorie qui transcende les limitations de celle d'Hamilton en ce qui concerne l'«altruisme étendu» et prendre en compte le nombre croissant d'exceptions à la théorie de la sélection de parentèle. Deux spécialistes des guêpes, notamment, James Hunt, de l'université de Caroline du Nord, et Raghavendra Gadagkar, de l'Institut indien des sciences de Bangalore, découvrirent que la sélection de parentèle ne s'appliquait pas aux espèces qu'ils étudiaient[44]. Philip Johns et ses collaborateurs ont également montré qu'après une rencontre conflictuelle entre deux colonies non apparentées de termites, les survivantes de chaque colonie coopèrent avec succès pour n'en faire qu'une seule[45].

En particulier, selon Wilson, le facteur principal qui a conduit à l'apparition des grandes sociétés animales (l'eusocialité) n'est pas fondamentalement le lien de parenté, mais la construction de «nids» – entendus ici au sens large de lieux d'habitation collective et de reproduction, une fourmilière souterraine, par exemple – qui peuvent être défendus et dans lesquels plusieurs générations de jeunes sont élevées. Lorsqu'une femelle, la reine d'une fourmilière, par exemple, et ses descendants adultes restent dans le nid pour s'occuper des générations suivantes, une communauté eusociale peut ainsi s'établir. Les liens de parenté existant dans une telle communauté seraient donc non pas la cause nécessaire (comme le pensait Hamilton), mais l'une des conséquences de la formation de cette communauté. En bref, les liens de parenté sont utiles, mais non nécessaires, et on connaît maintenant de nombreux exemples de colonies eusociales constituées d'individus non apparentés*.

---

* On consultera les récents ouvrages de ces deux auteurs, Wilson, E. O. (2012). *The Social Conquest of Earth*, Liveright, et Nowak, M., & Highfield, R. (2011). *SuperCooperators*. Free Press, qui contiennent l'ensemble des références scientifiques pertinentes.

Le modèle mathématique et explicatif de Nowak, Tarnita et Wilson n'a pas manqué de soulever une tempête de controverses dans les milieux évolutionnistes qui, depuis plusieurs décennies, ont centré leur vision de l'évolution sur la sélection de parentèle. Il s'est ensuivi un échange intense de publications et d'argumentations dans la revue scientifique *Nature*, et le débat se poursuit toujours aujourd'hui[46]. Toutefois, ce modèle apporte des arguments nouveaux à l'idée d'une sélection naturelle opérant à de multiples niveaux : celui des individus, celui des groupes d'individus et celui des cultures qui influencent les comportements de ces groupes.

La notion de « groupe » du point de vue de l'évolution

Depuis Darwin, l'idée que la sélection naturelle pourrait favoriser ou défavoriser non seulement des individus, et plus spécifiquement leurs gènes, mais aussi des groupes d'individus que l'on peut considérer comme une entité, a connu des fortunes diverses et continue de susciter d'innombrables débats. Envisagée par Darwin, elle fut écartée à la fin des années 1960*, reprise par Hamilton et Price en 1975 sans rencontrer un grand écho, et finalement réactualisée par David Sloan Wilson, Elliott Sober**, E. O. Wilson et Martin Nowak avec de nouveaux arguments.

De manière générale, un *groupe* est défini ici comme un ensemble d'individus qui se constitue pendant une certaine période de temps au cours de laquelle ils influencent mutuellement leur devenir (et leur succès reproductif)[47]. Les abeilles d'une ruche, par exemple, ont davantage d'influence sur le sort des autres habitantes de leur ruche que sur celui d'une ruche voisine. Ce groupe peut avoir une durée d'existence variable, allant de quelques jours à une vie entière. Une douzaine d'explorateurs qui s'apprêtent à partir à la recherche d'un trésor dans une jungle d'Amérique centrale constituent un tel groupe : tous peuvent en retirer des bénéfices et tous s'exposeront aussi à des dangers. Les actions de chaque membre auront des répercussions sur le sort de tous les autres***.

* À la suite de la parution du livre de Williams, G. C. (1966). *Adaptation and Natural Selection*. Princeton University Press, qui a fait une critique sans concessions de la sélection de groupe.

** Ces auteurs offrent une passionnante vue d'ensemble de la question de l'altruisme dans l'évolution dans leur ouvrage Sober, E., & Wilson, D. S. (1999). *Unto Others : The Evolution and Psychology of Unselfish Behavior*, Harvard University Press.

*** Cela n'exige pas que le groupe se trouve dans un même lieu. Si un explorateur étranger vient s'asseoir à leur table, il ne fait pas pour autant partie du groupe. Par contre, un membre à part entière du groupe peut fort bien ne pas participer à l'expédition et rester en France pour assurer la logistique à distance.

L'altruisme peut-il se propager ?

La pression de la sélection se réalise à tous les niveaux d'organisation du vivant, des cellules de l'organisme pluricellulaire aux écosystèmes, en passant par les individus et les groupes. La sélection de groupe ne s'oppose nullement à la sélection individuelle, mais en dépasse les limitations. Par essence, quand des *individus* sont tous en compétition les uns avec les autres, ceux qui coopèrent le moins et profitent au maximum de la bienveillance des autres réussissent le mieux, mais quand ce sont des *groupes* qui entrent en compétition, ceux qui ont établi la coopération la plus forte sont les gagnants. De fait, au cours de l'évolution, l'aptitude des groupes à coopérer a été un atout déterminant : les groupes fortement coopérateurs ont davantage survécu que les autres[48].

Selon les modèles mathématiques présentés par Wilson et Sober, les groupes qui contiennent une majorité d'individus altruistes vont prospérer en raison des avantages que la coopération et l'entraide apportent au groupe dans son ensemble, et ce, en dépit de la présence d'un certain nombre d'égoïstes qui profitent de l'altruisme des autres. Les membres de ce groupe auront donc plus de descendants, dont la majorité sera caractérisée par l'altruisme.

Les groupes qui contiennent une majorité d'égoïstes prospèrent beaucoup moins, en raison de l'attitude dominante du «chacun pour soi» qui nuit au succès global de la communauté. Dans un tel groupe, les altruistes minoritaires sont défavorisés et se retrouvent trop isolés pour que leur esprit de coopération influence les autres. Les individus égoïstes ont certes ici un avantage sur les individus altruistes, mais leur groupe stagne dans son ensemble et laissera donc moins de descendants.

Si ce processus se répète de génération en génération, la proportion d'individus porteurs du trait altruiste augmentera. La leçon de ce modèle, testé mathématiquement sur un grand nombre de générations, est encourageante : une fois que le pourcentage d'altruistes dans une population dépasse un certain seuil, le caractère altruiste s'amplifie au fil des générations*.

* Souvenons-nous, en lisant ce qui suit, que sous la plume des spécialistes de l'évolution le mot «altruisme» désigne des «comportements bénéfiques à l'autre». Ce n'est que lorsque ces auteurs emploient l'expression «altruisme psychologique» qu'ils font référence au sens du mot «altruisme» tel que Daniel Batson et nous-même l'entendons dans cet ouvrage.

En collaboration avec Sober et Wilson, Martin Nowak et Corina Tarnita ont précisé les conditions qui permettent à la coopération altruiste de prospérer. Il s'avère, en effet, que les sociétés humaines peuvent être décrites en termes d'ensembles de personnes qui partagent certains intérêts, valeurs et activités. Plus vous avez de points communs avec quelqu'un, plus vous interagirez avec lui, et plus vos intérêts partagés vous inciteront à coopérer.

L'éternel problème, dans une communauté d'individus qui coopèrent, est la présence de profiteurs, ceux que les économistes appellent les «passagers clandestins», qui profitent de la bienveillance des coopérateurs pour abuser d'eux et tirer la couverture à eux. Lorsque la majorité des gens se font confiance et coopèrent, les profiteurs peuvent facilement exploiter les autres. Et quand leur nombre augmente trop, la communauté décline. Ainsi le taux de confiance et de coopération va fluctuer au fil du temps.

Peu à peu, les coopérateurs auront tendance à se retrouver et à œuvrer ensemble, tandis que les groupes où les profiteurs font la loi déclineront avec le temps. Les fluctuations vont toutefois se répéter, car de nouveaux profiteurs vont régulièrement s'introduire dans un groupe de coopérateurs prospères[49].

En testant divers modèles mathématiques sur des centaines de générations virtuelles, Nowak et ses collaborateurs ont pu montrer que, outre la mobilité, le succès de la coopération dépendait en fin de compte de la fréquence avec laquelle les coopérateurs s'associaient entre eux. Si cette fréquence est plus élevée que la fréquence avec laquelle les profiteurs se liguent avec d'autres profiteurs, les coopérateurs altruistes deviendront majoritaires. Bref, pour progresser vers une société plus altruiste, il est essentiel que les altruistes s'associent et allient leurs efforts. À notre époque, cette synergie entre coopérateurs et altruistes n'exige plus qu'ils soient réunis dans un même lieu géographique, les moyens de communication contemporains, les réseaux sociaux en particulier, permettant l'émergence de mouvements de coopération rassemblant un très grand nombre de personnes géographiquement dispersées.

15

L'amour maternel, fondement de l'altruisme étendu ?

Selon Daniel Batson, bien que les origines évolutionnaires de l'altruisme ne soient pas encore entièrement élucidées, « elles se trouvent, au moins en partie, dans l'instinct nourricier que manifestent les parents humains lorsqu'ils prennent soin de leurs enfants. Cette impulsion a été très fortement sélectionnée au cours de notre histoire évolutive ; sans elle, notre espèce aurait disparu depuis longtemps. C'est peut-être parce que l'altruisme fondé sur l'instinct de prendre soin des autres est à ce point mêlé à la trame même de notre existence, il est si habituel et si naturel, que nous n'avons pas reconnu son importance[1]. » Pour Batson, chez les humains, il est plus logique et empiriquement plus aisément vérifiable de rechercher les bases génétiques de l'altruisme dans une *généralisation cognitive des sentiments de tendresse et d'empathie qui ont émergé de l'instinct parental*, lequel est profondément inscrit dans nos gènes, que de le faire dériver de la sélection de parentèle d'Hamilton, de l'altruisme réciproque de Trivers, ou d'une tendance génétique à la socialisation et à la formation de coalitions[2].

L'idée remonte à Darwin pour qui l'amour d'autrui était fondé sur l'affection parentale et filiale, et lié à l'émotion si importante à ses yeux de la sympathie[3]. Les espèces de mammifères qui ne se préoccuperaient pas du bien-être de leur progéniture disparaîtraient rapidement[4]. Psychologue social très influent au début du XXe siècle, William McDougall, élabora une approche de la psychologie fondée sur la sélection naturelle de Darwin dans laquelle il mettait l'accent sur l'instinct parental, les « émotions de tendresse » qui y sont associées et, par extension, la sollicitude que nous ressentons pour tous les êtres vulnérables qui ont besoin de protection. McDougall élabora l'idée selon laquelle le soin parental, qu'il considérait comme le plus puissant de tous les instincts, est le fondement de l'altruisme étendu à des personnes non apparentées[5].

Plusieurs chercheurs contemporains, parmi lesquels Elliott Sober, Frans de Waal, Paul Ekman et, nous l'avons cité, Daniel Batson, ont repris cette hypothèse et argumenté qu'il est fréquent qu'une qualité sélectionnée au cours de l'évolution soit appelée à remplir, par la suite, une fonction différente. Ainsi, la tendance à être bienveillants envers nos enfants et nos proches aurait non seulement joué un rôle majeur dans la préservation de notre espèce, mais serait également à l'origine de l'altruisme étendu[6]. Comme le remarque Paul Ekman :

> Des recherches ont montré que les femmes qui ont été mères réagissent physiologiquement beaucoup plus intensément au cri d'un enfant qu'une femme qui n'a jamais eu d'enfant. Elles réagissent aux cris de leur propre enfant, mais aussi à ceux de n'importe quel autre enfant, bien qu'avec moins d'intensité. L'instinct qui nous pousse à protéger notre enfant peut faire de nous les parents de tous les enfants. La même réaction se manifeste du reste à l'égard des personnes âgées affaiblies. À mesure que notre souci de l'autre croît, nous souhaitons venir en aide à tous ceux qui sont dans le besoin[7].

Chez les animaux, on trouve aussi des cas étonnants d'adoption altruiste entre espèces différentes, comme celui de cette chienne devenue célèbre à Buenos Aires pour avoir sauvé un bébé abandonné en le plaçant à côté de ses chiots. De même, dans un documentaire saisissant, on voit un léopard poursuivre et tuer une mère babouin. Avant de mourir, cette dernière donne naissance à un petit[8]. À la vue du nouveau-né, le fauve interloqué hésite un instant, puis change d'attitude : il traite le petit babouin avec douceur et, à l'approche d'autres prédateurs, le prend délicatement dans ses mâchoires pour le mettre en sécurité sur une branche d'arbre. Le bébé babouin, d'abord effrayé tente de grimper plus haut, est rattrapé par le léopard puis, épuisé, s'immobilise entre les pattes du fauve qui commence à le lécher et à le toiletter. Les deux s'endorment l'un contre l'autre. C'est finalement le froid de la nuit qui aura raison de la vie du petit babouin.

Des « mères » en grand nombre

La procréation humaine se distingue de celle des grands singes en plusieurs points. Jusqu'à une période récente du point de vue de l'évolution, les femmes avaient des enfants à intervalles rapprochés, et ceux-ci, plus vulnérables à la naissance, dépendaient plus longtemps de leur mère. On estime que chez les chasseurs-cueilleurs, les femmes avaient en moyenne un enfant tous les quatre ans. Une femelle de chimpanzé n'a de petit que tous les six ans, une orang-outang tous les huit ans. Un jeune chimpanzé est à peu près autonome dès l'âge de six ans, mais il faut des années pour qu'un enfant humain acquière son indépendance. La combinaison de ces deux facteurs, une procréation plus fréquente et une période de dépendance plus longue des enfants, implique que les mères humaines ont plus besoin d'assistance pour élever leurs enfants. L'apparition, chez les hominidés, de soins parentaux auxquels participe une multiplicité d'individus pourrait remonter à 1,8 million d'années[9].

Sarah Blaffer Hrdy a consacré sa carrière à étudier cette question, et la synthèse de ses propres travaux et de ceux de nombreux autres anthropologues et éthologues l'a conduite à formuler cette thèse :

> L'une des grandes nouveautés des premiers hominidés dans leur manière d'élever les jeunes est l'éventail beaucoup plus large de personnes, autres que la mère, qui prenaient soin des enfants. Cette dépendance par rapport à un plus grand nombre de personnes a créé une pression sélective en faveur des individus les plus aptes à décoder les états mentaux d'autrui et à distinguer les individus susceptibles de les aider de ceux qui pouvaient leur nuire[10].

Ainsi, le fait que les nouveau-nés interagissent très rapidement avec un nombre élevé de personnes pourrait donc avoir contribué considérablement à élever le degré de coopération et d'empathie chez l'être humain. Outre l'empathie affective, selon Michael Tomasello, psychologue de l'Institut Max-Planck de Leipzig, l'une des principales capacités acquises par les humains est de se sentir plus concerné que les animaux par ce que pensent les autres et d'en tenir constamment compte dans leurs comportements.

Chez les Hadza d'Afrique, un nouveau-né passe dans les mains de dix-huit personnes dans les vingt-quatre heures qui suivent sa naissance[11]. Il a été montré que les «parents secondaires» jouaient un rôle crucial dans le développement cognitif, l'empathie, l'autonomie et les autres qualités de l'enfant[12]. Lors de la première année, la mère reste la principale personne à s'occuper de l'enfant, mais celui-ci est très souvent pris en main par des grands-mères, grands-tantes, frères et sœurs, les pères et même des visiteurs. L'allaitement par d'autres femmes que la mère, inexistant chez les singes sauvages, est pratiqué dans 87 % des sociétés de chasseurs-cueilleurs et, de nos jours encore dans de nombreuses sociétés rurales, comme nous l'avons observé au Tibet et au Népal[13].

Or cela est un phénomène nouveau par rapport aux grands singes. Pendant les six premiers mois après la naissance, une femelle chimpanzé ne laisse personne toucher son enfant, pas même les sœurs de ce dernier, qui pourtant semblent très désireuses de s'en occuper*. L'une des raisons de ce comportement protecteur tient au risque d'infanticide de la part des mâles du groupe. Si un babouin de moins de six mois se retrouve seul, c'est généralement un très mauvais signe : sa mère a probablement disparu et il ne survivra pas longtemps.

Cette situation a d'importantes conséquences pour les communications sociales et pour le développement de l'empathie : un jeune chimpanzé n'a de relation qu'avec sa mère et, de plus, il n'a pas à s'inquiéter de son absence éventuelle ni à vérifier si elle se trouve ou non dans les parages, puisqu'il est continuellement porté par elle. À l'inverse, un nouveau-né humain est en contact visuel, auditif et émotionnel (par l'intermédiaire des expressions faciales qu'il reconnaît et peut mimer dès la naissance) non seulement avec sa mère, mais avec son père et avec un grand nombre d'autres personnes qui, toutes, lui parlent, font des mimiques, échangent des regards avec lui, le prennent dans les bras, etc.

Une étude menée entre 1950 et 1980 par le United Kingdom Medical Research Council du Royaume-Uni a suivi le taux de croissance des enfants dans les tribus d'horticulteurs mandinka en Gambie. Sur plus de deux mille enfants, près de 40 % de ceux qui ont été élevés uniquement par leurs deux parents sont morts avant l'âge de cinq ans. Mais pour un

* Hrdy, S. B. (2009). *Mothers and Ohers*, Belknap Press, p. 68. Toutefois, les mères de certaines espèces de primates qui pratiquent l'élevage coopératif laissent d'autres individus s'occuper de leurs bébés. Il en va de même chez certaines espèces de macaques qui permettent à leurs congénères de prendre en main leurs bébés (communication de Frans de Waal).

enfant dont les frères et sœurs (surtout les sœurs) et la grand-mère maternelle vivaient à proximité immédiate, la probabilité de mourir avant l'âge de cinq ans tombait de 40 à 20%[14]. En particulier, la présence proche d'une grand-mère dès la naissance détermine l'état de santé et les capacités cognitives de l'enfant trois ans plus tard[15]. Pour Hrdy, sans l'aide de «parents adjoints», il n'y aurait jamais eu d'espèce humaine. La notion de «famille», limitée à un couple et leurs enfants, ne remonte qu'au XXe siècle en Europe, et aux années 1950 aux États-Unis[16]. Avant cela, la plupart des familles réunissaient les membres de trois générations, y incluant souvent des oncles et tantes, des cousins, etc.

Dans les années 1930, surtout aux États-Unis, les mères ont suivi un temps les théories aussi célèbres que néfastes du Dr John Watson qui leur recommandait de prendre le moins possible leurs nouveau-nés dans les bras et de les laisser crier aussi longtemps qu'ils le voulaient, afin de les rendre forts et indépendants. Les mères, disait-il, devaient avoir honte de «la mièvrerie sentimentale avec laquelle elles s'étaient jusqu'alors occupées de leur progéniture[17]». Or les orphelins bulgares et chinois ont témoigné des effets catastrophiques de la privation de contact physique et d'interactions émotionnelles sur le développement physiologique et cérébral des jeunes enfants.

Et les pères, dans tout cela ?

Chez les grands singes, les jeunes jouent parfois avec des mâles adultes, mais un gorille mâle, par exemple, ne porte jamais un jeune ni ne s'en occupe. Il existe toutefois quelques exceptions comme celle des singes titis, chez qui le père est en permanence de service pour s'occuper du bébé. La mère ne prend son enfant que pour le nourrir et pour dormir. Les bébés titis passent la majeure partie de leur temps sur le dos de leur père et manifestent davantage d'angoisse lorsqu'ils sont séparés de lui que de leur mère[18]. Par ailleurs, il n'est pas rare que des chimpanzés mâles adoptent un jeune orphelin, le portent sur leur dos et prennent grand soin de lui[19].

En général, les pères s'occupent beaucoup moins de leur progéniture que les femmes, mais il existe des exceptions, chez les Aka d'Afrique notamment, où les pères veillent sur les nouveau-nés au moins la moitié du temps, de jour comme de nuit. Aujourd'hui, au Bangladesh, dans la communauté des Bediya, ou gitans des eaux vivant dans le delta des Sunderbans, ce sont principalement les pères qui restent sur le bateau et s'occupent des enfants pendant la journée, alors que les femmes sillonnent les campagnes pour vendre de menus colifichets[20]. En moyenne, les pères des sociétés de chasseurs-cueilleurs passent tous beaucoup plus de temps avec leurs enfants que les pères des sociétés modernes occidentales[21].

La faculté d'empathie risque-t-elle de diminuer chez l'homme ?

Les spécialistes de l'évolution savent que la suppression d'un facteur de sélection peut entraîner de rapides conséquences évolutives. Sarah Hrdy envisage une possible atrophie de l'empathie, si les enfants ne bénéficient plus des riches interactions associées aux soins collaboratifs. De son point de vue, si l'empathie et les facultés de compréhension de l'autre se sont développées grâce à des façons particulières de prendre soin des enfants, et s'il advient qu'une proportion croissante d'humains ne bénéficie plus de ces conditions, la compassion et la recherche de connexions émotionnelles disparaîtront aussi sûrement que les facultés visuelles d'un poisson cavernicole. Hrdy envisage une situation dans laquelle, technologiquement, nos descendants seront compétents dans des domaines que nous peinons à imaginer, resteront sans doute tout aussi compétitifs et peut-être plus intelligents que les humains d'aujourd'hui. En revanche, ajoute-t-elle : « Seront-ils humains au sens où ils conserveront cette qualité d'humanité qui constitue le trait distinctif de notre espèce – empathiques et curieux de connaître les émotions des autres, façonnés comme nous le sommes par notre ancien héritage de soins communautaires ? Ce n'est pas certain[22]. »

L'un des défis, des drames parfois, de la femme contemporaine, c'est qu'elle doit souvent faire face seule à une tâche que l'évolution des hominidés avait rendue communautaire et à laquelle pourvoyaient pléthore de bonnes volontés dans les sociétés traditionnelles. Les crèches peuvent offrir un substitut, des études ayant montré que les crèches de bonne qualité avaient un effet très positif sur le développement des facultés cognitives et émotionnelles des enfants[23]. Alors que certains recommandent à la femme de devenir moins maternelle[24], ce qu'il faudrait, selon Sarah Hrdy, c'est raviver l'instinct parental chez tous les membres de la société.

16

L'évolution des cultures

Enseigner, cumuler, imiter, évoluer

La notion de culture est complexe et a été définie de multiples façons[1]. Les spécialistes de l'évolution la conçoivent comme un ensemble d'informations qui affectent le comportement des individus appartenant à une culture particulière. Ces informations, qui incluent les idées, les connaissances, les croyances, les valeurs, les compétences et les attitudes, sont acquises par l'enseignement, par l'imitation et par toute autre forme de transmission sociale[2].

L'évolution culturelle s'applique également aux valeurs morales – certaines valeurs, plus inspirantes que d'autres, seront plus susceptibles d'être transmises d'un individu à un autre –, ainsi qu'aux croyances en général, dans la mesure où certaines croyances confèrent aux gens de plus grandes chances de survivre ou d'atteindre une position sociale élevée.

L'enseignement – la transmission volontaire, organisée, des connaissances – est essentiellement un comportement altruiste qui, dans ses aspects culturels, non professionnels, consiste à offrir aux autres des informations utiles sans escompter de rétribution. Les animaux enseignent certaines formes d'expertise à leur progéniture, la chasse, par exemple, mais la transmission volontaire des connaissances à des individus non apparentés est un phénomène spécifiquement humain[3].

Point essentiel, la transmission et l'évolution culturelle humaines sont cumulatives. Chaque génération dispose au départ des connaissances et des acquis technologiques des générations précédentes. Les outils et les comportements ont une histoire. Ils deviennent de plus en plus complexes à mesure que les générations successives en améliorent la qualité et en enrichissent le répertoire[4].

Un autre facteur contribue considérablement à l'évolution des cultures : l'instinct d'imitation. La plupart des êtres humains sont enclins à se conformer aux attitudes, coutumes et croyances dominantes. La conformité aux normes sera encouragée par la communauté, tandis que la non-conformité entraînera la réprobation et diverses formes de sanctions, peu coûteuses pour celui qui les inflige et parfois désastreuses pour celui qui en est l'objet. Ces pénalités peuvent affecter la réputation d'un individu, voire entraîner son exclusion de la communauté.

L'évolution des cultures favorise l'établissement d'institutions sociales qui définissent et veillent au respect de normes de comportements, afin d'assurer l'harmonie de la vie communautaire. Toutefois, ces normes ne sont pas figées : comme les cultures, elles évoluent avec l'acquisition de nouvelles connaissances. C'est ainsi que vont se définir des groupes culturels différents, qui vont entrer en compétition sur un modèle darwinien. En conséquence, certaines cultures s'épanouiront tandis que d'autres déclineront. Comme le précisent Boyd et Richerson :

> De même que la théorie de l'évolution explique pourquoi les gènes persistent et se propagent, de même une théorie cohérente de l'évolution culturelle doit pouvoir expliquer pourquoi certaines croyances et attitudes se répandent et perdurent, tandis que d'autres disparaissent[5].

Plus vite que les gènes

L'étude de l'évolution des cultures est une nouvelle discipline qui a conduit à de remarquables avancées au cours des trente dernières années, principalement sous l'impulsion de deux chercheurs américains, Robert Boyd et Peter Richerson. Selon eux, il se produit une double évolution qui fonctionne en parallèle : celle, très lente, des gènes et celle, plus rapide, des cultures qui permet l'apparition de facultés psychologiques qui n'auraient jamais pu évoluer sous l'influence des gènes seuls. D'où le titre de leur ouvrage *Not by Genes Alone* («Pas seulement par les gènes»)[6].

L'avènement de sociétés complexes au cours des cinq mille dernières années s'est en effet produit trop rapidement pour être le résultat de changements génétiques. Mais il s'est aussi produit trop lentement pour s'expliquer uniquement en termes d'adaptation purement individuelle, laquelle peut se produire en l'espace de quelques années.

La culture, en revanche, a un rythme d'évolution qui permet d'expliquer la croissance modérément rapide de la complexité sociale au cours de ces cinq derniers millénaires. De fait, la raison même pour laquelle la culture est apparue au cours de l'évolution réside précisément dans le fait qu'elle est « capable de faire des choses dont les gènes sont incapables[7] ».

D'après Boyd et Richerson, c'est cette évolution culturelle qui a permis les transformations majeures qui se sont produites dans les sociétés humaines depuis l'apparition de notre espèce. C'est ainsi, par exemple, qu'au cours des trois derniers siècles, notre perception culturelle de la violence, des guerres en particulier, a considérablement évolué. Nous sommes passés de cultures qui considéraient la torture comme un spectacle public tout à fait acceptable et la guerre comme noble et glorieuse, à une société où la violence est de moins en moins tolérée et la guerre de plus en plus considérée comme immorale et barbare. Nous progressons vers une culture de paix et de respect des droits de l'homme.

Ce n'est pas tout, car les cultures et les individus ne cessent de s'influencer mutuellement. Les individus qui grandissent au sein d'une nouvelle culture sont différents, du fait qu'ils acquièrent de nouvelles habitudes et que ces habitudes transforment leur cerveau par le biais de la neuroplasticité et l'expression de leurs gènes par le biais de l'épigénétique. Ces individus contribueront à faire évoluer davantage leur culture, et ainsi de suite.

Bergers ombrageux et fermiers paisibles

Prenons un exemple typique de transmission culturelle. On sait que les meurtres sont nettement plus fréquents dans les États du sud des États-Unis que dans ceux du nord. Les sociologues qui se sont penchés sur cette question ont noté que les gens du Sud étaient plus courtois, mais aussi plus prompts à réagir à une insulte ou à une provocation et plus attachés au deuxième amendement de la Constitution qui autorise les citoyens à porter des armes à feu. Les sudistes accordent une grande importance au sens de l'honneur et sont enclins à se faire eux-mêmes justice, lorsque les codes de l'honneur sont transgressés. La culture est aussi inscrite dans leur physiologie : les réactions à une insulte, mesurées par le niveau de cortisol (indicateur du stress) et de testostérone (indicateur de propension à la violence) – sont plus fortes chez les sudistes que chez les nordistes.

En se penchant sur les origines diverses des populations américaines, les chercheurs se sont aperçus que les sudistes étaient en majorité les descendants de bergers écossais et irlandais qui, dans leurs pays d'origine, vivaient dans des régions peu peuplées. Comme tout berger, ils devaient constamment veiller sur leurs troupeaux et protéger les aires de pâturage des intrus. Ce mode de vie a engendré une culture plus encline à la violence, dans laquelle la parole donnée, les conventions tacites (les vastes étendues des pâturages sauvages n'appartiennent pas légalement aux bergers), la réponse rapide aux provocations et les codes d'honneur avaient une grande importance. En revanche, le nord des États-Unis a été colonisé par des fermiers venus d'Angleterre, de Hollande et d'Allemagne dont les codes culturels sont plus pacifiques. Un fermier ne vit pas constamment dans la crainte que quelqu'un vienne lui dérober son champ.

J'ai personnellement observé des comportements similaires à ceux des habitants du sud des États-Unis chez les nomades de l'est du Tibet. Ils sont très fiables, mais prompts à exercer des représailles dès lors que l'une des lois de leur code d'honneur a été transgressée. Il est très difficile de les raisonner sur ce point. Ils sont constamment préoccupés par leurs troupeaux. Je me souviens d'avoir campé avec un groupe d'amis tibétains à 5000 mètres d'altitude dans un lieu apparemment désert. À la tombée de la nuit, il a commencé à neiger. Nous avions une grande tente, mais mes amis m'annoncèrent : «Nous allons dormir dehors.» Devant mon étonnement, ils expliquèrent : «À cause des chevaux. Ils pourraient être emmenés pendant la nuit.» Ils passèrent donc la nuit dehors emmitouflés dans leurs grandes pelisses en peau de mouton et, en se réveillant le matin, secouèrent allègrement la neige qui s'était accumulée sur eux.

Les différences culturelles ne sont pas d'ordre génétique

Toutes les recherches indiquent que les différences culturelles présentes dans le monde ne sont pas de nature génétique. L'étude d'une centaine d'enfants coréens adoptés en bas âge par des familles blanches américaines a montré que ces enfants se comportent comme des enfants américains et ne manifestent aucun trait culturel rappelant leur origine coréenne. De plus, ces enfants ne manifestent généralement que peu d'intérêt pour leur culture d'origine[8]. Une autre étude portant sur des enfants d'origine européenne adoptés par des Indiens d'Amérique après que leurs parents furent tués a également montré que ces enfants ont repris fidèlement comportements, coutumes et sentiment d'appartenance des Indiens[9].

Les différences de niveau de violence entre les Américains du sud et du nord du pays, mentionnées ci-dessus, doivent donc en toute évidence être imputées aux systèmes particuliers de valeurs et de normes transmis de génération en génération par l'éducation et par l'exemple, et non à une mutation génétique.

Les mécanismes de l'évolution des cultures

Les valeurs culturelles sont fréquemment inspirées par ceux qui nous instruisent et par des personnes en vue dans la population – chefs charismatiques, penseurs, célébrités. Il s'avère que ce sont les personnes les moins instruites et les plus démunies qui sont les plus influençables au conformisme des valeurs dominantes.

Il faut aussi tenir compte du fait que les idées et les valeurs culturelles ne sont pas transmises intactes mais subissent le plus souvent des altérations : la transmission peut être partielle, comporter des erreurs ou être biaisée. Dans certains cas, cette transmission peut aussi être fiable et fidèle – lors d'un cours de grammaire, de physique ou de mathématiques, par exemple. Tout dépend du degré d'invariance intrinsèque et objectif de la matière enseignée.

Nous avons vu que la transmission culturelle est cumulative. Les acquis s'ajoutent les uns aux autres à chaque génération. C'est la seule raison pour laquelle le monde moderne jouit d'une telle avance en matière de technologie. S'il fallait réinventer à chaque génération la façon de faire du feu, d'extraire les métaux et de produire de l'électricité, Apple et BlackBerry ne seraient respectivement qu'une pomme et une mûre.

Les cultures évoluent plus rapidement lorsqu'un grand nombre d'informations nouvelles deviennent disponibles. S'il y a peu de nouvelles connaissances ou si l'environnement est très stable, les cultures ont peu de raisons de changer. Si l'environnement est trop instable, les cultures n'ont pas le temps de s'adapter aux fluctuations continuelles et rapides[10]. Dans des conditions changeantes et complexes, il sera généralement plus avantageux de se conformer aux coutumes dominantes du groupe. Pour que la coopération ou toute autre valeur, l'altruisme par exemple, se répande dans un groupe d'individus, il faut tout d'abord que ceux-ci accordent de l'importance aux objectifs du groupe et soient disposés à coopérer, même au prix d'un coût personnel. Les chercheurs ont aussi montré l'importance de la force de l'exemple, de l'esprit d'émulation qui naît en observant et en agissant de concert avec les autres.

Enfin, pour qu'un processus de sélection puisse s'opérer entre différentes valeurs culturelles, l'individualisme ou l'esprit coopératif par exemple, il faut que ces différences aient des effets sur la prospérité ou le déclin de ceux qui détiennent ces valeurs.

Vers une culture plus altruiste

Sur le plan génétique, nous ne sommes donc ni meilleurs ni pires que nos ancêtres d'il y a quelques millénaires. Toutefois, les êtres humains peuvent changer individuellement et les cultures dans lesquelles ils grandissent évoluent elles aussi. Les cultures et les individus se façonnent mutuellement comme deux lames de couteau s'aiguisent l'une sur l'autre.

Sachant que l'émulation, l'inspiration et la force de l'exemple, les aspects nobles du conformisme, sont à la fois la trame qui assure la stabilité et la continuité des cultures, ainsi que la force motrice de leur expansion, il nous incombe d'incarner, dans notre être et nos comportements, l'altruisme que nous souhaitons encourager – le messager doit être le message.

Nous avons vu que l'altruisme, la coopération et l'entraide étaient beaucoup plus présents dans la vie quotidienne que ne le suggèrent les médias et les préjugés en vigueur. Au cours des cinquante dernières années, nous avons vu se développer l'aversion pour la guerre, ou encore assisté à la prise de conscience que la terre n'est qu'un « grand village ». Le rôle grandissant des ONG, le fait que de nombreux citoyens soient concernés par ce qui se passe ailleurs dans le monde, notamment lorsqu'une assistance est nécessaire, tout cela indique un changement des mentalités, de nos cultures donc, davantage tournées vers un sentiment de «responsabilité universelle», pour reprendre une expression chère au Dalaï-lama. Cette évolution est donc en marche. Peut-être suffit-il d'y participer, en ajoutant notre pierre à l'édifice, notre goutte à l'océan. Mais on peut aussi imaginer que nous puissions la faciliter et l'amplifier à la manière d'un catalyseur qui accélère une réaction chimique.

17

Les comportements altruistes chez les animaux

« Le capitaine Stansbury a rencontré, sur les bords d'un lac salé de l'Utah, un pélican vieux et complètement aveugle qui était fort gras, et qui devait être nourri depuis longtemps par ses compagnons. M. Blyth m'informe qu'il a vu des corbeaux indiens nourrir deux ou trois de leurs compagnons aveugles, et j'ai eu connaissance d'un fait analogue observé chez un coq domestique. J'ai moi-même vu un chien qui ne passait jamais à côté d'un de ses grands amis, un chat malade dans un panier, sans le lécher en passant, le signe le plus certain d'un bon sentiment chez le chien. [...] Outre l'amour et la sympathie, les animaux possèdent d'autres qualités que chez l'homme nous regardons comme des qualités morales[1]. »

Ainsi s'exprimait Charles Darwin au XIXe siècle. On mesure le chemin accompli si l'on songe que cent cinquante ans auparavant, Descartes et Malebranche déclaraient avec assurance que les animaux n'étaient rien de plus que « des automates inconscients, ne possédant ni pensée, ni sensibilité, ni vie mentale d'aucune sorte ».

Depuis, les études se succèdent qui mettent en évidence la richesse de la vie mentale des animaux. Comme l'ont observé Jane Goodall, Frans de Waal et bien d'autres éthologues, les signaux élémentaires que nous utilisons pour exprimer la douleur, la peur, la colère, l'amour, la joie, la surprise, l'impatience, l'ennui, l'excitation sexuelle et bien d'autres états mentaux et émotionnels ne sont pas propres à notre espèce. Darwin consacra à ce sujet un traité entier, fourmillant d'observations, intitulé *L'Expression des émotions chez l'homme et les animaux*[2].

Si l'on y songe, c'est le contraire qui eût été surprenant. Si l'intelligence, l'empathie et l'altruisme existent chez l'homme, comment auraient-ils pu surgir de nulle part ? S'ils représentent l'aboutissement de millions d'années d'évolution graduelle, on s'attend à observer chez les animaux les signes précurseurs de toutes les émotions humaines. C'était bien l'opinion de Darwin lorsqu'il écrivait dans *La Descendance de l'homme et la sélection sexuelle*[3] :

> Si aucun être organisé, l'homme excepté, n'avait possédé quelques facultés de cet ordre, ou que ces facultés eussent été chez ce dernier d'une nature toute différente de ce qu'elles sont chez les animaux inférieurs, jamais nous n'aurions pu nous convaincre que nos hautes facultés sont la résultante d'un développement graduel. Mais on peut facilement démontrer qu'il n'existe aucune différence fondamentale de ce genre. [...]
>
> Certains faits prouvent que les facultés intellectuelles des animaux placés très bas sur l'échelle sont plus élevées qu'on ne le croit ordinairement.

Une vision globale de l'évolution des espèces permet de mieux comprendre que tout est une question de niveau de complexité.

Sans nier la violence

Notre propos dans ce chapitre est d'explorer l'empathie et les comportements altruistes chez les animaux. Il ne s'agit pas de nier l'omniprésence de la violence dans le règne animal. Nous entendons ici par violence l'ensemble des actes et attitudes hostiles et agressifs, incluant le fait de blesser ou de tuer un autre individu et d'user de la force pour exercer une contrainte, pour obtenir quelque chose contre le gré de l'autre. La plupart des espèces dont nous allons parler sont capables de comportements extrêmement violents. La « guerre des chimpanzés » qui fut observée par Jane Goodall dans la réserve de Gombe, en Tanzanie, a fait couler beaucoup d'encre sur les possibles origines guerrières de l'homme, un sujet sur lequel nous reviendrons. Mais il convient de remettre les choses en perspective. Jane Goodall et ses collaborateurs furent stupéfaits de voir un groupe de chimpanzés exterminer l'un de leurs congénères, membre d'un groupe qui s'était séparé du premier et vivait dans une partie du territoire autrefois commun. Mais il ne faut pas oublier qu'ils observaient ce comportement pour la première fois, alors qu'ils suivaient au jour le jour la vie de ces chimpanzés depuis des années. Ils les connaissaient tous individuellement et leur avaient même donné des noms. D'autres chercheurs observèrent, eux aussi, ce phénomène d'élimination d'un groupe concurrent, mais ces cas restent relativement rares. Le comportement meurtrier le plus fréquent chez les chimpanzés est l'infanticide, généralement commis par des mâles.

N'oublions pas non plus que la violence, celle des animaux comme celle des êtres humains, attire toujours plus notre attention que les comportements paisibles. Pour autant, aucune donnée scientifique ne permet à ce jour de conclure que la violence est une pulsion interne et dominante chez les hommes et les animaux.

Après quarante ans consacrés à l'étude du comportement animal, principalement chez les grands singes, l'un des plus éminents primatologues de notre époque, Frans de Waal, considère que le point focal de sa recherche n'est plus de *prouver* l'existence de l'empathie chez les animaux, mais d'étudier *comment* elle s'exprime. Pourtant, l'existence de l'empathie animale a été longtemps méconnue. Frans raconte avoir entendu un psychologue renommé affirmer que les animaux coopéraient occasionnellement, mais donnaient immanquablement la priorité à leur propre survie*. Et comme pour prouver une bonne fois pour toutes la justesse de son point de vue, il concluait ainsi : « On n'a jamais vu un singe sauter à l'eau pour sauver l'un de ses comparses. »

En entendant ces propos, Frans de Waal se mit à chercher dans sa mémoire et se souvint de Washoe, une femelle chimpanzé qui, en entendant les cris de détresse d'une femelle amie, traversa en bondissant deux lignes de clôtures électriques pour rejoindre sa compagne qui se débattait désespérément dans une douve. Pataugeant dans la boue glissante des berges, Washoe réussit à saisir la main tendue de son amie et à tirer cette dernière au sec. Ce n'est pas un mince exploit si l'on sait que les chimpanzés ne savent pas nager et sont pris de panique dès que l'eau leur arrive aux genoux. L'hydrophobie ne peut être surmontée que par une puissante motivation, et les explications faisant intervenir des calculs d'intérêt du type « si je l'aide maintenant, elle m'aidera plus tard » ne tiennent pas plus la route dans ce cas-là que dans celui, évoqué plus haut, de Wesley Autrey sautant sur les rails du métro de New York pour sauver un passager tombé à l'approche de la rame. Seule une impulsion

* Il s'agissait de Jerome Kagan, éminent professeur à Harvard.

altruiste spontanée peut inciter quelqu'un à dépasser ainsi tous ses réflexes de prudence. En d'autres occasions, on a vu des chimpanzés se noyer en tentant de secourir des jeunes tombés à l'eau.

Chez les primates, les exemples d'entraide abondent. On a observé des chimpanzés prendre soin de compagnons blessés par des léopards. Ils léchaient le sang de leurs blessures, enlevaient délicatement les saletés de leurs plaies, et chassaient les mouches qui leur tournaient autour. Ils continuèrent ensuite à veiller sur les blessés et, quand ils se déplaçaient, ils marchaient plus lentement pour s'adapter au rythme de leurs compagnons affaiblis[4].

Au Centre de primatologie du Wisconsin, une petite femelle macaque rhésus souffrait de troubles moteurs si graves qu'elle pouvait à peine accomplir les gestes de la vie quotidienne comme marcher, grimper et se nourrir. Or, loin de la rejeter, les membres de sa famille et du groupe prenaient un soin tout particulier d'elle, en la toilettant, notamment, deux fois plus que les autres femelles du même âge[5]. Il faut savoir que le toilettage mutuel est l'une des principales formes de soin et d'interaction sociale chez les singes. On a fréquemment observé chez les grands singes de tels actes de sollicitude à l'égard de leurs congénères handicapés.

Les animaux s'associent de façons diverses et plus ou moins complexes, de la simple grégarité, le fait d'être attirés par la compagnie de leurs semblables, à des stades d'organisation sociale complexe où les adultes coopèrent pour prendre soin des jeunes, les nourrir et les protéger. À mesure que la richesse et la diversité des interactions vont croissant, il devient utile aux animaux de tenir compte avec le plus d'exactitude possible des comportements de leurs congénères. Cette tendance culmine avec la faculté de percevoir les intentions de l'autre et d'imaginer ce qu'il pense et ressent. C'est ainsi que naît l'empathie.

Les comportements bienveillants

Avant de nous interroger sur la «théorie de l'esprit» – la faculté de se mettre mentalement à la place de l'autre pour comprendre ses intentions ou ses besoins –, commençons par considérer une série de comportements animaux qui illustrent leurs dispositions à l'empathie.

Les comportements bienveillants peuvent prendre diverses formes : venir en aide à des congénères, les protéger, les soustraire à un danger, leur manifester de la sympathie et de l'amitié, voire de la gratitude, les consoler lorsqu'ils souffrent, forger avec eux des liens d'amitié qui ne sont pas liés à la reproduction ou à la parenté et, finalement, manifester des signes de deuil à la mort de l'un des leurs.

L'entraide

De nombreuses observations montrent que les animaux sont capables d'aider spontanément un congénère qui se trouve en danger, ou qui a des besoins spécifiques auxquels il est incapable de faire face tout seul. En voici quelques exemples.

Sur une autoroute du Chili, au beau milieu du trafic, un chien erre, visiblement désorienté, évitant du mieux qu'il peut les voitures qui passent. Bientôt, il est percuté par l'une d'elle. Les caméras de sécurité qui enregistrent la scène le montrent ensuite gisant sur la chaussée. Soudain surgit, on ne sait d'où, un chien jaune qui, au milieu du trafic, agrippe avec ses crocs le train arrière du chien blessé et, au prix de grands efforts et en s'y prenant à deux reprises, traîne son congénère inconscient jusqu'au bord de l'autoroute. Tous deux échappent miraculeusement aux véhicules qui font de leur mieux pour les éviter[6].

Dans un registre plus léger, j'ai entendu à la BBC le témoignage d'un gardien de chenil, tout étonné, un matin, en constatant que trois chiens étaient sortis de leur cage et s'étaient copieusement restaurés dans les cuisines. Le soir, il vérifia que les cages étaient bien fermées, mais le même scénario se reproduisit, et de nouveau la nuit suivante. Intrigué, il se cacha dans un coin du chenil pour voir comment les choses se passaient. Peu après que les employés eurent quitté les locaux, il vit l'un des chiens ouvrir le loquet extérieur de sa cage en passant sa patte au travers du grillage, ce qui n'était déjà pas un mince exploit. Mais, surprise, au lieu de se précipiter vers les cuisines, l'animal est d'abord allé ouvrir les cages de deux autres chiens qui étaient ses amis, et ce n'est qu'ensuite qu'il s'est dirigé, avec ses comparses tout frétillants, vers les cuisines désertes.

Plusieurs qualités de ce chien méritent d'être remarquées : l'ingéniosité dont il a fait preuve pour sortir de sa cage, son sens de l'amitié et sa faculté de retarder une gratification attendue toute la journée (une expédition dans les cuisines !) pour, qui plus est, permettre à d'autres chiens de consommer une bonne partie de ce qu'il aurait pu déguster tout seul.

Iain Douglas-Hamilton, qui a étudié pendant quarante ans les éléphants dans la réserve nationale du Masai Mara, au Kenya, vit un jour un éléphant dont la trompe avait été en partie sectionnée dans un piège. Le pachyderme était très agité et n'arrivait pas à se nourrir. Iain vit alors un autre éléphant s'approcher de lui. Après avoir touché le blessé plusieurs fois avec sa trompe, le nouveau venu apporta des roseaux qu'il avait arrachés au bord de la rivière et les porta directement à la bouche du mutilé. Finalement, l'éléphant blessé fut de nouveau capable de se nourrir, mais uniquement avec ces roseaux qui étaient suffisamment tendres pour qu'il puisse les cueillir avec son moignon. Le plus extraordinaire, c'est que la horde tout entière, pour ne pas l'abandonner, s'installa à proximité des roselières dont elle fit la source principale de son alimentation. Cette observation révèle non seulement une solidarité de groupe, mais aussi une intelligence des besoins spécifiques de l'autre.

L'amitié

Les primates se montrent capables de nouer une relation d'amitié durable. Frans de Waal cite le cas de deux femelles macaques, non apparentées, qui restaient toujours ensemble, se témoignaient constamment des marques d'affection, donnaient des baisers chaleureux au bébé de l'autre et se prêtaient main-forte dans les conflits, au point que l'une d'elles (qui occupait un rang inférieur dans la hiérarchie) hurlait en fixant son amie du regard chaque fois qu'un autre singe s'approchait avec une attitude menaçante[7].

Lucy était une femelle chimpanzé élevée par des humains, et pour lui donner de la compagnie, on lui apporta un chaton. La première rencontre ne fut pas un succès. Lucy, visiblement contrariée, bouscula quelque peu le chaton et tenta même de le mordre. La deuxième rencontre ne se passa guère mieux mais, lors de la troisième, Lucy garda son calme. Le chaton se mit alors à la suivre partout et, au bout d'une demi-heure, la femelle chimpanzé, oubliant ses réserves, prit le chaton dans ses mains, l'embrassa et changea complètement d'attitude. Très vite, les deux devinrent inséparables. Lucy faisait la toilette du chat, le berçait dans ces bras, lui fabriqua un petit nid et le protégeait à l'approche des humains. Le chaton n'était pas enclin à s'agripper aux flancs de Lucy, comme le font les jeunes chimpanzés, mais sautait volontiers sur son dos et y restait pendant que Lucy se déplaçait. Sinon, Lucy l'emmenait dans sa main. Lucy, qui communiquait avec les chercheurs à l'aide de symboles sur un écran d'ordinateur et avait un vocabulaire relativement riche, donna même au chaton le nom de «Toute-balle[8]».

La joie des retrouvailles, la tristesse des séparations

Dans un zoo, deux chimpanzés mâles adultes qui avaient vécu dans le même groupe, puis avaient longtemps vécu séparés, ont été un jour remis ensemble. Les responsables craignaient qu'ils ne se battent, mais les deux grands singes sont tombés dans les bras l'un de l'autre et ont échangé des baisers avec force émotion, tout en se donnant de grandes claques sur le dos comme de vieux amis. Ils se sont ensuite toilettés réciproquement pendant un long moment[9].

Les retrouvailles entre deux groupes d'éléphants amis qui ne se sont pas vus depuis longtemps donnent aussi lieu à des manifestations d'exubérance. Cynthia Moss raconte la réunion de deux hordes qui s'étaient repérées à distance (en dehors des barrissements audibles, les éléphants communiquent aussi sur de longues distances par des sons de très basse fréquence, inaudibles à l'oreille humaine). Ils se mirent à barrir dès qu'ils furent à un demi-kilomètre les uns des autres, se guidant réciproquement par ces appels et montrant des signes d'allégresse. Lorsqu'ils furent enfin en vue les uns des autres, ils se sont mis à courir en barrissant à tue-tête. Les deux matriarches sont allées droit l'une vers l'autre, croisant leurs défenses, enroulant leurs trompes, battant des oreilles et se frottant l'une contre l'autre. Tous les autres éléphants firent de même[10].

On a aussi décrit de nombreux cas d'animaux amis qui, après avoir vécu longtemps ensemble, perdent tout intérêt pour leurs occupations habituelles lorsqu'un de leurs compagnons meurt et se laissent mourir d'inanition. J. Y. Henderson, qui fut pendant des années vétérinaire de cirque, raconte le cas de deux chevaux qui avaient longtemps partagé la même écurie[11]. Quand l'un d'eux mourut, l'autre se mit à gémir continuellement. Il dormait et mangeait à peine. On essaya de le mettre avec d'autres chevaux, de lui prodiguer des soins particuliers et d'améliorer l'ordinaire de sa nourriture. Rien n'y fit, il mourut dans les deux mois, sans que le vétérinaire ait pu diagnostiquer une maladie particulière.

L'empathie ciblée des grands singes

Dans *L'Âge de l'empathie*, Frans de Waal rapporte de nombreux cas d'empathie chez les grands singes, qui révèlent une compréhension précise des besoins de l'autre et des réactions appropriées :

> Dans notre centre de primates, nous avons une vieille femelle, Peony, qui passe ses journées en semi-liberté avec les autres chimpanzés dans un grand enclos. Les mauvais jours, quand son arthrite fait des siennes, elle a beaucoup de mal à marcher et à grimper. Mais les autres femelles viennent à sa rescousse. Par exemple, Peony peste et souffle pour monter dans la structure d'escalade sur laquelle plusieurs singes se sont réunis pour une séance de toilettage. Une femelle plus jeune et sans lien de parenté avec elle se poste derrière Peony, place ses deux mains sur son ample postérieur et la pousse, ce qui n'est pas une mince affaire, jusqu'à ce qu'elle ait rejoint les autres[12].

Éloigner quelqu'un d'un péril imminent est une autre façon de protéger autrui. Il faut pour cela anticiper et comprendre que l'autre est en danger, qu'il n'est pas conscient de ce danger et qu'il faut intervenir avant qu'il soit trop tard.

Jane Goodall raconte avoir observé dans la réserve de Gombe, en Tanzanie, Pom, une jeune femelle de neuf ans pousser un cri d'alarme à la vue d'un gros serpent. Toute la petite bande s'était alors réfugiée dans un arbre, sauf Prof, le petit frère de Pom, qui n'avait pas compris le signal ou l'avait ignoré, et qui continuait de s'approcher du serpent. Pom redescendit prestement de son perchoir pour récupérer son frère et l'amena en lieu sûr[13].

Les chimpanzés élevés par des humains sont capables de manifester des comportements empathiques bien adaptés aux situations. Dans l'ex-URSS, isolée du reste du monde scientifique, l'éthologue russe Nadia Kohts étudia pendant des années le comportement d'un jeune chimpanzé, Yoni, qu'elle éleva avec amour en compagnie de son propre fils.

Le passage suivant, cité par Frans de Waal, illustre la sollicitude manifestée par Yoni à l'égard de sa mère adoptive :

> Si je fais semblant de pleurer, de fermer les yeux et de sangloter, Yoni interrompt net ses jeux ou toute autre activité et accourt aussitôt, tout excité et bouleversé, depuis les endroits les plus éloignés de la maison, comme le toit ou le plafond de sa cage, d'où je n'arrivais jamais à le faire descendre malgré mes appels insistants et mes tentatives de séduction. Il tourne rapidement autour de moi, comme s'il cherchait l'agresseur ; scrutant mon visage, il prend doucement mon menton dans sa paume, passe délicatement le doigt sur ma figure, comme pour essayer de comprendre ce qui se passe, et tourne dans tous les sens en serrant les poings... Plus mes pleurs étaient tristes et inconsolables, plus sa compassion devenait chaleureuse[14].

La gratitude

Les primates manifestent fréquemment de la gratitude envers ceux qui ont pris soin d'eux, en s'épouillant mutuellement mais aussi en manifestant clairement leur joie. L'un des pionniers de la primatologie, Wolfgang Köhler, s'aperçut un soir que deux chimpanzés avaient été oubliés dehors sous une pluie battante. Il s'empressa d'aller à leur rescousse, réussit à ouvrir la porte cadenassée de leur abri et se mit de côté pour laisser les chimpanzés rejoindre au plus vite leur couche sèche et chaude. Or, bien que la pluie continuât de ruisseler sur le corps des chimpanzés transis de froid, et que ceux-ci n'aient cessé jusqu'alors de manifester leur misère et leur impatience, avant de rejoindre le confort de leur abri, ils se tournèrent vers Köhler et l'enlacèrent, l'un autour de la poitrine et l'autre autour des jambes, dans des transports de joie. Ce n'est qu'après avoir ainsi manifesté leur appréciation avec exubérance qu'ils se précipitèrent vers la paille accueillante de l'abri[15].

Les multiples facettes de l'empathie des éléphants

Dans l'écosystème d'Amboseli, au sud du Kenya, Cynthia Moss et ses collaboratrices ont, pendant trente-cinq ans, étudié le comportement d'environ deux mille éléphants, dont chacun était identifié et portait un nom. Les éléphants ont une vie sociale très riche et possèdent des systèmes de communication auditifs, olfactifs et visuels complexes. Chez ceux qui vivent dans les savanes africaines, les femelles restent dans la même horde toute leur vie, et les mères prennent fréquemment soin des jeunes d'autres femelles, ce qui est un facteur important de survie[16]. Parmi la foule d'observations consignées au fil des années, les chercheurs ont extrait plus de deux cent cinquante cas significatifs de réaction empathique face à la détresse d'un congénère[17]. Parmi ces réactions figurent des comportements aussi divers que le fait de se coaliser face à un danger, de protéger les autres, de les réconforter, de les aider à se déplacer, de prendre soin des petits d'autres mères ou d'extraire des objets étrangers du corps d'un congénère.

Les éléphants adultes coordonnent souvent leurs forces quand un danger se présente sous la forme d'un prédateur ou d'un éléphant hostile. Quand un jeune ou un adulte blessé est en danger, un autre éléphant vient la plupart du temps le protéger. Le plus souvent, ce sont les mères qui protègent leurs jeunes, en les empêchant de s'approcher d'un endroit dangereux, comme le bord abrupt d'un marécage, ou en s'interposant pour séparer deux jeunes qui se querellent, mais des mères amies peuvent aussi intervenir. Quand une mère doit se séparer de son rejeton pendant quelques heures, les mères adjointes prennent sa relève.

Lorsqu'un éléphant s'est embourbé ou est tombé sans pouvoir se relever, bien souvent d'autres éléphants essaient de le tirer avec leur trompe, de le pousser avec leurs jambes, ou de le soulever avec leurs défenses.

Quand une flèche-seringue de vétérinaire, ou parfois une lance, se trouve fichée dans le corps d'un éléphant, il est fréquent que d'autres touchent l'endroit blessé, et parfois ils réussissent à extraire l'objet étranger. On a aussi vu une mère retirer un sac en plastique de la bouche de son petit et le jeter au loin.

Comportements altruistes chez les dauphins et autres cétacés

Les dauphins, comme en témoignent d'innombrables observations recensées par les éthologues Melba et David Caldwell, sont capables de prodiguer le même type d'aide ciblée que les humains, les grands singes et les éléphants[18].

John Lilly rapporte le cas d'un jeune dauphin qui, au large des Antilles, s'était écarté de son groupe. Il fut attaqué par trois requins et lança des cris de détresse. Aussitôt, les adultes de la troupe qui, jusque-là, conversaient entre eux, firent silence et nagèrent rapidement vers le jeune en danger. Arrivés sur les lieux comme des torpilles, ils percutèrent à pleine vitesse (60 kilomètres à l'heure) les requins qu'ils eurent tôt fait d'assommer et de faire couler vers les profondeurs. Pendant ce temps, les femelles s'occupaient du jeune blessé, qui ne pouvait plus faire surface pour respirer. Deux d'entre elles le soulevèrent en se plaçant sous lui, jusqu'à ce que sa tête émerge de l'eau. De temps à autre, d'autres femelles les relayaient pour qu'elles puissent elles-mêmes s'approvisionner en air[19].

Dans certains cas, on a observé que de telles opérations de sauvetage pouvaient durer jusqu'à deux semaines, jusqu'à ce que le dauphin handicapé guérisse, ou bien qu'il meure. Pendant tout ce temps, les sauveteurs ne se nourrissaient plus et ne remontaient à la surface que le temps de respirer[20].

On dispose aussi de nombreux témoignages sur des dauphins ayant secouru des hommes. À Harbin, en Chine, dans le parc d'attractions de Terre polaire, la nageuse Yang Yun participait à un concours de plongée en apnée dans un bassin profond de 7 mètres maintenu à une température glaciale pour les bélougas qu'il hébergeait. La nageuse fut prise de crampes si puissantes à une jambe qu'elle se sentit couler et crut mourir. Un bélouga, Mila, lui prit délicatement une jambe dans sa bouche et la ramena à l'air libre, tandis qu'un autre bélouga la poussait par en dessous avec son dos[21].

En Nouvelle-Zélande : quatre nageurs furent soudain encerclés par une bande de dauphins qui nageaient autour d'eux en cercles de plus en plus serrés, à la manière d'un chien de berger qui regroupe ses moutons. Quand l'un des nageurs tenta de s'éloigner, deux dauphins le forcèrent à réintégrer le groupe. Quelques instants plus tard, un nageur vit passer un grand requin blanc, et les dauphins ne laissèrent repartir leurs protégés qu'au bout de quarante minutes[22].

Les baleines, quant à elles, viennent presque toujours à l'aide d'un congénère attaqué par des baleiniers. Elles s'interposent entre la baleinière et leur compagne blessée et font parfois chavirer l'embarcation. Les tueurs de baleines exploitent souvent ce comportement. S'ils réussissent à s'emparer d'un bébé vivant, ils savent que tous les adultes vont se regrouper autour de lui. Il ne reste plus qu'à les tuer jusqu'au dernier[23].

Des comportements d'entraide ont aussi été décrits chez les morses, qui créent de puissants liens sociaux, partagent leur nourriture, s'occupent des petits des autres et viennent à la rescousse d'un congénère lorsqu'il est attaqué[24]. Les morses blessés ne sont pas abandonnés à leur sort. Ceux qui, par exemple, ont été atteints sur la terre ferme par les balles d'un chasseur sont, dans la mesure du possible, tirés jusqu'à l'eau et, s'ils ont du mal à nager, d'autres morses les portent sur leur dos pour leur maintenir la tête hors de l'eau et leur permettre ainsi de respirer[25].

L'entraide parmi des animaux de différentes espèces

L'entraide parmi des individus d'espèces différentes est plus rare, sans pour autant être exceptionnelle. Les chercheurs la considèrent comme une extension de l'instinct maternel et de l'instinct de protection.

Dans ses mémoires, l'éthologiste Ralph Helfer rapporte une scène dont il fut témoin en Afrique de l'Est. Durant la saison des pluies, une mère rhinocéros et son bébé étaient arrivés dans une clairière près d'une réserve de sel, lorsque le petit s'enlisa dans une boue épaisse. Il appela sa mère qui revint sur ses pas, le renifla puis, ne sachant quoi faire, regagna le couvert des arbres. Le petit continuant d'émettre des appels de détresse, la mère vint à nouveau, mais semblait impuissante. Survint une horde d'éléphants intéressés eux aussi par la réserve de sel. La mère rhinocéros, craignant pour son rejeton, chargea les pachydermes, qui s'éloignèrent, puis regagna la forêt. Quelques moments plus tard, un grand éléphant revint sur ses pas, s'approcha du bébé rhinocéros, le huma avec sa trompe, s'agenouilla et glissa ses défenses sous lui pour le soulever. La mère fit aussitôt irruption et chargea de nouveau l'éléphant, qui s'éloigna. Ce manège se répéta pendant plusieurs heures. Chaque fois que la mère rhinocéros regagnait la forêt, l'éléphant revenait pour essayer d'arracher le petit à la boue ; puis il y renonçait devant la charge de la mère. La horde d'éléphants finit par s'en aller. Le lendemain matin, Helfer et un garde forestier s'approchèrent pour tenter de dégager le jeune rhinocéros. Celui-ci prit peur et dans son effort pour fuir parvint à s'extraire de la boue, avant de rejoindre sa mère qui s'approchait, de nouveau alertée par ses cris[26].

La consolation

Des comportements consolateurs sont couramment observés chez les grands singes et les canidés (chiens, loups), mais aussi chez les corvidés. Teresa Romero et ses collègues en ont répertorié plus de trois mille cas chez les chimpanzés[27]. Il ressort de leur étude que ces comportements sont plus fréquents chez les individus qui sont socialement proches, et qu'on les observe plus souvent chez les femelles que chez les mâles (à l'exception cependant des mâles dominants qui sont prodigues en actes de consolation, sans doute pour renforcer la cohésion sociale du groupe).

Généralement, un chimpanzé viendra consoler le perdant d'une altercation qui ne s'est pas soldée par une réconciliation. En revanche, lorsque les protagonistes se sont réconciliés à l'issue du combat[28], ce comportement est rare, ce qui montre que le consolateur est capable d'évaluer les besoins de l'autre. La consolation s'exprime de diverses façons : on offre à la victime une séance de toilettage, on la prend dans ses bras, on la touche gentiment ou on l'embrasse. La consolation est réciproque : ceux qui consolent souvent seront souvent consolés lorsque viendra leur tour de perdre une dispute.

L'expression du deuil

L'expression du deuil est particulièrement remarquable chez les éléphants. Quand l'un ou l'une d'entre eux est sur le point de mourir, ses congénères se pressent autour de lui, tentent de le relever, parfois même de le nourrir. Puis, s'ils constatent qu'il est mort, ils vont chercher des branches qu'ils déposent ensuite sur son corps et tout autour, parfois jusqu'à le recouvrir. La horde se livre aussi à des rituels : les éléphants se disposent parfois en cercle autour du mort, la tête tournée vers l'extérieur, ou défilent un par un devant le mort, chacun le touchant de sa trompe ou de son pied, et faisant une pause devant lui avant de laisser la place au suivant. On ne peut s'empêcher d'évoquer le rituel des obsèques humaines au cours duquel chacun dépose à son tour une fleur sur la tombe. Lorsque la horde finit par s'éloigner, si l'éléphant mort était jeune, la mère reste souvent en arrière quelque temps et, lorsqu'elle a rejoint la troupe, elle montre des signes d'abattement pendant plusieurs jours, marchant à la traîne des autres.

Les éléphants présentent aussi la particularité d'être systématiquement attirés par les ossements de leurs congénères, qu'ils ne semblent avoir aucun mal à identifier. Il leur arrive de passer une heure à retourner les os dans tous les sens et à les renifler et ils en emportent parfois un fragment. Cynthia Moss raconte qu'elle avait rapporté dans son camp les os de la mâchoire d'une éléphante pour en déterminer l'âge. Quelques semaines plus tard, la horde à laquelle appartenait la défunte passait à proximité. Les éléphants firent alors un détour pour venir examiner les ossements, puis s'en allèrent. Mais un éléphanteau, qu'on identifia par la suite comme l'orphelin de la morte, resta un long moment après que la horde eut quitté les lieux, touchant la mâchoire de sa mère, la retournant délicatement avec ses pieds et la prenant avec sa trompe[29]. Il n'y a aucun doute qu'il avait reconnu la provenance des ossements et que cette découverte suscitait en lui des souvenirs et des émotions. Moss observa aussi une éléphante, Agatha, qui, quinze mois après la mort de sa mère, retournait fréquemment sur le lieu de sa mort et manipulait longuement son crâne.

On a même observé un cas intrigant de sentiment de deuil pour une autre espèce. Au Zimbabwe, un éléphanteau avait adopté un jeune rhinocéros comme compagnon de jeu. Lorsque ce dernier fut tué par des braconniers qui l'enterrèrent après avoir scié sa corne, l'éléphanteau creusa jusqu'à un mètre de profondeur pour déterrer le corps de son ami, tout en poussant des cris de détresse, tandis que deux autres éléphants plus âgés l'entouraient et tentaient de le consoler en le soutenant de leur corps[30].

Les chimpanzés manifestent également des signes de consternation lorsqu'un de leurs semblables meurt, et ils restent parfois longtemps à l'observer en silence. Les mères chimpanzés qui perdent un petit en sont affectées pendant des semaines. En Guinée, on vit une mère porter pendant plus de deux mois le corps desséché de son petit, en chassant avec des branches les mouches qui s'en approchaient.

Jane Goodall décrit comment Flint, un jeune chimpanzé de huit ans qui était très attaché à sa mère, Flo, tomba dans une profonde dépression à la mort de celle-ci. Trois jours plus tard, il grimpa vers le nid de branches où sa mère se reposait habituellement, le contempla longuement, puis redescendit et se coucha dans l'herbe, prostré, les yeux grands ouverts regardant dans le vide. Il cessa pratiquement de s'alimenter et mourut trois semaines plus tard[31].

Le deuil a été observé chez de nombreuses autres espèces, y compris les animaux de compagnie. En Écosse, un skye-terrier resta quatorze ans près de la tombe où son maître avait été enterré en 1858, refusant de la quitter. Des voisins le nourrirent jusqu'à sa mort puis l'enterrèrent près de son maître. Les villageois lui firent alors une statue dans le petit cimetière, en hommage à sa fidélité.

Le phénomène de l'adoption

Jane Goodall décrit plusieurs cas d'adoption[32]. Mel, un jeune chimpanzé de trois ans, perdit sa mère et n'avait pas de frères et sœurs. Il n'aurait pas survécu si Spindle, un mâle de douze ans non apparenté, ne l'avait pas adopté. Ils devinrent vite inséparables. Spindle attendait Mel durant les déplacements de la troupe et lui permettait également de voyager sur son dos. Lorsque Mel s'approchait trop près de mâles en colère durant des altercations au sein du groupe, il arrivait que Spindle vienne le chercher pour le soustraire au danger, ce qui n'était pas sans risque pour lui.

Christophe Boesch et ses collègues ont observé de fréquentes adoptions parmi les chimpanzés de la forêt de Taï, en Afrique orientale[33]. Généralement, un orphelin de moins de cinq ans ne survit pas, ou se développe plus lentement que les autres. Les orphelins adoptés, en revanche, ont un développement normal. Sur trente-six orphelins suivis par Boesch, dix-huit furent adoptés. Il est remarquable de constater que, parmi eux, la moitié le fut par des mâles, dont un par son propre père, les autres n'ayant pas de lien direct avec leur protégé. En effet, d'ordinaire les mâles ne s'associent pas à une femelle particulière et s'occupent peu de leurs rejetons. Mais les pères adoptifs, eux, portent les orphelins sur leur dos dans leurs déplacements journaliers (8 kilomètres par jour en moyenne) et partagent leur nourriture pendant des années, ce qui représente un investissement considérable. Les chercheurs pensent que ces comportements solidaires ont été encouragés par le fait que ces chimpanzés vivent dans une zone où les léopards abondent.

La transmission des cultures sociales

Nous avons vu que les cultures élaborées, impliquant une transmission cumulative des connaissances, n'ont pris de l'ampleur que chez les êtres humains. Mais cela ne signifie pas pour autant que les animaux soient dépourvus de culture. Au sein d'une espèce, on observe d'un groupe à l'autre des variantes culturelles qui ne sont pas d'origine génétique.

Les chimpanzés de régions voisines, en Afrique, ont développé des styles de toilettage qui diffèrent d'un groupe à l'autre, tandis que chez les orangs-outangs de Sumatra, ce sont les outils utilisés qui varient selon les régions. Ces variations ne sont pas dues à l'influence des milieux écologiques, mais à la diversification de l'apprentissage social. En quelques semaines, des communautés entières de singes, d'oiseaux, de dauphins, de baleines, de loups et d'ours, pour ne citer que ceux-là, peuvent adopter une nouvelle habitude «découverte» par l'un de leurs membres. On cite souvent le cas des mésanges d'Angleterre qui, il y a quelques décennies, s'étaient mises à percer les capsules en aluminium des bouteilles de lait pour picorer la crème qui flottait à la surface, à quelques semaines d'intervalle et dans tout le pays. Le deuil élaboré des éléphants que nous avons mentionné plus haut s'apparente à ce que les humains considèrent comme une culture.

Le primatologue écossais William McGrew fut le premier à introduire la notion de culture animale[34]. Comme le souligne l'éthologue Dominique Lestel, si les cultures animales se distinguent des cultures humaines par le fait qu'elles ne sont pas fondées sur le langage, l'art, la religion ou d'autres aspects spécifiques des cultures humaines, en revanche il s'agit bien de cultures, puisqu'elles sont transmises socialement et non génétiquement. Ces cultures restent toutefois beaucoup plus limitées que chez l'homme, car elles ne semblent pas s'accumuler au fil des générations.

Savoir ce que les autres pensent, ou la «théorie de l'esprit»

Les animaux sont-ils capables d'avoir une idée de ce qui se passe dans l'esprit d'un autre? Ils sont certainement capables d'observer les comportements de leurs congénères et d'en tenir compte, mais cela n'implique pas pour autant qu'ils soient capables de se représenter leurs états mentaux.

On sait que les animaux peuvent faire preuve de dissimulation et se livrer à des mises en scène pour tromper leurs semblables. Lorsqu'un geai, par exemple, cache des provisions et s'aperçoit qu'il est observé par un autre geai, il fait comme s'il ne le savait pas, puis, dès que l'autre geai a quitté les lieux, il retourne à sa cachette, en sort les provisions et va les dissimuler ailleurs. Il a donc bien compris que les autres geais chercheraient à lui voler son bien. Mais dans quelle mesure peut-il se mettre à la place de l'autre et imaginer ce qu'il pense ? Emil Menzel[35] fut l'un des premiers éthologues à explorer cette question, tandis que le concept de « théorie de l'esprit » – théorie à propos de ce que l'autre pense – fut formulé par David Premack et Guy Woodruff[36].

Les observations dont nous disposons permettent-elles de se faire une idée précise ? Selon une étude de Brian Hare sur les chimpanzés du Centre de primates Yerkes, près d'Atlanta, les grands singes qui se trouvent au bas de la hiérarchie sociale prennent en compte ce que sait un concurrent dominant avant de s'approcher de la nourriture[37]. Thomas Bugnyar a observé, quant à lui, des comportements similaires chez le grand corbeau : quand un grand corbeau s'approche d'une cache de nourriture, il regarde qui se trouve à la ronde. S'il aperçoit un congénère susceptible de l'avoir vu engranger la nourriture, il se précipite vers la cachette pour être sûr de récupérer le butin avant l'autre. S'il ne voit que des individus *dont il sait qu'ils ne savent pas* où se trouve la cachette, il prend tout son temps[38]. Il y a donc bien là une prise de conscience de *ce que l'autre sait ou ne sait pas.* Des comportements comparables ont aussi été mis en évidence chez les singes capucins, les chiens et les loups et, comme nous allons le voir, chez les dauphins[39]. Selon Frans de Waal, l'idée que la théorie de l'esprit ne s'applique qu'à l'homme est mise à mal par toutes ses observations[40].

Une étude de Shinya Yamamoto et de ses collègues a permis de montrer que non seulement les chimpanzés s'entraident, mais qu'ils sont capables d'évaluer avec précision les besoins de l'autre[41]. Dans cette expérience, deux chimpanzés qui se connaissent sont placés dans des cages contiguës. Une petite fenêtre permet de faire passer des objets d'une cage à l'autre. Le premier chimpanzé reçoit dans sa cage une boîte avec sept objets : un bâton, une paille pour boire, un lasso, une chaîne, une corde, un gros pinceau plat et une ceinture.

On place alors le second chimpanzé dans une situation telle qu'il a besoin d'un outil spécifique, qui s'avère être soit un bâton, soit une paille, pour obtenir une portion de jus de fruits. Le second chimpanzé signale au premier, par des gestes et par la voix, qu'il a besoin d'aide. Ce dernier regarde, évalue la situation, choisit neuf fois sur dix le bon outil sur les sept proposés, et le passe à son congénère par la fenêtre. Il ne reçoit lui-même aucune récompense.

Si maintenant on bloque sa vue par un panneau opaque, le premier chimpanzé est toujours désireux d'aider lorsqu'il entend l'autre lui demander de l'aide, mais faute de pouvoir évaluer, par la vue, son besoin précis, il passe n'importe lequel des sept objets. Cette expérience a été répétée avec plusieurs chimpanzés et, dans un cas, le chimpanzé sollicité s'est déplacé pour aller regarder par un petit trou qu'il avait repéré dans le haut du panneau opaque, afin d'évaluer la situation de l'autre et de lui faire passer le bon outil !

Un dauphin malin

Dans le Centre d'études des mammifères marins du Gulfport, au Mississippi, les responsables de l'entraînement des dauphins ont eu l'idée de les recruter pour nettoyer le bassin. Il n'a pas fallu longtemps pour faire comprendre aux dauphins qu'ils pouvaient échanger un morceau de plastique ou de carton contre un poisson, et le bassin est bientôt devenu immaculé. Mais Kelly, une femelle, imagina un stratagème pour augmenter le rendement : lorsqu'elle trouvait de gros détritus, un journal ou une boîte en carton, au lieu de l'échanger tout de suite contre un poisson, elle les cachait dans une crevasse de rocher au fond du bassin, puis les déchirait en petits morceaux qu'elle apportait un par un à son instructeur pour les échanger contre des poissons. Un bon investissement donc, qui suppose au moins deux capacités. La première est la capacité de résister à la tentation de recevoir un poisson tout de suite en échangeant le détritus qu'elle venait de trouver. On sait, par comparaison, que moins d'un jeune enfant sur deux résiste à la tentation de manger un bonbon sur-le-champ, plutôt que deux bonbons dix minutes plus tard. La seconde est de comprendre que ce qui importe n'est ni la taille du papier, ni le fait de donner immédiatement tout ce qu'on trouve, mais que chaque fragment a la même valeur que le tout.

L'ingéniosité de Kelly ne s'arrêta pas là. Elle eut aussi l'idée de cacher des morceaux de poisson (de nouveau, en remettant sa récompense à plus tard) qu'elle amenait de temps en temps à la surface de l'eau pour attirer les goélands, tandis qu'elle restait invisible au-dessous. Très vite, un goéland repérait l'appât et, lorsqu'il était sur le point de s'en saisir, Kelly lui attrapait les pattes dans sa mâchoire, sans le blesser. Ensuite, elle attendait qu'un dresseur, voulant éviter la mort du goéland, se dépêche de lui lancer un poisson, et elle relâchait aussitôt l'oiseau. Après avoir constaté le succès de son stratagème, Kelly l'enseigna à son petit, et bientôt le piégeage de goélands devint le sport favori des dauphins du bassin[42]. Kelly démontra ainsi qu'elle était capable de raisonner, d'utiliser des outils, de faire des plans, d'avoir recours à des ruses très élaborées et de les enseigner aux autres.

Une bonobo qui essaie de faire voler un oiseau

Frans de Waal raconte l'histoire d'une bonobo appelée Kuni qui, après avoir vu un étourneau s'assommer contre la paroi en verre de son enclos, le saisit délicatement et l'encouragea à voler avec des gestes de la main. Devant son insuccès, elle l'emporta au sommet d'un arbre, lui déploya les ailes entre ses deux mains, comme s'il s'agissait d'un avion miniature, et propulsa l'étourneau dans les airs, en espérant, peut-on penser, qu'il allait s'envoler. Kuni avait donc tenu compte de ce que font habituellement les oiseaux. L'oiseau, trop mal en point, s'écrasa au sol. Kuni redescendit alors de son perchoir et, pendant longtemps, protégea l'étourneau moribond des jeunes chimpanzés qui s'approchaient de lui[43].

Faut-il être capable de se faire une idée de soi-même pour se faire une idée de l'autre ?

Cette question peut paraître étrange, mais elle est importante au regard du développement de l'empathie. On sait, en effet, que les enfants humains commencent à manifester de l'empathie entre dix-huit et vingt-quatre mois, à peu près au moment où ils commencent à se reconnaître dans un miroir. Le test classique consiste à faire une marque de couleur rouge sur le front de l'enfant sans qu'il s'en aperçoive :

lorsqu'il se reconnaît dans le miroir, il touche la tache rouge et essaie généralement de l'effacer. Du fait qu'il n'y a guère de miroirs dans la jungle et les océans, il est d'autant plus remarquable que nombre d'animaux aient passé ce test du miroir. Les premiers furent les grands singes, comme le montra le psychologue et spécialiste de l'évolution Gordon Gallup en 1970[44], puis ce fut le tour des dauphins, des éléphants et des pies.

En 1999, une équipe de neuroscientifiques remarqua que des neurones très particuliers, les neurones von Economo (appelés aussi « cellules VEN ») en forme de fuseau, étaient présents, parmi les vingt-huit familles de primates, chez les humains et les quatre espèces de grands singes[45]. Or ce sont précisément ces espèces qui réussissent le test du miroir. Plus tard, on a aussi découvert la présence de cellules VEN chez les baleines, les dauphins et les éléphants[46].

Il existe donc des corrélations entre la reconnaissance de soi-même dans un miroir, la présence de cellules VEN et la capacité d'empathie avancée. Les chercheurs s'accordent néanmoins sur le fait que l'empathie peut prendre de multiples formes, et que la faculté de se reconnaître dans un miroir ne saurait constituer une condition nécessaire à la compréhension de soi-même et de l'autre.

Jusqu'où va la preuve ?

Peut-on démontrer l'existence de l'altruisme, en tant que « motivation dont la finalité ultime est le bien d'autrui », chez les animaux ? Nous avons vu avec les expériences de Daniel Batson à quel point il est difficile de prouver sans ambiguïté l'existence de cette motivation chez l'être humain. On imagine les obstacles auxquels doit faire face l'éthologue qui entreprend des expérimentations similaires chez les animaux, avec lesquels il est naturellement beaucoup plus difficile de communiquer.

Certaines des observations réalisées semblent pourtant avoir pour seule explication possible une motivation altruiste. Frans de Waal me raconta l'anecdote suivante : « Une vieille mère chimpanzé avait de plus en plus de peine à se déplacer, notamment pour se rendre au point d'eau qui était assez loin de son gîte. Lorsqu'elle se mettait péniblement en mouvement vers le point d'eau, l'une ou l'autre des jeunes femelles la devançait, se remplissait les bajoues, revenait vers la vieille mère, qui ouvrait grande la bouche, et la jeune femelle recrachait l'eau dans la bouche de l'aïeule.»

Daniel Batson convient que, dans ce cas, tout indique la présence d'une véritable sollicitude empathique, mais que ce type d'exemple, pour touchant qu'il soit, ne constitue pas une preuve d'altruisme, puisque nous ne sommes pas en mesure de savoir à quelle motivation obéit le sujet[47]. C'est avec cette incertitude à l'esprit que des chercheurs se sont ingéniés à imaginer des dispositifs expérimentaux permettant de répondre à cette question de façon convaincante.

Nombre de ces expérimentations sont dues à Michael Tomasello, Felix Warneken et leurs collègues de l'Institut Max-Planck de Leipzig. Warneken, en particulier, voulait savoir si des chimpanzés étaient capables de venir en aide à un congénère de façon gratuite, autrement dit, en l'absence de récompense à la clé[48]. La scène se passe en Ouganda, dans une réserve où les chimpanzés passent leurs journées sur un vaste terrain clos. Le soir, ils sont rassemblés dans une bâtisse.

Pendant le test, un expérimentateur se tient contre les barreaux qui le séparent des singes, en faisant mine de vouloir attraper un bâton qui se trouve du côté des chimpanzés et hors de sa portée. Très vite, l'un des chimpanzés va prendre le bâton et le tend à l'expérimentateur. Puis le bâton est placé dans un endroit plus difficile à atteindre, exigeant du chimpanzé qu'il grimpe sur une plateforme à 2,5 mètres de hauteur[49]. Pourtant, le chimpanzé y va encore. Il est intéressant de remarquer que le fait de le récompenser n'augmente pas la fréquence de l'aide. Warneken note que des jeunes enfants de dix-huit mois réagissent spontanément de la même façon.

Les chimpanzés voulaient-ils faire plaisir aux humains ? Rien ne l'indique, car ils ne connaissaient pas les expérimentateurs, qui n'étaient pas ceux qui s'occupaient d'eux et les nourrissaient habituellement. Pour savoir si les chimpanzés étaient disposés à aider leurs congénères de façon désintéressée, Warneken utilisa un deuxième dispositif.

Deux chimpanzés se trouvent dans des enclos contigus séparés par des barreaux. L'un d'entre eux tente à maintes reprises d'ouvrir une porte donnant sur une pièce dont ils savent tous les deux qu'elle contient de la nourriture. La porte est fermée par une cheville. Cette cheville est disposée de telle sorte qu'elle se trouve hors d'atteinte du chimpanzé qui essaie d'entrer, mais à portée de main de son voisin qui, lui, ne peut accéder à la pièce contenant de la nourriture. Le second va-t-il donner un coup de main au premier, alors qu'il sait pertinemment qu'il n'aura pas de récompense ? Contre toute attente, la réponse est oui. Conscient du besoin de l'autre et témoin de son impuissance, le voisin ôte la cheville qui retient la chaîne, permettant ainsi à son compagnon d'aller se régaler.

Dans un film ancien réalisé par Meredith Crawford lors d'une des études fondatrices sur les comportements d'entraide des chimpanzés[50], on voit un plateau chargé de nourriture placé à l'extérieur de deux cages. Une corde est passée par les deux anses du plateau et les deux extrémités de la corde arrivent chacune dans une cage. Si un seul des chimpanzés tire la corde, celle-ci s'échappe des anses et le plateau ne bouge pas. Or on a copieusement nourri l'un des deux chimpanzés, qui n'est donc pas très motivé pour tirer sur son bout de corde. Mais l'autre a faim et voudrait bien que son voisin coopère. On le voit alors prendre son bout de corde et, par des gestes, inciter son congénère à tirer sur l'autre extrémité. Ce dernier s'y met sans enthousiasme, tire sur la corde quelques instants, puis s'arrête. Le premier singe passe alors un bras au travers des barreaux et encourage son collègue en lui tapotant sur l'épaule, comme on le fait en disant à un ami : « Allez, vas-y ! » Le second chimpanzé, après quelques encouragements, finit par tirer la corde jusqu'à ce que le plateau arrive à portée du chimpanzé affamé.

Cette observation fut rendue publique en 1937, pour montrer que les chimpanzés comprenaient la nature coopérative de la tâche qui leur était présentée*. Mais elle semble aussi plaider en faveur de l'altruisme, puisque celui qui prêtait main-forte à l'autre n'avait rien à y gagner, si ce n'est, pourrait-on sans doute objecter, d'entretenir des liens mutuellement bénéfiques.

Une expérience similaire a été réalisée en Thaïlande avec des éléphants. Joshua Plotnik et ses collègues ont appris à douze éléphants à tirer ensemble sur les deux extrémités d'une corde pour faire venir à eux un grand plateau en bois contenant de la nourriture et situé dix mètres plus loin[51]. La corde étant passée autour du plateau, si l'un des deux éléphants commençait à tirer seul, la corde coulissait autour du plateau qui, lui, ne bougeait pas.

---

* Je suis reconnaissant à Malini Suchak et Frans de Waal pour leurs éclaircissements au sujet des interprétations de ces expériences.

Les éléphants apprirent vite à accomplir cette opération et, dès le deuxième jour, ils réussirent huit fois sur dix à amener le plateau vers eux en synchronisant parfaitement leurs mouvements. On a alors compliqué la tâche en lâchant un premier éléphant, puis en attendant un peu avant de lâcher le deuxième. Les éléphants ont compris qu'il ne servait à rien de commencer tout seul et, dans la majorité des cas, ils ont attendu (jusqu'à quarante-cinq secondes) que l'autre arrive. L'un d'entre eux fut encore plus malin et se contenta de bloquer son bout de corde en posant le pied dessus, laissant l'autre faire tout le travail de halage! Comme quoi, il y a aussi des resquilleurs chez les éléphants.

Ces exemples concernent la collaboration «instrumentale». Un animal peut décider ou non de coopérer. Mais les chercheurs ont également voulu observer les choix prosociaux, ceux qui consistent à opter entre deux façons d'agir, l'une bénéfique à un autre individu, sans impliquer de coût pour soi-même, et l'autre qui ne tient pas compte de la situation et des désirs de l'autre.

Pour ce faire, Victoria Horner, Malini Suchak et leurs collègues réalisent l'expérience suivante. Ils placent deux chimpanzés dans des cages voisines où chacun peut facilement observer le comportement et les réactions de l'autre. L'un des deux singes dispose de trente jetons mélangés dans un pot : quinze bleus et quinze rouges. À l'extérieur des cages bien en vue des deux chimpanzés se trouve un plateau sur lequel sont disposés deux bols de nourriture. Le chimpanzé qui possède les jetons a été entraîné au préalable à échanger des jetons contre de la nourriture. Mais cette fois-ci, s'il donne un jeton bleu, il sera le seul à manger, et s'il donne un jeton rouge, la nourriture sera distribuée aux deux chimpanzés.

Au début, celui qui détient les jetons les donne au hasard, mais très vite les deux chimpanzés comprennent qu'avec les jetons «égoïstes», seul le donneur de jeton va festoyer. Dans ce cas, le chimpanzé qui ne reçoit rien manifeste sa déception et sollicite son collègue par des cris et des expressions corporelles. Or l'expérience montre que la majorité des distributeurs de jetons finissent par choisir principalement les jetons «altruistes»[52].

On pourrait penser que le premier chimpanzé fait ce choix non par altruisme, mais pour pouvoir prendre son déjeuner tranquille, sans avoir à supporter un énergumène qui manifeste bruyamment sa désapprobation quand le jeton choisi ne lui rapporte rien. Or, si le fait d'attirer l'attention du possesseur des jetons influence clairement le choix de ce dernier, en revanche, quand le chimpanzé frustré exprime son désir trop violemment (en crachant de l'eau vers le premier, en passant agressivement ses doigts au travers des barreaux, en secouant la cage etc.), l'autre choisit *moins souvent* les jetons «altruistes», comme si ces demandes intempestives l'indisposaient à l'égard de son congénère. Ce sont donc les réactions modérées, celles qui semblent simplement avoir pour but d'attirer l'attention de l'autre sans le harceler, qui déclenchent le plus grand nombre de choix prosociaux.

Anthropomorphisme ou anthropocentrisme ?

S'agit-il d'altruisme au sens où nous l'entendons chez l'homme ? Les recherches menées depuis une trentaine d'années, même si elles soulèvent encore des controverses, indiquent que certains animaux sont capables de sollicitude empathique, c'est-à-dire d'altruisme. En fin de compte, cela n'est pas étonnant, dans la mesure où l'on s'attend à trouver chez les animaux tous les éléments précurseurs de l'altruisme humain.

Les scientifiques qui ont le plus clairement mis en évidence la richesse des émotions exprimées par un grand nombre d'espèces animales ont souvent été accusés d'anthropomorphisme – un péché cardinal chez les spécialistes des comportements animaux. On a même reproché à Jane Goodall de donner des noms aux chimpanzés qu'elle étudiait. Pour bien faire, elle aurait simplement dû leur attribuer des numéros. De même, on a reproché à Frans de Waal d'employer un vocable «réservé» aux comportements humains pour décrire ceux des chimpanzés ou des bonobos.

De fait, nombre d'universitaires refusent encore d'utiliser pour les animaux des termes faisant référence à des états mentaux comme la colère, la peur, la souffrance, l'affection, la joie, ou toute autre émotion semblable aux nôtres. Bernard Rollin[53], professeur de philosophie et de sciences animales à l'université du Colorado, explique que les chercheurs, dans leur effort pour ne pas employer envers les animaux les termes qui décrivent les émotions humaines, ne parlent pas de peur mais de «comportements de retrait»; ils ne décrivent pas la «souffrance» d'un rat placé sur une plaque brûlante, mais comptent simplement le nombre de ses soubresauts ou de ses convulsions ; ils ne parlent pas de cris ou de gémissements de douleur, mais de «vocalisations». Le vocabulaire du bon sens est remplacé par un jargon qui relève davantage du déni que de l'objectivité scientifique.

Comme le remarque Frans de Waal, «tout le monde sait que les animaux ont des émotions et des sentiments, et qu'ils prennent des décisions semblables aux nôtres. À l'exception, semble-t-il, de quelques universitaires. Si vous allez dans un département de psychologie, vous entendrez dire : "Quand le chien gratte à la porte et aboie, vous dites qu'il veut sortir, mais comment savez-vous qu'il veut sortir? Il a simplement appris que les aboiements et les grattements permettent d'ouvrir les portes[54]."»

Il serait évidemment absurde de prêter à un ver de terre des émotions complexes comme l'orgueil, la jalousie ou la passion romantique, mais quand un animal est visiblement joyeux, triste ou facétieux, pourquoi ne pas appeler les choses par leur nom? Une telle obstination va à l'encontre du bon sens et méconnaît la nature même de l'évolution. «Si quelqu'un souhaite violer ce principe de continuité, écrit Bernard Rollin, et affirmer qu'il existe des sauts quantiques entre les espèces animales, tout en restant partisan de l'évolution, c'est à lui d'assumer *la charge de la preuve*[55].» La théorie de l'évolution implique que la psychologie, au même titre que l'anatomie, s'est développée de manière graduelle. Il est donc inconcevable que les émotions, l'intelligence et la conscience soient apparues soudainement chez l'homme. Dans *La Descendance de l'homme et la sélection sexuelle*[56], Darwin ne peut être plus explicite :

> Si aucun être organisé, l'homme excepté, n'avait possédé quelques facultés de cet ordre, ou que ces facultés eussent été chez ce dernier d'une nature toute différente de ce qu'elles sont chez les animaux inférieurs, jamais nous n'aurions pu nous convaincre que nos hautes facultés sont la résultante d'un développement graduel. Mais on peut facilement démontrer qu'il n'existe aucune différence fondamentale de ce genre.

Frans de Waal qualifie d'*anthropocentrisme* l'obstination à vouloir donner à l'homme le monopole de certaines émotions* :

---

* Frans de Waal a conçu le terme anglais *anthropodenial*, ou «anthropodéni», qui désigne le déni, communément observé dans la communauté scientifique et dans le grand public, de toute similitude entre les états mentaux et les émotions humaines et animales.

Les individus s'empressent d'écarter une vérité qu'ils connaissent depuis l'enfance : oui, les animaux éprouvent des sentiments et ont le souci des autres. Comment et pourquoi cette certitude disparaît-elle chez la moitié des humains dès qu'il leur pousse de la barbe ou des seins, ce phénomène m'étonnera toujours. Nous tombons dans l'erreur courante de nous en croire seuls capables. Humains nous sommes, et dotés d'humanité également, mais l'idée que cette humanité puisse avoir des origines plus lointaines, que notre bonté s'inscrit dans un cadre infiniment moins restreint n'a toujours pas réussi à s'imposer[57].

En Occident, de multiples raisons culturelles contribuent à cet anthropocentrisme; on y trouve des reliquats de l'idéologie judéo-chrétienne, selon laquelle seul l'homme posséderait une âme, le mépris des penseurs du XVIIe siècle comme Descartes et Malebranche, pour qui les animaux ne sont que des «automates de chair», et puis, à notre époque, l'orgueil anthropocentrique qui considère que d'inscrire l'homme dans la continuité de l'évolution des animaux est une injure à la dignité humaine et à son incommensurable supériorité.

Il y a sans doute une autre raison pour laquelle nombre d'entre nous s'accrochent avec ténacité à l'idée d'une frontière définitive entre les hommes et les animaux. Si l'on reconnaissait que les animaux ne sont pas fondamentalement différents de nous, nous ne pourrions plus les traiter comme des instruments au service de notre bon plaisir. Pour preuve, ce témoignage d'un chercheur à Bernard Rollin : «Cela rend mon travail tellement plus facile si j'agis comme si les animaux n'avaient pas la moindre conscience[58].»

La prise de conscience que tous les êtres sensibles, du plus simple au plus complexe, se situent dans un continuum évolutif, et qu'il n'y a donc pas de rupture fondamentale entre les différents degrés de leur évolution, doit naturellement nous amener à respecter les autres espèces et à utiliser notre intelligence supérieure, non pas pour profiter d'elles comme si elles étaient de simples instruments au service de notre bien-être, mais pour favoriser leur bien-être en même temps que le nôtre.

Curieusement, l'étude de l'empathie elle-même s'est heurtée à des obstacles dans le cadre de l'étude des émotions humaines. Nombre de chercheurs dans ce domaine nous ont fait part de leurs déboires. Frans de Waal déplore l'absence de considération de la science pour l'empathie, jusque récemment : «Même en ce qui concerne notre espèce, le sujet de l'empathie était considéré comme absurde et risible, au même titre que les phénomènes surnaturels tels que l'astrologie et la télépathie.» Richard Davidson a vécu une expérience similaire lorsqu'il s'est lancé dans l'étude des neurosciences des émotions chez les humains. Au début, ses directeurs scientifiques lui disaient qu'il perdait son temps et que cette ligne de recherche n'avait aucun avenir. Pendant longtemps, il a dû faire face aux préjugés selon lesquels il est vain de s'intéresser aux processus cérébraux des émotions, car seuls les processus cognitifs auraient de l'importance. Mais Richie persévéra et fit de ce domaine de recherche l'une des branches les plus actives des neurosciences[59]. De plus, étudier les émotions négatives – la haine, le désir, la jalousie, le mépris – passe encore, mais étudier l'amour altruiste et la compassion ! Ce n'était pas sérieux...

Récemment encore, Tania Singer, l'une des grandes spécialistes de l'empathie en neurosciences, me confiait que bien des chercheurs traditionnels considèrent son domaine de recherche comme «un peu léger». Lorsque les deux chercheurs précités, avec qui j'ai le privilège de collaborer depuis plus de douze ans, ont entrepris d'étudier les effets de la méditation sur le cerveau et sur les capacités empathiques, là encore ils se sont heurtés à l'indulgence amusée de nombre de collègues. Mais des résultats passionnants se sont accumulés et, peu à peu, les recherches sur l'empathie, l'altruisme, la compassion, les émotions positives et les effets de l'entraînement de l'esprit sur le cerveau et sur notre manière d'être ont gagné leurs lettres de noblesse dans le monde scientifique.

18

L'altruisme chez l'enfant

L'une des grandes questions qui fait débat dans la civilisation occidentale est de savoir si, comme l'avance Jean-Jacques Rousseau, nous sommes nés bons et disposés à coopérer les uns avec les autres avant que la société ne nous corrompe, ou si, comme l'affirme Thomas Hobbes, nous sommes nés égoïstes, peu disposés à nous aider mutuellement, et que seule la société nous apprend à nous comporter de manière plus civile.

Les recherches menées depuis une trentaine d'années, en particulier celles de Michael Tomasello et Felix Warneken, de l'Institut Max-Planck de Leipzig[1], penchent en faveur de la première hypothèse. Elles ont établi que dès l'âge d'un an, alors qu'ils apprennent à peine à marcher et à parler, les enfants manifestent déjà spontanément des comportements d'entraide et de coopération qui ne leur ont pas été appris par des adultes.

Plus tard, après l'âge de cinq ans, la tendance à la coopération et à l'entraide est influencée par l'apprentissage des rapports sociaux et par des considérations de réciprocité, ignorées par les enfants plus jeunes qui, eux, aident sans faire de discrimination. L'enfant apprend alors à être plus circonspect dans ses choix et assimile progressivement les normes culturelles en vigueur dans la société dans laquelle il évolue.

Il est aussi intéressant de noter que les travaux du psychologue et pédiatre Richard Tremblay et de ses collègues canadiens – auteurs d'une étude qui a suivi l'évolution de milliers d'enfants sur plusieurs décennies – ont montré que c'est également entre dix-sept et quarante-deux mois (trois ans et demi) que les enfants recourent le plus souvent à des agressions physiques, même si celles-ci restent inoffensives en raison de leur jeune âge[2]. Chez la majorité d'entre eux, l'incidence de ces agressions diminue à partir de quatre ans environ, à mesure qu'ils apprennent à les réguler et que leur intelligence émotionnelle se développe.

Ce pic des comportements d'agressions physiques à un si jeune âge peut paraître déconcertant et contradictoire avec les manifestations tout aussi nombreuses et spontanées de coopération altruiste. Mais, en vérité, la spontanéité et la fréquence de ces deux types de comportement, a priori incompatibles, sont dues au fait que les émotions commencent à se manifester pleinement alors que les systèmes cérébraux de régulation ne sont pas encore en place. Il suffit de contempler des petits enfants passer en quelques secondes du rire aux pleurs, puis de nouveau au rire, pour constater cette volatilité émotionnelle. Les neurosciences confirment que c'est vers l'âge de quatre ans que deviennent opérantes les structures du cortex permettant la régulation nuancée des épisodes émotionnels déclenchés par des réseaux cérébraux plus primitifs liés à la peur, à la colère et au désir. L'évolution ultérieure de ces prédispositions aux comportements altruistes et à la violence dépend ensuite d'un grand nombre de facteurs internes et externes.

De la naissance à l'âge de douze mois

Dans une étude souvent citée, les psychologues de l'enfance Sagi et Hoffman ont observé qu'à peine un jour après sa naissance, un bébé qui entend un autre nourrisson pleurer se met, lui aussi, à pleurer[3]. Ultérieurement, Martin et Clark ont montré que cette réaction était maximale lorsqu'on faisait entendre au nouveau-né les pleurs d'un bébé de son âge. En revanche, un nouveau-né réagit nettement moins aux pleurs d'un enfant plus âgé et ne pleure pas du tout à l'écoute des pleurs d'un bébé chimpanzé. Enfin, il s'arrête de pleurer lorsqu'on lui fait entendre un enregistrement de ses propres pleurs[4] ! Cette constatation expérimentale tendrait à prouver que le petit humain est capable dès la naissance d'une distinction élémentaire entre « soi » et « autrui ». D'autres chercheurs attribuent cette réaction à une simple « contagion émotionnelle », laquelle, nous l'avons vu, est un précurseur de l'empathie[5].

Pour Daniel Batson, cette réaction aux pleurs d'un autre nouveau-né pourrait être non pas la marque d'un sentiment empathique, mais l'expression d'un instinct inné de compétition en vue de recevoir de la nourriture ou d'attirer l'attention des parents[6]. On sait que dès qu'un oisillon pépie dans le nid à l'approche de la mère qui vient nourrir sa nichée, tous les autres se mettent immédiatement à pépier le plus fort qu'ils peuvent. Cette réaction est interprétée comme une réponse compétitive, et non empathique.

Les bébés préfèrent les gens aimables

Très tôt, pour simples spectateurs qu'ils soient, les enfants préfèrent manifestement les gens qui se comportent de manière bienveillante envers d'autres personnes à ceux qui les traitent avec hostilité. Dans le laboratoire de Paul Bloom à l'université de Yale, des chercheurs ont montré à des enfants de six à dix mois une vidéo dans laquelle une poupée en bois munie de gros yeux bien visibles peine à gravir une pente assez raide. Une autre poupée entre en scène et lui vient en aide en la poussant par-derrière. Finalement, une troisième poupée, aisément distinguable de la deuxième, intervient à son tour en poussant vers le bas la première poupée qui tente de gravir le plan incliné, la faisant dégringoler au bas de la pente. Quand on tend ensuite aux bébés les deux poupées qui sont intervenues, la grande majorité d'entre eux se saisissent de la poupée bienveillante[7].

De un à deux ans

Entre dix et quatorze mois, les bébés réagissent à la détresse d'autrui d'une manière beaucoup plus active : ils regardent nerveusement la personne, gémissent, fondent en larmes, ou encore s'éloignent d'elle. Mais ils tentent rarement de faire directement quelque chose pour la victime. Certains regardent leur mère ou se rapprochent d'elle comme pour demander de l'aide.

À partir d'environ quatorze mois, les enfants commencent à manifester de la sollicitude à l'égard de la personne en difficulté, en allant vers elle, et en la touchant gentiment ou en l'embrassant. Une petite fille qui observe attentivement un bébé qui pleure lui tendra par exemple son propre biberon ou un collier qu'elle affectionne[8].

Au-delà de dix-huit mois, les enfants aident de façon mieux adaptée aux besoins de l'autre : ils font appel à un adulte, étreignent la victime, ou lui apportent non pas des objets qu'ils affectionnent eux-mêmes, mais ceux dont ils savent d'expérience qu'ils sont propres à la consoler. Hoffman rapporte l'exemple d'un enfant qui commença par donner son ours en peluche à un enfant en pleurs. Quand il vit que cela restait sans effet, il courut chercher dans la pièce d'à côté l'ours que cet enfant affectionnait. Démarche cette fois couronnée de succès : l'enfant serra son ours retrouvé dans ses bras et cessa de pleurer[9].

C'est entre quatorze et vingt-quatre mois que l'enfant prend mieux conscience de sa propre identité, devient capable de se reconnaître dans un miroir et différencie plus clairement ses émotions de celles d'autrui. Vers vingt-quatre mois, les enfants deviennent également capables de parler de leurs propres émotions et de celles des autres[10].

De deux à cinq ans

Au cours de leur deuxième année, les enfants entrent dans le stade qualifié par Hoffman d'« empathie véridique » et deviennent capables de considérer les choses du point de vue de l'autre et de modeler leur comportement sur ses besoins. L'acquisition du langage leur permet également d'étendre l'éventail des émotions avec lesquelles ils entrent en résonance empathique. Finalement, ils en viennent à éprouver de l'empathie pour des personnes qui ne sont pas physiquement présentes et à l'étendre à des groupes plus larges, comme les « pauvres » ou les « opprimés ».

Des chercheurs qui ont filmé trente heures de jeux de vingt-six enfants âgés de deux à cinq ans ont noté quelque mille deux cents actes de partage, de réconfort et de coopération[11]. Avec l'âge, le souci de l'autre devient aussi plus nuancé : une petite fille de trois ans, par exemple, donnera, en geste de consolation, un chapeau à une amie dont elle observe la détresse, sachant qu'elle a perdu son chapeau favori trois jours auparavant[12].

Dans la vie quotidienne, dès leur plus jeune âge (un à trois ans), les enfants aident spontanément leurs parents dans leurs tâches ordinaires[13]. Il ne s'agit pas d'une simple imitation puisqu'à partir de deux ans et demi ou trois ans les enfants font souvent des commentaires du genre : « Je peux t'aider ? » ou : « Je vais nettoyer. » Les jeunes enfants aident non seulement leurs proches, mais aussi les gens qu'ils connaissent. Ce n'est que plus tard, vers cinq ans, qu'ils feront des discriminations, réservant un sort différent à ceux qui ne font pas partie de leur « groupe ».

Une série d'expériences révélatrices

Des recherches plus récentes de l'équipe de Michael Tomasello et Felix Warneken à l'Institut Max-Planck de Leipzig ont montré que les tout jeunes enfants offraient spontanément leur aide à un expérimentateur pour accomplir diverses tâches – leur apporter un objet tombé par terre, par exemple – et cela en l'absence de toute récompense. Comme le remarque Felix Warneken : « Ces enfants sont si jeunes qu'ils portent encore des couches et sont à peine capables de parler, et pourtant ils manifestent déjà des comportements d'entraide[14]. »

Peu de chercheurs, jusqu'alors, avaient étudié expérimentalement le phénomène d'entraide chez les très jeunes enfants[15]. En effet, les théoriciens du développement ont été longtemps influencés par l'hypothèse, formulée par Jean Piaget et son élève Lawrence Kohlberg, selon laquelle les comportements empathiques orientés vers autrui ne se manifestaient pas avant l'âge scolaire, et qu'avant cet âge l'enfant était entièrement égocentré. Piaget a étudié le développement du jugement moral chez l'enfant, lequel est lié à son développement cognitif. Mais, en mettant l'accent exclusivement sur la faculté de raisonner, il a négligé l'aspect émotionnel et en a conclu que les jeunes enfants étaient dépourvus d'empathie avant l'âge de sept ans[16]. Depuis, d'innombrables recherches expérimentales ont montré qu'il en va tout autrement, et que l'empathie se manifeste très tôt chez l'enfant[17]. Il commence par offrir une aide « instrumentale », en apportant, par exemple à un adulte un objet dont il a besoin, ce qui suppose une compréhension des désirs de l'autre. Un peu plus tard, il manifeste une aide « empathique », en consolant, par exemple, une personne triste[18].

Lorsqu'un expérimentateur en train d'accrocher du linge fait tomber une pince à linge et peine à la récupérer, la quasi-totalité des enfants de dix-huit mois se déplacent pour ramasser la pince et la lui tendre. Ils réagissent en moyenne dans les cinq secondes qui suivent la chute de la pince, ce qui est approximativement le même laps de temps dont a besoin un adulte placé dans une situation similaire. De même, les enfants viennent ouvrir la porte d'un placard devant laquelle butte un expérimentateur qui a les bras chargés de livres[19].

Mieux encore, les enfants reconnaissent spécifiquement une situation dans laquelle l'adulte a véritablement besoin d'aide : si ce dernier jette délibérément la pince à linge par terre au lieu de la faire tomber par inadvertance, les enfants ne bougent pas.

Les enfants de dix-huit mois vont jusqu'à montrer à un adulte qui se trompe la bonne façon d'effectuer une tâche simple. En voyant un expérimentateur s'efforcer maladroitement d'attraper par un trou trop petit une cuillère qui lui a échappé des mains et qui est tombée dans une boîte, les enfants se déplacent pour ouvrir une trappe qu'ils ont repérée sur le côté de la boîte, récupèrent la cuillère et la tendent à l'expérimentateur. Là encore, les enfants ne bougent pas si l'expérimentateur a ostensiblement fait exprès de jeter la cuillère dans le trou[20].

Encouragements et récompenses sont inutiles

Lors de ces expériences, en aucun cas l'expérimentateur ne demande verbalement de l'aide et, la plupart du temps, il ne regarde même pas en direction des enfants pour leur faire comprendre qu'il est en difficulté. De plus, lorsque les chercheurs ont demandé aux mères, présentes dans la salle, d'encourager leurs enfants à aider, cela n'a rien changé. En fait, les enfants manifestaient tellement d'enthousiasme que, pour observer des différences dans leur volonté d'aider, il fallait les distraire pendant que l'expérimentateur se remettait dans une situation où il semblait avoir besoin d'aide. Presque toujours, les enfants interrompaient immédiatement leurs jeux pour aider ce dernier.

Il est particulièrement intéressant de noter que si les enfants obtiennent une récompense de la part de l'expérimentateur, leur propension à aider ne s'en trouve pas accrue. C'est même le contraire : on constate que les enfants qui ont été récompensés offrent moins souvent leur aide que ceux auxquels on n'a rien donné[21]. Comme le remarquent Warneken et Tomasello : «Ce résultat plutôt surprenant apporte une confirmation supplémentaire à l'hypothèse selon laquelle les enfants sont davantage poussés par des motivations internes que par des stimulations externes[22].»

Si l'enfant est récompensé pour avoir fait une bonne action, il risque fort de penser qu'il a agi pour la récompense, et non pour celui qui bénéficie de son acte. Il acquiert une motivation « extrinsèque », il n'agit plus dans le but d'aider quelqu'un mais pour en retirer un avantage. Lorsqu'on cesse de faire appel à son potentiel de bonté, l'enfant est enclin à se comporter de façon moins altruiste.

Louanges et critiques

Faut-il féliciter l'enfant lorsqu'il s'est bien comporté, et le critiquer dans le cas contraire ? Les études montrent que si l'on fait comprendre à l'enfant qu'il est capable d'altruisme et qu'il est « gentil », il aura tendance à se comporter avec bienveillance quand l'occasion lui en sera donnée[23]. Lorsqu'il se comporte de façon malveillante, la meilleure stratégie semble être de lui faire comprendre le tort qu'il a causé, en le conduisant à adopter le point de vue de l'autre, et de critiquer son action sans pour autant lui dire qu'il est « méchant ». Si jamais on le persuade qu'il est « méchant », on obtiendra l'effet inverse, à savoir qu'à la prochaine occasion, l'enfant aura effectivement tendance à se comporter comme s'il était vraiment méchant. Et on risque de faire de lui un pessimiste enclin à penser que c'est dans sa nature d'être « mauvais » et qu'il ne peut rien y changer : il aura alors tendance à agir en conformité avec cette image de lui-même.

La tendance à aider autrui est innée

Au vu de ces recherches, Michael Tomasello avance un certain nombre de raisons démontrant que les comportements de coopération et d'aide désintéressée se manifestent *spontanément* chez l'enfant. *Ces comportements se manifestent très tôt* – entre quatorze et seize mois –, bien avant que les parents aient inculqué à leurs enfants des règles de sociabilité, et *ne sont pas déterminés par une pression extérieure*. Ils sont observés *au même âge* dans des *cultures différentes*, ce qui indique qu'ils résultent bien d'une inclination naturelle chez les enfants à venir en aide et ne sont pas des produits de la culture ou d'une intervention des parents. Enfin, la mise en évidence de comportements similaires chez les grands singes donne à penser que les comportements de coopération altruiste ne sont pas apparus *de novo* chez l'être humain, mais étaient *déjà présents chez l'ancêtre commun aux humains et aux chimpanzés il y a quelque six millions d'années*, et que la sollicitude à l'égard de nos semblables est profondément ancrée dans notre nature[24]. D'autres expériences récentes confirment cette affirmation : à Vancouver, les psychologues Lara Aknin, J. Kiley Hamlin et Elisabeth Dunn[25] ont montré que des enfants de deux ans étaient plus heureux lorsqu'ils donnaient une friandise à quelqu'un d'autre que quand ils en recevaient une eux-mêmes*.

Quand les normes sociales tempèrent l'altruisme spontané

Selon Warneken et Tomasello, pour que l'altruisme puisse se maintenir au fil des générations, il doit être associé à des mécanismes qui protègent les individus contre l'exploitation des uns par les autres[26].

Le psychologue Dale Hay cite Machiavel : «Un prince doit apprendre à ne pas être bon[27].» Sans aller jusque-là, nous avons vu que si le jeune enfant fait d'abord preuve d'altruisme à l'égard de tous ceux qui se présentent, à partir de cinq ans, il commence à faire des discriminations, en fonction des degrés de parenté, de la réciprocité dans les comportements et des normes culturelles qu'on lui inculque. Son altruisme devient ainsi plus sélectif.

Ces découvertes prennent complètement le contre-pied des idées de Freud, pour qui «l'enfant est absolument égoïste, il ressent intensément ses besoins et aspire à leur satisfaction sans aucun égard pour autrui, en particulier face à ses rivaux, les autres enfants[28]». Toujours selon Freud, ce ne serait que lorsque l'enfant, vers l'âge de cinq ou six ans, intériorise les normes, les contraintes et les interdits parentaux et sociaux imposés à son égoïsme naturel qu'il serait conduit à se comporter de manière acceptable dans la société. Or les recherches scientifiques décrites ci-dessus démontrent exactement le contraire : d'une part, l'enfant est *naturellement altruiste* dès son plus jeune âge, de l'autre, il n'apprend à *modérer son altruisme inné* qu'après avoir intériorisé les normes sociales. Une éducation éclairée devrait donc consister à préserver ces inclina-

* Dans la première expérience, l'expérimentateur sort une friandise de sa poche la donne à l'enfant et lui demande soit de la garder pour lui, soit de la donner à quelqu'un d'autre : l'enfant manifeste plus de joie dans le deuxième cas. Dans la deuxième expérience, l'expérimentateur donne des friandises à l'enfant, qui les place dans son bol. Un peu plus tard, il suggère à l'enfant de donner une friandise à l'autre : c'est dans cette situation que l'enfant manifeste le plus de joie.

tions naturelles à coopérer tout en se protégeant, sans pour autant inculquer à l'enfant des valeurs égoïstes, individualistes et narcissiques.

Sens moral et jugements moraux

Il ressort des recherches menées par les psychologues, Nancy Eisenberg et Elliot Turiel notamment, que le sens moral est en grande partie inné. Le sens de l'équité, par exemple, apparaît spontanément vers l'âge de trois ans et s'accroît avec le temps[29]. L'équité est une disposition altruiste car elle bénéficie au groupe tout entier. Selon ces recherches exposées par Nicolas Baumard dans son ouvrage *Comment nous sommes devenus moraux :* «Les enfants déclarent en effet que frapper ou tirer les cheveux est mal, que cela soit puni ou non. Ils vont jusqu'à dire qu'une action peut être mauvaise, même si un adulte l'a ordonnée[30].» Selon le psychologue Jonathan Haidt, le sens moral procède principalement d'*intuitions* («je sais simplement que c'est mal»), auxquelles s'ajoute a posteriori une *réflexion* résultant de processus conscients et de raisonnements[31]. L'existence d'un *sens moral* est universelle, même si la teneur des *jugements moraux* varie considérablement selon le contexte et les cultures[32].

On a pu montrer, en suivant l'évolution d'enfants de deux à sept ans, que la situation la plus favorable à l'épanouissement de cette conscience morale innée est celle dans laquelle les parents répondent rapidement et chaleureusement aux sollicitations de leur enfant disposé à coopérer. Il s'avère que ces enfants ne sont pas enclins à tricher, par exemple, même si on leur en offre l'occasion, et continuent d'accomplir une tâche que leur mère leur a confiée, même si cette dernière s'absente[33].

Après l'âge de cinq ans

La dernière phase de développement, selon Martin Hoffman, correspond à la capacité de ressentir de l'empathie et de se soucier de l'autre en imaginant, par exemple, le sort d'un enfant qui souffre de la famine ou du travail forcé dans un pays lointain. Vers l'âge de sept ans, l'enfant prend conscience du fait que le sexe et l'appartenance ethnique sont des caractéristiques durables, et que les autres ont une histoire qui peut susciter de l'empathie[34]. Il apprend aussi à se mettre activement à la place de l'autre, comme l'explique Adam, ce garçon de huit ans : «Ce que tu fais, c'est que tu oublies tout ce que tu as dans ta tête, et puis tu rentres ton esprit dans leur esprit. Après, tu sais comment ils se sentent, et donc tu sais comment les aider[35]. »

Entre dix et douze ans, le comportement de l'enfant évolue de façon plus abstraite, en se référant à des obligations morales. Il réfléchit davantage à ce que signifie « être une bonne personne » et à la façon d'accorder ses actes avec le sens moral, qu'il appréhende initialement de manière intuitive. Cela le conduit à comprendre, par exemple, que certaines souffrances résultent de l'appartenance à une communauté opprimée, et à éprouver de la sympathie à l'égard des victimes.

Selon les observations de Nancy Eisenberg, les enfants qui sont les plus enclins à réagir avec sollicitude lorsque autrui est en difficulté sont ceux qui ont une bonne intelligence émotionnelle et savent le mieux réguler leurs émotions. Les enfants qui réagissent à la souffrance d'autrui par l'anxiété et la détresse sont aussi les plus centrés sur eux-mêmes et les moins aptes à entretenir de bonnes relations sociales[36].

Émergence et régression de l'agressivité au cours de l'enfance

De même que l'on a tardé à étudier expérimentalement les comportements de coopération chez les enfants de un à trois ans, on a longtemps jugé que les comportements agressifs avant l'âge scolaire ne constituaient pas un objet d'étude intéressant. On considérait que les accrochages entre les tout-petits ne prêtaient pas à conséquence, ils faisaient sourire plus qu'ils n'inquiétaient. Jusqu'à ce que Richard Tremblay et ses collaborateurs de l'université de Montréal se demandent ce qui se passait avant l'âge de cinq ans. Quelle ne fut pas leur surprise de constater que c'est entre un an et demi et quatre ans que la fréquence des agressions physiques (frapper, mordre, pousser, empoigner, tirer, jeter des objets, etc.) se révélait la plus élevée dans la vie d'un être humain.

Il leur est apparu que la majorité des enfants commencent à se livrer à des agressions physiques entre douze et vingt-quatre mois, que la fréquence des agressions augmente rapidement, atteint un sommet entre le vingt-quatrième et le quarante-huitième mois, et qu'elle diminue ensuite fortement jusqu'à l'adolescence, d'abord chez les filles, puis chez les garçons[37]. Durant l'adolescence, on observe une légère recrudescence de l'agressivité chez les garçons (qui sont responsables de la grande majorité des actes de violence) mais, ensuite, la violence ne cesse de diminuer tout au long de la vie d'adulte. Il ressort de ces études que les enfants commencent par recourir spontanément à l'agression physique avant d'*apprendre à ne plus agresser*, à mesure que leur régulation émotionnelle se met en place.

Autre découverte importante, la diminution de l'agressivité intervient de façon variable selon les enfants. Plus de vingt-deux mille enfants représentatifs de l'ensemble de la population canadienne ont ainsi été suivis de la naissance à l'adolescence et l'on a constaté trois évolutions différentes de la fréquence des agressions physiques. Pour la moitié des enfants, cette fréquence augmente de dix-sept à quarante-deux mois, puis diminue substantiellement jusqu'à onze ans. Un tiers des enfants recourent beaucoup moins souvent à l'agression physique dès l'âge de dix-sept mois, et la fréquence des agressions demeure faible jusqu'à onze ans. En revanche, 17 % des enfants se distinguent clairement des deux autres groupes : les agressions sont beaucoup plus fréquentes chez eux dès l'âge de dix-sept mois et ils manifestent des comportements agressifs à tous les âges.

Les enfants de ce troisième groupe rencontrent toutes sortes de difficultés dont les conséquences s'aggravent à l'adolescence. À douze ans déjà, ils sont considérablement plus susceptibles que les autres d'avoir des problèmes relationnels avec les enfants de leur âge, d'éprouver des états dépressifs, d'être perçus par leurs enseignants comme plus instables et plus asociaux. En fin de parcours scolaire, seulement 3,3 % d'entre eux obtiennent un diplôme d'études secondaires, contre 75,8 % des garçons ayant rarement recours à l'agression physique. Adolescents, ils ont très fréquemment des démêlés avec la justice.

Le monde de la petite enfance, entre deux et cinq ans, est donc celui des alternances rapides et des extrêmes, aussi bien celui de l'altruisme sans calcul que celui de l'impétuosité sans limites. Il est d'autant plus important d'offrir à l'enfant toutes les conditions favorables à l'épanouissement du meilleur de lui-même, en l'entourant d'amour et en lui offrant, par notre manière d'agir, un exemple vivant de ce qu'il pourrait devenir.

Une prise de conscience de l'interdépendance de toute chose

Dès son plus jeune âge, l'enfant éprouve un sentiment d'appartenance au groupe : il est un parmi beaucoup d'autres et l'autre est un peu lui-même. Ce sentiment se manifeste clairement dans les activités coopératives, au cours desquelles les enfants poursuivent un but commun et prennent conscience de leur interdépendance au sein de laquelle le «moi» se fond dans le «nous»[38].

Avec l'âge, ce sentiment collectif du «nous» se restreint graduellement à certaines catégories d'individus, à des «groupes» – famille, amis et, plus tard, ethnie, religion et autres facteurs de distinction, de division et, souvent, de discrimination.

À l'adolescence et à l'âge adulte, certains étendent à nouveau le cercle de l'altruisme et ressentent un profond sentiment d'«humanité partagée» avec les autres êtres humains, et d'empathie pour ceux qui souffrent. Une éducation éclairée devrait mettre l'accent sur l'interdépendance qui règne entre les hommes, les animaux et notre environnement naturel, pour que l'enfant acquière une vision holistique du monde qui l'entoure et contribue de manière constructive à la société dans laquelle il évolue en mettant davantage l'accent sur la coopération que sur la compétition, et sur la sollicitude que sur l'indifférence. De la conception que l'on a de l'enfance dépendent les pratiques éducatives que l'on va mettre en œuvre. Si l'on reconnaît que l'enfant naît avec une propension naturelle à l'empathie et à l'altruisme, son éducation servira à accompagner et à faciliter le développement de cette prédisposition.

Affirmation autoritaire du pouvoir, retrait d'affection et «induction»

Certains parents ont tendance à affirmer leur autorité de façon radicale ou à cesser de manifester leur affection lorsque l'enfant se comporte mal. Ni l'une ni l'autre de ces attitudes ne donne de bons résultats. Martin Hoffman distingue trois principaux types d'intervention parentale : l'affirmation autoritaire du pouvoir, le retrait d'amour, et l'*induction*[39].

L'*affirmation autoritaire du pouvoir* s'accompagne de sévères remontrances, de menaces, d'ordres impératifs, de privations d'objets ou d'activités que l'enfant affectionne, et de châtiments corporels. Ces méthodes produisent un effet contraire à celui qui est visé, car elles engendrent chez l'enfant la colère, la peur et un ressentiment chronique. Les punitions ont également tendance à rendre l'enfant moins empathique à l'égard de ses semblables et à diminuer sa sociabilité[40]. Les punitions et les châtiments corporels, supposés être éducatifs, constituent le mode d'intervention préféré des parents abusifs, qui punissent et frappent leurs enfants pour un rien[41].

Ma sœur Ève, qui s'est occupée pendant plus de trente-cinq ans d'enfants issus de milieux défavorisés, raconte l'histoire de parents qui battaient systématiquement leurs enfants et pensaient ainsi les éduquer : «Ils donnaient à leurs enfants des baffes à leur dévisser la tête, raconte-t-elle, et quand on leur a dit : "Vous ne devez pas frapper vos enfants", le père a répondu : "Mais je ne les frappe pas... je n'ai pas de bâton !"» Les parents étaient eux-mêmes des enfants de la DDASS et avaient été maltraités[42].

Par le *retrait d'amour*, le parent manifeste son irritation et sa désapprobation en s'éloignant de l'enfant de deux manières : affectivement, en déclarant qu'il ne l'aime pas et en le menaçant de l'abandonner, et physiquement, en le condamnant à rester seul («Au coin !», «Va dans ta chambre !»), ou en ignorant sa présence, en détournant son regard de lui et en refusant de lui parler ou de l'écouter. Le retrait d'affection crée un sentiment d'insécurité chez l'enfant qui ne peut plus compter sur l'amour de ses parents.

Les recherches montrent unanimement que l'attitude la plus constructive et la plus efficace consiste à expliquer calmement à l'enfant pourquoi il ferait mieux de changer de comportement. C'est cette approche qu'Hoffman appelle *induction*. On incite l'enfant à adopter la perspective de l'autre et à prendre notamment conscience du tort qu'il a pu causer à autrui. On lui montre également comment réparer le tort qu'il a commis[43]. Si l'enfant s'est moqué de l'apparence physique d'un camarade, par exemple, les parents lui expliqueront à quel point les paroles blessantes concernant le physique, la couleur de peau ou toute autre spécificité que l'on n'a pas choisie sont de nature à faire souffrir l'autre et peuvent avoir de douloureuses répercussions sur son existence. Ils demanderont à l'enfant d'imaginer comment il se sentirait lui-même si on le traitait de la sorte. Ils lui suggéreront de se rendre auprès de son camarade pour lui manifester son amitié.

L'induction doit être accomplie avec perspicacité, bienveillance et équité. Toutefois, elle n'est pas synonyme de laxisme et n'exclut pas la fermeté. Elle fait clairement comprendre à l'enfant que les parents désapprouvent sa conduite, sans toutefois provoquer un sentiment de culpabilité qui lui serait nocif. Elle s'accompagne de soutien affectif et évite l'affirmation autoritaire du pouvoir. Comme l'explique le psychologue Jacques Lecomte, la fermeté « fournit à l'enfant une information claire sur ce que veut le parent, tout en l'invitant à affirmer sa propre autonomie. Le soutien seul n'est pas aussi efficace, en particulier après un refus par l'enfant[44]. » Si les parents se contentent de raisonner et de faire appel à la bonne volonté de l'enfant, celui-ci comprend vite qu'il peut toujours avoir le dernier mot. Selon d'autres études, recensées par Lecomte, « un style éducatif parental associant l'amour et les règles a généralement des effets positifs sur l'enfant : meilleur équilibre personnel, bonnes relations avec son entourage et même meilleurs résultats scolaires[45] ». Il s'avère également que les enfants sont plus sensibles aux appels à l'empathie qu'aux rappels de normes morales abstraites[46].

L'un des points importants de l'induction est qu'elle présuppose la disposition altruiste de l'enfant et sa volonté de coopérer si l'effet d'un comportement bénéfique aux autres lui apparaît clairement.

Regret et culpabilité

Le regret consiste d'abord en un constat. Il permet de reconnaître ses erreurs et de souhaiter ne pas les répéter. Il incite à réparer le tort commis, lorsque c'est possible. Le regret est constructif, puisqu'il s'accompagne d'un désir de transformation et aide à considérer la situation dans laquelle on se trouve comme un point de départ sur le chemin qui mène à une amélioration de soi.

À l'inverse, le sentiment de culpabilité est associé à un jugement négatif sur ce que nous sommes fondamentalement. Alors que le regret se réfère à des actes particuliers et nous fait simplement penser que nous avons mal agi, le sentiment de culpabilité s'étend à notre être tout entier et nous amène à conclure : « Je suis foncièrement mauvais. » Il conduit à une dévalorisation de soi-même et engendre d'incessants tourments.

Les recherches montrent que le fait de rabaisser constamment un enfant en lui faisant honte lui nuit. L'enfant aura l'impression qu'il est dénué de toute qualité et qu'il est incapable de se conformer à l'idéal qu'on lui assigne. Il en conclura qu'il restera mal-aimé. Cette dévalorisation peut le conduire à la haine de soi, à la violence contre lui-même et à une colère refoulée contre autrui.

Là encore, les conclusions auxquelles conduisent les données expérimentales vont à l'encontre des hypothèses de Freud, pour qui le sentiment de *culpabilité* naîtrait de la peur des punitions parentales et non du seul *regret* d'avoir provoqué la souffrance d'autrui. Entièrement narcissique, l'enfant manipulateur selon Freud chercherait par tous les moyens à obtenir ce qu'il désire, tout en oscillant anxieusement entre la crainte des punitions et celle de perdre la protection de ses parents. Ce sombre portrait ne ressemble en rien à celui de l'enfant naturellement empathique et altruiste que nous décrivent les investigations psychologiques récentes.

Quatre attitudes essentielles

Jacques Lecomte identifie quatre attitudes parentales qui, au vu de l'ensemble des études effectuées dans ce domaine, sont les plus susceptibles de favoriser l'altruisme chez l'enfant[47] :

— lui exprimer de l'affection ;
— agir soi-même de manière altruiste et lui servir ainsi de modèle ;
— le sensibiliser à l'impact de ses actions sur autrui ;
— lui fournir l'occasion d'être utile aux autres.

L'exemple vivant donné par les parents à chaque instant de la vie quotidienne, en particulier, est plus efficace que toutes les leçons de morale. Plusieurs études confirment par ailleurs que les parents qui s'engagent dans des activités bénévoles ont plus de probabilités de voir leurs enfants agir de même quand ils en auront l'âge. La générosité semble, elle aussi, se transmettre d'une génération à l'autre, tout comme la prédisposition à aider son prochain[48]. À l'inverse, les parents qui incarnent un modèle égoïste influenceront leurs enfants dans ce sens[49].

Fournir à l'enfant l'occasion d'être utile aux autres

Confucius disait : « Si vous m'enseignez quelque chose, je l'oublierai ; si vous me montrez quelque chose, je m'en souviendrai peut-être ; si vous me faites faire quelque chose, je l'assimilerai. » Il en va de même de la plupart des qualités humaines, et en particulier de l'altruisme chez l'enfant. La participation guidée à des activités communautaires l'aide à intégrer des manières altruistes dans sa conduite habituelle[50]. Dans les pays himalayens, j'ai eu maintes fois l'occasion d'observer que les jeunes enfants à qui l'on confie des responsabilités à l'égard des plus jeunes apprennent rapidement à agir de manière attentionnée envers ceux qui dépendent de leurs soins. Même quand ils ne sont pas sous la supervision d'un adulte, ces enfants se montrent prévenants à l'égard de ceux dont ils s'occupent, agissent avec maturité et ne se comportent pas de façon capricieuse.

Les conséquences dramatiques de la privation d'affection

Il est parfaitement établi que le nourrisson et le petit enfant ont un énorme besoin d'amour et d'affection pour grandir de façon optimale. Mais il n'est pas rare que, dès leur petite enfance, certains enfants reçoivent si peu d'affection et rencontrent tant de souffrances qu'ils en restent profondément blessés. Il leur est très difficile par la suite de trouver en eux un espace de paix et d'amour et, par conséquent, de faire confiance aux autres. Les chercheurs ont établi un lien, chez ces enfants, entre violence physique subie et faible degré d'empathie et de sociabilité[51].

Dans le meilleur cas, souvent avec l'aide d'une personne de confiance, comme l'a montré Boris Cyrulnik, il leur arrive de manifester des facultés de résilience étonnantes, qui leur permettent de cicatriser leurs blessures psychologiques et de s'épanouir dans l'existence[52].

À une époque, on allait même jusqu'à recommander de ne pas manifester trop d'affection aux jeunes enfants, afin de les endurcir pour les préparer à la vie. Le Dr John Watson, l'un des deux principaux fondateurs du *behaviorisme,* se méfiait des émotions en général. Les behavioristes, qui ont dominé la recherche sur le comportement pendant une trentaine d'années durant la première moitié du XXe siècle, pensaient, à tort, que tout était une question de conditionnement du comportement, et que les états d'âme et les émotions n'avaient presque aucune importance. Watson était particulièrement sceptique à propos de l'amour maternel qu'il considérait comme dangereux. Il estimait qu'en prenant trop soin de leur nourrisson, les mères leur faisaient du tort et provoquaient en eux des faiblesses, des peurs et des sentiments de dépendance et d'infériorité. La société avait besoin de plus de structure et de moins de chaleur humaine. Il rêvait de *baby farms*, des établissements pour bébés sans parents, où les enfants pourraient être élevés selon des principes scientifiques. Un enfant ne pourrait être touché que s'il s'était comporté exceptionnellement bien. Et encore, il ne recevrait ni une accolade ni un baiser, mais une simple petite touche sur la tête.

Comme le remarque Frans de Waal : «Malheureusement, ces "baby farms" ont existé dans certains orphelinats et les résultats furent tragiques. Les enfants étaient gardés dans des petits parcs séparés les uns des autres par des rideaux blancs, privés de toute stimulation visuelle et de tout contact. Comme cela avait été recommandé par les scientifiques, les enfants n'étaient jamais pris dans les bras, bercés ni chatouillés. Ils ressemblaient à des zombies, avec des visages immobiles et des regards fixes et sans expression. Si Watson avait eu raison, ces enfants auraient dû prospérer, alors qu'en fait ils n'offraient aucune résistance aux maladies. Dans certains de ces orphelinats, aux États-Unis, la mortalité approchait les 100%. Les opinions de Watson furent très respectées dans les années 1920, ce qui paraît incompréhensible aujourd'hui[53].»

De nombreux orphelins et enfants handicapés roumains (entre 100000 et 300000) ont connu le même sort sous le régime du dictateur Ceausescu. Le monde se souvient des images de ces enfants hagards accrochés comme des bêtes aux barreaux de leurs lits métalliques. Ces enfants ne savaient ni rire ni pleurer. Ils passaient leurs journées assis, à se balancer mécaniquement ou à s'accrocher les uns aux autres en position fœtale. Dans certains orphelinats chinois, également, des centaines d'enfants ont été, de la même façon, laissés à l'abandon, en n'étant presque jamais touchés par les quelques personnes censées s'occuper d'eux. Les résultats sur le développement physique et psychologique de ces enfants furent catastrophiques.

Le Pr Michael Rutter, du King's College de Londres, a suivi pendant plus de vingt ans l'évolution de 150 orphelins roumains adoptés par des familles anglaises. Les enfants qui quittèrent les orphelinats avant l'âge de six mois n'eurent pas de séquelles importantes. En revanche, le taux de déficits graves et persistants, affectant la santé, le quotient intellectuel, l'équilibre émotionnel et des anomalies cérébrales (la taille de leur tête et de leur cerveau était inférieure à la moyenne) atteignait 40 % chez les bébés sortis de l'orphelinat entre dix mois et un an[54].

J'ai personnellement été témoin de changements extraordinaires survenus chez des enfants en bas âge dans les orphelinats népalais : des petits êtres qui semblaient au premier abord sans vie, détachés et absents se sont transformés en enfants merveilleusement vifs dans les mois qui ont suivi leur adoption par des parents qui les ont touchés, leur ont parlé et leur ont prodigué avec constance de la tendresse.

Aimer, faciliter, soutenir

Il est indéniable que le degré d'amour et de tendresse que l'enfant reçoit dans la petite enfance influence profondément le reste de son existence. Les enfants victimes d'abus courent, par exemple, deux fois plus de risques que les autres de souffrir de dépression pendant l'adolescence ou à l'âge adulte[55]. Il semble donc que ce devrait être un devoir, pour les adultes, de développer et d'exprimer ce qu'ils ont de meilleur en eux afin de manifester le maximum d'affection, de bienveillance et d'amour envers leurs enfants et ceux dont ils ont la charge dans la communauté ou dans le système éducatif. Il est très important de souligner toutefois que nombre de personnes qui ont été maltraitées dans leur enfance sont devenues par la suite des parents aimants. Selon Jacques Lecomte, il y a certes une plus forte probabilité d'être maltraitant chez les personnes qui ont été elles-mêmes maltraitées, mais cette probabilité reste très faible (entre 5 et 10 %)[56]. La très grande majorité des personnes maltraitées dans leur enfance pratiquent ce que Lecomte appelle le « contre-modelage », c'est-à-dire décident (en général à la préadolescence ou à l'adolescence) qu'elles feront le contraire de leurs parents lorsqu'elles auront elles-mêmes des enfants. Et, la plupart du temps, c'est bien ce qui se passe. Il va sans dire que le soutien des parents doit se poursuivre dans la durée pour produire un véritable effet. Tout un programme, donc, qui commence par la transformation de soi.

19

Les comportements prosociaux

Comme ce fut le cas pour l'altruisme, la recherche sur les comportements prosociaux n'a, au départ, guère intéressé les chercheurs ; jusqu'aux années 1960, dix fois plus d'études furent consacrées à l'agression et aux autres comportements antisociaux qu'à l'aide, la coopération, la solidarité, etc. Selon Hans Werner Bierhoff, auteur d'un ouvrage de synthèse sur le sujet*, « l'une des raisons de ce manque d'intérêt scientifique tient peut-être à la croyance que tout ce qui touche au domaine prosocial est accompli aux dépens de la prospérité économique. [...] Cette croyance pourrait expliquer la conviction de nombre d'"esprits forts", selon laquelle les comportements prosociaux indiquent une certaine complaisance de la part des aidants. Pourtant, les théories et les recherches récentes montrent, au contraire, que les comportements prosociaux ont de nombreux effets positifs sur ceux qui aident et contribuent aussi au bon fonctionnement de la société dans son ensemble[1] ».

Sommes-nous généralement disposés à aider autrui ?

Les recherches ont montré que la majorité des individus viennent en aide aux autres dans la vie quotidienne. Si quelqu'un (un chercheur en l'occurrence) laisse tomber un gant en marchant sur un trottoir de sorte que la personne qui le suit puisse aisément le voir, dans 72 % des cas cette personne interpelle le chercheur et ramasse le gant[2].

* Bierhoff, H. W. (2002). *Prosocial Behaviour.* Psychology Press Ltd.

Dans ce cas, le coût de l'intervention et la vulnérabilité de l'intervenant sont négligeables. Mais lorsque ces deux facteurs prennent de l'importance, la disponibilité à aider autrui diminue. Si vous êtes un homme, à New York, et demandez à quelqu'un la permission d'utiliser son téléphone parce que vous avez perdu le vôtre, seulement 15 % des gens accéderont à votre requête. En revanche, si vous êtes une femme et faites la même demande dans une région rurale, même si vous y êtes inconnue, la réponse sera favorable dans presque 100 % des cas[3].

Qu'en est-il des situations d'urgence ? Lorsqu'un étudiant volontaire fait semblant de s'évanouir dans une rame de métro à Philadelphie, dans 95 % des cas il reçoit de l'aide dans les quarante secondes qui suivent. Dans 60 % des cas, plus d'une personne intervient. Ici encore, le taux d'intervention est élevé lorsque le coût perçu est faible. Par « coût », les psychologues entendent l'implication en termes de temps, d'investissement psychologique, de complexité de l'intervention et des conséquences envisageables. Si du sang (factice) s'écoule de la bouche de la victime, le taux d'intervention tombe de 95 à 65 % et les interventions sont moins immédiates (il faut compter une minute en moyenne avant que quelqu'un intervienne), la vue du sang faisant peur et augmentant ainsi le coût psychologique de l'aide[4].

L'effet spectateur

Quelqu'un fait un malaise, deux individus sont sur le point de se battre dans la rue, un accident de la route vient de se produire. Vais-je intervenir, aller vers la personne souffrante, m'interposer dans la querelle ou me précipiter vers les victimes de l'accident ? De nombreuses études ont montré que la probabilité que je me manifeste est inversement proportionnelle au nombre de personnes présentes. J'aide beaucoup plus souvent si je suis le seul témoin. Bibb Latané et ses collègues de l'université de Caroline du Nord ont été parmi les premiers à montrer que 50 % des personnes confrontées seules à une situation d'urgence simulée de façon réaliste interviennent, tandis que cette proportion tombe à 22 % quand deux témoins sont présents[5].

Si plusieurs personnes sont présentes lors d'un incident, chacune d'elles a tendance à laisser aux autres la responsabilité d'intervenir. Cette réaction est d'autant plus prononcée que le groupe est nombreux.

Cette dilution de la responsabilité est aussi appelée «effet spectateur» ou «effet témoin». Chaque individu se demande pourquoi ce serait à lui d'intervenir et se sent soulagé à l'idée que quelqu'un d'autre va s'en charger. De plus, lorsque personne n'intervient, chacun hésite à prendre l'initiative.

Cet «effet spectateur» a eu des conséquences dramatiques dans le cas, souvent cité, de Kitty Genovese. Le 13 mars 1964, à New York, Kitty se dirigeait vers sa voiture lorsqu'un agresseur s'approcha d'elle et la poignarda. Il partit, puis revint quelques minutes plus tard pour la frapper à nouveau. Elle hurlait : «Oh, mon Dieu, il m'a poignardée! Au secours! Aidez-moi!» L'assaillant revint une troisième fois pour l'achever. Pendant tout ce temps, une demi-heure environ, trente-huit personnes qui vivaient dans les appartements donnant sur la rue entendirent les appels au secours et furent témoins de ces assauts répétés. Pas un d'entre eux ne bougea. Ce n'est qu'une demi-heure après la mort de Kitty que quelqu'un finit par appeler la police. «Je ne voulais pas m'en mêler», dirent la plupart des témoins. Plus récemment, en 2011, en Chine, des images prises par une caméra de surveillance, montrent une fillette de deux ans et demi se faire écraser par une camionnette, qui s'arrête tout d'abord, puis poursuit son chemin. Puis, pas moins de dix-huit personnes passent sans broncher devant l'enfant ensanglantée qui bouge encore[6].

Fort heureusement, ce n'est pas toujours le cas. En Californie, Bobby Green vit un jour en direct à la télévision un incident au cours duquel un homme était brutalement frappé par des voyous. Immédiatement, il se précipita sur les lieux, courant sur 1 kilomètre, et emmena la victime à l'hôpital[7].

Si les témoins ont l'impression que les personnes qui se querellent sont apparentées (mari et femme, par exemple), ils interviennent beaucoup moins fréquemment, même si l'une d'elles est ostensiblement maltraitée. En 1993, un enfant de deux ans, James Bulger, fut tué par deux garçons de dix ans. Soixante et une personnes reconnurent avoir vu l'enfant se débattre en pleurant tandis que les deux aînés l'emmenaient depuis un supermarché jusqu'au terrain vague où ils commirent le meurtre. La plupart de ces témoins dirent avoir pensé qu'il s'agissait de frères ramenant leur cadet à la maison.

Les déterminants du courage civique

Allons-nous intervenir lorsque nous nous rendons compte que quelqu'un est en danger? Bibb Latané et John Darley ont identifié cinq étapes dans ce processus. Premièrement, que se passe-t-il? Je dois prendre acte de la situation. Deuxièmement, est-il urgent d'agir? Cette personne est-elle assoupie sur un banc public ou souffre-t-elle d'un malaise? Ces individus sont-ils sur le point de se battre ou s'agit-il d'une simple altercation verbale entre membres d'une famille? Troisièmement, est-ce bien à moi d'intervenir? La responsabilité de venir en aide m'incombe-t-elle ou dois-je compter sur les autres personnes présentes pour secourir celui qui est en danger? Quatrièmement, suis-je capable d'intervenir? Ai-je le savoir-faire requis? Est-il préférable que j'intervienne directement ou que j'appelle des secours? Cinquièmement, je prends finalement une décision. Les recherches ont montré qu'il faut environ trente à quarante secondes pour passer par ces cinq étapes. C'est ensuite que la dilution du sentiment de responsabilité et l'évaluation du risque pèsent sur le passage à l'acte[8].

Villes et campagnes

De nombreuses études ont révélé que les habitants des régions rurales sont plus disposés à aider que les habitants des villes. On a, par exemple, testé la disposition à poster une lettre timbrée trouvée dans la rue, ou le désir d'aider quelqu'un qui a composé un mauvais numéro de téléphone[9]. Les habitants des petites villes sont beaucoup plus serviables que ceux des grandes. Quand un enfant interpelle quelqu'un dans une rue passante, en lui disant : «Je suis perdu, pourriez-vous appeler chez moi?», les trois quarts des adultes d'une petite ville accèdent à sa demande, contre moins de la moitié dans une grande ville. Selon Harold Takooshian, l'auteur de cette étude, les habitants des villes «s'adaptent aux sollicitations incessantes de la vie urbaine en réduisant leurs implications dans la vie de leurs concitoyens[10]».

Confrontés à une surcharge d'interactions sociales, les citadins sont contraints de filtrer ces informations pour ne retenir que ce qui les concerne directement. Ils sont plus méfiants et se sentent plus vulnérables que leurs congénères des campagnes. Plus le taux de criminalité est élevé dans un quartier, moins les habitants sont disposés à s'entraider. Aux États-Unis, le taux de criminalité est 2,7 fois plus élevé dans les villes que dans les campagnes[11].

Le citadin est souvent accaparé par de nombreuses activités. Il a perdu l'habitude d'établir des rapports personnels avec tous ceux qu'il croise car les contacts sont trop nombreux et apparaissent souvent dépourvus de sens. De plus, le citadin est préoccupé par sa propre sécurité. Si, à la campagne, il est naturel d'adresser la parole à la personne que l'on croise sur un chemin et de s'intéresser à ce que font ses voisins, de telles relations sont exceptionnelles dans les villes. Nous adressons rarement la parole à la personne assise immédiatement à nos côtés dans le métro.

Dans les métropoles, sauf à en faire sa vocation, il est impossible de s'occuper de toutes les personnes en difficulté que l'on rencontre dans une seule journée : les mendiants, les personnes qui auraient besoin d'une prise en charge, compte tenu de leur état de santé, de leurs ressources financières ou de leur statut de sans-abri. Étouffer notre compassion n'est pas sans conséquences. Une étude a montré que le sens moral s'en trouve diminué. À l'université de Caroline du Nord, Daryl Cameron et Keith Payne ont demandé à un groupe de volontaires de réprimer leur compassion pendant qu'on leur montrait des photos d'enfants en pleurs, de sans-abri, de victimes de guerres et de famines. Peu après, on leur fit passer des tests pour évaluer leur sens moral. Comparés à un autre groupe de volontaires qui avaient regardé les mêmes images en laissant leurs émotions s'exprimer librement, ceux qui avaient réprimé leur compassion acceptaient plus volontiers l'idée de transiger avec les règles et valeurs morales en fonction des circonstances[12].

La situation dans les villes et dans les lieux où règnent de grandes souffrances pose donc un défi constant à ceux qui sont concernés par le sort de leurs semblables. Si l'on se met chaque fois à la place de l'autre, il devient difficile de détourner le regard. Mais si l'on voulait intervenir, nous ne ferions plus que cela. Ce choix louable, que font certains, est une occupation à plein temps, non quelque chose que l'on peut faire en passant. Des figures charismatiques, tel l'abbé Pierre, qui ne supportent pas de rester indifférentes devant tant de souffrances et mobilisent leurs concitoyens avec une grande force d'inspiration, peuvent jouer un rôle majeur dans l'organisation d'un système d'entraide. Mais, en règle générale, ce devrait être à la communauté des citoyens, c'est-à-dire à l'État, aux municipalités, aux ONG, de traduire en actions concrètes l'esprit de solidarité naturellement présent chez la plupart d'entre nous, comme en témoignent les études réalisées dans les espaces moins peuplés.

Individualistes et collectivistes

Les enfants élevés au sein de cultures collectivistes, dans lesquelles l'accent est mis sur le bien-être du groupe et sur la vie communautaire, se comportent avec plus d'altruisme que les enfants issus de cultures individualistes. Beatrice et John Whiting, de l'université de Harvard, ont observé les comportements prosociaux d'enfants âgés de trois à dix ans au Kenya, au Mexique, aux Philippines, au Japon, en Inde et aux États-Unis. Ils ont constaté que les enfants des sociétés communautaires non industrielles étaient nettement plus altruistes que les autres. 100 % des enfants kenyans observés ont eu un score d'altruisme élevé, contre seulement 8 % des enfants américains[13]. Ces enfants participent très tôt aux activités communautaires et offrir leur aide est devenu chez eux une seconde nature. C'est aussi le cas des enfants élevés dans les kibboutz israéliens[14].

Quelle est l'influence des différentes cultures sur les adultes ? L'une des premières études fut menée par R. Feldman à Paris, Boston et Athènes[15]. Dans une gare, une personne habitant manifestement le pays demanda à un échantillon de passants de bien vouloir poster une lettre timbrée, en expliquant qu'elle était sur le point de partir à l'étranger. 85 % des gens acceptèrent à Boston, 68 % à Paris et 12 % à Athènes. Face à une personne étrangère parlant peu la langue, la disposition à aider changea notablement : 75 % des gens aidèrent à Boston, 88 % à Paris (les Parisiens sont donc plus aimables qu'on ne le dit !) et 48 % à Athènes. Pourquoi les Athéniens sont-ils si peu coopérants avec leurs compatriotes ? Il apparaît que les Grecs définissent étroitement leur cercle social et, en conséquence, réagissent de manière distante envers la plupart de leurs concitoyens[16].

Hommes et femmes

Les hommes aident davantage dans les situations dangereuses[17]. Dans l'une des études effectuées dans les rues de New York, 60 % des personnes offrant leur aide lors d'un accident étaient des hommes[18].

Si l'on consulte la liste des Américains qui ont reçu la médaille de la Carnegie Hero Fund Commission décernée pour des actes héroïques, seulement 9 % des médaillés sont des femmes. L'interprétation proposée par les chercheurs est que les hommes hésitent moins à intervenir dans les situations de crise qui exigent de s'impliquer physiquement de manière potentiellement dangereuse.

En revanche, les femmes sont plus souvent récompensées (56 %) que les hommes pour des actes d'engagement dans l'action humanitaire. Elles sont aussi plus nombreuses (58 %) que les hommes à faire un don d'organe[19]. De plus, dans les conditions de la vie quotidienne, les femmes manifestent considérablement plus d'empathie que les hommes[20]. Elles donnent davantage de soins et de soutien psychologique. Dans le domaine du bénévolat, en Europe, on trouve autant de femmes que d'hommes[21].

Humeurs et circonstances

Les gens de bonne humeur aident plus que les autres. Il peut s'agir d'une situation temporaire : ils viennent peut-être de remporter un succès, de lire de bonnes nouvelles, ou d'imaginer des vacances à Hawaii, ou encore de partager un repas en bonne compagnie[22]. D'autres, par tempérament, sont le plus souvent de bonne humeur. On a constaté que ceux-là participent davantage à des activités sociales que la moyenne des gens appartenant à la même société[23].

L'image que l'on a de soi-même influe également sur l'inclination à aider autrui. À l'issue d'un test de personnalité, on annonce à la moitié des participants que les résultats indiquent qu'ils sont très attentionnés à l'égard des autres, et à l'autre moitié qu'ils ont un niveau d'intelligence élevé. En sortant du laboratoire, chaque étudiant qui vient de passer le test croise quelqu'un qui fait tomber devant lui une dizaine de crayons qui s'éparpillent sur le sol. Les étudiants que l'on a qualifiés de bienveillants et serviables ramassent en moyenne deux fois plus de crayons que ceux dont on a loué l'intelligence[24].

Les valeurs personnelles

Comme l'explique le psychologue Jean-François Deschamps, les comportements planifiés qui s'étendent sur plusieurs mois ou années sont le plus souvent inspirés par nos valeurs personnelles. Selon la définition du psychologue israélien Shalom Schwartz, qui s'est penché sur la question pendant trois décennies, les valeurs sont des concepts ou croyances qui se rapportent à des buts ou à des comportements que nous jugeons désirables, pour nous-mêmes comme pour autrui, et qui guident nos choix dans la plupart des circonstances de la vie quotidienne[25]. Ces valeurs se forgent dès l'enfance et peuvent être remises en question à mesure que notre expérience du monde et des autres s'enrichit. Jean-François Deschamps et Rémi Finkelstein, du laboratoire parisien de psychologie sociale, ont mis en évidence une corrélation entre l'altruisme considéré comme une valeur personnelle et un comportement prosocial. Ils ont montré notamment que les personnes pour qui l'altruisme constitue une valeur personnelle importante s'engagent davantage dans des activités bénévoles[26].

Selon Shalom Schwartz, l'ensemble de ces études prouve que la bienveillance et l'« universalisme » sont les deux valeurs induisant le plus souvent des comportements prosociaux. Pour cet auteur, la bienveillance concerne principalement le bien-être de nos proches et du groupe auquel nous nous identifions, tandis que l'universalisme concerne le bien-être de tous. Il s'avère que ce sont aussi deux des trois valeurs considérées comme les plus importantes dans les soixante-seize cultures étudiées. À cela s'ajoute le conformisme, qui incite à se comporter de manière prosociale pour rester en accord avec les normes en vigueur dans une société et être ainsi accepté par ses membres.

Parmi les autres facteurs favorisant les comportements prosociaux en général, les chercheurs ont relevé les valeurs morales transmises par les parents, la confiance en son pouvoir de changer les choses, la capacité à tolérer l'imprévisible et l'ouverture aux expériences nouvelles[27].

Au sein des valeurs s'opposant aux comportements prosociaux, Schwartz cite le sentiment d'insécurité, qui pousse à se préoccuper de son propre sort plutôt que des besoins des autres et à s'efforcer de maintenir un environnement stable, protecteur et sécurisé. Ce sentiment limite l'ouverture aux autres et décourage la prise de risques. Enfin, la poursuite du pouvoir met l'accent sur l'intérêt personnel, la valorisation de soi, la domination et la compétition. Elle incite à justifier les comportements égocentriques, fût-ce au détriment d'autrui.

D'après Vincent Jeffries de l'université de Northridge, parmi les vertus qui favorisent les comportements prosociaux figurent la tempérance, la force d'âme, l'équité, le souci de l'autre et le discernement. Ces qualités permettent de maîtriser ses émotions et favorisent l'esprit d'initiative, le sens de la justice, la compassion et la vision à long terme[28].

Les effets de l'empathie

Les romans, les films et autres médias sont très efficaces pour éveiller l'empathie envers les opprimés et les victimes de discrimination, comme les esclaves (*La Case de l'oncle Tom*), les personnes internées dans les asiles psychiatriques (*Vol au-dessus d'un nid de coucou*), les gens défigurés (*Elephant Man*), les victimes de l'oppression coloniale (*Gandhi*, *Lagan*), les animaux traités comme des produits de consommation (*Terriens*, *Food Inc.*), et les victimes présentes et à venir des bouleversements de l'environnement (*Une vérité qui dérange* et *Home*).

Des feuilletons télévisés qui mettent en scène la vie quotidienne de femmes victimes de violences conjugales au Mexique, ou le problème des mutilations génitales et du mariage des filles trop jeunes en Afrique, ont permis de faire évoluer les mentalités dans des domaines où les gouvernements et les ONG avaient longtemps échoué.

Elizabeth Paluck a évalué l'impact d'un feuilleton destiné à promouvoir la réconciliation entre Tutsis et Hutus au Rwanda[29]. Les personnages de l'intrigue y sont en proie aux dilemmes auxquels sont confrontés de très nombreux Rwandais. Le problème des amitiés entre membres des deux ethnies y est mis en scène, tout comme la difficulté de gérer le souvenir des massacres, la pauvreté, etc. L'un des scénarios met en scène un couple formé par un homme tutsi et une femme hutue qui s'aiment en dépit de la désapprobation de leurs communautés et fondent un mouvement de jeunes pour la paix et la réconciliation. On a constaté que les spectateurs s'étaient étroitement identifiés aux protagonistes et, selon l'enquête de Paluck, les effets ont été très positifs. Comparés à un échantillon de spectateurs d'autres programmes, ceux qui ont suivi les épisodes du feuilleton acceptent plus facilement les mariages mixtes et veulent davantage coopérer avec les membres de l'autre communauté.

L'empathie facilite les négociations difficiles

L'empathie peut favoriser la résolution des conflits entre des négociateurs de deux groupes adverses. Adam Galinsky et ses collègues ont montré que lorsque les négociateurs déterminaient froidement leur tactique en anticipant les possibles réactions de la partie adverse, à la manière d'un joueur d'échecs, ils s'en tenaient à la position la plus avantageuse pour leur propre camp. En revanche, lorsqu'on leur demandait de se mettre à la place de leurs concurrents, d'imaginer leur situation, leurs difficultés et leurs espoirs, cette réflexion les amenait à faire des concessions et créait une atmosphère positive conduisant à de meilleurs résultats pour les deux parties à long terme[30]. Galinsky en a conclu que «penser à ce que l'autre pense» offre un avantage tactique si l'on veut gagner à tout prix, mais que «ressentir ce que l'autre ressent» facilite l'adoption d'une solution mutuellement acceptable et bénéfique à long terme.

Effet des comportements prosociaux sur le bien-être

Un comportement prosocial est également bénéfique à celui qui en fait preuve. La rencontre de ceux que l'on aide, la participation à des activités bénévoles, l'adhésion à des organisations non lucratives et le fait de pouvoir mettre en œuvre ses compétences au service d'autrui vont de pair avec un niveau élevé de bien-être. De nombreux travaux de recherche ont mis en évidence le lien existant entre altruisme et bien-être[31].

Allan Luks a observé le moral de milliers d'Américains qui participaient régulièrement à des activités bénévoles. Il a constaté qu'ils étaient généralement en meilleure santé que d'autres personnes du même âge, qu'ils manifestaient plus d'enthousiasme et d'énergie, et qu'ils étaient moins sujets à la dépression que la moyenne de la population[32]. Une autre étude a montré que les adolescentes qui consacrent une partie de leur temps au volontariat sont moins confrontées à la toxicomanie, aux grossesses précoces et au décrochage scolaire[33]. Enfin, les personnes qui traversent des périodes dépressives à la suite d'événements tragiques, comme la perte d'un conjoint, se rétablissent plus rapidement s'ils consacrent du temps à aider les autres[34].

Si un grand nombre d'études révèlent des *corrélations* entre des états psychologiques positifs et le fait d'aider les autres, elles ne prouvent pas pour autant que l'altruisme est la *cause* de ces états mentaux. Daniel Batson et d'autres psychologues se demandent si c'est l'altruisme ou le simple fait de passer plus de temps avec ses semblables qui a des effets positifs sur la santé. Il est concevable en effet que le simple fait de devenir membre d'un groupe d'ornithologues ou d'un club de bridge produise les mêmes effets[35].

Conscient de ces problèmes méthodologiques, Doug Oman a passé en revue six enquêtes ayant pris en compte plus rigoureusement d'autres facteurs susceptibles d'influencer les résultats, et a conclu que le bénévolat n'augmente pas seulement la qualité de la vie des personnes âgées, mais aussi sa durée[36].

Martin Seligman, l'un des pionniers de la psychologie positive, a proposé à un groupe d'étudiants de passer une journée à se distraire et à un autre groupe de participer à une activité bénévole (aider des personnes âgées, distribuer une soupe populaire, etc.) en donnant à chacun la même somme d'argent, puis de lui faire un compte rendu pour le cours suivant. Les résultats ont été concluants : la satisfaction procurée par les plaisirs personnels (manger au restaurant, aller au cinéma, déguster une glace, faire du shopping, etc.) était largement moindre que celle qu'avaient produite les activités altruistes. Les étudiants qui s'étaient consacrés au bénévolat ont noté qu'ils étaient plus enthousiastes, attentifs, avenants et même appréciés des autres ce jour-là[37].

Plusieurs études ont aussi montré que prendre soin d'un animal améliorait la santé psychologique et physique en réduisant le stress et la tension artérielle, et augmentait aussi la longévité. Le fait de s'occuper d'un animal de compagnie a été également associé à des bienfaits notables chez les malades et les personnes seules dans les maisons de retraite, ainsi que chez les prisonniers[38].

D'innombrables témoignages nous rappellent également à quel point la bonté est l'un des plus puissants déterminants du sentiment d'accomplissement et de plénitude. Necdet Kent, diplomate turc à Marseille qui avait réussi à convaincre les autorités allemandes de faire redescendre d'un train plusieurs dizaines de Juifs déjà embarqués, confiait à Marek Halter qu'à aucun autre moment de sa vie il n'avait ressenti un tel sentiment de paix intérieure[39].

IV

CULTIVER L'ALTRUISME

Ce n'est ni le génie ni la gloire ni l'amour qui mesurent l'élévation de l'âme humaine, c'est la bonté.

Henri Lacordaire

20

Pouvons-nous changer ?

Un jour, à la fin d'une conférence que j'avais donnée sur l'altruisme, une personne dans l'assistance s'est levée et m'a dit d'un ton irrité : « Qu'espérez-vous en nous encourageant à cultiver l'altruisme ? Regardez l'histoire de l'humanité ! C'est toujours la même chose ! Une succession ininterrompue de guerres et de souffrances. C'est la nature humaine, vous ne changerez rien à cela ! » Mais en est-il vraiment ainsi ? Nous avons vu que les cultures peuvent évoluer. Mais l'individu, lui, peut-il changer ? Et s'il le peut, ce changement a-t-il une influence sur la société et sur les générations suivantes ?

Certes, nos traits de caractère changent peu tant que nous ne faisons rien pour les améliorer. Mais ils ne sont pas figés. Nos traits fondamentaux, qui résultent des apports combinés de notre héritage génétique et de l'environnement dans lequel nous avons grandi, ne constituent que la base de notre identité. Les recherches scientifiques dans le domaine de la neuroplasticité montrent que toute forme d'entraînement induit une restructuration dans le cerveau, tant sur le plan fonctionnel que sur le plan structurel.

Quant à la culture, il serait réducteur de considérer qu'elle ne constitue pour l'individu qu'un moule dans lequel, bon gré, mal gré, il serait contraint de se couler. Bien sûr, la société et ses institutions influencent et conditionnent les individus, mais ceux-ci peuvent à leur tour faire évoluer la société. Cette interaction se poursuivant au fil des générations, culture et individus se façonnent mutuellement, comme deux lames de couteaux s'aiguisent l'une l'autre.

Si l'on souhaite favoriser l'avènement d'une société plus altruiste, il importe donc d'évaluer les capacités de changement respectives des individus et de la société. Si l'être humain n'a aucun pouvoir d'évoluer par lui-même, mieux vaut concentrer tous nos efforts sur la transformation des institutions et de la société, et ne pas perdre de temps à encourager la transformation individuelle. C'est l'avis du philosophe André Comte-Sponville. Ses arguments vont au cœur du débat :

> Vous me dites que si on ne transforme pas d'abord l'homme, on ne peut pas transformer la société. Nous avons derrière nous deux mille ans de progrès historique qui prouvent le contraire. Les Grecs étaient tous racistes et tous esclavagistes ; c'était leur culture. Mais je n'ai pas le sentiment d'être meilleur qu'Aristote ou Socrate simplement parce que je ne suis ni esclavagiste ni raciste. Il y a donc un progrès des cultures et des sociétés, et non pas des individus en tant que tels. Je suis aussi égoïste et aussi lâche que n'importe quel homme de l'ancien temps. Si quelqu'un dit aujourd'hui : « C'est un type formidable parce qu'il n'est pas esclavagiste », c'est un imbécile, car cette personne n'y est pour rien : c'est sa culture qui en est responsable. Aujourd'hui, celui qui n'est ni esclavagiste ni raciste est simplement quelqu'un de son temps.
>
> Si on avait attendu que les humains soient justes pour que les plus pauvres puissent se soigner, les plus pauvres seraient morts sans soins. On n'a pas attendu que les humains soient justes, on a créé la Sécurité sociale, on a créé les impôts, on a créé un État de droit. Je crois donc que tout l'art de la politique c'est de rendre des individus égoïstes plus intelligents, ce que j'appelle la « solidarité » et ce que Jacques Attali appelle l'« altruisme intéressé ». Il s'agit de faire comprendre aux gens que c'est leur intérêt que de prendre en compte les intérêts de l'autre. C'est dans notre intérêt, par exemple, de payer l'impôt.
>
> Je ne crois pas du tout aux progrès de l'humanité, mais je crois beaucoup aux progrès de la société. Et donc, si vous comptez sur l'altruisme individuel pour éviter les crises économiques, le chômage, et la misère, alors, sur ce terrain-là, je ne vous suivrai pas du tout.
>
> Pour concilier l'altruisme et l'égoïsme, on a inventé la politique, ce qui est une façon d'être égoïste ensemble et intelligemment, plutôt que bêtement et les uns contre les autres.
>
> Celui qui a le mieux exprimé les rapports entre l'égoïsme de masse et la célébration que nous faisons tous de l'amour et de la générosité,

c'est le Dalaï-lama, qui dans une formule géniale a dit : «Soyez égoïstes, aimez-vous les uns les autres.» Une phrase que je cite très souvent parce qu'elle est d'une profondeur extrême, parce qu'elle relie l'eudémonisme à l'altruisme : «Si vous voulez être heureux, aimez-vous les uns les autres*».

En écoutant ces paroles, je restai perplexe et, sur le moment, sans réponse convaincante. Mais, à la réflexion, transposée en langage biologique, l'argument d'André Comte-Sponville – l'homme lui-même n'a pas changé – revient à dire que l'espèce humaine n'a pas changé génétiquement depuis deux mille ans. C'est vrai pour la majorité de nos gènes, ce qui n'a rien de surprenant si l'on songe qu'il faut généralement des dizaines de milliers d'années pour qu'une modification génétique importante affecte une espèce aussi évoluée que l'espèce humaine. Les prédispositions génétiques qui influencent nos traits de caractère sont donc bien pratiquement les mêmes aujourd'hui qu'au temps d'Aristote. Le Dalaï-lama abonde en ce sens lorsqu'il affirme qu'il n'y a pas de différence fondamentale entre les hommes et femmes d'aujourd'hui et ceux de l'époque du Bouddha, pas plus qu'entre les Orientaux et les Occidentaux : «Nous partageons tous, dit-il souvent, la même nature humaine, éprouvons les mêmes émotions de joie et de tristesse, de bienveillance ou de colère, et cherchons tous à éviter la souffrance. Aussi sommes-nous fondamentalement les mêmes en tant qu'êtres humains.»

Mais ce n'est pas tout. Les découvertes scientifiques des dernières décennies montrent que notre héritage génétique, pour influent qu'il soit, ne représente qu'un point de départ qui nous prédispose à manifester telle ou telle disposition. Ce potentiel – c'est là un point crucial – peut ensuite s'exprimer de multiples façons sous l'influence de notre environnement et de l'apprentissage auquel nous nous livrons en entraînant notre esprit ou nos capacités physiques. Ainsi, il est plus approprié de comparer notre héritage génétique et notre être biologique à un plan d'architecture susceptible d'être modifié au cours de la construction, ou encore à un thème musical à partir duquel un artiste improvise.

---

* André Comte-Sponville, propos prononcés lors d'une réunion de dialogue organisée par les bons soins de Christophe et Pauline André.

La plasticité neuronale

La transformation individuelle est notamment rendue possible par la malléabilité de notre cerveau. Pendant longtemps, un dogme presque universellement accepté dans le milieu des neurosciences voulait qu'une fois formé et structuré, le cerveau adulte ne fabrique plus de neurones et ne change que pour décliner avec l'âge. On pensait que l'organisation du cerveau était si complexe que toute modification importante provoquait des dysfonctionnements majeurs. Selon Fred Gage, du Salk Institute, l'un des grands spécialistes de la neuroplasticité, «il était plus facile de croire que le cerveau était irréversiblement câblé et que plus aucun changement ne s'y produisait. Ainsi, l'individu demeurait à peu près le même[1].» On croyait le cerveau figé et les traits de caractère invariables.

On sait aujourd'hui que cette doctrine était complètement fausse. L'une des découvertes majeures des trente dernières années concerne la «neuroplasticité», un terme qui rend compte du fait que le cerveau évolue continuellement lorsque l'individu est exposé à des situations nouvelles. Le cerveau adulte reste en effet d'une extraordinaire plasticité. Il a la capacité de produire de nouveaux neurones, de renforcer ou de diminuer l'activité des neurones existant et même d'attribuer une fonction nouvelle à une aire cérébrale qui en remplit habituellement une tout autre.

Les recherches effectuées sur des aveugles ont démontré que la région cérébrale normalement dédiée à la vision («aire visuelle») était chez eux colonisée et utilisée par l'audition, en sus de l'aire auditive normale, ce qui permet aux non-voyants d'avoir une perception beaucoup plus précise de la localisation spatiale des sons. De même, chez les sourds, l'aire auditive est mobilisée pour affiner la vision, ce qui leur permet d'avoir une vision périphérique et une faculté de détection des mouvements bien supérieure à celle des entendants[2].

Dès 1962, Joseph Altman, du MIT de Boston, montra que de nouveaux neurones se formaient constamment chez des rats, des chats et des cochons d'Inde adultes[3]. Mais ces découvertes étaient tellement révolutionnaires qu'elles furent ignorées ou tournées en dérision par les sommités de l'époque. En 1981, Fernando Nottebohm établit à son tour que chez les canaris qui créent un nouveau répertoire de chants à chaque printemps, deux régions encéphaliques liées à cet apprentissage augmentaient respectivement de 99 % et de 76 % en volume, c'est-à-dire en masse neuronale, par rapport à l'automne précédent[4].

En 1997, Fred Gage plaça pendant un mois des rats seuls dans une cage vide dans laquelle ils n'avaient rien d'autre à faire que de se nourrir une fois par jour. Puis il les transféra dans un véritable Disneyland pour rats, avec des tunnels, des roues, des bassins, divers éléments à escalader, ainsi que d'autres rats pour leur tenir compagnie. Les répercussions de ce transfert sur leur cerveau furent étonnantes. En quarante-cinq jours, l'hippocampe*, la zone du cerveau associée à l'apprentissage, augmenta de 15 % en volume, même chez des rats âgés, passant en moyenne de 270 000 à 317 000 neurones[5].

Restait à démontrer qu'un tel phénomène pouvait se produire chez les humains. En injectant dans le cerveau de patients décédés un composé chimique qui permet de suivre l'évolution de tumeurs cérébrales, Peter Eriksson, un chercheur suédois, a découvert que de nouveaux neurones s'étaient récemment formés dans l'hippocampe. Il devenait clair que, jusqu'à la mort, de nouveaux neurones se forment dans certaines régions du cerveau humain (jusqu'à 1 000 par jour)[6]. Comme le souligne Fred Gage : « Ce phénomène a lieu tout au long de la vie. Cette découverte est une étape importante car elle montre qu'il est concevable d'acquérir une maîtrise accrue de notre capacité cérébrale, à un point que nous n'avions jamais cru possible[7]. »

Dans le cas des rats de Fred Gage, ils ont réagi à une situation nouvelle dans laquelle ils se sont trouvés involontairement placés. Les scientifiques parlent d'un « enrichissement extérieur », qui est semi-passif. Mais on peut aussi s'entraîner activement et volontairement pour développer des capacités spécifiques. Là aussi, les recherches ont mis en évidence des transformations du cerveau chez ceux qui apprennent à jongler, à jouer aux échecs et chez les athlètes qui s'entraînent assidûment. Chez les violonistes, les régions du cerveau contrôlant les mouvements de la main qui exerce le doigté se développent au fur et à mesure de l'apprentissage. Les musiciens qui commencent leur formation très tôt et la poursuivent pendant de nombreuses années présentent les plus grandes modifications du cerveau[8]. On sait même que chez les chauffeurs de taxi londoniens, qui doivent mémoriser le nom et la localisation

* L'hippocampe est une aire du cerveau qui gère le savoir acquis en faisant des expériences nouvelles, puis les diffuse vers d'autres aires du cerveau où ce savoir sera mis en mémoire et réutilisé.

de quatorze mille rues, l'hippocampe est structurellement plus volumineux, et ce, proportionnellement au nombre d'années de métier[9].

Finalement, on peut donc aussi envisager la possibilité d'un «enrichissement intérieur», par un travail de l'esprit. Pendant la pratique de la méditation, notamment, rien ne change dans l'environnement extérieur. Mais, en entraînant son esprit, le méditant accomplit un enrichissement intérieur maximal. Or les recherches des neurosciences effectuées depuis une quinzaine d'années auxquelles j'ai moi-même participé montrent que l'attention, l'équilibre émotionnel, la compassion et d'autres qualités humaines peuvent, eux aussi, être cultivés, et que leur développement s'accompagne de profondes transformations fonctionnelles et structurelles du cerveau.

L'importance des facteurs épigénétiques

Pour qu'un gène soit actif, il faut qu'il s'«exprime», c'est-à-dire qu'il soit «transcrit» sous la forme d'une protéine spécifique agissant sur l'organisme porteur de ce gène. Mais si un gène ne s'exprime pas, s'il reste «silencieux», c'est comme s'il était absent. Or les avancées récentes de la génétique ont révélé que l'environnement peut modifier considérablement l'expression des gènes par un processus appelé «épigénétique». Cette expression peut être activée ou désactivée sous l'influence non seulement des conditions extérieures, mais aussi de nos états mentaux.

Deux jumeaux monozygotes, par exemple, qui ont exactement les mêmes gènes, peuvent acquérir des caractéristiques physiologiques et mentales différentes s'ils sont séparés et exposés à des conditions de vie dissemblables. En termes scientifiques, on dira qu'ils sont génétiquement identiques mais phénotypiquement différents. De même, la chenille et le papillon ont exactement les mêmes gènes, mais ceux-ci ne s'expriment pas de la même manière selon les moments de la vie de l'insecte.

Ces modifications dans l'expression des gènes sont plus ou moins durables et dans certains cas peuvent même se transmettre d'une génération à l'autre en l'absence de changements dans la séquence de l'ADN des gènes eux-mêmes. Ces découvertes ont véritablement révolutionné la génétique, puisque jusqu'alors la notion même de transmission des caractères acquis était considérée comme une hérésie[10]. L'influence des conditions extérieures est donc considérable, et l'on sait aujourd'hui que cette influence se répercute jusqu'aux gènes.

Une série d'expériences célèbres, réalisée par Michael Meaney et ses collègues de l'université McGill de Montréal, a porté sur des rats nouveau-nés qui possédaient des gènes prédisposant à une forte anxiété. Ces rats ont été confiés pendant les dix premiers jours de leur vie à une lignée de mères sélectionnées pour être particulièrement attentionnées à l'égard de leurs petits : elles les lèchent constamment et sont le plus fréquemment possible en contact physique avec eux. L'équipe a établi qu'après ces dix jours, les gènes liés aux symptômes de l'anxiété de ces ratons ne s'étaient *pas exprimés* et qu'ils ne s'exprimeraient pas *durant toute leur vie*[11].

À l'inverse, des ratons génétiquement identiques, mais confiés à des mères ordinaires qui ne leur accordent pas ce supplément d'amour maternel, deviennent peureux et anxieux pour le reste de leur existence. Le niveau de stress à l'âge adulte ne dépend donc pas de l'héritage génétique, ici identique pour tous, mais de la façon dont ces ratons ont été traités durant les dix premiers jours de leur vie. Ainsi, notre destin génétique n'est pas gravé dans la pierre.

Depuis Michael Meaney, Moshe Szyf et d'autres chercheurs ont entrepris des études sur des populations humaines. On sait que les enfants qui ont subi de graves abus ont 50 % plus de chances de souffrir de dépression à l'âge adulte[12]. Or les recherches ont montré que les mauvais traitements subis par ces enfants déclenchent des modifications épigénétiques qui perdurent bien au-delà de l'époque durant laquelle ils sont maltraités. On observe en particulier des modifications durables de l'expression de gènes impliqués dans la production et la régulation du cortisol, une hormone associée au stress. Chez ces personnes, le niveau de cortisol reste chroniquement élevé, même si par ailleurs elles sont en bonne santé et ne subissent plus d'agressions[13]. Le fait qu'elles souffrent souvent de multiples épisodes de dépression pourrait ainsi s'expliquer par une vulnérabilité persistante associée aux modifications épigénétiques intervenues dans leurs neurones au moment où elles étaient victimes de ces abus.

Un entraînement de l'esprit visant à cultiver des émotions positives pourrait-il entraîner des changements épigénétiques ? Des études préliminaires entreprises au laboratoire de Richard Davidson, dans le Wisconsin, en collaboration avec la généticienne espagnole Perla Kaliman, montrent que la méditation sur l'amour altruiste et la compassion peut induire d'importantes modifications épigénétiques*. On entrevoit ici la possibilité d'une transformation épigénétique de l'individu qui n'est pas seulement due à l'influence de l'environnement, mais à un entraînement volontaire destiné à cultiver des qualités humaines fondamentales.

Des êtres différents

Reconsidérons à la lumière des expériences décrites ci-dessus les arguments avancés par André Comte-Sponville. Il semble qu'une *transformation simultanée des cultures et des individus* est possible. Les enfants qui grandissent dans une culture où prévalent des valeurs altruistes et où la société encourage davantage la coopération que la compétition auront changé, non seulement dans leur comportement, mais aussi dans leur manière d'être. Ils seront différents, pas seulement parce qu'ils se conformeront à de nouvelles normes culturelles et à de nouvelles règles fixées par des institutions, mais parce que leur *cerveau aura été façonné différemment* et parce que *leurs gènes s'exprimeront différemment.* Ainsi, un processus dynamique d'influences mutuelles se poursuivra au fil des générations. Comme le soulignent Richerson et Boyd, spécialistes de l'évolution des cultures :

> Ce qui arrive aux individus (la sélection naturelle, par exemple) va influencer les propriétés de la population (la fréquence des gènes, etc.). [...] La fréquence d'une variante culturelle, qui est une propriété de la population, va influencer la probabilité que cette variante soit imitée par les individus.
>
> Les individus peuvent sembler être des prisonniers impuissants de leurs institutions, puisque, à terme, les décisions individuelles ont peu d'influence sur les institutions. Mais à long terme, l'accumulation de nombreuses décisions individuelles exerce une profonde influence sur les institutions[14].

* Il n'est bien sûr pas question de prélever des neurones chez les méditants, mais l'on peut aussi observer les changements épigénétiques dans les cellules sanguines, et il s'est avéré, en étudiant les cellules de personnes décédées, que ces changements correspondent à des modifications similaires des neurones du cerveau. Des études sur les effets épigénétiques de la méditation sur l'amour altruiste sont également en cours dans le laboratoire de Barbara Fredrickson.

Ce sont en fin de compte les individus qui mettent en place des régimes totalitaires, et d'autres qui les renversent pour instaurer la démocratie. Ce sont des individus qui ont perpétré des génocides lorsqu'ils ont déshumanisé leurs semblables, et d'autres, parfois contemporains des premiers, qui ont promulgué la Déclaration universelle des droits de l'homme.

Redonner ses lettres de noblesse à la transformation individuelle

En dépit des immenses progrès accomplis dans les domaines de la démocratie, de la condition de la femme, des droits de l'homme en général, de la justice et de la solidarité, et de l'éradication de la pauvreté et des épidémies, il reste beaucoup à faire. Pour faciliter ces changements, il serait regrettable de négliger le rôle de la transformation personnelle. L'un des drames de notre époque semble être de sous-estimer considérablement la capacité de transformation de notre esprit, même si on peut objecter que nos traits de caractère sont relativement stables. Observés à quelques années d'intervalle, rares sont les coléreux qui deviennent patients, les tourmentés qui trouvent la paix intérieure ou les prétentieux qui se font humbles. Il est indéniable, cependant, que certains individus changent, et le changement qui s'opère en eux montre qu'il ne s'agit pas d'une chose impossible. *Nos traits de caractère perdurent tant que nous ne faisons rien pour les améliorer* et que nous laissons nos dispositions et nos automatismes se maintenir, voire se renforcer avec le temps. Mais c'est une erreur de croire qu'ils sont fixés une fois pour toutes.

Nous nous efforçons constamment d'améliorer les conditions extérieures de notre existence, et en fin de compte c'est notre esprit qui fait l'expérience du monde et qui traduit cette perception sous forme de bien-être ou de souffrance. Si nous transformons notre façon d'appréhender les choses, nous transformons automatiquement la qualité de notre vie. Or ce changement est possible. Il résulte d'un entraînement de l'esprit que l'on appelle parfois «méditation».

21

L'entraînement de l'esprit : ce qu'en disent les sciences cognitives

En 2000, une rencontre exceptionnelle eut lieu à Dharamsala, en Inde. Quelques-uns des meilleurs spécialistes de l'étude des émotions – psychologues, chercheurs en neurosciences et philosophes – passèrent une semaine à discuter avec le Dalaï-lama dans l'intimité de sa résidence, sur les contreforts de l'Himalaya. C'était aussi la première fois que j'avais l'occasion de prendre part aux passionnantes rencontres organisées par l'Institut Mind and Life fondé en 1987 par Francisco Varela, un éminent chercheur en neurosciences, et Adam Engle, un juriste américain. Le dialogue portait sur la façon de gérer les émotions destructrices[1].

Lors de cette rencontre, un matin, le Dalaï-lama déclara : «Toutes ces discussions sont fort intéressantes, mais que pouvons-nous vraiment apporter à la société ?» Durant le déjeuner, à la suite d'une discussion animée, il fut proposé de lancer un programme de recherche sur les effets à court et à long terme de l'entraînement de l'esprit, c'est-à-dire la méditation. L'après-midi, en présence du Dalaï-lama, ce projet fut adopté avec enthousiasme. Ce fut le début d'un programme de recherche novateur sur les sciences contemplatives.

Quelques années auparavant, Francisco Varela, Richard Davidson et Cliff Saron, secondés sur place par Alan Wallace, étaient venus à Dharamsala avec un électroencéphalographe portatif et, encouragés par le Dalaï-lama, avaient effectué des tests sur quelques méditants. Mais les conditions d'expérimentation étaient loin d'être idéales ; il a fallu attendre l'année 2000 pour que les «neurosciences contemplatives» prennent vraiment leur essor.

Des études furent lancées et j'eus la chance de participer à plusieurs d'entre elles, notamment dans les laboratoires du regretté Francisco

Varela en France, de Richard Davidson et Antoine Lutz à Madison, dans le Wisconsin, de Paul Ekman et Robert Levenson à Berkeley, de Jonathan Cohen et Brent Field à Princeton et de Tania Singer à Leipzig.

Les effets de la méditation à long terme

Il semblait logique de commencer par étudier des sujets qui avaient pratiqué la méditation pendant de nombreuses années. C'est chez eux, en effet, que l'on pouvait s'attendre aux transformations du cerveau les plus notables. Si le résultat de leurs tests ne révélait aucun changement dans leur cerveau et leur comportement, il aurait alors été vain d'observer d'autres sujets qui n'auraient médité que quelques mois ou quelques semaines. Si, en revanche, on observait des changements importants chez des méditants expérimentés, on pourrait ensuite se demander comment ils en étaient arrivés là et étudier la manière dont un débutant progresse au cours du temps.

Dans la phase initiale, Antoine Lutz et Richard Davidson ont donc étudié une vingtaine des personnes – moines et laïcs, hommes et femmes, Orientaux et Occidentaux – qui avaient effectué entre dix mille et soixante-mille heures de méditation consacrées au développement de l'amour altruiste, de la compassion, de l'attention et de la pleine conscience au cours de retraites intensives (durant souvent plusieurs années d'affilée) auxquelles s'ajoutaient quinze à quarante années de pratique quotidienne. Pour donner un point de comparaison, au moment du concours d'entrée au Conservatoire national supérieur de musique, un violoniste de haut niveau totalise environ dix mille heures de pratique.

L'analyse des données montra très vite des différences spectaculaires entre les méditants et les sujets non entraînés. Les premiers avaient la faculté d'engendrer des états mentaux précis, puissants et durables. Les aires du cerveau associées à la compassion, par exemple, présentaient une activité considérablement plus importante chez ceux qui avaient une longue expérience méditative. De plus, chaque type de méditation avait une « signature » différente dans le cerveau, ce qui signifiait que la méditation sur la compassion activait un ensemble d'aires cérébrales (ce que l'on appelle un « réseau neuronal ») différent de celles qui sont activées lorsque le sujet médite, par exemple, sur l'attention vigilante.

Pour reprendre les termes de Richard Davidson, «ces travaux semblent démontrer que le cerveau peut être entraîné et modifié physiquement d'une manière que peu de gens auraient imaginée[2]». Les recherches montrèrent également que plus le nombre d'heures de pratique était élevé, plus la transformation cérébrale était importante. Depuis, de nombreux articles publiés dans de prestigieuses revues scientifiques ont diffusé ces travaux, conférant par là ses lettres de noblesse à la recherche sur la méditation, un domaine qui, jusqu'alors, n'avait guère été pris au sérieux.

Les méditants au laboratoire

Lors de la première série d'expériences auxquelles j'ai participé à Madison, un protocole fut établi, prévoyant que le méditant alternerait entre un état neutre et plusieurs états spécifiques de méditation, impliquant des états attentionnels, cognitifs et affectifs différents. Six types de méditation furent choisis : la concentration sur un seul point, l'amour altruiste combiné à la compassion, la «présence ouverte» (voir ci-dessous), la visualisation d'images mentales, l'imperturbabilité à la peur et la dévotion. Ces exercices spirituels qu'un pratiquant du bouddhisme effectue pendant de nombreuses années aboutissent à une méditation de plus en plus stable et claire[3]. Seuls les trois premiers types de méditation furent retenus pour la suite des recherches, du fait qu'ils impliquaient des qualités qui, loin d'être spécifiquement bouddhistes, avaient une valeur universelle et pouvaient être cultivées par tous.

Dans le cadre des expériences de laboratoire, les scientifiques mesurent les *différences* observables entre l'activité cérébrale du méditant au repos, dit «état neutre», et celle qui se manifeste pendant la méditation. Pour que l'on puisse disposer de suffisamment de données, le méditant alterne de nombreuses fois des périodes de repos de quarante-cinq secondes et des périodes de méditation de une à cinq minutes. Une séance entière peut durer jusqu'à deux heures, durant lesquelles le sujet doit rester parfaitement immobile, allongé dans un scanner si l'appareil enregistreur est destiné à une IRM fonctionnelle, ou assis s'il s'agit d'un électroencéphalographe.

Ces deux techniques sont complémentaires, l'électroencéphalogramme (EEG) est très précise temporellement, mais l'imagerie par résonance magnétique fonctionnelle (IRMf) est beaucoup plus précise spatialement. L'EEG est réalisé à l'aide de capteurs que l'on répartit sur le cuir chevelu et qui, en mesurant les faibles courants électriques émis par les neurones, permettent de suivre l'évolution de l'activité cérébrale au millième de seconde près, tout en localisant approximativement l'origine des signaux. L'IRMf se fait grâce à un scanner très puissant qui permet d'étudier de façon beaucoup plus précise la localisation d'une activité cérébrale. Toutefois, l'IRMf ne peut pas déceler les changements qui durent moins d'une seconde ou deux.

À ces deux techniques, les scientifiques ont ajouté un grand nombre de tests comportementaux et cognitifs destinés à mesurer l'attention, l'équilibre émotionnel, la résilience, la résistance à la douleur, l'empathie et les comportements prosociaux. En particulier, les recherches ont exploré les changements qui peuvent se produire dans les six principaux « styles émotionnels » décrits par Richard Davidson : la *résilience*, soit la capacité à surmonter l'adversité ; la *disposition*, au sens temporel, soit le temps pendant lequel on peut maintenir une émotion positive ; l'*intuition sociale*, soit la capacité de capter les signaux sociaux (expressions faciales et corporelles, ton de la voix, etc.) émanant de ceux qui nous entourent ; la *conscience réflexive*, soit le degré de conscience des sensations physiques reflétant nos émotions ; la *sensibilité au contexte*, soit la capacité d'ajuster nos réactions émotionnelles en fonction du contexte dans lequel on se trouve ; et enfin l'*attention*, soit l'acuité et la clarté de la concentration[4].

Travailler avec des sujets ayant consacré des années d'entraînement à la méditation présente plusieurs avantages pour les scientifiques. Les états mentaux engendrés par ces personnes sont généralement clairement définis et reproductibles avec un degré acceptable de fiabilité. De plus, elles peuvent manifester des capacités particulières qui ne sont pas observées chez les sujets non entraînés, ce qui permet de recueillir des données scientifiques nouvelles. Enfin, elles sont capables de décrire avec beaucoup plus de précision et de détails le contenu de leur expérience subjective[5].

Une douzaine d'années d'expérimentation

De 2000 à 2012, plus d'une centaine d'hommes et de femmes, moines et laïcs pratiquants du bouddhisme, et un très grand nombre de débutants se sont prêtés à ces expériences scientifiques dans une vingtaine d'universités de renom[6]. En avril 2012, le premier Symposium international sur la recherche en sciences contemplatives a rassemblé pendant trois jours à Denver (États-Unis) plus de sept cents chercheurs du monde entier, donnant ainsi la mesure de l'essor de ce domaine de recherche. De plus, en juin de chaque année, une centaine de jeunes chercheurs se réunissent pendant une semaine autour de chercheurs chevronnés.

Ces recherches ont non seulement montré que la méditation avait provoqué d'importants changements, tant fonctionnels que structuraux, dans le cerveau des pratiquants expérimentés, mais aussi que quelques semaines de méditation, à raison de trente minutes par jour, induisaient déjà des changements significatifs dans l'activité cérébrale, le système immunitaire, la qualité de l'attention et bien d'autres paramètres.

L'attention peut être améliorée

La pratique de la *concentration* consiste à choisir un objet sur lequel on focalise son attention qu'on s'efforce de maintenir sans se laisser distraire. Cet entraînement vise à passer graduellement d'un état d'esprit instable et capricieux à un état d'esprit dans lequel prévalent l'attention claire, stable, la capacité de gérer les émotions et la paix intérieure. Quelle que soit la qualité que l'on souhaite cultiver, il est indispensable d'affiner son attention, sans quoi l'esprit ne sera pas disponible pour l'entraînement que l'on souhaite accomplir. Lors de cet exercice, on fixe généralement sa concentration sur un élément précis ; cela peut être le va-et-vient du souffle, une sensation physique ou un objet extérieur, par exemple un point lumineux sur l'écran du laboratoire. On laisse alors son esprit reposer attentivement sur l'« objet choisi », et on l'y ramène dès qu'on s'aperçoit que l'on s'est laissé distraire.

Plusieurs méditants, tout juste sortis d'une retraite de trois ans, se sont révélés capables, au cours d'un test classique de vigilance, de maintenir une attention parfaite pendant quarante-cinq minutes, alors que pour la plupart des sujets non entraînés, l'attention se dégrade considérablement après dix minutes d'effort[7].

Une personne relativement expérimentée (dix-neuf mille heures de pratique en moyenne) peut activer les zones du cerveau liées à l'attention beaucoup mieux qu'un sujet non entraîné; par contre, chez les sujets les plus expérimentés (quarante-quatre mille heures de pratique en moyenne), on constate une activation moindre de ces zones, alors même que leur attention demeure stable[8]. Cette observation concorde avec certains travaux ayant démontré que lorsque quelqu'un a acquis la maîtrise d'une tâche, les structures cérébrales qu'il met en œuvre pendant l'exécution de cette tâche sont généralement moins actives que lorsqu'il était encore dans la phase d'apprentissage.

Les chercheurs ont également établi que trois mois d'entraînement assidu à la méditation amélioraient considérablement la *stabilité* de l'attention[9]. L'attention des sujets étudiés nécessitait moins d'effort, variait moins d'un test à l'autre et se laissait moins distraire par des sons perturbateurs, ce qui témoigne d'un meilleur contrôle cognitif[10].

D'autres études ont montré que la pratique de l'attention permettait aussi aux méditants de voir clairement une séquence de mots ou d'images changeant rapidement, alors qu'habituellement les gens perçoivent et identifient une image puis «manquent» les deux ou trois images qui suivent[11].

Effets de l'amour altruiste et de la compassion

Pour méditer sur l'*amour altruiste* et la *compassion* on pense d'abord à un être cher envers qui on laisse se manifester un amour et une bienveillance inconditionnels. Puis on étend graduellement cet amour à la totalité des êtres, et l'on continue ainsi jusqu'à ce que l'esprit tout entier soit imprégné d'amour. Si l'on constate que cet amour diminue, on le ravive et, si l'on est distrait, on ramène son attention à l'amour. Pour la *compassion*, on commence par penser à un être cher qui souffre et l'on souhaite sincèrement qu'il soit libéré de ses souffrances. Puis on procède comme auparavant pour l'amour.

Lorsque les sujets participant à ces recherches méditaient sur l'amour altruiste et la compassion, on constata une augmentation remarquable de la synchronisation des oscillations des ondes cérébrales dans les fréquences dites *gamma*, généralement associées à la connectivité entre différentes aires du cerveau*. Cela a conduit Antoine Lutz à concevoir

* Les ondes gamma ont des fréquences d'oscillation rapides entre 25 et 42 Hz.

l'état de méditation comme un mécanisme d'intégration globale des activités de différentes régions cérébrales.

Le niveau de synchronisation atteint par les méditants experts est nettement supérieur à celui d'un cerveau «normal» au repos, d'«une magnitude jamais décrite dans les publications sur les neurosciences», selon Richard Davidson, et l'intensité mesurée dans les fréquences gamma croît en fonction du nombre d'heures (de quinze mille à soixante mille selon les sujets) consacrées à la méditation sur l'amour altruiste[12].

L'imagerie cérébrale, plus précise, a montré que les aires fortement activées durant la méditation sur l'amour altruiste étaient déjà connues pour leur association avec l'empathie, les émotions positives, l'amour maternel et la préparation à l'action en général (aires prémotrices). Pour les contemplatifs, cela n'a rien de surprenant, car la compassion engendre une attitude d'entière disponibilité qui prépare au passage à l'acte.

Dans deux études ultérieures, effectuées dans le même laboratoire, Antoine Lutz et Richard Davidson ont montré que lorsqu'on fait entendre en alternance l'enregistrement du cri d'une femme en détresse et celui d'un bébé qui rit à des méditants expérimentés en état de compassion, on observe une activation de plusieurs aires du cerveau liées à l'empathie, dont l'*insula*. Cette zone est davantage activée par les cris de détresse que par les rires du bébé. On observe également une étroite corrélation entre l'intensité subjective de la méditation sur la compassion, l'activation de l'insula et le rythme cardiaque[13]. Cette activation est d'autant plus intense que les méditants ont un plus grand nombre d'heures d'entraînement. L'amygdale et le cortex cingulaire sont également activés, ce qui indique une sensibilité accrue à l'état émotionnel de l'autre[14].

Il semble donc que le fait de cultiver un état méditatif lié aux émotions positives comme l'amour altruiste et la compassion modifie l'activité de régions et de réseaux cérébraux connus pour être associés à l'empathie[15].

Barbara Fredrickson et ses collègues ont aussi montré que six à huit semaines de méditation sur la compassion, à raison de trente minutes par jour, augmentaient les émotions positives – joie, espoir, gratitude, enthousiasme –, et le degré de satisfaction vis-à-vis de l'existence[16]. Les sujets éprouvent davantage de joie, de bienveillance, de gratitude, d'espoir et d'enthousiasme, et plus leur entraînement a été long, plus les effets positifs sont notables.

À l'université d'Emory, à Atlanta, l'équipe de Chuck Raison a également démontré que la méditation sur l'amour altruiste renforce le système immunitaire et diminue la réponse inflammatoire. Ces chercheurs ont notamment prouvé que la réduction du taux d'une hormone liée au processus inflammatoire (l'interleukin-6) dans le sang était proportionnelle au temps consacré à la méditation[17].

D'autres recherches, résumées dans un article par Stefan Hofmann[18], de l'université de Boston, ont confirmé que les méditations sur l'amour altruiste et sur la compassion non seulement augmentent les humeurs positives mais diminuent les humeurs négatives. Elles se traduisent par une activation d'aires cérébrales liées à la gestion des émotions et à l'empathie, et offrent des perspectives prometteuses pour remédier au stress, à la dépression, à l'anxiété et au *burnout.*

Méditation sur la *présence ouverte*

La méditation sur la *présence ouverte* consiste à laisser l'esprit se reposer dans un état clair, vaste et alerte à la fois, et libre des enchaînements de pensée. L'esprit n'est concentré sur aucun objet particulier, mais reste parfaitement présent. Lorsque des pensées apparaissent, le méditant n'essaie pas de les bloquer, il se contente de les laisser s'évanouir naturellement.

Dans cet état méditatif, le sentiment égocentré s'efface peu à peu, favorisant par là même l'éclosion spontanée de l'amour altruiste et de la compassion. Selon les méditants qui ont cultivé la *présence ouverte*, en l'absence des barrières de l'égoïsme et de l'attachement à l'ego, l'amour et la compassion surgissent spontanément et sont exempts de discriminations entre ceux qui «méritent» ou non notre amour altruiste.

Il s'avère que tout comme la méditation sur l'amour altruiste, la pratique de la *présence ouverte* engendre également un accroissement important des ondes cérébrales dans les fréquences gamma, qui s'accompagne d'une connectivité et d'une synchronisation accrues entre diverses zones cérébrales.

Il est intéressant de noter que même lorsque les pratiquants expérimentés sont à l'état de «repos», c'est-à-dire lorsqu'ils ne sont pas formellement en train de méditer, on relève chez eux une activation des ondes gamma supérieure à celle que l'on relève chez les non-pratiquants.

De plus, une étude, effectuée à Madison dans le laboratoire de Giulio Tononi, a montré que, chez des méditants ayant totalisé entre deux mille et dix mille heures de pratique, l'augmentation des ondes gamma se maintient pendant leur sommeil profond, avec une intensité proportionnelle au nombre d'heures préalablement consacrées à la méditation[19].

Le fait que ces changements persistent chez ces personnes au repos et durant leur sommeil indique une transformation stable de leur état mental habituel, même en l'absence de tout effort spécifique, comme c'est le cas, par exemple, lors d'une séance de méditation[20].

Le cerveau est structurellement modifié par la méditation

Ce que nous avons décrit jusqu'à présent montre que la méditation entraîne des changements *fonctionnels* importants dans le cerveau, c'est-à-dire que l'on observe des modifications de l'activité de certaines aires cérébrales dues à la méditation lors de processus cognitifs et affectifs bien définis. Mais il était également important de démontrer que ces changements sont accompagnés de modifications de la structure du cerveau, c'est-à-dire du volume des aires cérébrales concernées, volume qui reflète la quantité de neurones présents dans cette aire et le nombre de connexions que ces neurones établissent entre eux. Cette prédiction est au centre de la théorie de la neuroplasticité qui prédit que l'activité répétée d'un réseau neuronal peut induire des changements durables dans l'organisation de ce réseau.

Une première étude menée par Sarah Lazar et ses collègues de l'université d'Harvard a établi que chez des méditants de longue date, ayant en moyenne une dizaine d'années d'expérience, le volume du cortex cérébral avait augmenté[21]. Plus récemment, Britta Hölzel a montré que des changements structuraux se produisaient déjà après une période d'entraînement de huit semaines à la méditation sur la pleine conscience. Elle a observé une augmentation de la concentration et de l'épaisseur de la substance grise dans l'hippocampe gauche (aire liée à l'apprentissage et au contrôle émotionnel), ainsi que dans d'autres régions du cerveau[22].

Connectivité cérébrale

La connectivité cérébrale permet de mieux comprendre les relations qu'entretiennent les diverses aires du cerveau, dans un processus de régulation émotionnelle. Dans le cas de l'agressivité ou de la peur, par exemple, une bonne connectivité fonctionnelle entre le cortex et l'amygdale est indispensable pour réguler nos réactions agressives ou terrifiées instinctives en fonction d'une juste évaluation de la situation. Il ne sert à rien de paniquer à la moindre alerte et d'agresser violemment tous ceux qui nous entourent dès que les choses ne se passent pas exactement comme nous le souhaiterions. De telles réactions iront à l'encontre de la sollicitude empathique.

Par ailleurs, certains troubles graves, comme l'épilepsie et la schizophrénie, sont liés à des défauts de connectivité. Une connectivité élevée semble donc idéale pour un bon fonctionnement du cerveau et, en particulier, pour l'épanouissement de l'altruisme et de la compassion.

Or, l'étude de personnes ayant longtemps pratiqué la méditation démontre que la connectivité structurelle entre les différentes zones du cerveau est supérieure chez elles à celle que l'on mesure dans un groupe témoin[23]. Une autre étude a mis en évidence une augmentation de la connectivité cérébrale dans le cortex après seulement onze heures d'entraînement à la méditation[24].

La détection des expressions faciales serait associée à notre degré d'empathie

Dans le laboratoire de Paul Ekman, des méditants ont participé à une expérience permettant de mesurer la faculté d'identifier correctement les expressions faciales qui traduisent diverses émotions. On fait apparaître sur un écran une série de visages exprimant la joie, la tristesse, la colère, la peur, le dégoût, ou la surprise. Ces six émotions sont universelles, biologiquement déterminées, et elles s'expriment de la même façon dans le monde entier. On commence par voir un visage neutre, puis le même exprimant une émotion et ne restant à l'écran qu'un trentième de seconde. L'expression émotionnelle est à nouveau suivie d'une expression neutre. Ces images passent si rapidement qu'on peut les manquer rien qu'en clignant des yeux. Le test consiste à identifier, durant ce trentième de seconde, les signes faciaux de l'émotion que l'on vient d'entrevoir.

Ces « micro-expressions », ainsi que les appelle Paul Ekman, sont en effet des mouvements involontaires qui se produisent à chaque instant dans notre vie quotidienne et qui sont des indicateurs non censurés de nos sentiments intérieurs. La capacité de reconnaître ces expressions fugaces indique une disposition inusuelle à l'empathie.

L'étude de milliers de sujets a appris à Ekman que les plus doués pour cet exercice sont aussi plus ouverts, plus curieux des choses en général et plus consciencieux. « Alors, conclut-il, j'ai songé que de nombreuses années d'expérience de la méditation » – qui demandent autant d'ouverture d'esprit que de rigueur – « devaient conférer une meilleure aptitude pour réaliser cet exercice ».

Il s'est révélé que les deux méditants expérimentés qui ont effectué ce test ont pulvérisé les records de reconnaissance des signes émotionnels. L'un comme l'autre ont obtenu des résultats supérieurs à ceux des cinq mille sujets préalablement testés. « Ils font mieux que les policiers, les avocats, les psychiatres, les agents des douanes, les juges, et même les agents des services secrets », groupe qui s'était jusqu'alors montré le plus précis. « Il semblerait que l'un des bénéfices que leur a apportés leur formation est une plus grande réceptivité à ces signes subtils de l'état d'esprit d'autrui[25] », remarqua Ekman.

Altruisme et contrôle des émotions

Il est intéressant de remarquer que, selon d'autres études, les personnes qui savent le mieux gérer leurs émotions se comportent de façon plus altruiste que celles qui sont très émotives[26]. Confrontées à la souffrance des autres, ces dernières sont en effet davantage préoccupées par leurs propres réactions (peur, anxiété, etc.). Un esprit libre et serein est plus apte à considérer les situations douloureuses d'un point de vue altruiste qu'un esprit constamment perturbé par des conflits internes. Il est d'ailleurs intéressant d'observer que certains témoins d'une injustice ou d'une agression s'en prennent plus au malfaiteur, en le poursuivant, l'invectivant ou le molestant, qu'ils ne se préoccupent d'aider la victime.

Les bénéfices d'un entraînement à court terme sur les comportements prosociaux

D'autres expériences scientifiques ont également montré qu'il n'était pas nécessaire d'être un méditant surentraîné pour bénéficier des effets de la méditation et que vingt minutes de pratique journalière pendant quelques semaines induisaient des changements significatifs.

Elen Weng, chercheuse au laboratoire de Richard Davidson, a comparé deux groupes : dans l'un, les participants se livraient pendant seulement deux semaines, à raison de trente minutes par jour, à une méditation sur l'amour altruiste et, dans l'autre, ils suivaient un stage de «réévaluation cognitive». Weng a montré que dans le premier groupe on constatait une augmentation des comportements prosociaux. De plus, rien qu'en deux semaines de méditation sur l'amour altruiste on observait déjà une diminution de l'activation de l'amygdale, une aire du cerveau associée, en particulier, à l'agressivité, la colère et la peur[27].

En utilisant un jeu créé à l'université de Zurich, qui donne l'occasion d'aider un autre participant à surmonter un obstacle, au risque d'obtenir un moins bon score pour soi-même, Susanne Leiberg, Olga Klimecki et Tania Singer ont montré que les participants ayant reçu un bref entraînement à la méditation sur la compassion aidaient davantage que ceux qui avaient reçu un entraînement destiné à améliorer la mémoire (cela afin de comparer les effets de cette méditation avec un autre type d'entraînement actif n'ayant rien à voir avec l'altruisme). Ces chercheuses ont montré que l'accroissement des comportements prosociaux à l'égard de personnes inconnues était proportionnel à la durée de l'entraînement à la compassion, effectué deux à cinq jours auparavant[28]. Le fait qu'un entraînement relativement court ait un effet durable laisse augurer de bonnes possibilités de mettre en œuvre de tels entraînements dans les établissements scolaires et hospitaliers.

Effets de la méditation sur la santé mentale

En ce qui concerne la schizophrénie, une étude préliminaire des psychologues David Johnson et Barbara Fredrickson a permis de découvrir que des patients ayant pendant quelque temps pratiqué la méditation sur l'amour altruiste ont ressenti davantage de paix et de détente, et ont été moins distraits que d'ordinaire pendant les séances de méditation en groupe, même si certains ont éprouvé des difficultés à l'idée d'envoyer des pensées bienveillantes à tous les êtres. Les participants ont également montré une diminution importante de leurs affects négatifs et une augmentation de la fréquence et de l'intensité de leurs émotions positives. Ces effets ont subsisté trois mois après l'expérience[29].

Plusieurs autres études ont documenté l'impact positif de la pratique de la «pleine conscience» sur les symptômes de l'anxiété et de la dépression, ainsi que pour l'amélioration du sommeil et de l'attention[30]. Les psychologues canadiens John Teasdale et Zindel Segal ont été les premiers à établir que, chez des patients ayant subi au moins trois crises de dépression, six mois de pratique sur la pleine conscience associée à une thérapie cognitive réduisait de près de 40 % les risques de rechute dans l'année qui suivait une dépression grave[31].

Effets de la méditation sur la bienveillance sur le lien social

Avoir des liens sociaux est un besoin fondamental de l'homme, et de nombreuses études démontrent les bienfaits du lien social sur la santé mentale et physique. Cependant, dans le monde contemporain, les changements sociétaux liés à l'individualisme, au fait qu'un nombre croissant de personnes vivent seules ont entraîné une plus grande méfiance et aliénation accrue.

Est-il possible de renforcer notre sentiment d'appartenance et de connexion avec ceux qui nous entourent ? On connaît l'importance que la confiance en autrui a sur l'harmonie sociale. La diminution de cette confiance s'accompagne de préjugés défavorables à l'égard de ceux qui ne sont pas inclus dans notre cercle proche. Diverses méthodes ont été utilisées pour réduire ces préjugés. Certaines mettent l'accent sur les conséquences délétères de la discrimination[32] ; d'autres favorisent les contacts personnels positifs avec des membres d'un groupe envers lequel on a des préjugés défavorables[33]. Les chercheurs s'intéressent maintenant aux méthodes qui permettraient non seulement de réduire les attitudes négatives, mais d'accroître les attitudes positives.

C'est ainsi que la psychologue Cendri Hutcherson s'est intéressée à la méditation bouddhiste sur l'amour altruiste et a pu montrer qu'une seule séance de pratique de sept minutes augmentait le sentiment d'appartenance à la communauté, le lien social et les attitudes bienveillantes à l'égard de personnes inconnues[34].

De même, Yoona Kang de l'université de Yale, a démontré que six semaines de méditation sur l'amour altruiste réduisaient considérablement les discriminations envers certains groupes (personnes de couleur, sans-abri, etc. [35])

Atténuation des aspects déplaisants de la douleur physique

On sait que l'anticipation de la gravité ou de l'innocuité de ce que l'on va ressentir joue un rôle prépondérant dans l'expérience de la douleur. En général, on supporte mieux des douleurs dont la durée et l'intensité sont prévisibles, ce qui permet d'être prêt à les recevoir et donc à mieux les gérer, que des douleurs imprévues, celles dont l'intensité risque d'aller croissant, et dont la durée est inconnue. L'appréciation de la douleur dépend donc en grande partie de notre attitude mentale. Nous acceptons, par exemple, les effets douloureux d'un traitement médical lorsque nous avons l'espoir de guérir. De nombreuses personnes sont prêtes à donner leur sang ou un organe pour sauver la vie d'un proche. Le fait de donner ainsi un sens altruiste à la douleur nous confère un pouvoir sur elle, cela nous libère aussi de la détresse et du sentiment d'impuissance.

La méditation peut-elle influencer notre perception de la douleur? Plusieurs laboratoires de recherche se sont penchés sur cette question. Les recherches de David Perlman et Antoine Lutz à l'université de Madison ont montré que lorsque des contemplatifs expérimentés de la méditation se mettent en état de *présence ouverte* et sont ensuite soumis à une douleur intense, ils perçoivent cette douleur avec la même lucidité et la même acuité que les sujets non entraînés, mais l'aspect déplaisant de la douleur est considérablement diminué[36]. De plus, les méditants aguerris n'anticipent pas la douleur avec anxiété comme c'est le cas des sujets non entraînés. Après la sensation douloureuse, ils reviennent plus rapidement à un état émotionnel normal. Enfin, ils s'habituent plus vite à la douleur que les débutants[37].

Au cours de cette méditation, le pratiquant observe simplement la douleur sans l'interpréter, l'ignorer, la rejeter ou la craindre, dans un état de pleine conscience sereine. Subjectivement, la sensation conserve son intensité, mais perd son caractère répulsif.

De leur côté, Fadel Zeidan et ses collègues de l'université de Caroline du Nord ont montré qu'après seulement quatre jours d'entraînement, à raison de vingt minutes par jour, les sujets qui entraient en méditation sur la pleine conscience puis étaient exposés à la douleur considéraient en moyenne cette douleur 57 % moins déplaisante et 40 % moins intense que les sujets d'un groupe témoin n'ayant effectué aucun entraînement[38].

Des études préliminaires réalisées par l'équipe de Tania Singer à l'Institut Max-Planck de Leipzig montrent que lorsque des pratiquants expérimentés s'engagent dans une méditation sur la compassion à l'égard d'une personne qui souffre, et qu'on les soumet eux-mêmes à une douleur physique (une décharge électrique au niveau du poignet), la compassion pour l'autre atténue considérablement la qualité déplaisante de leur propre douleur.

La méditation peut ralentir le vieillissement des cellules

Les télomères sont des segments d'ADN situés à l'extrémité des chromosomes. Ils assurent la stabilité des gènes lors de la division cellulaire, mais sont raccourcis chaque fois que la cellule se divise. Lorsque la longueur du télomère diminue au-dessous d'un seuil critique, la cellule cesse de se diviser et entre graduellement dans un état de sénescence[39]. Les télomères sont toutefois protégés par une enzyme appelée télomérase[40]. Ainsi, le vieillissement des cellules de notre corps, notre santé et notre longévité sont affectés par le taux d'activité de la télomérase[41].

On a observé que le stress et la détresse psychologique diminuent l'activité de la télomérase, accélérant ainsi le vieillissement et présageant une mortalité prématurée[42]. Il a été également montré qu'un changement de style de vie entraînant une réduction du stress peut se traduire par une augmentation de 30 % de l'activité de la télomérase[43].

Une étude, réalisée sous la direction de Cliff Saron, de l'université de Davies en Californie, et effectuée sur trente méditants ayant pratiqué en moyenne six heures par jour pendant trois mois, au cours du Shamata Project animé par Alan Wallace a révélé que l'activité de la télomérase était considérablement plus élevée à la fin des trois mois de pratique chez les méditants que chez les membres du groupe témoin. Cette étude est la première à mettre en évidence un lien entre des changements psychologiques positifs et altruistes induits par la méditation et l'activité de la télomérase[44]. Les chercheurs ont aussi montré que les pratiquants de la méditation bénéficiaient d'une meilleure santé mentale et trouvaient davantage de sens à leur existence.

Applications pratiques de ces recherches

Sécularisées et validées scientifiquement, ces techniques de méditation pourraient, par exemple, être utilement intégrées au programme d'éducation des enfants – une sorte d'équivalent mental du cours d'éducation physique – ainsi qu'à la prise en charge thérapeutique des problèmes émotionnels des adultes. Lorsque Daniel Goleman demanda au Dalaï-lama ce qu'il attendait de ces expériences, celui-ci répondit : « En exerçant leur esprit, les gens peuvent devenir plus calmes et plus altruistes. C'est ce qu'indiquent ces travaux sur l'entraînement de l'esprit selon le bouddhisme. Et c'est là mon objectif principal : je ne cherche pas à promouvoir le bouddhisme, mais plutôt la façon dont la tradition bouddhiste peut contribuer au bien de la société. Il va de soi qu'en tant que bouddhistes nous méditons sans cesse pour le bien de tous les êtres. Mais nous ne sommes que des êtres humains ordinaires et le mieux que nous puissions faire, c'est de cultiver notre propre esprit. » Il est donc clair, au vu de l'ensemble de ces travaux qui se poursuivent activement dans de nombreux laboratoires de haut niveau, que l'altruisme et les comportements prosociaux qu'il engendre peuvent être volontairement magnifiés par une pratique méditative régulière.

22

Comment cultiver l'altruisme : méditations sur l'amour altruiste, la compassion, la réjouissance et l'impartialité

Nous avons tous fait, à des degrés divers, l'expérience d'un amour profondément altruiste pour un être cher ou d'une compassion intense pour quelqu'un qui souffre. Certains d'entre nous sont naturellement plus altruistes que d'autres, parfois jusqu'à l'héroïsme. D'autres sont plus repliés sur eux-mêmes et ont du mal à considérer le bien d'autrui comme un but essentiel, et encore davantage à le faire passer avant leur intérêt personnel.

De manière générale, même si des pensées altruistes traversent notre esprit, elles sont fluctuantes et ne tardent pas à être remplacées par d'autres, simples pensées vagabondes ou états mentaux plus conflictuels comme la colère et la jalousie. Si nous voulons véritablement intégrer en nous l'altruisme et la compassion, nous devons cultiver ces qualités sur de longues périodes, les ancrer dans notre esprit, les entretenir et les renforcer jusqu'à ce qu'elles habitent durablement notre paysage mental.

Méditer, c'est se *familiariser* avec une nouvelle manière d'être et c'est aussi *cultiver* des qualités qui demeurent à l'état latent aussi longtemps que l'on ne fait pas l'effort de les développer. La méditation est une *pratique* qui permet de cultiver ces qualités de la même façon que d'autres formes d'entraînement nous permettent d'apprendre à lire, à jouer d'un instrument de musique ou à acquérir toute autre aptitude dont nous avons le potentiel[1]. C'est enfin une certaine façon de considérer les autres et le monde qui nous entoure*. Si, par exemple, nous percevons le monde comme un lieu hostile et autrui comme un adversaire toujours

* Étymologiquement, les mots sanskrit et tibétain traduits en français par «méditation» sont respectivement *bhavana* («cultiver») et *gom pa* («se familiariser»).

prêt à profiter de nous, notre relation aux autres sera empreinte de crainte et de méfiance. Si nous considérons le monde comme un lieu accueillant et les autres comme a priori bienveillants, nous aborderons notre quotidien empreints de cette vision chaleureuse. Nourris du sentiment d'appartenir à la grande famille humaine, nous considérerons les autres comme essentiellement identiques à nous dans leur désir d'être heureux et de ne pas souffrir. À l'inverse, si nous nous considérons comme une entité fondamentalement séparée de ceux qui nous entourent et regardons les autres comme de simples instruments de notre bien-être, notre relation à autrui sera fortement égocentrée.

Se préparer à la méditation

Les circonstances de la vie de tous les jours ne sont pas toujours favorables à la méditation. Notre temps et notre esprit sont occupés par toutes sortes d'activités et de préoccupations incessantes. C'est pourquoi il est nécessaire, au début, de commencer à méditer dans un lieu tranquille et de faire en sorte que le temps que nous réservons à la méditation, même s'il est court, ne soit pas interrompu par d'autres occupations.

Une posture physique appropriée

Pendant les séances de méditation formelle, la posture physique influe sur l'état mental. Si elle est trop relâchée, nous aurons de fortes chances de sombrer dans la torpeur et la somnolence. À l'inverse, une posture trop rigide et tendue risque d'engendrer l'agitation mentale. Il faut donc adopter une posture confortable et équilibrée. On peut s'asseoir les jambes croisées dans la posture dite «du lotus» ou, si celle-ci est trop difficile, s'asseoir simplement les jambes croisées «en tailleur». Les mains reposent l'une sur l'autre sur le giron, dans le geste de l'équanimité, la main droite sur la main gauche. La colonne vertébrale doit être bien droite et le regard dirigé droit devant soi ou légèrement vers le bas, les yeux grands ouverts ou mi-clos. Ceux qui ont de la peine à rester assis les jambes croisées peuvent méditer sur une chaise ou sur un coussin surélevé. L'essentiel est de maintenir une position équilibrée, le dos droit.

Motivation

Lorsque nous commençons à méditer, comme pour toute autre activité que nous entreprenons, il est essentiel de vérifier notre motivation. C'est cette motivation, altruiste ou égoïste, vaste ou limitée, qui donne une bonne ou une mauvaise direction à notre méditation et à tous nos actes.

Stabiliser notre esprit

Pour cultiver l'amour altruiste et la compassion, notre esprit doit être disponible et concentré. Or ce dernier est souvent instable, capricieux, ballotté entre l'espoir et la crainte, occupé par un bavardage intérieur dont nous sommes à peine conscients. Nous devons donc nous efforcer de le rendre plus libre, clair et attentif. Maîtriser l'esprit ne signifie pas lui imposer des contraintes supplémentaires, mais l'affranchir de l'emprise des automatismes mentaux et des turbulences intérieures. Dans un premier temps, la pratique de la méditation visera donc à apaiser le tourbillon des pensées. À cette fin, nous améliorerons notre pouvoir de concentration en prenant un support simple et toujours disponible : le va-et-vient de notre souffle.

Respirons calmement et naturellement. Concentrons toute notre attention sur les mouvements du souffle. Observons la sensation que crée le passage de l'air dans les narines lorsque nous expirons. Notons le moment où le souffle est suspendu entre l'expiration et l'inspiration suivante. En inspirant, concentrons-nous à nouveau sur l'endroit où nous sentons l'air passer. Maintenons cette concentration lors du cycle suivant et ainsi de suite, respiration après respiration, sans tension, mais sans non plus nous relâcher au point de sombrer dans une semi-somnolence. La conscience du souffle doit être limpide et sereine.

Lorsque nous nous apercevons que nous avons été distraits, reprenons simplement l'observation du souffle. N'essayons pas d'arrêter les pensées ; évitons simplement de les alimenter et laissons-les traverser le champ de notre conscience comme l'oiseau passe dans le ciel sans laisser de trace.

Tout entraînement implique des efforts et tout changement rencontre des résistances. Il nous faudra donc apprendre à surmonter les obstacles à la méditation, parmi lesquels figurent l'agitation mentale et son contraire, la léthargie, ainsi que le manque de détermination. Nous devons équilibrer nos efforts, de sorte que nous ne soyons ni trop tendus ni trop relâchés.

Il vaut mieux méditer régulièrement pendant de courtes périodes que d'effectuer de temps à autre de longues séances. Nous pouvons, par exemple, consacrer vingt minutes chaque jour à la méditation et profiter des pauses dans nos activités pour raviver, ne serait-ce que quelques minutes, l'expérience que nous aurons acquise durant notre pratique formelle. Notre assiduité ne doit pas dépendre de l'humeur du moment, l'important est de persévérer.

Méditation sur l'amour altruiste

Pour méditer sur l'amour altruiste, il faut commencer par prendre conscience qu'au plus profond de nous-mêmes nous redoutons la souffrance et aspirons au bonheur. Cette étape est particulièrement importante pour ceux qui ont une image négative d'eux-mêmes ou ont beaucoup souffert, et qui estiment qu'ils ne sont pas faits pour être heureux (voir le chapitre 26 «Avoir pour soi de la haine ou de la compassion»). Engendrons une attitude chaleureuse, tolérante, et bienveillante envers nous-mêmes ; décidons que, dorénavant, nous ne nous voulons que du bien.

Une fois reconnue cette aspiration, nous devons ensuite admettre le fait qu'elle est partagée par tous les êtres. Reconnaissons notre humanité commune. Prenons conscience de notre interdépendance. La chemise que nous portons, le verre dans lequel nous buvons, la maison où nous habitons, tout cela n'est possible que grâce à l'activité d'innombrables autres. Le plus simple objet de notre vie quotidienne est comme imprégné de la présence d'autrui. Réfléchissons à l'origine de la feuille de papier blanc sur laquelle nous écrivons. D'après Greg Norris qui étudie le «cycle de vie» des produits manufacturés, au moins trente-cinq pays sont impliqués dans la fabrication[2] d'une feuille de papier. Imaginons le bûcheron qui a coupé l'arbre, l'ouvrier dans son usine, le transporteur dans son camion, la boutiquière à son comptoir ; comme nous, ils ont une vie avec des joies et des souffrances, des parents et des amis. Tous partagent notre humanité ; aucun d'entre eux ne souhaite souffrir. Cette prise de conscience doit nous amener à nous sentir plus proches de tous ces êtres, à ressentir de l'empathie à leur égard, à être concernés par leur sort et à leur vouloir du bien.

Faisons d'abord porter notre méditation sur un être cher

Il est plus facile de commencer à nous entraîner à l'amour altruiste en pensant à quelqu'un qui nous est cher. Imaginons un jeune enfant qui s'approche de nous et nous regarde joyeux, confiant et plein d'innocence. Nous lui caressons la tête en le contemplant avec tendresse et le prenons dans nos bras, tandis que nous ressentons un amour et une bienveillance inconditionnels. Laissons-nous imprégner entièrement par cet amour qui ne veut rien d'autre que le bien de cet enfant. Demeurons quelques instants dans la pleine conscience de cet amour, sans autre forme de pensée.

Étendre notre méditation

Étendons ensuite ces pensées bienveillantes à ceux que nous connaissons moins. Eux aussi souhaitent être heureux, même s'ils sont parfois maladroits dans leurs tentatives d'échapper à la souffrance. Allons plus loin ; incluons dans cette bienveillance ceux qui nous ont fait du tort, et ceux qui nuisent à l'humanité en général. Cela ne signifie pas que nous leur souhaitons de réussir dans leurs entreprises malveillantes ; nous formons simplement le vœu qu'ils abandonnent leur haine, leur avidité, leur cruauté ou leur indifférence, et qu'ils deviennent bienveillants, soucieux du bien d'autrui. Portons sur eux le regard d'un médecin sur ses patients les plus gravement atteints. Enfin, embrassons la totalité des êtres sensibles dans un sentiment d'amour illimité.

La compassion

La compassion est la forme que prend l'amour altruiste lorsqu'il est confronté à la souffrance de l'autre. Pour cela, il faut se sentir concerné par le sort de l'autre, prendre conscience de sa souffrance, souhaiter qu'il en soit guéri, et être prêt à agir en ce sens.

Pour engendrer la compassion, imaginons qu'un être cher est, une nuit, victime d'un accident de la route et gît blessé sur le bas-côté, en proie à d'atroces douleurs. Les secours tardent à arriver et nous ne savons que faire. Nous ressentons intensément la souffrance de cet être cher comme si c'était la nôtre, mêlée d'un sentiment d'angoisse et d'impuissance. Cette douleur nous atteint au plus profond de nous-mêmes, au point de devenir insupportable.

À ce moment-là, laissons-nous aller à un immense sentiment d'amour pour cette personne. Prenons-la doucement dans nos bras. Imaginons que des flots d'amour émanent de nous et se déversent sur elle. Visualisons que chaque atome de sa souffrance est maintenant remplacé par un atome d'amour. Souhaitons du fond du cœur qu'elle survive, qu'elle guérisse et cesse de souffrir.

Ensuite, étendons cette compassion chaleureuse à d'autres êtres qui nous sont chers, puis, peu à peu, à l'ensemble des êtres, en formant du fond du cœur ce souhait : « Puissent tous les êtres se libérer de la souffrance et des causes de leurs souffrances. »

La réjouissance, la célébration et la gratitude

Il y a en ce monde des êtres qui possèdent d'immenses qualités, d'autres qui comblent l'humanité de bienfaits et dont les entreprises sont couronnées de succès, d'autres qui, simplement, sont plus doués, plus heureux, ou réussissent mieux que nous. Réjouissons-nous sincèrement de leurs accomplissements, souhaitons que leurs qualités ne déclinent pas, mais au contraire perdurent et s'accroissent. Cette faculté de célébrer les meilleurs aspects d'autrui est un antidote à l'envie et à la jalousie, lesquelles reflètent une incapacité à se réjouir du bonheur d'autrui. C'est aussi un remède au découragement et à la vision sombre et désespérée du monde et des êtres.

Si la réjouissance est considérée comme une vertu cardinale dans le bouddhisme, on la retrouve aussi en Occident, chez David Hume, par exemple, lorsqu'il écrit :

> Il nous arrive fréquemment de faire les louanges d'actes vertueux accomplis à des époques et dans des pays lointains. Même les plus grands efforts d'imagination ne permettent pas de découvrir en cela la moindre apparence d'intérêt personnel, ou de révéler un lien quelconque entre notre bonheur présent et des événements si profondément séparés de nous[3].

Cette appréciation et ces louanges sont fondamentalement désintéressées ; nous ne pouvons rien en attendre en retour, nous n'avons aucune vanité à en retirer ni aucune crainte d'être blâmés si nous ne nous réjouissons pas ; bref, nos intérêts personnels n'entrent nulle part en ligne de compte.

Du fait qu'elle est tournée *vers l'autre*, cette réjouissance constitue un terrain fertile pour l'altruisme. Cette appréciation sans réserve du bonheur de l'autre conduit aussi à souhaiter que ce bonheur dure et s'accroisse. « Aimer, disait Leibniz, c'est se réjouir du bonheur d'un autre, [...] c'est faire de la félicité d'un autre notre propre félicité[4]. » Son contraire, le dépit à la pensée des qualités d'autrui, n'a que des désavantages ; comme la jalousie, il me rend malheureux et ne me rapporte rien, pas même une fraction du bonheur, des possessions ou des qualités de la personne que j'envie.

La réjouissance peut s'accompagner de gratitude quand elle s'adresse à ceux qui ont été bienveillants à notre égard. Les psychologues ont mis en évidence les effets bénéfiques de la gratitude. Elle renforce les comportements prosociaux et les liens affectifs ; elle augmente le bien-être, diminue l'envie et les attitudes malveillantes[5]. Le bouddhisme nous encourage à étendre cette gratitude à tous les êtres, nos parents tout d'abord qui nous ont donné vie et nous ont nourris et protégés quand nous étions incapables de nous occuper de nous-mêmes ; et à tous ceux qui ont contribué à notre éducation et nous ont entourés d'affection et de sollicitude, en particulier les amis spirituels qui nous ont montré le chemin vers la liberté intérieure.

L'impartialité

L'impartialité est le complément essentiel des trois méditations précédentes. Le souhait que tous les êtres soient délivrés de la souffrance et de ses causes doit en effet être universel, il ne doit pas dépendre de nos préférences ou de la façon dont les autres nous traitent. Soyons comme le médecin qui se réjouit que les autres soient en bonne santé et qui se préoccupe de la guérison de tous ses patients, quel que soit leur comportement. Comme le soleil qui brille également sur les bons et sur les méchants, l'impartialité permet d'étendre à tous les êtres sans distinction l'amour altruiste, la compassion et la joie que nous avons cultivés dans les méditations précédentes.

Comment combiner ces quatre méditations

Quand nous méditons sur l'amour altruiste, il peut arriver que notre attention s'égare et s'attache aux seules personnes qui nous sont chères. Ce sera le moment de passer à la méditation sur l'impartialité, pour étendre cet amour à tous, proches, inconnus ou ennemis.

Il se peut alors que l'impartialité tourne à l'indifférence : au lieu d'être concerné par tous les êtres, on se distancie d'eux et l'on cesse d'être intéressé par leur sort. C'est le moment de penser à ceux qui souffrent et de cultiver une compassion sincère.

À force de penser continuellement aux souffrances qui affligent les autres, on peut être envahi par un sentiment d'impuissance, d'accablement, ou même de désespoir, et se sentir dépassé par l'immensité de la tâche. Il faut alors se réjouir en pensant à tous ceux qui ont plus de qualités et de succès que soi.

S'il advient que cette joie dérive vers une euphorie naïve, on passera de nouveau à l'amour altruiste. Et ainsi de suite.

À la fin de la séance, revenons quelques instants à notre vision du monde; contemplons à nouveau l'interdépendance de toute chose, essayons de cultiver une perception plus juste, moins égocentrée de la réalité. Comprenons que les phénomènes sont impermanents, interdépendants, et de ce fait dénués de l'existence autonome que nous leur attribuons habituellement. Il en résultera davantage de liberté dans notre manière de percevoir le monde. Contemplons le verset suivant du maître bouddhiste Chandrakirti :

Comme l'étoile filante, le mirage, la flamme,
L'illusion magique, la goutte de rosée, la bulle sur l'eau,
Comme le rêve, l'éclair ou le nuage :
Considère ainsi toute chose.

Essayons de demeurer quelques instants dans la pleine conscience du moment présent, dans un état de simplicité naturelle, dans lequel l'esprit n'est pas trop occupé par les pensées discursives.

Avant de reprendre le cours de nos activités, concluons par des souhaits qui permettent de jeter un pont entre la méditation et la vie quotidienne. Pour ce faire, dédions sincèrement les bienfaits de la méditation à tous les êtres, en pensant : «Puisse l'énergie positive engendrée non seulement par cette méditation mais par tous mes actes, paroles et pensées bienveillants, passés, présents et futurs, contribuer à soulager les souffrances des êtres, à court et à long terme.»

Échanger son bonheur contre la souffrance d'autrui

Pour développer la compassion, le bouddhisme a recours à une visualisation particulière qui consiste à échanger mentalement, par le biais de la respiration, la souffrance d'autrui contre notre bonheur, et à souhaiter que notre souffrance se substitue à celle des autres. Nous penserons peut-être que nous avons déjà assez de problèmes, et que c'est trop demander que d'alourdir encore notre fardeau et de prendre sur nous la souffrance d'autrui. C'est pourtant tout le contraire qui se produit. L'expérience montre que lorsque nous prenons mentalement la souffrance des autres par la compassion, non seulement cela n'augmente pas notre propre souffrance, mais au contraire celle-ci diminue. La raison en est que l'amour altruiste et la compassion sont les antidotes les plus puissants de nos propres tourments. C'est donc une situation dont tout le monde bénéficie ! En revanche, la contemplation de nos propres douleurs, renforcée par la constante rengaine du «moi, moi, moi» qui résonne spontanément en nous, sape notre courage et ne fait qu'accroître notre vulnérabilité.

Commençons par ressentir un amour profond à l'égard d'une personne qui a été d'une grande bienveillance à notre égard. Puis imaginons que cet être souffre énormément. Tandis que nous sommes ainsi envahis par un sentiment d'empathie douloureuse devant sa souffrance, laissons surgir en nous un puissant sentiment d'amour et de compassion et commençons la pratique dite de l'échange.

Considérons qu'au moment où nous expirons, en même temps que notre souffle nous envoyons à cet être cher tout notre bonheur, notre vitalité, notre bonne fortune, notre santé, etc., sous la forme d'un nectar rafraîchissant, lumineux et apaisant. Souhaitons qu'il reçoive ces bienfaits sans aucune réserve, et considérons que ce nectar comble tous ses besoins. Si sa vie est en danger, imaginons qu'elle est prolongée ; s'il est dans le dénuement, qu'il obtient tout ce qu'il lui faut ; s'il est malade, qu'il guérit ; et s'il est malheureux, qu'il trouve le bonheur.

En inspirant, considérons que nous prenons sur nous, sous la forme d'une masse noirâtre, toutes les souffrances physiques et mentales de cet être, et pensons que cet échange le soulage de ses tourments. Imaginons que ses souffrances reviennent vers nous comme une brume portée par le vent. Lorsque nous avons absorbé, transformé et éliminé ses maux, nous éprouvons une grande joie, libre de toute forme d'attachement. Réitérons cette pratique maintes fois jusqu'à ce qu'elle devienne une seconde nature. Ensuite, étendons graduellement cette pratique de l'échange à d'autres êtres connus, puis à l'ensemble des êtres.

Selon une variante de cette pratique, lorsque nous expirons, pensons que notre cœur est une brillante sphère lumineuse d'où émanent des rayons de lumière blanche portant notre bonheur à tous les êtres, partout dans le monde. Quand nous inspirons, prenons sur nous leurs tourments sous la forme d'une nuée dense et sombre qui pénètre dans notre cœur et se dissout dans la lumière blanche sans laisser de trace.

Ou bien encore, imaginons que nous nous démultiplions en une infinité de formes qui vont jusqu'aux confins de l'univers, prennent sur elles les souffrances de tous les êtres qu'elles y rencontrent et leur offrent notre bonheur ; que nous nous transformons en vêtements pour ceux qui ont froid, en nourriture pour les affamés ou en refuge pour les sans-abri. On pourra conclure la séance de pratique en lisant ou récitant ces vers de Shantideva :

Puissé-je être un protecteur pour les abandonnés, un guide pour ceux qui cheminent,
Un vaisseau, une barque, un pont pour ceux qui veulent se rendre sur l'autre rive.
Puissé-je être une île pour ceux qui ont besoin de faire escale,

Une lampe pour ceux qui ont besoin de lumière,
Un lit pour ceux qui veulent se reposer,
Un serviteur pour ceux qui ont besoin d'être servis,
Puissé-je être la pierre miraculeuse, le vase au grand trésor,
La formule magique, le remède universel,
L'arbre qui comble les souhaits, la vache au pis intarissable !
Comme la terre et les autres éléments qui servent aux mille usages
Des êtres innombrables, dans tout l'espace infini,
Puissé-je, de mille façons, être utile aux êtres qui peuplent cet espace,
Aussi longtemps qu'ils ne seront pas tous libérés de la souffrance[6] *!*

Cette pratique permet d'associer la respiration au développement de la compassion. Elle peut être utilisée à tout moment de la vie quotidienne, particulièrement lorsque nous sommes confrontés aux souffrances d'autrui ou même à nos propres souffrances.

Lorsque nous souffrons, comprenons que, bien que la souffrance soit en elle-même indésirable, cela ne signifie pas que l'on ne puisse pas en faire un usage bénéfique. Comme l'explique le Dalaï-lama : «Une profonde souffrance peut nous ouvrir l'esprit et le cœur, et nous ouvrir aux autres[7].» Pensons : «D'autres que moi sont affligés par des peines comparables aux miennes, et souvent bien pires. Comme j'aimerais qu'ils puissent, eux aussi, en être libérés!»

Les diverses méditations décrites ci-dessus peuvent être pratiquées de deux manières complémentaires : au cours de séances régulières de pratique et en effectuant les tâches de la vie quotidienne. Nous pouvons notamment maintenir la pleine conscience de nos gestes et de nos sensations en accomplissant des tâches simples comme laver la vaisselle ou le linge, en marchant dans la rue, en regardant les scènes de la vie de tous les jours. En particulier, pour permettre à l'altruisme d'être plus présent dans nos pensées, nous pouvons, à tout moment, souhaiter intérieurement à ceux que nous croisons dans la vie quotidienne d'être heureux et libérés de toute souffrance. Ainsi, graduellement, l'amour altruiste, la compassion, la pleine conscience et autres qualités développées par la méditation seront pleinement intégrés à notre manière d'être.

V

LES FORCES CONTRAIRES

23

L'égocentrisme et la cristallisation de l'ego

Quelles sont les forces qui vont s'opposer à l'altruisme, et comment les contrecarrer? Ce sont là deux questions capitales dont il faut connaître la réponse pour contribuer à l'épanouissement de l'altruisme dans la société.

Ce qui s'oppose directement à l'altruisme, c'est l'égocentrisme. Nous nous attacherons donc d'abord à identifier la nature et les manifestations de cet égocentrisme et à remonter à sa source, c'est-à-dire à la formation du concept d'*ego* et de l'attachement que nous concevons envers ce dernier. Nous montrerons qu'à mesure que l'égocentrisme creuse un fossé entre soi et autrui, la notion d'appartenance à un groupe particulier (famille, ethnie, religion, village, ville, pays, club de football, etc.) prend une importance croissante au détriment de la solidarité et de la valeur accordée à l'autre. Ce processus nous amène à définir, consciemment ou non, différents groupes de personnes plus ou moins proches de lui[1].

Les divisions ainsi établies ne sont pas anodines; elles mènent à des discriminations. De nombreuses études psychologiques ont montré que l'individu a tendance à donner systématiquement la préférence aux membres de *son* groupe, en négligeant de ce fait le souci d'équité. Le repli sur soi qui accompagne l'égocentrisme conduit naturellement au déclin de l'empathie et de l'altruisme. L'influence de l'égocentrisme peut culminer dans le recours à la violence pour satisfaire ses désirs ou nuire sciemment aux autres.

La formation du «moi» et la cristallisation de l'ego

Regardant vers l'extérieur, nous solidifions le monde en projetant sur lui des attributs – bon ou mauvais, beau ou laid, désirable ou repoussant – qui ne lui sont nullement inhérents. Regardant vers l'intérieur, nous figeons le courant de la conscience en imaginant un «moi» qui trônerait au cœur de notre être. Nous tenons pour acquis le fait de percevoir les choses telles qu'elles sont et mettons rarement cette opinion en doute. Nous prêtons une permanence à ce qui est éphémère et percevons comme des entités autonomes ce qui est en réalité un réseau infini de relations sans cesse changeantes. Nos concepts *figent* les choses en entités artificielles et nous perdons notre liberté intérieure, comme l'eau perd sa fluidité lorsqu'elle se transforme en glace.

La psychologie de la petite enfance étudie comment le nouveau-né apprend à connaître le monde, à se situer peu à peu par rapport aux autres. Vers l'âge d'un an, le petit enfant en vient à comprendre que les autres sont distincts de lui, que le monde n'est pas une simple extension de lui-même et qu'il peut agir sur celui-ci. Nous avons vu que c'est à partir de l'âge de dix-huit mois que l'enfant commence à se reconnaître dans un miroir et acquiert la conscience de soi.

Bien que notre corps subisse des transformations à chaque instant et que notre esprit soit le théâtre d'innombrables expériences émotionnelles et conceptuelles, nous concevons le «moi» comme une *entité unique, constante et autonome.* La simple perception d'un «moi» s'est maintenant cristallisée en un sentiment d'identité beaucoup plus fort, l'ego. Nous sentons par ailleurs que cet ego est vulnérable, et nous voulons le protéger et le satisfaire. C'est ainsi que se manifeste l'aversion pour tout ce qui le menace, et l'attirance pour tout ce qui lui plaît et le conforte. Ces deux états mentaux donnent naissance à une multitude d'émotions conflictuelles – l'animosité, le désir compulsif, l'envie, etc.

Les diverses facettes de notre identité

Le sentiment d'identité personnelle comporte trois aspects : le *je*, la *personne* et l'*ego*[2]. Le *je* vit dans le présent ; c'est lui qui pense «j'ai faim», ou «j'existe». C'est le lieu de la conscience, des pensées, du jugement et de la volonté. Il est l'expérience de notre état actuel.

Comme l'explique le neuropsychiatre David Galin[3], la notion de *personne* est plus large, c'est un continuum dynamique, étendu dans le temps, intégrant divers aspects de notre existence aux plans corporel, mental et social. Ses frontières sont plus floues : la personne peut se référer au corps («être bien fait de sa personne»), à des sentiments intimes (un «sentiment très personnel»), au caractère (une «bonne personne»), aux relations sociales («séparer sa vie personnelle de sa vie professionnelle») ou à l'être humain en général (le «respect de la personne»). Sa continuité dans le temps nous permet de relier les représentations de nous-mêmes qui appartiennent au passé à celles qui concernent le futur. Le recours à la notion de *personne* est tout à fait légitime si on considère celle-ci comme un concept pratique permettant de désigner l'histoire de notre expérience vécue, c'est-à-dire l'ensemble des relations dynamiques entre la conscience, le corps et l'environnement.

Reste l'*ego*. Spontanément nous estimons qu'il constitue le noyau même de notre être. Nous le concevons comme un tout indivisible et permanent qui nous caractérise de l'enfance à la mort. L'ego n'est pas seulement l'addition de «mes» membres, «mes» organes, «ma» peau, «mon» nom, «ma» conscience, mais leur propriétaire. Le célèbre «Je pense, donc je suis», de Descartes, qui fait de l'existence d'un «moi» distinct une condition de la pensée, a fortement consolidé la croyance en un «moi» coupé du monde dans la pensée occidentale. Or le fait de penser ne prouve rien quant à l'existence d'une entité individuelle, il témoigne simplement du fait que le flot de notre conscience a, par nature, la faculté de faire l'expérience du monde et d'elle-même. En termes bouddhistes, on dira que la qualité «lumineuse» de la conscience, qui permet cette expérience, ne nécessite pas la présence d'une entité autonome sous-jacente. L'expérience pure ne peut être réifiée en une quelconque entité.

Le «je», notamment, n'est rien d'autre que le contenu actuel de notre flux mental, lequel change à chaque instant. Il ne suffit pas, en effet, de percevoir quelque chose, ou d'en avoir l'idée, pour que cette chose soit douée d'existence propre : on perçoit fort bien un mirage et une illusion d'optique, tous deux dénués de réalité.

L'idée que l'ego pourrait n'être qu'un concept va à l'encontre de l'intuition de la plupart des penseurs occidentaux. Descartes, à nouveau, est formel : «Lorsque je considère mon esprit, c'est-à-dire moi-même en tant que je suis seulement une chose qui pense, je n'y puis distinguer aucune partie, mais je me conçois comme une chose seule, et entière[4].» Indiscutablement, nous avons la perception instinctive d'un ego unitaire, constituant une entité distincte. Or le simple fait de le percevoir ne prouve en aucune façon la présence d'une entité telle que l'imaginait Descartes. En effet, quand on tente de préciser la nature de cette entité, il est impossible de mettre le doigt dessus et de lui attribuer des qualités d'autonomie et de singularité[5].

À la recherche de l'ego

Si l'ego existait en tant qu'entité distincte, nous devrions être capables de décrire cette entité de façon suffisamment claire pour nous confirmer qu'elle est autre chose qu'un simple concept. On peut notamment se demander : «Où se trouve l'ego?» Il ne peut être uniquement dans mon corps, car lorsque je dis «je suis fier», c'est ma conscience qui est fière, pas mon corps. Se trouve-t-il alors uniquement dans ma conscience? C'est loin d'être évident. Quand je dis : «Quelqu'un m'a poussé», est-ce ma conscience qui a été poussée? Bien sûr que non. L'ego ne peut évidemment pas se trouver en dehors du corps et de la conscience. On s'aperçoit, en poursuivant cet examen logique, que l'ego ne réside en aucune partie du corps, pas plus qu'il n'est diffus dans l'ensemble du corps. Serait-il simplement la somme de leurs parties, leur structure et leur continuité? Dans ce cas, on ne peut plus parler d'entité.

Nous pensons volontiers que l'ego est associé à la conscience. Mais cette conscience est, elle aussi, un flux insaisissable : le passé est mort, le futur n'est pas encore né et le présent ne dure pas. Comment l'ego, considéré comme une entité distincte, pourrait-il exister suspendu entre quelque chose qui n'existe plus et quelque chose qui n'existe pas encore?

Aucune de ces possibilités ne nous mène à découvrir une entité unitaire. Plus on tente de cerner l'ego, plus il nous échappe. La seule conclusion possible est que l'ego n'est qu'une *désignation mentale* apposée sur un processus dynamique, un *concept* utile qui nous permet de relier un ensemble de relations changeantes qui intègrent perceptions de l'environnement, sensations, images mentales, émotions et pensées.

Nous avons en effet une tendance innée à simplifier les ensembles complexes pour en faire des «entités» et à en inférer que ces entités sont durables. Il est plus facile de fonctionner dans le monde en tenant pour acquis que la majeure partie de notre environnement ne change pas de minute en minute et en traitant la plupart des choses comme si elles étaient à peu près constantes. Je perdrais toute conception de ce qu'est «mon corps» si je le percevais comme un tourbillon d'atomes qui ne reste jamais identique à lui-même ne serait-ce qu'un millionième de seconde. Mais j'oublie trop vite que la perception ordinaire de mon corps et des phénomènes qui m'entourent n'est qu'une approximation, et qu'en réalité *tout* change à *chaque instant.* La perception erronée de mon corps comme une entité qui reste plus ou moins identique à elle-même et qui est séparée du monde est une simplification utile dans notre expérience quotidienne. Mais il importe de comprendre qu'il ne s'agit que d'une perception, renforcée par une nécessité pratique, que l'on a ensuite confondue avec la réalité. Il en va de même de l'ego, dont la perception, renforcée par l'habitude, n'est autre qu'une construction mentale.

Aussi le bouddhisme conclut-il que l'ego n'est pas inexistant – on en fait constamment l'expérience –, mais qu'il n'existe qu'en tant qu'illusion. C'est en ce sens que le bouddhisme dit que l'ego (le «moi» perçu comme une entité) est «vide d'existence autonome et permanente». L'ego est semblable à un mirage. Examiné superficiellement et vu de loin, le mirage d'un lac paraît réel, mais lorsqu'on s'en approche, on serait bien en peine d'y trouver de l'eau.

Les fragiles visages de l'identité

L'idée de notre identité, de notre image, de notre statut dans la vie, est profondément ancrée dans notre esprit et influence constamment nos rapports avec les autres. Quand une discussion tourne mal, ce n'est pas tant le sujet de la discussion qui nous importe et nous contrarie que la remise en cause de notre identité. Le moindre mot qui menace l'image que nous avons de nous-mêmes nous est insupportable, alors que le même qualificatif appliqué à quelqu'un d'autre nous trouble peu. Si nous avons une forte image de nous-mêmes, nous essaierons constamment de nous assurer qu'elle est reconnue et acceptée. Rien n'est plus pénible que de la voir mise en doute.

Mais que vaut cette identité ? Il est intéressant de noter que « personnalité » vient de *persona*, qui signifie « masque » en latin. Le masque « à travers » (*per*) lequel l'acteur fait « retentir » (*sonat*) son rôle[6]. Alors que l'acteur sait qu'il porte un masque, nous oublions souvent de distinguer entre le rôle que nous jouons dans la société et notre véritable nature.

On parle volontiers du rôle familial et social d'un individu. Le rôle d'une mère ou d'un père, le rôle d'un directeur d'entreprise ou d'un artiste dans la société. Or, ce faisant, il s'opère un glissement constant et subconscient entre l'idée d'une fonction particulière – pianiste, sportif, professeur – et l'identification de la personne à cette fonction au point que celle-ci finit par définir l'individu et nous éloigne de notre humanité fondamentale, que nous partageons avec tous nos semblables.

En nous accrochant à l'univers confiné de notre ego, nous avons tendance à être uniquement préoccupés par nous-mêmes. La moindre contrariété nous perturbe et nous décourage. Nous sommes obsédés par nos succès, nos échecs, nos espoirs et nos inquiétudes ; le bonheur a alors toutes les chances de nous échapper. Si l'ego n'est qu'une illusion, alors s'en affranchir ne revient pas à extirper le cœur de notre être, mais simplement à ouvrir les yeux. Abandonner cette fixation sur notre image revient à gagner une grande liberté intérieure.

Par crainte du monde et des autres, par peur de souffrir, nous nous imaginons qu'en nous retranchant à l'intérieur d'une bulle, celle de l'ego, nous serons protégés. Nonobstant, nous nous trouvons en porte-à-faux avec la réalité, puisque nous sommes *fondamentalement interdépendants* avec les êtres et avec notre environnement.

Quand nous cessons de considérer notre moi comme la chose la plus importante au monde, nous nous sentons plus facilement concernés par les autres. La vue de leurs souffrances suscite plus spontanément notre courage et notre détermination à œuvrer pour leur bien.

Du « moi » au « mien »

À mesure que le « moi » se renforce et se cristallise en « ego », le « mien » fait de même. Le Dalaï-lama illustre ainsi l'attachement au sentiment de « mien » : vous contemplez un magnifique vase de porcelaine dans une vitrine. Un vendeur maladroit le fait tomber. Vous soupirez : «Quel dommage, un si joli vase!» et continuez tranquillement votre chemin. Maintenant, imaginez que quelqu'un vous a donné ce vase, que vous l'avez fièrement placé sur votre cheminée et qu'il tombe en se brisant en mille morceaux. Vous vous exclamerez alors avec horreur : «*Mon* vase est cassé!» et vous en serez profondément affecté. Pourtant, la seule différence est l'étiquette de «mien» que vous avez attachée au vase.

Que faire de l'ego?

À la différence du bouddhisme, les méthodes de la psychologie s'attachent peu à relativiser l'importance de l'ego, et encore moins à mettre fin à l'illusion de ce dernier. La remise en cause de la notion d'ego telle qu'elle s'est développée en Occident est récente, c'est là une idée neuve, presque subversive là où l'ego est tenu pour l'élément fondateur de la personnalité. Éradiquer totalement l'ego? Mais alors, je n'existe plus? Comment peut-on concevoir un individu sans ego? La prise de conscience du caractère illusoire de l'ego risque-t-elle de changer mes rapports avec mes proches et le monde qui m'entoure, de me déstabiliser?

L'absence d'ego, ou un ego trop faible ou diffus ne sont-ils pas des signes cliniques témoignant d'une pathologie plus ou moins sévère? Ne faut-il pas disposer d'une personnalité construite avant de pouvoir renoncer à l'ego? Telles sont les questions que se pose l'Occidental habitué à penser sa relation au monde à partir de la notion d'ego.

L'idée qu'il est nécessaire d'avoir un ego robuste tient sans doute au fait que les personnes souffrant de troubles psychiques sont considérées comme des êtres ayant un «moi» fragmenté, fragile et déficient. Or affirmer cela, c'est confondre l'ego et la confiance en soi. L'ego ne peut procurer qu'une confiance factice, construite sur des attributs précaires – le pouvoir, le succès, la beauté et la force physique, le brio intellectuel, l'admiration d'autrui – et tous les autres éléments dont nous croyons qu'ils constituent notre «identité», à nos yeux et à ceux d'autrui. Lorsque cette façade s'écroule, l'ego s'irrite ou se pose en victime et la confiance en soi est détruite.

La force bienveillante du non-ego

Selon le bouddhisme, dissiper l'illusion de l'ego, c'est s'affranchir d'une vulnérabilité fondamentale, et y gagner une véritable confiance en soi, l'une des *qualités naturelles de l'absence d'ego*. En effet, le sentiment de sécurité que procure l'illusion de l'ego est éminemment fragile. La disparition de cette illusion va de pair avec la prise de conscience de notre formidable potentiel intérieur. Cette prise de conscience engendre une confiance inébranlable que ne menacent plus ni les circonstances extérieures ni les peurs intérieures.

Paul Ekman, spécialiste de la science des émotions, note chez les gens qui accordent peu d'importance à leur ego «une impression de bonté, une qualité d'être que les autres perçoivent et apprécient et, à la différence de nombreux charlatans charismatiques, une parfaite adéquation entre leur vie privée et leur vie publique[7]». Mais surtout, «ces personnes inspirent les autres par le peu de cas qu'elles font de leur statut, de leur renommée, bref de leur «moi». Elles ne se soucient pas le moins du monde de savoir si leur position ou leur importance sont reconnues». Une telle absence d'égocentrisme, ajoute-t-il, «est tout bonnement confondante d'un point de vue psychologique». Il souligne également que «les gens aspirent instinctivement à être en leur compagnie et que, même s'ils ne savent pas toujours expliquer pourquoi, ils trouvent leur présence enrichissante».

Une étude qui analyse et synthétise de nombreux travaux scientifiques portant sur les conséquences psychologiques de l'égocentrisme, réalisée par le psychologue Michael Dambrun de l'université de Clermont-Ferrand, à laquelle j'ai collaboré, a montré que l'égocentrisme exacerbé va de pair avec la recherche du bonheur *hédonique*, c'est-à-dire le bonheur fondé sur des plaisirs fluctuants, et la diminution du sentiment de bien-être. En revanche, l'affaiblissement de l'égocentrisme se traduit par la recherche du bonheur *eudémonique*, c'est-à-dire fondé sur une manière d'être, un sentiment d'accomplissement et de plénitude, et par un bien-être plus stable et plus profond fondé sur l'ouverture à l'autre[8].

Réduire les préjugés entre groupes

Un homme (un acteur) gît sur la pelouse du parc de l'université de Manchester, en Angleterre, au bord d'un chemin fréquenté. Il semble avoir un malaise. Les gens passent. Seul un petit nombre d'entre eux (15 %) s'arrêtent pour voir s'il a besoin d'aide. Le même homme est allongé sur la même pelouse, mais cette fois il porte le maillot du club de football de Liverpool (un club rival de celui de Manchester, mais qui a de nombreux supporters parmi les étudiants venus de Liverpool). 85 % des passants supporters de cette équipe s'approchent alors pour voir s'il a besoin d'un coup de main. Au bout du chemin, une équipe de chercheurs de l'université interroge tous les passants, qu'ils se soient arrêtés ou non[9]. Cette étude, mais aussi de nombreuses autres, confirme que le sentiment d'*appartenance* influence considérablement la disposition à coopérer et à s'entraider.

Le sentiment d'appartenance à une communauté dans laquelle chacun se sent proche et responsable des autres a de grandes vertus. Il renforce la solidarité, valorise l'autre et favorise la poursuite de buts communs qui dépassent le cadre individuel. Il permet, bien sûr, d'accorder davantage d'importance au « nous » qu'au « moi ».

Mais le sentiment d'appartenance à un groupe a aussi des effets préjudiciables à l'harmonie des relations humaines. La valorisation des membres de « notre » groupe s'accompagne d'une dévalorisation corrélative de ceux qui n'en sont pas, qui y sont étrangers ou appartiennent à un groupe rival. Cette partialité entraîne différentes formes de discrimination telles que le racisme, le sexisme et l'intolérance religieuse. Et même si le groupe auquel on s'attache est l'espèce humaine en général, cet attachement a pour contrepartie le « spécisme », une attitude selon laquelle les autres espèces du monde du vivant sont considérées comme intrinsèquement inférieures.

Les études des psychologues LeVine et Campbell portant sur les préjugés et comportements des groupes ethniques ont mis en évidence les caractéristiques suivantes : les membres d'un groupe considèrent que leurs valeurs sont universelles et fondamentalement justes ; ils coopèrent avec les autres membres de leur groupe tout en les punissant, le cas échéant, pour leurs méfaits (vol, meurtre, etc.). Ils souhaitent continuer à faire partie du groupe, obéissent aux autorités qui le représentent et sont prêts à se battre et à mourir pour défendre ses intérêts.

À l'inverse, ils considèrent les membres des autres groupes comme intrinsèquement inférieurs, méprisables et immoraux. Ils coopèrent peu avec eux, ne respectent pas l'autorité de leurs dirigeants, les blâment pour les difficultés qu'ils rencontrent eux-mêmes, et sont prêts à se battre contre eux. Ils ne leur font pas confiance et les craignent. Dans l'éducation qu'ils prodiguent à leurs enfants, ils citent les membres de l'autre groupe comme des exemples à ne pas suivre[10]. Lorsque le sentiment de la valeur personnelle liée au groupe s'exacerbe – le psychologue Henri Tajfel cite l'exemple des membres du Ku Klux Klan qui revêtent leurs coiffes et leurs habits blancs, et des apprentis terroristes qui se réunissent en secret –, il conduit aux pires comportements sectaires et aux conflits les plus violents[11].

Tajfel a également montré que même la création purement artificielle de deux groupes sur la base de préférences entre les peintures de Klee ou de Kandinsky, par exemple, voire à l'issue d'un tirage à pile ou face, conduit rapidement les gens à préférer les membres de «leur» groupe, à leur allouer davantage de ressources et à faire moins confiance aux membres de l'«autre» groupe.

L'expérience de la Caverne des voleurs

Dans une célèbre série d'expériences, le psychologue Muzafer Sherif et ses collègues avaient organisé une colonie de vacances pour garçons âgés de douze à quatorze ans. Ils les avaient divisés en deux groupes de onze adolescents qu'ils avaient installés à deux extrémités d'un grand domaine appelé la «Caverne des voleurs.» Pendant une semaine, chaque groupe croyait être seul sur ce domaine, occupant une cabane, trouvant des endroits pour se baigner, faisant des randonnées, etc. Le premier groupe se baptisa lui-même «les Serpents à sonnette».

Au début de la deuxième semaine, on apprit à chaque groupe l'existence de l'autre. Cette seule information suscita rapidement un sentiment d'hostilité réciproque. Le groupe qui n'avait pas encore de nom se dénomma immédiatement «les Aigles» (lesquels, bien sûr, mangent les serpents). La division entre «nous» et les «autres» se mit ainsi rapidement en place.

Ensuite, les expérimentateurs annoncèrent qu'une série de compétitions allait opposer les deux groupes (matchs de base-ball, inspections des huttes et de leur état de propreté, etc.). De plus, on les fit manger dans le même réfectoire, dans lequel les prix et trophées qui allaient être attribués aux vainqueurs des compétitions étaient exposés. Après un début honorable, les activités sportives dégénérèrent très rapidement. Les joueurs s'insultèrent et, après la défaite des Aigles, leur chef mit le feu au drapeau des Serpents, ce qui incita ces derniers à leur rendre la pareille le lendemain. Au fil des jours la situation se dégrada, les tensions prirent une ampleur imprévue et les expérimentateurs décidèrent d'interrompre l'expérience[12].

Quelques années plus tard, ces mêmes chercheurs tentèrent une nouvelle expérience. Un niveau de tension élevé s'étant à nouveau déclaré entre les deux groupes, les expérimentateurs imaginèrent divers stratagèmes pour rétablir la paix. Ils demandèrent tout d'abord à tous de trouver, puis de réparer, une fuite sur la canalisation d'eau alimentant le camp. Au cours de cette tâche, l'hostilité s'atténua, mais ne tarda pas à réapparaître. Les expérimentateurs organisèrent ensuite une soirée où ils emmenèrent les garçons des deux groupes au cinéma. Mais, à nouveau, la paix fut de courte durée.

Finalement, ils eurent l'idée de verser le camion qui ravitaillait le camp dans une profonde ornière, de telle sorte que le dépannage exigeât la collaboration de tous les enfants pendant une journée, au prix d'énormes efforts. Un seul groupe n'aurait pu dégager le véhicule. On observa que des liens de solidarité, puis d'amitié se créaient entre les membres des deux groupes, à mesure qu'ils collaboraient de bon cœur à un but commun. L'inimitié entre les deux groupes cessa et les enfants décidèrent de revenir à la ville ensemble dans le même autobus.

Pour les chercheurs, une telle expérience avait de profondes implications sur l'élaboration d'une véritable culture de la paix. Elle montrait qu'il ne suffit pas que deux groupes hostiles cessent de se battre ou cohabitent. Il faut qu'ils œuvrent ensemble au bien commun.

Résolution de conflits

Pour réduire les tensions et les conflits entre des groupes antagonistes, il convient donc d'abord d'encourager l'établissement de contacts personnels entre leurs membres. Lorsque ceux-ci apprennent à se connaître en passant du temps ensemble, ils sont beaucoup plus enclins à la bienveillance car ils accordent davantage de valeur à l'autre en percevant plus justement ses besoins, ses espoirs et ses craintes. Comme le montre l'expérience des enfants de la Caverne des voleurs, il ne suffit pas de les mettre en contact, ce qui tend généralement à exacerber les sentiments hostiles[13]. L'une des techniques les plus efficaces consiste à proposer aux deux groupes un but commun qui ne peut être atteint qu'en unissant toutes leurs forces[14]. Les participants apprennent alors à s'apprécier en œuvrant ensemble à l'accomplissement de ce but.

Par essence, se défaire de l'attachement à l'ego ne diminue en rien le désir légitime d'être heureux, mais élimine l'importance démesurée que nous attachons à notre bonheur par rapport à celui des autres. Se défaire de cet attachement revient donc non pas à dévaloriser notre bonheur, mais à revaloriser celui d'autrui.

24

L'expansion de l'individualisme et du narcissisme

Notre existence, et même notre survie, dépend étroitement de notre capacité à construire des relations mutuellement bénéfiques avec les autres. Les êtres humains ont un profond besoin de se sentir reliés, de faire confiance et de jouir de la confiance d'autrui, d'aimer et d'être aimés en retour. La psychologue Cendri Hutcherson a résumé un ensemble d'expériences montrant que le fait de se sentir relié aux autres augmente notre bien-être psychologique et notre santé physique, tout en diminuant le risque de dépression[1]. Le sentiment de connexion et d'appartenance à la communauté élargie accroît également l'empathie et favorise les comportements fondés sur la confiance et la coopération[2]. Tout cela induit un cercle vertueux ou, plus précisément, selon l'expression de l'une des fondatrices de la psychologie positive, Barbara Fredrickson, une « spirale vertueuse » ascendante, puisque la confiance et la disposition à coopérer se renforcent à mesure qu'elles sont partagées[3].

En dépit des avantages évidents engendrés par les liens sociaux, nous vivons dans un monde où l'individu est de plus en plus isolé et méfiant. Les bouleversements technologiques, économiques et sociaux ont entraîné un affaiblissement du lien social, ainsi qu'une érosion de la confiance mutuelle[4]. En 1950, un sondage révélait que 60 % des Américains du Nord et des Européens faisaient a priori confiance à un inconnu. En 1998, ce pourcentage était tombé à 30 %[5]. En Occident, l'individu se replie de plus en plus sur lui-même, et cette tendance constitue un obstacle à l'expansion de l'altruisme. La liberté individuelle et la recherche de l'autonomie sont sources de nombreux bienfaits, mais ils ne peuvent s'épanouir sans être équilibrés par un sens approprié de la responsabilité et de la solidarité envers autrui.

Les deux visages de l'individualisme

Selon l'essayiste américain David Brooks[6], le concept d'individualisme s'est largement propagé à partir du XVIIe siècle, lorsque Francis Bacon et ses pairs conçurent une méthode scientifique destinée à comprendre les phénomènes physiques et biologiques complexes en les réduisant à l'interaction entre leurs parties qui sont, elles, des unités distinctes (atomes, molécules, etc.) plus facilement analysables. Ce terme fut donc tout d'abord utilisé dans un contexte scientifique, mathématique et logique.

La science a certes pu faire des progrès considérables en identifiant et en analysant les composants les plus fondamentaux des phénomènes, ainsi que leurs causes immédiates. Mais ces progrès ont parfois conduit à négliger l'importance des relations globales entre les phénomènes et entre les systèmes qu'ils constituent. Le réductionnisme ignore aussi les phénomènes émergents, c'est-à-dire que le tout est qualitativement différent de la somme de ses parties. Appliquer une approche réductionniste aux êtres humains en les considérant comme des entités autonomes, plutôt qu'appartenant à un vaste ensemble interdépendant, ignore donc la complexité des relations humaines.

De nos jours, le mot «individualisme» a généralement deux sens. Il désigne un mouvement de pensée parfaitement légitime qui défend le respect de l'individu, stipulant qu'il ne doit pas être utilisé comme un simple instrument au service de la société. Ce courant de pensée a donné naissance au concept essentiel des droits de l'homme, sans pour autant occulter l'importance des devoirs du citoyen, de l'interdépendance des membres de la communauté humaine et de la solidarité. Un tel individualisme n'est donc nullement synonyme d'égoïsme dans la mesure où il confère à l'individu une autonomie morale et lui permet d'effectuer ses choix en toute liberté.

Il existe toutefois une autre conception de l'individualisme, celle dont on peut déplorer l'expansion à notre époque. Il s'agit d'une aspiration égocentrique à s'affranchir de toute conscience collective et à donner la priorité au «chacun pour soi.» Elle encourage l'individu à faire tout ce que lui dictent ses désirs et ses impulsions immédiates au mépris des autres et de sa responsabilité vis-à-vis de la société.

Selon le Littré, l'individualisme est un «système d'isolement dans l'existence. L'individualisme est l'opposé de l'esprit d'association». Dès le milieu du XIXe siècle, l'historien Alexis de Tocqueville voyait dans l'individualisme un repli sur la sphère privée et un abandon de la sphère publique, de la participation à la vie de la cité. De même, à la fin du XIXe siècle, le sociologue Émile Durkheim s'inquiétait du déclin des valeurs et des normes communes et de l'aversion à l'égard de toute entrave au choix personnel et individuel.

L'économiste et sociologue anglais Richard Layard considère qu'il s'agit là d'un excès d'individualisme et que «les individus ne pourront jamais mener une vie satisfaisante ailleurs que dans une société où les gens se soucient les uns des autres et veillent à promouvoir le bien d'autrui comme le leur. La poursuite de la réussite personnelle au détriment de celle des autres ne peut pas créer une société heureuse, le succès d'une personne impliquant nécessairement l'échec d'une autre. Aujourd'hui la balance penche trop vers la poursuite des intérêts individuels. Cet excès d'individualisme est, nous pensons, à l'origine de toute une série de problèmes dans la société[7].»

La liberté véritable

L'individualisme est fréquemment associé à la notion de liberté individuelle. «Pour moi, le bonheur serait de faire tout ce que je veux sans que personne ne m'interdise quoi que ce soit», déclarait une jeune Anglaise interrogée par la BBC. Une Américaine de vingt ans, Melissa, explique quant à elle : «Je me moque totalement de la façon dont la société me considère. Je vis ma vie selon la morale, les vues et les critères que je crée moi-même[8].»

S'affranchir des dogmes et contraintes imposés par une société rigide et oppressante est une victoire, mais cet affranchissement n'est qu'une illusion s'il conduit à tomber sous la coupe de nos propres fabrications mentales. Vouloir faire tout ce qui nous passe par la tête, c'est avoir une étrange conception de la liberté, puisque l'on devient ainsi le jouet des pensées qui agitent son esprit, comme l'herbe folle que le vent courbe dans tous les sens au sommet d'un col. Prise dans ce sens, la liberté individuelle finit par nuire à l'individu et par détruire le tissu social. L'essayiste Pascal Bruckner déplore «cette maladie de l'individualisme qui consiste à vouloir échapper aux conséquences de ses actes, cette tentative de jouir des bénéfices de la liberté sans souffrir d'aucun de ses inconvénients[9] ».

L'individualiste confond la liberté de faire n'importe quoi et la véritable liberté qui consiste à être maître de soi-même. La spontanéité est une qualité précieuse, à condition de ne pas la confondre avec l'agitation mentale. Être libre intérieurement, c'est d'abord s'affranchir de la dictature de l'égocentrisme et des sentiments négatifs qui l'accompagnent : avidité, haine, jalousie, etc. C'est prendre sa vie en main, au lieu de l'abandonner aux tendances forgées par nos habitudes et conditionnements. Prenons l'exemple d'un marin sur son bateau : sa liberté ne consiste pas à laisser son bateau dériver au gré des vents et des courants – dans ce cas, il ne navigue pas, il dérive –, mais à être maître de son bateau, à prendre la barre, régler ses voiles et naviguer vers la direction qu'il a choisie.

La liberté véritable est essentiellement celle qui nous affranchit de l'emprise des émotions conflictuelles. Elle ne s'acquiert qu'en diminuant l'amour obsessionnel de soi. Contrairement à ce que l'on pourrait penser, l'état de liberté intérieure à l'égard des émotions n'entraîne ni apathie ni indifférence et l'existence n'en perd pas ses couleurs.

L'idée que je suis libre de faire tout ce que je veux dans mon petit monde, tant que cela ne nuit pas aux autres, est fondée sur une vision trop étroite des relations humaines. « Une telle liberté n'est pas fondée sur les relations entre les hommes, mais sur la séparation », écrit Karl Marx. De plus, en se limitant à s'abstenir de faire du tort, on risque de nuire à autrui en renonçant à la possibilité de lui faire du bien : « L'inaction des bons n'est pas moins nuisible que l'action néfaste des méchants », disait Martin Luther King. Une société harmonieuse est une société où l'on allie la liberté d'accomplir son propre bien à la responsabilité d'accomplir celui des autres.

Les dérives de l'individualisme

L'individualisme poussé à l'extrême a conduit au culte des apparences, de l'esthétisme, de la performance, que la publicité, cette arme de la société de consommation, ne cesse de mettre en avant. On donne la priorité à l'hédonisme, au désir d'être « différent », au culte de l'expression et de la liberté personnelles. On veut être « vrai » en se « faisant plaisir » à chaque instant. Il faut « s'éclater » et « en profiter au maximum[10] ».

En politique, aux États-Unis notamment, l'individualisme va de pair avec une méfiance à l'égard de l'État, qui est considéré au mieux comme un mal nécessaire, et au pis comme un véritable ennemi des libertés individuelles. Les pères fondateurs de la société individualiste américaine ont été inspirés par l'idée rousseauiste selon laquelle les premiers hommes étaient affranchis de tous liens sociaux et vivaient libres et indépendants[11]. Ce n'est que plus tard qu'ils se seraient liés par un «contrat social» selon lequel ils renonçaient à certaines de leurs libertés pour bénéficier de la vie en communauté. Cette vision ne correspond pas à la réalité puisque les êtres humains, selon toute vraisemblance, descendent d'une longue lignée de primates vivant en groupe avec un haut degré d'interdépendance. Plus l'espèce est vulnérable aux prédateurs et aux conditions adverses, plus la tendance à former des communautés est importante. L'homme est à l'évidence un animal social[12].

L'individualisme peut aussi exprimer un désir d'insularité : «Faites ce que vous avez à faire, mais restez chez vous et ne vous occupez pas de moi.» Maurice Barrès décrit ainsi l'individualisme des habitants d'un village de Lorraine : «Ils savent bien ce qui se passe chez le voisin, ils le surveillent, mais ils s'appliquent à marquer qu'ils n'ont pas besoin de lui[13].» Ce désir de privatisation de l'existence peut conduire à l'isolement et à la solitude au sein même de la société. On prévoit qu'en 2015, 30% des New-Yorkais vivront seuls. D'ores et déjà, en Europe occidentale et en Amérique du Nord, 40% des personnes âgées vivent seules, contre seulement 3% à Hong Kong où les familles rassemblent encore plusieurs générations.

L'individualisme amène également à penser que nous sommes des entités fondamentalement séparées les unes des autres. Le philosophe espagnol Ortega y Gasset exprime ainsi cette idée : «La vie humaine en tant que réalité radicale n'est que la vie de chaque personne, n'est que *ma* vie... C'est essentiellement une *solitude, une solitude radicale*[14].» Nous sommes loin de la compréhension de l'interdépendance de toute chose.

L'individualiste croit se protéger, mais, en se réduisant à une entité autonome, il se diminue et devient vulnérable, car il se sent menacé par les autres au lieu de bénéficier de leur coopération. Le sociologue Louis Dumont écrivait en parlant de la fragmentation de la société : «Le tout est devenu un tas pointé[15].» Au lieu d'un ensemble interdépendant et qui fonctionne comme tel, nous sommes devenus un «tas» d'individualités qui se débrouillent, chacune de son côté.

Le miroir déformant du narcissisme : tout le monde serait donc au-dessus de la moyenne

Le risque principal de l'individualisme est de dégénérer en narcissisme, qui se traduit notamment par une surévaluation de soi-même par rapport à autrui. Des études, réalisées aux États-Unis, ont montré que 85 % des étudiants pensent, par exemple, qu'ils sont plus sociables que la moyenne et 90 % qu'ils font partie des 10 % les plus doués[16]. Pas moins de 96 % des enseignants d'université estiment qu'ils sont de meilleurs pédagogues que leurs collègues, et 90 % des conducteurs d'automobile (même ceux qui ont récemment causé un accident !) sont persuadés qu'ils conduisent mieux que les autres[17].

Ces mêmes études montrent que la majorité des gens pensent être plus populaires, agréables, équitables et intelligents que la moyenne. Ils s'estiment aussi plus logiques et plus drôles. Le problème est que, par définition, la majorité des gens ne peut pas être au-dessus de la moyenne. Et, pour couronner le tout, la plupart pensent que leur capacité de se juger objectivement est, elle aussi, supérieure à la normale[18] !

Cette surévaluation de soi ne se limite pas à ce bas monde : aux États-Unis, lors d'un sondage, on présenta à un millier de personnes une liste de quinze personnalités et on leur demanda : « Qui a des chances d'aller au paradis ? » Après Lady Diana, 60 % (le sondage eut lieu en 1997), le basketteur Michael Jordan, 65 %, et la présentatrice de télévision Oprah Winfrey, ce fut Mère Teresa, qui avec 79 % récolta le maximum de réponses favorables. Mais le vrai champion se révéla quand on glissa la dernière question : « Et vos chances, à vous, d'aller au ciel ? » Il y eut 87 % de réponses positives[19].

La personnalité narcissique à l'encontre de l'altruisme

Le narcissisme est décrit en psychologie comme « une tendance générale au grandiose, un besoin d'admiration et un manque d'empathie[20] ». Le narcissique est un admirateur inconditionnel de sa propre image, la seule qui l'intéresse, et nourrit d'incessants fantasmes de succès, de pouvoir, de beauté, d'intelligence et de tout ce qui peut renforcer cette image flatteuse. Il n'a guère de considération pour les autres, qui ne sont pour lui que des instruments susceptibles de rehausser sa propre image. Il lui manque clairement la case de l'amour du prochain.

Ceux qui souffrent d'une estime de soi démesurée se décrivent comme étant plus sympathiques, plus attrayants et plus populaires. Évidemment ils s'illusionnent et, selon leurs amis, leurs compétences relationnelles sont simplement moyennes[21]. Les narcissiques n'ont donc pas simplement une bonne opinion d'eux-mêmes, ils se surestiment grossièrement. Les déconvenues commencent pour eux lorsqu'ils sont évalués objectivement, lors d'examens, par exemple, et qu'ils se révèlent être comme tout le monde.

On a souvent affirmé qu'en ayant une très haute opinion d'eux-mêmes, les personnalités narcissiques augmentaient leurs chances de succès dans les examens et les activités professionnelles, mais c'est inexact : les recherches ont montré qu'au bout du compte, elles échouent plus souvent que la moyenne de leurs pairs.

Certains psychologues ont longtemps cru qu'au fond d'eux-mêmes, les narcissiques se détestent et surévaluent leur image pour remédier à un sentiment d'insécurité. L'ensemble des travaux de recherche, résumés par Jean Twenge, a montré que cette hypothèse était fausse dans la vaste majorité des cas[22]. En particulier, Keith Campbell et ses collègues de l'université de Géorgie ont conçu un moyen d'évaluer les attitudes inconscientes à l'aide du «test d'association implicite». En enregistrant les temps de réponse à des questions sur un clavier d'ordinateur, ils ont montré que les narcissiques associent plus rapidement que les autres «moi» avec des qualificatifs élogieux comme «merveilleux», et moins rapidement que la moyenne avec des qualificatifs dépréciatifs, comme «exécrable», ce qui traduit une estime de soi surélevée*. Les résultats ont ainsi établi sans équivoque que les personnes narcissiques souffrent bien d'un complexe de supériorité[23]. Essayez d'aider un narcissique en lui conseillant d'augmenter son estime de soi revient donc à verser de l'huile sur un feu. Ce qu'il doit apprendre, c'est à respecter les autres.

Certains, à l'opposé des narcissiques, se méprisent, s'agressent eux-mêmes et se considèrent indignes d'être aimés. Pour ceux-là, les recherches des psychologues Paul Gilbert et Kristin Neff ont mis en valeur les bienfaits de l'autocompassion, qui est différente de l'estime de

* Les participants ne sont pas conscients des différences de temps de réponse ni de la signification de ces différences : en termes scientifiques on parle d'une mesure *implicite* de l'estime de soi.

soi et ne conduit pas à l'infatuation, comme c'est le cas d'une estime de soi démesurée. Avoir de la compassion pour soi-même revient à se demander ce qui est vraiment bon pour soi et à se traiter avec bienveillance, chaleur et compréhension, et à accepter ses limites[24]. De même que l'antidote de l'animosité envers les autres est la compassion, l'antidote de la haine de soi est la compassion pour soi-même, laquelle n'entraîne pas les effets indésirables de la surévaluation de soi.

La chute de Narcisse

Lorsque le narcissique finit par être confronté à la réalité, selon les cas, il peut adopter deux attitudes différentes : la colère envers lui-même ou envers les autres. Dans le premier cas, il se reproche de n'avoir pu être meilleur et retourne contre lui-même, sous forme d'agressivité, d'anxiété ou de colère contenue, l'énergie qu'il déployait jusqu'alors pour promouvoir son ego. La chute du narcissique peut conduire à la dépression, voire au suicide.

Elle peut aussi s'exprimer par de l'animosité envers autrui[25]. Lors d'une étude, on informa certains étudiants que leurs résultats dans des tests d'intelligence étaient inférieurs à la moyenne. Ceux qui avaient été identifiés comme ayant la plus haute opinion d'eux-mêmes compensèrent cette mauvaise nouvelle en vilipendant les autres participants, alors que ceux qui avaient une modeste opinion d'eux-mêmes eurent tendance à réagir de manière plus aimable et à complimenter les autres pour leurs bons résultats. À force de blâmer les autres pour leurs propres échecs, les narcissiques ne tirent pas les leçons de leurs erreurs et ne prennent pas la peine de remédier à leurs faiblesses[26].

Le psychiatre Otto Kernberg, qui s'est penché sur le cas d'élèves ayant tué plusieurs de leurs camarades avec des armes à feu dans des écoles américaines parle de «narcissisme malveillant». Faute de pouvoir se faire valoir par des qualités positives qui leur font défaut, les personnalités narcissiques espèrent imposer le respect aux autres en leur nuisant. Eric Harris et Dylan Klebold, les deux élèves qui ont perpétré le massacre de l'école secondaire de Columbine, tuant douze élèves et un professeur, ont réagi de façon outrancière à des insultes relativement bénignes de leurs camarades. Mais pour l'ego surdimensionné de ces deux adolescents, leurs camarades étaient des minables qui méritaient de recevoir une leçon. Dans une cassette vidéo enregistrée avant de passer à l'action, Eric et Dylan se demandaient quel metteur en scène célèbre, Spielberg ou Tarantino, allait faire un film sur leur histoire. On les voit se dire en riant : «N'est-il pas excitant d'imaginer le respect dont nous allons être l'objet[27] ?» Le narcissisme est un trait de caractère dominant chez les psychopathes, lesquels sont totalement dénués d'empathie pour ceux qu'ils manipulent et font souffrir, parfois avec jouissance.

La folie des grandeurs

Les dictateurs sont souvent à la fois narcissiques et psychopathes. Ils sont de plus mégalomanes, comme en témoigne la dimension mythique dont ils embellissent leur biographie, ou leur propension à faire ériger de monumentales statues d'eux-mêmes, sans parler des parades spectaculaires organisées devant des foules immenses.

Kim Jong-il, le défunt «cher leader» de la Corée du Nord, est l'exemple type de ces psychopathes mégalomanes. Selon sa biographie officielle, il serait né au sommet du mont Paedkul (le point culminant de la Corée). Le glacier aurait alors émis un son mystérieux et se serait ouvert pour laisser échapper un double arc-en-ciel. Kim Jong-il aurait marché dès l'âge de trois semaines et commencé à parler à huit semaines. Durant ses études à l'université, il n'aurait écrit pas moins de mille cinq cents livres ! Dès son premier essai au golf, il aurait fait un score faramineux, dont cinq trous-en-un (un record mondial). Cerise sur le gâteau, selon le journal nord-coréen *Minju Joson*, il serait aussi l'inventeur du hamburger de trente centimètres[28]. Aucune mention n'est bien sûr faite de la famine chronique qui affecte son peuple, de la répression impitoyable de toute dissidence et de ses innombrables concitoyens enfermés dans les camps de concentration.

L'épidémie de narcissisme

Si l'on en croit les travaux de la psychologue américaine Jean Twenge, l'Amérique du Nord souffre depuis une vingtaine d'années d'une véritable épidémie de narcissisme qui épargne encore relativement l'Europe et l'Orient[29].

En 1951, 12 % des adolescents entre quatorze et seize ans étaient d'accord avec l'affirmation : «Je suis quelqu'un d'important.» En 1989, ce pourcentage est passé à 80 %[30] ! L'analyse de dizaines de milliers de questionnaires a montré que 93 % des élèves de classes secondaires avaient un score de narcissisme considérablement plus élevé en 2000 qu'en 1980[31]. Aux États-Unis, en 2006, un collégien sur quatre remplissait les conditions pour être qualifié de narcissique, et un sur dix souffrait du trouble de la personnalité narcissique[32].

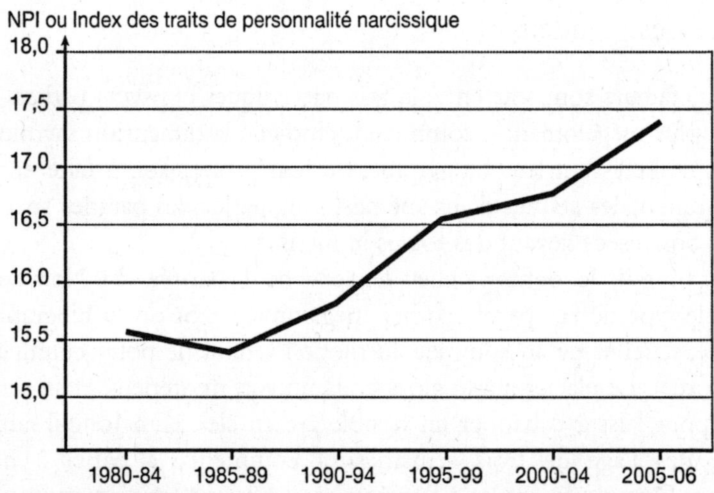

Augmentation du niveau de narcissisme dans la population américaine entre 1980 et 2006[33]

Les jeunes Américains eux-mêmes admettent ce changement. Un sondage réalisé auprès d'un millier d'étudiants montre que les deux tiers d'entre eux sont d'accord avec la proposition : « Comparés à ceux de la génération précédente, les jeunes de ma génération sont plus portés à se mettre en valeur, à avoir exagérément confiance en eux et à chercher à attirer l'attention sur eux. » La plupart considèrent que l'une des raisons principales de cet égocentrisme vient de l'usage des réseaux sociaux comme Myspace, Facebook et Twitter[34], qui sont en grande partie consacrés à la promotion de soi. De fait, le narcissisme affecte principalement les jeunes. Dans une étude portant sur 35 000 personnes, les chercheurs du ministère américain de la santé (NIH) ont montré que 10 % des vingt-trente ans souffraient du trouble de la personnalité narcissique, contre seulement 3,5 % des plus de soixante-cinq ans[35].

Lorsqu'en 2007 les médias publièrent le résultat des recherches de Twenge, un grand nombre d'étudiants, loin de contester cette croissance du narcissisme, répliquèrent qu'elle était tout à fait justifiée. L'un d'eux écrivit à un journal : «Cette extrême estime de soi est justifiée puisqu'on se souviendra de cette génération comme la meilleure de tous les temps.» Un autre renchérit : «Quel est le problème? Oui, nous sommes spéciaux! Il n'y a aucun mal à le savoir. Ce n'est pas de la vanité que cette génération affiche, c'est de la fierté[36].»

L'un des champions du narcissisme, l'entrepreneur américain Donald Trump, qui exhibe son nom en immenses lettres dorées sur tous les immeubles et gratte-ciel qu'il possède, sur son jet privé, les bâtiments de son université et ailleurs, a déclaré : «Montrez-moi quelqu'un sans ego, et je vous montrerai un perdant[37].» Or cette affirmation est fausse. On a constaté que les élèves du secondaire qui ont une très – trop – haute opinion d'eux-mêmes ont des résultats scolaires qui déclinent d'année en année, et le pourcentage de ceux d'entre eux qui abandonnent leurs études est supérieur à la moyenne. L'excès de confiance en soi les incite à penser qu'ils ont la science infuse. En conséquence, ils ne sont ni motivés ni persévérants. Le réveil est pénible lors des examens[38].

Il est facile de mettre en évidence le narcissisme de ces gens en leur demandant de répondre à un questionnaire piège. D.L. Paulhus et ses collègues ont soumis un large échantillon d'étudiants à un test dans lequel on posait une série de questions du type : «Savez-vous quand le traité de Versailles a été signé?» et : «Savez-vous quand le traité de Monticello a été signé?», ou encore : «Connaissez-vous les peintures de Paul Klee?» et : «Connaissez-vous l'œuvre picturale de John Kormat?» On ne demandait pas de réponse détaillée, il fallait simplement choisir entre «non» et «bien sûr». Les plus narcissiques avaient une nette tendance à répondre «bien sûr», même aux questions portant sur des événements ou des personnages qui n'avaient jamais existé, comme le traité de Monticello et l'œuvre de John Kormat[39].

Quelques exemples supplémentaires suffiront pour rendre compte des proportions atteintes par l'épidémie de narcissisme. Aux États-Unis, on peut louer les services d'une limousine, d'un agent de publicité et de six paparazzi qui vous accompagnent dans une soirée et dans des lieux publics, vous mitraillent comme si vous étiez une célébrité tout en criant votre nom pour que vous regardiez l'objectif, ce qui a pour effet d'attirer tous les regards sur vous. Impressionnés, les passants prennent des photos de vous avec leur téléphone portable, tandis qu'au restaurant le maître d'hôtel vous donne immédiatement la meilleure table et vous traite avec les plus grands égards. Le lendemain, l'agence vous donne un exemplaire d'un pseudo-magazine «people» entièrement consacré à vous, et dont vous faites la couverture. Tout cela pour la modeste somme de 3000 dollars. L'agence qui organise cette mise en scène «Celeb 4 A Day» («Célébrité d'un jour») est en pleine expansion. Leur publicité annonce : «Notre credo est que Monsieur et Madame Tout-le-monde méritent autant d'attention, sinon plus, que les vraies célébrités[40].»

D'après un sondage réalisé en 2006, devenir célèbre est l'ambition principale des jeunes aux États-Unis (51 % de la population de vingt-cinq ans). Une adolescente à qui l'on demandait : «Que veux-tu être plus tard?» répondit : «Célèbre.» «Célèbre en quoi?» «Cela n'a pas d'importance, je veux simplement être célèbre.» J'ai moi-même entendu un homme de vingt-trois ans demander à un lama tibétain de prier pour qu'«un jour son nom figure, à un titre quelconque, dans le générique d'un film».

Même la criminalité est un moyen de devenir fameux, lorsque aucun autre procédé ne semble possible. Robert Hawkins, qui avait tué neuf personnes dans un supermarché à Omaha, dans le Nebraska, en décembre 2007, a écrit, avant de commettre ses meurtres et de se suicider : «Imaginez un peu comme je vais devenir célèbre!»

L'adoration de soi

Une bande-annonce de la chaîne de télévision NBC proclame : «Vous ne vous en rendez peut-être pas compte, mais tout le monde naît avec son véritable amour – c'est soi-même. Si vous vous aimez, tout le monde vous aimera aussi[41].» En juin 2010, si vous tapiez sur Google l'expression : «Comment s'aimer soi-même» en anglais (*How to love yourself*), vous obteniez 4,8 millions de réponses.

L'un des best-sellers de l'année 2003 aux États-Unis s'intitulait : «Manuel pour apprendre aux jeunes filles à s'aimer elles-mêmes : comment tomber éperdument amoureuse de la personne qui compte le plus... VOUS[42]!» Paris Hilton, l'une des représentantes les plus remarquables du narcissisme, a fait suspendre au-dessus du sofa de son salon une immense photo d'elle-même et porte une chemise sur laquelle sa photo est imprimée. Elle a par ailleurs déclaré : «Il n'y a personne au monde comme moi.»

Pour satisfaire le désir d'être unique et différent, tout doit être personnalisé, jusqu'à la tasse de café. Aux États-Unis, quelqu'un s'est amusé à calculer toutes les combinaisons de café possibles qu'offrent les chaînes de fast-food – du genre : un café latte géant avec cannelle et chocolat noir au sucre de canne. Il est arrivé au nombre de 18000. Un emballage de Burger King porte la mention : «Vous êtes très spécial et vous méritez un sandwich tout aussi spécial.» En Inde, j'ai récemment bu une bouteille d'eau minérale (Kinley Mineral Water), sur laquelle était inscrit. «Coca-Cola vous offre plus de 3300 manières de vous rafraîchir, de vous relaxer et de prendre du plaisir.» C'est le triomphe du narcissisme commercial sur mesure[43]. En France, on connaît la publicité de L'Oréal pour une teinture de cheveux : «Je prends la coloration la plus chère, parce que je le vaux bien.»

Bien que, de façon générale, le taux de narcissisme reste beaucoup moins élevé en France et en Europe qu'aux États-Unis, il tend néanmoins à augmenter même dans les pays où il a été jusqu'ici très peu répandu, les pays scandinaves, par exemple. Une étude réalisée en Norvège a analysé dans la presse écrite la fréquence d'une série de mots reflétant une vision communautaire («commun», «partagé», «responsabilité», «égalité») et d'une autre série de mots dénotant des valeurs individualistes («je», «moi», «droits», «individuel», «privilège», «préférences»). Il s'avère qu'entre 1984 et 2005, dans un même volume de textes, le total des mots de la première série est tombé de 60000 à 40000 et celui des mots de la deuxième série est passé de 10000 à 20000. L'épidémie de narcissisme se répand rapidement en Chine et en Russie chez les nouveaux riches qui ont émergé depuis une dizaine d'années.

Il est important de chercher à comprendre les raisons et les ressorts de cette épidémie de narcissisme, parce que ses conséquences à long terme sont destructrices pour la société. Selon Twenge, la focalisation sur l'autoadmiration provoque «une fuite hors de la réalité vers les terres d'un imaginaire grandiose. Nous avons de faux riches (gravement endettés), de la fausse beauté (grâce aux cosmétiques et à la chirurgie esthétique), de faux athlètes (grâce aux substances dopantes), de fausses célébrités (via la téléréalité ou YouTube), et de faux étudiants géniaux (grâce à l'inflation des notes scolaires)[44]»

Bonne et mauvaise estime de soi

La promotion de l'estime de soi est à la mode, mais toutes les études ont confirmé qu'elle est contre-productive lorsqu'elle ne vise pas seulement à donner confiance en soi, ce qui est une excellente chose, mais à fabriquer une image déformée de soi-même, comme cela a été le plus souvent le cas aux États-Unis notamment. Le psychologue Roy Baumeister, qui a fait la synthèse la plus complète de toutes les recherches portant sur l'estime de soi, conclut : «Il est très douteux que quelques bienfaits minimes justifient tous les efforts et les dépenses que les écoles, les parents et les thérapeutes ont investis dans la promotion de l'estime de soi [...]. Après toutes ces années, j'ai le regret de dire que ma recommandation est la suivante : oubliez l'estime de soi et concentrez-vous sur la maîtrise de soi et l'autodiscipline[45].» De fait, les recherches montrent que favoriser le développement de la maîtrise de soi permet aux enfants de persévérer dans l'effort, de maintenir le cap dans la durée, et de réussir à l'école, objectifs que poursuivait en vain la pédagogie centrée sur l'estime de soi. Les étudiants qui ont un meilleur contrôle d'eux-mêmes ont de plus grandes chances de terminer leurs études et risquent moins d'abuser de l'alcool et de drogues ou, pour les jeunes filles, de tomber enceintes pendant l'adolescence[46].

Il est important cependant de souligner qu'une «bonne» et saine estime de soi est indispensable pour s'épanouir dans l'existence et qu'une dévalorisation maladive de soi peut entraîner des troubles psychologiques graves et de grandes souffrances.

Les aspects positifs d'une saine estime de soi ont été abondamment mis en évidence par Christophe André dans ses ouvrages, *L'Estime de soi* et *Imparfaits, libres et heureux*[47]. Selon mon ami Christophe, l'estime de soi «est donc finalement ce qui peut nous permettre de tirer le meilleur de ce que nous sommes à l'instant présent, en fonction de notre environnement[48]». Une bonne estime de soi facilite la résilience et nous permet de conserver notre force intérieure et notre sérénité face aux événements de vie adverses. Elle permet également de reconnaître et de tolérer nos imperfections et limitations sans pour autant se sentir diminué. William James, le fondateur de la psychologie moderne, écrivait en 1892 : «Étrangement, on se sent le cœur extrêmement léger une fois qu'on a accepté de bonne foi son incompétence dans un domaine particulier[49].»

Une estime de soi construite sur un ego boursouflé ne peut procurer qu'une confiance factice et fragile. Lorsque le décalage avec la réalité devient trop grand, l'ego s'irrite, se crispe et vacille. La confiance en soi s'effondre, il ne reste plus que frustration, dépression et colère. Une confiance en soi digne de ce nom est naturellement libre d'infatuation et ne dépend pas de la promotion d'une image artificielle de soi-même. La confiance en soi authentique naît d'un sentiment d'adéquation avec soi-même, fondé sur une force paisible que ne menacent plus les circonstances extérieures ni les peurs intérieures, une liberté au-delà de la fascination pour l'image et de la crainte de la perdre. Christophe André conclut : « Rien de plus éloigné d'une bonne estime de soi que l'orgueil. [...] Par contre, l'humilité est plus que simplement favorable à une bonne estime de soi : elle en est l'essence même[50]. »

Les fenêtres du narcissisme

Les réseaux sociaux sur Internet offrent aux citoyens du monde un potentiel sans précédent de se rassembler, de rester en contact avec leurs amis, d'échapper au contrôle des régimes dictatoriaux ou d'unir leurs efforts pour une noble cause. Mais ces réseaux sont aussi devenus une vitrine du narcissisme permettant à chacun d'attirer un maximum d'attention sur soi. La devise de YouTube est *Broadcast yourself* (« Diffusez-vous »). Un autre réseau social très populaire porte le nom de « MySpace » (Mon espace). Aux États-Unis, certaines pages de Facebook s'ouvrent sur le logo « I love ME ». Un jeune Américain de treize ans a déclaré : « Tout adolescent qui prétend être sur MySpace pour parler avec ses amis est un menteur. C'est uniquement un moyen de s'exhiber[51]. » Un autre étudiant estime que « Facebook peut devenir un abîme d'amour-propre qui vous consume entièrement[52] ». Ces réseaux sociaux deviennent aussi un moyen de traîner les autres dans la boue.

La psychologue Brittany Gentile et ses collègues de l'université de Géorgie se sont demandé si les réseaux de type MySpace se contentaient d'attirer les personnalités narcissiques ou si, pis encore, ils induisaient des tendances narcissiques. Ils ont réparti en deux groupes, par tirage au sort, de nombreux étudiants, puis ils ont demandé à ceux du premier groupe de passer du temps à mettre à jour leur page sur MySpace et à ceux du second de passer le même temps à établir un itinéraire entre deux localités à l'aide de Google Maps. Ils ont ensuite demandé aux étudiants de répondre à un questionnaire servant à mesurer leur degré de narcissisme. Ils ne furent pas entièrement surpris de constater que 75 % des étudiants qui avaient passé ne serait-ce que trente-cinq minutes sur MySpace avaient atteint un taux de narcissisme supérieur à la moyenne du groupe qui avait passé le même temps sur Google Maps[53]. Certains disaient même : « J'aime être le centre d'attention », ou : « Tout le monde aime entendre mes histoires », ou encore : « Je suis un leader né. »

Selon Christophe André, dans les sociétés traditionnelles où tout le monde se connaissait et où tout le monde avait sa place (qu'il en soit ou non satisfait), il n'était guère utile d'essayer de projeter une quelconque image de soi-même. Tout ce que l'on risquait, c'était d'être ridicule. Mais, de nos jours, on a constamment affaire à des inconnus qui ignorent tout de notre identité, de nos qualités et de nos défauts. Il est donc tentant, souvent utile, d'afficher de manière plus ostentatoire l'image de soi-même que l'on aimerait voir reconnue par ceux qui nous entourent[54].

Le règne de l'enfant roi

Les parents modernes se conforment volontiers aux caprices de leurs enfants. Les parents nord-américains, en particulier, vont jusqu'à accepter qu'ils ne veuillent pas faire leurs devoirs scolaires. Ainsi, une mère a décidé d'exempter son fils de faire ses devoirs parce que cela le rendait « malheureux » ; une autre a laissé son fils de dix ans décider s'il avait envie ou non d'aller à l'école[55]. Dans les sociétés traditionnelles, les enfants mangent ce que la famille mange et sont habillés par leurs parents en fonction du climat et des circonstances, et non pas au gré de leur fantaisie. Bon nombre de parents américains, loin d'inspirer une saine dose de modestie chez leurs enfants, ne cessent d'appeler leurs filles « petites princesses » et de qualifier leurs fils de « meilleurs du monde ». Au jardin d'enfants, on leur fait chanter : « Je suis spécial ! Regardez-moi ! »

Toujours aux États-Unis, les parents et éducateurs répètent du matin au soir aux enfants : « Tu es spécial ! » Les enfants se prennent au jeu et portent des tee-shirts ou utilisent des stickers portant la mention « Je suis spécial ». L'un des programmes scolaires destinés à renforcer l'estime de soi a été baptisé : «La science de soi. Le sujet, c'est moi[56].» Pourquoi se fatiguer à étudier la biologie ou la physique, alors que je suis tellement plus intéressant? Un vêtement pour fille sur dix porte quelque part la mention «princesse». J'ai moi-même reçu d'Amérique une carte d'anniversaire musicale disant : «Nous voulons vous faire savoir que vous êtes vraiment spécial.»

À l'école, il faut également ménager les susceptibilités et l'amour-propre des enfants. Aux États-Unis, certains établissements ont éliminé la note la plus mauvaise (F). Une étude a révélé qu'en 2004, 48% des élèves du secondaire avaient reçu une moyenne de A (la meilleure note), alors qu'ils ne représentaient que 18% en 1968. Il est fréquent pour les étudiants de se plaindre auprès du professeur de ne pas avoir obtenu la note A, et d'exiger que leur note soit révisée[57]. Ils contestent également les commentaires et les appréciations des professeurs en arguant que «toutes les opinions se valent[58]». Il n'est donc pas surprenant que les étudiants américains pensent qu'ils sont les meilleurs et les plus brillants du monde, et cela alors même qu'ils sont moins performants que les étudiants d'autres pays, selon presque toutes les évaluations de réussite scolaire[59]. Les écoles américaines pratiquent également l'inflation des prix et des distinctions scolaires, aussi bien dans les classes que dans les jeux et les compétitions sportives. Même ceux qui arrivent derniers se voient remettre un trophée pour «Excellence en participation[60]». Une école primaire à New York a décrété que le mois de septembre serait «le mois du Tout sur Moi», et la première semaine est celle du «Concentrez-vous sur l'individu».

La solitude de l'hyperconnectivité

D'après la sociologue américaine Sherry Turkle, les médias dits «sociaux» constituent en fait pour l'individu le moyen d'être seul tout en étant connecté à beaucoup de monde[61]. Un jeune homme de seize ans, grand utilisateur de textos, remarquait avec un certain regret : «Un jour, un jour, mais sûrement pas maintenant, j'aimerais apprendre comment avoir une conversation.» Les jeunes sont passés de la conversation à la connexion. Lorsque vous avez trois mille «amis» sur Facebook, vous ne pouvez évidemment pas avoir de conversation. Vous ne faites que vous connecter pour parler de vous-même, avec un auditoire «fidélisé». Les conversations électroniques sont lapidaires, rapides et parfois brutales. Les conversations humaines, face à face, sont de nature différente : elles évoluent plus lentement, sont plus nuancées et apprennent la patience. Dans la conversation, nous sommes appelés à voir les choses d'un autre point de vue, ce qui est une condition nécessaire à l'empathie et à l'altruisme.

Beaucoup de gens sont aujourd'hui prêts à parler à des machines qui leur donnent l'impression de se soucier d'eux. Divers instituts de recherche ont conçu des robots sociaux destinés à servir de compagnons à des personnes âgées et à des enfants autistes. Paro, le compagnon robotique thérapeutique le plus connu, est un bébé phoque développé à l'Institut de recherche sur les systèmes intelligents de Tokyo. Il est destiné aux personnes âgées, plus particulièrement celles atteintes de la maladie d'Alzheimer. Ces personnes sont souvent privées de lien social (à l'hôpital ou en maison médicalisée), et ce compagnon, qui répond au toucher par des mouvements, des petits cris et des sourires, a pour vocation de leur offrir une sorte de présence. Sherry Turkle raconte avoir vu une personne âgée se confier à l'un de ces robots qui avait l'apparence d'un bébé phoque et lui parler de la perte de son enfant. Le robot semblait la regarder dans les yeux et suivre la conversation. Cette femme s'en disait réconfortée.

En 2009, un Japonais épousa une femme virtuelle de jeu vidéo, lors d'une cérémonie diffusée sur YouTube, et l'emmena (avec une console de jeu portable) en lune de miel sur l'île de Guam[62]. L'individualisme conduirait-il ainsi à un appauvrissement des relations humaines et à une solitude telle que l'on ne puisse plus trouver de compassion ou d'amour que chez un robot? Nous risquons de n'avoir de sympathie que pour nous-mêmes et de ne gérer les joies et les peines de l'existence que dans la bulle de notre ego. Le 9 novembre 2010, une Taiwanaise s'est d'ailleurs mariée... à elle-même, en robe blanche, au cours d'une grande fête, précisant que c'était l'expression de la promesse de s'aimer elle-même[63].

Dieu ne vous a pas créé pour que vous soyez comme tout le monde

Les grandes religions prônent toutes l'humilité. Dans les Proverbes de l'Ancien Testament, on lit que «le Seigneur détruira la maison de l'orgueilleux», tandis que dans le Sermon sur la montagne, Jésus déclare que «les humbles hériteront de cette terre». Saint François d'Assise ne cessait de prêcher et d'incarner l'humilité. Le christianisme met aussi l'accent sur le pardon, lequel requiert un minimum d'humilité dont les personnes narcissiques sont dépourvues. «Tendre l'autre joue» n'est pas la spécialité des narcissiques. Les chrétiens insistent sur «l'oubli de soi» (*kénosis*) et l'exégète C.S. Lewis écrit : «La plupart des expériences religieuses profondes oblitèrent le "moi". Elles impliquent l'oubli de soi et le renoncement.» La règle de saint Benoît, qui inspire la vie des moines bénédictins, décrit les douze échelons de l'humilité que le moine se doit de mettre en pratique.

De même, on lit dans la *Bhagavad-Gita*, l'un des grands textes de l'hindouisme : «L'humilité, la modestie, la non-violence, la tolérance, la simplicité, [...] la maîtrise de soi, [...] le non-ego, [...] – telle est, je l'affirme, la connaissance. Le contraire de cela, est ignorance[64].»

Le bouddhisme, quant à lui, considère l'humilité comme l'une des vertus cardinales du chemin spirituel. Nombre de maximes incitent le pratiquant à se défaire de l'orgueil, par exemple : «L'eau des qualités ne demeure pas sur le rocher de l'orgueil», ou encore : «L'humilité est comme la coupe posée à même le sol, prête à recevoir la pluie des qualités.» Les Occidentaux sont généralement surpris d'entendre de grands érudits ou les contemplatifs orientaux dire : «Je ne suis rien de particulier et ne connais pas grand-chose.» Ils croient à tort qu'il s'agit de fausse modestie.

Mais, à notre époque, beaucoup sont tentés par des religions «à la carte» qui doivent en partie leur succès à leur volonté de ménager, voire de flatter, l'ego, au lieu d'aider à le démasquer. Depuis une trentaine d'années, le Japon a connu une explosion de cultes et une grande diversité de courants religieux. Selon l'Agence gouvernementale des affaires culturelles, 182000 associations religieuses différentes sont enregistrées dans le pays et au moins 500 nouvelles religions sont représentées dans ces associations[65]. En Californie, une femme nommée Sheila a fondé le sheilaïsme, dont elle est la seule adepte. Quand on lui a demandé en quoi consistait cette religion, elle a répondu : «Essayez de vous aimer vous-même et d'être gentil avec vous-même[66].»

Aux États-Unis, les fidèles ne sont guère enclins à fréquenter les églises qui prêchent l'humilité, et certaines Églises évangéliques flattent expressément les propensions narcissiques. Elles vendent des tee-shirts portants la mention « Jésus m'aime, Moi ». D'autres affirment que « Dieu veut que vous soyez riches ». Cette tendance n'est pas seulement le fait d'un clergé parfois plus intéressé par le gain que par le progrès spirituel, mais l'idéologie prédominante des Églises évangélistes les plus populaires aux États-Unis.

L'effort, la persévérance, l'altruisme et l'entraînement de son propre esprit ont fait place à l'improvisation au gré des impulsions du moment et à la continuelle promotion de l'ego. C'est ce que le maître tibétain Trungpa Rinpotché appelait le « matérialisme spirituel[67] ».

Les vertus de l'humilité

L'humilité est parfois méprisée, considérée comme une faiblesse. La philosophe Ayn Rand proclame : « Rejetez l'humilité, ce vice dont vous vous couvrez comme d'un haillon en l'appelant vertu[68]. » Pourtant, l'orgueil, exacerbation narcissique du « moi », ferme la porte à tout progrès personnel, car pour apprendre il faut d'abord penser que l'on ne sait pas. L'humilité est une valeur oubliée du monde contemporain, théâtre du paraître. Les magazines ne cessent de donner des conseils pour « s'affirmer », « s'imposer », « être belle », paraître à défaut d'être. Cette obsession de l'image favorable que l'on doit donner de soi est telle que l'on ne se pose même plus la question de l'infondé du paraître, mais seulement celle du comment bien paraître. Pourtant, comme l'écrivait La Rochefoucauld : « Nous gagnerions plus de nous laisser voir tels que nous sommes que d'essayer de paraître ce que nous ne sommes pas. »

La plupart des gens associent l'humilité au manque d'estime de soi et de confiance dans ses propres capacités, quand ils ne l'assimilent pas à un complexe d'infériorité. Ils méconnaissent les bienfaits de l'humilité, car si la suffisance est l'apanage du sot, l'humilité est la vertu de celui qui mesure tout ce qui lui reste à apprendre et le chemin qu'il doit encore parcourir. Les humbles ne sont pas des gens beaux et intelligents qui s'évertuent à se persuader qu'ils sont laids et stupides, mais des êtres qui font peu de cas de leur ego. Ne se considérant pas comme le nombril du monde, ils s'ouvrent plus facilement aux autres et sont particulièrement conscients de l'interconnexion entre tous les êtres.

L'humble n'a rien à perdre ni rien à gagner. Si on le loue, il considère que c'est pour ce qu'il a pu accomplir, pas pour lui-même en tant qu'individu. Si on le critique, il considère qu'exposer ses défauts au grand jour est le meilleur service que l'on puisse lui rendre. « Peu de gens sont assez sages pour préférer le blâme qui leur est utile à la louange qui les trahit », écrivait La Rochefoucauld[69], faisant écho aux sages tibétains qui rappellent volontiers que « le meilleur enseignement est celui qui démasque nos défauts cachés ». Libre d'espoir et de crainte, l'humble reste d'un naturel insouciant. Paradoxalement, l'humilité favorise aussi la force de caractère : l'humble prend ses décisions selon ce qu'il estime être juste et s'y tient, sans s'inquiéter ni de son image ni du qu'en-dira-t-on.

L'humilité est une qualité que l'on trouve invariablement chez le sage qui a acquis de nombreuses qualités, car, dit-on, c'est lorsque l'arbre est chargé de fruits que les branches s'inclinent vers le sol, alors que l'orgueilleux est comme l'arbre dont les branches nues pointent vers le ciel. En voyageant avec Sa Sainteté le Dalaï-lama, j'ai souvent constaté la grande humilité empreinte de bonté de cet homme pourtant si vénéré. Il est toujours attentif aux gens de condition modeste et ne se pose jamais en personnage important. Un jour, après avoir salué François Mitterrand, qui venait de le raccompagner sur le perron de l'Élysée, le Dalaï-lama, avant de monter en voiture, est parti serrer la main d'un garde républicain qui se tenait à l'écart, sous l'œil médusé du président de la République.

L'humilité est une composante de l'altruisme, car l'humble est naturellement tourné vers les autres et attentif à leur bien-être. Des études de psychologie sociale ont montré que ceux qui se surestiment présentent, à l'inverse, une tendance à l'agressivité supérieure à la moyenne[70]. On a également mis en évidence un lien entre l'humilité et la faculté de pardonner, alors que les personnes qui s'estiment supérieures jugent plus durement les fautes des autres et les considèrent comme moins pardonnables[71].

25

Les champions de l'égoïsme

Comme nous l'avons vu en détail, les travaux menés par diverses équipes de psychologues ont établi que les actes véritablement altruistes abondaient au quotidien, contrecarrant la thèse d'une motivation humaine de nature systématiquement égoïste.

Une autre catégorie de penseurs, elle, ne soutient pas que l'altruisme est inexistant, mais qu'il est pernicieux, immoral ou malsain. Ces penseurs fondent ce que psychologues et philosophes nomment l'« égoïsme éthique », autrement dit la doctrine faisant de l'égoïsme une vertu qui serait le fondement d'une morale personnelle.

Machiavel déjà justifiait à certains égards l'égoïsme. Il était convaincu que le mal était nécessaire pour gouverner et que l'altruisme constituait une faiblesse. « Un Prince, écrit-il, ne peut exercer impunément toutes les vertus, parce que l'intérêt de sa conservation l'oblige à agir contre l'humanité, la charité et la religion. Ainsi, il doit prendre le parti de s'accommoder aux vents et aux caprices de la Fortune, de se maintenir dans le bien, s'il le peut, mais d'entrer dans le mal, s'il le doit[1]. »

Une position plus radicale sera prise par les philosophes allemands Max Stirner et Friedrich Nietzsche qui dénoncent l'altruisme comme un regrettable signe d'impuissance. Max Stirner exerça une certaine influence sur le développement intellectuel de Karl Marx et sur le mouvement anarchiste allemand. Il rejette l'idée de tout devoir et de toute responsabilité envers les autres. À ses yeux, l'égoïsme représente le symbole d'une civilisation avancée. Il en fait ainsi la louange :

C'est à l'égoïsme, à l'intérêt personnel de décider, et non pas au principe d'amour, aux sentiments d'amour tels que charité, indulgence, bienveillance ou même équité et justice[2].

Nietzsche a, lui aussi, peu d'estime pour l'amour du prochain, notion qu'il considère comme une attitude promue *par les faibles pour les faibles*, inhibant la poursuite du développement personnel et de la créativité. Selon lui, nous ne devrions ressentir aucune obligation à aider autrui, pas plus que nous ne devrions éprouver une quelconque culpabilité de ne pas intervenir en sa faveur. «Tu dois chercher ton avantage, même aux dépens de tout le reste[3]», conseille-t-il avant d'ajouter : «Vous vous empressez auprès du prochain et vous exprimez cela par de belles paroles. Mais je vous le dis : votre amour du prochain, c'est votre mauvais amour de vous-mêmes[4].» Ce faisant, Nietzsche fustige violemment le christianisme et tous ceux qui prêchent l'assujettissement de l'individu à une autorité extérieure. Il conclut dans *Ecce Homo*, écrit peu avant qu'il perde définitivement la raison : «La morale, cette Circé de l'humanité, a faussé, a envahi de son essence, tout ce qui est psychologie, jusqu'à formuler ce non-sens que l'amour est quelque chose d'"altruiste"[5].»

Après ces philosophes, le XXe siècle a connu deux figures emblématiques de l'égoïsme. L'une est celle de la philosophe américaine Ayn Rand. Presque inconnue en Europe, elle est une icône aux États-Unis[6]. L'autre est Sigmund Freud, encore très influent en France, en Argentine et au Brésil, mais en passe d'être oublié partout ailleurs dans le monde où l'enseignement universitaire de la psychologie ne fait plus guère de cas de la psychanalyse[7]. La première proclame qu'être égoïste est la meilleure façon d'être heureux. Le second affirme que s'inciter à adopter une attitude altruiste entraîne un déséquilibre névrotique et qu'il est donc plus sain d'assumer pleinement son égoïsme naturel.

Le phénomène Ayn Rand

Le cas de la philosophe Ayn Rand[8], qui va jusqu'à soutenir que l'altruisme est «immoral», est particulièrement intéressant car elle continue de jouir d'une influence considérable dans la société américaine, notamment dans les milieux conservateurs ultralibéraux[9]. Il est difficile de comprendre le clivage qui divise aujourd'hui les États-Unis, entre républicains et démocrates, entre partisans et opposants de la solidarité sociale et d'un rôle actif de l'État dans la vie des citoyens, sans mesurer l'influence de la pensée d'Ayn Rand. Née en Russie au début du siècle et naturalisée américaine, morte en 1982 au début du reaganisme, elle est l'un des auteurs les plus populaires outre-Atlantique. En 1991, selon un sondage effectué par la Bibliothèque du Congrès[10], les Américains ont cité *La Grève* (*Atlas Shrugged*), son ouvrage principal, comme le livre qui les a le plus influencés, après la Bible ! Publié en 1957, ce roman-fleuve de 1 400 pages – qui définit la vision du monde d'Ayn Rand – a été imprimé à 24 millions d'exemplaires. Aujourd'hui encore il s'en écoule plusieurs centaines de milliers par an. Deux autres romans, *Hymne* (*Antemn*) et *La Source vive* (*Fountainhead*) publiés en 1938 et 1943, ont aussi été d'immenses best-sellers.

La vogue de cette auteure et philosophe a été telle qu'aux États-Unis, presque tout le monde a connu « une période Ayn Rand ». Le président Ronald Reagan était l'un de ses fervents admirateurs. Alan Greenspan, ancien patron de la Réserve fédérale qui contrôle l'économie américaine, a déclaré qu'elle avait profondément modelé sa pensée et que « leurs valeurs étaient en harmonie[11] ». Ayn Rand se tenait aux côtés de Greenspan lorsqu'il prêta serment devant le président Ford. Elle est aussi une héroïne pour le Tea Party* et des mouvements politiques qui lui doivent la volonté de réduire au strict minimum le rôle de l'État dans la vie des citoyens. Paul Ryan, qui fut candidat à la vice-présidence américaine en 2012 aux côtés de Mitt Romney, exige de ses collaborateurs qu'ils lisent les écrits d'Ayn Rand et affirme que c'est elle qui a inspiré sa carrière politique. L'essentiel du programme économique et social de Paul Ryan consistait à réduire les impôts pour les riches et les subsides pour les pauvres[12].

Ayn Rand était très imbue de son influence et parlait « modestement » des trois « A » qui comptaient dans l'histoire de la philosophie : Aristote, saint Augustin et elle-même**. Rien de moins ! En France,

---

* Mouvement politique américain ultraconservateur, hétéroclite et contestataire, né de la crise financière de 2008, opposé à l'État fédéral et à presque toute forme d'impôt, mouvement auquel s'est rallié, par exemple, la canditate malheureuse à la vice-présidence américaine, Sarah Palin.

** Alors que sa vision du héros idéal, le surhomme égocentré, est considérée par les philosophes comme étant plus proche de Nietzsche que d'Aristote. Elle méprise tous les autres philosophes, Emmanuel Kant en particulier, qu'elle traite de « monstre », estimant qu'il est « le pire des hommes » parce qu'il prône une éthique fondée sur le devoir et la responsabilité envers la collectivité, aux antipodes de l'autonomie individualiste dont elle se fait le chantre.

La Grève n'a été publié que récemment, sous l'impulsion et avec le financement d'un admirateur américain[13]. La raison de cette publication tardive tient surtout au fait que le courant de pensée incarné par Rand, l'*objectivisme*[14], dont les principes sont résumés dans un essai plus concis publié en français sous le titre *La Vertu d'égoïsme*[15], reste fort heureusement assez éloigné de la mentalité européenne.

Ayn Rand ne prétend pas que nous sommes tous fondamentalement égoïstes : elle déplore que nous ne le soyons pas assez. Pour elle, l'altruisme n'est qu'un vice masochiste qui menace notre survie et nous conduit à négliger notre bonheur au profit de celui des autres et à nous comporter en «animaux sacrificiels». «L'altruisme signifie que vous placez le bien-être des autres au-dessus du vôtre, que vous vivez dans le but de les aider et que cela donne un sens à votre vie. C'est immoral selon ma moralité[16]», déclarait-elle à la télévision en 1979. Elle exalte en revanche «le mot gravé qui doit être mon phare et mon étendard. Le mot qui ne mourra pas, même si nous devons tous périr dans la bataille. Le mot sacré : EGO[17]».

L'altruisme selon elle n'est pas seulement préjudiciable, c'est «une notion monstrueuse» qui représente la «moralité des cannibales se dévorant les uns les autres». Il est aussi une déchéance : «Vous devez offrir votre amour à ceux qui ne le méritent pas... Voilà ce qu'est votre morale sacrificielle et voilà ce que sont les idéaux inséparables qu'elle vous offre : réformer la société pour en faire un parc à bétail humain ; et remodeler votre esprit à l'image d'un tas d'ordures[18].»

La philosophe américaine ne mâche pas ses mots. En 1959, au cours d'une interview télévisée, elle déclarait : «Je considère que l'altruisme est maléfique... L'homme ne doit avoir d'estime que pour lui-même... L'altruisme est immoral parce qu'on vous demande d'aimer tout le monde sans discrimination... Vous ne devez aimer que ceux qui le méritent.» Quand le journaliste qui l'interroge remarque : «Très peu de personnes au monde semblent mériter votre amour», Ayn Rand rétorque : «Malheureusement, oui... Personne n'a jamais donné une raison valable qui justifierait que l'homme doive protéger son semblable[19].» Dans l'un de ses romans, *La Source vive*, Rand conclut : «Les ravages de l'égoïsme sont infiniment moindres que ceux qui ont été perpétrés au nom de l'altruisme[20].»

Ayn Rand considère que les relations humaines doivent être fondées sur les principes du commerce. Relevant ces propos, dans la même interview, le journaliste l'interroge sur sa vie personnelle : «Vous aidez financièrement votre mari. N'y a-t-il pas là une contradiction ?» «Non, parce que je l'aime d'un amour égoïste. C'est dans mon intérêt de l'aider. Je n'appellerais pas ça un sacrifice parce que être avec lui me procure un plaisir égoïste.» Elle renchérit en affirmant qu'en présence d'une personne qui se noie, il n'est moralement acceptable de prendre des risques pour la sauver que s'il s'agit d'un être cher dont la disparition nous rendrait la vie insupportable. Dans tout autre cas, il serait immoral d'essayer de la sauver de la noyade si le danger pour soi-même est élevé. Ce serait faire preuve d'un manque d'estime de soi[21].

Il serait tentant d'écarter Ayn Rand et de la considérer comme une sinistre anomalie, une arrogante psychopathe qui a donné libre cours à ses divagations égoïstes et prétendu reconstruire le monde à partir de presque rien (elle tolérait Aristote qu'elle considérait comme sa seule inspiration philosophique tout en étant «en grand désaccord avec nombre de ses positions[22]»). Toutefois, le fait qu'elle ait autant marqué la culture américaine, qui à son tour exerce une grande influence sur le reste du monde, nous oblige à considérer ce phénomène, aussi embarrassant soit-il, à l'instar d'un clinicien qui ne peut ignorer une maladie étrange qui menace de se propager au reste du monde.

Réduire au strict minimum le rôle du gouvernement

C'est Ayn Rand qui a donné corps à l'individualisme extrême qui va croissant aux États-Unis. Elle a fourni une doctrine à tous ceux qui soutiennent que le gouvernement doit se contenter de veiller à la protection des libertés individuelles et n'intervenir en aucune façon dans les affaires personnelles des citoyens, et surtout pas dans le fonctionnement de l'économie. Ni l'État ni quiconque ne doit nous obliger à nous préoccuper des pauvres, des personnes âgées et des malades, et à payer des impôts destinés à les aider. Ce serait là imposer aux individus l'obligation inacceptable de partager des ressources qu'ils ont gagnées à la sueur de leur front avec des personnes qu'ils ne connaissent même pas, et ce, sans aucun avantage en retour. Bref, dans une économie libertarienne, les pauvres sont considérés comme des tueurs de croissance, des êtres qui nuisent aux entrepreneurs[23]. Seul l'individu serait créateur, la société serait prédatrice, et l'État-providence, conception qui prévaut en Europe, constituerait «la psychologie nationale la plus néfaste que l'on ait jamais décrite» et ceux qui en bénéficient ne seraient qu'une bande de pilleurs[24]. Pour Rand, ce sont les pauvres qui exploitent les riches.

Cette adepte de l'égoïsme est donc opposée à la Sécurité sociale, aux allocations de toutes sortes, au salaire minimum garanti, etc. Selon elle, les citoyens ne doivent payer que des impôts minimaux et volontairement consentis uniquement pour permettre à l'État de protéger leurs intérêts personnels et d'assurer leur sécurité en conservant le monopole de l'usage légal de la force (police et armée). L'État ne doit pas intervenir dans le fonctionnement de l'économie, et doit s'abstenir de toute forme de régulation. Cette apologie du «capitalisme du laisser-faire» a donné naissance aux formes extrêmes de l'économie dérégulée dont nous constatons aujourd'hui les pénibles conséquences[25].

Les erreurs morales et intellectuelles d'Ayn Rand

Lorsqu'un système politico-économique est tel que la société abandonne les personnes âgées, seules et sans ressources, les enfants auxquels les parents n'ont pas les moyens d'offrir une éducation, ou les malades qui meurent faute de soins, non seulement le système ne remplit pas son rôle, mais les valeurs humaines qui devraient régir la société s'en trouvent dégradées.

Selon l'économiste Joseph Stiglitz, ce sont surtout les riches qui redoutent un État fort, car «il pourrait user de son pouvoir pour corriger les déséquilibres de notre société en leur prenant une partie de leur richesse afin de la consacrer à des investissements publics qui serviraient l'intérêt général ou aideraient les défavorisés[26]». Mais dans la réalité, «c'est un fait, poursuit Stiglitz, il n'a jamais existé aucune grande économie prospère où l'État n'a pas joué un rôle important[27]». C'est le cas notamment dans les pays scandinaves où l'impôt est maximal – ce qui ferait horreur à Ayn Rand – et l'inégalité entre les riches et les pauvres minimale. Les idées d'Ayn Rand sont donc une recette pour la promotion sauvage de l'individualisme et de l'inégalité dans la société, inégalité dont les effets délétères sur le bien-être, la prospérité, la justice, la santé même, sont bien connus[28]. Aujourd'hui, comme le souligne l'économiste Daniel Cohen, dans *La Prospérité du vice*, «Le mirage d'un monde laissé aux seules forces du chacun pour soi a dû être oublié. [...] Le rôle de l'État retrouve le lustre perdu[29].»

Ayn Rand développe son argument principal de la façon suivante : le bien le plus précieux de l'homme est sa vie. Celle-ci est une fin en soi et ne peut être utilisée comme un moyen pour accomplir le bien de l'autre. Selon l'éthique objectiviste, prendre soin de soi et poursuivre son propre bonheur par tous les moyens disponibles constituent la raison morale la plus élevée de l'homme[30].

Jusque-là, le raisonnement n'est pas très original et on peut admettre que l'aspiration la plus chère de l'être humain est de vivre sa vie jusqu'à son terme et de connaître davantage de joies que de souffrances.

Puis Ayn Rand pose maladroitement la clé de voûte de son édifice intellectuel qui dès lors s'écroule : le désir fondamental de l'homme étant de rester en vie et d'être heureux, *il s'ensuit qu'il doit être égoïste.*

C'est là que se situe la faille logique. Ayn Rand raisonne dans l'abstrait et perd contact avec l'expérience vécue. Celle-ci montre en effet qu'un égoïsme aussi extrême que celui qu'elle préconise a beaucoup plus de chances de rendre l'individu malheureux que de favoriser son épanouissement. Et cela fut, semble-t-il, le cas de Rand elle-même, selon les témoignages de ceux qui l'ont longtemps côtoyée. Hautaine, narcissique, cassante et dénuée d'empathie, à la limite de la psychopathie, elle eut des relations vindicatives et conflictuelles avec nombre de ses proches et collaborateurs. Elle méprisait le commun des mortels qu'elle considérait comme « médiocres, stupides et irrationnels[31] ».

Perdue dans la sphère du raisonnement conceptuel, Ayn Rand ignore le fait que dans la réalité – cette réalité qu'elle affirme affectionner pardessus tout – l'altruisme n'est ni sacrificiel ni facteur de frustration, mais constitue l'une des principales sources de bonheur et d'épanouissement chez l'être humain. Comme l'écrivent Luca et Francesco Cavalli-Sforza, père et fils, l'un généticien de renom et l'autre philosophe : « L'éthique est née en tant que science du bonheur. Pour être heureux, vaut-il mieux s'occuper des autres ou penser exclusivement à soi[32] ? » Les recherches en psychologie sociale ont bien montré que la satisfaction engendrée par les activités égocentrées est moindre que celle qui découle des activités altruistes[33].

Le philosophe américain James Rachels fournit un argument supplémentaire pour montrer l'incohérence des thèses d'Ayn Rand : « En vertu de quelle différence puis-je me considérer comme si *spécial* par rapport à autrui ? Suis-je plus intelligent ? Ai-je accompli plus de choses ? Est-ce que je jouis plus de la vie que les autres ? Ai-je davantage le droit de vivre et d'être heureux que ceux qui m'entourent? Il serait impossible de répondre par l'affirmative à cette dernière question. En conséquence, promouvoir l'égoïsme comme une vertu morale est une doctrine aussi arbitraire que le racisme. En vérité, nous devons nous préoccuper des intérêts et du bien-être d'autrui pour *exactement les mêmes raisons* qui nous font nous préoccuper de nos droits et de nos aspirations, de nos joies et de nos souffrances[34].»

Freud et ses successeurs

La position de Freud sur l'altruisme, moins dogmatique que celle d'Ayn Rand, est plus fondée sur l'intuition que sur le raisonnement, mais elle s'avère tout aussi éloignée de la réalité. Freud peint une image dévalorisante de l'être humain, et ce, depuis le stade de la petite enfance : «L'enfant est absolument égoïste, il ressent intensément ses besoins et aspire, sans aucun égard pour les autres, à leur satisfaction, en particulier face à ses rivaux, les autres enfants[35].» Or toutes les études fondées sur l'observation objective et systématique d'un grand nombre d'enfants, celles en particulier de Tomasello et Warneken que nous avons décrites, ont montré sans ambiguïté que l'affirmation de Freud est fausse, et que l'empathie et les comportements bienveillants comptent parmi les toutes premières dispositions spontanées des jeunes enfants.

De plus, si l'on en croit ce que Freud écrit dans une lettre au pasteur Pfister, les choses ne s'arrangeraient pas à l'âge adulte : «Je ne me casse pas beaucoup la tête au sujet du bien et du mal, mais, en moyenne, je n'ai découvert que fort peu de "bien" chez les hommes. D'après ce que j'en sais, ils ne sont pour la plupart que de la racaille[36]...»

Selon Freud, la société et ses membres n'ont d'importance pour l'individu que dans la mesure où ils favorisent ou contrarient la satisfaction de ses instincts. Cette disposition embrasserait tous les aspects de notre existence, jusqu'aux rêves qui sont «tous absolument égoïstes». Freud va jusqu'à affirmer : «Quand il semble que le rêve est provoqué par l'intérêt que nous prenons à une autre personne, ce n'est là qu'une apparence trompeuse[37].»

Freud ne fait que quelques rares allusions à l'altruisme*, notamment

* Le mot «altruisme» n'apparaît que sept fois dans les quelque vingt volumes de ses œuvres complètes. Freud, S. *Gesammelte Werke,* Fischer Verlag; *Œuvres complètes.* PUF.

quand il déclare : « En d'autres termes, le développement individuel apparaît comme le produit de l'interférence de deux tendances : l'aspiration au bonheur que nous appelons généralement "égoïsme" et l'aspiration à l'union avec les autres membres de la communauté que nous qualifions d'"altruisme"[38]. » Il ajoute cependant que les tendances altruistes et sociales sont acquises sous des contraintes externes et qu'« il ne faut pas surestimer l'aptitude humaine à la vie sociale[39] ». Et surtout, la définition qu'il donne de l'altruisme comme « aspiration à l'union avec les autres membres de la communauté » est inappropriée : on peut s'unir avec d'autres pour faire le bien mais aussi pour nuire, promouvoir le racisme, adhérer à un gang de malfaiteurs ou perpétrer un génocide*.

Darwin et beaucoup d'autres depuis n'ont cessé au contraire de mettre l'accent sur la propension naturelle de l'homme et autres animaux qui vivent en société à coopérer et à manifester des instincts sociaux qui, selon Darwin, « sont toujours présents et persistants » et à prêter aide et secours à leurs congénères, ajoutant : « Ils éprouvent à chaque instant pour ces derniers, sans y être stimulés par aucune passion ni par aucun désir spécial, une certaine affection et quelque sympathie ; ils ressentent du chagrin, s'ils en sont longtemps séparés, et ils sont toujours heureux de se trouver dans leur société, il en est de même pour nous[40]. » Darwin conclut : « Il serait absurde de supposer que ces instincts sont dérivés de l'égoïsme[41]. »

Freud utilise fréquemment le terme *Einfühlung* qui, nous l'avons vu, a donné naissance au terme « empathie », sans le considérer comme une étape vers l'altruisme. Comme l'explique Jacques Hochmann dans son *Histoire de l'empathie*[42], Freud parle plutôt de l'empathie comme d'un moyen de comparer notre état d'esprit à celui d'autrui et de mieux comprendre, par exemple, l'effet comique involontaire produit par une remarque naïve ou stupide. « Notre rire, écrit Freud, exprime un sentiment plaisant de supériorité[43]. »

Dans *Pourquoi la guerre ?* Freud formule l'hypothèse de l'existence d'une « pulsion de mort » qui s'exercerait initialement contre l'individu lui-même avant de se retourner vers les autres :

* Par la suite, le terme « altruisme » ne sera guère utilisé par les psychanalystes et ne figure pas dans le *Vocabulaire de la psychanalyse* de Laplanche, J., & Pontalis, J.-B. (2007). PUF.

> Tout se passe vraiment comme si nous étions contraints de détruire des gens et des choses, afin de ne pas nous détruire nous-mêmes et de nous protéger contre la tendance à l'autodestruction[44].

Ce portrait dévastateur de la nature humaine n'a pas manqué d'impressionner la pensée contemporaine, même s'il a été profondément remis en cause et s'est révélé dénué de fondement scientifique. Les thèses de Freud et de l'éthologue Konrad Lorenz, selon lesquelles la tendance à l'agression est une pulsion primaire et autonome chez l'être humain et les animaux, ont en effet été infirmées par de nombreux travaux de recherche*.

Carl Gustav Jung, autre figure fondatrice de la psychanalyse, porte un regard tout aussi sombre sur la nature humaine :

> On a presque l'impression d'un euphémisme lorsque l'Église parle du péché originel... Cette tare de l'homme, sa tendance au mal est infiniment plus lourde qu'il n'y paraît, et c'est bien à tort qu'elle est sous-estimée... Le mal a son siège dans la nature humaine elle-même[45].

Freud et Jung ont ainsi forgé dans le monde moderne une version séculière du péché originel.

L'altruisme serait une compensation malsaine de notre désir de nuire

Selon Freud et ses disciples, l'être humain manifeste très peu d'inclination à faire le bien, et si d'aventure il vient à nourrir des pensées altruistes et à se comporter de manière bienfaisante, il ne s'agirait pas d'altruisme véritable mais d'un moyen de contenir tant bien que mal les tendances agressives constamment tapies en son esprit. L'agressivité serait en effet un «trait indestructible de la nature humaine[46]». Dans *Pulsions et destins des pulsions*, Freud écrit :

> La haine, en tant que relation d'objet, est plus ancienne que l'amour; elle provient du refus originaire que le moi narcissique oppose au monde extérieur, prodiguant les excitations[47].

* Voir le sous-chapitre «Existe-t-il un "instinct de violence"?» au chapitre 28, «À l'origine de la violence : la dévalorisation de l'autre», p. 389.

Pour Freud, la moralité et les comportements prosociaux naîtraient uniquement d'un sentiment de culpabilité et de mécanismes de défense utilisés par l'ego pour gérer les restrictions que la société impose aux pulsions agressives innées de l'individu, ainsi que les demandes irrationnelles du surmoi.

Selon l'éthologue Frans de Waal, l'argument de ceux qui pensent que l'homme est naturellement malveillant et agressif est habituellement le suivant : «(1) la sélection naturelle est un processus égoïste et méchant (2) qui produit automatiquement des individus égoïstes et méchants, et (3) seuls les romantiques avec des fleurs dans les cheveux pensent autrement[48].» Darwin, quant à lui, était au contraire persuadé que le sens moral était inné et a été acquis au cours de l'évolution. Divers travaux de recherche présentés par le psychologue Jonathan Haidt dans son ouvrage *The Righteous Mind* («L'Esprit vertueux») ont montré que le sens moral se manifeste spontanément chez les jeunes enfants et n'est pas attribuable à l'influence des parents, des normes sociales et des «exigences que la société impose», comme l'affirmait Freud[49]. Le psychologue Elliot Turiel avait déjà observé que, dès le plus jeune âge, l'enfant a le sens de l'équité et considère que faire du mal à l'autre est répréhensible[50].

Pour la psychanalyse, en revanche, l'altruisme n'est qu'un mécanisme de défense destiné à se protéger de pulsions agressives difficiles à réprimer. Il ne faut surtout pas s'efforcer d'être altruiste. De l'avis de Freud :

> Tous ceux qui veulent être plus nobles d'esprit que leur constitution ne le permet sont victimes de névroses; ils auraient été en meilleure santé s'il leur avait été possible d'être moins bons[51].

Pour Anna, la fille de Freud, l'altruisme s'inscrit dans le cadre de mécanismes de défense contre les conflits intérieurs[52]. Il serait notamment, selon le *Dictionnaire international de la psychanalyse*, «un exutoire à l'agressivité» qui au lieu d'être refoulée serait déplacée vers des buts «nobles». L'altruisme serait aussi «une jouissance par procuration où le conflit s'attache alors à un plaisir qu'on se refuse à soi-même, mais qu'on aide les autres à obtenir». L'altruisme serait enfin «une manifestation du masochisme», puisque ce seraient les sacrifices liés à l'altruisme qui seraient recherchés avant tout par celui qui le pratique[53]. Pourtant, selon les recherches en psychologie, il n'existe pas la moindre indication prouvant que la bonté serait issue de motivations négatives ou masochistes.

Selon les dires de Freud, lorsque des personnes souffrent de maladies infectieuses, la syphilis en particulier, au fond d'eux-mêmes ils ont envie d'infecter les autres par dépit d'être malades, alors que les autres sont en bonne santé. S'ils s'abstiennent malgré tout de ne pas infecter tous ceux qui les entourent, c'est en raison de «la lutte que ces malheureux sont obligés de soutenir contre le désir inconscient de communiquer leur maladie à d'autres : pourquoi doivent-ils rester seuls infectés et se voir refuser tant de choses, alors que les autres se portent bien et sont libres de participer à toutes les jouissances[54] ?». Freud semble avoir écarté la possibilité que si quelqu'un veille à ne pas infecter autrui, ce n'est pas en allant à l'encontre de ses tendances fondamentalement malveillantes, mais pour la simple raison qu'il est sincèrement concerné par le sort de ses semblables. Jacques Van Rillaer, professeur émérite de psychologie à l'université de Louvain-la-Neuve, ancien psychanalyste et auteur de l'ouvrage *Les Illusions de la psychanalyse*, mentionne que l'un de ses enseignants de psychanalyse, Alphonse De Waelhens, affirmait, à l'époque où Van Rillaer suivait cette formation : «Quand vous voulez savoir quelle est la véritable motivation des gens, imaginez le pire; c'est souvent cela[55].»

L'exacerbation de l'égoïsme

La psychanalyse se décrit souvent comme un moyen de connaissance de soi plutôt que comme une thérapie. Elle s'oppose à toute forme d'évaluation globale de l'efficacité de ses méthodes, jugeant cette approche trop simpliste (Lacan parle même de «la subversion de la position du médecin par la montée de la science[56]»). Mais, comme le montre un rapport de l'Inserm[57], lorsque cette efficacité a été évaluée en prenant en compte un nombre suffisant de cas, les bienfaits thérapeutiques ont été jugés quasi inexistants en comparaison avec les thérapies comportementales et cognitives qui, elles, ont prouvé leur efficacité pour un nombre important de troubles.

Il semble même que le fait de suivre une thérapie psychanalytique entraîne fréquemment une augmentation de l'égocentrisme et une diminution de l'empathie. À l'issue d'une enquête portant sur l'image et les effets de la psychanalyse qui fut effectuée sur un large échantillon de population, le psychologue social Serge Moscovici a conclu que dans la plupart des cas «le psychanalysé, arrogant, fermé, adonné à l'introspection, se retire toujours de la communication avec le groupe[58]». Quant au psychiatre français Henri Baruk, il reproche à la pratique analytique de renforcer les conflits interpersonnels dans la mesure où le sujet psychanalysé «voit souvent avec acrimonie ses proches, ses parents, son conjoint, qu'il rend responsable de ses maux». Baruk note également que certains sujets psychanalysés deviennent extraordinairement agressifs, sont d'une extrême sévérité pour les autres qu'ils accusent sans cesse, ce qui fait d'eux des individus antisociaux[59]. La pratique psychanalytique semble donc atrophier nos dispositions à l'altruisme.

Certains psychanalystes, loin de nier cette orientation égoïste, semblent l'endosser. François Roustang parle de «faire passer cet autre à l'inexistence[60]». Jacques Lacan affirme que «des personnes bien intentionnées, c'est bien pire que celles qui le sont mal[61]». Pierre Rey, ancien directeur de l'hebdomadaire *Marie-Claire*, s'astreignit à des séances quotidiennes avec Lacan pour tenter de se guérir de phobies sociales qui, selon lui, n'ont jamais diminué au cours de ses dix années de «cure»[62]. Il affirme avoir beaucoup appris de son analyse, entre autres choses le fait que : «Tous les rapports humains s'articulent autour de la dépréciation d'autrui : pour être, il faut que l'autre soit moins[63].»

Rey ne manque pas de mettre ses principes en application, comme en témoigne l'anecdote suivante. Au cours d'une soirée chez des amis, il entend deux jeunes gens expliquer que Lacan est un dangereux charlatan. «Pendant cinq minutes, confie Rey, j'eus la force de ne pas intervenir.» Ensuite, «je sentis un voile blanc m'obscurcir le regard tandis qu'une fantastique poussée d'adrénaline me fit me dresser, blême soudain, muscles tendus, visage de pierre. Je pointai tour à tour sur eux un index meurtrier et m'entendis dire d'une voix blanche : "Écoutez-moi, connards... Écoutez-moi bien... Bougez simplement un cil, ajoutez simplement un mot et je vous tue." Paralysés, blancs comme la craie, je crois qu'ils ne respiraient même plus. Par crainte de tenir ma promesse, je tournai les talons. Ils en profitèrent pour quitter les lieux sur la pointe des pieds[64].»

Il est indéniable que nombre de psychanalystes traitent leurs patients avec bienveillance et que des patients témoignent avoir bénéficié de la cure psychanalytique, mais force est de constater, à la lumière des écrits et paroles des fondateurs, que, globalement, la théorie psychanalytique encourage l'égoïsme et laisse peu de place à l'altruisme.

«Libérer» les émotions ou «se libérer» des émotions?

Le témoignage de Pierre Rey, comme d'autres, montre que la psychanalyse peut difficilement être considérée comme une science des émotions. Sinon, comment aboutirait-elle à une telle incapacité à gérer les émotions destructrices? Rey rapporte : «Jaillirent de moi en un bouillonnement effrayant les cris bloqués derrière ma carapace de bienveillance cordiale. Dès lors, chacun sut à quoi s'en tenir sur les sentiments que je lui portais. Quand j'aimais, à la vie à la mort, j'aimais. Quand je haïssais, à la vie à la mort, on ne tardait pas davantage à l'apprendre[65].»

Il y a là une confusion, lourde de conséquences, entre *libérer* les émotions comme on lâcherait une meute de chiens sauvages, et *se libérer* du joug des émotions destructrices et conflictuelles, dans le sens de ne plus en être l'esclave. Dans le premier cas, on renonce à toute maîtrise des émotions négatives et on les laisse exploser à la moindre occasion, au détriment du bien-être d'autrui et de sa propre santé mentale. Dans le deuxième cas, on apprend à s'affranchir de leur pouvoir, sans les réprimer ni les laisser détruire notre équilibre.

La psychanalyse ne fait jamais appel à la pratique de méthodes permettant de s'affranchir graduellement des toxines mentales que sont la haine, le désir compulsif, la jalousie, l'arrogance et le manque de discernement, et de cultiver les qualités que sont l'amour altruiste, l'empathie, la compassion, la pleine conscience et l'attention.

La psychanalyse a-t-elle une valeur scientifique?

Freud lui-même définissait la psychanalyse comme «un procédé pour l'investigation des processus animiques, qui sont à peine accessibles autrement; d'une méthode de traitement des troubles névrotiques, qui se fonde sur cette investigation; d'une série de vues psychologiques, acquises par cette voie, qui croissent progressivement pour se rejoindre en une discipline scientifique nouvelle[66]». Plus tard, elle a été présentée comme une «science de l'individuel» par le psychanalyste Robert De Falco, qui affirme que «le succès de la psychanalyse dans le monde et son internationalisme sont issus de la combinaison de l'exigence d'un savoir scientifique rigoureux et d'une judéité ayant rompu avec la religion[67]».

Les philosophes des sciences, les psychologues et les spécialistes des sciences cognitives sont en vaste majorité d'avis que la psychanalyse ne peut être considérée comme une science valable. Ils sont arrivés à cette même conclusion par différents chemins.

Le philosophe des sciences Karl Popper estime que la psychanalyse ne peut être considérée comme une science, puisqu'une théorie qui ne peut être ni prouvée ni réfutée ne peut jamais être prise en défaut et, de ce fait même, n'est autre qu'une spéculation qui ne fait pas progresser mes connaissances[68].

Un scientifique digne de ce nom commence par émettre des hypothèses – par exemple l'existence, dans le développement affectif de l'enfant, du complexe d'Œdipe –, puis soumet ses hypothèses à des tests expérimentaux rigoureux susceptibles de les confirmer ou de les infirmer. Si l'observation montre que les effets prévus par la théorie ne se produisent pas, celle-ci est réfutée et doit être abandonnée ou modifiée. Le critère de réfutation permet donc de distinguer la démarche scientifique de la pseudoscience.

Or la psychanalyse s'est soustraite à toute réfutation envisageable grâce à des sophismes qui lui permettent d'avoir toujours raison, quels que soient les faits observés et les arguments qu'on lui oppose : elle s'autoconfirme en permanence. Si un patient arrive en avance au rendez-vous, il est anxieux; s'il arrive à l'heure, il est maniaque; et s'il est en retard, il est récalcitrant et hostile. Pour prendre un exemple plus spécifique, comment, s'interrogent les auteurs du *Livre noir de la psychanalyse*, prouver ou réfuter la pierre d'angle de l'édifice freudien, qu'est le complexe d'Œdipe? Cela semble impossible, car si un petit garçon adore sa maman et redoute son père, la psychanalyse dira qu'il fournit une parfaite illustration de ce processus universel, et s'il rejette sa maman tout en étant attiré par son père, on dira qu'il refoule son «Œdipe», sans doute par peur de la castration, ou encore qu'il manifeste un «œdipe négatif». Quoi qu'il arrive, la psychanalyse ne peut qu'avoir raison. Le psychologue Adolf Wohlgemuth résumait ainsi cette position : «Pile je gagne, face tu perds[69].»

En conséquence, Popper considère que les explications des psychanalystes sont aussi vagues et imaginaires que celles des astrologues et s'apparentent davantage à une idéologie qu'à une science.

Un autre grand philosophe des sciences et des théories de la connaissance, Ludwig Wittgenstein, fut d'abord fasciné par la sophistication apparente de la psychanalyse mais, après mûr examen, il en vint à cette conclusion :

> Freud a rendu un mauvais service avec ses pseudo-explications fantastiques (précisément parce qu'elles sont ingénieuses). N'importe quel âne a maintenant ces images sous la main pour expliquer, grâce à elles, des phénomènes pathologiques[70].

La spéculation intellectuelle, aussi sophistiquée soit-elle, ne saurait s'affranchir de la confrontation avec la réalité, c'est-à-dire avec une vérification expérimentale rigoureuse.

Les «pseudo-explications fantastiques» foisonnent dans les textes psychanalytiques, à témoin celle proposée par la célèbre psychanalyste d'enfants Melanie Klein qui semble avoir bénéficié d'un accès quasi surnaturel à ce qui se trame dans la tête des nourrissons de moins de deux ans, lesquels n'ont pas encore l'usage de la parole :

> Le but principal du sujet est de s'approprier les contenus du corps de la mère et de détruire celle-ci avec toutes les armes dont le sadisme dispose. [...] À l'intérieur du corps de la mère, l'enfant s'attend à trouver : le pénis du père, des excréments et des enfants, tous ces éléments étant assimilés à des substances comestibles. [...] Les excréments sont transformés dans les fantasmes en armes dangereuses : uriner équivaut à découper, poignarder, brûler, noyer, tandis que les matières fécales sont assimilées à des armes et à des projectiles[71].

Un autre épistémologue (historien de la connaissance), Adolf Grünbaum, adopte une position différente de celle de Popper. Pour lui, certains énoncés de Freud sont bel et bien réfutables du fait qu'à l'examen, ils se révèlent tout simplement faux[72]. Freud écrit, par exemple :

> L'infériorité intellectuelle de tant de femmes, qui est une réalité indiscutable, doit être attribuée à l'inhibition de la pensée, inhibition requise pour la répression sexuelle[73].

Comme le remarque Jacques Van Rillaer, faisant écho à Grünbaum, Freud «énonce là deux lois empiriques que l'on peut tester : l'infériorité intellectuelle des femmes serait "une réalité" (la psychologie scientifique a montré qu'il n'en est rien) ; le manque d'intelligence des femmes serait dû à la répression sexuelle (je doute qu'on puisse observer, sur un large échantillon, que, lorsque des femmes sexuellement très contrôlées parviennent à se libérer de leurs inhibitions, leurs capacités intellectuelles s'en trouvent automatiquement augmentées)[74] ».

Frank Cioffi, professeur d'épistémologie à l'université du Kent, adopte un troisième mode de réfutation : il qualifie Freud de pseudoscientifique pour la simple raison qu'il a publié de fausses allégations pour prouver ses hypothèses. Freud n'a jamais réalisé de recherches systématiques sur un grand nombre de sujets pour tester ses idées, estimant que les observations cliniques de quelques patients suffisaient à prouver ses théories. Qui plus est, les recherches historiques ont établi que Freud n'hésitait pas à truquer la description et les conclusions de ses observations cliniques afin qu'elles confirment ses théories. Le psychiatre Henri Ellenberger a retrouvé dans un institut psychiatrique les documents relatifs à Anna O., la première patiente psychanalysée selon les principes freudiens. Elle allait nettement plus mal après la tentative de cure menée par Josef Breuer qu'avant, et fut internée plusieurs années dans l'hôpital en question. Or Freud a écrit qu'Anna O. avait été guérie de « tous ses symptômes » par la psychanalyse[75]. Dans *Les Patients de Freud*, Borch-Jacobsen a montré par ailleurs que les thérapies menées par Freud se sont, dans l'ensemble, soldées par des échecs[76].

Tout cela n'aurait guère d'importance si une telle théorie se limitait au monde des idées, mais le fait qu'elle soit devenue une pratique thérapeutique n'a pas manqué d'entraîner des conséquences nuisibles à nombre de patients. Un exemple typique est celui de l'autisme. Dans les années 1950, les psychanalystes, avec à leur tête Bruno Bettelheim, ont rendu les mères responsables de l'autisme de leur enfant. « Je soutiens, écrit Bettelheim, que le facteur qui précipite l'enfant dans l'autisme infantile est le désir de ses parents qu'il n'existe pas[77]. » Les psychanalystes ont ensuite passé une quarantaine d'années à essayer de « traiter » ces mères (en ajoutant à leur souffrance d'avoir un enfant autiste celle de les culpabiliser pour sa maladie), tout en abandonnant l'enfant à son sort.

Temple Grandin[78] est professeur d'éthologie à l'université du Colorado. Elle est aussi autiste. Lorsque, enfant, elle manifesta de graves symptômes, sa mère l'emmena en consultation chez Bettelheim. Ce dernier déclara à la mère qu'elle était hystérique et que sa fille était devenue autiste parce qu'elle ne l'avait pas voulue. Désespérée, elle alla trouver un autre psychanalyste qui lui expliqua : «En termes freudiens, cela signifie que la mère veut un pénis.» La mère, une personne équilibrée qui a toujours soutenu sa fille avec affection, fit ce commentaire humoristique : «Il y a beaucoup de choses que je voulais dans la vie, mais le pénis n'était pas sur la liste[79].»

En effet, selon la psychanalyse, «la psychose de l'enfant naîtrait d'un mécanisme de défense face à l'attitude d'une mère incestueuse que l'absence de phallus pousserait à détruire le substitut du phallus manquant représenté par sa progéniture[80]». Allez imaginer quelque chose de plus absurde.

En France, selon Franck Ramus, directeur de recherche au CNRS, les psychanalystes continuent de s'appuyer sur la mise en cause des parents, tout particulièrement de la mère, dans la maladie de leur enfant. L'une d'elles raconte qu'on lui a demandé à de nombreuses reprises : «Avez-vous vraiment désiré votre enfant?» Alexandre Bolling, papa d'un garçon autiste de cinq ans, raconte : «L'un des psychiatres que nous avons vus considérait que j'étais schizophrène, ce qui expliquait les troubles de mon enfant...» Un psychiatre d'une trentaine d'années raconte avoir assisté à des «scènes hallucinantes» alors qu'il était en stage de pédopsychiatrie dans des centres de consultation pour autistes : «La culpabilisation des parents est une réalité. Pendant les entretiens, on ne s'intéressait qu'aux parents que l'on bombardait de questions. Lors des séances de débriefing, tous étaient qualifiés de psychotiques et les problèmes des enfants étaient la conséquence exclusive de la toxicité paternelle ou maternelle[81].»

Ces théories ont été abandonnées depuis des décennies par tous les chercheurs et scientifiques, pour qui l'autisme est un trouble neurodéveloppemental à forte composante génétique[82]. Il existe de nombreuses formes d'autisme et, selon des travaux synthétisés par Martha Herbert, de l'université d'Harvard, il est possible que l'augmentation de l'incidence de l'autisme au cours des cinquante dernières années soit en partie liée à l'usage globalisé des pesticides et des fertilisants[83]. Ce qui est certain, c'est que cette maladie n'est nullement provoquée par l'influence psychologique de la mère.

En Angleterre et dans bien d'autres pays, 70 % des autistes, traités en s'occupant attentivement d'eux et non de leurs mères, rejoignent les établissements scolaires normaux. Seuls les cas les plus graves sont placés dans des institutions spécialisées. En France, c'est l'inverse.

Seulement 20 % des enfants autistes sont scolarisés et mènent une vie quasi normale. Les autres portent le poids de l'influence de la pensée psychanalytique dans les milieux académiques[84]. Récemment, la Haute Autorité de santé (HAS) a conclu que la psychanalyse était « non pertinente » pour l'autisme. Elle recommande un diagnostic précoce, des exercices éducatifs et des thérapies cognitives basées sur des outils de communication spécifiques par l'utilisation d'images, des jeux ou d'exercices de gestion des comportements.

Une généralisation abusive

Il existe bien sûr des individus anormalement égoïstes, agressifs et qui nourrissent différentes obsessions, mais comme me le rappelait le psychologue Paul Ekman : « Freud a conçu sa théorie de la nature humaine à partir d'un petit échantillon de personnes très perturbées. Lorsque vous constatez une maladie chez un certain nombre de patients, vous ne pouvez pas en inférer que tous les êtres humains souffrent de cette maladie[85]. » Il ajoute : « Prenez l'exemple du complexe d'Œdipe. Il est probable que certains individus en souffrent, mais souhaiter avoir des rapports sexuels avec ses parents – et ce depuis l'âge de cinq ans – n'est sûrement pas fondamentalement inscrit dans la nature humaine ! »

On pourrait comparer un patient particulièrement agressif à une voiture endommagée dont l'accélérateur est coincé au plancher. La seule façon de maintenir une vitesse de croisière normale est d'appuyer constamment sur le frein. Un mécanicien pourra passer beaucoup de temps à identifier et à réparer ce problème, mais il aurait tort d'affirmer que « toutes les automobiles ont une pulsion interne qui les incite à accélérer constamment à moins d'être retenues par l'usage du frein », à l'image des psychanalystes qui affirment que nous devons constamment réprimer nos pulsions agressives[86].

Les comportements pathologiques ne peuvent être considérés systématiquement comme une simple accentuation maladive des comportements normaux, même si c'est parfois le cas. Ils sont souvent d'une nature différente, incompatible avec ces comportements normaux. Une personne sobre n'est pas « moins saoule » qu'un ivrogne, elle ne l'est pas du tout. Une personne qui souffre de tics nerveux luttera contre ces mouvements involontaires, mais une personne en bonne santé n'a pas besoin de réprimer constamment ses tics. Pour elle, le problème ne se pose pas.

Les successeurs de Freud ont continué d'évoluer dans la sphère de l'égocentrisme

Nombre d'émules de Freud ont préservé jusqu'à nos jours l'orthodoxie de sa doctrine. D'autres sont revenus sur certains points clés et ont contesté, par exemple, l'instinct de violence ou le postulat selon lequel tous nos désirs sont dictés par la sexualité – qu'en est-il par exemple du désir de se promener en forêt, ou de rendre visite à un ami âgé ? Mais, tout en essayant de donner à leurs thérapies un aspect plus humain, ils n'ont le plus souvent fait que promouvoir des formes plus attrayantes de l'égocentrisme. Comme l'ont montré les psychologues Michael et Lise Wallach[87], dans la plupart des adaptations des théories freudiennes, comme celles proposées par Harry Sullivan, Karen Horney et, sur certains points, par Erich Fromm, l'égocentrisme continue de régner en maître. Soucieuses de ménager l'individualisme de nos contemporains, ces thérapies ont donné la priorité à l'expression spontanée de soi-même tout en restant aussi égocentrées.

Ces psychologues soutiennent notamment que toutes les formes de restrictions et d'obligations, dictées par la société ou par nos normes intérieures, entravent notre réalisation personnelle et nous éloignent de notre véritable identité[88]. La gratification sans contrainte de nos impulsions leur semble être une priorité. Mais, dans ce cas, il serait impossible de participer à des activités collectives et de vivre en société. Comment faire de la musique ou du sport sans se conformer à des règles ou s'astreindre à une discipline ? Imaginez un orchestre dans lequel chaque musicien jouerait comme bon lui semble en ignorant le chef d'orchestre et les partitions musicales. Rien ne distinguerait alors la musique d'une quelconque cacophonie[89].

En pratique, l'expression de soi-même affranchie de toute contrainte semble plutôt destinée à entraver le bien de la société qu'à l'accomplir[90]. J'ai rencontré une jeune Américaine qui m'a affirmé : « Pour être véritablement moi-même, pour être libre, je dois être fidèle à mon ressenti et exprimer spontanément ce qui me correspond et me convient le mieux.» Or la véritable liberté ne consiste pas à faire tout ce qui nous passe par la tête, mais à être maître de soi-même. Gandhi abondait en ce sens quand il disait : «La liberté extérieure que nous atteindrons dépend du degré de liberté intérieure que nous aurons acquis. Si telle est la juste compréhension de la liberté, notre effort principal doit être consacré à accomplir un changement en nous-mêmes.» Cette transformation, si nous souhaitons contrecarrer les vues débilitantes des champions de l'égoïsme, consiste précisément à diminuer notre égocentrisme et à cultiver l'altruisme et la compassion.

26

Avoir pour soi de la haine ou de la compassion

De toutes les maladies, la plus sauvage, c'est de mépriser notre être.

Montaigne

La capacité d'aimer autrui est souvent associée à celle de s'aimer soi-même. La règle d'or que l'on retrouve, sous des formulations presque semblables, dans toutes les grandes religions est : « Aime autrui comme toi-même. » Il semble donc que le fait de se vouloir du bien à soi-même soit un précurseur indispensable à l'altruisme. Si l'on n'accorde aucune valeur à son propre bien-être, pis, si l'on se veut du mal, il sera très difficile de vouloir du bien à qui que ce soit. Par contre, si l'on se veut véritablement du bien et si l'on reconnaît la valeur et la légitimité de cette aspiration, on pourra l'étendre à autrui. De fait, les études cliniques montrent que ceux qui se méprisent, se veulent du mal, et parfois s'infligent des souffrances physiques, admettent qu'ils ont beaucoup de difficultés à concevoir de l'amour et de la compassion pour les autres[1]. Il faut aussi rappeler que le simple fait de se vouloir du bien n'est en aucune façon égoïste, puisqu'il est compatible avec le désir du bien d'autrui. Comme le disait Coluche : « Il n'y a pas de mal à se vouloir du bien. »

Peut-on véritablement se haïr ?

Au cours de l'une de ses nombreuses rencontres avec des scientifiques, le Dalaï-lama entendit un psychologue parler de la haine de soi.

Il se tourna vers son traducteur, croyant avoir mal compris, puis vers le psychologue en lui demandant : «Vous avez bien dit *haine de soi*? Mais c'est impossible. On ne peut pas se vouloir du mal à soi-même.» Bien que la psychologie bouddhiste soit d'une grande richesse et abonde en nuances, elle n'envisage pourtant pas la possibilité qu'un individu se veuille du mal. Le psychologue expliqua au Dalaï-lama que la haine de soi était malheureusement un mal fréquent en Occident. Une longue conversation s'ensuivit et, après avoir écouté les explications des scientifiques, le Dalaï-lama réagit : «Je comprends un peu mieux maintenant. Cela ressemble à un profond mal-être, à une maladie du soi. Les gens ne souhaitent pas fondamentalement souffrir, mais ils se reprochent de ne pas être aussi doués ou heureux qu'ils l'auraient souhaité.» Le psychologue expliqua que ce n'était là qu'une dimension du problème, et que certaines personnes avaient subi des sévices et des violences répétés au point d'en venir à penser que s'ils avaient tant souffert, c'est parce qu'ils étaient fondamentalement mauvais. Ils apprirent aussi au Dalaï-lama que certains allaient jusqu'à se blesser volontairement, et que l'automutilation était pratiquée par 10 à 15% des adolescents européens. Le Dalaï-lama resta quelques instants silencieux, visiblement ému.

Pour remédier à la haine de soi, les cliniciens occidentaux ont souligné la nécessité d'aider leurs patients à développer davantage de bienveillance à l'égard d'eux-mêmes; ils ont mis au point des thérapies fondées sur le concept de *compassion pour soi-même*. Initialement, pour ma part, j'éprouvais une certaine réticence à l'égard de ce concept, dont j'entendais fréquemment parler en Occident. Je me demandais en effet si en focalisant trop l'attention sur soi-même, une telle thérapie ne risquait pas de renforcer les tendances égocentrées et narcissiques, au détriment de l'ouverture aux autres. J'ai pris conscience des bienfaits de l'autocompassion pour la santé mentale, à la suite de fructueuses conversations avec Paul Gilbert, chercheur et clinicien anglais, qui, depuis une trentaine d'années, s'occupe de personnes qui souffrent d'autoagressivité, ainsi qu'avec la psychologue américaine Kristin Neff, dont les recherches ont montré qu'en général, le développement de l'autocompassion (*self compassion*) et les bienfaits qu'elle engendre ne s'accompagnent pas d'un accroissement du narcissisme. J'ai donc essayé de relier ce concept d'autocompassion aux enseignements bouddhistes.

Si l'on va au fond des choses, avoir de la bienveillance et de la compassion pour soi-même revient à se demander : «Qu'est-ce qui est vraiment bon pour moi ?» Si l'on se pose cette question en toute honnêteté, on devrait être amené à convenir que : «Oui, si c'était possible, je préférerais ne pas souffrir et éprouver davantage de bien-être.»

L'obstacle principal, pour nombre de personnes qui ont une image très négative d'elles-mêmes et adoptent des comportements autodestructeurs, vient aussi du fait que, trop souvent, la possibilité du bonheur leur a été longtemps refusée. Le simple souhait d'être heureux n'a pour conséquence que de faire ressurgir des souvenirs d'événements traumatisants. Ces personnes en viennent alors *à retourner cette violence contre elles-mêmes*, au lieu d'espérer un bonheur qui n'a cessé de les fuir.

Toutefois, dès lors qu'elles acceptent ne serait-ce que l'*idée* qu'il est préférable de ne pas souffrir, ce qui est souvent une démarche difficile pour elles, elles sont disposées à adopter des manières d'être et d'agir qui leur permettent d'échapper au cercle vicieux de la souffrance.

Un autre point essentiel semble être la prise de conscience d'un *potentiel de changement.* Bien souvent, ceux qui s'agressent eux-mêmes considèrent qu'ils sont foncièrement coupables («c'est ma faute») et qu'ils sont condamnés à être ce qu'ils sont («cela fait partie de moi-même»). Si leur malheur était inéluctable, nous ne ferions qu'ajouter à leurs tourments en leur disant qu'ils peuvent guérir. Or, si nous ne pouvons pas choisir ce que nous sommes, à savoir le résultat d'une multitude de facteurs indépendants de notre volonté (telle que la façon dont nous avons été traités dans l'enfance), nous pouvons en revanche agir sur notre présent et notre futur.

Le sentiment de n'avoir aucune valeur

Il n'est donc pas rare que certaines personnes soient tourmentées par l'impression qu'elles sont indignes d'être aimées, qu'elles sont dépourvues de toute qualité et inaptes au bonheur. Ces sentiments résultent le plus souvent du mépris et des critiques réitérées de parents ou de proches. S'y ajoute un sentiment de culpabilité lorsque ces personnes se jugent responsables des imperfections qu'elles s'attribuent[2]. Assiégées par ces pensées négatives, elles ne cessent de se blâmer et se sentent coupées des autres.

Une étude chez des adolescents déprimés a montré que ceux qui avaient le plus haut niveau de pensées d'autodévaluation étaient ceux qui un an plus tard présentaient le risque le plus élevé de chronicisation de leur épisode dépressif[3].

Selon Paul Gilbert, dans l'autocritique pathologique qui constitue une sorte de harcèlement intérieur, une partie de soi en accuse constamment une autre, qu'elle hait et méprise[4]. On estime plus sûr de se blâmer soi-même que de provoquer la colère de ceux qui abusent de soi, et de risquer ainsi un redoublement de violence. Parfois, on va jusqu'à prendre les devants et se critiquer soi-même pour désamorcer le risque d'être humilié par les autres. En s'abaissant, on espère s'attirer un peu de sympathie. Mais, fréquemment, ceux qui appliquent cette stratégie cachent une profonde colère envers ceux qui les ont maltraités, doublée d'un sentiment de honte.

Ces sentiments se manifestent généralement dès l'enfance, très souvent à la suite de mauvais traitements infligés par les proches; ils entraînent des troubles psychologiques graves, dont de nombreuses formes de phobies sociales, l'angoisse, la dépression, et l'agressivité envers soi-même ou envers les autres. La privation d'amour et la dévalorisation de soi peuvent ainsi conduire au désespoir, voire au suicide, ainsi qu'en témoignent les propos d'une personne, cités par Kristin Neff : «Parfois, je suis si seule qu'il semble que je serais mieux morte. Je pense à mourir parce que j'ai si peu de valeur et que personne ne m'aime. Je ne m'aime pas. Mieux vaut être morte pour de bon que de se sentir morte à l'intérieur[5].» Selon Neff :

> La meilleure façon de contrecarrer l'autocritique obsessionnelle consiste à la comprendre, à avoir de la compassion envers elle, puis à la remplacer par une réaction plus bienveillante. En nous laissant émouvoir par les souffrances que nous avons éprouvées à cause de notre mépris de nous-mêmes, nous renforçons notre désir de guérir. Finalement, après nous être frappé la tête suffisamment longtemps contre les murs, nous en venons à décider que cela suffit, et à exiger la fin des douleurs que nous nous infligeons à nous-mêmes[6].

Pour que ces personnes passent du désespoir au désir de rebondir dans l'existence, il faut les aider à instaurer une relation plus chaleureuse avec elles-mêmes et à ressentir de la compassion pour leurs souffrances au lieu de se juger durement.

La violence dirigée contre soi-même

Ainsi que nous l'avons dit précédemment, les comportements d'automutilation affectent donc 10 à 15% des adolescents en Europe occidentale, plus particulièrement les jeunes filles, dont un grand nombre ont vécu des enfances très traumatiques (mauvais traitements, viols, incestes, dévalorisations systématiques de la part des parents, etc.[7]). Chez ceux qui présentent des troubles importants de la personnalité, l'automutilation se produit dans 70 à 80% des cas. Près de la moitié des personnes concernées se blessent tous les jours ou plusieurs fois par semaine. Certains se coupent avec des objets tranchants, d'autres se frappent avec ou contre un objet, se mordent jusqu'au sang, s'arrachent les cheveux. En s'infligeant un dommage physique important, ils tentent de mettre fin à un état émotionnel douloureux. La plupart affirment que l'automutilation leur procure une sensation de *soulagement* et réduit la forte tension physique et psychologique qui les étreint. Les deux tiers affirment ne pas ressentir de douleur pendant l'automutilation[8]. Celle-ci provoque en effet la libération d'endorphines par le cerveau, substances qui procurent une sensation éphémère d'apaisement.

Christophe André rapporte le cas d'un patient, traité avec succès par l'autocompassion, qui se faisait du mal jusque dans ses rêves : «C'est un rêve où je suis désespéré : je me roule par terre, je cherche à me frapper. Mais je n'y arrive même pas. Ça me désespère encore plus, car dans mon rêve, j'ai le sentiment que je les mérite, ces coups, et qu'il faut absolument que je me les porte. Je me dis : tu le mérites, tu le mérites! Et je cherche à me frapper, de plus en plus fort, à me faire mal. C'est très important pour moi, que je me fasse mal[9].»

Les pratiques de scarification et d'automutilation peuvent être interprétées comme une façon de se punir soi-même – la personne étant convaincue d'être «détestable» – mais aussi comme un cri de désespoir qui dirait en substance : «Vous ne voyez donc pas ma souffrance? Je vais vous la montrer. Ces blessures, ce sang ne peuvent pas vous échapper. Vous comprendrez mieux à quel point je souffre, et peut-être consentirez-vous à m'aider.» Ces pratiques ne sont pas un fait spécifiquement culturel, mais plutôt un signal universel d'extrême détresse lorsque la douleur devient submergeante et n'est pas entendue. Elles sont autant de signes précurseurs d'un possible passage à l'acte suicidaire[10].

Instaurer une relation chaleureuse avec soi-même

Paul Gilbert s'occupe depuis trente ans de personnes souffrant d'autoagressivité. Il a mis au point une méthode thérapeutique d'entraînement à la compassion (Compassionate Mind Training ou CMT)[11]. Il tente de faire découvrir à ses patients une zone de sécurité et de chaleur humaine et, peu à peu, de substituer à la haine de soi la bienveillance à l'égard de soi-même. Des études cliniques réalisées sur un grand nombre de patients ont montré que le CMT réduisait considérablement les états dépressifs, les automutilations et les sentiments d'infériorité et de culpabilité.

Selon Gilbert, l'un des problèmes de ceux qui s'autocritiquent à l'excès est qu'ils ne disposent pas de souvenirs apaisants susceptibles d'être évoqués lorsqu'ils se sentent mal, notamment des souvenirs de traitements bienveillants et affectueux. Ils se représentent facilement la partie critique d'eux-mêmes, celle qui a tendance à les contrôler et à les dominer, mais ils ont du mal à faire remonter à la conscience et à visualiser des images bienveillantes et compassionnelles. L'un des rôles du thérapeute est donc de les aider à instaurer une relation plus chaleureuse avec eux-mêmes[12].

Pour ce faire, diverses techniques peuvent être utilisées. On peut suggérer aux patients d'imaginer la façon dont quelqu'un de bienveillant considérerait leur situation. Puis on leur demande d'essayer d'adopter le point de vue de cette personne. Ou encore, on leur propose d'imaginer qu'une *partie d'elles-mêmes*, ou qu'une *personne imaginaire* manifeste de la bonté et une profonde compassion à leur égard, puis d'évoquer cette image lorsque ressurgit l'autocritique[13]. Si un patient s'est automutilé, on lui demande d'essayer de ressentir de la compassion envers sa blessure.

Il faut aussi aider les patients à comprendre que la façon dont ils affrontent leurs émotions ne fera jamais l'objet d'aucune désapprobation. Ainsi leur explique-t-on que ce n'est pas « mal » de s'automutiler, que c'est compréhensible compte tenu de ce qu'ils ont vécu, mais qu'ils pourraient envisager une meilleure manière de surmonter leurs difficultés[14].

Les recherches de Kristin Neff l'ont conduite à identifier trois composantes essentielles de la compassion pour soi-même :

— la sollicitude envers soi-*même, qui consiste* à se traiter soi-même avec gentillesse et compréhension plutôt que de se juger sévèrement;

— la reconnaissance et l'*appréciation de notre humanité commune*, qui nous fait considérer nos expériences personnelles comme faisant partie de l'ensemble des expériences des innombrables êtres, au lieu d'isoler notre souffrance;

— s'exercer à *prendre pleinement conscience* de toutes nos expériences, plutôt que d'ignorer nos tourments ou de les exagérer[15].

Selon Kristin Neff, ceux qui ont acquis des habitudes d'autocritique extrême ne se rendent pas compte qu'ils sont en fait capables de bonté envers eux-mêmes. À cette fin, on leur demande de commencer par identifier cette possibilité, même s'ils la ressentent très faiblement, puis de la revivifier[16].

Comprendre que l'on fait partie de l'humanité

Il est important de prendre conscience de l'interdépendance de tous les êtres et du monde qui nous entoure. Le psychologue Heinz Kohut insista sur l'idée que le sentiment d'appartenance était l'une des aspirations principales de l'être humain. L'une des causes majeures des problèmes de santé mentale est le sentiment d'être coupé des autres, alors même qu'ils se trouvent à quelques centimètres de nous[17]. Or le sentiment de n'avoir aucune valeur va de pair avec celui d'être séparé des autres et, par là même, d'être vulnérable. C'est pourquoi, selon K. Neff : «La reconnaissance de notre humanité commune, qui est inhérente à la compassion pour nous-mêmes, est une puissante force de guérison... Quel que soit notre état de détresse, notre humanité ne peut jamais nous être enlevée[18].»

Pour leur permettre de renforcer le sentiment d'être connecté au monde et à l'ensemble des êtres, Paul Gilbert propose à ses patients des visualisations comme celle-ci :

> Je vous invite à imaginer devant vous une mer d'un bleu superbe, chaude et calme, qui vient caresser une côte sablonneuse. Imaginez que vous vous tenez tout simplement debout avec de l'eau glissant agréablement sur vos pieds. Et maintenant, levant les

yeux vers l'horizon, imaginez que cette mer est ici depuis des millions d'années, et qu'elle est, depuis, une source de vie. Elle a vu bien des choses dans l'histoire de la vie, et elle sait bien des choses. Maintenant, imaginez que cette mer vous accueille pleinement pour ce que vous êtes, qu'elle connaît vos combats et vos peines. Laissez s'établir entre vous et la mer, avec son pouvoir et sa sagesse, un lien privilégié, tout en acceptant pleinement ce que vous êtes[19].

L'exercice de la pleine conscience

Cette troisième technique a son origine dans le bouddhisme. Elle permet de gérer les pensées et les émotions perturbatrices. Une version séculière a été mise au point par Jon Kabat-Zinn qui l'utilise depuis trente ans avec beaucoup de succès dans le milieu hospitalier sous le nom de «réduction du stress par la pleine conscience» (MBSR ou Mind Based Stress Reduction), une appellation qu'il a préférée à celle de «méditation». Depuis, les méthodes de Jon Kabat-Zinn sont appliquées dans des centaines d'hôpitaux dans le monde, principalement pour résoudre les difficultés et les douleurs physiques et mentales associées aux maladies graves, à la convalescence postopératoire, à la chimiothérapie et aux autres traitements du cancer, ainsi qu'aux douleurs chroniques.

De très nombreuses études ont établi que chez les patients qui suivent pendant huit semaines un entraînement à la pleine conscience selon la méthode MBSR[20], à raison de trente minutes par jour, le système immunitaire se renforce, et les émotions positives (joie, optimisme, ouverture à autrui) sont plus fréquentes[21]. Dans le cas de la haine de soi, une étude de Shapiro et de ses collègues a mis en évidence qu'un entraînement de six semaines à la MBSR augmente considérablement le niveau d'autocompassion des participants[22].

L'un des aspects de la pratique de la pleine conscience consiste à éviter que l'individu ne s'identifie à ce qui le tourmente. Chaque fois que nous nous identifions à nos états mentaux, ils s'en trouvent renforcés. L'autocritique morbide et l'autoagressivité peuvent envahir notre esprit comme la fièvre notre corps. Mais nous avons toujours la capacité de les observer, comme on le ferait d'un événement extérieur qui se déroule devant nos yeux. Avec la pleine conscience, on s'exerce à contempler l'agressivité, c'est-à-dire le flux de pensées qui la constitue et l'alimente, jusqu'à ce qu'elle ne nous perturbe plus. Cette technique permet de créer une «zone de sécurité» et de laisser l'agressivité s'atténuer graduellement dans le champ de la pleine conscience.

Estime de soi et bienveillance envers soi-même

Les recherches de Kristin Neff ont clairement mis en évidence les différences entre *compassion pour soi-même* et *estime de soi*[23]. On pourrait se demander, en effet, si les personnes qui s'autocritiquent ne devraient pas s'efforcer avant tout d'acquérir une plus haute opinion d'elles-mêmes. Mais, comme nous l'avons vu, on peut aussi, à l'inverse, craindre un renforcement du narcissisme de l'individu. De fait, les recherches ont montré qu'acquérir une trop haute opinion de soi comporte de nombreux désavantages, dont une tendance à surestimer ses capacités, à exiger de soi ce dont on n'est pas capable et à blâmer les autres lorsque les choses tournent mal[24].

Kristin Neff a mis en évidence le fait qu'à la différence de l'estime de soi, l'augmentation de la compassion pour soi-même ne s'accompagnait pas d'une augmentation du narcissisme[25]. Elle s'accompagne, au contraire, d'une acceptation sereine de nos propres faiblesses et défaillances, acceptation qui nous préserve de la tentation de nous reprocher ce que nous sommes, sans pour autant être synonyme de résignation[26]. K. Neff affirme en effet que :

> L'une des raisons pour lesquelles l'autocompassion est probablement plus bénéfique que l'estime de soi est qu'elle tend à être disponible précisément là où l'estime de soi échoue. Nos carences et nos défauts peuvent être abordés de façon bienveillante et équilibrée, même si nous portons sur nous-mêmes des jugements défavorables. Cela signifie que l'autocompassion permet de diminuer le sentiment de dégoût de soi, sans que l'on doive pour autant adopter une image positive de soi-même totalement irréaliste, – laquelle est l'une des causes principales de l'échec des programmes d'amélioration de l'estime de soi[27].

L'effet d'antidote à l'anxiété, à la dépression, à la honte et aux tourments mentaux qui fut longtemps attribué au développement d'une plus haute estime de soi s'avère être en réalité beaucoup plus étroitement corrélé avec l'autocompassion[28].

Compassion pour soi-même, compassion pour autrui

Selon les observations de Paul Gilbert et de ses collègues, chez les patients qui souffrent d'autoagressivité, l'évocation de l'amour pour l'autre et de la compassion pour ceux qui souffrent suscite généralement une réaction de rejet. C'est sans doute trop exiger de personnes qui ont déjà tant de mal à s'aimer elles-mêmes. Il existe bien entendu des exceptions notoires : des êtres qui ont considérablement souffert dans leur jeunesse du fait des adultes, puis qui se sont reconstruits et passent le restant de leur vie à aider les gens en difficulté. Une fois que l'on a établi une meilleure relation avec soi-même, il devient plus facile d'éprouver de la bienveillance et de la compassion pour les autres.

Les défis sont certes immenses car, à l'origine des mauvais traitements infligés aux enfants, on trouve des causes sociétales multiples. Les parents responsables de ces sévices en ont souvent subi eux-mêmes. La pauvreté, l'isolement et la multiplicité des problèmes psychologiques et matériels favorisent ce type de comportement agressif[29].

De nombreuses initiatives ont vu le jour pour remédier à ces situations difficiles. Le psychologue David Olds et son équipe de l'université de Rochester, par exemple, ont pendant vingt-cinq ans mis en œuvre un programme de soutien aux jeunes femmes enceintes, peu éduquées et vivant dans des milieux défavorisés. Il est apparu que de fréquentes visites d'infirmières au domicile de ces femmes pendant leur grossesse et au cours des deux années qui suivaient les naissances diminuaient le risque de mauvais traitements et favorisaient l'épanouissement des enfants[30]. Ce n'est là qu'un exemple parmi de nombreux types d'interventions possibles. Tout ce qui peut être accompli pour assister les parents en difficulté, les mères avant tout, et permettre aux enfants de bénéficier des soins, de la bienveillance et de l'affection dont ils ont naturellement besoin, concourra à faire régresser la violence parentale et, à terme, l'autoagression chez ceux qui auront grandi dans un environnement marqué par la violence.

Ainsi est-il indispensable de favoriser la compassion pour soi-même chez les personnes qui répondent à la maltraitance infantile par des comportements autodestructeurs. Cette compassion pour soi-même peut ensuite servir de fondation et de catalyseur pour étendre cette compassion à tous ceux qui souffrent. Comme l'écrit Christophe André : «Pourquoi ajouter soi-même aux souffrances que la vie nous apporte ? La compassion, c'est vouloir le bien de *tous* les humains, soi compris[31].»

27

Les carences de l'empathie

Nous avons vu que la résonance affective avec autrui, l'empathie, était l'un des facteurs qui, combiné avec la valorisation de l'autre et la préoccupation pour son sort, engendraient une attitude et des comportements altruistes. Mais il peut aussi arriver que l'empathie fasse défaut. Les causes d'une telle carence et ses effets sont multiples. Dans certains cas, la carence d'empathie résulte d'une usure émotionnelle liée à des situations extérieures qui créent des tensions croissantes et se traduit par la fatigue professionnelle, ou *burnout*, notamment chez les médecins et infirmières. Dans d'autres cas, celui des psychopathes, le manque complet d'empathie et de sentiments se manifeste dès l'enfance. Lié à l'héritage génétique, ce manque est associé à des dysfonctions de certaines régions du cerveau. Dans tous les cas, ces carences ont des effets négatifs majeurs sur les personnes qui en souffrent et sur tous ceux que ces personnes affectent parce que leur froide insensibilité les amène à nuire à autrui, parfois à commettre des atrocités.

Le burnout : épuisement émotionnel

Les soignants sont quotidiennement confrontés à la souffrance des autres. Quand ils ressentent de l'empathie, ils souffrent de la souffrance de leurs patients. Cette souffrance déclenchée par l'empathie est réelle et les travaux en neurosciences ont montré que les aires cérébrales de la douleur ou de la détresse sont activées[1]. Quelles vont être les conséquences sur le long terme ? Les souffrances d'un patient ne vont pas toujours durer. Dans le meilleur des cas, il guérira de son mal, et dans le pire des cas, il y succombera. Il est heureusement très rare qu'il souffre intensément durant des années. Les patients se succèdent, mais la charge de souffrance empathique du soignant se renouvelle jour après jour. Que se passe-t-il? Dans nombre de cas, le soignant va finir par souffrir d'un burnout. Ses capacités de résistance devant les souffrances de l'autre s'épuisent. Il ne supporte plus cette situation. Ceux qui souffrent de ce type d'épuisement sont généralement contraints d'interrompre leur activité.

Une étude a montré qu'aux États-Unis, 60 % des médecins en exercice ont fait état de symptômes de burnout, qui comprennent l'épuisement émotionnel, un sentiment d'impuissance et d'inefficacité, voire d'inutilité. Ceux qui sont sujets au burnout ont aussi tendance à dépersonnaliser les patients : ceux-ci sont alors moins bien traités et la fréquence des erreurs médicales augmente[2].

Certains médecins adoptent une autre stratégie. Ils se disent : « Pour bien m'occuper de mes malades, je dois éviter de réagir émotionnellement à leur souffrance. » On comprend qu'une sensibilité et des réactions émotionnelles excessives puissent affecter la qualité des soins ou troubler un chirurgien qui a besoin de tout son calme pour effectuer des gestes parfaitement précis et prendre des décisions difficiles. Mais établir une barrière émotionnelle entre soi et le patient n'est sans doute pas la meilleure façon d'aborder la souffrance de ce dernier. Cette attitude peut rapidement dégénérer en froide indifférence.

À l'âge de trente-cinq ans, une amie apprit, lors d'un examen médical, qu'elle souffrait d'une rare malformation congénitale, qui n'avait pas été diagnostiquée jusqu'alors. Son aorte passait au travers des poumons. Son cœur s'en trouvait finalement affecté et il était indispensable de lui faire subir une opération risquée. Le matin de l'intervention, le chirurgien vint la voir après avoir consulté les résultats des derniers examens et lui annonça sans précaution : « Les scans sont dégueulasses. » Curieuse façon de mettre sa patiente en condition avant une intervention durant laquelle sa vie ne pendrait qu'à un fil ! Une autre amie médecin m'a confié qu'elle avait renoncé à se spécialiser en chirurgie en raison de la dureté qu'elle avait observée chez nombre de ses collègues.

À l'opposé, un grand nombre d'infirmières et de médecins font preuve d'une grande chaleur humaine qui est source de puissant réconfort pour le malade. Il s'avère que les personnes qui se trouvent ainsi naturellement douées de bonté et de compassion sont moins souvent affectées par l'épuisement empathique. N'est-ce pas la faculté d'éprouver et de manifester de la bienveillance qui fait la différence ? L'un des facteurs essentiels du burnout pourrait donc être la fatigue progressive de l'empathie lorsqu'elle n'est pas régénérée ou transformée par l'amour altruiste.

On parle parfois de *fatigue de la compassion*. Il serait sans doute plus juste de parler de *fatigue de l'empathie*, comme nous l'avons vu au chapitre 4. L'empathie se limite à une résonance affective avec celui qui souffre. Accumulée, elle peut aisément aboutir à l'épuisement et la détresse. Mais l'amour altruiste est un état d'esprit constructif qui aide aussi bien celui qui le ressent que celui qui en est le bénéficiaire. Cultiver la bienveillance peut donc remédier aux difficultés posées par le burnout.

Régénérer la compassion dans la pratique de la médecine

L'un de mes amis, le médecin David Shlim, qui a longtemps vécu au Népal et pratique la méditation depuis des années, organise depuis l'année 2000 aux États-Unis des séminaires qui rassemblent une centaine de médecins désireux de donner une plus grande place à la compassion dans l'exercice de leur métier[3]. Durant ces séminaires, les médecins ont remarqué qu'en dépit du fait que la bienveillance et la compassion font partie intégrante de l'idéal de la médecine, du serment d'Hippocrate et du code déontologique, le curriculum des études médicales ne mentionnait même pas le mot « compassion », encore moins les méthodes pour la cultiver. Un médecin présent au séminaire faisait remarquer : « Je pense n'avoir jamais entendu associer les mots "médecine" et "compassion" pendant toutes mes études médicales. » Les étudiants en médecine et les jeunes médecins qui commencent à exercer dans les hôpitaux sont plus souvent mis à l'épreuve par des horaires draconiens qui exigent souvent vingt-quatre heures de présence ininterrompue auprès des malades. Cet « entraînement » est tellement épuisant que, selon les médecins eux-mêmes, il ne laisse guère de place à la compassion.

David me confiait que, jeune médecin, il lui arrivait d'être de service pendant trente-six heures d'affilée. Un jour, à 4 heures du matin, il venait de s'assoupir dans la salle de garde lorsqu'il fut réveillé par l'interphone : une patiente, sa septième cette nuit-là, venait d'être admise au service des urgences. Tandis qu'il s'y traînait comme un boxeur à moitié assommé par son adversaire, il se surprit à penser que si la malade mourait avant qu'il arrive, il pourrait retourner dormir au lieu de passer les prochaines heures à s'occuper d'elle. De fait, c'était une patiente qui se plaignait plus qu'elle ne souffrait et David se souvient qu'un observateur aurait eu du mal à dire qui, de la patiente ou du médecin, avait l'air le plus malheureux[4]. David n'avait pas perdu sa compassion, mais il n'avait plus assez d'énergie pour la mettre en œuvre.

Pour de nombreux internes en formation, l'épuisement engendre l'irritabilité, le ressentiment et l'amertume plutôt que la bonté, la compassion et l'empathie. De plus, les étudiants en médecine sont sélectionnés plus sur leurs compétences que sur leur désir d'aider autrui. Sans offrir à ces jeunes médecins un entraînement approprié à la bienveillance, comment peut-on s'attendre à ce qu'ils manifestent une disponibilité et une compassion qui, dans les circonstances auxquelles ils doivent faire face, constituerait un défi, même pour ceux qui ont cultivé ces qualités pendant des années ? Comme l'écrit Harvey Fineberg, président de l'Institut de médecine des académies nationales américaines : « Tout médecin sait ce qu'il faut faire pour devenir compétent, techniquement parlant : acquérir plus de connaissances sur les progrès scientifiques, de même que sur les procédures et les remèdes nouveaux et efficaces. Mais combien ont la moindre idée sur la façon de devenir plus compatissants ? »

Dans sa préface à *Medicine and Compassion* (« Médecine et compassion »), David Shlim écrit : « S'entraîner à la compassion nécessite certainement des efforts. [...] Comme les études médicales elles-mêmes, l'apprentissage de la compassion peut prendre toute une vie, avec de constants progrès du début à la fin[5]. »

Il existe bien sûr partout dans le monde d'innombrables médecins, infirmières et aides-soignants qui se consacrent inlassablement au bien-être des autres avec un dévouement admirable. Mais pour réduire le burnout qui affecte les professionnels de la santé, et ne pas déshumaniser une profession dont l'essence même est l'humanité, il serait utile d'offrir à ceux qui s'y engagent des moyens de développer les qualités intérieures dont ils ont besoin pour mieux secourir les autres. Si le personnel soignant avait la possibilité de cultiver la compassion et de l'introduire au cœur même des pratiques courantes des hôpitaux, les patients se sentiraient mieux entourés et les médecins et infirmières en retireraient davantage de satisfaction et un meilleur équilibre émotionnel. Mieux encore, en accordant plus d'importance à la compassion, ceux qui conçoivent ou réforment les systèmes de santé seraient enclins à mettre l'accent sur la façon dont on traite les malades que sur la réduction des coûts et la rapidité des soins.

Les facteurs qui contribuent au burnout

Le phénomène du burnout n'affecte par seulement ceux qui prennent soin de personnes en souffrance. C'est un syndrome plus vaste qui handicape de nombreuses personnes dans le monde du travail. La psychologue Christina Maslach, professeur à l'université de Berkeley en Californie, s'est consacrée à l'étude des causes et des symptômes du burnout. Elle le définit comme un syndrome d'épuisement émotionnel qui résulte d'une accumulation de stress associée aux interactions humaines difficiles lors de nos activités quotidiennes[6]. Elle identifie trois conséquences principales de burnout : l'épuisement émotionnel, le cynisme et le sentiment d'inefficacité.

L'épuisement émotionnel est le sentiment d'être «vidé», «au bout du rouleau», de ne plus avoir en soi l'énergie ou le plaisir nécessaires pour faire face au lendemain. Ceux qui se trouvent dans ce cas réduisent leurs relations avec les autres. Même s'ils continuent à travailler, ils se replient derrière le professionnalisme et la bureaucratie pour gérer leurs relations sociales de façon purement formelle et dénuée de tout engagement personnel et émotionnel. Ils dressent une barrière affective entre eux-mêmes et les autres. Un policier new-yorkais confia à Christina Maslach : «Vous changez quand vous devenez flic – vous devenez dur et cynique. Vous devez vous conditionner vous-même si vous voulez durer dans ce boulot. Et parfois, sans vous en rendre compte, vous vous comportez de la même façon dans la vie quotidienne, y compris avec votre femme et vos enfants. Mais c'est nécessaire. Si vous vous impliquez trop, émotionnellement, dans ce qui se passe au boulot, vous finissez à [l'asile de] Bellevue [7]...»

Le deuxième symptôme important du burnout est le cynisme et l'insensibilité à l'égard de ceux que l'on côtoie professionnellement. On les dépersonnalise en les considérant avec une attitude froide et distante, et en évitant d'engager avec eux des rapports trop personnels. On finit même par renoncer à ses idéaux. Une assistante sociale confiait à Maslach : «J'ai commencé à mépriser tout le monde et ne pouvais dissimuler mon mépris», tandis qu'une autre rapporte : «Je me trouve de moins en moins concernée par les autres et extrêmement négative. Je me fous de tout.» Certains souhaitent même que les autres «dégagent de leur vie et les laissent tranquilles».

Ces symptômes s'accompagnent également d'un sentiment de culpabilité, les soignants éprouvant de la détresse à la pensée qu'ils ne s'occupent pas de leurs patients comme ils le devraient et qu'ils deviennent froids et insensibles.

Le troisième aspect du burnout se manifeste alors sous la forme d'une perte du sentiment d'accomplissement personnel et de réalisation de soi, ce qui engendre une impression d'échec. La perte de confiance en soi et en la valeur de ce que l'on a accompli entraîne un profond découragement et, très souvent, des états dépressifs, une perte de sommeil, une fatigue chronique, des maux de tête, des maladies gastro-intestinales et une tension artérielle élevée. Une étude réalisée dans les pays de l'Union européenne a montré que 50 a 60% de l'ensemble des journées de travail perdues sont liées plus ou moins directement au stress[8].

L'épuisement émotionnel lié à un environnement défavorable

La plupart des personnes qui souffrent de burnout sous-estiment l'influence de leur environnement et surestiment leur part de responsabilité personnelle. Elles s'accusent de toutes sortes de défauts, rejettent la responsabilité sur elles-mêmes et concluent que «quelque chose ne va pas chez eux» ou qu'elles sont incompétentes dans leur travail[9].

En fait, des études ont montré que l'épuisement professionnel résulte d'une accumulation quotidienne de stress, liée principalement aux situations et aux conditions de travail qui érodent les facultés de gérer ce stress sous la pression constante de tensions émotionnelles. Ceux qui en sont victimes se sentent surmenés, manquent de contrôle sur leurs activités, ont le sentiment qu'ils ne sont pas récompensés pour leur travail et qu'on les traite injustement, et ils sont pris entre les exigences professionnelles et les valeurs morales personnelles[10].

Cette usure se produisant graduellement, ils ont du mal à apprécier l'importance des causes situationnelles. Quand ils s'aperçoivent que leur condition s'aggrave et qu'ils sont sur le point de craquer, il ne s'est généralement rien passé de très nouveau dans leur environnement. Ils en concluent qu'ils sont seuls responsables de ce qui leur arrive.

La perte d'autonomie et le sentiment d'impuissance qui l'accompagne contribuent à l'épuisement professionnel. On sait que les personnes qui peuvent faire des choix et exercer un certain contrôle sur leurs activités s'épanouissent mieux dans le monde du travail que celles qui ne font qu'obéir aux ordres. Ces dernières se sentent piégées par les exigences de leurs supérieurs et par les restrictions imposées sur leurs actions et leur marge de manœuvre.

Le sentiment d'impuissance et de frustration peut aussi affecter les travailleurs sociaux et les membres d'autres professions qui s*avent ce qu'ils pourraient faire mais ne peuvent le faire.* Eve Ekman, fille du psychologue Paul Ekman, s'occupe des sans-abri de San Francisco qui ont un besoin urgent d'assistance médicale ou psychologique. Elle m'a expliqué que le plus éprouvant dans son travail, en sus de la forte charge émotionnelle liée à l'état des patients eux-mêmes, était le sentiment d'impuissance à remédier aux racines du problème : la municipalité ne donne plus de crédits, les abris ont été fermés et, une fois l'urgence immédiate gérée, elle n'avait d'autre choix que de remettre les miséreux dans la rue, en sachant pertinemment qu'ils allaient très vite faire face à de nouvelles difficultés. «Je ne peux les emmener chez moi; je ne peux rien faire de plus, et j'ai le sentiment que ce que je fais ne sert à rien et n'a guère de sens. Le découragement peut malheureusement conduire à dépersonnaliser les indigents et à les repousser.» Eve conclut : «Il est donc important de se préparer soi-même à de telles tâches et de maintenir une pleine conscience de nos états intérieurs pour ne pas succomber au burnout.»

À l'opposé de l'échelle sociale, les dirigeants autoritaires sont eux aussi vulnérables au burnout en raison des tensions créées par leur besoin de tout contrôler. Plus généralement, les tempéraments impulsifs qui manquent de patience et de tolérance sont constamment contrariés et s'épuisent vite émotionnellement.

Sur un autre registre, la peur chronique qui affecte les gardiens de prison, constamment menacés par la violence qui règne sur leurs lieux de travail, et qui s'ajoute au fait que ces gardiens sont supposés être des «durs» et ne pas montrer leurs émotions, se traduit fréquemment par le stress psychosomatique, des problèmes de santé et, finalement, l'épuisement professionnel. Un ancien gardien confiait à Christina Maslach :

«Tout nouveau gardien de prison doit apprendre à contrôler ses émotions, et surtout l'incroyable peur. Chacun de nous avait sa propre façon de réagir à la peur, mais nous n'avions aucun moyen de libérer nos tensions.»

Hommes et femmes face au burnout

Les recherches montrent que les hommes et les femmes sont également vulnérables au burnout[11]. On observe toutefois quelques différences mineures : les femmes sont plus vulnérables à l'épuisement émotionnel, tandis que les hommes ont tendance à dépersonnaliser ceux avec qui ils travaillent et à manifester une froideur dédaigneuse à leur égard. Cela pourrait être dû partiellement au fait que les femmes travaillent plus fréquemment que les hommes dans l'univers des soins (infirmières, aides sociales, conseillères psychologiques), tandis que les hommes sont majoritaires parmi les médecins, les psychiatres, les officiers de police et les responsables de services. Mais, à la lumière de ses travaux de recherche, Christina Maslach pense que cela ne suffit pas à expliquer les différences observées, et que celles-ci sont davantage liées aux différences de tempérament entre les deux sexes.

Par ailleurs, aux États-Unis, les immigrés asiatiques souffrent autant du burnout que la population blanche, mais les Noirs et les immigrés d'origine hispanique sont nettement moins affectés[12]. Ces derniers sont beaucoup moins sujets à l'épuisement émotionnel et à la dépersonnalisation d'autrui, peut-être parce que les communautés noire et hispanique mettent plus l'accent sur les liens de famille et d'amitié et sur l'importance des relations personnalisées avec les autres.

La compassion peut-elle être pathologique?

Prendre soin des autres et se consacrer à alléger leurs souffrances relève a priori de l'altruisme. Mais, dans certains cas, les motivations de ceux qui se mettent au service d'autrui sont ambiguës, voire égoïstes. Certains se lancent à corps perdu dans des activités caritatives parce qu'ils ont un profond besoin d'approbation ou d'affection[13]. Certains aident les autres pour rehausser la piètre estime qu'ils ont d'eux-mêmes ou parce qu'ils comblent ainsi un besoin d'intimité et de contacts humains qui reste insatisfait dans leur vie quotidienne.

Sur un autre registre, certains psychologues, comme Michael McGrath, de l'université de Rochester, n'hésitent pas à parler d'un altruisme pathologique, défini comme «l'empressement à placer les besoins des autres au-dessus des siens, au point de se nuire à soi-même, physiquement ou psychologiquement, ou les deux à la fois[14]». Notons toutefois que cette définition est ambiguë et ne permet pas de distinguer entre les motivations égocentrées et les motivations réellement altruistes. Une mère qui se sacrifie pour sauver son enfant souffre-t-elle de compassion pathologique? On ne peut dire que la compassion est malsaine ou inappropriée que dans les situations où les difficultés et les souffrances que l'on est prêt à assumer sont beaucoup plus grandes que le bien que l'on peut apporter à autrui. Sacrifier sa qualité de vie pour satisfaire les caprices de quelqu'un d'autre n'a aucun sens. Laisser sa santé se détériorer pour offrir à d'autres une aide qui n'est pas vraiment vitale ou que d'autres peuvent leur apporter alors qu'on est au bout de ses forces physiques ou psychologiques ne relève plus du raisonnable. En revanche, quand les inconvénients pour nous-mêmes sont de même ordre de grandeur que les avantages pour autrui, le choix dépend de notre degré d'altruisme, mais ne peut être considéré comme malsain. Rappelons l'exemple de Maximilien Kolbe, un frère franciscain qui, dans le camp d'extermination d'Auschwitz, offrit de remplacer un père de famille lorsque, en représailles à l'évasion d'un prisonnier, dix hommes avaient été désignés pour mourir de faim et de soif.

Narcissisme et troubles de la personnalité associés au manque d'empathie

Si le burnout aboutit au manque d'empathie à la suite d'une lente usure de l'équilibre émotionnel, d'autres carences d'empathie correspondent à des dispositions durables dues en partie à des causes héréditaires, et en partie à l'influence des conditions extérieures. Ils sont alors associés à des dysfonctionnements cérébraux qui ont été étudiés par les neurosciences.

Dans le narcissisme, les troubles de la personnalité, la psychopathie et certaines formes d'autisme, différentes composantes de la chaîne de réactions affectives impliquées dans la vie sociale ne fonctionnent pas normalement et entraînent un manque d'empathie et de considération pour autrui.

Les narcissiques ne pensent qu'à eux-mêmes et ne s'intéressent pas vraiment au sort des autres, même s'ils n'ont pas de difficultés à se représenter ce que pensent les autres. Toutefois, ils ne sont pas nécessairement manipulateurs et malfaisants comme les psychopathes.

Ceux qui souffrent de «troubles de la personnalité» sont, eux aussi, excessivement centrés sur eux-mêmes. Trop émotifs, excitables et troublés, ils ont du mal à inférer correctement les sentiments d'autrui. Ils ont besoin d'amour, mais sont emplis de ressentiment et de colère, généralement parce qu'ils ont été négligés ou maltraités dans leur enfance (40 à 70 % d'entre deux ont été victimes d'abus)[15]. De ce fait, tout en ayant besoin des autres, ils les rejettent et souffrent d'un vide intérieur, d'une vie émotionnelle douloureuse et de dépression récurrente. Parmi eux, 10 % finissent par se donner la mort, et 90 % font une tentative de suicide. La cause principale de leur manque d'empathie est le manque d'affection et des abus, souvent sexuels, subis dans l'enfance.

Les autistes, quant à eux, souffrent d'un défaut de perspective cognitive. Ils ont du mal à se représenter ce que les autres pensent et ressentent. Selon Richard Davidson, ils ont également des difficultés à réguler leurs émotions et craignent donc d'être exposés à des situations qui déclenchent en eux des tempêtes émotionnelles, ce qui explique sans doute le fait qu'ils évitent le regard des autres, lequel est pour eux trop chargé émotionnellement et difficile à déchiffrer[16]. Certains autistes manifestent peu d'empathie, mais d'autres sont non seulement capables d'empathie, mais en ressentent plus que la moyenne des gens.

C'est chez les psychopathes que l'empathie fait le plus cruellement défaut. La souffrance des autres ne les émeut en aucune façon, et ils utilisent leur intelligence pour manipuler et nuire à autrui.

Tête pleine, cœur vide : le cas des psychopathes

Les psychopathes (appelés aussi «sociopathes» ou «personnalités antisociales[17]») sont presque entièrement dénués d'empathie. Habituellement, dès l'enfance ils manifestent une absence d'intérêt pour les aspirations et les droits d'autrui et ne cessent de violer les normes sociales[18].

Avant d'exercer leurs sévices sur les humains, ils sont souvent cruels envers les animaux qu'ils aiment torturer.

Que les autres souffrent, soient terrifiés ou joyeux, leurs sentiments ne provoquent aucune réaction affective chez les psychopathes. Du fait qu'ils n'éprouvent rien de déplaisant à voir souffrir leurs victimes, ils commettent les pires atrocités sans hésitation ni remords. En particulier, ils ont du mal à ressentir et à se représenter les sentiments de tristesse et de peur, les leurs comme ceux des autres. Quand on leur demande d'essayer, leurs tentatives évoquent en eux très peu de réactions subjectives, physiologiques et cérébrales[19].

Chez certains, le moindre incident contrariant, ou le désir d'affirmer leur besoin de domination sur autrui peut provoquer des crises de rage, mais, le plus souvent, ces individus font preuve d'une cruauté froide et machiavélique. Quand ils se sont fixé un but, ils le poursuivent avec détermination, sans tenir compte des circonstances.

Si les psychopathes ne ressentent aucune résonance affective avec les autres, ils excellent en revanche à se représenter mentalement ce qui se passe dans leur tête[20]. Ils utilisent cette faculté, alliée à une intelligence calculatrice et, souvent, à un charme superficiel pour tromper et manipuler leurs victimes. Les psychopathes peuvent être difficiles à repérer car ils opèrent sous le masque de la normalité : bien que capables des pires méfaits, ils ne présentent à première vue aucun signe de maladie mentale. Contrairement aux schizophrènes, ils n'ont pas d'hallucinations et n'entendent pas de voix. Ils ne sont ni confus ni agités et ont souvent une intelligence supérieure à la moyenne. Ils sont simplement dénués de sentiments et ressemblent davantage à l'incarnation du Mal qu'à des fous.

Ils n'ont également aucun scrupule à intimider et à recourir à la violence pour arriver à leurs fins. Quand leurs manipulations réussissent, ils en éprouvent de la satisfaction, mais quand elles sont démasquées et échouent, ils n'éprouvent ni honte ni regret et n'attendent que l'occasion de recommencer. Ils ne craignent pas les punitions qui n'ont sur eux aucun effet rédempteur ou préventif des récidives[21]. Menteurs chroniques, ni fiables ni honnêtes, ils sont incapables d'entretenir des relations amicales ou sentimentales durables[22].

Il manque donc aux psychopathes toute la chaîne de réactions qui commence par la contagion émotionnelle, se poursuit par l'empathie et culmine dans la sollicitude empathique, ou compassion. Chez eux, en l'absence de tout sentiment en faveur de l'autre, tout se passe sur le plan cognitif et ils n'ont d'autre but que de promouvoir leurs intérêts. Les psychologues et criminologues qui ont travaillé avec les psychopathes ont été frappés par leur extrême égocentrisme : narcissiques, ils se considèrent supérieurs aux autres et dotés des droits et prérogatives innés qui transcendent ceux des autres[23]. En bref, selon Robert Hare, professeur émérite à l'université de Colombie-Britannique, au Canada, l'un des pionniers dans ce domaine de recherche, un psychopathe est «une personne entièrement centrée sur elle-même, impitoyable, sans remords, qui manque profondément d'empathie[24]». Selon Hare, auteur d'une liste de référence des caractéristiques permettant d'identifier un psychopathe[25], «essayer d'expliquer des sentiments à un psychopathe, c'est comme décrire des couleurs à un daltonien».

Dans son livre *Without Conscience* («Sans conscience»), Hare cite le cas d'un psychopathe qui tentait d'expliquer pourquoi il ne ressentait aucune empathie pour les femmes qu'il avait violées : «Elles ont peur, n'est-ce pas? Mais, voyez-vous, je ne comprends pas vraiment cela; il m'est arrivé d'avoir peur et ce n'était pas désagréable[26].»

Hare a montré que les sujets normaux réagissent beaucoup plus rapidement quand ils sont confrontés à des mots émotionnellement chargés comme «viol» ou «sang» qu'à des mots neutres comme «arbre» ou «crayon». Mais les psychopathes ne manifestent aucune différence affective en lisant ou en écoutant ces mots. Leur activité cérébrale ne change pratiquement pas, quel que soit le type de mot présenté.

Adrian Raine, de l'université de Pennsylvanie, a également montré que lorsqu'on demandait à des psychopathes de lire à voix haute, devant des témoins, une description de tous les méfaits qu'ils avaient commis, tâche qui déclenche chez des sujets normaux des sentiments prononcés de honte et de culpabilité, les aires cérébrales liées à ces états d'esprit n'étaient pas activées chez ces personnes[27].

Un tueur en série soutint qu'il était «bon et gentil» avec ses victimes, cinq femmes qu'il avait enlevées sous la menace d'un pistolet, violées et tuées à coups de couteau. Comme preuve de sa bonté, il affirma : «J'ai toujours veillé à être aimable et doux avec elles, jusqu'à ce que je commence à les tuer», ajoutant que, quand il finissait par poignarder ses victimes, «la mise à mort était toujours soudaine, afin qu'elles n'anticipent pas ce qui allait leur arriver[28]».

Un autre tueur en série, l'espagnol Rodriguez Vega fut surnommé

El Mataviejas («le Tue-vieilles»). Affable et charmeur, d'apparence soignée, il abordait des dames âgées dans les parcs publics, gagnait leur confiance et leur proposait de réaliser des petits travaux chez elles. Une fois dans la maison, il violait ces femmes, âgées de soixante-cinq à quatre-vingt-deux ans, puis les étouffait avec un oreiller. Vega fut finalement arrêté et confessa ses crimes. Quand des psychologues lui demandèrent d'expliquer ses actes, il répondit que certains vont au cinéma parce qu'ils aiment ça, et que lui, il aimait tuer les femmes : «Je tue parce que cela me plaît.» Il n'a jamais montré le moindre signe de remords et fut à son tour assassiné en prison[29].

De même, lors de la Seconde Guerre mondiale, Joe Fisher s'était réjoui d'apprendre qu'à la guerre, tuer était récompensé par des décorations. Il trouva que «tuer était trop agréable pour s'arrêter[30]» et perpétra de nombreux meurtres une fois de retour dans la vie civile.

Le psychopathe sait faire la différence entre le bien et le mal, mais n'y prête aucune attention. Lorsqu'il est pris, il tente de se justifier, de minimiser l'impact de ses actions, de reporter la responsabilité sur d'autres, souvent sur ses victimes, et de trouver des explications spécieuses. Frederick Treesh, un tueur en série, fut capturé après une fusillade avec la police en août 1994. Au cours des deux semaines précédentes, il avait dévalisé plusieurs banques et magasins, et commit plusieurs agressions à main armée, mais il ne pensait pas avoir si mal agi que cela : «À part les deux que nous avons tués, les deux que nous avons blessés, les femmes que nous avons cognées avec des pistolets, et les ampoules que nous avons fourrées dans la bouche des gens, nous n'avons fait de mal à personne[31].»

Pour Robert Hare, la raison pour laquelle les psychopathes ne craignent pas les punitions est qu'ils sont très peu affectés par l'anticipation de souffrances à venir. Hare demanda à différents sujets de regarder une pendule qui affichait un compte à rebours d'une dizaine de secondes au bout duquel ils allaient recevoir un léger choc électrique sur le doigt. Les sujets normaux anticipaient la douleur et commençaient à suer à l'approche de ce moment. Mais les psychopathes ne bronchaient pas : ils n'avaient aucune appréhension de la douleur annoncée. En revanche, ils manifestaient des réactions physiologiques normales au moment où la décharge électrique se produisait.

Dans une population normale, on trouve en moyenne 3 % de psychopathes chez les hommes et 1 % chez les femmes. Mais parmi les prisonniers, 50 % des hommes et 25 % des femmes révèlent des troubles de la personnalité, et environ 20 % des hommes sont psychopathes[32]. Lorsque des psychopathes sont libérés après une peine de prison, ils sont trois fois plus susceptibles que les autres délinquants de récidiver dans l'année qui suit[33]. De fait, le diagnostic de psychopathie fournit le meilleur pronostic de récidive.

Dans une revue de synthèse, James Blair, qui dirige l'unité de neurosciences affectives et cognitives à l'Institut national de santé mentale des États-Unis (National Institute of Mental Healh ou NIMH), est d'avis que le dysfonctionnement émotionnel lié à la psychopathie a une importante composante héréditaire d'environ 50 %[34]. Il remarque que les circonstances extérieures, comme les abus sexuels, qui entraînent des troubles de personnalité graves s'accompagnent généralement d'une réactivité accrue aux perturbations émotionnelles et aux événements perçus comme une menace, alors que c'est le contraire chez les psychopathes, qui sous-réagissent à ces événements. La non-réactivité émotionnelle des psychopathes est associée à une diminution de l'activité fonctionnelle de deux aires du cerveau liée à l'expression et à la régulation des émotions (l'amygdale et le cortex ventro-latéral).

Psychopathie induite par l'exercice de la violence

Si la plupart des psychopathes le sont dès la petite enfance, d'autres peuvent le devenir dans des circonstances extrêmes. Forcer les gens à tuer peut les désensibiliser à la souffrance d'autrui au point d'en faire des psychopathes. John Muhammad était un soldat américain qui, avant d'être envoyé en Irak, était considéré comme un bon vivant et avait une vie sociale active. Il était marié et avait trois enfants. Sa femme, Mildred, raconte que tout changea lorsqu'il revint d'Irak[35]. John était un homme brisé ; il parlait très peu et ne voulait plus que les gens l'approchent, sa femme y compris. Celle-ci finit par demander le divorce, à la suite de quoi il la menaça de mort à plusieurs reprises. Elle prit ces menaces très au sérieux, car John était quelqu'un qui pesait ses mots.

En 2002, cinq personnes furent tuées en une seule journée, dans l'État du Maryland, chacune par une seule balle tirée à distance. En quinze jours, alors qu'une atmosphère de terreur s'installait dans la région, treize personnes furent tuées. Un bon nombre de ces meurtres se produisirent dans le voisinage de la maison de Mildred. Lorsque John fut finalement identifié et arrêté, les éléments de l'enquête donnèrent à penser que le but de ces crimes semblait être de tuer Mildred. En incluant le meurtre de sa femme dans une série de crimes perpétrés apparemment au hasard dans des lieux publics, John aurait pu tuer sa femme sans que les soupçons se portent sur lui. Seul le mystérieux « tireur d'élite des périphériques » aurait été incriminé.

Tragiquement, le syndrome de John a été induit par un système qui met les êtres humains dans des situations où ils *sont contraints* de tuer d'autres humains qu'ils ne connaissent pas, dont ils ignorent tout, et envers lesquels ils n'ont a priori aucune raison de manifester une haine personnelle. Ce processus, qui conduit à considérer toute personne située de « l'autre bord » comme un homme à abattre, finit par déshumaniser un être humain normal.

Les psychopathes en cravate

Les psychopathes ne sont pas tous violents, et un certain nombre d'entre eux réussissent fort bien dans la société moderne, notamment dans le monde de la finance et de l'entreprise, comme le montre le livre du psychologue du travail Paul Babiak, en collaboration avec Robert Hare, *Snakes in Suits : When Psychopaths Go to Work* (« Serpents en costume : quand les psychopathes vont au travail »)[36]. Ce sont les « psychopathes à succès », par contraste avec les « psychopathes qui échouent », lesquels, impulsifs et violents, se retrouvent rapidement en prison. Selon Babiak, les psychopathes en costume-cravate « manquent d'empathie, mais dans le monde des affaires, ce n'est pas nécessairement vu comme une mauvaise chose, en particulier quand il y a des décisions difficiles à prendre, comme celles de licencier des employés ou de fermer une usine ».

Beaux parleurs, charmants et charismatiques mais sans scrupules, convaincants à l'embauche, virtuoses de la gestion de leur image et manipulateurs hors pair, ils considèrent leurs collègues de manière strictement utilitaire et s'en servent pour gravir les échelons de l'entreprise. Dans un monde où l'environnement économique est de plus en plus compétitif, de nombreux psychopathes se sont ainsi insérés dans les hautes sphères de l'entreprise et de la finance. Le tristement fameux

Bernard Madoff, ainsi que Jeff Skilling, ancien président de la firme texane Enron condamné à vingt-quatre ans de prison pour fraude en 2006, en sont des exemples notoires.

Deux chercheuses britanniques de l'université du Surrey, en Angleterre, Belina Board et Katarina Fritzon, se sont servies de la liste d'évaluation de Robert Hare pour étudier les traits de personnalité de 39 PDG de grandes entreprises britanniques et pour les comparer aux patients de l'hôpital psychiatrique de Broadmoor : «Notre échantillon était limité, mais les résultats sans appel. [...] Les troubles de personnalité des gens d'affaires se confondaient avec ceux des criminels et des patients psychiatriques», rapportait Belina Board dans le *New York Times*, concluant que les PDG en question étaient devenus «des psychopathes à succès» qui, comme les patients souffrant de troubles psychotiques de la personnalité, manquaient d'empathie, avaient tendance à exploiter les autres, étaient narcissiques, dictatoriaux, et empreints de démesure[37]. Ils surpassaient même les patients psychiatriques et les psychopathes dans certains domaines comme l'égocentricité, le charme superficiel, le manque de sincérité et la tendance à la manipulation. Ils étaient toutefois moins enclins à l'agression physique, à l'impulsivité et au manque de remords.

Le cerveau des psychopathes

Kent Kiehl, de l'université du Nouveau-Mexique, à Albuquerque aux États-Unis, a entrepris un programme de recherche de plusieurs millions de dollars, financé par l'Institut national de santé mentale, pour rassembler les dossiers, scans cérébraux, informations génétiques et interviews d'un millier de psychopathes, dans le but de compiler une base de données utilisable par tous les chercheurs. Kiehl estime que le coût des poursuites judiciaires et de l'incarcération des psychopathes, ajouté aux tragédies qu'ils provoquent, atteint, aux États-Unis, entre 250 et 400 milliards de dollars par an. Aucun autre trouble mental d'une telle dimension n'a été autant négligé[38].

Comme il est inconcevable de faire venir au laboratoire un si grand nombre de prisonniers souvent dangereux, Kent Kiehl et ses collègues voyagent d'une prison à l'autre avec un camion de 15 mètres de long qui abrite un scanner IRMf optimisé pour fonctionner dans ces conditions inhabituelles[39].

L'un des premiers travaux de cette équipe, réalisé par Carla Harenski, a montré que lorsqu'on exposait des psychopathes à des stimuli émotionnellement dérangeants (des images représentant des transgressions morales graves – un homme pressant un couteau contre le cou d'une femme, ou des visages terrifiés), les régions du cerveau qui réagissent fortement chez des sujets normaux se trouvaient notablement désactivées chez les psychopathes. C'est en particulier le cas de l'amygdale, du cortex orbitofrontal et du sillon temporal supérieur[40]. On a par ailleurs observé une réduction physique de la taille de l'amygdale chez des criminels psychopathes[41].

De l'avis de Kent Kiehl, c'est l'ensemble du réseau paralimbique – des structures cérébrales interconnectées impliquées dans le traitement des émotions (la colère et la peur en particulier), la poursuite de buts, le respect ou la violation des normes morales, la prise de décision, les motivations et le contrôle de soi – qui intervient[42]. Son hypothèse est étayée par des données d'IRMf qui révèlent un amincissement du tissu paralimbique – ce qui indique que cette région cérébrale est sous-développée[43].

Adrian Raine a, quant à lui, mis en évidence des détériorations majeures de la matière grise du cortex préfrontal chez les personnalités à tendances psychopathes présentant des troubles neurologiques[44]. Mais, comme le remarque Raine, il est encore difficile de distinguer sans ambiguïté la séquence des causes et des effets : « Est-ce le fait de vivre une vie violente de psychopathe qui entraîne des modifications structurelles et fonctionnelles du cerveau, ou est-ce l'inverse[45] ? »

Traitement des psychopathes

Pendant longtemps, à la suite d'opinions remontant aux années 1940 et d'une étude effectuée dans les années 1970, fréquemment citée mais peu convaincante, on a tenu pour acquis que ces malades étaient incurables et que les interventions pratiquées pouvaient même aggraver leurs tendances psychopathiques[46]. Mais, plus récemment, des travaux de recherche innovants menés par le psychologue Michael Caldwell au Centre de traitement des jeunes délinquants de Mendota à Madison, dans le Wisconsin, ont engendré un nouvel optimisme en montrant que certaines interventions correctement ciblées, parmi lesquelles figurent des thérapies cognitives et une assistance psychologique aux familles (dans le cas des délinquants juvéniles manifestant des traits psychopathiques), pouvaient être efficaces[47].

Michael Caldwell a utilisé en particulier une thérapie dite de « décompression » dont l'objectif est d'interrompre le cercle vicieux des méfaits et des punitions, lesquelles, par réaction, entraînent à leur tour de nouveaux comportements répréhensibles. Mais avant tout, m'a confié Michael que j'ai rencontré à Madison, le succès de ses interventions est principalement dû au fait d'avoir créé des rapports plus humains entre les gardiens et les détenus[48]. Auparavant, les gardiens considéraient les détenus comme rien d'autre que des délinquants dangereux devant être maintenus sous contrôle par tous les moyens. De leur côté, les psychopathes, selon l'expression de Caldwell, « ne font pas de différence entre un être humain et un Kleenex », c'est-à-dire qu'ils considèrent les autres comme des instruments, utiles ou menaçants. En travaillant patiemment avec tous, Caldwell a réussi à aider les psychopathes à considérer les gardiens comme des êtres humains et faire comprendre aux gardiens, tout en veillant à assurer leur sécurité, qu'ils pouvaient traiter plus humainement les psychopathes dans leurs interactions quotidiennes.

Les résultats ont été remarquables : un échantillon de plus de 150 jeunes psychopathes traités par Caldwell a montré une probabilité deux fois plus faible de commettre un crime qu'un groupe équivalent pris en charge dans un centre de détention et de réhabilitation classique. Dans ce dernier cas, les jeunes délinquants étudiés ont commis seize meurtres dans les quatre ans qui ont suivi leur libération de prison. Ceux, en nombre équivalent, qui ont suivi le programme de Caldwell n'ont tué personne.

Les avantages économiques sont, eux aussi, considérables : chaque fois que la société américaine dépense 10 000 dollars en traitement, elle économise les 70 000 dollars qui auraient été nécessaires pour maintenir longuement les délinquants en prison[49]. Malheureusement, la psychopathie est souvent ignorée par les systèmes de santé et, ce qui est absurde si l'on considère sa fréquence, elle n'est même pas incluse dans le *Manuel diagnostique et statistique des troubles mentaux* (Diagnostic and Statistical Manuel of Mental Disorders ou DSM), le manuel de référence dans la plupart des pays, sans doute parce que les non-spécialistes ont du mal à diagnostiquer les psychopathes, lesquels mentent de façon convaincante au cours des entretiens avec les psychologues.

Au lieu de penser que les psychopathes *sont des monstres*, il importe de comprendre que ce sont des êtres qui, en raison de leurs carences empathiques et émotionnelles, peuvent être amenés à se *comporter de façon monstrueuse.* Comme toujours, il est indispensable de distinguer la maladie de la personne qu'elle affecte.

Régénérer l'empathie, amplifier la bienveillance

Petite fille, Sheila Hernandez se sentait toujours seule. «À trois ans dit-elle, ma mère m'a refilée à des étrangers, un homme et une femme, et le type a commencé à me maltraiter à quatorze ans. Plein de trucs douloureux me sont arrivés, et je voulais oublier. Je me réveillais le matin et je me rappelle que j'étais furieuse d'être réveillée, tout simplement. Je me disais que personne ne pouvait m'aider, que je prenais juste une place inutile sur terre. Les drogues sont entrées en jeu pour m'aider à me débarrasser de cette souffrance intime. Je ne vivais que pour me droguer, et je me droguais pour vivre, et comme les drogues me déprimaient encore plus, je n'avais qu'une envie : mourir[50].»

Au bout du rouleau, elle fut admise à l'hôpital Johns-Hopkins. Séropositive, elle souffrait d'endocardite et de pneumonie. L'usage constant des drogues avait tant affecté sa circulation sanguine qu'elle ne pouvait plus se servir de ses jambes. Selon un médecin, Sheila Hernandez était «virtuellement morte». Quand Glenn Treisman, qui soigne depuis des dizaines d'années la dépression chez des indigents séropositifs et toxicomanes, vint la voir, elle lui dit qu'elle ne voulait pas lui parler parce qu'elle n'allait pas tarder à mourir et qu'elle quitterait l'hôpital le plus tôt possible. «Non! lui a dit Treisman. Il n'en est pas question. Vous n'allez pas sortir pour aller mourir bêtement et inutilement dans la rue. C'est la chose la plus insensée que j'aie jamais entendue. Vous allez rester ici, arrêter de vous droguer. Nous allons soigner vos infections, et si le seul moyen que j'ai de vous garder ici est de vous déclarer folle dangereuse, alors je le ferai.» Sheila est restée.

Après trente-deux jours de soins attentifs, ses perceptions ont totalement changé : «Finalement, je me suis rendu compte que tout ce que je croyais avant d'entrer à l'hôpital, c'était faux. Ces médecins m'ont dit que j'avais telle et telle qualité, que je valais quelque chose, après tout. Ça a été comme une renaissance pour moi. [...] J'ai commencé à vivre.

Le jour où je suis partie, j'ai entendu les oiseaux chanter, et vous savez, je ne les avais jamais entendus avant. Je ne savais pas, jusqu'à ce jour-là, que les oiseaux chantaient ! Pour la première fois, j'ai senti l'odeur de l'herbe, des fleurs et... même le ciel, je le trouvais neuf. Je n'avais jamais fait attention aux nuages, vous comprenez. »

Sheila Hernandez n'a jamais retouché à la drogue. Quelques mois plus tard, elle est retournée à Hopkins, où elle a été embauchée dans l'administration de l'hôpital. Elle a fait du travail de soutien juridique pour une étude clinique sur la tuberculose et aide les participants à trouver un logement. « Ma vie est complètement transformée. Je passe mon temps à aider les gens, et vous savez, ça me plaît vraiment. »

Un grand nombre de Sheila ne sortent jamais du gouffre. Celles qui s'en sortent sont rares, non que leur situation soit irrémédiable, mais parce que personne ne leur est venu en aide. L'exemple de Sheila et de bien d'autres montre que manifester de la bienveillance et de l'amour peut permettre à l'autre de renaître de façon étonnante, comme une plante flétrie que l'on arrose avec soin. Le potentiel de cette renaissance était présent, si proche, mais si longtemps dénié ou occulté. La plus grande leçon est ici la force de l'amour et les conséquences tragiques de son absence.

On sait que les personnes qui ont souffert d'abus dans leur petite enfance manifestent souvent des comportements autodestructeurs ou de la violence à l'égard des autres. Dans leur cas, ce n'est pas qu'ils ont été *déshumanisés*, mais que, tragiquement, ils n'ont pas suffisamment été *humanisés* par l'affection, le soin, la présence, le contact de parents aimants ou de personnes qui leur auraient manifesté de la chaleur humaine à un stade de leur vie, celle de la petite enfance, où elle est absolument nécessaire au développement normal d'un être humain. On sait que la rencontre ou la présence de personnes sincèrement bienveillantes peuvent faire une différence vitale.

D'autres travaux suggèrent que l'empathie peut être un antidote important pour prévenir la maltraitance des enfants et la négligence dont ils sont victimes, ainsi que les agressions sexuelles. J. S. Milner et ses collaborateurs ont montré que les mères qui manifestaient une empathie accrue quand elles regardaient une vidéo d'un enfant en pleurs ne présentaient quasiment aucun risque pour leurs propres enfants, tandis que celles qui ne montraient aucun changement discernable d'empathie, que l'enfant rie, pleure ou simplement regarde autour de lui, présentaient un risque élevé de maltraiter leurs enfants. Ces dernières ont également témoigné ressentir une détresse personnelle et une hostilité accrues quand elles regardaient leur enfant pleurer[51].

En ce qui concerne les abus sexuels, il a été prouvé que certaines interventions cliniques visant à accroître l'empathie réduisent la probabilité d'abus, de viol et de harcèlement sexuel chez des hommes identifiés comme présentant un risque élevé de commettre une agression sexuelle[52].

Divers travaux de recherche ont aussi montré que l'altruisme, induit en amplifiant l'empathie, peut inhiber l'agressivité. Les recherches sur le pardon ont en particulier montré qu'une étape importante dans le processus de pardon consistait à remplacer la colère par l'empathie[53]. Harmon-Jones et ses collègues neuroscientifiques ont mis en évidence le fait que l'empathie inhibe directement l'activité de régions du cerveau liées à l'agressivité[54].

La leçon principale à tirer de toutes ces connaissances est que l'empathie est une composante vitale de notre humanité. Sans elle, nous avons peine à donner un sens à notre existence, à nous relier aux autres et à trouver un équilibre émotionnel. Nous pouvons aussi dériver vers l'indifférence, la froideur et la cruauté. Il est donc essentiel de reconnaître son importance et de la cultiver. De plus, pour éviter de sombrer dans l'excès de résonance affective qui peut conduire à la détresse empathique et au burnout, il faut, comme nous l'avons mentionné dans un précédent chapitre, inclure l'empathie dans la sphère plus vaste de l'amour altruiste et de la compassion. Nous disposerons ainsi des qualités nécessaires pour accomplir le bien d'autrui tout en permettant notre propre épanouissement.

28

À l'origine de la violence : la dévalorisation de l'autre

La faiblesse ultime de la violence est que c'est une spirale descendante qui engendre cela même qu'elle cherche à détruire. Au lieu de diminuer le mal, elle le multiplie.

Martin Luther King, Jr.

À la racine de toute forme de violence se trouvent un manque d'altruisme et une dévalorisation de l'autre. N'accordant pas suffisamment de valeur au sort de celui-ci, nous lui nuisons sciemment, physiquement ou moralement.

Nous entendrons ici par *violence* l'ensemble des actes et des attitudes hostiles et agressifs entre individus, y compris l'usage de la contrainte et de la force pour obtenir quelque chose contre le gré d'autrui ou pour porter atteinte à son intégrité physique ou mentale. La violence est souvent utilisée par les humains et les animaux pour obtenir de la nourriture, pour se reproduire, pour se défendre, pour conquérir un territoire ou le protéger, pour affirmer son autorité ou son rang hiérarchique. On peut également nuire considérablement à autrui en le torturant mentalement et en lui rendant la vie insupportable sans pour autant avoir recours à la violence physique.

Pourquoi la violence? Les attitudes qui nous incitent à nuire à autrui sont en partie liées à nos dispositions et à nos traits de caractère, mais elles sont également fortement influencées par nos émotions momentanées et par les situations dans lesquelles nous nous trouvons. Les comportements violents peuvent surgir dans le feu de l'action ou être prémédités.

Le manque d'empathie

Lorsque nous entrons en résonance affective avec l'autre, s'il souffre, nous nous sentons mal à l'aise, alors que si nous n'éprouvons pas d'empathie, cette souffrance nous indiffère. Le cas extrême est celui des psychopathes. Quand on interrogeait l'un d'entre eux, emprisonné pour viol et kidnapping, : «Suis-je mal à l'aise si j'ai fait mal à quelqu'un? Ouais, parfois. Mais la plupart du temps c'est comme... euh... [*rires*]... comment vous sentiez-vous la dernière fois que vous avez écrasé un cafard[1] ?»

Un fermier, qui était exclusivement préoccupé par la rapidité, l'efficacité et la rentabilité de son élevage et qui castrait ses chevaux en leur écrasant les testicules entre deux briques, répondit à quelqu'un qui lui demandait si ce n'était pas très douloureux : «Non, si vous faites attention à vos pouces[2].»

La haine et l'animosité

La haine nous fait voir l'autre sous un jour entièrement défavorable. Elle nous conduit à amplifier ses défauts et à ignorer ses qualités. Ces distorsions cognitives se traduisent par une perception déformée de la réalité. Le psychologue Aaron Beck disait que lorsqu'on est ainsi sous l'influence d'une violente colère, les trois quarts de nos perceptions de l'autre sont des fabrications mentales[3]. L'agressivité qui découle de la haine implique ainsi une catégorisation rigide qui fait voir l'adversaire comme étant foncièrement mauvais, et soi-même comme étant juste et bon[4]. L'esprit s'enferme dans l'illusion et se persuade que la source de son insatisfaction réside entièrement à l'extérieur de lui-même. En vérité, même si le ressentiment a été déclenché par un objet extérieur, il ne se trouve nulle part ailleurs que dans notre esprit.

Les effets néfastes de l'animosité sont évidents. Le Dalaï-lama les décrit ainsi : «En cédant à l'animosité, nous ne faisons pas toujours du tort à l'autre, mais nous nous nuisons à coup sûr à nous-mêmes. Nous perdons notre paix intérieure, nous ne faisons plus rien correctement, nous digérons mal, nous ne dormons plus, nous faisons fuir ceux qui viennent nous voir, nous lançons des regards furieux à ceux qui ont l'audace d'être sur notre passage. Nous rendons la vie impossible à ceux qui habitent avec nous et nous éloignons même nos amis les plus chers. Et comme ceux qui compatissent avec nous se font de moins en moins nombreux, nous sommes de plus en plus seuls. [...] Tant que nous hébergeons en nous cet ennemi intérieur qu'est la colère ou la haine, nous aurons beau détruire nos ennemis extérieurs aujourd'hui, d'autres surgiront demain[5].»

La soif de vengeance

«Œil pour œil, dent pour dent.» Le désir de vengeance est une cause majeure de la violence. La vengeance par le sang est approuvée dans de nombreuses cultures. Partout où il y a des guerres tribales, la vengeance en constitue l'un des principaux motifs[6]. Un habitant de Nouvelle-Guinée décrit ainsi ses sentiments lorsqu'il apprend que celui qui avait tué son oncle avait été paralysé par une flèche empoisonnée : «C'est comme si j'avais des ailes... je suis si heureux[7].»

Le sentiment de vengeance est étroitement lié à l'égocentrisme, notamment lorsque l'on a non seulement subi un tort, mais que l'on a en outre été humilié, surtout publiquement. L'orgueil blessé est prêt à de grands sacrifices pour se venger. C'est le cas des individus, mais aussi des nations qui entrent en guerre pour venger les atteintes à leur orgueil national. Lorsque quelqu'un se venge violemment d'une critique qui a porté atteinte à son image, le fait de punir cet affront ne prouve pas pour autant que la critique était injustifiée. Frapper quelqu'un qui vous a traité de menteur ne prouve pas que vous avez dit la vérité[8].

L'existence de «codes d'honneur» augmente considérablement les risques d'affrontements violents. Une étude a montré que les jeunes hommes, qui attachent une grande importance à de tels codes et sont toujours prêts à laver un affront, sont les plus susceptibles de commettre un acte de violence grave dans l'année qui suit[9].

La mansuétude, le pardon et l'effort de compréhension des mobiles de l'agresseur sont souvent considérés comme des choix généreux mais facultatifs. Il est difficile de comprendre que le désir de vengeance procède fondamentalement d'une émotion similaire à celle qui a conduit l'agresseur à nuire. Il est encore plus rare que les victimes soient capables de considérer un criminel comme étant lui-même victime de sa propre haine. Pourtant, tant que la haine de l'un engendre celle de l'autre, le cycle du ressentiment et des représailles n'a pas de fin. L'histoire est remplie d'exemples de haines entre familles, clans, tribus, groupes ethniques ou nations, qui se sont perpétuées de génération en génération. De plus, la vengeance est le plus souvent disproportionnée par rapport à la gravité du tort qu'elle entend venger. Les exemples abondent de représailles démesurées pour des atteintes mineures à l'honneur de quelqu'un. On lit sur la pierre tombale d'un cow-boy du Colorado : «Il a traité le Grand Smith de menteur[10].»

Dans certaines cultures et religions, la vengeance est non seulement tolérée mais exaltée dans les textes fondateurs. Même si le Nouveau Testament exhorte au pardon – «Pardonnez-nous nos offenses, comme nous pardonnons à ceux qui nous ont offensés» –, la Bible met ces paroles dans la bouche de l'Éternel : «Je me vengerai de mes adversaires et je punirai ceux qui me haïssent; mon épée dévorera leur chair, et j'enivrerai mes flèches de sang, du sang des blessés et des captifs, de la tête des chefs de l'ennemi. Nations, chantez les louanges de son peuple! Car l'Éternel venge le sang de ses serviteurs, il se venge de ses adversaires, et il fait l'expiation pour son pays, pour son peuple[11].»

Le point de vue du thérapeute

Il est important de souligner que l'on peut éprouver une profonde aversion à l'égard de l'injustice, de la cruauté, de l'oppression, du fanatisme, des actes nuisibles, et faire tout son possible pour les contrecarrer, sans pour autant succomber à la haine. En regardant un individu en proie à la haine, on devrait le considérer davantage comme un malade à guérir que comme un ennemi à abattre. Il est important de ne pas confondre le malade avec sa maladie, la répulsion devant un *acte* abominable avec la condamnation définitive d'une *personne.* Certes, l'acte ne s'est pas fait tout seul, mais le plus cruel des tortionnaires n'est pas né cruel et qui peut affirmer qu'il ne changera pas? Comme le dit le Dalaï-lama : «Il peut être nécessaire de neutraliser un chien méchant qui mord tout le monde à la ronde, mais à quoi bon l'enchaîner ou lui loger une balle dans la tête lorsqu'il n'est plus qu'un vieux cabot édenté qui tient à peine sur ses pattes[12]?»

Et Gandhi d'affirmer : «Si l'on pratique "œil pour œil, dent pour dent", le monde entier sera bientôt aveugle et édenté.» Plutôt que d'appliquer la loi du talion, n'est-il pas préférable de délester son esprit du ressentiment qui le ronge et, si l'on en a la force, de souhaiter que le meurtrier change radicalement, qu'il renonce au mal et répare dans la mesure du possible le tort qu'il a commis ? En 1998, en Afrique du Sud, une adolescente américaine fut violée et tuée dans la rue par cinq jeunes hommes. Lors du procès, les parents de la victime, tous deux avocats, ont dit aux principaux agresseurs, en les regardant droit dans les yeux : «Nous ne voulons pas vous faire ce que vous avez fait à notre fille.»

Quelques mois avant de mourir à Auschwitz, Etty Hillesum écrivait : «Je ne vois pas d'autre issue : que chacun de nous fasse un retour sur lui-même et extirpe et anéantisse en lui tout ce qu'il croit devoir anéantir chez les autres. Et soyons bien convaincus que le moindre atome de haine que nous ajoutons à ce monde nous le rend plus inhospitalier qu'il n'est déjà[13].»

Cela est particulièrement vrai de la peine de mort, qui est encore pratiquée dans de nombreux pays, même si le nombre des exécutions ne cesse de décroître au fil des ans. Au XVIIIe siècle, en Angleterre, une jeune fille de dix-sept ans fut pendue pour avoir volé un jupon. En Chine, encore récemment, on pouvait être condamné à mort pour avoir volé une bicyclette. La Chine reste de loin le pays du monde où l'on exécute le plus. Amnesty International a renoncé à établir un décompte précis du nombre des exécutions en raison de l'opacité du système judiciaire chinois, mais considère qu'il s'élève à plusieurs milliers par an. Selon les estimations de la Dui Hua Foundation, environ cinq mille personnes ont été exécutées en 2009[14]. Un journaliste de la BBC a interviewé une mère chinoise pleurant la mort de son fils, un adolescent de dix-neuf ans qui avait été condamné à mort et allait être exécuté la semaine suivante pour un crime qu'il n'avait pas commis. Il avait avoué sous la torture. Peu après, le vrai meurtrier fut découvert et, lui aussi, exécuté[15]. En Arabie saoudite, des innocents sont régulièrement condamnés à mort à la suite d'accusations de sorcellerie portées par leurs voisins.

On sait pourtant que la peine de mort n'a pas vraiment de valeur dissuasive. Sa suppression dans tous les pays de l'Union européenne n'a pas donné lieu à une augmentation de la criminalité, et son rétablissement dans certains États d'Amérique du Nord où elle avait été momentanément supprimée ne l'a pas diminuée. Sachant que la détention à perpétuité suffit pour empêcher un meurtrier de récidiver, la peine de mort se résume donc à une vengeance légalisée. «Si le crime est une transgression de la loi, la vengeance est ce qui s'abrite derrière la loi pour commettre un crime», écrit l'essayiste Bertrand Vergely[16]. Ainsi la peine de mort n'est-elle rien d'autre que la loi du talion revêtue de la toge de la justice. Or, comme le fait remarquer Arianna Ballotta, présidente de la Coalition italienne pour l'abolition de la peine de mort : «En tant que société, nous ne pouvons tuer en vue de montrer que tuer est un mal.»

Wilbert Rideau : épargné pour faire le bien

Le *New York Times* a appelé Wilbert Rideau «l'homme le plus réhabilité d'Amérique».

Né en Louisiane, pauvre, ce dernier grandit dans un environnement fortement raciste. Il fut abandonné successivement par un père brutal puis par sa mère, qui travaillait comme femme de ménage, avant d'être pris en charge par l'assistance publique. En 1961, à dix-neuf ans, Wilbert commit un hold-up dans une banque, espérant voler assez d'argent pour commencer une nouvelle vie en Californie. Il prit trois employés de banque en otage, mais quand ceux-ci tentèrent de s'échapper, pris de panique, il tira, tuant une femme et blessant grièvement deux autres personnes. Wilbert était noir, les otages étaient blancs. Quand il fut arrêté et conduit à la prison locale, plusieurs centaines de personnes l'attendaient pour le lyncher. Il échappa de justesse à une justice expéditive.

Après un procès biaisé durant lequel la défense n'a pas cité un seul témoin à comparaître, Wilbert fut incarcéré dans la prison d'Angola, l'une des plus mal famées des États-Unis. Il passa vingt ans dans le couloir de la mort. Sa peine fut ensuite commuée en réclusion à perpétuité et, après quarante-quatre ans de prison, suite à une révision de son procès, son crime fut rétrogradé du niveau de meurtre avec préméditation à celui d'homicide involontaire. Il fut alors libéré puisqu'il avait purgé vingt ans de plus que la peine requise.

Il n'a jamais nié ses crimes, qui le hantent toujours. Même les moments les plus paisibles de sa vie ravivent le souvenir douloureux du tort irréparable qu'il a infligé. «Peu importe à quel point je me repens de ce que j'ai fait, cela ne rendra pas la vie à ma victime. Je dois vivre pour deux et faire autant de bien que je le peux.»

Dans la prison d'Angola, Wilbert a commencé à lire, puis à écrire. Il est finalement devenu le premier éditeur noir d'un magazine destiné aux prisonniers, l'*Angolite*, lequel fut, grâce au soutien de quelques responsables éclairés, le premier journal carcéral des États-Unis à n'avoir pratiquement pas été censuré.

Comment Wilbert en est-il venu à changer ? Selon ses propres termes : « Si vous en restez à vous détester vous-même, vous finissez par vous suicider. Les gens ne changent pas par un coup de baguette magique. Ils grandissent. J'ai commencé par me rendre compte à quel point mes actions avaient affecté ma mère. C'est ensuite par une simple extension de ce sentiment que j'en suis venu à éprouver des regrets à l'égard de la famille de la victime, puis des autres. Je savais que je valais mieux que le crime que j'avais commis. En Amérique, personne ne tente de réhabiliter qui que ce soit. Vous devez vous réhabiliter vous-même. Je ne connais rien de mieux que l'éducation pour changer les gens. »

Wilbert a appris à se détourner complètement de la violence : « J'étais dans une des prisons les plus violentes des États-Unis, mais j'ai réussi à traverser toutes ces années sans participer à une seule bagarre. Il faut suivre quelques règles simples : ne pas se mêler au trafic de drogue et ne pas s'impliquer dans les activités régies par la violence ». Il fut interrogé un jour par un journaliste de la BBC.

« Ressentez-vous parfois de la violence en vous ?

— Non.

— De la colère ?

— Je peux être en rogne, mais pas vraiment en colère. »

Voilà des qualités qui seraient bienvenues chez la plupart des gens dits « ordinaires ».

Violence et narcissisme

Selon une opinion qui a longtemps prévalu parmi les psychologues, les gens qui ont une mauvaise opinion d'eux-mêmes seraient enclins à recourir à la violence pour compenser leur sentiment d'infériorité et montrer aux autres ce dont ils sont capables. Si cette théorie était vraie, pour que ces individus renoncent à la violence, il suffirait de leur fournir d'autres moyens de construire une meilleure image d'eux-mêmes. Cependant, comme l'a montré le psychologue Roy Baumeister, de l'université de Floride, qui consacra sa carrière à analyser l'instigation de la violence, toutes les études sérieuses ont conclu que cette théorie était fausse. Il s'avère au contraire que la plupart des personnes violentes ont une haute opinion d'elles-mêmes. Rarement humbles et effacées, la majorité d'entre elles sont arrogantes et vaniteuses[17]. Tous ceux qui ont côtoyé les dictateurs du XXe siècle, Staline, Mao Tsé-toung, Hitler, Amin Dada ou Saddam Hussein confirment qu'ils souffraient certainement plus d'un complexe de supériorité que d'infériorité.

Si une opinion négative de soi-même contribuait à l'expression de la violence, on devrait observer une augmentation de la violence chez les personnes qui traversent une période dépressive, laquelle est associée à une dépréciation de soi-même. Or, s'il est vrai que certaines maladies mentales s'accompagnent d'une propension accrue à la violence, ce n'est pas le cas de la dépression. Les troubles bipolaires sont marqués par une alternance d'épisodes dépressifs, accompagnés de dépréciation de soi, et de périodes d'exaltation durant lesquelles le sujet se sent prêt à conquérir le monde. Or c'est dans la phase euphorique, marquée par une forte hausse de l'estime de soi, que des comportements violents se manifestent[18]. Par ailleurs, nombre de criminels psychopathes et violeurs récidivistes se considèrent comme des êtres d'exception, doués de multiples talents[19].

L'ego menacé

Celui qui est doué d'une véritable humilité n'est guère préoccupé par son image. Celui qui possède des qualités indiscutables et une confiance en soi justifiée aura peu de chances d'être touché par les critiques. En revanche, celui qui surévalue considérablement ses qualités voit son ego perpétuellement menacé par l'opinion des autres et réagit aisément par la colère et l'indignation[20]. Le psychologue Michael Kernis et ses collaborateurs ont montré que les individualités les plus réactives et les plus hostiles sont celles qui ont une opinion d'elles-mêmes élevée mais instable[21]. Ce sont donc les gens dotés d'un ego surdimensionné et qui se sentent vulnérables qui sont les plus dangereux. Tout interlocuteur qui leur manque de respect ou les offense, même superficiellement, est assuré de recevoir immédiatement une réponse hostile[22]. Une série d'interviews menées par le psychologue Leonard Berkowitz avec des citoyens anglais emprisonnés pour de violentes agressions a, elle aussi, confirmé que ces délinquants avaient un ego hypertrophié mais fragile, et réagissaient à la moindre provocation[23].

Il en va de même avec les dictateurs et les régimes totalitaires. Du fait qu'en dépit des apparences, ils sont conscients de l'illégitimité de l'oppression qu'ils exercent sur leur peuple ou sur d'autres, ils sont particulièrement intolérants et prompts à écraser toute dissidence. L'historien politique Franklin Ford note que «l'histoire ancienne – et l'histoire récente également – suggère que la terreur officielle est généralement la marque d'un régime qui peut apparaître brutalement sûr de soi, mais qui, en réalité, ne se sent pas en sécurité[24] ».

Quand on est confronté à des critiques, on peut réagir de deux manières. Soit on estime les critiques fondées et l'on révise l'opinion que l'on a de soi-même. Soit on n'apprécie pas du tout les critiques et on les rejette. On considère que l'autre est malintentionné, stupide, ou qu'il nourrit un préjugé défavorable à notre égard. La réaction la plus courante est alors la colère.

L'imprudence des mégalomanes

Quand on a tendance à entretenir des illusions positives sur soi, cela conduit le plus souvent à surestimer sa capacité à vaincre un adversaire, ce qui débauche parfois sur des confrontations à l'issue catastrophique. Les plus graves erreurs des chefs de guerre proviennent d'une surestimation grossière de leurs forces. En certaines occasions, une manœuvre d'intimidation qui relève de la pure forfanterie peut tromper l'adversaire, mais le plus souvent elle se termine en cuisante défaite.

Le politologue Dominic Johnson étudia ce phénomène dans le domaine des jeux vidéo, et montra que plus un joueur était sûr de lui-même, plus il perdait. Dans un jeu où les participants assument le rôle de chefs d'État qui entrent en conflit les uns avec les autres, les joueurs trop sûrs d'eux-mêmes se lancent dans des attaques inconsidérées et déclenchent une cascade de représailles dévastatrices pour les deux camps en présence. Les femmes étant moins concernées par ce travers, la pire des combinaisons possible est celle qui oppose deux hommes souffrant d'un excès de confiance en eux[25].

Dans certains cas, une attitude ferme peut s'avérer efficace pour signaler que l'on n'est pas disposé à se laisser faire et permettre de dissuader des agresseurs potentiels. C'est ce qui explique en partie les rodomontades et les comportements d'intimidation auxquels se livrent souvent les mâles chez les hommes comme chez les animaux. Ces comportements ritualisés peuvent se substituer à des affrontements violents.

Les mécanismes de la violence

Que les protagonistes aient tort ou raison, si l'on veut remédier à la violence, il faut comprendre ce qui se passe dans la tête des gens. Pour ce faire, il est indispensable d'écouter non seulement le témoignage de la victime, mais aussi celui de l'agresseur. Dans la plupart des cas, ceux qui ont usé de violence ne se considèrent pas comme des coupables, ils se présentent eux aussi comme des victimes, affirmant avoir été traités injustement et estiment qu'on doit faire preuve de tolérance à leur égard. Dans *Prisonniers de la haine*, Aaron Beck explique que les agresseurs sont fermement retranchés derrière la croyance que leur cause est juste et que leurs droits ont été bafoués. L'objet de leur courroux qui, aux yeux d'observateurs neutres, se trouve être la victime, est perçu par eux comme l'offenseur[26]. Les Serbes de Bosnie, par exemple, auteurs d'un impitoyable nettoyage ethnique, se considéraient comme l'un des peuples les plus lésés au monde. Même dans les cas où ces affirmations travestissent grossièrement la réalité, il importe d'analyser les motifs des agresseurs si l'on souhaite prévenir de nouvelles éruptions de violence.

L'étude des profils psychologiques montre que les victimes ont tendance à voir les événements en noir et blanc, à catégoriser les comportements de l'auteur des violences comme étant entièrement mauvais et à se présenter elles-mêmes comme totalement innocentes. De plus, les victimes estiment généralement qu'elles ont subi des actes de cruauté gratuite, alors que, si les agresseurs reconnaissent généralement avoir commis quelque faute, dans la majorité des cas ils nient avoir agi par pure méchanceté.

Les études montrent que les victimes et les auteurs de violence déforment les faits presque autant les uns que les autres. Naturellement, les auteurs de violence présentent les faits de manière à minimiser leur faute, tandis que les victimes exagèrent presque toujours le mal qu'elles ont subi[27]. Les victimes ont tendance à replacer les sévices dont elles ont été victimes dans un contexte chronologique qui remonte loin dans le passé, contrairement aux auteurs de violences qui préfèrent expliquer les faits à la lumière des circonstances immédiates et manifestent le désir de tourner la page. Une femme maltraitée décrira les années de sévices qu'elle a subis, tandis que l'homme qui vient de commettre un abus tentera d'expliquer la violence qu'il vient de commettre en invoquant les événements qui l'ont déclenchée.

Dans le cas des violences «personnelles», les recherches prouvent que, presque toujours, les torts sont partagés. En ce qui concerne les violences conjugales, le sociologue Murray Straus a montré que l'agression mutuelle est la norme plutôt que l'exception. Même quand un seul conjoint est violent, il affirme avoir réagi à une injustice de la part de l'autre[28].

Un grand nombre de crimes sont commis «au nom de la justice» : vengeances inspirées par la jalousie ou le sentiment de trahison, crimes d'honneur, règlements de comptes, réactions à des insultes, conflits familiaux qui s'enveniment, et actes d'autodéfense. D'après le juriste et sociologue Donald Black, seulement 10 % des homicides ont un but «pragmatique» (meurtre d'un policier lors d'une arrestation, d'un particulier lors d'un cambriolage qui tourne mal, ou de la victime d'un viol afin qu'elle ne parle pas). Dans la majorité des cas, les criminels revendiquent la «moralité» de leurs actes[29].

Plusieurs criminologues* ont montré que la plupart des actes de violence relevaient d'une hostilité mutuelle, de provocations réciproques et d'une escalade de l'animosité au cours d'une altercation. Le meurtre est généralement l'aboutissement d'une série de querelles et de violences entre des membres d'une famille, des voisins, ou des connaissances; une personne en insulte une autre, qui surenchérit au lieu d'essayer d'apaiser le conflit[30].

Une synthèse des nombreux travaux publiés a conduit Roy Baumeister à constater que la majorité des meurtres se produisent dans deux types de situations. Dans le premier cas, deux personnes qui se connaissent se querellent, le conflit s'envenime et des injures et des menaces sont échangées, jusqu'à ce que l'un des protagonistes sorte un couteau ou une arme à feu et tue l'autre. La plupart des gens regrettent ces meurtres commis dans le feu de l'action. Dans le deuxième cas, le meurtre résulte d'un cambriolage à main armée au cours duquel les malfaiteurs rencontrent une résistance inattendue et ont recours à la violence, pour parvenir à leurs fins, pour éliminer des témoins, ou encore pour pouvoir prendre la fuite[31].

Ces études nous instruisent sur ce qui se passe dans la majorité des meurtres documentés, mais elles n'ignorent nullement l'existence, moins fréquente, de meurtres prémédités et de tueries effarantes

---

* Parmi lesquels Luckenbill, Gottfredson et Hirschi.

comme celles qui se sont produites ces dernières années aux États-Unis, à l'école de Columbine et, plus récemment, à celle de Sandy Hook dans le Connecticut.

La fiction du mal absolu

Même ceux qui ont commis les pires atrocités – y compris les pires dictateurs – affirment avoir agi pour se défendre contre les forces du mal, et ils en sont souvent convaincus. Leur interprétation de la réalité, pour aberrante et répugnante qu'elle soit, n'en permet pas moins de constater qu'aucun d'entre eux n'a semblé être mû initialement par le seul désir de faire du *mal pour le mal*[32].

Les médias et les ouvrages de fiction aiment à évoquer le mal à l'état pur. Ils mettent en scène des monstres, des mutants foncièrement mauvais qui désirent nuire pour nuire et s'en réjouissent. La plupart des films d'horreur s'ouvrent sur des scènes de bonheur rapidement bouleversées par l'intrusion du mal – un mal gratuit ou motivé par le seul plaisir sadique de faire souffrir[33]. Le mal vient de l'« autre », de l'inconnu, de celui qui n'est pas des nôtres. Il ne s'agit pas de personnes bienveillantes qui ont momentanément mal tourné : le méchant a toujours été méchant et le sera toujours ; il est implacable, profondément égoïste, sûr de lui, et sujet à des accès de rage incontrôlables. Il est l'ennemi de la paix et de la stabilité.

Ce que Baumeister dénonce comme un mythe, c'est l'idée que certains êtres puissent être mauvais par nature et n'avoir d'autre projet que de nuire. Si les crimes qui apparaissent comme la manifestation d'un mal absolu et gratuit sont largement diffusés dans les médias, c'est précisément parce qu'ils sont rares et aberrants[34].

Le plaisir de faire mal

Il reste que l'exercice répété de la violence entraîne une désensibilisation à la souffrance d'autrui, que ce soit à la guerre, lors d'un génocide ou, à un moindre degré, en pratiquant des jeux vidéo violents. Un certain nombre de tueurs en série ont reconnu qu'ils prenaient plaisir à tuer[35]. Le meurtrier Arthur Shawcross parlait de son temps de service au Vietnam comme de l'un des meilleurs moments de sa vie. Il avait carte blanche pour tuer hommes, femmes et enfants. Non seulement il a tué, mais il a torturé et mutilé ses victimes[36]. De retour aux États-Unis, il commit quatorze meurtres avant d'être arrêté. Au Cambodge, les Khmers rouges torturaient leurs victimes avant de les tuer. C'est le cas dans la plupart des guerres.

La répétition de ces atrocités gratuites au fil de l'histoire a conduit le philosophe Luc Ferry à parler de la factualité du mal radical, qui ne consiste pas seulement à faire du mal, mais à prendre le mal en tant que tel comme projet. Pour lui, ce mal radical est «l'un des traits propres de l'humanité. Il en veut pour preuve le fait que le monde animal semble largement ignorer la torture. [...] L'homme torture ou tue parfois sans but autre, sans objectif autre que le meurtre ou la torture en tant que tels : pourquoi des miliciens serbes obligent-ils un grand-père croate à manger le foie de son petit-fils encore vivant[37] ?»

Il arrive à des membres de gangs criminels de torturer sadiquement leurs victimes avant de les tuer. Toutefois, le sociologue américain Martin Sanchez Jankowski, qui a vécu dix ans dans le milieu des gangs californiens, rapporte que, parmi ces criminels, ils ne représentent qu'une infime minorité[38]. Malheureusement, pour cette minorité, ce plaisir devient rapidement une addiction[39]. Le psychologue social Hans Toch estime qu'environ 6% des hommes enclins à la violence le deviennent chroniquement et y prennent plaisir[40]. Là encore, on voit que l'on n'est pas loin du pourcentage de 3% de psychopathes présents dans toute population.

Comment comprendre que l'on puisse prendre plaisir à faire souffrir autrui ? Roy Baumeister a suggéré que le plaisir lié au sadisme ne vient pas de l'acte lui-même, mais du moment qui lui succède. Il le compare à la jouissance que procurent les sports extrêmes. Dans le cas du saut à l'élastique (*bungee jumping*), par exemple, on saute dans le vide d'un pont ou du haut d'une falaise, attaché par un harnais à une corde élastique qui, peu avant de toucher le sol, vous fait rebondir. Selon Baumeister, lorsque, après cette expérience terrifiante, on revient à la normale, ce retour est accompagné d'un sentiment euphorique. Au bout d'un certain nombre de fois, l'aspect terrifiant de l'acte diminue, tandis que le plaisir qu'il suscite reste aussi fort, ce qui crée un phénomène de dépendance. Baumeister estime qu'il en va de même avec la violence sadique. En infligeant aux autres une violence – un comportement qui commence par être déplaisant, choquant et révoltant, mais auquel on s'habitue –, le moment qui suit l'acte violent est vécu comme un soulagement euphorisant. Par la suite, le dégoût pour la violence elle-même diminue graduellement et la personne tue sans le moindre sentiment[41].

La violence comme solution de facilité

Avec le temps, les individus violents éprouvent de moins en moins de retenue à commettre leurs crimes. À mesure qu'ils se désensibilisent, ils se révèlent capables de violences de plus en plus grandes, allant jusqu'au meurtre, lequel peut alors devenir une occupation comme une autre. Le journaliste noir américain du *Washington Post*, Nathan McCall, qui grandit au sein d'un gang de Portsmouth, raconte comment, la première fois qu'il participa à un viol collectif, il se sentit terriblement mal à l'aise : il éprouva même de la pitié pour la victime et du dégoût pour son acte. Mais, par la suite, le viol collectif devint une routine. McCall échoua en prison, où il s'éduqua lui-même et commença une nouvelle vie, celle d'un écrivain consacrant ses efforts à l'amélioration des rapports interraciaux aux États-Unis.

Selon les criminologues Gottfredson et Hirschi, l'une des raisons pour lesquelles les gens préfèrent parfois utiliser la violence pour arriver à leurs fins tient au fait que la plupart des crimes ne demandent guère de compétences, de patience, de travail ni d'efforts. Voler à la sauvette dans les supermarchés, agresser une boutique ou arracher son sac à une vieille dame dans la rue est plus facile que de gagner sa vie en apprenant un métier et en acquérant des aptitudes qui exigent des années d'apprentissage. Un pistolet suffit pour dévaliser la caisse d'un magasin ; il n'est même pas nécessaire d'être un bon tireur, car sortir l'arme et en menacer le caissier suffit généralement[42]. Les terroristes sont également convaincus que la violence est le meilleur et le plus simple des moyens d'imposer leur volonté, car ils estiment avoir peu de chances de réussir par des moyens légaux[43]. De même, les malfaiteurs se font justice entre eux par la violence : deux trafiquants ne peuvent pas avoir recours aux tribunaux ou à la police pour régler leurs différends. Ils créent donc une justice parallèle et expéditive.

La force de l'exemple est aussi un facteur de violence important. On sait que les enfants qui ont longtemps vu leurs parents se quereller et s'agresser physiquement ont plus de chances de se livrer à des violences conjugales lorsqu'ils vivent en couple à leur tour[44]. Ils se sont habitués à considérer que la violence est un moyen acceptable de résoudre un conflit ou d'imposer sa volonté. Nombre d'enfants battus deviennent à leur tour des parents maltraitants.

Et pourtant, les études sociologiques ont montré qu'à la longue, pour la grande majorité des criminels, le crime ne paie pas : 80 % des cambrioleurs de banque se font arrêter et ceux qui se livrent au crime organisé ont une espérance de vie très inférieure au reste de la population[45].

Le respect de l'autorité

Quand on se soumet à une autorité, c'est elle qui décide de ce qui est bon et de ce qui est mauvais. Si un officier ordonne à un soldat d'exécuter des prisonniers de guerre, il sait que cela va à l'encontre des conventions internationales, mais le soldat n'est pas en position de contester les ordres d'un supérieur. Il se dit en outre que les prisonniers ont peut-être tué certains de ses compagnons.

Plusieurs études, dont celle du psychologue américain Stanley Milgram[46], ont dévoilé jusqu'à quel point nous pouvons nous plier aux ordres d'un individu en position d'autorité, même si c'est en parfaite contradiction avec notre propre système de valeurs. Dans une série d'expériences, devenues célèbres, réalisées entre 1960 et 1963, Milgram a fait croire à des volontaires (600 sujets recrutés par petites annonces) qu'ils participaient à une expérience sur la mémoire et que les scientifiques voulaient évaluer les effets de la punition sur le processus d'apprentissage. Il demanda aux participants de faire apprendre diverses combinaisons de mots à un élève (en réalité un complice de l'expérimentateur). Si l'élève donnait une mauvaise réponse, le participant devait lui administrer une décharge électrique dont l'intensité augmentait de 15 volts à chaque erreur commise. Le participant disposait d'une rangée de boutons indiquant les voltages, échelonnés de 15 à 450 volts et accompagnés d'indications qui allaient de « décharge bénigne » à « décharge très élevée », culminant, à 450 volts avec cette mise en garde : « danger, choc très sévère ». En réalité, l'élève acteur ne recevait pas de décharge mais simulait la douleur par des cris dont l'intensité était proportionnelle à la puissance des décharges infligées. Le « professeur » entendait l'« élève » mais ne le voyait pas.

Le scientifique qui dirigeait l'expérience était vêtu d'une blouse blanche et présentait une apparence d'autorité respectable. Il ne donnait que quelques instructions, sur un ton ferme et lapidaire du genre : «L'expérience exige que vous poursuiviez.»

Avant d'entreprendre cette expérience à l'université de Yale, Milgram avait fait un sondage parmi ses collègues psychiatres et sociologues et parmi les étudiants diplômés, en leur demandant de prédire l'issue des tests. Ils répondirent unanimement que la vaste majorité des sujets refuserait d'administrer les décharges dès que celles-ci deviendraient douloureuses. Seuls quelques cas psychopathiques, 2 ou 3 % des sujets, devraient normalement rester indifférents aux souffrances qu'ils infligeaient.

La réalité fut tout autre. Maintenus dans le «droit chemin» par les injonctions de l'expérimentateur, 65 % des participants finirent par administrer la dose maximale qu'ils savaient être potentiellement mortelle. La moyenne de la plus forte décharge administrée fut de 360 volts ! Cette expérience a été maintes fois reproduite dans d'autres laboratoires et a conduit chaque fois aux mêmes résultats.

Selon Milgram et ceux qui ont analysé ces expériences, l'individu qui entre dans un système d'autorité ne se considère plus comme un *acteur responsable* d'actes contraires à la morale, mais plutôt comme un *agent* exécutant les volontés d'autrui. Il reporte sa responsabilité sur le détenteur de l'autorité.

Les quelque trente variantes de l'expérience originale de Milgram ont permis de préciser les facteurs qui influencent ce comportement : les sujets doivent percevoir l'autorité comme légitime ; l'expérience doit être présentée comme ayant une valeur scientifique ; l'expérimentateur doit rester à proximité du participant, et l'élève qui reçoit les décharges ne doit pas être en contact direct avec lui. La présence d'une autorité apporte une garantie morale à la violence et permet de justifier des actes que l'on jugerait abominables dans d'autres circonstances.

Les vidéos de l'expérience montrent que les sujets de Milgram sont en fait très affectés par ce qu'ils se croient obligés de faire. Certains se tournent vers l'expérimentateur avec une expression décontenancée, un regard inquiet, presque suppliant, mais l'expérimentateur leur donnant l'ordre de continuer, la plupart s'exécutent. L'acteur qui fait semblant de recevoir les décharges crie sans cesse : «Assez ! Sortez-moi d'ici ! Je vous ai dit que j'avais une déficience cardiaque !» mais cela ne suffit pas. Certains rient nerveusement, trouvant la situation étrange. À un participant qui crie : « Je ne veux pas être responsable de tout cela ! », l'expérimentateur répond avec assurance : « Je suis responsable de tout. » Au-delà de 350 volts, le sujet cesse de crier et ne réagit plus aux décharges. Un participant, sommé de continuer, s'exclame indigné : « Mais il ne réagit plus... qui sait s'il n'est pas mort à côté ! » L'expérimentateur insiste et le participant finit par s'exécuter.

Milgram rapporte avoir observé un homme d'affaires posé, dans la force de l'âge, arriver au laboratoire souriant et sûr de lui : « En vingt minutes, il a été réduit à l'état d'épave, le visage parcouru de tics, bégayant, proche de l'effondrement nerveux... À un moment, il s'est frappé le front et a murmuré : "Oh, mon Dieu, arrêtons cela !" Et pourtant, il a continué d'obéir jusqu'au bout. »

Milgram précise que lorsque l'expérimentateur s'absente, les participants trouvent divers moyens de ne pas infliger les décharges électriques mais, en présence du scientifique, peu osent l'affronter ouvertement pour lui dire : « Ce que vous me demandez est totalement inacceptable. » Seule, une poignée se rebelle, et quand l'expérimentateur dit à l'un d'entre eux : « Vous n'avez pas le choix », ce dernier croise les bras sur la poitrine et répond avec défiance : « Si, j'ai de nombreux choix, et celui que je fais est d'arrêter. »

Les participants à cette expérience n'étaient ni sadiques ni indifférents. Tandis qu'ils administraient des décharges électriques d'intensité croissante, leurs mains et leur voix tremblaient et la sueur perlait sur leur front. Élevés comme beaucoup d'autres dans le respect de l'autorité de leurs parents et éducateurs, ils étaient manifestement perturbés par un conflit moral. Lorsque l'on est ainsi écartelé entre son éthique personnelle et l'obligation morale de se conformer à l'autorité, et que l'on n'a guère l'occasion de prendre du recul, la plupart du temps on suit les ordres. De nos jours, le non-conformisme et la rébellion contre toute entrave aux libertés individuelles sont beaucoup plus répandus, mais il n'en reste pas moins qu'en 2010, une répétition de l'expérience de Milgram sur un plateau télévisé a donné des résultats identiques[47].

La fausse prison de Stanford, ou le pouvoir des situations

En 1971, le psychologue Philip Zimbardo imagina une expérience peu ordinaire pour évaluer l'influence des circonstances et des situations sur les comportements humains, malveillants en particulier. Il fit construire une réplique d'une véritable prison dans les sous-sols de la prestigieuse université de Stanford, en Californie, avec quelques cellules et des quartiers pour les gardiens. Puis il recruta des volontaires prêts à devenir les uns des prisonniers et les autres des gardiens. Au départ, aucun des étudiants ne correspondait naturellement à l'un de ces deux groupes. Pourtant, en l'espace d'une semaine, ils allaient évoluer de manière radicale.

La mise en scène fut extrêmement réaliste puisque de vrais policiers, qui avaient accepté de se prêter à l'expérience, vinrent arrêter les volontaires désignés par tirage au sort pour devenir prisonniers. Ces derniers furent transférés, les yeux bandés, à la «prison» de l'université et dûment incarcérés. Les gardiens, eux aussi choisis par tirage au sort, prirent leurs fonctions. Au début, ils jouaient leur rôle le mieux possible, mais les prisonniers, habillés en détenus avec un matricule sur la poitrine, s'amusaient, et tous peinaient à prendre la situation au sérieux. Les choses changèrent pourtant très vite.

Le chef des gardiens improvisés lut à voix haute le règlement de la prison, tandis que les scientifiques filmèrent la plupart des événements en caméra cachée. En quelques jours, la situation se dégrada considérablement. Les gardiens ne tolérèrent ni dissension ni effraction au règlement et imaginèrent toutes sortes de punitions humiliantes à l'égard des prisonniers. Ils leur firent faire de nombreuses pompes, les invectivèrent et s'adressèrent à eux uniquement par leur matricule. En peu de temps, certains prisonniers adoptèrent une attitude soumise et résignée, alors que d'autres manifestèrent des velléités de rébellion. Les gardes augmentèrent la pression et commencèrent à réveiller les prisonniers plusieurs fois par nuit. «Debout, les roupilleurs!» hurlaient-ils au milieu de coups de sifflet stridents. Les brimades, dont certaines devinrent obscènes, se firent plus fréquentes; des actes de violence furent commis; certains prisonniers commencèrent à craquer et l'un d'eux entreprit une grève de la faim. La situation se dégrada à tel point que les scientifiques furent obligés d'interrompre précipitamment l'expérience au bout de six jours, au lieu des quinze initialement prévus.

L'un des gardiens témoigna par la suite : «J'ai dû volontairement me défaire de tous les sentiments que je pouvais éprouver pour tout prisonnier quel qu'il soit et perdre tout respect pour eux. J'ai commencé à leur parler aussi froidement et durement que possible. Je ne laissais paraître aucun des sentiments – colère ou désespoir – qu'ils auraient espéré voir sur mon visage.» Peu à peu, son sentiment d'appartenance au groupe se renforça. «Je considérais les gardiens comme un groupe de gars sympas chargés de maintenir l'ordre au sein d'un autre groupe de personnes, les prisonniers, indignes de notre confiance et de notre bienveillance.»

Pour Philip Zimbardo, «le mal consiste à se comporter intentionnellement d'une manière qui lèse, maltraite, rabaisse, déshumanise ou détruit des innocents, ou à utiliser sa propre autorité ou le pouvoir du système pour inciter d'autres à le faire ou leur permettre de le faire en votre nom[48]». À la lumière de ses recherches, il en est venu à prendre conscience que nous avons, pour la plupart d'entre nous, tendance à surestimer l'importance des traits de caractère liés à nos dispositions habituelles et, au contraire, à sous-estimer l'influence que les situations peuvent exercer sur nos comportements. Lorsque j'ai confié à Philip Zimbardo que je ne pensais pas que des pratiquants bouddhistes ayant longtemps cultivé l'amour et la compassion se comporteraient comme les étudiants de Stanford, Philip m'a répondu que ses recherches lui avaient montré qu'il valait mieux être prudent dans ce genre de pronostics, et qu'il n'était pas très convaincu par mon hypothèse[49].

L'expérience de Stanford est riche d'enseignements, elle nous montre comment des individus a priori bienveillants sont conduits à en faire souffrir d'autres tout à fait gratuitement, au mépris des valeurs morales qui sont pourtant les leurs. Ce retournement se produit sous la pression insidieuse que constitue un cadre donné dont la logique s'impose à tous, au point de substituer ses normes aux valeurs individuelles de chacun[50].

Cette expérience permet de mieux comprendre le cas d'Abou Ghraib, cette prison irakienne où des gardiens américains, y compris des femmes, humiliaient de façon obscène leurs prisonniers. Sur les images vidéo qui ont été divulguées, on voit notamment une femme en uniforme conduire en laisse l'un des prisonniers, nu et à quatre pattes, comme s'il s'agissait d'un chien. Le président George Bush déclara qu'il ne s'agissait là que de quelques «brebis galeuses» au sein d'une armée par ailleurs saine. Mais Zimbardo répliqua que ce n'étaient pas quelques brebis qui avaient infecté un troupeau, c'était la bergerie elle-même qui était contaminée et qu'il fallait incriminer. C'était elle qui avait si puissamment conditionné des soldats ni pires ni meilleurs que les autres.

La violence née de la soif de richesses et de pouvoir

S'approprier les biens d'autrui, dominer et dépouiller ses rivaux, a toujours constitué une source majeure de violence, tant pour les individus que pour les nations. Il s'agit là d'une violence utilitaire, prédatrice, calculatrice et généralement sans merci. Un criminel, à qui l'on demandait pourquoi il dévalisait les banques, répondit froidement : « Parce que c'est là où se trouve l'argent[51]. » C'est aussi le plus souvent pour des raisons pratiques – par crainte d'être dénoncé ou parce qu'un hold-up tourne mal – que les malfaiteurs tuent les témoins de leur crime, sans l'avoir prémédité.

Cette violence pragmatique est illustrée à une tout autre échelle par les conquêtes de Gengis Khan au XIIIe siècle. C'est principalement le désir de s'emparer des richesses des peuples conquis et d'augmenter son pouvoir qui poussa ce conquérant mongol à devenir vraisemblablement le plus grand meurtrier de l'histoire. Ses invasions firent environ 40 millions de morts. Rapporté à la population mondiale d'aujourd'hui, cela représenterait 700 millions d'individus[52]. Ses troupes massacrèrent notamment le 1,3 million d'habitants de la ville de Merv et les 800 000 habitants de Bagdad, où ses armées ont sévi pendant des jours pour ne laisser aucun survivant[53].

Ce n'était pas un génocide. Gengis Khan voulait deux choses : imposer son pouvoir et s'approprier les richesses des autres peuples. Il avait établi une règle très simple : soit les villes acceptaient de lui ouvrir leurs portes et de reconnaître sa souveraineté, et il les épargnait ; soit elles lui résistaient, et il les détruisait et massacrait leur population.

Au plan individuel, le désir d'asseoir sa domination sur les autres est aussi un puissant motif de comportements violents. Selon le philosophe Frantz Fanon, ceux qui ont pratiqué la torture avouent que même s'ils n'arrivent pas à faire parler les plus résistants, le simple fait de les amener à hurler de douleur constitue déjà une victoire[54]. De même, selon Baumeister, les hommes qui se livrent à des violences conjugales le font généralement afin d'établir leur pouvoir au sein de la famille et de montrer ainsi qu'ils sont les chefs[55].

Le dogmatisme idéologique : faire le mal au nom du bien

Lorsqu'une idéologie religieuse ou politique déclare qu'il est acceptable de tuer au nom d'une cause supérieure, ceux qui l'ont adoptée font alors fi de leurs scrupules et tuent pour cette «bonne cause» tous ceux qui ne se conforment pas aux vues promulguées par le groupe dominant. Les purges politiques consistent à supprimer violemment la moindre dissension tout en désignant de commodes boucs émissaires rendus responsables des problèmes que les dirigeants ont été incapables de résoudre. Ce fut le cas des Khmers rouges, qui n'admettaient jamais une seule erreur et éliminèrent sauvagement tous ceux qu'ils considéraient comme responsables des échecs de leur idéologie politique, torturant et exécutant plus d'un million d'innocents.

Cette violence commise par un régime politique trouve son pendant religieux avec l'exemple des croisés. À Antioche, ces derniers décapitaient leurs ennemis et jetaient leurs têtes avec des catapultes par-dessus les murs de la ville assiégée. À Jérusalem, ils massacrèrent les musulmans qui ne s'étaient pourtant pas activement opposés à eux. Ils rassemblèrent une communauté de Juifs, les enfermèrent dans une synagogue et y mirent le feu. Persuadés d'œuvrer au service de leur Dieu, les croisés faisaient le mal au nom du bien[56]. Entre le XIe et le XIIIe siècle, les croisades firent plus de 1 million de morts. Si l'on rapporte ce chiffre à la population mondiale de l'époque (environ 400 millions), cela équivaut à 6 millions de morts au XXe siècle, ce qui en fait numériquement l'égal de l'Holocauste[57].

Existe-t-il un «instinct de violence»?

Quelques-uns des penseurs et chercheurs les plus influents du XXe siècle, Sigmund Freud et Konrad Lorenz notamment, ont affirmé que l'homme et les animaux possédaient un instinct de violence inné qu'ils avaient la plus grande peine à réprimer. D'après Freud, le commandement biblique «Tu ne tueras point» est la preuve même que «nous descendons d'une série infiniment longue de générations de meurtriers qui, comme nous-mêmes peut-être, avaient la passion du meurtre dans le sang[58]». L'assouvissement de cet instinct agressif, au même titre que celui des pulsions sexuelles et du désir de nourriture, est censé, selon eux, procurer une certaine satisfaction. Dans *Malaise dans la civilisation*, Freud affirme : «Le penchant à l'agression est une prédisposition pulsionnelle originelle et autonome de l'homme[59].» En outre, l'agressivité s'accumulerait dans l'être humain comme la pression dans une cocotte-minute et aurait impérativement besoin de se libérer et d'exploser de temps à autre.

Mais ni les physiologistes ni les psychologues n'ont pu démontrer l'existence d'une pulsion spontanée d'hostilité. L'agressivité ne se manifeste pas comme une motivation naturelle comparable à celle de la faim, de la soif, du besoin d'activité et de contacts sociaux[60]. Ces dernières sont des tendances qui suscitent régulièrement chez tous des conduites spécifiques, même en l'absence de stimulations du milieu externe. Selon le psychologue Jacques Van Rillaer, «l'agressivité n'est pas une sorte de substance produite par l'organisme, que l'individu devrait extérioriser sous peine de se détruire lui-même. Pour comprendre les conduites de défense et d'attaque, il est infiniment plus utile de s'interroger sur les relations du sujet avec les autres, et avec lui-même, que d'invoquer l'action d'une mystérieuse pulsion de mort[61]. [...] Cette théorie freudienne n'est rien d'autre qu'une mythologie.»

L'hypothèse d'une agressivité omniprésente dans le règne animal constitutive de sa nature fut également popularisée par Konrad Lorenz, l'un des fondateurs de l'éthologie moderne, dans son ouvrage de vulgarisation, *L'Agression, une histoire naturelle du mal*[62], dans lequel l'auteur entend démontrer le caractère fondamentalement violent des espèces animales. Il affirme que l'agression est un moyen «indispensable pour atteindre les buts les plus élevés de l'homme[63]». Selon lui, le malheur de l'homme provient du fait qu'il est «dépourvu de ces verrous de sécurité qui empêchent les animaux carnivores et prédateurs de tuer les membres de la même espèce[64]». Lorsque deux loups se battent pour la domination de la meute, si l'un d'eux décide d'abandonner la lutte, il se couche sur le dos, présentant ainsi sa carotide à son adversaire, situation extrêmement dangereuse, mais qui a pour effet de faire instantanément disparaître l'agressivité de ce dernier. Selon Lorenz, du fait que nous sommes issus d'ancêtres végétariens et non de prédateurs, «pendant la préhistoire de l'homme, il n'y a donc eu aucune pression sélective susceptible de produire un mécanisme inhibiteur du meurtre de ses semblables». Pour Lorenz, quand l'homme s'est mis à fabriquer des armes, aucun frein n'était en place : «On frémit à l'idée d'une créature aussi irascible que le sont tous les primates préhumains, brandissant maintenant un "coup-de-poing" bien tranchant.» Bref, nous souffririons d'une «dose néfaste d'agressivité dont une hérédité malsaine pénètre encore l'homme d'aujourd'hui jusqu'à la moelle[65]», et en fait un tueur né. En vérité, comme nous le verrons dans un chapitre ultérieur, la grande majorité des êtres humains éprouve une répugnance profonde à tuer d'autres êtres humains.

Au début de sa carrière, l'éthologue Frans de Waal fut interpellé par l'accent mis jusqu'alors sur les comportements violents, notamment par Lorenz. Il se proposa d'étudier le comportement des macaques à longue queue, espèce réputée particulièrement agressive. Mais après de longues périodes d'observation, il constata qu'en fin de compte ces singes se battaient rarement[66]. Après plusieurs décennies consacrées à l'étude des primates, de Waal conclut que l'agressivité dépendait essentiellement des conditions extérieures et du style de relations institué entre les individus, et non pas d'un instinct de violence universel et consubstantiel à tout être comme le soutenait Lorenz.

Plusieurs autres éthologues ont ainsi contredit les thèses de Lorenz, dont Irenäus Eibl-Eibesfeldt, qui dans son livre, *Contre l'agression*[67], offre de nombreux arguments réfutant ces thèses et conclut que «la nature humaine est sociable et accueillante, [même si] nous ne pouvons ignorer qu'elle comporte des tendances antagonistes[68]». Le psychologue Alfie Kohn parvient à un constat similaire : «N'en déplaise à Freud et à Konrad Lorenz, deux théoriciens de l'agression intrinsèque, il n'y a aucune évidence dans le domaine du comportement animal et de la psychologie humaine suggérant que les individus d'une espèce quelconque se battent uniquement à cause d'une stimulation interne[69].»

Qui plus est, les psychologues s'accordent à considérer comme pathologique la violence chronique et impulsive et reconnaissent que la colère et l'agressivité sont nuisibles à la santé[70]. Lors d'une étude menée par Williams et Barefoot, 255 étudiants en médecine passèrent un test de personnalité mesurant leur degré d'agressivité. Vingt-cinq ans plus tard, il s'est avéré que les plus agressifs avaient eu cinq fois plus d'accidents cardiaques que les moins coléreux[71].

Ici, comme dans le cas du «syndrome du monde mauvais» dont nous avons parlé, il semble que la fascination qu'exerce sur nous le spectacle de la violence nous fait oublier qu'elle ne constitue pas la norme des comportements animaux. Il est certes plus excitant de montrer des fauves en chasse qu'en train de dormir une bonne partie de la journée, mais c'est un peu comme si les seules images que l'on montrait de la vie d'un homme étaient celles du chasseur du dimanche tuant une biche, et non celles du père de famille, du cultivateur ou du médecin qu'il est aussi. La triste réalité de la chasse d'agrément est indéniable, mais elle ne permet pas à elle seule de définir l'homme.

L'idée que les meurtriers sont totalement incapables de contrôler leurs pulsions violentes a été, elle aussi, écartée par les spécialistes, excepté pour quelques cas pathologiques graves. Selon l'expert du FBI John Douglas, qui étudia le cas de centaines de meurtriers, il est impossible de croire que ces criminels avaient temporairement perdu le contrôle de leurs actions. Il note, par exemple, qu'aucun de ces meurtriers n'a commis de meurtre en présence d'un policier en uniforme. Si vraiment leur rage de tuer avait été incontrôlable, ce facteur ne les aurait pas empêchés de tuer[72].

Cela s'applique également à la violence collective. Selon l'historien Gérard Prunier, en janvier 1993, une commission internationale des droits de l'homme arriva au Rwanda avant que le génocide ait pris toute son ampleur, mais à un moment où des membres de la communauté hutue avaient commencé à tuer de nombreux Tutsis et à brûler leurs maisons. Or, à l'arrivée de cette commission, les délits cessèrent instantanément et dès qu'elle eut quitté les lieux, les meurtres reprirent[73]. Les êtres humains sont donc en général capables de refréner leur volonté de nuire quand ils savent que ce n'est pas le moment de lui donner libre cours. Certains besoins sont à l'évidence plus difficiles à juguler que d'autres, le désir de drogue ou d'alcool, par exemple, chez les personnes qui souffrent d'addiction, mais seuls quelques besoins naturels, comme celui de reprendre sa respiration après l'avoir bloquée, échappent à toute forme de contrôle.

L'éclairage des neurosciences sur la violence

Quand on active certaines régions d'un cerveau de rat ou de chat, ces animaux entrent immédiatement dans une rage incontrôlable et attaquent furieusement tous ceux qui sont à leur portée[74]. Ces mêmes études ont montré que la stimulation d'autres aires du cerveau active le comportement de chasse du chat, ce qui n'était pas le cas précédemment : celui-ci se met à poursuivre de manière hallucinée une proie fantôme. Toutefois, il n'attaque pas violemment et sans discriminer tous ceux qui se présentent et ne ressemblent pas à une proie. La chasse et la violence sont donc deux comportements distincts, et les circuits neuronaux de l'agression violente et de la prédation sont eux aussi différents. De plus, les régions du cerveau liées à l'agression sont organisées de manière structurée. Lorsqu'un certain nombre de ces régions sont activées, le chat crache et fait le gros dos, mais l'expérimentateur peut encore le toucher. Lorsque certaines régions supplémentaires sont activées, le chat devient enragé et saute à la figure de l'expérimentateur[75]. L'amygdale est en particulier l'une des aires cérébrales le plus étroitement impliquées dans les comportements impulsifs de peur et d'agression chez les animaux supérieurs et chez les humains. Elle est actionnée notamment lors de la perception d'un danger, qui se traduit par une réaction de fuite ou d'attaque.

Charles Whitman tua plusieurs personnes du haut d'une tour située sur le campus de l'université du Texas, à Austin, avant de se tirer une balle dans la tête. Il laissa un mot disant qu'il se sentait incapable de résister à la rage qui l'envahissait et demandait que l'on examine son cerveau après sa mort. L'autopsie révéla qu'une tumeur comprimait son amygdale[76]. Il est clair que notre monde émotionnel peut être considérablement bouleversé par de telles anomalies cérébrales.

D'autres études en neurosciences éclairent les différences entre les divers types de violence. Adrian Raine, de l'université de Pennsylvanie, a en particulier comparé les cerveaux de meurtriers ayant agi de manière impulsive avec ceux de meurtriers ayant prémédité leur crime. Seuls les premiers montraient un dysfonctionnement d'une aire du cerveau (le cortex orbital) qui joue un rôle essentiel dans la régulation émotionnelle et le contrôle de la violence.

L'influence des médias

Près de 3 500 études scientifiques et tous les travaux de synthèse publiés durant la dernière décennie ont montré que le spectacle de la violence est de fait une incitation à la violence. Pour l'Académie américaine de pédiatrie : « Les preuves sont claires et convaincantes : la violence dans les médias est l'un des facteurs responsables des agressions et de la violence.» Ces effets sont durables et mesurables. Les enfants sont particulièrement vulnérables, mais nous sommes tous concernés[77].

Ces travaux ont aussi permis de réfuter entièrement l'hypothèse (inspirée en partie par les théories freudiennes) selon laquelle le spectacle de la violence permettrait à l'individu de se purger des pulsions agressives supposées l'habiter. Il a maintenant été établi qu'à l'inverse, ce spectacle aggrave les attitudes et comportements violents[78]. Cela n'empêche qu'en dépit de ces observations scientifiques, l'idée d'une catharsis libératrice continue à être régulièrement invoquée.

D'après Michel Desmurget, directeur de recherche à l'Inserm au Centre de neurosciences cognitives de Lyon, les images violentes opèrent selon trois mécanismes principaux : elles augmentent la propension à agir avec violence ou agressivité : c'est le mécanisme d'*amorçage.* Elles élèvent notre seuil de tolérance à la violence : c'est le mécanisme d'*habituation.* Elles exaspèrent nos sentiments de peur et d'insécurité : c'est le *syndrome du monde mauvais.* C'est la convergence de ces influences qui, au bout du compte, explique l'impact de la violence audiovisuelle[79]. Il est établi également que les images violentes atténuent les réactions émotionnelles à la violence, abaissent la propension à porter secours à un inconnu victime d'agression et affaiblissent la capacité d'empathie.

Au terme de deux décennies d'études sur l'influence de la télévision, des chercheurs de l'université de Pennsylvanie ont démontré que les téléspectateurs qui regardent constamment des actes négatifs manifestent une tendance accrue à agir de la même façon, et que, plus on regarde la télévision, plus on est enclin à penser que les gens sont égoïstes et qu'ils nous tromperaient à la première occasion[80]. Bien avant l'âge de l'audiovisuel, Cicéron observait déjà : «Si nous sommes contraints, à chaque instant, de contempler ou d'entendre parler d'événements horribles, ce flot ininterrompu d'impressions détestables privera même les plus humains d'entre nous de tout respect pour l'humanité[81].» À l'opposé, quand les médias prennent la peine de mettre en valeur les aspects généreux de la nature humaine, les spectateurs entrent aisément en résonance avec cette approche positive. Ainsi, la récente série intitulée «Héros de CNN» connaît un franc succès aux États-Unis. Cette émission présente des portraits et des témoignages de personnes, souvent très humbles et inconnues, qui se sont lancées dans des projets sociaux novateurs et bienfaisants ou totalement impliquées dans la défense de causes justes.

Les études les plus révélatrices sont celles qui ont mesuré l'augmentation de la violence suite à l'introduction de la télévision dans des régions où elle n'existait pas. L'une de ces études, réalisée dans des communautés rurales isolées du Canada, incluant quelques villes, a montré que deux ans après l'arrivée du petit écran, les violences verbales (injures et menaces) observées dans des écoles primaires ont été multipliées par deux et les violences physiques par trois. Une autre étude a mis en évidence une augmentation spectaculaire de la violence chez les enfants après l'introduction d'émissions de télévision en langue anglaise (qui contenaient une proportion élevée d'images violentes) en Afrique du Sud. Compte tenu de la magnitude des effets observés, Brandon Centerwall, de l'université de Washington, à Seattle, a évalué qu'il y aurait, rien qu'aux États-Unis, 10 000 homicides, 70 000 viols et 700 000 agressions avec coups et blessures de moins chaque année si la télévision n'existait pas.

En France, selon le Conseil supérieur de l'audiovisuel, un téléspectateur regarde la télévision en moyenne trois heures trente par jour, ce qui l'expose, grosso modo, à deux meurtres et à une dizaine d'actes violents par heure, soit près de 2 600 meurtres et 13 000 actes violents par an. Aux États-Unis, un enfant de douze ans a déjà vu quelque 12 000 meurtres à la télévision. Une recherche portant sur l'analyse de 10 000 heures de programmes sélectionnés au hasard a montré que 60 % des émissions américaines contenaient des actes de violence, à raison de six scènes par heure. Le plus effarant est que dans les programmes destinés à la jeunesse, ce pourcentage atteint 70 %, avec 14 scènes de violence par heure. On mesure les bienfaits que pourrait entraîner une réduction du nombre d'images violentes. De fait, une étude a mis en évidence que, chez des enfants âgés de neuf ans, cette réduction avait pour conséquence directe une diminution du niveau de violence à l'école. Par ailleurs, comme l'ont montré les psychologues Mares and Woodard[82], les programmes de télévision à tendance prosociale entraînent une augmentation des comportements correspondants, diminuent l'agressivité et encouragent les spectateurs à être plus tolérants.

L'aspect le plus préoccupant des effets néfastes de la violence audiovisuelle est sa durabilité. Dimitri Christakis et Frederick Zimmerman, de l'université de Washington, à Seattle, ont suivi près de 200 garçons âgés de deux à cinq ans pendant cinq ans. Ces psychologues ont mis en évidence qu'une heure de programmes violents par jour quadruplait la probabilité d'observer chez ces enfants des troubles du comportement dans les cinq années suivantes[83].

On observe les mêmes effets chez les adultes : les sujets qui avaient regardé la télévision entre une et trois heures par jour quand ils avaient vingt-deux ans présentaient, à trente ans, une fois et demi plus de risques d'agresser un tiers physiquement ou verbalement, et deux fois et demie plus de risques d'être impliqués dans une bagarre que des individus qui l'avaient regardée moins d'une heure[84].

Le psychologue Bruce Bartholow, de l'université du Missouri, a montré que le cerveau des personnes exposées régulièrement à des images de violence devient quasiment insensible à ces images quand on les projette devant elles. Ces personnes se montrent plus agressives que les autres lors d'un test mesurant leur agressivité juste après la projection[85].

Selon Michel Desmurget, «les données scientifiques montrent aujourd'hui, sans le moindre doute, que, en diminuant notre exposition aux contenus violents, nous contribuerions à créer un monde moins violent. Bien sûr, cela ne signifie pas que la télévision est responsable de tous les maux de notre société. Cela ne signifie pas non plus que tous les spectateurs vont devenir de dangereux assassins s'ils regardent trop de films violents à la télévision. Cela signifie simplement que le petit écran représente un vecteur notable de peur, d'anxiété, d'agressivité et de violence, et qu'il serait dommage de ne pas agir sur ce levier causal, bien plus accessible que d'autres déterminants sociaux, tels que la pauvreté, l'éducation, les maltraitances infantiles, etc. Plutôt que de critiquer (voire de vilipender) la communauté scientifique lorsqu'elle dénonce les effets de cette violence télévisuelle, sans doute serait-il légitime de demander des comptes aux groupes audiovisuels qui l'utilisent si largement[86]».

Le plus triste, c'est que la volonté des chaînes de télévision de gonfler leur audience en diffusant constamment des images de violence est non seulement regrettable, compte tenu de leurs effets sur la société, mais procède encore d'un mauvais pari. En effet, cette mise en avant de la violence est censée répondre au goût du public, or les recherches ne confirment pas cette opinion. Les psychologues Ed Diener et Darlene DeFour ont montré à cinquante étudiants un film policier comportant de fréquentes scènes de violence et, à cinquante autres étudiants, le même film dans lequel ces scènes avaient été coupées, tout en préservant le fil de l'intrigue. Il s'est avéré que les étudiants qui ont visionné la version non violente ont autant apprécié le film que les autres. Les chercheurs en ont conclu que le fait de réduire considérablement la fréquence des scènes violentes dans les programmes de télévision et de cinéma n'entraînerait aucune perte d'audience[87]. Ce point de vue est aussi confirmé par la popularité de films qui présentent la nature humaine sous un jour positif bien éloigné de la vision cynique de l'existence que donnent les films comme *Intouchables*, *Tigre et Neige*, *Amélie Poulain*, *Forrest Gump*, etc.

Le cas des jeux vidéo

Les jeux vidéo sont devenus l'un des passe-temps favoris des enfants et adolescents du monde moderne. Aux États-Unis, 99 % des garçons et 94 % des filles ont joué à des jeux vidéo et le temps qu'ils y consacrent ne cesse d'augmenter[88].

Une synthèse, réalisée par Craig Anderson et ses collègues, portant sur 136 travaux de recherche mesurant les effets produits par la pratique de jeux vidéo violents sur 130 000 personnes ont établi que ces jeux favorisent indubitablement le développement de pensées et de comportements agressifs, et diminuent les comportements prosociaux. Ces effets sont importants et ont été mis en évidence aussi bien chez les enfants que chez les adultes, chez les garçons comme chez les filles[89]. Douglas Gentile et ses collègues de l'université de l'Iowa, par exemple, ont établi que plus les adolescents s'exposent à la violence des jeux vidéo, plus ils sont hostiles envers les autres, plus ils se disputent avec les professeurs, plus ils sont fréquemment impliqués dans les bagarres, et moins ils réussissent leur scolarité[90]. Le degré d'hostilité et de désensibilisation des sujets ayant joué à des jeux violents est nettement supérieur à celui de ceux qui ont utilisé des jeux neutres du point de vue de la violence, un jeu de course de moto, par exemple.

Roland Irwin et Alan Gross, de l'université du Mississippi, ont laissé des enfants de huit ans jouer à un jeu vidéo excitant pendant vingt minutes. Pour certains, c'était un combat violent, tandis que pour d'autres c'était une course de moto. Ensuite, on les conduisait dans une salle de récréation où ils étaient observés pendant quinze minutes en train d'interagir avec d'autres enfants. Les résultats ont révélé que les enfants ayant joué au jeu de combat commettaient deux fois plus d'actes agressifs que ceux qui avaient joué à la course de moto[91].

Pour mesurer les effets des jeux vidéo sur le long terme, Douglas Gentile et ses collèges ont interrogé deux fois, à un an d'intervalle, plus de 400 enfants âgés de neuf à onze ans ainsi que leurs camarades et leurs professeurs. Il est apparu que ceux qui jouaient davantage à des jeux vidéo violents lors du premier test attribuaient, un an plus tard, plus d'intentions hostiles à ceux qu'ils rencontraient, se montraient plus agressifs verbalement et physiquement, et étaient moins enclins à l'altruisme[92].

L'analyse des jeux vidéo montre que 89 % contiennent de la violence et la moitié des actes d'extrême violence envers des personnages du jeu[93]. Plus le jeu est réaliste et plus on voit le sang couler, plus son effet sur l'agressivité du spectateur est accentué[94]. Comme le rapporte Laurent Bègue, professeur de psychologie sociale à l'université de Grenoble[95], le jeu vidéo le plus vendu au monde en 2008, *Grand Theft Auto IV*, est d'une violence inouïe. Le joueur peut, par exemple, conduire sur les trottoirs et écraser les piétons, dont le sang vient maculer le pare-chocs et le pare-brise du 4 × 4 dont il vient de s'emparer par la force. Du fait que, dans les jeux vidéo, les actions sont contrôlées par le joueur lui-même, l'identification au personnage qui exerce la violence est potentiellement plus forte qu'en regardant passivement des images violentes sur un écran de télévision ou de cinéma. À cela s'ajoute l'aspect répétitif, susceptible de rendre dépendant. Or on sait que, dans tout apprentissage, les changements au niveau du cerveau et du tempérament sont les plus marqués lorsque l'on pratique une activité régulièrement.

L'un des élèves interrogés par Elly Konijn et ses collègues, de l'université d'Amsterdam, sur son goût pour les vidéos violentes disait : « J'aime beaucoup *Grand Theft Auto* parce qu'on peut tirer sur les gens et rouler à toute vitesse dans des voitures. Quand je serai plus grand, je pourrai faire cela aussi[96]. » Les psychologues L. Kutner et C. Olson ont distingué quatre aspects des jeux virtuels particulièrement recherchés par les enfants : l'excitation et le plaisir (ils jouent pour gagner, pour atteindre un certain score ou pour relever le défi proposé) ; la socialisation (ils aiment jouer entre amis) ; l'effet sur leurs émotions (ils jouent pour calmer leur colère, oublier leurs problèmes, se sentir moins seuls) et la dissipation de l'ennui (ils jouent pour tuer le temps)[97].

Du point de vue de l'expert et instructeur militaire américain Dave Grossman, le conditionnement effectué par les jeux vidéo violents, dans lesquels des ennemis apparaissent soudainement, à maintes reprises, et doivent être immédiatement pulvérisés de manière sanglante et réaliste, est une manière de se désensibiliser à l'acte de tuer dont l'efficacité a fait ses preuves dans l'armée. Il y a toutefois une différence cruciale : les enfants et les autres adeptes des jeux vidéo ne sont soumis à aucune autorité qui définit les règles et les limites de leurs actions. Les soldats sont au moins soumis aux ordres de leurs supérieurs et ne tirent que lorsqu'ils en ont reçu l'instruction formelle[98].

De plus, les enfants associent les jeux violents non pas à des tragédies déchirantes, mais au divertissement, au plaisir, à leur boisson et à leur nourriture préférées, et aux amis avec qui ils jouent. Toute une partie de la population est ainsi prête à accepter comme modèles des superhéros brutaux, doués de pouvoirs surnaturels, qui n'ont d'autre mission que de tuer à la chaîne, sans raison, le plus grand nombre possible de personnes[99]. « Sans compter, ajoute le psychologue Laurent Bègue, la tartuferie de l'industrie du jeu qui, avec des bénéfices qui sont loin d'être virtuels (70 milliards d'euros en 2011), continuent à stigmatiser les parents (qui doivent mieux contrôler les jeux auxquels leur progéniture a accès) et à laisser croire que, s'il y a un problème, il provient non de leurs logiciels, mais de personnes ayant des problèmes psychiatriques, qui gâchent l'ambiance au stand de tir[100] ! »

Il est indéniable que les jeux vidéo peuvent aussi être utilisés à des fins éducatives, à condition qu'ils soient conçus pour cela. Sinon, il a été établi que leur usage nuit aux résultats scolaires[101]. On a par ailleurs observé que la pratique des jeux vidéo peut augmenter l'attention visuelle[102]. On ne peut donc pas simplement dire que les jeux vidéo sont mauvais ou qu'ils ne sont pas aussi nuisibles qu'on le dit. Tout dépend de leur contenu, et c'est précisément ce contenu qui produit des effets bénéfiques ou délétères. John Wright, éminent observateur de l'influence des médias, aimait dire : « Le médium n'est pas le message. C'est le message lui-même qui est le message. »

Les jeux vidéo bénéfiques

J'aime les jeux vidéo, mais ils sont vraiment violents. J'aimerais jouer à un jeu vidéo où l'on aiderait les gens qui ont été blessés dans tous les autres jeux. Je l'appellerais « l'hôpital hyperoccupé. »

Demetri Martin, humoriste américain

Jusqu'à récemment, on avait accordé peu d'attention à la création de jeux vidéo prosociaux, non violents, dans lesquels les personnages coopèrent et s'entraident, au lieu de s'entre-tuer. Les choses sont sur le point de changer.

Depuis deux ans, sous l'inspiration du conseiller scientifique du président Obama, un groupe de chercheurs comprenant des psychologues, des éducateurs et des neuroscientifiques s'est réuni à plusieurs reprises à Washington en vue de considérer la meilleure manière d'utiliser l'engouement des jeunes pour les jeux vidéo à des fins constructives.

Lors de l'une de ces rencontres, Richard Davidson, directeur des Laboratoires d'imagerie mentale et de sciences affectives à l'université du Wisconsin, lança un défi aux fabricants : concevoir des jeux vidéo qui permettent de cultiver la compassion et la gentillesse, plutôt que l'agressivité et la violence.

Davidson s'est associé à Kurt Squire, professeur à UW-Madison et directeur de la Games Learning Society Initiative (la société des jeux d'apprentissage), et leur projet s'est vu octroyer une subvention de 1,4 million de dollars par la Fondation Bill et Melinda Gates, avec pour mission de concevoir et de tester rigoureusement deux jeux éducatifs destinés à aider les élèves de classes secondaires à cultiver leurs compétences sociales et émotionnelles[103].

Le premier jeu aidera à cultiver l'attention et à calmer l'esprit. Selon Davidson, «si vous pouvez apprendre à concentrer votre attention, cette faculté aura des effets sur tous les types d'apprentissage». Le deuxième mettra l'accent sur l'empathie, l'altruisme, la compassion et la coopération prosociale. «L'empathie, a déclaré Davidson, est une composante essentielle de l'intelligence émotionnelle et s'avère être dans la vie un meilleur indice de réussite de l'intelligence cognitive.»

Il y a de bonnes raisons de penser que si ces jeux sont conçus de manière attrayante, propre à utiliser de façon constructive l'attirance générale que les jeunes éprouvent pour ce passe-temps, ils auront des effets positifs sur les joueurs. Saleem, Anderson et Gentile ont réalisé la première étude montrant clairement que les jeux vidéo prosociaux[104] réduisent le niveau général d'hostilité et les sentiments malveillants, tout en augmentant simultanément les émotions positives, par rapport aux jeux violents ou simplement neutres, et cela, à court et à long terme*. Lorsqu'ils ont vérifié la motivation des joueurs, ils ont constaté que la diminution de l'agressivité et l'augmentation des affects positifs étaient particulièrement marquées chez ceux qui faisaient état d'une motivation altruiste. En revanche, chez les joueurs qui déclaraient avoir participé aux jeux prosociaux surtout pour des raisons égoïstes, en l'occurrence pour diminuer leur détresse empathique, le niveau d'hostilité augmentait au fil des jeux[105].

Les images violentes exacerbent le sentiment d'insécurité

Les travaux de recherche ont également montré que plus un individu regarde la télévision, plus il perçoit le monde comme un lieu hostile, saturé de violence et de dangers. À force d'être submergé par des scènes de meurtres, de guerre, de massacres, de viols et de destruction, le spectateur finit par avoir du monde une image éminemment déformée, puisque la télévision est incomparablement plus violente que la réalité quotidienne. En sélectionnant systématiquement les événements dramatiques et violents pour en faire la une de l'actualité, et en diffusant des films et des reportages violents, la télévision présente une vision erronée de la réalité. Si, à vingt ans, les jeunes Occidentaux ont déjà vu 20 000 meurtres à la télévision, combien d'entre eux ont été témoins d'un meurtre dans leur vie quotidienne ? Une infime minorité, fort heureusement.

* Ils ont aussi vérifié que les jeux vidéo violents non seulement augmentaient l'agressivité, mais encore diminuaient les états mentaux positifs.

Température, bruit et armes

La température

Parmi les nombreux autres facteurs qui favorisent les comportements violents, les chercheurs ont noté l'influence de la température ambiante, du niveau sonore ambiant et de la présence d'armes. Différentes recherches ont notamment mis en évidence le lien entre température et agressivité, en constatant que le nombre d'agressions augmente directement avec l'élévation de la température. Le psychologue Craig Anderson a analysé les statistiques criminelles concernant l'ensemble des États-Unis de 1971 à 1980. Il a contrôlé les variables connues pour leur contribution à la criminalité (moyens financiers, âge, niveau d'éducation, etc.) et montré que l'incidence des crimes violents est maximale en juillet, août et septembre. Une autre étude portant sur quarante-cinq ans a montré que le nombre des crimes violents est lié à la température annuelle.

Pour vérifier que cet effet n'était pas simplement dû au fait que durant les mois d'été les jours sont plus longs et les gens davantage dehors dans les lieux publics, ce qui leur donne plus d'occasions de se livrer à des actes de violence, Anderson a aussi étudié ce phénomène en laboratoire. Il a demandé à des sujets de se livrer à diverses activités dans des pièces dont la température se situait entre 22 et 35 °C. Les résultats ont confirmé que les pensées agressives augmentaient linéairement en fonction de la température. D'autres observations ont montré que non seulement les pensées mais aussi les comportements agressifs augmentent avec la température[106]. Toutefois, lorsque la chaleur devient suffocante, les comportements agressifs diminuent : l'agressivité est remplacée par la léthargie et les sujets adoptent plutôt un comportement d'évitement. Au moyen de données recueillies en dehors du laboratoire à Minneapolis et à Dallas, des chercheurs ont ainsi confirmé que le nombre des comportements violents augmente au fil de la matinée, puis diminue quand la température est tellement élevée que les comportements d'évitement prennent le pas.

Qu'en est-il de l'influence du froid? Étonnamment, on a constaté que les Inuits ne sont pas non plus à l'abri de la violence induite par les variations de température. Il semble donc que tout écart important de température par rapport à la moyenne habituelle est une cause de stress et, par conséquent, d'agressivité.

Le bruit

Chez les animaux, notamment chez les rongeurs, on sait qu'un environnement bruyant accroît l'agressivité. Différentes expériences confirment que ce constat s'applique aussi aux humains. Par exemple, les participants à une étude de Russell Geen de l'université du Missouri se sont montrés plus agressifs quand ils étaient soumis à des stimulations sonores désagréables que d'autres participants qui n'étaient pas exposés à ces sons.

La vue des armes

On a pu montrer que, par leur seule présence, les armes déclenchent des processus psychologiques qui activent l'agressivité. Le psychologue social américain Leonard Berkowitz avait donné à des sujets volontaires l'occasion de se venger des insultes proférées par quelqu'un (un complice de l'expérimentateur) en lui administrant des chocs électriques (en réalité fictifs). Dans la moitié des cas, l'expérimentateur plaçait aussi sur la table un revolver (en faisant croire que c'était pour une autre étude). Or les sujets mis en présence de cette arme administraient, pour se venger, davantage de chocs électriques que les autres. Plus récemment, une étude de Christopher Barlett, de l'université de l'Iowa, a montré que des personnes jouant à un jeu vidéo violent avec une manette ayant la forme d'un pistolet étaient plus agressives après l'expérience que celles qui avaient joué au même jeu avec une manette classique[107].

Femmes et enfants, premières victimes de la violence

Un rapport d'Amnesty International, intitulé *Torture : ces femmes que l'on détruit*, indique qu'une femme sur cinq dans le monde est victime de sévices graves au quotidien, et que la torture «est enracinée dans une culture qui, partout, refuse aux femmes l'égalité des droits avec les hommes et tente de légitimer la violence à leur égard[108]». En Inde, la proportion de femmes subissant des violences domestiques s'élève à 40 %, et en Égypte à 35 %. L'organisation, qui cite de nombreux témoignages de femmes et de jeunes filles battues et violées, ajoute que «leurs tortionnaires sont le plus souvent des membres de leur famille ou de leur communauté, ou encore leurs employeurs».

L'existence de «crimes d'honneur», qui peuvent aller jusqu'à l'homicide, est signalée dans plusieurs pays, dont l'Irak, la Jordanie, le Pakistan, l'Afghanistan et la Turquie. Des femmes et des fillettes de tous âges sont accusées d'avoir déshonoré leur famille et leur communauté. Le seul pressentiment qu'une femme a pu porter atteinte à l'honneur familial peut conduire à la torture et au meurtre[109]. En novembre 2012, des parents pakistanais ont fait mourir leur jeune fille de quinze ans, Anusha, en l'aspergeant d'acide parce qu'elle avait simplement regardé un garçon qui s'était arrêté devant chez eux en motocyclette, alors qu'ils le lui avaient interdit (elle était censée baisser les yeux) ; ils l'ont ensuite laissée agoniser sur le sol pendant des heures parce que «c'était sa destinée» (dixit sa mère) après un tel déshonneur...

Les femmes qui ont été achetées et vendues à des fins de travail contraint, d'exploitation sexuelle ou de mariage forcé sont également exposées à la torture. Après la drogue et les armes, la traite des êtres humains constitue la troisième source de profit pour le crime organisé international. Les femmes qui en sont victimes sont particulièrement vulnérables aux violences physiques, notamment au viol, à l'enfermement illicite, à la confiscation de leurs papiers d'identité et à l'esclavage.

Dans les conflits armés, les femmes sont souvent victimes de torture en raison de leur rôle d'éducatrices et en tant que symboles de leur communauté. Ainsi, pendant le génocide perpétré au Rwanda en 1994 et le conflit en ex-Yougoslavie, des femmes tutsies, musulmanes, serbes, croates et kosovares ont été torturées simplement parce qu'elles appartenaient à un groupe ethnique, national ou religieux particulier.

Les femmes qui ont été victimes de torture peuvent se heurter à de nombreux obstacles lorsqu'elles tentent d'obtenir réparation, en particulier l'indifférence ou les moqueries de la police, l'absence de dispositions appropriées dans la législation pénale, les partis pris sexistes dans le système judiciaire et les procédures pénales nuisant à l'équité des poursuites.

Dans certains pays, les femmes ne sont pas autorisées à comparaître en justice : ce sont les hommes de leur famille qui sont censés représenter leurs intérêts. La police s'abstient régulièrement d'enquêter sur les cas de violence allégués par les femmes et les renvoie souvent à leur triste sort au lieu d'enregistrer leur plainte. Au Pakistan, les femmes victimes de viol qui ne parviennent pas à prouver qu'elles n'étaient pas consentantes peuvent être elles-mêmes accusées de *zina* («fornication»), crime puni de mort par la lapidation, ou la flagellation en public.

Comme le souligne le rapport d'Amnesty International, «il est grand temps pour les gouvernements de reconnaître que la violence exercée au foyer et dans la communauté n'est pas une affaire privée, mais qu'elle met en jeu la responsabilité des États. Les normes internationales indiquent clairement que les États sont tenus de s'assurer que nul n'est soumis à la torture ou à d'autres mauvais traitements, quels que soient leurs auteurs ou leur contexte. [...] En ne tenant pas compte de cette obligation, ils endossent la responsabilité des souffrances qu'ils n'ont pas empêchées.»

La violence morale

Dans certains cas, les souffrances mentales infligées par autrui sont plus dures et difficiles à vivre que des violences physiques. Les souffrances sont déclenchées par une multiplicité de causes sur lesquelles nous n'avons parfois aucun pouvoir, mais, en fin de compte, c'est notre esprit qui traduit les circonstances extérieures auxquelles nous sommes confrontés en bien-être ou en mal-être. Par voie de conséquence, toute forme de violence qui détruit notre paix intérieure affecte sérieusement notre perception du monde et des autres. Certaines formes de violence, dont le viol, associent la violence physique à des effets dévastateurs sur l'intégrité mentale. D'autres attitudes, comme le mépris, l'indifférence, les paroles ou les attitudes blessantes, et la malveillance en général, peuvent détruire notre bien-être intérieur et notre joie de vivre.

Le harcèlement est l'une des formes les plus courantes de cruauté mentale, dont le psychologue suédois Heinz Leymann a répertorié différentes facettes. Il peut consister à refuser à quelqu'un la possibilité de s'exprimer, à l'interrompre constamment, à l'invectiver, à critiquer son travail et sa vie privée, à le ridiculiser, à railler son aspect physique, à singer ses manières d'être, à attaquer ses convictions personnelles, politiques ou religieuses, voire à le menacer. Il peut aussi consister à ignorer la présence de quelqu'un, à éviter tout contact visuel avec lui, à ne pas lui adresser la parole et lui donner l'impression qu'on le rejette, à lui attribuer un travail qui l'isole de ses collègues, à interdire à ceux-ci de lui parler, à le contraindre à des tâches très inférieures ou très supérieures à ses compétences, à des tâches inutiles ou absurdes, ou encore à lui faire exécuter des travaux humiliants ou nuisibles pour la santé. Le harcèlement peut culminer dans l'agression physique, sexuelle en particulier[110].

Dans les établissements scolaires également, les brimades sont des formes de harcèlement parfois cruelles qui peuvent marquer longtemps ceux qui en sont victimes. Une manière d'y remédier est d'instituer un système de tutorat, dans lequel les élèves aident des camarades plus jeunes à réviser leurs leçons. Cette responsabilisation des aînés est bénéfique non seulement pour les progrès scolaires, mais aussi pour diminuer les brimades.

Comment réduire la violence

Trois facteurs principaux s'opposent au désir de faire du tort aux autres : l'altruisme ou la bienveillance, qui font que nous sommes sincèrement concernés par le sort des autres; la maîtrise de nos émotions, qui nous permet de ne pas succomber à de soudaines impulsions, et les scrupules moraux, qui nous font hésiter à l'idée de nuire aux autres ou à regretter de leur avoir nui. Nous avons longuement exposé les caractéristiques de la bienveillance et de la considération de l'autre dans les premières parties de cet ouvrage.

Quant à la maîtrise des émotions, il s'avère que nombre de criminels ont en commun d'être très impulsifs et de souffrir d'un manque de régulation émotionnelle. Ils sont plus vulnérables que la moyenne des individus aux différentes addictions et dilapident souvent en très peu de temps le butin que leur rapportent leurs activités criminelles. Plusieurs travaux de recherche ont prouvé que le fait d'être aisément la proie d'émotions intenses et passagères, sans prendre de recul, favorise le passage à l'acte violent. En général, toute tension émotionnelle qui échappe à notre maîtrise conduit à faire des choix instinctifs déraisonnables qui semblent être la solution ou l'échappatoire la plus facile à une situation émotionnellement chargée[111].

L'expérience montre qu'un entraînement approprié et une attention soutenue permettent à la longue d'identifier et de gérer les émotions et les événements mentaux à mesure qu'ils surviennent. Cet entraînement comprend aussi le développement d'émotions saines comme l'empathie, la compassion et l'amour altruiste.

La première étape de cet entraînement consiste à identifier la façon dont surviennent les émotions. Cette démarche exige de cultiver une attention vigilante au déroulement des activités mentales, accompagnée d'une prise de conscience permettant de distinguer les émotions perturbatrices de celles qui favorisent l'épanouissement du bien-être.

Car l'expérience montre aussi que, comme une infection non traitée, les émotions perturbatrices gagnent en puissance dès qu'on leur laisse libre cours. Ce faisant, on contracte des habitudes dont on sera à nouveau la proie aussitôt que leur charge émotionnelle aura atteint un seuil critique. En outre, ce seuil s'abaissera de plus en plus, et l'on deviendra de plus en plus irascible.

Les conclusions d'études psychologiques vont également à l'encontre de l'idée reçue selon laquelle, en laissant la colère exploser, on fait baisser temporairement la pression accumulée[112]. En vérité, du point de vue physiologique, c'est tout le contraire qui se produit. Si l'on évite de laisser la colère se manifester ouvertement, la tension artérielle diminue (et elle diminue encore davantage si l'on adopte une attitude amicale), alors qu'elle augmente si on la laisse éclater[113].

Il ne sert à rien non plus de refouler les émotions. Cela reviendrait à les empêcher de s'exprimer tout en les laissant intactes, ce qui ne peut constituer qu'une solution temporaire et malsaine. Les psychologues affirment qu'une émotion refoulée peut provoquer de graves troubles mentaux et physiques, et qu'il faut à tout prix éviter de retourner nos émotions contre nous-mêmes. Toutefois, l'expression incontrôlée des émotions peut, elle aussi, avoir des conséquences désastreuses. On peut mourir d'apoplexie dans un accès de colère ou se consumer littéralement de désir obsessionnel. Ce qui importe donc avant tout, c'est de savoir établir le juste dialogue avec ses émotions.

Pour ce faire, l'une des méthodes le plus souvent utilisées consiste à neutraliser les émotions perturbatrices à l'aide d'antidotes spécifiques. En effet, deux processus mentaux diamétralement opposés ne peuvent survenir simultanément. On peut osciller rapidement entre l'amour et la haine, mais on ne peut pas ressentir au même instant de conscience le désir de nuire à quelqu'un et celui de lui faire du bien. Comme le remarquait le philosophe Alain : « Un mouvement exclut l'autre ; si vous tendez amicalement la main, cela exclut le coup de poing[114].» De même, en entraînant son esprit à l'amour altruiste, on élimine peu à peu la haine, car ces deux états d'esprit peuvent alterner mais non coexister. Ces antidotes sont au psychisme ce que les anticorps sont à l'organisme.

Puisque l'amour altruiste agit comme un antidote direct de la haine, plus on le développe, plus le désir de nuire s'amenuisera pour finalement disparaître. Il ne s'agit donc pas de refouler notre haine, mais de tourner l'esprit vers quelque chose de diamétralement opposé : l'amour et la compassion. Peu à peu, l'altruisme finira par imprégner de plus en plus notre esprit, jusqu'à devenir une seconde nature.

Une deuxième manière de faire face aux émotions perturbatrices consiste à nous dissocier mentalement de l'émotion qui nous afflige. Habituellement, nous nous identifions complètement à nos émotions. Lorsque nous sommes pris d'un accès de colère, elle est omniprésente en notre esprit et laisse peu de place à d'autres états mentaux tels que la patience ou la prise en considération des raisons qui pourraient calmer notre mécontentement. Pourtant, même à ce moment-là, l'esprit reste capable d'examiner ce qui se passe en lui. Il suffit pour cela qu'il observe ses émotions comme nous le ferions pour un événement extérieur se produisant devant nos yeux. Or la part de notre esprit qui est consciente de la colère est simplement consciente : elle n'*est pas* en colère. Autrement dit, la pleine conscience n'est pas affectée par l'émotion qu'elle observe. Comprendre cela permet de prendre de la distance et de donner à la colère l'espace suffisant pour qu'elle se dissolve par elle-même.

Ce faisant, nous évitons deux extrêmes aussi préjudiciables l'un que l'autre : réprimer l'émotion, qui restera quelque part dans un coin sombre de notre conscience, comme une bombe à retardement, ou la laisser exploser, au détriment de ceux qui nous entourent et de notre propre paix intérieure.

Les sociétés qui s'efforcent de promouvoir une haute opinion de soi, ainsi que les individus narcissiques, jugent le sentiment de honte malsain et indésirable[115]. Toutefois, le sentiment de malaise et de regret éprouvé quand on reconnaît avoir commis un acte qui va à l'encontre de nos valeurs morales relève d'un constat lucide et constitue un moteur de transformation : en reconnaissant nos erreurs, on souhaite ne pas les répéter et, lorsque c'est possible, réparer le tort infligé. Le regret diffère du sentiment de culpabilité qui, au lieu de se concentrer sur un acte particulier, déborde sur l'être tout entier, nous fait penser : «Je suis quelqu'un d'horrible», se traduisant par la dévalorisation de soi et par le doute sur la faculté de se transformer.

Les études psychologiques montrent que le fait d'éprouver un sentiment de culpabilité en pensant aux souffrances que l'on a infligées à autrui ou en contemplant la possibilité de lui nuire, associé à une prise de conscience empathique de ces souffrances, sert d'antidote à la violence. Ces scrupules ramènent l'individu à la raison et annihilent également la sensation de plaisir que certains criminels associent à l'acte nuisible[116].

Le courage de la non-violence

Il est relativement facile de tirer sur une foule. Il faut certainement plus de courage pour faire face, pieds nus et sans armes, à des troupes armées, comme l'ont fait les moines birmans lors de l'insurrection de 2008 pour manifester leur désapprobation à l'égard du régime dictatorial qui régnait encore. La vraie non-violence n'est pas un signe de faiblesse, mais de courage et de détermination. Elle ne consiste pas à se laisser opprimer, mais à agir de façon juste, sans être aveuglé par la haine et le désir de vengeance qui occultent toute faculté de jugement. Comme le dit souvent le Dalaï-lama, la non-violence et la tolérance ne reviennent pas à dire : «Allez-y, faites-moi du mal!» Elles ne sont ni soumission ni abandon, mais s'accompagnent d'une force d'âme et d'une intelligence qui nous épargnent d'inutiles souffrances mentales et nous évitent de tomber dans la malveillance. On sait que la violence entraîne le plus souvent une réaction en chaîne désastreuse pour tous. Il faut donc l'éviter par tous les moyens et résoudre les conflits par la négociation et le dialogue.

Lorsque nous sommes victimes d'un abus ou d'une injustice, il est légitime d'utiliser les moyens appropriés et la vigueur nécessaire pour y remédier, mais *jamais* avec haine et toujours avec l'espoir d'arriver à une situation plus juste et constructive. C'est ce qu'ont fait Gandhi en Inde, lors du mouvement non violent du Satyagraha («la force de la vérité») et Martin Luther King, dans toutes ses actions, fondées sur ces paroles : «La non-violence est une arme puissante et juste, qui tranche sans blesser et ennoblit l'homme qui la manie. C'est une épée qui guérit[117].»

29

La répugnance naturelle à tuer

Les recherches effectuées par le général de brigade américain SLA. Marshall sur le comportement des soldats pendant la Seconde Guerre mondiale ont révélé, à la grande surprise de son état-major, que seulement 10 à 15 % des soldats en situation de combat avaient utilisé leurs armes pour tirer sur l'ennemi. Les autres n'en ont pas moins fait preuve de bravoure : ils ont débarqué sur les plages de Normandie, secouru leurs camarades blessés, fourni des munitions à d'autres, mais ne se sont pas servis de leurs armes. Ils ne se cachaient pas ni ne fuyaient, mais ils ne faisaient pas feu sur l'ennemi, même lorsqu'ils étaient attaqués et que leur vie était en danger. Le général Marshall en conclut qu'il était « raisonnable de penser qu'un individu sain et normal – quelqu'un qui est capable d'endurer les tensions mentales et physiques du combat – conserve une réticence généralement insoupçonnée à tuer un autre être humain. Il n'ôtera pas une vie humaine de son plein gré s'il lui est possible d'échapper à cette obligation[1] ».

Les conclusions de cette étude furent un temps contestées, tant elles étaient inattendues, mais l'analyse des guerres napoléoniennes, de la guerre civile aux États-Unis, de la guerre des Malouines et d'autres conflits aboutit aux mêmes conclusions[2]. En 1863 à Vicksburg, pendant la guerre civile américaine, le sergent Benjamin McIntyre fut témoin d'un affrontement aussi intense qu'inoffensif : « Il semble surprenant qu'une compagnie d'hommes puisse tirer une salve après l'autre à une distance n'excédant pas quinze pieds et ne pas faire une seule victime. Et pourtant, c'est ce qui s'est passé[3]. » Durant cette bataille, cinquante mille balles furent tirées. À cette distance, la probabilité de toucher l'ennemi était de 50 %. Il aurait dû y avoir des centaines de morts chaque minute.

Ces faits concernent les guerres traditionnelles, au cours desquelles des conscrits et des soldats de métier se battent au sein d'une armée. Les choses sont différentes dans le cas des massacres et des génocides lors desquels les individus, par divers mécanismes, dont la déshumanisation de l'autre et la désensibilisation, annihilent leur répugnance à tuer.

Éviter de tirer sur l'autre

Durant la Seconde Guerre mondiale, il s'est donc avéré que, le plus souvent, les soldats ne tiraient que lorsqu'ils y étaient contraints par leurs supérieurs, et cessaient dès que ces derniers quittaient les lieux. Selon le colonel Albert J. Brown : «Les chefs d'escadron et les sergents devaient aller et venir le long de la ligne de feu, frappant leurs hommes pour qu'ils ouvrent le feu. Nous avions l'impression d'avoir réussi si nous parvenions à ce que, dans tout un escadron, deux ou trois hommes tirent sur l'ennemi[4].»

La majorité des soldats évite d'obtempérer aux ordres : certains mettent l'arme à l'épaule et font semblant de tirer, d'autres tirent au-dessus ou à côté de leur cible. Il en est même qui expliquent avec fierté et satisfaction comment ils ont réussi à désobéir à l'ordre de tuer. Selon le lieutenant-colonel américain Dave Grossman, qui explore cette question dans son ouvrage *On Killing* («Sur l'acte de tuer») : «Au moment décisif, chaque soldat s'est rendu compte qu'il ne parvenait pas à tuer l'homme qui se tenait debout devant lui[5].»

La répugnance à tuer augmente à mesure que croît la proximité physique entre les combattants : on se rend compte alors qu'on fait face à un être humain semblable à soi. L'historien John Keegan a noté avec étonnement l'absence quasi totale de blessures par arme blanche lors des charges massives à la baïonnette, à Waterloo et pendant la bataille de la Somme. Lorsque les soldats en venaient aux combats rapprochés, l'aversion à utiliser la baïonnette pour transpercer le corps de l'autre était telle que le plus souvent ils retournaient leurs armes et se battaient à coups de crosse[6].

On peut envisager différentes explications à cette répugnance naturelle. Si, par exemple, je perçois l'autre comme mon semblable, je prends conscience qu'il a des enfants, une famille, des projets dans la vie ; plus je me sens proche de lui, plus je suis concerné par son sort. Dès lors que l'autre a un visage, j'accorde naturellement de la valeur à son existence et il me devient difficile de lui infliger des souffrances, plus encore de le tuer. « Auparavant, ceux que j'allais tuer me semblaient le contraire de moi-même. Cette fois j'étais agenouillé sur un miroir[7] », dit le héros troyen Hector sous la plume de Jean Giraudoux.

La peur de mourir traumatise moins que l'obligation de tuer

C'est à l'occasion de combats rapprochés que les traumatismes engendrés par le conditionnement à tuer sont les plus violents. Par le regard et le contact physique, on se trouve étroitement et intensément confronté à l'humanité de l'autre, sans moyen d'échapper aux étapes de la mort qu'on inflige. Le soldat qui affronte directement l'ennemi sait qu'il a tué, qui il a tué et combien de personnes il a tuées.

Il se trouve ainsi confronté à un dilemme sans issue : soit il surmonte sa répugnance à tuer, mais agit à l'encontre de sa conscience, soit il ne tire pas sur l'ennemi mais se sent alors coupable d'avoir abandonné ses compagnons de combat, surtout si certains d'entre eux n'ont pas survécu. Or, comme l'écrit Glenn Gray, un vétéran de la Seconde Guerre mondiale, « le sentiment d'avoir été incapable d'agir selon sa conscience peut conduire au plus grand dégoût, non seulement envers soi-même, mais envers l'espèce humaine[8] ». En donnant la mort, on tue une partie de soi-même.

Créer une distance

Pour éviter que le soldat ne considère l'adversaire comme son semblable, on va lui inculquer l'idée que c'est un être méprisable, haïssable, en tout point différent de lui. L'ennemi devient un être repoussant, un « rat », une « vermine », un être inférieur qui ne mérite pas de vivre et qui menace les proches du soldat, sa patrie, l'humanité tout entière. « L'autre » apparaissant sous des traits abjects, le processus d'identification est rendu très difficile, et il devient souhaitable de l'éliminer. Dave Grossman distingue plusieurs types de distance entre le tueur et ses victimes : culturelle, morale, sociale, physique et sémantique[9].

La *distance culturelle* est fondée sur des différences ethniques, raciales ou religieuses qui permettent de déshumaniser l'autre en affirmant qu'il est fondamentalement différent de soi.

La *distance morale* met l'accent sur la croyance en la légitimité morale du soldat et de son désir de vengeance. Selon les études de Samuel Stouffer, 44 % des GI's de la Seconde Guerre mondiale auraient souhaité tuer un soldat japonais, alors que seulement 6 % d'entre eux exprimaient ce souhait à l'égard des soldats allemands[10]. Cette différence a été attribuée au désir de se venger de l'attaque de Pearl Harbor.

La distance morale augmente lorsque le soldat se rassure en se disant qu'il ne fait que son devoir et exécute fidèlement les ordres de ses supérieurs. Selon Grossman : « Le soldat qui tue doit se convaincre que ses victimes sont inférieures à des bêtes, qu'elles ne sont rien que de maudites vermines, et qu'il est juste d'accomplir ce que sa patrie et ses chefs lui ont enjoint de faire. [...] Le tueur doit impérieusement faire taire toute pensée qui lui suggère qu'il a mal agi. Il doit s'en prendre tout aussi violemment à quiconque menace ses convictions. Sa santé mentale dépend étroitement de la croyance que ce qu'il a fait est bon et juste[11]. »

La *distance sociale* croît avec la conviction que certaines classes sociales seraient inférieures aux autres à tout point de vue et qu'elles seraient composées de sous-êtres humains dont la vie est quantité négligeable. Lors des guerres féodales, par exemple, les massacres n'étaient pas l'œuvre de serfs et de paysans, mais des élites aristocratiques, qui poursuivaient leurs adversaires à cheval. En Inde, les dalits (littéralement les « écrasés »), autrefois appelés « intouchables » sont victimes de nombreux crimes commis par les membres des castes qui se considèrent supérieures. La justice n'est que très rarement rendue en faveur des intouchables même quand il y a flagrant délit : le massacre de quatorze intouchables perpétré en 1982 dans le village de Kestara, par exemple, se solda par l'acquittement des accusés qui avaient agi en plein jour.

La *distance physique* rend l'acte de tuer plus abstrait. Comme l'écrit le psychologue et instructeur militaire Richard Strozzi-Heckler : « Le combattant des guerres modernes peut lâcher des bombes le matin depuis un avion volant à 6 000 mètres d'altitude, causant d'indicibles souffrances à la population civile, et manger des hamburgers le soir à des centaines de kilomètres de là. [...] Il n'a pas à se souvenir toute sa vie durant du regard de l'homme dont il a écrasé le crâne[12]. » André Malraux disait qu'on ne peut pas tuer un ennemi qui vous regarde dans les yeux. Un Hutu qui participa au génocide rwandais témoigne :

«Je me souviens de la première personne qui m'a regardé, au moment du coup sanglant. Ça, c'était quelque chose. Les yeux de celui qu'on tue sont immortels, s'ils vous font face au moment fatal. Ils ont une couleur noire terrible. Ils font plus sensation que les dégoulinements de sang et les râles des victimes, même dans un grand brouhaha de mort. Les yeux du tué, pour le tueur, sont sa calamité s'il les regarde. Ils sont le blâme de celui qu'il tue[13].»

La *distance virtuelle* sépare l'opérateur de ses futures victimes, réduites à n'être que de simples cibles virtuelles sur un écran. La guerre du Golfe a été surnommée la «guerre Nintendo». L'ennemi y est devenu un écho sur un écran radar, une image thermique la nuit, un simple couple de coordonnées géographiques sur un GPS.

L'utilisation des drones, téléguidés depuis des postes de commande situés à l'autre bout du monde, est un exemple contemporain de cette distance virtuelle. Toutefois, les nouvelles techniques permettent à l'opérateur de voir avec beaucoup plus de réalisme les effets de ses actions et nombre d'opérateurs de drones, révulsés par leur tâche, développent des troubles psychologiques graves.

Brandon Bryant fut pilote de drone pendant six ans[14]. Il suffisait qu'il presse un bouton au Nouveau-Mexique pour qu'un homme meure à l'autre bout de la planète. Brandon se souvient de son premier tir de missile : sur son écran, il voit clairement deux hommes mourir sur le coup et il assiste à l'agonie du troisième. L'homme a perdu une jambe, il se tient le moignon, son sang chaud ruisselle sur l'asphalte. En rentrant chez lui, Brandon appelle sa mère en pleurant. «Pendant une semaine, j'étais comme coupé du reste du monde.» Six ans durant, Brandon a vu mourir en direct des hommes, des femmes et des enfants. Jamais il n'aurait imaginé tuer tant de gens. En fait, il n'aurait même jamais imaginé en tuer un seul.

Un jour, après avoir déclenché le tir d'un missile sur une demeure, supposée abriter des talibans, soudain, il voit un enfant courir à l'angle de la maison. Puis une lueur envahit l'écran – l'explosion. Des pans du bâtiment s'écroulent. L'enfant a disparu. Brandon a l'estomac noué. Il ne supporte plus de regarder des gens exploser sur son écran : «Je voudrais que mes yeux se décomposent», confie-t-il. Il s'effondre, plié en deux, et crache du sang. Les médecins diagnostiquent un syndrome post-traumatique. Brandon quitte l'US Air Force et essaie maintenant de reconstruire sa vision du monde.

On crée aussi une distance *sémantique.* On ne parle pas de « tuer » l'ennemi. Celui-ci est « neutralisé » ou « liquidé ». L'humanité de l'ennemi est niée, il devient un animal bizarre qu'on appelle un « Fritz », un « Jap », un « bougnoule ». Même les armes de guerre reçoivent des noms bénins. La bombe la plus monstrueuse que les États-Unis aient utilisée au Vietnam et en Afghanistan pesait 6,8 tonnes, rasait tout sur des centaines de mètres alentour et s'appelait « Daisy Cutter », « faucheuse de pâquerettes ». L'un des défoliants les plus terribles, dont on a déversé 80 millions de litres au Vietnam et qui cause encore de nombreux cancers et la naissance d'enfants anormaux, porte le nom anodin d'« agent orange ». On emploie toutes sortes d'euphémismes selon les situations, on « nettoie » ou « traite » une zone, on « liquide une poche de résistance ». On ne dit pas non plus qu'untel s'est fait abattre en train d'essayer de tuer d'autres hommes, mais qu'il est mort « en mission » ou au « champ d'honneur »; on ne se fait pas tuer par ses propres troupes, on est « victime d'un tir ami », etc.

Rituels d'évitement

Pour éviter de tuer, des cultures anciennes, mais aussi, plus récemment, des gangs de rue ont élaboré des codes et des rituels qui leur permettent de se livrer à des simulacres de batailles, de victoires et de soumissions. Ce recours à des actes symboliques permet de montrer sa force et de manifester son ressentiment en évitant de passer à la violence. Comme l'explique le psychologue social Peter Marsh, les protagonistes créent ainsi une parfaite façade d'agressivité et de puissance, mais le niveau de violence véritable reste très faible[15]. Gwynne Dyer conclut qu'on trouve certes « le psychopathe occasionnel qui veut vraiment éventrer les autres, mais la plupart des participants sont en fait intéressés par le prestige, la parade, le profit, et soucieux de limiter les dégâts ».

Qui tue ?

Un autre point révélé par ces études est également troublant : dans les conflits armés, une part infime des hommes est responsable de la plupart des pertes ennemies. Cela est vrai dans l'armée de terre comme dans l'armée de l'air. Il a été montré que, au cours de la Seconde Guerre mondiale, 1% seulement des pilotes de guerre américains étaient responsables de 30 à 40% des destructions en vol d'avions ennemis, non parce qu'ils étaient meilleurs pilotes que les autres, ou plus intrépides, mais, selon R. A. Gabriel, «parce que la plupart des pilotes de chasse n'ont jamais tiré sur personne ni même essayé de le faire». Ils voyaient dans le cockpit de l'avion situé dans leur ligne de mire un autre homme, un aviateur avec qui ils se sentaient liés par la fraternité de l'air, «un homme terriblement semblable à eux-mêmes[16]».

Qui sont alors ces soldats qui n'éprouvent pas d'inhibition à tuer? Le «soldat naturel, selon l'historien militaire canadien Gwynne Dyer, n'a aucune réticence à tuer dans un contexte qui lui fournit une justification morale ou pragmatique – la guerre, par exemple – et si c'est là le prix à payer pour être admis dans le type d'environnement qui l'attire[17]». Ces soldats «deviennent souvent des mercenaires, car en temps de paix l'armée régulière est trop ennuyeuse pour eux. [...] De tels hommes sont rares et ne constituent qu'une infime fraction des forces armées, y compris de métier. La plupart d'entre eux se regroupent dans les forces spéciales de type commando».

Une étude de Swank et Marchand[18], toujours concernant la Seconde Guerre mondiale, a révélé que les quelque 2% de soldats capables d'endurer des combats ininterrompus pendant de longues périodes de temps présentaient des profils de psychopathes agressifs. Il est apparu que ces mêmes hommes n'éprouvaient aucun remords à propos de leurs actes. Quant aux autres, après soixante jours de combat continu, 98% des survivants souffraient de troubles psychiatriques variés.

Certains individus vont même plus loin. Dave Grossman cite le cas d'un vétéran du Vietnam, R.B. Anderson, qui, dans un témoignage intitulé *Parting Shot : Vietnam Was Fun* («Une salve d'adieu : le Vietnam, c'était jouissif») écrit :

> Le fait est que c'était du plaisir. [...] C'était tellement bien que j'ai remis ça et y suis retourné une deuxième fois. En quel autre endroit pouviez-vous partager votre temps entre la chasse au «gros gibier» par excellence et les réjouissances à la ville? En quel autre endroit pourriez-vous être assis sur le flanc d'une colline et assister à la destruction par une attaque aérienne du camp de base d'un régiment? [...]

> J'étais un guerrier à la guerre [...] Seul un vétéran peut connaître le frisson du meurtre et le chagrin de perdre un ami plus proche de vous que votre propre famille[19].

D'autres vétérans admettent avoir ressenti une certaine euphorie au moment où ils ont fait mouche et tué un ennemi. Mais, le plus souvent, cette euphorie est rapidement submergée par un profond sentiment de culpabilité.

Étouffer l'empathie par le conditionnement

Pour être capable de tuer, il faut parvenir à étouffer tout sentiment d'empathie, de proximité et de ressemblance avec l'autre. Un psychopathe manque naturellement d'empathie. Il est capable d'infliger froidement les pires tortures à autrui sans s'en émouvoir.

Il n'est donc pas surprenant que l'entraînement des soldats des armées modernes intègre des techniques visant spécifiquement à faire disparaître cette répugnance naturelle à tuer. L'homme étant rarement psychopathe (1 à 2% de la population environ), on entreprend d'annihiler son empathie. Pour ce faire, on lui fait simuler de nombreuses fois l'acte de tuer, afin de banaliser cet acte et de désensibiliser graduellement celui qui le commet.

Après la Seconde Guerre mondiale, les instructeurs militaires se sont rendu compte que, pour que ce conditionnement soit efficace, il fallait donner aux cibles des formes humaines et les faire surgir soudainement dans un environnement donné – ce qui force le soldat à tirer très vite, sans réfléchir. Les figures tombent à la renverse lorsque le tireur fait mouche, ce qui provoque chez lui un sentiment de satisfaction. Il subit ainsi un conditionnement renforcé par une récompense. En imitant de manière réaliste un environnement crédible, on amène le soldat à ne plus éprouver la moindre hésitation ou réaction émotionnelle au moment de tirer sur des êtres vivants. Quand un ennemi apparaît subitement, les soldats passés par cette phase de conditionnement intensif affirment tirer de manière automatique, comme s'ils étaient toujours en période d'entraînement à viser des cibles mobiles.

Les militaires américains ont eu recours à diverses autres techniques de conditionnement extrême pour enraciner l'acte de tuer au plus profond du psychisme des recrues. Un sergent de la marine américaine, vétéran du Vietnam, témoigne : «On faisait l'entraînement physique le matin, et chaque fois que ton pied gauche touchait par terre tu devais marteler “tue, tue, tue, tue”. C'était si bien rivé dans ton esprit que quand ça arrivait vraiment, ça ne te gênait plus, tu vois[20] ?» Ce conditionnement était imposé de manière répétitive pendant des milliers d'heures, sous la houlette d'une autorité draconienne, sous la menace continuelle de punitions pour ceux qui échouaient. Il n'est donc pas surprenant que de nombreux auteurs, dont Gwynne Dyer, parlent de conditionnement pavlovien à tuer, plutôt que d'entraînement[21]. Ces méthodes ont permis d'augmenter considérablement le nombre des soldats disposés à tuer. Pendant la guerre de Corée, le pourcentage des combattants ayant fait feu sur l'ennemi est passé de 15 % à plus de 50 %, et il a atteint 90 à 95 % lors de la guerre du Vietnam, fait sans précédent dans l'histoire des guerres.

Aujourd'hui, les choses ont changé. Un nouveau code a été adopté chez les marines américains, enjoignant aux soldats de considérer tout adversaire comme un être humain au même titre qu'eux-mêmes et d'éviter les violences qui ne sont pas indispensables au succès de leur mission.

Apprendre à tuer avant vingt ans

Les militaires américains avaient également constaté que cet entraînement avait peu d'effets sur les recrues adultes, que c'était entre dix-sept et vingt ans qu'il fallait dresser les hommes à tuer. Passé cet âge, c'est en grande partie peine perdue, car on parvient alors difficilement à surmonter la répugnance à tuer. Les jeunes recrues, en revanche, se prêtent avec bonne volonté au conditionnement, motivés par leur confiance en leurs supérieurs hiérarchiques. Selon Grossman : «On les force ainsi à intérioriser les horreurs des combats pendant l'une des périodes de leur vie où ils sont le plus vulnérables et malléables[22].» La guerre du Vietnam fut d'ailleurs surnommée «guerre d'adolescents» (*teenagers war*), la moyenne d'âge des combattants étant inférieure à vingt ans.

Les recherches en neurosciences ont montré que le cerveau est le théâtre d'importants remaniements principalement pendant deux périodes de l'existence : une première effervescence d'activité neuronale se produit juste après la naissance, lorsque le nouveau-né est exposé à toute la richesse et à la variété des stimulations sensorielles venues du monde extérieur. Puis ce processus se ralentit jusqu'à la puberté.

Des travaux récents ont révélé qu'une deuxième période de remaniements majeurs se produit à l'adolescence. Entre seize et vingt ans, un grand nombre de réseaux neuronaux formés pendant l'enfance se défont. De nouveaux réseaux se forment, plus spécialisés et plus stables, qui seront conservés à l'âge adulte[23].

Par ailleurs, avant vingt ans, le cortex préfrontal, dont l'un des rôles est d'assurer la régulation des émotions engendrées par d'autres aires cérébrales, n'est pas complètement développé, ce qui explique l'instabilité émotionnelle des adolescents, leur réactivité à fleur de peau, leur goût du risque et de la nouveauté. Cette étape est nécessaire, mais elle s'accompagne d'une grande vulnérabilité.

Ainsi, dans le seul objectif d'accroître leur efficacité au combat, on a inculqué de façon profonde et durable la faculté de tuer leurs semblables à des jeunes gens qui, au Vietnam par exemple, avaient pourtant été mobilisés par leur gouvernement et n'étaient donc pas volontaires. On a manipulé leurs dispositions mentales les plus profondes et on a modifié radicalement l'image qu'ils avaient de leurs semblables. Un tel conditionnement demande du temps, et il en faudrait autant, sinon plus, pour le défaire. Peu d'action, du reste, est entreprise en ce sens. Après avoir fait leur temps à la guerre, les conscrits sont livrés à eux-mêmes dans la société, sans que personne ne se préoccupe de compenser par un antidote adéquat le conditionnement déshumanisant qu'ils ont subi. Aujourd'hui, nombre de psychologues et neurobiologistes, parmi lesquels Amishi Jha, de l'université de Miami, ont entrepris de porter assistance à ces vétérans.

Rien que des victimes

Il va sans dire que les principales victimes de la guerre sont celles qui subissent cette violence. Mais il n'y a pas de victimes sans agresseurs, et il est essentiel de mieux comprendre les mécanismes de l'agression. Lorsque, pour diverses raisons, des soldats en viennent à surmonter leur répugnance à donner la mort, les séquelles psychologiques que cela laisse en eux sont très profondes. William Manchester, enrôlé dans la marine américaine pendant la Seconde Guerre mondiale, raconte dans ses mémoires qu'au moment de tuer le tireur d'élite japonais, dont il s'était furtivement approché, d'un coup de pistolet, il murmura, comme hébété : «Je suis désolé», et se mit à vomir de façon incontrôlée. «C'était, écrit-il, une trahison de tout ce qu'on m'avait enseigné depuis mon enfance[24].»

Le prix à payer pour forcer des hommes à surmonter leur répugnance à tuer est donc très élevé. Selon diverses estimations, près de 90% des appelés américains au Vietnam et en Irak ont par la suite souffert de troubles psychologiques graves. Entre 15 et 45% des vétérans souffrent du syndrome posttraumatique, qui se traduit par des crises d'extrême anxiété, de terreur, des cauchemars récurrents, des phénomènes de dissociation d'avec la réalité, des comportements obsessionnels, dépressifs et asociaux, et trop souvent des suicides : il y a eu davantage de suicides parmi les vétérans revenus d'Irak et d'Afghanistan que de morts au combat[25].

Une étude menée à l'université de Columbia et portant sur 6810 vétérans a montré que seuls ceux qui avaient participé à des combats intensifs étaient affectés par ce syndrome[26]. Comparés au reste de la population américaine, ils sont bien au-delà de la moyenne nationale concernant l'usage de tranquillisants, le nombre de divorces, le taux de chômage, d'alcoolisme et de suicide, l'hypertension, les maladies de cœur et les ulcères. En revanche, les vétérans du Vietnam qui n'ont pas été en situation de combat présentent des caractéristiques analogues à celles des conscrits restés aux États-Unis.

Quelles leçons pouvons-nous en tirer?

Nous avons vu comment le conditionnement à tuer peut modifier en profondeur le comportement et l'estime de soi des jeunes soldats. Or la malléabilité de notre tempérament et la plasticité de notre cerveau permettent d'envisager la possibilité de transformations tout aussi importantes, dans le sens, cette fois, de la bienveillance.

La collaboration entre les neurosciences et les contemplatifs qui, pendant des millénaires, ont affiné d'efficaces méthodes, a démontré que le fait de cultiver l'amour altruiste a, lui aussi, des effets profonds et durables. On se doute que l'entraînement de l'esprit proposé par les contemplatifs bouddhistes est diamétralement opposé à celui des jeunes recrues. Il consiste à raviver, amplifier et stabiliser notre tendance naturelle à éprouver de l'empathie et à donner de l'importance aux autres, quels qu'ils soient. Cet entraînement diffère également d'un conditionnement, car il est associé à une réflexion profonde sur les raisons faisant de l'altruisme une vertu utile à tout être humain.

Le point de vue des religions

Puisqu'elles affirment véhiculer un message d'amour, on attend des religions une condamnation claire et univoque de tout acte de tuer. Or leurs prises de position sont parfois pour le moins ambiguës, notamment sur la question de la guerre. Un jeune soldat stationné en Irak a lu un jour, au-dessus de la porte de l'aumônerie militaire, l'inscription : «Nous accomplissons l'œuvre de Dieu.» Cela lui parut tellement aberrant qu'il en perdit la foi[27]. Comme le remarquait le Dalaï-lama : «Dieu doit être perplexe. Les deux camps s'entre-tuent et, pendant ce temps-là, ils prient Dieu[28].»

Anthony Swofford, un ancien soldat de la marine américaine qui s'est battu durant la première guerre du Golfe dit très justement dans son livre *Jarhead* :

> J'ai compris que la religion et l'armée étaient incompatibles. On peut croire l'inverse en voyant le grand nombre de militaires extrêmement croyants, mais ils oublient quelque chose. Ils perdent de vue la mission de l'armée : anéantir les vies et les moyens de subsistance d'autres êtres humains. À quoi, d'après vous, servent ces bombes[29] ?

Dans son livre, par ailleurs remarquable[30], Dave Grossman cherche à trouver dans la Bible une légitimité à l'acte de tuer. Dans le but d'apaiser la conscience des soldats chrétiens qui craignaient d'avoir enfreint le sixième des dix commandements, «Tu ne tueras point», il affirme que ce commandement signifie : «Tu ne commettras pas de meurtre», et que la Bible n'interdit pas de tuer, puisque nombre de personnages éminents de la Bible ont tué leurs ennemis pour des raisons qui leur semblaient justifiées.

De fait, l'Ancien Testament et la Torah blanchissent l'acte de tuer dans le cas d'une guerre dite «juste», concept qui a donné lieu à de nombreuses interprétations[31]. La Torah accepte aussi la peine capitale dans les cas de meurtre, d'inceste, d'adultère et d'idolâtrie[32]. Dans son *Grand Catéchisme*, Luther explique également que Dieu et les gouvernements ne sont pas liés par le sixième commandement, puisqu'ils doivent punir les criminels. Le Coran adopte une position similaire : «Ne tuez point la vie qu'Allah a rendue sacrée, sauf pour une juste cause.» Le Coran interdit toutefois d'attaquer le premier[33].

Exempter ainsi la guerre et la peine de mort du sixième commandement a souvent conduit, en élargissant les limites de ce qui est considéré comme juste et acceptable, à perpétrer des massacres et des génocides au nom du «bien». Durant la Seconde Guerre mondiale, par exemple, les autorités religieuses, catholiques comme protestantes, avaient interdit aux prêtres et pasteurs d'être objecteurs de conscience. Cela n'empêcha pas le pasteur André Trocmé qui, avec les villageois du Chambon-sur-Lignon, sauva plusieurs milliers de Juifs, de militer pour la non-violence. Dans le testament qu'il rédigea au cœur de la guerre, alors que ses activités de sauveteur de Juifs le mettaient constamment en danger, il écrivait à propos de l'objection de conscience : «Je ne peux ni tuer ni participer à cette œuvre de mort qu'est la guerre[34].»

Ce point de vue semble davantage conforme aux paroles de saint Paul : «Les préceptes [...] se résument en ces mots : tu aimeras ton prochain comme toi-même. La charité ne fait point de tort au prochain[35].»

Ainsi que le résume on ne peut plus clairement l'archevêque Desmond Tutu, Prix Nobel de la Paix : «Je ne connais aucune religion qui affirme qu'il est admissible de tuer[36].» Lorsqu'il prononça ces mots au cours d'une rencontre entre représentants de plusieurs religions à laquelle je participais au Forum économique mondial de Davos, je me permis de suggérer que ce point de vue fasse l'objet d'une déclaration commune, sans équivoque, destinée aux fidèles des différentes religions. La question fut éludée sous prétexte qu'il existait «une variété de points de vue à ce sujet»...

Pour le bouddhisme, il n'y a pas de différence entre le fait de tuer en temps de paix et en temps de guerre. Un soldat est responsable des meurtres qu'il a commis; un général est responsable des meurtres commis sous ses ordres. Un bouddhiste sincère ne peut que refuser de participer à des actes de guerre. Il en va de même du jaïnisme qui prône une stricte non-violence, *ahimsa*. Les adeptes du jaïnisme sont des modèles en matière de transposition de cet idéal dans la vie de tous les jours. Ces deux religions non théistes fondent leur compréhension du monde sur les lois de cause à effet. Selon elles, l'ignorance, la haine, l'animosité, le désir sont les causes premières de la violence. La malveillance est toujours contre-productive parce qu'elle engendre ou perpétue la haine.

Il n'en est pas moins possible de mener une action ferme et déterminée sans éprouver la moindre haine, pour empêcher de nuire un être dangereux. On demandait un jour au Dalaï-lama quelle serait la meilleure conduite à suivre si un malfaiteur entrait dans une pièce en menaçant ses occupants de son revolver. Il répondit sur un ton mi-sérieux, mi-badin : «Je lui tirerais dans les jambes pour le neutraliser, puis j'irais vers lui pour lui caresser la tête et m'occuper de lui.» Il savait bien que la réalité n'est pas toujours aussi simple, mais souhaitait faire comprendre qu'une action énergique suffisait, et qu'il était non seulement inutile mais néfaste d'y ajouter de la haine.

Une telle position suscite immédiatement des questions du type : «Allez-vous renoncer à vous défendre ou à défendre votre pays face à une agression? Faut-il laisser les dictateurs opprimer leur peuple et massacrer leurs opposants? Ne faut-il pas intervenir pour interrompre un génocide?» Ces questions posées à brûle-pourpoint impliquent des réponses évidentes : «Oui, il faut se défendre contre une agression. Oui, il faut éliminer un dictateur, si c'est le seul moyen d'éviter d'innommables souffrances. Oui, il faut empêcher à tout prix un génocide.» Mais il faut aussi poser les bonnes questions. Si on se trouve acculé à de telles extrémités, c'est qu'on a, et parfois depuis très longtemps, négligé d'entreprendre tout ce qui aurait pu éviter que l'agresseur nous assaille et qu'un génocide puisse se produire. On sait trop bien que les signes précurseurs de pratiquement tous les génocides ont été ignorés, alors qu'il était envisageable d'y remédier en temps utile.

Si je veux éviter d'avoir la dysenterie dans un pays tropical, je ne me contente pas d'emporter un sac d'antibiotiques : je me renseigne sur la qualité de l'eau, je la filtre, la porte à ébullition; je creuse un puits sain dans le village, je respecte les règles d'hygiène et les enseigne aux autres. De même, celui qui veut éviter à tout prix de tuer ne se contente pas de se dire : «Si ça tourne mal, je prendrai mon fusil et la question sera réglée.» Il sera constamment attentif à toutes les causes possibles de mécontentement et de ressentiment chez l'autre et s'efforcera d'y remédier avant que l'animosité se manifeste et enflamme irrémédiablement les esprits. Trop souvent, la violence est considérée comme le moyen le plus efficace et le plus rapide de régler un conflit. Or, comme l'enseignait le Bouddha : «Si la haine répond à la haine, la haine ne cessera jamais.»

30

La déshumanisation de l'autre : massacres et génocides

Nous avons montré qu'il existe chez l'homme une profonde répugnance à tuer ses semblables. Mais, aussi puissante soit-elle, cette résistance est surmontée dans certaines situations particulières et entraîne des comportements qui comptent parmi les plus sinistres de l'histoire humaine, faisant se perpétrer persécutions, massacres et génocides. La répétition de ces atrocités exige que l'on s'interroge sur les processus entraînant l'écroulement des barrières qui nous retiennent habituellement de tuer.

Les facteurs qui érodent cette aversion sont multiples et mettent en jeu de puissantes émotions, parmi lesquelles la haine, la peur et le dégoût. Ces facteurs incluent également la dévalorisation, la déshumanisation et la diabolisation de l'autre, auxquelles s'ajoutent une désensibilisation du bourreau indifférent aux souffrances infligées, une dissociation affective et morale par rapport aux victimes, une dilution des responsabilités et la mise en place de systèmes idéologiques qui justifient la violence. Les individus sont ainsi entraînés dans un engrenage souvent irréversible.

Comme l'explique le psychologue Aaron Beck dans *Prisonniers de la haine*, les membres d'un groupe érigé en ennemi sont tout d'abord *homogénéisés*. On leur fait perdre leur identité. Les victimes deviennent interchangeables. Elles sont ensuite *déshumanisées* et ne sont plus perçues comme des êtres susceptibles d'inspirer de l'empathie : « Elles sont simplement devenues des objets inanimés, comme des canards mécaniques dans un stand de tir ou des cibles dans un jeu informatique. En dernier lieu, elles sont *diabolisées*... Les tuer ne représente plus un choix parmi d'autres ; elles *doivent* être exterminées... Nous attaquons l'image projetée, mais nous tuons des personnes réelles[1]. »

Lorsque la valeur d'un groupe d'individus est dégradée dans l'esprit des membres d'un autre groupe, chaque individu du groupe dévalorisé devient quantité négligeable. Il est dorénavant perçu telle une unité abstraite considérée comme nuisible ou exploitable à volonté. Un slogan des Khmers annonçait à ceux qu'ils éliminaient en masse : « Vous garder n'est pas un avantage, vous détruire n'est pas une perte[2]. » Outre la persécution, ce processus de dévalorisation peut également conduire à l'instrumentalisation des individus : les humains deviennent des esclaves et les animaux des produits alimentaires.

Pendant la conquête des Philippines par les États-Unis, à la fin du XIXe siècle, un soldat du régiment américain Washington déclara : « Tuer des hommes est un jeu en vogue, c'est bien mieux que de tuer des lapins. On a chargé et on a fait un massacre comme jamais, [...] des centaines ou des milliers d'entre eux. [...] Aucune cruauté n'est trop sévère pour ces singes sans cervelle[3]. »

Pio, un participant du génocide du Rwanda, témoigne : « La chasse était sauvage, les chasseurs étaient sauvages, le gibier était sauvage, la sauvagerie captivait les esprits[4]. » Au début du XXe siècle, dans les plantations d'hévéas d'Argentine, les marchands britanniques célébraient le dimanche de Pâques en arrosant des Indiens de kérosène qu'ils enflammaient, pour « jouir de leur agonie », tandis que d'autres s'esclaffaient en évoquant la « chasse à l'Indien[5] ».

Dans un livre publié en Allemagne en 1920 et intitulé *Die Freigabe der Vernichtung Lebensunwerten Lebens* (« La permission de détruire la vie dénuée de valeur »), Karl Binding, professeur de droit, et Alfred Hoche, professeur de psychiatrie, défendirent l'idée qu'une bonne partie des malades et handicapés mentaux ne méritait pas de vivre[6]. Ils les décrivaient comme des « esprits morts » ou « avariés », des « fardeaux inutiles », des « coquilles vides d'humanité ». Les mettre à mort était un acte salutaire[7]. Binding et Hoche détaillèrent dans leur ouvrage ce qu'ils considéraient comme une justification juridique et médicale de l'euthanasie, ce qui inspira au IIIe Reich le plan Aktion T4 au cours duquel près de 250 000 malades et handicapés furent assassinés dans des chambres à gaz*. Près de 10 000 nourrissons atteints de malformations furent également tués par injection létale.

* Le programme Aktion T4 concernait tous les patients souffrant de schizophrénie, d'épilepsie, de sénilité, de paralysie incurable, de faiblesse d'esprit, d'encéphalite et de troubles neurologiques dans leurs phases terminales, ainsi que les patients hospitalisés depuis au moins cinq ans.

Selon les historiens Frank Chalk et Kurt Jonassohn, les massacres de masse ont existé de tout temps, mais il n'y a guère de trace écrite de ces massacres car le sort des populations exterminées préoccupait peu les chroniqueurs d'antan. La destruction de Mélos par les Athéniens, de Carthage par les Romains et de nombreuses villes par les Mongols ont ainsi fait des millions de victimes, de même que les croisades.

La désindividualisation des acteurs comme des victimes

Au sein d'un groupe qui perpètre des actes de violence en masse, l'individu n'est plus qu'un membre du groupe parmi tant d'autres. Ayant perdu ses spécificités individuelles, il cesse de réfléchir de manière autonome, d'examiner la moralité de ses actes, d'éprouver des sentiments de culpabilité.

À ses yeux, les victimes ne sont plus des personnes porteuses d'une histoire, ayant femme et enfants, des aspirations dans la vie, mais seulement «l'un d'entre eux», l'un de ces êtres désignés comme méprisables et haïssables. Un «autre» qui n'a plus de nom, seulement un matricule.

Une telle désindividualisation peut même se produire à propos de personnes que l'on connaît. Après le génocide rwandais, durant lequel les acteurs des massacres connaissaient presque toujours leurs victimes, qui avaient été leurs voisins et souvent leurs amis, un participant déclara : «Ça ne nous faisait rien de couper nos avoisinants jusqu'au dernier... *Ils n'étaient plus ce qu'ils étaient auparavant, et nous non plus.* On n'était pas gênés d'eux, ni du passé puisqu'on n'était gênés de rien[8].»

La déshumanisation de l'autre

Les auteurs de massacres de masse utilisent les mêmes métaphores partout dans le monde. Les objets de leur haine deviennent autant de rats, de cafards, de singes ou de chiens. Impures et répugnantes – car un «sang mauvais» coule dans leurs veines –, les victimes contaminent le reste de la population et doivent donc être éliminées au plus vite. Un colon californien responsable de la mort de 241 Indiens yukis parce que l'un d'eux avait abattu un cheval lui appartenant, justifia ses actes en comparant les Indiens à des lentes et rappela qu'«une lente faisait naître un pou[9]», métaphore courante parmi les envahisseurs de l'Amérique du Nord.

Lors du massacre de Nankin, en 1937, les généraux japonais disaient à leurs troupes : «Vous ne devez pas considérer les Chinois comme des êtres humains, mais plutôt comme quelque chose de valeur inférieure à un chien ou un chat[10].» Plus près de nous, pendant la première guerre du Golfe, en 1991, des pilotes américains comparaient leurs tirs aériens sur les soldats irakiens qui battaient en retraite à une «chasse aux dindons» et traitaient de «cafards» les civils qui couraient pour se mettre à l'abri des balles[11].

Durant la guerre de Bosnie, armé d'un mégaphone, le milicien serbe Milan Lukic invitait les musulmans à quitter la ville en ces termes : «Musulmans, viles fourmis jaunes, vos jours sont comptés[12].» En février 2011, le dictateur libyen Mouammar Kadhafi appelait ses fidèles à descendre dans les rues pour «éliminer tous les cafards qui s'opposaient à son régime», alors même qu'il faisait massacrer son peuple.

Les peuples autochtones du continent américain suscitèrent le même mépris et furent, eux aussi, déshumanisés avant d'être massacrés. Comme l'écrivait le philosophe Thomas Hobbes à propos des Indiens d'Amérique du Nord : «Ce peuple sauvage vit à la manière des brutes [...], comme des chiens de meute, des singes, des ânes, des lions, des barbares et des sangliers[13].» Oliver Wendell Holmes, professeur d'anatomie et de physiologie à Harvard au XIXe siècle, trouvait naturel que le Blanc haïsse l'Indien et le «pourchasse comme une bête sauvage de la forêt», afin que «cette esquisse au crayon rouge soit effacée et que la toile soit prête pour un homme un peu plus à l'image de Dieu[14]». Même le président américain Theodore Roosevelt déclara en 1886 : «Je ne vais pas jusqu'à penser que les seuls bons Indiens sont des Indiens morts, mais je crois que c'est le cas de neuf sur dix d'entre eux, et, en ce qui concerne le dixième, je n'aimerais pas y regarder de trop près[15].»

Pendant des siècles, les Blancs dévalorisèrent systématiquement les Noirs, en ayant recours à ce même processus d'assimilation à des animaux. Dans son *Histoire de la Jamaïque*, Edward Long écrivait que l'orang-outang était plus proche du nègre que le nègre de l'homme blanc[16] et, à la fin du XIXe siècle, l'éminent spécialiste du cerveau Paul

Broca affirmait que « la configuration du cerveau du nègre tend à se rapprocher de celle du singe[17] ».

Selon le philosophe Charles Patterson, « traiter les gens d'animaux est toujours un funeste présage, car cela les désigne comme cibles d'humiliation, d'exploitation et de meurtre. Ainsi, par exemple, dans les années précédant le génocide arménien, les Turcs ottomans qualifiaient les Arméniens de « bétail[18] ». Rescapé des camps de concentration, Primo Levi estime que l'unique utilité de la violence est de rendre les victimes semblables à des animaux pour faciliter le travail des exécutants[19]...

Avilir les Juifs en les comparant à des animaux est une tendance qui remonte aux débuts de l'histoire chrétienne. Le patriarche de Constantinople, saint Jean Chrysostome, qualifiait la synagogue de « repaire de bêtes sauvages », et affirmait que « les Juifs ne se comportent pas mieux que les cochons et les chèvres dans leur grossièreté obscène ». Grégoire de Nysse, lui aussi Père de l'Église, traitait le peuple juif de « race de vipères[20] ». En Europe, au XVIe siècle, Luther, le chef de la Réforme, vilipendait les Juifs qui refusaient de se convertir au protestantisme, affirmant qu'il fallait les expulser comme des « chiens enragés ». Il alla jusqu'à déclarer que si on lui demandait un jour de baptiser un Juif, il le noierait comme un serpent venimeux. Il comparait leurs synagogues à des « porcheries maléfiques ». Pour les « nettoyer », il proposa une méthode de purification en huit points. Une sorte de solution finale avant l'heure. « On ne doit montrer à leur égard aucune pitié, ni aucune bonté. Nous sommes fautifs de ne pas les tuer ! » écrivit-il dans son traité *Des Juifs et de leurs mensonges*[21].

Jacques Sémelin, spécialiste des massacres de masse, estime que le besoin de déshumaniser l'ennemi serait la raison pour laquelle le bourreau défigure fréquemment ses victimes : en leur coupant le nez ou les oreilles, il s'assure qu'elles n'ont plus visage humain, créant une distance psychologique qui lui permet de se convaincre que ceux sur qui il commet ces atrocités ne sont pas, ou plus, des êtres humains[22].

Massacre de masse et génocide

Le mot *génocide* fut introduit par le juriste Raphael Lemkin, qui entreprit, en 1933, une campagne pour créer ce qui allait devenir la Convention sur le génocide. En 1944, il proposa ce terme pour désigner la destruction d'une nation ou d'un groupe ethnique[23]. Ses efforts aboutirent à une résolution définissant le génocide adoptée par les Nations unies en décembre 1946. Elle fut suivie, en 1948, par une Convention sur la prévention et la répression du crime de génocide, concernant les actes «commis dans l'intention de détruire, en tout ou partie, un groupe national, ethnique, racial ou religieux en tant que tel[24]». Ces actes incluent également les mesures visant à entraver les naissances au sein d'un groupe, ainsi que le transfert forcé d'enfants d'un groupe à un autre.

En raison de l'usage parfois inadéquat du mot génocide, Jacques Sémelin, estime que les notions de «violence de masse» ou «violences extrêmes» sont souvent plus pertinentes, ou encore la notion de «massacre», qu'il définit comme «une forme d'action le plus souvent collective, de destruction de non-combattants, hommes, femmes, enfants ou soldats désarmés». Il ajoute que «ce mot désigne aussi la tuerie des animaux[25]».

Dans le cas de certains massacres de masse, celui du Cambodge notamment, le sociologue et philosophe Ervin Staub parle d'un *autogénocide,* du fait que les victimes et les bourreaux appartenaient au même groupe ethnique et religieux[26].

Le dégoût

Le dégoût est une réaction émotionnelle de défense atavique à l'encontre d'agents extérieurs susceptibles de nous contaminer : les sécrétions corporelles (morves, vomissures, excréments), les parasites (vers, poux, etc.), les corps en décomposition et les vecteurs de maladies contagieuses (pestiférés, lépreux). Le dégoût entraîne une réaction de rejet, voire de destruction, des substances ou des individus virtuellement contaminants. Cette émotion, dont l'évolution nous a équipés pour que nous nous préservions des menaces biologiques, est souvent transposée sur un plan moral. Elle incite alors à rejeter ceux que l'on considère comme «impurs» et néfastes et qui constituent, pense-t-on, une source de contamination pour la société sur les plans ethnique, religieux ou idéologique. Ceux qui s'érigent en représentants de la «pureté» se font alors un devoir de se livrer à un «nettoyage». Les agents contagieux restent dangereux même en petit nombre, d'où la nécessité, aux yeux des persécuteurs, de s'en débarrasser jusqu'au dernier.

On sait qu'Hitler et la propagande nazie comparaient les Juifs à des cancers, au typhus, à des rats porteurs de la peste qui menaçaient de contaminer la pureté des Aryens. Cette image de maladie produisit chez les Allemands une réaction phobique, une quasi-paranoïa[27].

Le mariage de la peur et de la haine ou la diabolisation de l'autre

Ceux qui fomentent les crimes de masse s'ingénient à instiller un sentiment de peur dans l'esprit des populations qu'ils veulent recruter. Puis ils transforment cette peur en haine. Ils se présentent comme des victimes et invoquent le droit de se défendre en éliminant ceux qui les menacent. Ils se justifient fréquemment par des massacres passés, comme ce fut le cas en Serbie : «Souvenez-vous de ces oustachis (nationalistes croates) qui ont assassiné des milliers de Serbes pendant la dernière guerre! Souvenez-vous de ces tchetniks (nationalistes serbes) qui ont massacré des milliers de Croates[28]!» Quant aux Hutus, ils proclamaient : «Et les *inyenzi* (combattants tutsis) qui ont attaqué notre pays dans les années 1960, tuant nos femmes et nos enfants, les voici qui reviennent aujourd'hui pour faire la même chose.» Selon Sémelin, le réveil de ces souvenirs douloureux permet de faire monter la peur et de construire la haine[29].

Si un groupe déshumanisé est souvent considéré comme étant composé de sous-êtres – pendant la guerre du Vietnam, le représentant des Affaires publiques américaines, John Mecklin, déclara que la capacité de raisonnement des Vietnamiens «était à peine supérieure à celle d'un Américain de six ans[30]» –, un groupe diabolisé est perçu comme un ensemble de personnes qui, bien que douées de toutes leurs facultés, les ont mises au service d'une hérésie dangereuse.

Les persécuteurs s'appuient sur une idéologie, qu'elle soit religieuse comme dans le cas des croisades ou de l'Inquisition, révolutionnaire comme dans celui de la Terreur pendant la Révolution française, ou marxiste comme lors des purges staliniennes, maoïstes, ou du régime de Pol Pot. Ces idéologies sont prêtes à tout pour favoriser l'avènement d'un monde conforme à leurs utopies. Mao ne voyait aucun problème à sacrifier la moitié de l'humanité pour permettre l'éradication de l'impérialisme capitaliste : cela permettrait à la moitié survivante d'inaugurer l'âge d'or du socialisme*. Dans une telle vision, les êtres ne sont que des pions sur le grand échiquier des dictateurs.

La désensibilisation

Nous avons vu qu'à mesure que des individus s'adonnent à la violence, ils deviennent insensibles à la souffrance de l'autre. Leur capacité d'empathie décline jusqu'à disparaître. Ils sont alors capables de violences toujours plus extrêmes, et le meurtre devient pour eux un travail comme un autre.

À partir de ses entretiens avec les anciens combattants en Bosnie, l'historienne Natalija Basic a mis en évidence les différentes étapes de ce processus de désensibilisation. Il y a tout d'abord «une phase de radicalisation cumulative au cours de laquelle l'exécutant apprend à tuer. Dans une seconde phase, les violences commises sont réinterprétées comme étant des actions "morales". Puis vient la phase d'accoutumance à l'idée de donner la mort. Enfin, l'acte de tuer est défini comme un "travail", une profession en tant que telle[31]».

Ainsi que l'explique également Jacques Sémelin, passé le temps du premier choc, les exécutants s'habituent à la tuerie. Ils acquièrent des réflexes, de la technique et deviennent des professionnels du meurtre collectif. Un participant au génocide rwandais témoigne : «Dans les premiers jours, ceux qui avaient déjà abattu des poulets, et surtout des chèvres, se trouvaient avantagés. Ça se comprend. Par la suite, tout le monde s'est accoutumé à cette nouvelle activité et a rattrapé son retard[32].»

Un militant hutu, Léopold, dont les propos furent recueillis par le journaliste et écrivain Jean Hatzfeld, témoignait, après le génocide durant lequel 800 000 Tutsis furent tués en trois mois : «Puisque je tuais souvent, je commençais à sentir que ça ne me faisait rien... Pendant les tueries, je ne considérais plus rien de particulier dans la personne tutsie, sauf qu'elle devait être supprimée. Je précise qu'à partir du premier monsieur que j'ai tué jusqu'au dernier, je n'ai regretté personne[33].»

Fonctionnaire de police autrichien recruté dans un *Einsatzkommando* allemand, Walter Mattner écrivait à sa femme, alors qu'il était en opéra-

---

* «Combien de personnes mourraient si la guerre éclate. Le monde a 2,7 milliards d'habitants. [...] Dans la situation extrême, la moitié meurt, la moitié survit, mais l'impérialisme serait rasé et le monde entier deviendrait socialiste.» Mao Tsé-toung, dans Chang, J., & Halliday, J. (2006). *Mao : L'histoire inconnue.* Gallimard, p. 478-479.

tion en Biélorussie en 1941 : «J'ai participé au grand massacre d'avant-hier. Pour les premiers véhicules, ma main a tremblé au moment de tirer, mais l'on s'y habitue. Au dixième, je visais calmement et tirais de façon sûre sur les femmes, les enfants et les nourrissons. J'avais à l'esprit le fait d'avoir aussi deux nourrissons à la maison, avec lesquels ces hordes auraient agi exactement de même, voire peut-être dix fois pire. La mort que nous leur avons donnée était douce et rapide comparée aux tortures infernales des milliers et des milliers dans les geôles de la GPU. Les nourrissons volaient dans le ciel en grands arcs de cercle et nous les abattions au vol, avant qu'ils ne tombent dans la fosse et l'eau. Il faut en finir avec ces brutes qui ont jeté l'Europe dans la guerre[34].»

Rudolf Höss, le commandant d'Auschwitz qui supervisa l'extermination de 2,9 millions de personnes, avoua dans son autobiographie que les souffrances qu'il infligeait à ses victimes engendraient en lui de grands tourments émotionnels, mais que pour le plus grand bien du national-socialisme, il avait «étouffé toute émotion douce[35]». Un ami rescapé des camps me disait, dans ma jeunesse, que certaines détenues réquisitionnées pour travailler dans les camps étaient en pleurs durant la première semaine, puis devenaient aussi implacables que les autres.

La compartimentalisation morale

Selon le psychologue Albert Bandura, notre capacité à activer et à désactiver sélectivement nos normes morales permet d'expliquer la manière dont les gens peuvent être cruels à un moment donné, et compatissants le moment suivant[36]. Cette désactivation s'effectue de plusieurs façons dont les effets peuvent s'additionner. La personne va associer des objectifs présentés comme louables (défendre la patrie, extorquer par la torture des informations importantes, se débarrasser de ceux qui menacent la société, etc.) à des actes répréhensibles; elle va obscurcir son implication en tant qu'agent en diffusant la responsabilité de ce qu'elle a fait sur son groupe ou en la déplaçant vers les figures de l'autorité; elle va fermer les yeux sur les souffrances causées à autrui; elle va accuser de tous les maux ceux qui sont l'objet des mauvais traitements. De cette façon, un même individu peut réussir à manifester de la tendresse pour ses enfants, qui en sont pleinement dignes à ses yeux, et la plus grande cruauté envers ceux qu'il voit comme des «cafards» qu'on lui a ordonné d'exterminer.

Dans *Face à l'extrême*[37], le philosophe Tzvetan Todorov cite le cas de Josef Kramer, ancien libraire et commandant du camp de Bergen-Belsen, qui pleurait en écoutant Schumann mais qui était tout aussi capable de défoncer avec sa matraque le crâne d'une détenue qui n'avançait pas assez vite. «Pourquoi la musique le faisait-elle pleurer, et non la mort d'êtres humains qui lui ressemblaient?» se demande Todorov. À son procès, Kramer déclara : «Je n'ai ressenti aucune émotion en accomplissant ces actes[38].» Cela ne l'empêchait pas d'être un père affectueux, comme en témoigna sa femme : «Les enfants étaient tout pour mon mari[39].»

Étudiant le cas de cinq médecins nazis, le psychiatre Robert Jay Lifton montra que leur double rôle, celui de soignant *et* celui de persécuteur, fut rendu possible par un processus de dédoublement psychologique ou de compartimentalisation, qui leur permettait d'assumer l'une ou l'autre identité selon les circonstances[40]. Cette compartimentalisation, explique Lifton, permet à la partie «normale» de soi-même d'éviter le sentiment de culpabilité, tandis que l'autre, désavouée par la première, fait le «sale boulot». C'est ainsi qu'un ancien *Gauleiter* déclara que «seule son "âme officielle"» aurait commis les crimes qui lui valurent d'être pendu en 1946. Son «âme privée» les avait toujours réprouvés[41]. Ce processus est pour le bourreau une question d'autopréservation, en l'absence de laquelle il ne pourrait supporter de commettre des atrocités quotidiennes.

Dissonance cognitive et rationalisation

L'expression «dissonance cognitive» a été conçue par le psychologue Leon Festinger et désigne chez le bourreau le recours au dédoublement subconscient de lui-même pour contourner le conflit interne entre les actes inhumains qu'il accomplit et son image de lui-même. En effet, les bourreaux se trouvent plongés dans une situation intense de «dissonance cognitive[42]». Ils vivent un conflit aigu entre leurs pratiques de tueurs et les représentations qu'ils ont d'eux-mêmes. Pour éviter de se considérer comme des individus abjects et se supporter eux-mêmes en train de massacrer, ils doivent fabriquer des représentations de leurs victimes qui leur permettent de justifier leur conduite et de se retrouver en conformité avec une image d'eux-mêmes, sinon bonne, tout au moins acceptable. S'arranger pour trouver un sens à leurs actions leur permet de continuer à tuer avec bonne conscience.

Afin de se réconcilier avec l'horreur de leurs crimes et de se décharger d'une responsabilité trop lourde à porter, les tueurs font souvent appel au sens du devoir et à la nécessité de commettre une tâche répugnante mais salutaire. Au lieu de penser : « Que de choses horribles j'ai faites ! », ils se disent : « Que de choses horribles j'ai *dû faire*[43] ! »

Dans les entretiens que Franz Stangl, directeur du camp de Treblinka, donna à la journaliste et historienne Gitta Sereny, il explique : « Je ne pouvais vivre que si je compartimentais ma pensée[44]. » Stangl s'accroche à l'idée qu'il n'allume pas lui-même les feux des fours crématoires : « Il y avait des centaines de moyens de penser à autre chose. Je les ai tous utilisés. [...] Je me forçais à me concentrer sur le travail, le travail et encore le travail[45]. » Il prétendit qu'il avait fait des choses horribles, mais qu'elles ne venaient pas de sa volonté et allaient même à l'encontre de celle-ci. Il dissociait sa conscience de ses actes : « On ne m'avait pas demandé mon avis. Ce n'était pas moi qui faisais cela[46]. »

Les tortionnaires rationalisent également leurs crimes en tentant d'y voir un pis-aller. Mukankwaya, une Hutue de trente-cinq ans, mère de six enfants, décrit comment, avec d'autres femmes, elles avaient battu à mort avec des gourdins les enfants des maisons voisines. Les jeunes victimes les regardaient les yeux écarquillés par l'effarement : ils avaient été amis et voisins toute leur vie ! Elle justifiait cette tuerie en soutenant avoir fait une « faveur » à ces enfants qui seraient devenus des orphelins sans ressources, leurs parents ayant déjà été assassinés[47].

L'une des formes de dissonance cognitive consiste aussi à banaliser les massacres en ayant recours à un humour macabre qui emploie volontairement un vocabulaire anodin. En Croatie, les groupes serbes pénétrant dans Vukovar criaient : « Slobodan, envoie-nous de la salade, la viande, nous en avons, nous égorgeons les Croates[48]. » De même, le 14 juillet 1995, le colonel bosno-serbe Ljubisa Beara informe son supérieur qu'à Srebrenica, il a « encore trois mille cinq cents colis à distribuer », en clair : à faire exécuter[49]. Dans le vocabulaire nazi, « reloger » ou « évacuer » signifiait « envoyer dans un camp de concentration » des « pièces » qui devaient subir un « traitement spécial », le nom de code pour le gazage massif[50].

La cohésion du groupe

Comme le rappelle Sémelin, la conformité et la fidélité au groupe constituent deux autres axes du mouvement de bascule vers le massacre.

Le groupe constitue une source de pouvoir sur l'individu, mainmise assurée par la peur de se faire rejeter et d'être considéré comme un traître[51]. Lors de la Révolution française, et de la Terreur qui a suivi, on a guillotiné davantage de «traîtres» à la cause que d'ennemis de la révolution. Alors qu'un ennemi renforce la détermination du groupe à poursuivre son combat, la présence d'un renégat remet en cause la validité de l'idéologie adoptée; elle est, de ce fait, considérée comme une menace intolérable. À cela s'ajoute la nécessité d'impliquer le plus grand nombre d'individus possible dans le massacre, de manière que la responsabilité des tueries soit largement partagée[52].

Afin de créer un véritable esprit de corps, le groupe se donne parfois des rites d'initiation exigeant que le nouveau venu prouve sa loyauté en abattant une victime pour la première fois, sous les regards de tous. Au Rwanda, les Hutus qui n'avaient pas encore tué de Tutsis étaient traités de complices. Ceux qui encadraient les bandes d'*interahamwe* hutus capturaient un Tutsi et sommaient le suspect de le tuer pour montrer qu'il était vraiment avec eux[53].

Autorité et situations

«Je souhaite profondément attirer l'attention des responsables sur la tragique facilité avec laquelle les "braves gens" peuvent devenir des bourreaux sans même s'en apercevoir[54]», a écrit Germaine Tillion, rescapée du camp de Ravensbrück, ethnologue et grande figure morale. Le psychologue Philip Zimbardo nous rappelle à quel point nous sous-estimons notre vulnérabilité à l'influence des situations extérieures, et ne sommes pas suffisamment vigilants à leur égard[55] : «Tout acte qu'un être humain a jamais commis, aussi horrible soit-il, est possible pour chacun d'entre nous dans certaines circonstances, bonnes ou mauvaises. Cette connaissance n'excuse pas le mal, elle le démocratise en distribuant le blâme entre les acteurs ordinaires au lieu de déclarer qu'il n'est l'apanage que de quelques êtres déviants et despotes – d'Eux et non de Nous[56].» Ainsi, lorsque nous tentons de comprendre les causes de comportements inhumains et aberrants, devons-nous commencer par analyser la situation avant d'invoquer les dispositions individuelles (traits de caractère, pathologies, influences génétiques, etc.).

Pourtant, comme l'a remarqué l'historien Christopher Browning dans le cas de l'Allemagne nazie : «En quarante-cinq ans, et après des centaines de procès, il ne s'est pas trouvé un seul avocat ou un seul accusé capable de produire un seul cas où le refus de tuer des civils non armés ait entraîné la terrible punition censée frapper les insoumis[57].» Selon un de ses confrères, Ervin Staub, lorsque les Bulgares refusèrent de livrer les populations juives et manifestèrent dans les rues contre ce diktat, les nazis ne poursuivirent pas leurs efforts[58].

Se conformer à l'autorité

Revenant sur les expériences de Stanley Milgram que nous avons décrites précédemment, le psychologue Philip Zimbardo dégage un certain nombre de facteurs qui, de manière générale, permettent aux détenteurs de l'autorité d'amener une personne ordinaire à recourir à la violence à l'encontre de ses convictions morales[59].

Le représentant de l'autorité doit d'abord présenter une justification acceptable pour que l'on accomplisse une action normalement considérée comme inadmissible, telle que la pratique de la torture, sous prétexte de veiller à la sécurité nationale. Ce chef met ensuite en place une forme d'obligation contractuelle et donne à ceux qu'il dirige un rôle associé à des valeurs positives (servir la patrie, participer à une expérience scientifique, etc.).

Les instructions et les règles à observer doivent paraître sensées à première vue. Par la suite, elles seront utilisées pour exiger une obéissance aveugle, même si ce qui se passe est devenu insensé. La plupart des gens sont pris dans l'engrenage et cessent d'exercer leur esprit critique.

Les chefs utilisent un vocabulaire trompeur – on parle de «devoir envers la patrie», de «défense de nos droits», de «pureté nationale», de «solution finale[60]». Le sentiment de responsabilité est dilué, de sorte que si les choses tournent mal, d'autres seront tenus pour responsables.

On commence de manière anodine, puis on augmente graduellement la gravité des exactions, de manière que la différence entre deux étapes ne soit pas trop choquante. La figure d'autorité doit, elle aussi, apparaître respectable de prime abord, et sa transformation en figure abusive et déraisonnable se produira par étapes.

Il faut enfin rendre toute échappatoire difficile. Dans le cas de l'étude de Milgram, l'expérimentateur donne des ordres lapidaires et n'autorise aucune discussion. Pour s'en sortir, le participant doit oser défier ouvertement l'autorité. Dans le cas des dictatures, ceux à qui l'on demande d'exercer des sévices sur les populations persécutées sont menacés de subir le même sort que leurs victimes si elles n'obtempèrent pas.

Le cas du 101e bataillon

Dans *Des hommes ordinaires*[61], l'historien Christopher Browning détaille avec minutie l'histoire du 101e bataillon de réserve de la police régulière d'Hambourg. Ce bataillon était composé de citadins, issus pour les deux tiers de la classe ouvrière et pour un tiers de la petite bourgeoisie, des hommes mûrs, mobilisés dans la police, parce que ayant été jugés trop âgés pour servir dans l'armée. Ils n'avaient jamais participé à des actions meurtrières et rien ne les prédisposait à devenir des exécuteurs sans pitié. Ils devaient rejoindre l'armée allemande qui occupait la Pologne, au plus fort des persécutions que le régime hitlérien menait contre les communautés juives. À l'aube du 23 juillet 1942, le bataillon est envoyé au village de Jozefow, qui comptait 1 800 Juifs parmi ses habitants. Seul le commandant, Wilhelm Trapp, cinquante-trois ans, qui avait commencé sa carrière comme simple soldat et que ses hommes appelaient affectueusement « Papa Trapp », est au courant de la mission.

« Pâle, nerveux, la voix étranglée et les yeux pleins de larmes », rapportent les documents et témoignages rassemblés par Browning, Trapp explique à ses hommes qu'ils doivent remplir une tâche effroyable. Cette mission n'est pas de son goût, dit-il, mais les ordres proviennent des plus hautes autorités. Le bataillon doit rassembler tous les Juifs de Jozefow. Les hommes en état de travailler seront emmenés dans un camp. Tous les autres, vieillards, femmes et enfants seront abattus. Trapp termine par une proposition : ceux d'entre ses hommes qui ne se sentent par la force de participer à cette mission peuvent sortir du rang et seront dispensés. Un homme fait un pas en avant, suivi d'une douzaine d'autres. Déjà la veille, le lieutenant Buchmann, mis au courant avant les hommes du bataillon, avait refusé de prendre part à l'opération, expliquant qu'« il ne participerait en aucun cas à une action de ce genre au cours de laquelle des femmes et des enfants innocents seront mis à mort[62] ». Les autres, près de cinq cents policiers, ne bronchent pas.

Une fois ses hommes envoyés accomplir leur mission, la détresse de Trapp, qui dirige les opérations depuis son QG installé dans une salle de classe, est évidente aux yeux de tous. Selon un témoignage, « il parcourait la pièce, pleurant comme un enfant ». Pendant ce temps, la rafle commence. Trois cents hommes en état de travailler sont séparés de leur famille et rassemblés sur la place publique, et tous les autres sont emmenés dans une forêt où le massacre est déclenché. Il durera jusqu'à la tombée de la nuit. Non exercés à tuer, les policiers mettent du temps à accomplir leur besogne. Il s'ensuit un nombre considérable de longues agonies. Certains, révulsés, quittent la forêt après avoir tué une personne, prétendent fouiller les maisons ou s'affairent à d'autres occupations. L'un d'eux, devenu presque fou, part seul dans les bois, hurlant pendant des heures. D'autres, incapables de poursuivre l'ignoble mission, demandent à leur sergent de les relever et sont renvoyés au village. D'autres encore tirent volontairement à côté de leur cible. Mais la plupart continuent à tuer. On leur distribue de l'alcool. Au soir, dix-sept heures après leur arrivée à Jozefow, il ne reste plus un Juif vivant, sauf une petite fille qui émerge de la forêt, blessée à la tête, que Trapp prend dans ses bras pour la mettre sous sa protection. Les hommes rentrent à la caserne en ville, « horriblement souillés de sang, de cervelle et de débris d'os », silencieux, hantés par la honte.

Pourquoi si peu d'hommes ont-ils saisi l'occasion de se dérober à cette mission funeste ? Selon Browning, il y eut, pour une part, l'effet de surprise. Pris au dépourvu, les policiers n'ont disposé d'aucun délai de réflexion. Tout aussi important fut l'esprit de corps – l'identification de l'homme en uniforme avec ses compagnons d'armes et l'extrême difficulté qu'il éprouve à se démarquer du groupe. Quitter les rangs, ce matin-là, signifiait abandonner ses camarades et revenait à admettre qu'on était « faible », voire « lâche ». Un autre, conscient de ce qu'implique le courage véritable, celui de refuser, dira simplement : « J'ai été lâche. »

Si seule une douzaine de policiers se sont soustraits d'emblée au massacre imminent, ils furent bien plus nombreux à chercher à y échapper en recourant à des stratagèmes moins voyants, ou en demandant à être libérés des pelotons d'exécution une fois la tuerie commencée. On estime que 10 à 20 % des hommes ont refusé de faire partie des pelotons d'exécution. Cela signifie qu'au moins 80 % des hommes ont tué sans discontinuer les 1 500 Juifs de Jozefow jusqu'au dernier. Les réfractaires invoqueront surtout une révulsion d'ordre purement physique, et non pas des principes moraux ou politiques.

Quelques jours plus tard, le bataillon va dans un autre village et arrête un certain nombre de Juifs. Tous, y compris les policiers, craignent qu'une autre tuerie se prépare et Trapp décide de libérer les Juifs et de les renvoyer chez eux.

Mais les hommes vont bientôt s'endurcir au meurtre. Un mois plus tard, une partie du bataillon est envoyée à Lomazy. Là, assistés par les *trawnikis*, des prisonniers de guerre des régions soviétiques entraînés par les SS, un tiers des hommes du bataillon, la plupart ivres, car ils ont été cette fois-ci abreuvés d'alcool avant l'action, exterminent 1 700 Juifs, qui seront ensuite entassés dans des fosses communes, en deux fois moins de temps qu'à Jozefow. Les récalcitrants sont maintenant moins nombreux.

Comme l'explique Jacques Sémelin : « L'expérience acquise sur le terrain serait en fin de compte le facteur le plus important de basculement dans le meurtre de masse. C'est dans la guerre que se forgent les guerriers. C'est dans et par l'acte de tuer que se forment les exécutants des massacres[63]. »

Les meurtres de masse s'enchaînent et le bataillon participe aussi à la déportation de milliers de Juifs vers le camp de Treblinka, et finalement au massacre gigantesque de la « fête des moissons » qui fait 42 000 victimes, le 3 novembre 1943, dans la région de Lublin. Lorsque, au début de 1944, s'amorce la chute du IIIe Reich, ils rentrent pour la plupart en Allemagne : les 500 hommes du 101e bataillon auront été responsables de la mort directe ou indirecte d'au moins 83 000 Juifs et de quelques centaines de civils polonais.

La mise en place d'un système

Tuer un grand nombre de gens en peu de temps requiert la mise en place d'un système, parfois sophistiqué, comme dans le cas des chambres à gaz et des fours crématoires, parfois terriblement simple, comme l'usage généralisé des machettes au Rwanda ou comme certains moyens utilisés par les Tutsis à l'encontre des Hutus lors des massacres au Burundi en 1972. Ainsi que l'explique l'un de ses participants · « Plusieurs techniques, plusieurs, plusieurs. On peut, par exemple, rassembler 2 000 personnes dans une maison, disons une prison. Il y a des halls qui sont grands. Le bâtiment est verrouillé. Les hommes sont laissés là pendant quinze jours sans manger, sans boire. On ouvre alors. On trouve des cadavres. Pas tabassés, rien. Morts[64]. »

Il a été démontré que la plupart des massacres de masse et des génocides sont l'œuvre de minorités impitoyables, organisées selon une hiérarchie hautement répressive qui lui permet d'imposer son autorité par la terreur sur la majorité de la population. Celle-ci est généralement résignée face à un système répressif efficace et omniprésent : les risques individuels associés à la révolte sont trop grands et souvent inutiles.

Concernant le Rwanda, le chercheur américain Scott Straus est parvenu à la conclusion que le nombre de tueurs hutus, en 1994, se situait entre 14 et 17 % de la population masculine adulte[65]. De plus, un quart seulement de ces tueurs a été responsable de près de 75 % des massacres. Bref, « même si une participation de masse caractérise le génocide au Rwanda, un petit nombre d'exécutants armés, spécialement zélés, se sont taillé la part du lion dans ces tueries ». Fort de ces connaissances, le politologue américain John Mueller considère que la guerre ethnique est davantage le fait de petites bandes de gangsters et de voyous qui parviennent à semer la terreur dans une région et en profitent, de plus, pour s'enrichir en dépouillant leurs victimes[66]. De même, comme l'explique Benedikt Kautsky, survivant d'Auschwitz : « Rien ne serait plus faux que de voir les SS comme une horde de sadiques torturant et maltraitant des milliers d'êtres humains par instinct, passion et soif de jouissance. Ceux qui agissaient ainsi étaient une petite minorité[67]. »

Même si les instigateurs du massacre et les tueurs en série ne représentaient qu'un faible pourcentage de la population, comme lors de tout génocide, dans certaines régions du Rwanda, la folie meurtrière et l'esprit de groupe ont poussé la quasi-totalité de la population mâle à participer aux tueries, bien qu'à des degrés très divers. Selon l'écrivain Jean Hatzfeld, dans les collines voisines de la commune de Nyamata, par exemple, 50 000 des 59 000 habitants tutsis furent tués à la machette en l'espace d'un mois, que ce soit dans leur maison, dans les églises où ils s'étaient réfugiés ou dans les forêts et les marais où ils tentaient de se cacher[68].

Au-delà des conditions humaines

Dans *Face à l'extrême*, Tzvetan Todorov envisage ce qu'il advient de l'homme lorsqu'il est soumis à des conditions si inhumaines qu'il en vient à perdre son humanité. Nous avons vu* comment, dans le cas de

* Voir chapitre 28, « À l'origine de la violence : la dévalorisation de l'autre », p. 389.

l'expérience de la prison de Stanford conduite par Philip Zimbardo, la mise en place de situations extérieures qui altèrent les rapports normaux entre êtres humains pouvait rapidement amener un groupe d'étudiants ordinaires à se comporter avec une cruauté et un sadisme qu'eux-mêmes n'auraient jamais soupçonnés auparavant. Dans les conditions insoutenables des camps de concentration, les sentiments et les valeurs morales qui constituent les fondements de l'existence humaine ont été souvent anéantis. Ainsi qu'en témoigne Tadeusz Borowski, survivant d'Auschwitz, «la moralité, la solidarité nationale, le patriotisme et les idéaux de liberté, de justice et de dignité humaine ont glissé de l'homme comme une guenille pourrie[69] ».

Les privations étaient telles, explique Primo Levi, autre survivant d'Auschwitz, que les comportements moraux semblaient impossibles : «Ici, la lutte pour la vie est implacable car chacun est désespérément et férocement seul.» Pour survivre, il faut «abandonner toute dignité, étouffer toute lueur de conscience, se jeter dans la mêlée comme une brute contre d'autres brutes, s'abandonner aux forces souterraines insoupçonnées qui soutiennent les générations et les individus dans l'adversité[70]».

L'expérience qu'ont retirée les prisonniers des camps communistes est la même. Varlam Chalamov, qui a passé vingt-cinq ans dans un goulag, affirme : «Les conditions du camp ne permettent pas aux hommes de rester des hommes, les camps n'ont pas été créés pour[71].» Une constatation confirmée par Evguénia Guinzbourg, détenue au goulag de Kolyma pendant vingt ans : «Un être humain poussé à bout par des formes de vie inhumaine [...] perd graduellement toutes les notions qu'il avait du bien et du mal. [...] Sans doute étions-nous moralement morts[72].»

Le seuil de résistance est souvent atteint à la suite d'une faim prolongée, ou de la menace imminente de la mort : «La faim est une épreuve insurmontable. L'homme arrivé à cet ultime degré de déchéance est en général prêt à tout», constate Anatoly Martchenko, dissident soviétique et écrivain qui fut interné dans l'un des goulags qui subsistèrent après la mort de Staline[73]. «Mais quelle est la signification de cette observation? se demande Todorov, est-ce à dire que c'est en cela que réside la vérité de la nature humaine, et que la morale n'est qu'une convention superficielle, abandonnée à la première occasion? Nullement; ce qu'elle prouve, au contraire, c'est que les réactions morales sont spontanées et omniprésentes, et qu'il est nécessaire d'employer les moyens les plus violents pour les éradiquer[74].» Il partage l'opinion de Gustaw Herling, écrivain rescapé du Goulag : «J'en suis arrivé à la conviction qu'un homme ne peut être humain que lorsqu'il vit dans des conditions humaines, et qu'il n'y a pas de plus grande absurdité que de le juger sur des actions qu'il commet dans des conditions inhumaines.»

Mais Todorov fait observer qu'à la lecture des témoignages de survivants, force est de constater que certaines personnes ont fait preuve d'un sens moral, voire d'un d'héroïsme extraordinaire. Primo Levi, notamment, qui, tout en mettant l'accent sur le climat de méfiance et de rivalité entre les prisonniers, parle avec affection de son ami Alberto, qui périra au cours des marches forcées d'évacuation des camps, et qui, tout en luttant pour sa survie, a su rester fort et doux à la fois. Il évoque aussi un autre ami, Jean Samuel, qu'il surnommait Pikolo, lequel «ne manquait pas d'entretenir des rapports humains avec ses camarades moins privilégiés[75]».

Les témoignages des survivants d'Auschwitz montrent que, sans aide, la survie était impossible. Simon Laks confirme avoir dû la sienne à «quelques compatriotes au visage humain et au cœur humain[76]». Evguénia Guinzbourg rapporte elle aussi d'innombrables gestes de solidarité, preuve qu'en fin de compte, tous n'étaient pas «moralement morts[77]». Aussi puissante soit-elle, la contrainte des circonstances extérieures ne peut jamais être totale et, selon Viktor Frankl, psychiatre autrichien, philosophe et survivant des camps : «On peut tout enlever à l'homme, au camp de concentration, excepté une chose : l'ultime liberté de choisir telle ou telle attitude devant les conditions qui lui sont imposées[78].»

Il y a des règles dans les camps, mais différentes de celles de la société ordinaire. Comme l'explique Todorov, voler les administrateurs des camps est non seulement admis mais admiré; en revanche, le vol, surtout de pain, entre codétenus est méprisé et, la plupart du temps, sévèrement sanctionné. Les mouchards sont détestés et punis. Tuer peut être un acte moral, si l'on empêche par là un assassin de continuer à sévir. Le faux témoignage peut devenir une action vertueuse s'il permet de sauver des vies humaines. Aimer son prochain comme soi-même est une exigence excessive, mais éviter de lui nuire ne l'est pas.

Tadeusz Borowski, dont le récit sur la vie à Auschwitz reste parmi les plus accablants, conclut néanmoins : «Je pense que l'homme retrouve toujours l'homme à nouveau – à travers l'amour. Et que c'est la chose la plus importante et la plus durable[79].» Lui-même s'est comporté à

Auschwitz tout autrement que les personnages de ses récits, et son dévouement pour les autres touchait à l'héroïsme.

Un engrenage fatal

Les gens qui font un pas sur le chemin de la barbarie ne sont pas toujours pleinement conscients de franchir une limite inacceptable, n'appréhendent pas clairement l'issue de ce chemin et estiment qu'une entorse mineure à leur sens moral sera sans conséquence. Cette compromission initiale n'est généralement que la première étape d'un engrenage auquel il est ensuite difficile d'échapper et qui amène l'individu à perpétrer des violences de plus en plus graves et nombreuses.

C'est ainsi qu'en raison d'influences extérieures auxquelles ils n'osent ou ne savent pas résister, par peur ou par faiblesse, ces individus commettent des actes qu'ils auraient refusé d'exécuter si on le leur avait demandé dans un autre contexte.

Comme l'explique le psychologue Roy Baumeister : «Une fois que les membres du groupe baignent dans le sang jusqu'à la taille, il est trop tard pour qu'ils remettent en question le projet du groupe dans son ensemble. Il est alors d'autant plus probable qu'ils vont s'enfoncer encore plus profondément[80].»

Dans *Un si fragile vernis d'humanité*, le philosophe Michel Terestchenko démontre bien comment l'on peut se laisser prendre dans l'engrenage du mal ou, au contraire, éviter de s'y engager[81]. Il donne l'exemple de Franz Stangl qui, d'étape en étape, devint le commandant du camp de concentration de Sobibor, puis de celui de Treblinka en Pologne. Esprit faible, à chaque nouvelle affectation qui l'engageait plus avant sur le chemin de l'ignominie, Stangl hésita et tenta de se soustraire aux nouvelles responsabilités qui lui étaient attribuées. Mais la peur des représailles pour lui-même et sa famille, sa soumission à l'autorité et son manque de force morale firent que à chaque fois il céda, s'engouffrant toujours plus loin dans la barbarie.

Après la guerre, Franz Stangl trouva refuge au Brésil où il fut finalement arrêté en 1967 et condamné en 1970 à la prison à vie pour le meurtre de 900000 personnes. En 1971, il accorda soixante-dix heures d'entretiens à l'historienne Gitta Sereny[82]. Le deuxième jour de leur conversation, évoquant l'arrestation de l'un de ses anciens chefs qui fut torturé par les Allemands, il déclara soudain : «Je hais les Allemands pour ce dans quoi ils m'ont entraîné. [...] J'aurai dû me tuer en 1938. C'est là que tout a commencé pour moi. Je dois reconnaître ma culpabilité[83].» Ce n'est qu'à la fin de leurs entretiens que Stangl reconnut à nouveau sa responsabilité et dit à Sereny : «Je n'ai jamais fait intentionnellement de mal à personne.» Puis après un long silence : «Mais j'étais là... Je partage la culpabilité... Ma culpabilité, c'est d'être encore là. J'aurais dû mourir.» Puis il signifia à Sereny qu'il n'avait plus rien à lui dire. Stangl, qui était gardé en isolement cellulaire, mourut dix-neuf heures plus tard d'une crise cardiaque.

Comment en était-il arrivé là? Simple officier de police, il fut rapidement promu au Département d'enquêtes criminelles d'une petite ville autrichienne. En 1938, les nazis lui demandent de renoncer au catholicisme et de signer une déclaration à cet effet. À ses yeux, c'était là une étape importante vers sa dégénérescence. Il eut l'impression d'avoir vendu son âme[84]. Il fut ensuite transféré au quartier général de la Gestapo de la ville, puis nommé, à Berlin, directeur de la Sécurité de l'Institut du plan Aktion T4*, consacré, nous l'avons vu, à l'euthanasie des handicapés mentaux et physiques. Ce programme permit aux nazis de tester et de perfectionner les techniques d'élimination de masse qu'ils allaient utiliser dans les camps de concentration. Lorsque Stangl apprit la nature du travail que l'on attendait de lui, il tenta d'y échapper : «J'étais... j'étais sans voix. Et puis j'ai dit que je ne me sentais pas particulièrement apte pour cette affectation[85].» Mais son supérieur lui fit comprendre que sa nomination était la preuve de l'exceptionnelle confiance que l'on avait placée en lui et qu'il n'aurait pas à pratiquer lui-même les euthanasies. S'il acceptait, les actions disciplinaires en cours contre lui seraient suspendues. Le chef des opérations, Christian Wirth, surnommé «Christian le Sauvage», qui allait lui-même devenir directeur du camp de Belzec, déclarait avec mépris qu'il «fallait se débarrasser de toutes ces bouches inutiles.»

De fil en aiguille, en 1942, Stangl fut envoyé en Pologne et se vit confier la construction du camp de Sobibor. Un jour, ses chefs l'emmenèrent au camp de Belzec, qui était déjà en activité. Il découvrit l'horreur de la situation : «Les fosses étaient remplies de milliers de corps en décomposition[86].» Christian Wirth lui dit alors que c'était là ce que

* Les quartiers généraux étant situés au numéro 4 de la Tiergartenstrasse.

Sobibor allait devenir et que lui, Stangl, en était nommé le chef. Ce dernier répondit qu'il n'était pas fait pour une telle tâche, mais rien n'y fit. Avec un ami, Michel, il envisagea de déserter et de s'enfuir, mais y renonça par crainte d'échouer, et par peur du sort qui lui serait réservé ainsi qu'à sa femme et ses enfants qu'il chérissait par-dessus tout.

Lors d'une visite à Sobibor, sa femme finit par découvrir ce qui se passait dans le camp et en fut horrifiée. Elle fit face à son mari qui lui affirma ne pas être impliqué dans les horreurs commises. «Comment peux-tu être *dans* le camp et ne pas être impliqué? rétorqua-t-elle, ne vois-tu rien?» Ce à quoi, tentant de la calmer, il répondit : «Si, je vois, mais je ne *fais* rien à personne», ajoutant que son travail était purement administratif[87]. Finalement, il fut nommé à la direction de Treblinka : «Treblinka était la chose la plus horrible que j'ai vue durant le IIIe Reich, confia-t-il à Gitta Sereny en enfouissant sa tête entre ses mains, c'était l'Enfer de Dante[88].»

Il alla trouver le général Globocnik, chef des opérations à Varsovie, et tenta une fois de plus de se récuser en affirmant qu'il ne pouvait exécuter les ordres : «C'est la fin du monde [...] et je lui parlai des milliers de corps qui pourrissaient à ciel ouvert.» Le général lui répondit : «C'est bien le but : que ce soit la fin du monde, pour eux[89].» Il alla voir le nouveau chef de la police et le supplia d'être muté. En vain. Alors il s'habitua à son travail macabre, se mit à boire comme la plupart de ses comparses, pour ne pas trop y penser, pour mener sa tâche à son terme.

Quelle leçon tirer de cet exemple tragique? Michel Terestchenko souligne «l'importance radicale de refuser *dès le début*, de ne pas céder à la moindre exigence». Seul, ce refus sans concession «permet de préserver l'intégrité morale de l'individu en même temps que sa liberté[90]». Le refus suppose que soit mis en cause non pas *tel ordre en particulier*, mais l'autorité dont il émane.

Ce n'est certes pas chose facile et, comme l'écrit Terestchenko, «chacun revêt facilement l'armure du chevalier lorsqu'elle ne coûte que le prix du rêve. Mais, rendus à la réalité, le poids des choses, la contrainte des situations, le souci des intérêts propres se font à nouveau sentir, nous engluant dans la torpeur et la passivité docile. Rares sont ceux qui trouvent en eux-mêmes le courage de s'en extraire[91]».

Varlam Chalamov, qui passa dix-sept ans au goulag, nous avertit : «Si nous quittons les crêtes de nos montagnes, si nous cherchons des amendements, des arrangements, des pardons, c'en sera fini ; si notre conscience se tait, nous ne pourrons résister à la pente savonneuse[92]. »

Des êtres qui ont su dire non, il y en eut pourtant.

La force morale : refuser de pactiser avec l'oppresseur

Le cas du pasteur Trocmé et des habitants du Chambon-sur-Lignon, en Haute-Loire, qui sauvèrent des milliers de Juifs de la persécution nazie, offre le contraste saisissant de personnes qui, dès le départ, décidèrent clairement qu'elles ne transigeraient pas sur ce qu'elles estimaient être juste et qui, au péril de leur vie, allèrent jusqu'à dire ouvertement au représentant du gouvernement de Vichy qu'elles protégeaient des familles juives et n'avaient pas l'intention d'arrêter de le faire, quel que soit le prix à payer[93]. Pour eux, il était immoral de ne pas protéger les Juifs, et jamais ils ne remirent ce principe en question, estimant qu'il y a des frontières qui ne doivent pas être franchies.

Dans *Des gens de bien au temps du mal*, Svetlana Broz, petite-fille du maréchal Tito, raconte différents exemples d'entraide individuelle et de résistance collective durant la guerre de Bosnie, comme à Baljvine, village de montagne où les Serbes se sont toujours opposés au passage des paramilitaires qui persécutaient les musulmans, lesquels avaient eux-mêmes protégé les Serbes de ce village pendant la Seconde Guerre mondiale[94].

Au premier jour du massacre de Srebrenica, Drazen Erdemovic, un Croate marié à une Serbe, décida de s'enfuir pour ne pas participer au massacre. Il déclara à ses collègues : « Vous êtes normaux ? Vous savez ce que vous faites ? » Ils lui répondirent que s'il ne voulait pas être des leurs, il pouvait rendre son fusil et s'aligner avec les musulmans. Au cours de cette journée, il estime avoir participé sous la contrainte à l'exécution d'une centaine de prisonniers. Mais quand on l'appela ailleurs pour tuer encore quelque cinq cents personnes, il refusa et reçut même le soutien d'une partie de son unité[95].

Au Rwanda, à Kigali même, dans certains lieux d'asile, quelques hommes refusèrent de participer à la tuerie, comme dans l'Hôtel des mille collines où le directeur Paul Rusesabagina offrit de la bière et de l'argent aux militaires et miliciens venus chercher les Tutsis qu'il protégeait. De même, l'évêque Joseph Sibomana, du diocèse de Kivungo, donna tout son argent à des miliciens qui menaçaient de massacrer les Tutsis réfugiés dans son église, pour les sauver[96].

Selon Jacques Sémelin, le passage à l'acte génocidaire se produit en général dans une situation d'effervescence sociale qui incite les individus à cautionner le massacre, voire à y participer : «Les individus ne sont pas monstrueux en tant que tels, mais en tant qu'ils sont engagés dans la dynamique monstrueuse du meurtre de masse[97].» Chaque individu reste cependant responsable de ses actes, adhérant ou non à ce qui est en train de se passer. Si notre degré de liberté est parfois très réduit, il n'est pas nul pour autant : chacun a la possibilité de dire non, ou du moins de ne pas prendre le chemin qui conduit à devenir un bourreau.

La non-intervention face à l'intensification graduelle du génocide

Le génocide procède généralement par étapes. Il est d'abord testé à plusieurs reprises pendant de courtes périodes sur des échantillons de population, puis étendu au plus grand nombre. Le génocide arménien, par exemple, commença par des massacres circonscrits. Puis, devant la passivité des autres nations, ce fut l'escalade. 200 000 Arméniens furent tués en 1905. C'est à peine si la communauté internationale protesta. Forts de cette indifférence, en 1915, les Turcs entreprirent l'extermination méthodique d'un demi-million d'Arméniens[98]. Plus tard, Hitler tira les leçons de la non-intervention des puissances voisines et, à l'aube de l'invasion de la Pologne, déclara : «Qui, après tout, parle aujourd'hui de l'extermination des Arméniens[99] ?»

Après la Nuit de cristal, le 9 novembre 1938, de nombreux pogroms furent déclenchés par un appel au meurtre et au pillage de Goebbels à la radio d'État. Une partie importante de la population fut choquée par ce déferlement de violence. Cependant, comme le souligne Jacques Sémelin, les réactions spontanées contre les agissements inexcusables du pouvoir en place ne peuvent avoir une chance d'infléchir ce dernier que si des porte-parole osent ouvertement relayer cette désapprobation. «Or aucune autorité spirituelle ou morale, à l'intérieur de l'Allemagne, ne s'est ouvertement fait l'écho de cette émotion populaire. À cet incroyable déchaînement de haine a donc succédé un silence assourdissant pouvant être interprété comme une forme de consentement, et même de contentement[100].» Tout s'est passé comme si les capacités de réaction collective de la population avaient été progressivement étouffées. La société allemande s'est laissé emporter dans un processus de destruction qu'elle a toléré sans réagir. Plus grave encore, «cet *engrenage passif* s'est simultanément transformé en un *engrenage actif* qui s'est traduit par l'enrôlement de multiples secteurs d'activités dans la collaboration à la solution finale[101]».

La prise de conscience de la réalité d'un génocide

Toujours selon Jacques Sémelin, cette prise de conscience comporte trois phases. La première est l'*incrédulité* des pays étrangers et la résistance à l'information. Dans le cas de l'extermination des Juifs, l'énormité du massacre rapportée par certains informateurs la rendait littéralement incroyable aux yeux des dirigeants des pays alliés et de leur opinion publique, tous pensant que les rapports qu'on en faisait étaient exagérés. Il y eut un déni collectif atrocement douloureux pour les survivants qui furent non seulement contraints de se taire, mais encore suspectés de livrer des témoignages douteux.

Dans une deuxième phase, les nouvelles *commencent à devenir crédibles*, grâce à la dissémination d'une multitude d'informations et de rumeurs, et finissent par s'imposer à la conscience d'un nombre croissant d'individus.

Après un temps de latence ou d'incubation vient la troisième phase, celle de la *prise de conscience* proprement dite, au cours de laquelle les défenses mentales s'effondrent pour laisser place à la réalité dans toute son horreur[102]. Ce temps de latence s'avère souvent fatal aux populations visées, comme ce fut le cas au Rwanda, parce que cette absence de réaction de la communauté internationale encourage les planificateurs de massacres de masse à poursuivre leur programme d'extermination jusqu'à son terme.

Malheureusement, même cette prise de conscience se traduit rarement par une intervention. On fait semblant d'agir, on reporte les responsabilités sur d'autres, on tente des négociations vouées à l'échec – les persécuteurs n'ayant aucune intention de renoncer à leur projet – et, très souvent, on tergiverse jusqu'à ce que la tragédie atteigne des proportions irréversibles.

Signes précurseurs des génocides et politicides

À la suite du génocide du Rwanda, en 1998, le président Clinton, hanté par l'incapacité des nations, celle de son pays en particulier, à intervenir à temps, demanda à la politologue Barbara Harff d'analyser les indicateurs d'un risque élevé de génocide. Harff et ses collègues étudièrent 36 épisodes génocidaires parmi les 129 guerres civiles et effondrements de régimes qui se sont produits entre 1955 et 2004. Ils dégagèrent 8 facteurs qui auraient pu permettre de prédire 90 % de ces génocides[103] :

— l'existence d'antécédents génocidaires (les conditions qui ont déjà conduit à des génocides risquant d'être toujours présentes) ;

— l'ampleur des bouleversements politiques (les élites despotiques menacées étant prêtes à recourir à tous les moyens pour rester au pouvoir ou pour le reprendre) ;

— le caractère ethnique de l'élite dirigeante (si les dirigeants proviennent d'une ethnie minoritaire, ils réagissent par une répression violente quand ils se sentent menacés) ;

— le caractère idéologique de cette élite dirigeante (un système idéologique extrême justifie ses efforts visant à restreindre, persécuter, ou éliminer certaines catégories de personnes) ;

— le type de régime (les régimes autocratiques sont beaucoup plus enclins à s'engager dans la répression des groupes d'opposition) ;

— une ouverture limitée aux échanges commerciaux (l'ouverture indique, au contraire, une volonté de l'État et des dirigeants de maintenir la primauté du droit et des pratiques économiques équitables) ;

— les discriminations sévères, politiques, économiques ou religieuses, à l'égard de minorités ;

— les efforts d'un groupe motivé par une idéologie d'exclusion pour prendre le pouvoir quand l'autorité centrale s'est effondrée (comme ce fut le cas des Serbes en Bosnie).

Tous facteurs confondus, plus de la moitié des épisodes génocidaires des cinquante dernières années ont été des génocides idéologiques (Cambodge), ou des « politicides » punitifs durant desquels un régime a puni une minorité rebelle (massacre des Kurdes par le régime de Saddam Hussein[104]).

Les systèmes totalitaires

« Il faut poser clairement comme principe que la faute la plus grande pèse sur le système, sur la structure même de l'État totalitaire[105] », écrit

Primo Levi. Les régimes totalitaires méprisent la raison et n'accordent aucune valeur à la vie humaine. Ils ne font aucun effort pour évaluer les conséquences de leur idéologie et de leurs activités. Ils méprisent également la liberté intellectuelle, l'essor des connaissances et le respect de la justice. Goering proclamait en mars 1933 : «Ici, je n'ai pas besoin de me préoccuper de justice; mon unique mission est de détruire et d'exterminer, rien d'autre.» Le mépris des dirigeants pour les individus au service d'un idéal aveugle conduit également à n'accorder aucune valeur à l'autre, et par extension à la vie humaine. Mao Tsé-toung n'hésitait pas à dire que la vie de ses citoyens ne comptait guère pour arriver à ses fins : «Si l'on additionne tous les propriétaires fonciers, les paysans riches, les contre-révolutionnaires, les mauvais éléments et les réactionnaires, leur nombre devrait atteindre 30 millions... Dans notre population de 600 millions de personnes, ces 30 millions ne sont qu'une sur vingt. Qu'y a-t-il à craindre?... Nous avons tellement de monde. Nous pouvons nous permettre d'en perdre quelques-uns. Quelle différence cela fait-il[106]?» Il ajoutait : «Les morts ont des avantages. Ils fertilisent le sol[107].» Mao, directement ou indirectement, causa la mort de 50 millions de personnes.

Ceux qui sont au service des dictateurs et en exécutent les ordres sont souvent frappés du même aveuglement et du même mépris de la vie humaine. Comme l'explique Todorov, tous les régimes extrémistes se servent du principe : «Qui n'est pas pour moi est contre moi», mais seuls les régimes totalitaires ajoutent : «Et qui est contre moi doit périr.» Ce qui caractérise plus spécifiquement le totalitarisme est que cet ennemi se trouve à l'intérieur même du pays, et que l'on étend le principe de guerre aux relations entre groupes de compatriotes. Les systèmes totalitaires renoncent à l'universalité et divisent l'humanité en êtres supérieurs (leurs partisans) et en êtres inférieurs (leurs opposants, qui doivent être punis, voire éliminés). C'est le régime qui détient la mesure du bien et du mal et décide de la direction dans laquelle la société doit évoluer[108]. L'État doit contrôler l'intégralité de la vie sociale d'un individu : son travail, son lieu d'habitation, ses biens, l'éducation ou les distractions de ses enfants, et même sa vie familiale et amoureuse. Cette totale mainmise lui permet d'obtenir la soumission de ses sujets : il n'y a plus de lieu où ils pourraient s'abriter et lui échapper.

La responsabilité de protéger

Plutôt que de mettre en avant le « devoir d'ingérence[109] », qui risque d'irriter les États sourcilleux de défendre leur souveraineté, les politologues Gareth Evans et Mohamed Sahnoun préfèrent parler de la responsabilité qui incombe aux États de protéger leurs citoyens. Mais, soulignent-ils, si les États ne sont pas en mesure de protéger leurs citoyens de massacres à grande échelle, de famines ou d'autres calamités, ou s'ils ne sont pas disposés à le faire, une telle responsabilité doit être assurée par la « communauté des États », principalement par l'ONU et les organisations intergouvernementales et régionales. Une telle responsabilité implique trois obligations : celle de *prévenir*, en éliminant les causes latentes et les causes immédiates des conflits internes ; celle de *réagir* par des mesures appropriées, coercitives s'il le faut, à des situations où la protection des citoyens est une nécessité impérieuse ; et celle de *reconstruire*, en fournissant une assistance à tous les niveaux afin de faciliter la reprise des activités, la reconstruction et la réconciliation.

31

La guerre a-t-elle toujours existé ?

La guerre est-elle une fatalité ? Pour le philosophe anglais Thomas Hobbes : « L'état de nature, c'est aussi l'état de la guerre de tous contre tous, guerre perpétuelle, puisqu'elle résulte de l'équilibre de puissances naturellement égales, guerre raisonnable, puisque l'homme est naturellement l'ennemi de l'homme[1]. »

Hobbes présente l'homme comme un être foncièrement égoïste, enclin à la violence et à la compétition, prêt à tout pour faire triompher ses intérêts sur ceux d'autrui. Il était de ceux qui pensent que, livrés à eux-mêmes, les hommes finissent rapidement par s'entre-tuer.

Winston Churchill renchérit : « L'histoire de la race humaine est la guerre. Mis à part de brefs et précaires interludes, il n'y a jamais eu de paix dans le monde ; avant le début de notre histoire, les conflits meurtriers étaient universels et sans fin. » Tout au long de notre éducation scolaire, on nous a ainsi appris que l'histoire de l'humanité n'est qu'une succession ininterrompue de guerres.

Forts de cet héritage intellectuel, les premiers paléontologues qui se sont penchés sur l'histoire de l'espèce humaine ont systématiquement interprété les marques de brisures ou d'écrasement observées sur les restes d'hommes préhistoriques comme étant des signes de mort violente causée par leurs congénères. Comme nous allons le voir, il s'est avéré que, dans la plupart des cas, cela n'était que le fruit de leur imagination. En fait, la plus grande partie de l'histoire de l'*Homo sapiens* s'est déroulée avant que le phénomène de guerre apparaisse il y a environ dix mille ans.

Un manuel de psychologie évolutionnaire explique que l'histoire humaine « révèle des coalitions de mâles en guerre omniprésentes à travers toutes les cultures[2]». Le fondateur de la sociobiologie, Edward O. Wilson, partage cette vision de l'homme et de son évolution : «Les êtres humains sont-ils naturellement agressifs ? La réponse est oui. Tout au long de l'histoire, la guerre, qui n'est autre que la technique la plus organisée de l'agression, a été endémique dans toutes les formes de sociétés, des groupes de chasseurs-cueilleurs aux États industriels[3].» De telles assertions sont innombrables dans les milieux de l'anthropologie, de l'archéologie et de la paléontologie.

Mais, depuis une vingtaine d'années, un nombre croissant de chercheurs défend des thèses très différentes. Dans son ouvrage *Beyond War : The Human Potential for Peace* («Au-delà de la guerre : le potentiel humain pour la paix»), l'anthropologue Douglas Fry a rassemblé les découvertes de chercheurs ayant réexaminé un vaste ensemble de recherches archéologiques et ethnographiques[4]. Le débat sur nos origines, violentes ou pacifiques, ne semble pas près de s'éteindre, mais comme le souligne l'éminent éthologue Robert Sapolsky dans sa préface du livre de Fry : «Un examen approfondi des faits nous conduit premièrement à critiquer le *statu quo* concernant la guerre et la nature humaine, ici appelé "le point de vue de l'homme guerrier" et, deuxièmement, à donner une nouvelle interprétation de l'agressivité humaine. Ce livre défend l'idée que la guerre n'est pas inévitable et que les humains ont une capacité considérable de gérer les conflits d'une manière non violente.»

Sommes-nous les descendants de singes tueurs ?

Selon deux anthropologues influents, Richard Wrangham et Dale Peterson, auteurs d'un livre au titre explicite – *Demonic Males : Apes and the Origins of Human Violence* («Mâles démoniaques : Les grands singes et l'origine de la violence humaine») –, nous sommes les «survivants hébétés de cinq millions d'années d'accoutumance à l'agression mortelle[5]». Les hommes seraient ainsi les descendants de «singes tueurs» et tiendraient de leurs ancêtres une prédisposition innée à la violence.

De même, dans son best-seller *Les Enfants de Caïn*[6], le vulgarisateur scientifique Robert Ardrey proclame : «Nous sommes des enfants de Caïn ! L'union du carnivore et du grand cerveau a donné l'homme. Notre plus vieil ancêtre, ce fut un tueur. Ses mœurs de tueur, voilà ce qu'il y a de plus sûr dans notre héritage. [...] L'homme est une bête de proie dont l'instinct est de tuer à l'aide d'une arme[7].»

Ces affirmations reposent sur deux hypothèses : la violence prédomine chez certains grands singes et il en allait de même chez notre ancêtre commun.

Une vie sociale plutôt paisible

Le premier point s'appuie principalement sur l'observation de comportements violents chez les chimpanzés, plus particulièrement sur l'épisode de la «guerre des chimpanzés» décrit par Jane Goodall dans la réserve de Gombe en Tanzanie. En réalité, nous l'avons vu dans un chapitre précédent, l'élimination d'un groupe de chimpanzés par une bande rivale reste un phénomène relativement rare. Dans la vie quotidienne, les disputes sont peu fréquentes et se soldent généralement par des réconciliations entre protagonistes qui s'épouillent mutuellement. Les observations de terrain effectuées par Jane Goodall et d'autres chercheurs montrent en effet que, si les chimpanzés consacrent 25 % de leur temps aux interactions sociales, pour un individu donné, la fréquence d'interactions agressives ne dépasse pas en moyenne deux disputes par semaine[8]. Par ailleurs, chez les chimpanzés, il n'est pas rare qu'un mâle dominant s'interpose lors d'une dispute et tienne les protagonistes à distance l'un de l'autre, le temps de calmer les esprits.

Qu'en est-il des autres primates ? Après avoir passé en revue un grand nombre d'études portant sur une soixantaine d'espèces, Robert Sussman et Paul Garber ont démontré que la vaste majorité des interactions sont amicales et coopératives (toilettage, partage de nourriture, etc.) [9]. Par contraste, les interactions antagoniques – accrochages, déplacements forcés, menaces et bagarres – constituent à peine 1 % des interactions sociales. Ces auteurs concluent : «Considérées dans leur ensemble, ces données peuvent expliquer pourquoi on observe que les primates non humains vivent en groupes sociaux relativement stables et unis et résolvent leurs problèmes quotidiens d'une manière généralement coopérative[10].» De même, après avoir observé les babouins pendant quinze ans, Shirley Strum conclut : «L'agression n'a pas une influence aussi omniprésente et importante dans l'évolution qu'on a pu le penser[11].»

De qui descendons-nous ?

Nous sommes très proches génétiquement des chimpanzés et des bonobos (notre ADN est à 99,5 % identique au leur), mais nous ne descendons ni de l'un ni de l'autre. D'après les données dont nous disposons, la lignée évolutive des « hominidés » (les ancêtres communs de l'homme et des grands singes) s'est séparée de celle des petits singes il y a environ dix millions d'années. Puis la lignée humaine a divergé de celle des grands singes il y a six millions d'années, bien avant la scission entre bonobos et chimpanzés. Il n'y a donc aucune raison de penser a priori que notre ancêtre commun ressemblait davantage aux chimpanzés qu'aux bonobos qui, eux, sont encore plus paisibles. Comme le remarque Frans de Waal :

> Si les bonobos avaient été connus plus tôt, les scénarios de l'évolution humaine auraient pu mettre l'accent sur les relations sexuelles, l'égalité entre mâles et femelles, l'origine de la famille, plutôt que sur la guerre, la chasse, l'emploi des outils et autres prérogatives masculines. La société bonobo semble régie par le « faites l'amour, pas la guerre » des années soixante, plutôt que par le mythe du singe tueur sanguinaire qui domine les manuels depuis plus de trois décennies[12]

La violence chez les hommes préhistoriques

En 1925, un jeune professeur d'anatomie, Raymond Dart, fit la découverte du crâne fossilisé d'un jeune primate de deux ou trois ans dans une carrière d'Afrique du Sud. Le crâne de l'« enfant de Taung », ainsi baptisé d'après le nom du site, était extraordinairement bien préservé et présentait un mélange de caractéristiques simiesques et humaines. Dart nomma l'espèce *Australopithecus africanus* (« le singe du sud de l'Afrique ») et affirma qu'il s'agissait d'un ancêtre du genre humain. Son hypothèse fut d'abord rejetée par la communauté scientifique puis, à mesure que de nouveaux spécimens d'australopithèques furent mis au jour, l'importance de sa découverte fut reconnue et l'australopithèque porté au rang de nos ancêtres, les hominidés.

Mais Dart avait aussi l'imagination fertile. Bien que n'étant pas spécialiste des processus de fossilisation, après qu'il eut découvert plusieurs spécimens d'australopithèques, il vit dans la présence de crânes fracturés et d'ossements brisés autant de preuves que ces ancêtres de l'homme étaient non seulement des chasseurs, mais qu'ils s'entre-tuaient et s'adonnaient au cannibalisme[13]. Les nombreux crânes de babouins et quelques crânes d'australopithèques défoncés ou troués trouvés sur le même site signifiaient aux yeux de Dart que les individus avaient été tués avec des assommoirs constitués de tibias dont les protubérances avaient produit les marques observées sur les crânes. De même, à partir de l'observation de trous régulièrement espacés sur un crâne, il concluait à un meurtre rituel. Lorsqu'un collègue lui demanda : «Selon vous, quel pourcentage d'australopithèques a été assassiné?», Dart répondit : «Pourquoi cette question? Tous, bien sûr.» Dans la prose haute en couleur de Dart, nos ancêtres étaient des «tueurs avérés; des créatures carnivores, qui s'emparaient brutalement de leurs proies, les battaient à mort, déchiquetaient leurs corps brisés, les démembraient, étanchaient leur soif insatiable avec le sang chaud des victimes et dévoraient goulûment leur chair encore palpitante[14]». Tout un programme...

Les interprétations de Dart – qui ont entre-temps inspiré toute une littérature sur la barbarie ancestrale de l'homme, dont *Les Enfants de Caïn* que nous avons cités plus haut – n'ont pas résisté aux investigations effectuées par ses successeurs. L'examen minutieux des restes fossiles a conduit des spécialistes de l'anthropologie physique à conclure que l'éclatement des os et des crânes résultait des compressions exercées sur les spécimens par les rochers et la terre durant les millénaires de leur fossilisation[15].

Une autre paléontologue, C.K. Brain, conclut que les trous observés dans les calottes crâniennes étaient très vraisemblablement des perforations produites par les dents d'une espèce éteinte de léopard dont des restes ont été retrouvés dans la même couche géologique que les australopithèques. La taille et la disposition des canines protubérantes de ces fauves correspondaient exactement à la disposition des trous jumelés observés sur les crânes de babouins et d'australopithèques[16]. On peut donc adhérer aux conclusions de Douglas Fry : «Les meurtriers simiesques et cannibales que Dart avait dépeints avec tant de réalisme se sont révélés n'être rien de plus qu'un repas de léopard. Les horrifiantes reconstitutions de Dart n'étaient que pure fantaisie[17].» Frans de Waal résume ainsi ce retournement :

> L'ironie du sort veut qu'on pense aujourd'hui que l'australopithèque, loin d'avoir été un prédateur, fut l'une des proies préférées des grands carnivores. [...] Il se pourrait donc que les débuts de notre lignée aient été marqués non par la férocité, mais par la peur[18].

Quant aux marques trouvées sur le crâne de l'enfant de Taung, il a été montré par la suite qu'elles ressemblaient en tout point – taille et distribution, tracés des égratignures, formes des fractures, etc. – aux marques que font encore de nos jours les aigles couronnés de la Côte d'Ivoire sur le crâne des jeunes babouins dont ils se nourrissent[19].

Ainsi, les principales découvertes qui avaient conduit les premiers chercheurs à affirmer que nos ancêtres préhistoriques étaient très violents les uns envers les autres, se sont révélées, les unes après les autres, explicables de façon plus plausible par des phénomènes naturels ou par les violences infligées par des prédateurs non humains.

La guerre a-t-elle toujours existé ?

La guerre est définie comme une agression effectuée en groupe par les membres d'une *communauté* contre des membres d'une *autre communauté*. Elle cause dans la quasi-totalité des cas la mort de membres non spécifiques de la communauté ennemie. La guerre doit donc être distinguée de la violence *personnalisée* caractéristique des homicides et des actes de vengeance qui visent un ou plusieurs individus en particulier[20].

La guerre laisse des traces identifiables : des fortifications érigées autour des villages ; des armes destinées au combat (qui diffèrent des armes de chasse) ; des représentations de scènes guerrières dans l'art ; des sépultures contenant un nombre important de squelettes avec des pointes de projectiles ou d'autres artefacts imbriqués dans les os ou d'autres endroits du corps ; ainsi qu'une réduction du nombre de mâles enterrés près des villages (suggérant qu'ils sont morts ailleurs). La présence simultanée de plusieurs de ces indications et leur répétition dans une même région constituent une preuve d'activités guerrières.

Or l'examen de nombreux documents archéologiques a conduit beaucoup de chercheurs, dont l'anthropologue Leslie Sponsel, à constater que :

> Pendant la phase de chasseurs-cueilleurs de l'évolution culturelle, qui représente 99% de l'existence humaine sur la planète [...], le manque de preuves archéologiques de la guerre suggère qu'elle a été rare ou absente durant la plus grande partie de la préhistoire humaine[21].

Durant des millions d'années les hominidés, nos ancêtres, disposaient d'immenses espaces. Selon le travail de synthèse effectué par le Bureau du recensement des États-Unis, il y a dix mille ans, juste avant le développement de l'agriculture, la population de la planète comptait entre 1 et 10 millions d'individus[22]. Jusqu'à cette époque, on trouve certes des vestiges indiquant que certains individus ont probablement été victimes de meurtres, mais on ne trouve aucune trace de guerre *entre groupes*. Selon l'anthropologue Jonathan Haas : «Les preuves archéologiques de l'existence avant dix mille ans d'une forme quelconque de guerre quelque part sur la planète sont négligeables[23].» Cela semble compréhensible si l'on songe, comme le souligne Frans de Waal, que «les premières sociétés humaines vivaient en petits groupes épars, éloignés les uns des autres, et n'avaient aucune raison de se faire la guerre. Ils étaient beaucoup plus préoccupés de survivre en échappant aux terrifiants prédateurs qui dominaient la nature d'alors[24]».

Les premiers signes de guerre

L'étude des sociétés de chasseurs-cueilleurs qui ont survécu jusqu'à notre époque montre également qu'il s'agit de petites communautés égalitaires, sans chefs ni hiérarchie marquée, qui, du fait de leur grande mobilité, ne pouvaient posséder beaucoup de biens ni accumuler des provisions[25]. Selon le spécialiste de l'évolution Bruce Knauft : «Du fait de l'accent mis sur l'accès égalitaire aux ressources, sur la coopération et sur de diffus réseaux d'affiliation, la tendance opposée, celle à la rivalité entre les groupes et à la violence collective, est minimale[26].» Quant à l'ethnologue Christopher Boehm, réputé pour son savoir encyclopédique, il a étudié des centaines de sociétés diverses et résume ainsi l'image qui émerge des données qu'il a analysées :

> Il y a quarante mille ans, à l'apparition des humains anatomiquement modernes qui vivaient encore en petits groupes et n'avaient pas

encore domestiqué les plantes et les animaux, il est très probable que toutes les sociétés humaines pratiquaient des comportements égalitaires et que, la plupart du temps, elles l'ont fait avec beaucoup de succès[27].

De nos jours encore, les Paliyan d'Inde du Sud, étudiés par l'ethnographe britannique Peter Gardner, accordent une grande valeur au respect de l'autre, à son autonomie et à l'égalité entre tous les membres de la communauté, hommes et femmes. Après la chasse, la communauté répartit la viande en portions égales, puis chacun prend l'une de ces parts, qu'il ait ou non participé à la chasse et quel que soit le rôle qu'il y ait joué. Les Paliyan évitent toute forme de concurrence et vont jusqu'à s'abstenir de faire des comparaisons entre les gens. Ils ne cherchent aucune forme de prestige et n'ont pas de chef. Ils préfèrent gérer les conflits par la médiation ou l'évitement plutôt que par la confrontation[28]. Il en va exactement de même chez les Kung du Kalahari. Lorsqu'un chasseur émérite ramène une chasse particulièrement fructueuse, il est accueilli avec allégresse mais aussi, pour éviter qu'il ne se prenne trop au sérieux, avec des plaisanteries du genre : «Quel tas de peau et d'os inutile!» Quiconque chercherait à s'imposer comme chef s'expose à l'ostracisme général[29].

De nombreuses cultures ont également des coutumes qui tendent à empêcher l'apparition d'une hiérarchie au sein du groupe. Selon Boehm, «parmi les tribus hadza, si un chef en puissance tente de persuader d'autres Hadza de travailler pour lui, ceux-ci lui font clairement comprendre que ses tentatives les amusent. Parmi les Iban, si un "chef" essaie de donner des ordres, personne n'écoute[30]».

C'est lorsque certains chasseurs-cueilleurs commencèrent à se sédentariser qu'apparurent des inégalités, des stratifications hiérarchiques et des transmissions héréditaires de richesse[31]. Ces populations sédentaires se mirent à cultiver la terre et à domestiquer les animaux; ils purent ainsi accumuler des richesses, qui conféraient du pouvoir, devaient être protégées et attiraient des convoitises. Cette situation nouvelle a créé des raisons, jusqu'alors inexistantes, d'attaquer un *groupe* de personnes pour s'emparer de ses richesses, de ses terres ou de son bétail. Ces razzias n'étaient plus dirigées vers des individus en particulier, mais vers des communautés. Elles se transformèrent peu à peu en guerres de conquête. Des minorités triomphantes gouvernent. On voit apparaître une noblesse, un clergé et d'autres structures hiérarchiques qui marquent la fin de l'égalité au sein de la société.

C'est donc il y a environ dix mille ans que l'on observe les premiers signes de guerre. Au Proche-Orient, c'est à cette époque que la chasse et la cueillette font place à une économie fondée sur l'agriculture et l'élevage. Les relevés archéologiques indiquent des traces éparses de guerre remontant à environ neuf mille cinq cents ans, puis une propagation géographique et une intensification de la guerre au fil des siècles. Les fortifications, absentes jusqu'alors, apparaissent il y a environ sept mille ans le long des routes commerciales[32]. On relève aussi les premiers signes de massacres et de sépultures groupées d'hommes dans la force de l'âge[33].

Les fameux murs de Jéricho, qui remontent à plus de neuf mille ans, furent longtemps considérés, à tort, comme les premières fortifications guerrières connues. Un examen plus attentif de la situation a conduit l'archéologue Marilyn Roper à conclure qu'on ne trouve aucun signe de guerre : ni sépultures abritant un grand nombre de squelettes et d'armes, ni traces d'incendie ou d'invasion du village, etc. Par ailleurs, cinq autres sites contemporains de la région sont dépourvus de murs d'enceinte[34]. Les douves de Jéricho ne furent creusées que sur trois côtés, laissant donc un côté ouvert, ce qui n'a guère de sens pour une structure défensive. Finalement, compte tenu de toutes les données disponibles, l'archéologue Bar-Yosef a proposé une alternative plausible : les murs néolithiques de Jéricho semblent avoir été érigés pour former un rempart contre les inondations et les coulées de boue[35].

Sur le continent américain, les premiers signes de guerre apparaissent il y a quatre mille ans au Pérou et trois mille ans au Mexique. Dans son étude portant sur les régions côtières d'Amérique du Nord, l'archéologue Herbert Mashchner note qu'avant deux mille ans, on ne trouve qu'un petit nombre de traces de traumatismes attribuables à des coups de massue, par exemple, parmi les vestiges de squelettes. Puis, il y a environ mille cinq cents, voire mille huit cents ans, les signes caractéristiques d'activités guerrières deviennent évidents. On note des structures défensives et de plus grands villages, construits sur des positions stratégiques qui en facilitent la défense. De plus, on observe un déclin de la population, attribué aux conflits[36].

Il semble donc que les affirmations des anthropologues Wrangham et Peterson, selon lesquelles «ni dans l'histoire ni sur la planète, on ne trouve trace d'une société véritablement pacifique», ne reposent sur aucune preuve tangible[37]. Ces auteurs soutiennent que l'existence de la guerre remonte à des millions d'années, sans étayer leurs assertions à l'aide de données archéologiques. Pour Fry, l'une des erreurs méthodologiques de ces auteurs consiste à assimiler les morts violentes (un terme ambigu) et les homicides à des actes de guerre[38]. Ils parlent alors, comme le fait également l'archéologue américain Lawrence Keeley, de «guerres préhistoriques», pour des faits qui n'ont rien en commun avec ce que nous appelons aujourd'hui une «guerre»[39]. Comme le remarque Fry, c'est un peu comme si on parlait de guerre lorsqu'une Anglaise empoisonne son mari ou que des bandits d'Amérique du Sud dévalisent et tuent des voyageurs sur une route déserte[40].

La violence des sociétés primitives

Les anthropologues nous apprennent que les êtres humains ont passé plus de 99 % de leur existence sur la planète en bandes nomades subsistant grâce à la cueillette et à la chasse. Là encore, on retrouve à l'œuvre les mêmes préjugés, qu'illustre bien, par exemple, le manuel de psychologie évolutive intitulé *The Dark Side of Man : Tracing the Origins of Male Violence* («La face sombre de l'homme : Retracer les origines de la violence masculine»), dans lequel l'auteur, l'anthropologue Michael Ghiglieri, déclare : «Les documents retraçant l'histoire humaine, qui comprennent des centaines d'études ethnographiques de cultures tribales du monde entier, révèlent l'omniprésence, dans toutes les cultures de la planète, de guerres de coalition menées par des mâles[41].» Le même auteur conclut de manière fort encourageante : «Nous vivons dans un monde où les tricheurs, les voleurs, les violeurs, les meurtriers et les fauteurs de guerre rôdent dans tous les paysages humains.»

L'un des anthropologues qui a le plus largement contribué à cette sombre vision des choses est Napoleon Chagnon, auteur d'une publication, devenue instantanément célèbre, sur les Indiens yanomamis de la forêt amazonienne[42]. Dans cet article et dans le livre qui suivit, *Yanomamo : The Fierce People* («Yanomamis : Le peuple féroce»)[43], Chagnon affirmait notamment que les hommes ayant commis des meurtres au cours de raids dans les tribus voisines avaient plus de femmes et trois fois plus d'enfants que ceux qui n'avaient jamais tué personne. Ainsi, les tueurs ayant un avantage reproductif sur leurs congénères moins violents transmettraient-ils plus souvent leurs gènes aux générations suivantes et devraient donc avoir été favorisés par l'évolution. Chagnon en déduisit que « la violence est peut-être la principale force agissante derrière l'évolution de la culture ». Son livre s'est vendu à des millions d'exemplaires dans le monde, contribuant largement à propager l'image de l'homme primitif violent.

Mais il s'est avéré que son étude péchait sur de nombreux points, en particulier dans la sélection des groupes d'âge différents : l'échantillon de tueurs que Chagnon avait sélectionné était en moyenne de dix ans plus âgé que celui des non-tueurs. Il est évident que, indépendamment de leur qualité de « tueurs » ou de « non-tueurs », les hommes de trente-cinq ans auront eu, en moyenne, davantage d'enfants que ceux de vingt-cinq ans. L'étude de Chagnon est entachée de bien d'autres erreurs méthodologiques qui en invalident les conclusions.

Le psychologue Jacques Lecomte rechercha minutieusement d'autres études anthropologiques sur ce thème et n'en trouva que deux, l'une conduite chez les Cheyennes, l'autre chez les Waorani, en Équateur[44]. Toutes deux sont méthodologiquement plus rigoureuses que celle de Chagnon et aboutissent à la conclusion inverse : les hommes impliqués dans des actions meurtrières ont en moyenne moins d'enfants que les autres[45].

L'anthropologue Kenneth Good, élève de Chagnon, s'attendait au pire lorsqu'il se rendit sur place. Finalement, il passa de nombreuses années parmi les Yanomamis et se maria même avec une jeune fille du groupe. Il découvrit une tout autre réalité[46] :

> À ma grande surprise, écrit-il, j'avais trouvé auprès d'eux un genre de vie qui, bien que dangereux et rude, était fait aussi de camaraderie, de compassion, et fournissait mille leçons quotidiennes d'harmonie communautaire[47]. [...] Au fil des mois j'appréciais de plus en plus leur façon de vivre, l'harmonie et la cohésion de leur groupe. [...] J'aimais l'entraide familiale, la façon dont les gens s'occupaient des enfants, sans jamais s'en séparer, les choyant ou les éduquant constamment. J'aimais le respect qu'ils se vouaient les uns aux autres. [...] Malgré les raids, les accès de colère et les combats, c'est en fin de compte un peuple heureux, vivant dans une société harmonieuse[48].

Kenneth Good reste lucide sur le potentiel de violence des Yanomamis et reconnaît l'existence de raids pour se venger d'un meurtre ou en vue de se saisir de femmes appartenant aux tribus voisines mais, selon lui, en généralisant à tout un peuple le comportement de quelques individus, Chagnon a autant déformé la réalité que le ferait un sociologue qui décrirait les New-Yorkais comme «un peuple de voleurs et de criminels». En résumé, chez les Yanomamis, la violence n'est le fait que d'une minorité d'individus et, même parmi ces derniers, elle est rare[49].

On peut se demander si la popularité du livre de Chagnon n'est pas en partie due au fait qu'il semble donner une caution scientifique aux croyances sur la nature violente de l'homme. Comment se faire une idée plus nuancée de l'incidence de la violence dans les cultures primitives? Dans leur introduction à la *Cambridge Encyclopedia of Hunters and Gatherers* («Encyclopédie des chasseurs-cueilleurs»), publiée par l'université de Cambridge, Richard Lee et Richard Daly résument les conclusions des nombreuses études conduites jusqu'à ce jour :

> Les chasseurs-cueilleurs sont généralement des peuples qui ont vécu jusqu'à récemment en l'absence d'une discipline générale imposée par un État. [...] *À l'évidence*, ils ont vécu étonnamment bien ensemble, résolvant leurs problèmes entre eux, le plus souvent sans recourir à une figure d'autorité et sans inclination particulière à la violence. Ce n'était donc pas la situation décrite par le grand philosophe du XVIIe siècle Thomas Hobbes, dans sa célèbre formule de «la guerre de tous contre tous»[50].

De nos jours encore, les Batek et les Semai de Malaisie, par exemple, évitent la violence et choisissent systématiquement de s'éloigner de leurs ennemis potentiels, allant jusqu'à prendre la fuite afin d'éviter tout conflit. Ils sont pourtant loin d'être lâches et font preuve d'un grand courage dans la vie quotidienne. L'anthropologue Kirk Endicott demanda une fois à un Batek pourquoi ses ancêtres n'avaient pas utilisé leurs sarbacanes avec des flèches empoisonnées pour tirer sur les Malais qui lançaient des raids en vue de capturer des Batek et de les réduire à l'esclavage. L'homme fut choqué par la question et répondit : «Mais, parce que ça les aurait tués[51] !» Lorsque des disputes surviennent au sein de leur communauté ou avec un autre groupe, ils trouvent un moyen de les régler par la médiation. Comme l'expliquait un Semai : «Nous faisons très attention à ne pas faire de mal aux autres. [...] Nous détestons vraiment être impliqués dans les conflits. Nous voulons vivre en paix et en sécurité[52].» La non-violence est inculquée aux enfants dès leur plus jeune âge.

Il existe certes des voix dissidentes, comme l'anthropologue Carole Ember, mais elle aussi commet l'erreur d'inclure sous l'appellation de «guerre» les comportements hostiles en tout genre, y compris les meurtres individuels[53]. Utilisant des critères plus réalistes, d'autres chercheurs ont recensé plus de soixante-dix cultures traditionnelles qui sont en majorité exemptes de violence[54]. Cela ne signifie pas que la violence et le meurtre soient absents de ces cultures, mais qu'il s'agit de disputes personnelles et non de conflits entre groupes.

Lancez les javelots, mais attention de ne blesser personne !

Dans la Terre d'Arnhem, en Australie, on trouve de nombreux sites d'art rupestre vieux de dix mille ans, où sont représentés des animaux, des êtres humains et des créatures mythiques. La plupart des scènes évoquent la vie quotidienne, et sur certaines d'entre elles apparaissent des personnages lançant des javelots et des boomerangs.

Les archéologues Paul Tacon et Christopher Chippindale ont interprété ces dernières comme des scènes de guerre. Dans un article intitulé «Anciens guerriers d'Australie», ils expliquent que «certaines des peintures dépeignent des combats et leur épilogue, incluant des scènes de bataille très détaillées[55]».

Or des études bien documentées ont établi que la guerre était inconnue chez les aborigènes[56]. Mais, surtout, les ethnologues ont décrit une coutume ancestrale, encore pratiquée jusqu'à récemment, qui ressemble fort à ce qui était représenté sur les peintures rupestres. Lorsque les membres de deux tribus avaient accumulé doléances et griefs les uns contre les autres – séduction des femmes ou promesses non tenues –, passé une certaine limite de tolérance, l'une des tribus partait en expédition et campait à proximité de l'autre.

La première nuit se passait en visites réciproques, effectuées par des individus qui se connaissent bien et ne s'étaient pas vus depuis longtemps. Puis, le lendemain matin, quelques douzaines d'hommes de chaque camp se disposaient face à face. Un ancien de l'une des tribus ouvrait les hostilités en haranguant un individu de l'autre tribu, déversant sur lui, avec force détails, toutes ses récriminations. Lorsqu'il était à bout de souffle et d'arguments, l'accusé rétorquait avec autant de verve, aussi longtemps qu'il le souhaitait. Puis venait le tour d'un deuxième membre de la première tribu de débiter son réquisitoire, auquel la personne visée répondait en exprimant ses propres doléances. Il est remarquable de noter que ces reproches véhéments étaient toujours adressés à des individus, jamais au groupe lui-même. Or, on l'a vu, on sait que les violences de masse, les massacres comme les génocides, commencent toujours par la diabolisation d'un groupe particulier.

Après d'interminables palabres, finalement, le jet de lances commençait. Il s'agissait toujours d'un individu qui en visait un autre en particulier, et il était principalement pratiqué par les anciens et non par les jeunes en pleine force de l'âge. Lorsque c'étaient des jeunes qui lançaient l'arme, les aînés ne manquaient pas de leur rappeler : «Fais attention, ne blesse personne!» Les échanges de jets calculés pour manquer leur cible continuaient, jusqu'à ce que, par inadvertance, une personne soit blessée. Dès lors, tout s'arrêtait. Quoi qu'il en soit, après une nouvelle bordée de protestations, à laquelle se joignaient cette fois-ci tous les parents de la victime, qui se trouvaient le plus souvent répartis dans les *deux camps* en raison des mariages entre groupes, la séance était levée.

On voit comment était fournie, de façon théâtrale, la possibilité pour chacun des membres des deux tribus qui entretenaient habituellement de bonnes relations, de «vider son sac» lorsque trop de rancunes avaient été accumulées. Un conflit beaucoup plus grave était ainsi évité. En perçant l'abcès, on guérit la maladie et les bonnes relations reprennent. Loin d'être un acte de guerre, ces batailles cérémonielles servaient à apaiser les tensions et à *éviter* de véritables conflits. Pourtant, en dépit du fait qu'en vingt ans d'observations, W. Lloyd Warner n'a jamais relevé une seul mort résultant de ces *makarata*, il a fait de ce rituel, qu'il définit pourtant lui-même comme un «combat de cérémonie pour faire la paix», l'une des «six catégories de guerres» qu'il a répertoriées[57]. Il est pour le moins paradoxal de nommer «guerre» un rituel destiné à faire la paix qui ne cause aucune mort[58].

Ni anges ni démons : remettre la violence en perspective

Il importait donc, en faisant référence au travail de synthèse de Douglas Fry et d'autres anthropologues, de dissiper la croyance en une humanité depuis toujours brutale, sanguinaire et instinctivement portée à la violence. Néanmoins, une fois rétablie une vision plus proche de la réalité, à savoir que la plupart des tribus primitives mettaient davantage l'accent sur la coopération et la cohabitation pacifique que sur l'exploitation et l'agressivité, il serait tout aussi faux de donner une vision idyllique de nos ancêtres. L'image du « bon sauvage » de Rousseau n'est pas plus plausible que celle de l'« homme guerrier ». La violence individuelle faisait partie de l'existence de nos ancêtres et se traduisait par des meurtres, eux-mêmes suivis de représailles. Bien que la façon d'en établir le compte prête à controverse, il semble que le taux de mort violente (incluant la mort due aux prédateurs non humains) varie de quelques pour cent à 15 % dans les sociétés préhistoriques et dans les sociétés contemporaines de chasseurs-cueilleurs, avec des extrêmes qui ont naturellement attiré l'attention, celui des Waorani de l'Amazonie par exemple, chez lesquels on a recensé jusqu'à 60 % de morts violentes chez les hommes[59].

À l'inverse, aujourd'hui, le taux d'homicides en Europe n'est que de 1 pour 100 000 habitants (0,001 %) par an. En dépit de toutes les nouvelles alarmistes largement diffusées dans les médias, nous vivons incomparablement plus en sécurité que dans le passé.

Si la guerre n'a donc pas existé durant 98 % de l'histoire humaine, elle a en revanche connu un essor il y a environ une dizaine de milliers d'années, pour atteindre des dimensions catastrophiques pendant plusieurs millénaires. Mais au cours des derniers siècles, et plus particulièrement depuis la seconde moitié du XXe siècle, comme le montre le chapitre suivant, le nombre des conflits et leur gravité n'ont cessé de diminuer[60].

32

Le déclin de la violence

À chaque instant, des actes d'une extrême violence sont commis à un endroit ou à un autre de la planète, et nous en sommes informés presque instantanément. Les statisticiens nous disent aussi parfois que la violence s'accroît dans telle ou telle région du monde. Mais qu'en est-il de l'évolution globale de la violence au cours des siècles ?

Pour répondre à cette question, il est indispensable, d'une part, d'envisager l'évolution de la violence sur de longues périodes de temps et, d'autre part, de ne pas prendre en compte uniquement les événements ou conflits qui frappent le plus notre conscience, mais d'analyser le plus grand nombre de données possible.

La réponse est surprenante et dément les idées reçues : la violence individuelle et collective n'a cessé de diminuer depuis un millénaire, et tout particulièrement depuis soixante ans. Cette conclusion est le fruit d'investigations précises et de grande ampleur menées par plusieurs équipes de chercheurs au cours des trente dernières années.

L'une des raisons pour lesquelles cette affirmation nous déconcerte tient à l'ignorance ou à l'oubli du niveau de violence qui a caractérisé les siècles passés. Un sondage, conduit par Steven Pinker, auteur d'un ouvrage érudit de 800 pages sur le déclin de la violence, montre que les gens se trompent systématiquement dans leur évaluation du niveau de violence qui prévalait à différentes époques de notre histoire. Selon ce sondage, les Anglais interrogés croient que le XXe siècle a été globalement un peu plus violent que le XIVe siècle en termes d'homicides, alors qu'en réalité il l'a été de vingt à cinquante fois moins selon les pays. Il en va de même de la quasi-totalité des autres paramètres pris en compte pour mesurer la violence au cours des siècles.

Le déclin de la violence individuelle

Au XIVe siècle, un Européen avait en moyenne cinquante fois plus de risques d'être victime d'un homicide qu'aujourd'hui. En utilisant les archives des tribunaux et des municipalités anglaises, le politologue Robert Gurr a mis en évidence qu'à Oxford, en 1350, le taux annuel d'homicides était de 110 pour 100 000 habitants. Ce taux est tombé à 10 au XVIe siècle et à 1 aujourd'hui[1]. Comme le montre la figure ci-dessous, il en va de même dans toute l'Europe.

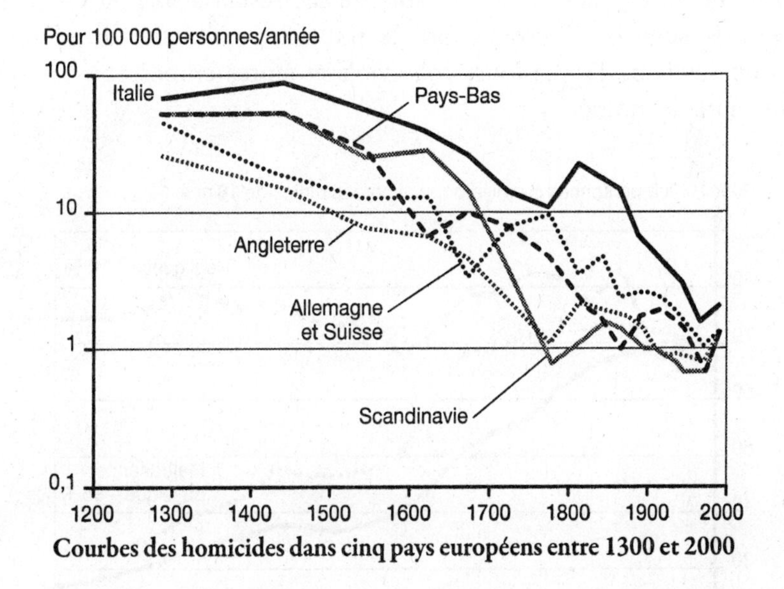

Courbes des homicides dans cinq pays européens entre 1300 et 2000

Les homicides de personnes non apparentées ont diminué davantage que les meurtres familiaux, tandis que les hommes sont restés responsables de 92 % des meurtres. À la fin des années 1820, l'infanticide représentait 15 % des homicides en Europe. En France, aujourd'hui, il n'en représente plus que 2 % et les homicides en général ont diminué de moitié depuis 1820[2].

D'après les statistiques de l'OMS les plus complètes dans ce domaine, le taux annuel moyen d'homicides dans le monde était tombé à 8,8 pour 100 000 personnes en 2009[3]. Dans la totalité des pays d'Europe occidentale, ce taux est tombé à 1, alors qu'il reste élevé dans les pays où les forces de l'ordre et la justice sont corrompues ou sous la coupe d'importants trafiquants de drogue (34 pour 100 000 en Jamaïque, 30 en Colombie et 55 au Venezuela). D'autres nations comme la Russie (30) et l'Afrique du Sud (69) ont du mal à effectuer la transition entre régime totalitaire et État de droit[4].

Il arrive que la violence augmente momentanément dans certains pays ou certaines villes, en raison de situations particulières dues notamment aux conflits et à l'instabilité politique, mais c'est sur le long terme qu'il faut juger du déclin de la violence. Aux États-Unis, par exemple, à la fin des années 1960 la violence s'est accrue, jusqu'à doubler au début des années 1990 (alors qu'elle restait stable au Canada). Puis, à la suite de l'introduction de nouvelles politiques de sécurité urbaine, les taux d'agressions, vols, viols et autres crimes ont de nouveau chuté de moitié.

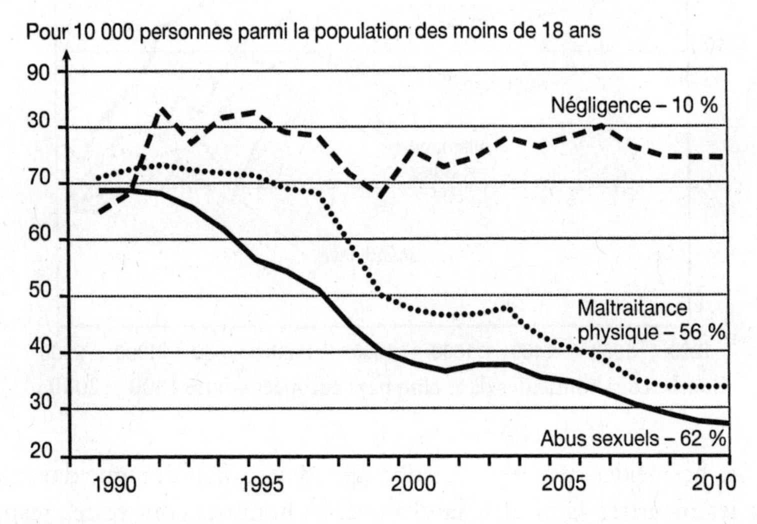

Les châtiments corporels étaient encore courants lorsque j'étais à l'école communale en Île-de-France dans les années 1950. Jusqu'à récemment, ils étaient considérés comme des moyens pédagogiques efficaces, et leur recours était encouragé aussi bien à l'école qu'à la maison. Durant les dernières décennies, ils ont diminué de façon spectaculaire. Un enseignant prussien du XVIIIe siècle, visiblement féru de statistiques, rapporte dans ses mémoires avoir infligé 154 000 coups de fouet et 911 527 coups de bâton à ses élèves en cinquante et un ans de carrière[5] ! 81 % des Allemands giflaient encore leurs enfants en 1992, mais en 2002 ce nombre est tombé à 14 %, tandis que le pourcentage de ceux qui les battaient jusqu'à leur infliger des hématomes est tombé de 31 % à 4 %, tout cela à la suite d'une interdiction nationale des punitions corporelles. Toutefois, les châtiments corporels restent fréquents dans certains pays d'Asie et d'Afrique[6].

De façon plus générale, la maltraitance des enfants a considérablement diminué dans la plupart des pays. Ainsi, comme le montre le graphique ci-contre, elle a baissé de plus de 50 % aux États-Unis entre 1990 et 2010[7].

La violence domestique a, elle aussi, considérablement diminué dans les pays occidentaux – aux États-Unis, la fréquence des viols a diminué de 85 % entre 1979 et 2006[8] – bien qu'elle reste un problème grave dans de nombreux pays.

Le déclin de la violence institutionnalisée

On entend par violence institutionnalisée toute forme de souffrance qu'un individu inflige à un autre et qui est reconnue comme étant « légitime » par les instances dirigeantes d'une société qui l'encouragent et la cautionnent.

Pendant plusieurs millénaires, les sacrifices humains étaient fréquents dans de nombreuses civilisations – chez les Hébreux, les Grecs, les Hindous et les Celtes, par exemple ; ils prirent des formes extrêmes chez les Khonds de l'Inde (une ethnie tribale indienne vivant dans les États de l'Orissa et du Madhya Pradesh), ou dans les tribus du Bénin et du Dahomey, qui sacrifiaient leurs congénères par milliers. Le summum fut atteint par les Aztèques qui, selon l'historien Matthew Price, sacrifiaient jusqu'à 40 personnes par jour, ce qui correspond à 1,4 million d'individus entre 1440 et 1524[9]. Dans les hautes castes de l'Inde, les veuves étaient parfois brûlées vives sur le bûcher crématoire de leur mari défunt. On estime que ce rituel, appelé *sati*, coûta la vie à 200 000 veuves indiennes du XIVe au XIXe siècle, époque où les Anglais interdirent cette pratique.

Au Moyen Âge, la torture était pratiquée ouvertement et ne semblait choquer personne. La pendaison, le supplice de la roue, l'empalement, l'écartèlement par des chevaux et le supplice du bûcher étaient monnaie courante[10]. Des condamnés, parfois innocents, étaient suspendus à une poutre, les jambes écartées, la tête en bas, pour être sciés en deux en commençant par l'entrejambe, le tout en présence d'une foule de badauds, enfants inclus. Ceux qui infligeaient ces tortures étaient experts en anatomie et s'ingéniaient à prolonger les douleurs des suppliciés. Les tortures furent autorisées par le pape Innocent IV (v. 1195-1254) dans le cadre de persécutions religieuses et furent largement pratiquées par les dominicains de l'Inquisition qui mirent à mort environ 350 000 personnes. Le pape Paul IV (1476-1559), Grand Inquisiteur, était un fervent adepte de la torture, ce qui ne l'empêcha pas d'être canonisé en 1712[11].

Il y a seulement deux cent cinquante ans, en France, le président de l'Académie des sciences observait avec complaisance le supplice d'un homme écartelé en public pour avoir attaqué Louis XV avec un canif[12]. Samuel Pepys, membre du Parlement anglais et auteur d'un journal décrivant la vie à Londres au XVIIe siècle, raconte être allé se promener à Charing Cross où était installé un pilori servant aux exécutions publiques. Ce jour-là, Pepys assista à la pendaison du major général Harrison dont le corps fut ensuite dépecé pour que sa tête et son cœur soient exhibés devant le public qui poussait des cris de joie. Pepys nota qu'Harrison «avait l'air d'aussi bonne humeur qu'un homme peut l'être dans de telles circonstances. Il [Pepys] alla ensuite déguster des huîtres avec des amis[13]».

Aux XVIe et XVIIe siècles, entre 60 000 et 100 000 personnes (dont 85 % de femmes) furent exécutées pour sorcellerie, généralement brûlées sur un bûcher après avoir confessé sous la torture les crimes les plus invraisemblables (comme d'avoir dévoré des bébés, provoqué des naufrages, ou s'être unies au démon). La dernière des «sorcières» à être publiquement brûlée vive en Suisse fut Anna Göldin, en 1782, dans le canton de Glaris.

Durant l'Inquisition espagnole, les autodafés étaient annoncés suffisamment à l'avance pour que la population puisse venir y assister et, comme lors d'un match de football de nos jours, la veille du supplice tous les hôtels de la ville étaient complets. Le condamné était emmené en procession sur les lieux de l'exécution, le public entonnait des chants religieux, la sentence était proclamée haut et fort et la mise à mort avait lieu. On étranglait parfois ceux qui devaient être brûlés sur le bûcher, mais la foule protestait si on faisait cette faveur à trop de condamnés, car elle voulait en voir quelques-uns être brûlés vifs[14]. L'historienne

Barbara Tuchman raconte qu'il arriva aux habitants d'une petite ville française d'acheter un condamné à une ville voisine, pour pouvoir ainsi jouir d'une exécution publique[15].

La violence était présente jusque dans les divertissements, à commencer par les jeux du cirque de la Rome antique. Barbara Tuchman décrit deux sports populaires au XIVe siècle en Europe :

> Les joueurs, les mains liées derrière le dos, s'évertuaient à tuer à coups de tête un chat cloué à un poteau, au risque d'avoir les joues lacérées ou les yeux crevés par les griffes de l'animal frénétique... Ou un cochon était enfermé dans un enclos et poursuivi par des hommes armés de gourdins, tandis que l'animal courait dans tous les sens en couinant, salué par les rires des spectateurs, jusqu'à ce qu'il succombe sous les coups[16].

Au XVIe siècle, à Paris, un spectacle sur scène apprécié par les foules consistait à faire descendre lentement dans un feu des chats suspendus à des filins, et à les regarder se débattre avec des cris horribles jusqu'à ce qu'ils soient carbonisés.

Le rejet de la violence : une évolution des cultures

On mesure la distance parcourue jusqu'à nos jours. Les mentalités ont commencé à évoluer au XVIIe et, surtout, au XVIIIe siècle. Avec les philosophes des Lumières, on commença à parler plus souvent de sympathie à l'égard de ses semblables, de droits de l'homme, d'aspirations légitimes au bien-être et de justice équitable. On se pencha avec plus d'empathie sur les souffrances d'autrui.

En 1764, un jeune Milanais de vingt-six ans, Cesare Beccaria, publia un tratié, *Des délits et des peines*, dans lequel il prônait l'abolition de la torture et de la peine de mort. Beccaria suggérait également que les gouvernements et la justice devraient s'efforcer avant tout de prévenir les crimes et de réformer les criminels plutôt que de les châtier. Ce pamphlet connut un écho considérable en Europe, et ses idées furent reprises par Voltaire, d'Alembert et Thomas Jefferson[17]. Mais il fut aussi mis à l'Index pontifical et tourné en dérision par Muyard de Vouglans, avocat et spécialiste des questions religieuses, qui l'accusa d'être un cœur tendre et de vouloir remettre en cause des pratiques, la torture principalement, qui avaient fait leurs preuves au cours des siècles.

En 1762, à Toulouse, Jean Calas fut accusé à tort d'avoir tué son fils. Condamné, il fut soumis publiquement au supplice de la roue. Attaché les bras et les jambes en croix sur une roue, il eut les os brisés un à un avec une masse tandis qu'il clamait son innocence. Au bout de deux heures, on finit par l'étrangler. C'est à la suite de ce cas, qui eut un retentissement particulier, que Voltaire écrivit son *Traité sur la tolérance* et obtint la révision du procès et la réhabilitation de Calas. Aujourd'hui, dans la plupart des pays, les normes ont changé et vont dans le sens du respect de la vie, des droits de l'homme et de la justice.

L'esclavage, qui coûta la vie à des millions d'Africains et d'habitants du Moyen-Orient – la fourchette des estimations va de 17 à 65 millions[18] –, a été progressivement aboli, principalement à partir de la fin du XVIIIe siècle (le premier pays à abolir l'esclavage fut la Suède, en 1335, et le dernier en date, la Mauritanie en 1980). Même s'il a été officiellement supprimé partout dans le monde, l'esclavage reste endémique dans certains pays et prend de nouvelles formes, notamment au travers du trafic d'enfants et de femmes destinés à la prostitution et à la mendicité. Mais il est aujourd'hui l'œuvre de trafiquants mafieux et de fonctionnaires corrompus, et non, comme c'était le cas de l'esclavage jadis, des gouvernements et de la population.

Au lendemain de la Seconde Guerre mondiale, pour la première fois dans l'histoire des hommes, s'est imposée l'idée de principes universels applicables partout et pour tous. Le 10 décembre 1948, fut signée à Paris la Déclaration universelle des droits de l'homme, dont le premier article stipule : «Tous les êtres humains naissent libres et égaux en dignité et en droits. Ils sont doués de raison et de conscience et doivent agir les uns envers les autres dans un esprit de fraternité», tandis que le troisième rappelle que «tout individu a droit à la vie, à la liberté et à la sûreté de sa personne».

En 1983, la Convention européenne des droits de l'homme interdit la peine de mort, sauf en temps de guerre. En 2002, le protocole numéro 13 l'interdit en toutes circonstances, y compris en temps de guerre, et a maintenant été ratifié par 45 des 47 pays qui ont signé la Convention.

La peine de mort a été abolie dans 140 des 192 pays membres des Nations unies. Selon Amnesty International, en 2011, seuls 20 des

198 pays du globe ont procédé à des exécutions capitales[19], dont la Chine (plusieurs milliers d'exécutions par an), l'Iran (360 en 2011), l'Arabie Saoudite (82), l'Irak (68), les États-Unis d'Amérique (43), le Yémen (41) et la Corée du Nord (30).

La plupart des États modernes ont signé la Convention internationale contre la torture adoptée par les Nations unies en 1984. Les choses sont encore loin d'être parfaites – en Arabie Saoudite, par exemple, on exécute encore des personnes dénoncées pour sorcellerie – mais cela ne doit pas faire oublier que les normes s'améliorent continuellement.

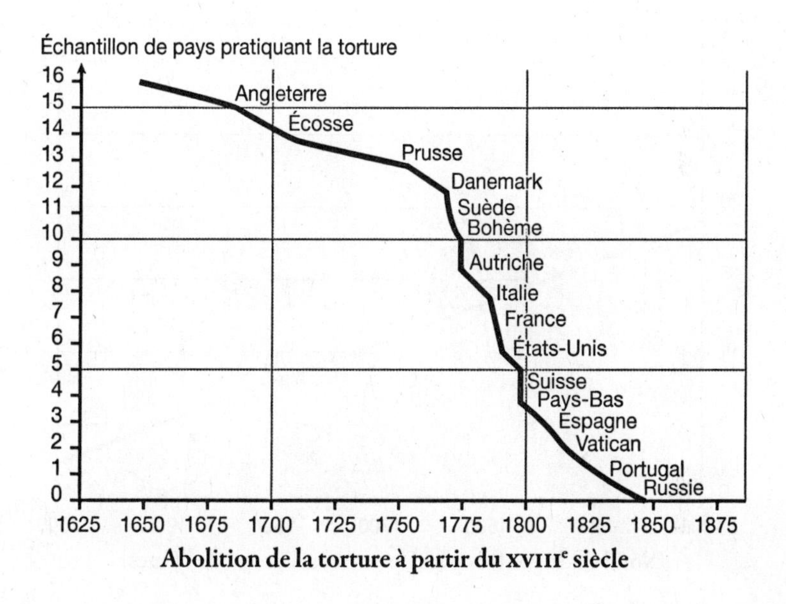

Abolition de la torture à partir du XVIIIe siècle

Selon des études réalisées aux États-Unis, l'acceptation de la différence progresse. Le nombre des personnes lynchées, qui étaient presque toujours des gens de couleur, est passé de 150 par an dans les années 1880 à zéro dans les années 1960[20]. Le nombre des meurtres motivés par la haine raciale dans ce même pays où 17 000 homicides sont perpétrés chaque année est tombé à un par an. Les violences raciales ne représentent plus que 0,5 % de toutes les formes d'agression. D'après un sondage de l'Institut Gallup, 95 % des Américains désapprouvaient les mariages interraciaux en 1955. Ce pourcentage est aujourd'hui tombé à 20 %, tandis que le nombre de ceux qui pensent que les élèves blancs et noirs doivent fréquenter des écoles séparées est passé de 70 % en 1942 à 3 % aujourd'hui.

Le déclin des guerres et des conflits

Du XVe au XVIIe siècle, deux à trois guerres éclataient en Europe chaque année[21]. Les chevaliers, comtes, ducs et princes d'Europe ne cessaient de s'attaquer et de se venger des agressions passées en s'efforçant de ruiner leurs adversaires, en tuant et en mutilant les paysans, en brûlant les villages et en détruisant les récoltes.

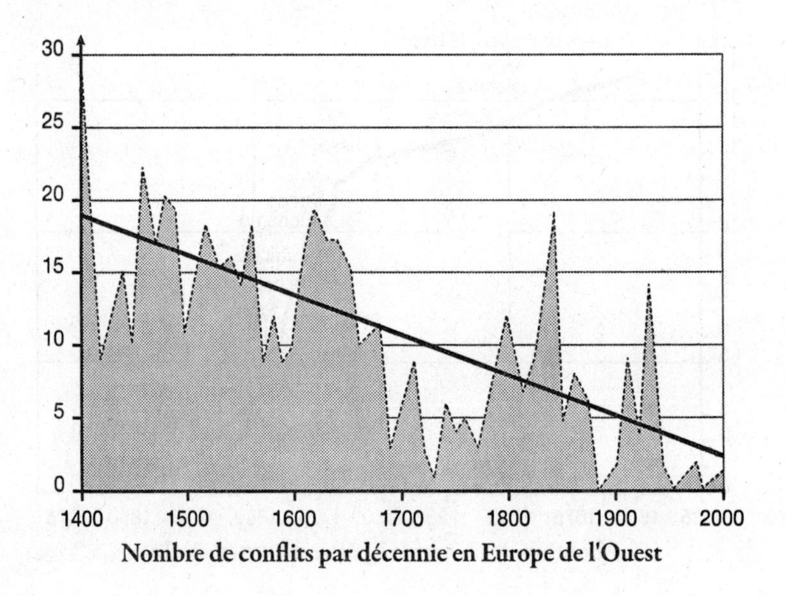

Nombre de conflits par décennie en Europe de l'Ouest

Des équipes de chercheurs ont analysé des milliers de conflits, dont beaucoup étaient tombés dans l'oubli et ont été redécouverts grâce à la consultation méthodique des archives historiques de nombreux pays. Les études réalisées à partir de ces travaux permettent de dégager des tendances générales. Le politologue Peter Brecke, notamment, analysa 4 560 conflits qui se sont produits depuis l'an 1400[22]. Il prit en compte tous les conflits, aussi bien entre pays qu'au sein d'un pays (guerres civiles, règlements de comptes entre clans et tribus, etc.) – ayant entraîné au moins cinquante morts. Dans un livre qui comporte plus de mille références bibliographiques, Steven Pinker, professeur à Harvard, résume ainsi les grandes lignes de ces recherches : la fréquence des guerres entre États a régulièrement diminué au cours des siècles, ainsi que le nombre moyen de victimes par conflit. De plus, 2 % des guerres (les « grandes guerres ») sont responsables de 80 % des morts. Enfin, il apparaît que les guerres ne suivent aucun cycle régulier, mais éclatent n'importe quand, en fonction de circonstances particulières[23]. La figure ci-contre illustre le phénomène de la diminution générale du nombre de conflits en Europe de 1400 à nos jours (les principaux pics correspondent aux guerres de religions, aux guerres napoléoniennes et aux deux guerres mondiales du XXe siècle). Le nombre des conflits a, en revanche, augmenté en Afrique.

Le XXe siècle a-t-il été le plus sanglant de l'histoire ?

La Seconde Guerre mondiale a été la plus meurtrière de l'histoire, avec 63 millions de morts, tandis que la Première Guerre mondiale en fit 15 millions. En chiffres absolus, le XXe siècle a bien été le plus sanglant de l'histoire. Mais si l'on prend en compte les effets de tous ordres causés indirectement par les conflits sur la population, le nombre de civils décimés par les famines et les maladies, par exemple, et *la proportion entre le nombre de morts et la population mondiale de l'époque*, il s'avère que de nombreuses guerres ont causé des ravages beaucoup plus considérables que la Seconde Guerre mondiale.

Ce qui est plus proche de nous – en temps, en lieux –, nous concerne davantage et nous avons tendance à laisser tomber dans l'oubli les événements historiques trop lointains. Qui, en dehors des historiens, a entendu parler de la révolte d'An Lushan, en Chine, au VIIIe siècle ? Pourtant, cette guerre civile, qui dura huit ans, fit 10 millions de morts, l'équivalent de 325 millions de morts de nos jours[24]. Si l'on évalue l'impact des guerres passées en mesurant la proportion de la population mondiale qui en est morte, la Seconde Guerre mondiale n'occupe que le 11e rang des conflits les plus meurtriers. Si 63 millions de morts entre 1939 et 1945 équivalent à 173 millions rapportés à la population mondiale de 2011, les conquêtes mongoles de Gengis Khan, au XIIIe siècle, qui firent 40 millions de morts, équivalant à *770 millions de morts* aujourd'hui, ce qui en fait l'acte de guerre le plus sanglant de l'histoire en nombre de victimes rapportées à la population mondiale[25].

Matthew White, un bibliothécaire érudit qui consacra vingt ans de sa vie à compiler toutes les sources disponibles, a calculé la mortalité provoquée par d'autres atrocités de l'histoire. Les conflits sous la dynastie chinoise Xin, au Ier siècle, firent 10 millions de morts, soit 368 millions d'aujourd'hui ; les invasions de Tamerlan aux XIVe-XVe siècles firent 17 millions de morts (340 millions d'aujourd'hui), la chute de la dynastie Ming, au XVIIe siècle, en provoqua 25 millions (321 millions d'aujourd'hui), la chute de Rome entre le IIIe et le Ve siècle fit 8 millions de victimes (294 millions d'aujourd'hui), les conquêtes musulmanes de l'Inde du XIe au XVIIe siècle 13 millions (260 millions d'aujourd'hui), et la conquête des Amériques, qui provoqua l'extermination des populations locales (due aux massacres et, surtout, aux maladies apportées par les colons) du XVe au XIXe siècle causa 15 millions de morts (192 millions d'aujourd'hui)[26].

Ces calculs peuvent sembler artificiels à ceux qui considèrent que ce qui importe, avant tout, c'est le nombre de vies humaines sacrifiées, mais les chiffres corrigés reflètent un niveau de violence plus représentatif et mesurent l'impact de cette violence sur ces populations en termes de risque et d'insécurité. On comprendra que notre expérience vécue et la qualité de la vie en société seront très différentes si chacun d'entre nous a une chance sur cent ou une chance sur dix mille d'être tué dans l'année. De fait, il est moins dangereux de vivre sur terre à notre époque qu'à aucun autre moment de notre histoire depuis l'apparition des guerres, il y a dix mille ans.

Depuis près de soixante ans, aucune des grandes puissances mondiales n'est entrée en guerre contre une autre. Le service militaire a été réduit ou supprimé dans la plupart des pays démocratiques, ainsi que la taille des armées, même si les ventes d'armes par les pays riches au reste du monde restent un facteur important de violence. Sous l'égide des Nations unies, les frontières nationales sont maintenant reconnues comme sacro-saintes et le nombre de guerres ayant généré des redistributions de territoires a fortement chuté depuis 1950. Le Brésil, entouré par dix autres pays, n'a pas été en guerre depuis cent quarante ans, la Suède depuis cent soixante-dix ans et la Suisse depuis deux cents ans. Le Costa Rica a renoncé à son armée en 1948. Depuis 1950, seuls les conflits impliquant un pays ou un groupe islamiques n'ont pas diminué de manière significative[27].

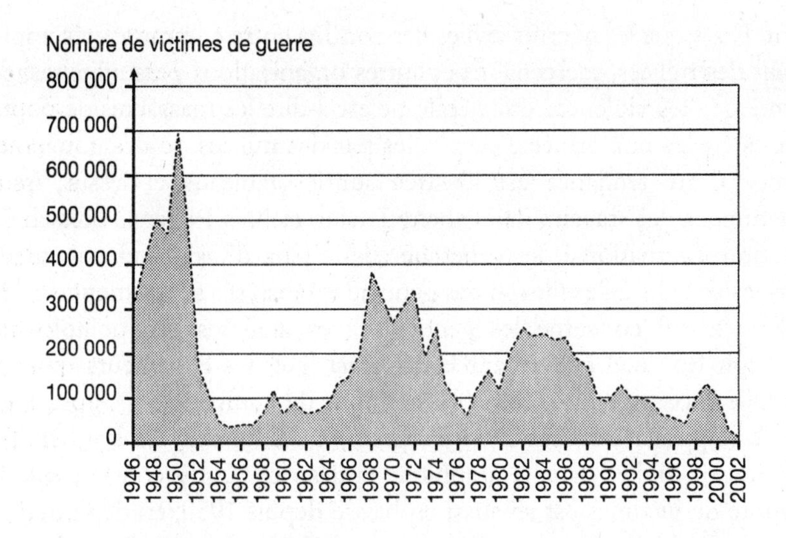

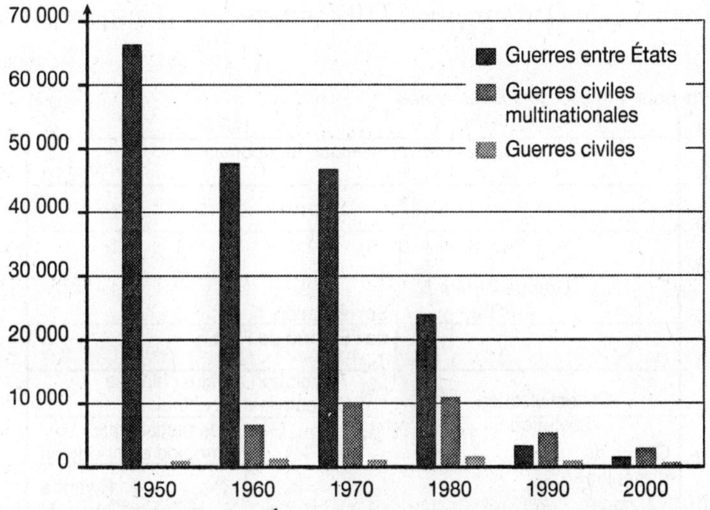

Victimes de guerres entre États et de guerres civiles entre 1950 et 2005

En particulier, le nombre moyen de victimes par conflit est tombé de 30 000 en 1950 à 800 en 2005[28]. Cette statistique va à l'encontre des idées reçues, tout le monde ayant en mémoire des conflits sanglants comme la guerre Iran-Irak des années 1990, qui fit près d'un million de morts. Mais ce sont pourtant les chiffres qui ressortent de l'analyse de l'ensemble des conflits de toute taille, comprenant aussi bien les guerres entre États que les guerres civiles, les conflits entre communautés impliquant des milices, mercenaires et autres organisations paramilitaires, de même que les violences unilatérales, c'est-à-dire les massacres de populations civiles non armées, perpétrées par des milices ou des gouvernements. Cette tendance est illustrée sur les tableaux ci-dessus, issus notamment des travaux de Bethany Lacina et Nils Petter Gleditsch de l'Institut international de recherche sur la paix d'Oslo, qui traitent de tous les conflits à l'exclusion des génocides (analysés séparément).

En ce qui concerne les génocides, les analyses des politologues Rudolph Rummel et Barbara Harff ainsi que des chercheurs qui ont compilé la base de données sur les conflits de l'université d'Uppsala, en Suède (Uppsala Conflict Data Program, UCDP), ont été synthétisées par Steven Pinker dans le graphique ci-dessous. On y constate que le nombre de victimes est ici aussi en baisse depuis 1950, en dépit de tragiques rebondissements – la Bosnie avec 250 000 morts, le Rwanda avec 700 000 morts et le Darfour avec 373 000 morts (évalué jusqu'en 2008).

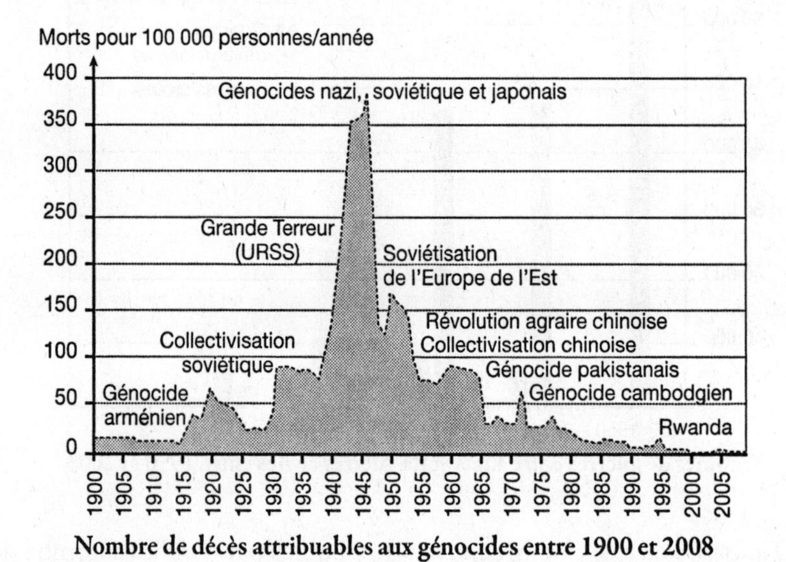

Nombre de décès attribuables aux génocides entre 1900 et 2008

De plus, selon le politologue John Mueller, la plupart des récents génocides auraient pu être empêchés par une intervention appropriée des forces de maintien de la paix. La majorité des 700 000 Tutsis du génocide rwandais furent tués par une dizaine de milliers d'hommes recrutés par les dirigeants hutus dans les milieux les plus violents de la population – gangs criminels, mercenaires, alcooliques et drogués[29] – que les Nations unies et les puissances mondiales auraient pu aisément neutraliser.

En résumé, en dépit de l'émergence d'un certain nombre de guerres et de massacres tragiques, le monde a connu, depuis soixante ans, la période la plus pacifique de son histoire depuis dix mille ans. Globalement, en dépit d'importantes inégalités selon les régions, un citoyen du monde d'aujourd'hui a beaucoup moins de risques d'être tué ou de subir des violences qu'il y a un siècle, et bien moins encore qu'il y a mille ans.

Actes de terrorisme

L'écho médiatique des actes de terrorisme est immense. Pourtant, les chiffres de la plus grande des bases de données disponibles, le Global Terrorism Database, montrent que le nombre des morts imputables au terrorisme est infime comparé à celui d'autres causes de mort violente[30]. Selon l'agence d'observation qui tient à jour cette base de données, depuis l'attentat du 11 septembre, le terrorisme a causé la mort de 30 citoyens américains, soit 3 par an, alors que, pendant la même période, il y a eu 18 000 homicides et que les accidents de la route ont fait 40 000 morts. Comme le souligne John Mueller, un Américain moyen risque plus d'être tué par la foudre, une allergie aux cacahuètes ou des piqûres de guêpe que par un acte de terrorisme[31]. Enfin, les experts ont montré que la peur du terrorisme a provoqué six fois plus de morts aux États-Unis que le terrorisme lui-même. Ils estiment que 1 500 Américains sont morts sur la route, préférant prendre leur véhicule pour effectuer un trajet plutôt que l'avion, de peur que celui-ci ne soit détourné ou attaqué et ne finisse par s'écraser. Ils ignoraient que la probabilité de mourir d'un accident d'avion lors d'un vol de 4 000 kilomètres est équivalente au risque encouru en faisant 20 kilomètres en voiture[32]. Les résultats d'un questionnaire soumis à des usagers des transports aériens témoignent de manière tragicomique de cette phobie du terrorisme : 14 % des sujets interrogés se sont déclarés disposés à souscrire une assurance couvrant les actes terroristes contre 10 % seulement pour une assurance tous risques. Or celle-ci, par définition, inclut la première[33] !

Dans le monde entier, environ 7000 personnes sont tuées annuellement dans des attaques terroristes (y compris dans des pays en guerre comme l'Afghanistan). Les militants islamistes sunnites sont responsables des deux tiers de ces décès[34]. Cela dit, les principaux mouvements terroristes, surtout Al-Qaida et Lashkar-e-Toiba au Pakistan, sont de moins en moins populaires dans les pays musulmans. Selon un sondage de l'Institut Gallup, 38 % des musulmans interrogés dans de nombreux pays approuvent en partie l'attentat du 11 Septembre, mais seulement 7 % l'approuvent complètement[35].

Les facteurs responsables du déclin de la violence

Avant que les études globales auxquelles nous venons de faire référence n'aient mesuré le déclin de la violence, le philosophe Norbert Elias avait pressenti cette tendance et l'avait attribuée à l'interdépendance accrue des citoyens du monde[36]. Plus les gens dépendent les uns des autres, moins ils ont avantage à se nuire. La vie consensuelle en société requiert une maîtrise accrue des émotions et la valorisation de la civilité. Lorsque notre existence dépend d'un plus grand nombre de personnes, nous avons donc tendance à être moins violents à leur égard. En bref, l'ensemble des recherches montrent que l'on trouve le taux d'homicides le plus faible dans les sociétés urbaines, séculières, commerciales et fortement connectées socialement[37].

Le sens civique est aussi corrélé avec le niveau de violence. Le sociologue américain Robert Putnam a montré, par exemple, que le sens civique est plus marqué dans le nord de l'Italie que dans le sud où la violence est plus fréquente (6 à 15 homicides annuels pour 100000 habitants dans le Sud, contre 1 à 2 dans le Nord). Il a également montré que le sens civique est associé à la qualité des services sociaux, en particulier des services éducatifs[38].

L'existence d'un État stable

Les populations qui vivent dans un État-nation constitué ont, en moyenne, un taux de mortalité violente quatre fois plus faible que les populations qui ne jouissent pas de l'existence d'un État doté d'institutions fonctionnelles[39]. L'Europe ne comptait pas moins de 5000 unités politiquement indépendantes (baronnies, duchés, principautés, etc.) au XVe siècle, 500 au XVIIIe, 200 à l'époque napoléonienne, 34 dans les années 1960 et 50 de nos jours[40]. Ainsi que nous l'avons souligné, les innombrables petites entités politiques du XVe siècle étaient constamment en conflit les unes avec les autres.

Au fur et à mesure de la formation des grands royaumes, puis des pays et enfin des démocraties, les rois et ensuite les États s'arrogèrent le monopole de la violence. Toute autre forme de violence liée aux conflits entre clans rivaux, aux milices privées et au fait que des citoyens veuillent rendre justice eux-mêmes, devint illicite et fut réprimée par les autorités qui disposaient dorénavant de moyens d'intervention beaucoup plus puissants pour imposer puis maintenir la paix. Dans un État de droit, à terme, les citoyens respectent l'autorité et les lois s'ils en perçoivent les bienfaits et reconnaissent qu'elles sont équitables. Si c'est le cas, ils observent ces lois et la violence diminue.

Au cours des derniers siècles, les États européens ont peu à peu désarmé les citoyens, les milices et les autres bandes armées. D'après certains analystes, si aux États-Unis le nombre des homicides – particulièrement dans les États du Sud – est dix à quinze fois plus élevé qu'en Europe, c'est parce que la démocratie y a été instaurée avant que l'État ne désarme les citoyens, lesquels ont conservé le droit de détenir des armes. Initialement, l'État autorisait la constitution de milices citoyennes armées pour maintenir l'ordre là où ses forces n'étaient pas encore présentes. À l'époque de la colonisation du Far West, dans laquelle l'État a joué un rôle négligeable, les taux d'homicides ont atteint des records : 229 homicides pour 100000 à Fort Griffith au Texas, 1500 à Wichita, et jusqu'à 24000 par an (1 personne sur 4!) à Benton dans le Wyoming. Les cow-boys s'entre-tuaient à la moindre provocation.

Cette tolérance du port d'armes s'est perpétuée, bien qu'elle n'ait plus aucune raison d'être puisque l'État est maintenant responsable de la sécurité des citoyens sur tout le territoire. Le port d'armes reste profondément ancré dans la culture américaine. Récemment, dans l'État du Tennessee, je suis tombé sur un immense magasin dont l'enseigne affichait *Guns, Gold and Guitars* («Armes, Or et Guitares»). Comme l'a écrit le commentateur de CNN Fareed Zakaria, «les États-Unis se distinguent du reste du monde non pas parce qu'ils ont plus de fous – je pense qu'on peut partir du principe que de telles personnes sont distribuées à parts égales dans toutes les sociétés – mais parce qu'ils ont plus d'armes». Ils sont en effet le seul pays au monde où l'on compte plus de 70 armes pour 100 habitants (le Yémen est à la deuxième place). Plus de 310 millions d'armes à feu circulent dans la population civile et il est aussi facile d'acheter un fusil semi-automatique qui tire jusqu'à 50 balles par seconde que d'acheter un moulin à café. Une recharge de 600 balles ne coûte que 20 euros. À la suite d'un nouveau massacre en décembre 2012 à l'école élémentaire de Sandy Hook, à Newtown dans le Connecticut, au cours duquel 20 enfants et 8 adultes furent tués à l'arme automatique, Larry Pratt, directeur exécutif de l'Association des propriétaires d'armes d'Amérique (Gun Owners of America) déclarait sur la chaîne de télévision CNN : «Mais si *tout le monde* portait une arme, au moins les gens pourraient se défendre[41]» et proposait d'armer les enseignants. Ça promet.

En dépit de cela, et même si les homicides restent considérablement plus nombreux qu'en Europe, depuis la stabilisation de l'État, leur nombre a été divisé par dix. De même, chez les Kung africains, réputés être particulièrement pacifiques et qualifiés de «peuple inoffensif» dans le titre d'un livre qui leur est consacré, on note que le taux d'homicides, déjà faible, a encore été diminué par trois quand la région passa sous l'autorité de l'État du Botswana[42].

L'essor de la démocratie

Les leaders de pays démocratiques qui peuvent être démis de leurs fonctions par le vote populaire sont moins enclins à s'engager dans des guerres absurdes et nuisibles. La démocratie s'est révélée la forme de gouvernement la plus apte à favoriser la paix à l'intérieur d'un pays comme entre différents pays. Une démocratie stable et un État de droit constituent un facteur réducteur de violence : les démocraties entrent beaucoup moins souvent en guerre que les régimes dictatoriaux ou les pays dans lesquels les institutions démocratiques ne sont pas respectées[43]. Les guerres civiles sont également moins fréquentes dans les démocraties et, lorsqu'elles se produisent, elles font moins de victimes que dans les autocraties. Si l'on considère deux à deux les pays membres des Nations unies et que l'on évalue la probabilité que ces pays entrent en guerre, il ressort que cette probabilité est la plus basse si les deux sont des démocraties, mais elle est déjà significativement réduite lorsqu'un seul des deux pays en est une[44]. Plus encore, une communauté d'États démocratiques, comme l'Union européenne qui en constitue le meilleur exemple, est la forme de gouvernance globale la plus apte à favoriser la paix entre ses membres. Deux pays démocratiques qui appartiennent à une telle communauté ou à une fédération ont 83 % moins de risques d'entrer en guerre que deux autres nations jumelées au hasard[45].

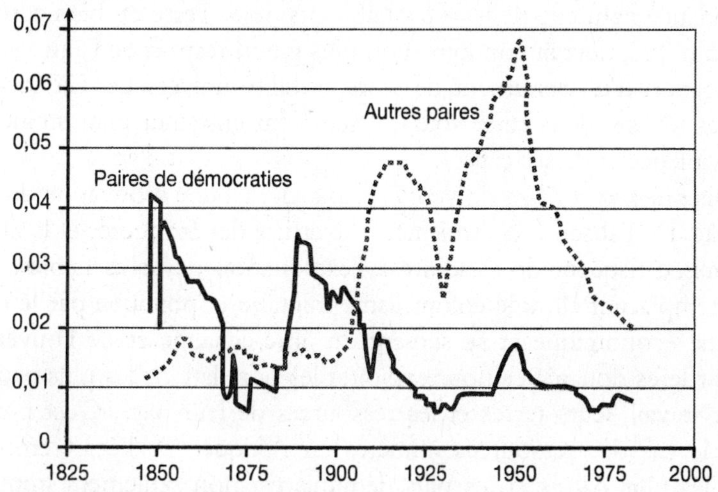

Probabilité de conflits militaires entre deux pays démocratiques et d'autres associations de pays

Au fil du temps, l'augmentation régulière du nombre de démocraties par rapport aux autocraties ne peut que renforcer la paix dans le monde.

Interdépendance et échanges commerciaux

L'économie du Moyen Âge était principalement fondée sur la possession et l'exploitation de terres. L'un des moyens les plus rapides de s'enrichir était donc de conquérir les terres du voisin. Les révolutions économiques et technologiques des XIXe et XXe siècles ont entraîné un accroissement des échanges de services et de marchandises. De ce fait, la dépendance mutuelle des populations s'est accrue. Comme le souligne Steven Pinker, « si vous échangez des faveurs et des surplus avec quelqu'un, votre partenaire commercial vous est plus utile vivant que mort[46] ». Il s'avère donc que les pays ouverts qui entretiennent un niveau élevé de relations commerciales avec les autres pays ont une probabilité réduite d'entrer en conflit les uns avec les autres.

Voilà qui plaide pour la mondialisation qui, on le sait n'a pas que des partisans parmi les divers courants de pensée sur l'avenir de la communauté humaine. A priori, l'accroissement des échanges *librement consentis*, dans un monde plus *ouvert* (à l'éducation, aux réformes de santé, à la tolérance, au droit de ne pas être maltraité, etc.) tient compte de l'interdépendance naturelle de tous les habitants de la Terre et, bien compris et bien utilisé, devrait conduire à un plus grand respect de l'autre et à la propagation d'un sentiment de responsabilité universelle. Ce sont les progrès réalisés dans cette voie qui semblent entraîner une diminution de la violence et de ses causes.

Mais *ouverture* et *liberté* doivent être associées à une motivation de type altruiste. En l'absence d'altruisme, l'ouverture des frontières et la liberté généralisée risquent de conduire à l'exploitation des plus faibles. Certains remplacent alors le colonialisme militaire et politique par le colonialisme économique et se servent du libre-échange et de l'ouverture des barrières douanières pour exploiter les populations les plus pauvres – leur travail, leurs terres et les ressources de leur pays. C'est notamment le cas des ressources minières en Afrique. Or l'écart croissant entre les plus nantis et les plus démunis est non seulement immoral, mais il est aussi un facteur croissant de ressentiment et, en fin de compte, de violence. Comme la démocratie, la mondialisation doit donc s'apprendre et s'accompagner d'une maturité accrue des citoyens et des gouvernements, inspirée non par l'appât du gain, mais par l'esprit de coopération et le souci du sort de l'autre.

Pour que les effets du commerce entre pays libres soient pleinement bénéfiques, il semble indispensable de mettre l'accent sur le développement d'un commerce véritablement équitable. Une régulation bien pensée devrait, sans brider les libertés, ni restreindre l'ouverture des frontières, permettre de contrôler les profiteurs et les spéculateurs, et de s'assurer que les entreprises multinationales ne succombent pas à la tentation de se transformer en habiles systèmes d'exploitation des plus démunis.

Au cours des années 1990, par deux fois, Luiz Inacio Lula da Silva fut sur le point d'être élu président du Brésil. Chaque fois, Wall Street fit dérailler l'élection en menaçant un retrait des capitaux investis dans le pays et une forte augmentation des taux d'intérêt qui lui étaient accordés, autant de mesures qui auraient précipité le Brésil dans la crise. Goldman Sachs fut au premier rang de ceux qui tentèrent d'intimider ainsi les électeurs brésiliens. Comme le remarque l'économiste Joseph Stiglitz : «Les marchés ont la vue courte, et leur programme économique et politique cherche à promouvoir le bien-être des financiers et non celui du pays[47].» En 2002, toutefois, les Brésiliens ont finalement refusé de se laisser dicter leurs choix par les financiers internationaux et ont élu Lula. Celui-ci fit un grand bien à son pays, réduisant considérablement l'inégalité tout en stimulant la croissance et l'éducation et en réduisant la violence.

Les missions de paix et l'appartenance à des organisations internationales

Selon la politologue Virginia Fortna, la réponse au titre de son livre *Does Peacekeeping Work?* («Les missions de paix sont-elles efficaces?») est un «oui clair et retentissant[48]». Fortna a examiné les données relatives à 115 cessez-le-feu dans des guerres civiles ayant éclaté entre 1944 et 1997. Il en ressort que les missions de maintien de la paix déployées par les Nations unies, l'OTAN, l'Union africaine ou toute autre entité adéquate réduisent de 80% le risque de réouverture d'un conflit. Même si certaines missions de paix échouent – comme en témoignent le génocide du Rwanda et le nettoyage ethnique de Bosnie – leur présence réduit considérablement le risque de reprise des hostilités. L'un des effets positifs les plus marqués de ces missions est de rassurer les protagonistes d'un conflit sur le fait qu'ils ne risquent plus d'être attaqués à tout moment par leur adversaire. De plus, accepter la présence d'une mission de paix favorise les négociations. La présence de ces missions évite également que des incidents mineurs ne dégénèrent rapidement en confrontations majeures. Enfin, grâce à l'amélioration de l'assistance humanitaire dans les pays en guerre (MSF, Médecins du monde, Unicef, Croix-Rouge internationale et les autres ONG), le nombre de personnes qui meurent de faim et de maladie à cause des guerres a diminué au cours des trente dernières années[49].

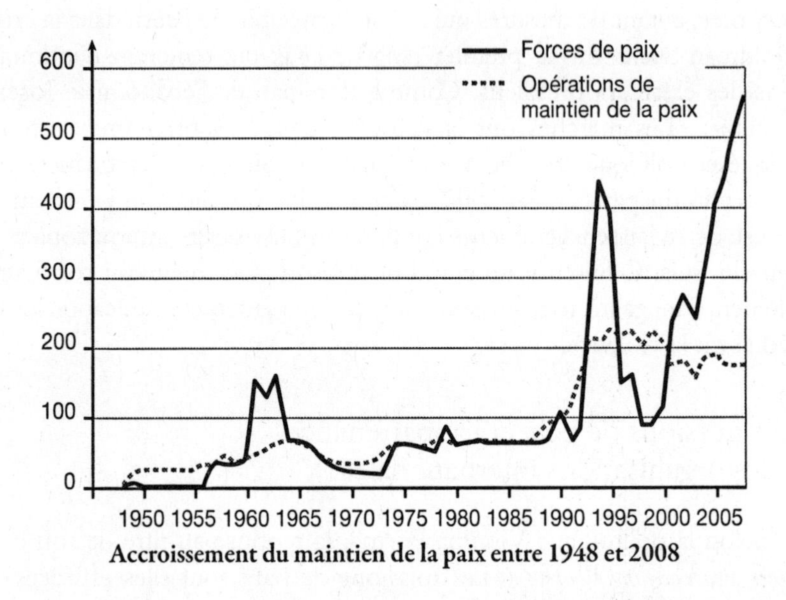

Accroissement du maintien de la paix entre 1948 et 2008

L'appartenance à des organisations internationales a indéniablement contribué au déclin de la violence, même si le pouvoir de coercition de ces instances, notamment les Nations unies et la Cour internationale de justice, et les traités internationaux – pensons à celui interdisant l'utilisation des mines antipersonnel, ou le recours à la torture – reste encore limité. La Commission européenne, le Parlement européen et la Cour européenne de justice sont des institutions qui permettent de résoudre les conflits par la voie judiciaire et donc de transcender les intérêts des États. Il a été dit que «la paix est l'accomplissement principal du processus de l'intégration européenne[50]», et c'est à ce titre que l'Union s'est vu décerner le prix Nobel de la paix en 2012.

La guerre ne suscite plus l'admiration

L'attitude à l'égard de la guerre a, elle aussi, changé. Dans le passé, peu de voix s'élevaient pour déconsidérer la guerre, comme celle de Voltaire parlant, dans *Candide*, de «millions d'assassins en uniforme». Au XIXe siècle, Hegel écrivait encore : «Les guerres sont terribles, mais nécessaires, car elles sauvent l'État de la pétrification sociale et de la stagnation.» Alexandre de Tocqueville, de son côté, affirmait : «La guerre agrandit presque toujours l'esprit d'un peuple et élève son caractère[51] », tandis qu'à l'orée du XXe siècle, Émile Zola proclamait dans un article : «Personne ne souhaite la guerre. Ce serait un souhait exécrable. [...] Seulement, la guerre est inévitable. [...] La guerre, mais c'est la vie même ! Seules les nations guerrières ont prospéré ; une nation meurt dès qu'elle désarme[52]. »

Jusqu'à la Première Guerre mondiale, l'héroïsme patriotique était de rigueur, et le pacifisme ravalé au rang de lâcheté impardonnable. On accompagnait les soldats sur le départ en fanfare et on bénissait les canons. «À l'école, on chantait "Mourir pour la patrie !" C'était le plus beau chant[53] », raconte le paysan français Ephraïm Grenadou, vétéran de la guerre de 14-18. Les auteurs de l'époque glorifiaient la guerre. Quelques voix fortes s'élevèrent pourtant en faveur du pacifisme, celle de l'Internationale socialiste qui était très opposée à la guerre et fut portée en particulier par Jean Jaurès qui, à l'orée de la guerre de 14-18, s'est battu jusqu'à son dernier souffle pour la paix, proclamant : «L'affirmation de la paix est le plus grand des combats. » Haï par les nationalistes, il fut assassiné en juillet 1914 par l'un d'eux, qui fut acquitté en 1919.

Au cours du XXe siècle, l'attitude de nos contemporains face à la guerre a considérablement évolué. L'enthousiasme patriotique appartient à une époque révolue, et aujourd'hui, comme le souligne le politologue John Mueller, la guerre n'est plus perçue comme une entreprise héroïque, sainte, virile ou purificatrice, mais comme une opération immorale, répugnante, barbare, futile, stupide et source de gaspillage[54]. Les vainqueurs ne suscitent plus l'admiration, tandis que les vaincus ne sont plus considérés comme des populations humiliées, mais comme des victimes. À l'aube de la deuxième guerre d'Irak, personne ne souhaitait voir Saddam Hussein poursuivre sa dictature meurtrière, mais des millions de manifestants descendirent dans la rue pour affirmer : «Tout, sauf une guerre de plus. » Cette évolution contribue à favoriser le développement d'un sentiment de «responsabilité universelle» que le Dalaï-lama et bien d'autres grandes figures morales de notre temps, Gandhi, Nelson Mandela, Desmond Tutu et Martin Luther King ont appelé de leurs vœux.

L'essor du respect des droits de l'homme, de la femme, des enfants et des animaux

Une analyse du contenu de centaines de milliers de livres parus en anglais a montré que la fréquence des références aux droits civiques a doublé depuis 1960, celles aux droits de la femme quintuplé et celles au droit des enfants décuplé[55].

Dans les pays démocratiques occidentaux, les violences à l'égard des femmes sont de moins en moins acceptées, et les maltraitances qui sévissent encore dans de nombreux pays révoltent l'opinion publique des sociétés où règne une plus grande égalité entre les sexes. En 1976, aux États-Unis, la violence conjugale n'arrivait qu'au 91e rang sur une liste de 140 délits. La majorité des personnes interrogées dans ce pays pensait que la violence était inacceptable entre individus qui ne se connaissent pas, mais tolérable entre conjoints. Cette enquête révélait également qu'à cette époque, les Américains considéraient que la vente de LSD était un crime plus répréhensible que le viol d'une femme dans un parc ! Depuis, les choses ont changé. En 1995, un nouveau sondage a montré que 80 % des personnes interrogées voyaient la violence conjugale comme « un problème social et légal de grande importance ». Rappelons qu'aux États-Unis, les viols ont chuté de 85 % entre 1979 et 2006.

Il n'en reste pas moins que la violence envers les femmes reste un problème majeur dans de nombreux pays du monde. Un rapport de l'OMS, portant sur 48 pays, établit que, selon les pays, de 10 à 50 % des femmes ont été victimes de sévères violences domestiques – 50 % d'entre elles au Pérou et en Éthiopie contre 10 % au Japon, au Brésil et en Serbie[56]. Les disparités restent grandes. Seulement 1 % des Néo-Zélandais pensent qu'il est admissible de battre sa femme lorsqu'elle désobéit à son mari, contre 78 % des Égyptiens des régions rurales, et 50 % des Indiens des États du nord de l'Inde. La liste des atrocités commises à l'encontre des femmes est longue, allant de la mutilation génitale à la prostitution forcée, en passant par les « crimes d'honneur »[57].

Les abus à l'encontre des enfants sont également de moins en moins tolérés et, nous l'avons vu, leur fréquence a considérablement diminué. Selon les sondages, en 1976, seulement 10 % de personnes interrogées aux États-Unis étaient d'avis que la maltraitance des enfants devait être considérée comme un problème sérieux. En 1999, ce pourcentage était passé à 90 %[58].

L'attitude vis-à-vis des animaux a également beaucoup évolué depuis les années 1970, principalement à la suite de la publication de *La Libération animale*, le livre du philosophe Peter Singer qui lança le mouvement du même nom[59]. Dans le monde entier, la façon dont on traite les animaux dans de nombreux abattoirs est abominable, mais le grand public a commencé à prendre conscience de ce problème moral incontournable. Sous la pression de l'opinion publique, des règlements ont été édictés qui interdisent les sévices les plus barbares et imposent une amélioration, même si elle est encore très relative, du traitement des animaux avant et durant l'abattage.

Dans les laboratoires de recherche, les chercheurs ont eu longtemps carte blanche pour se livrer aux expérimentations les plus invraisemblables et les plus inutiles (comme faire mourir de chaud des centaines de chats pour étudier leur résistance aux hautes températures). Des règlements de plus en plus stricts ont été mis en place (particulièrement en Europe), et un sondage récent a montré que la plupart des chercheurs reconnaissent maintenant que les animaux ressentent la douleur – ce qui, étonnamment, a été longtemps contesté. Un logiciel de dissection virtuelle (V-Frog) permet aujourd'hui d'étudier l'anatomie et la physiologie d'une grenouille de manière beaucoup plus précise et instructive que les méthodes archaïques et barbares de vivisection[60]. De nos jours, les chercheurs qui sont indifférents au sort des animaux de laboratoire sont méprisés par leurs collègues.

Par ailleurs, outre les régions du monde où l'on compte depuis des siècles de nombreux végétariens (400 à 500 millions en Inde, soit environ 40 % de la population), dans beaucoup de pays, le nombre de gens qui le deviennent par souci du sort des animaux augmente régulièrement. Parallèlement, le nombre de chasseurs diminue, tandis que leur moyenne d'âge augmente.

Le déclin de l'intolérance religieuse

Une étude portant sur les habitants d'Amérique du Nord indique qu'en 1924, 91 % des élèves des écoles secondaires américaines estimaient que «la religion chrétienne est la seule vraie religion et que tous les peuples devraient y être convertis». En 1980, ce chiffre était tombé à 38%, et ce, en dépit de la puissance des mouvements évangélistes aux États-Unis. En 1990, 62% des protestants américains et 74% des catholiques étaient d'accord avec la proposition : «Toutes les religions sont dignes de respect[61].» Or il a été montré qu'une plus grande tolérance va de pair avec une diminution de la violence.

L'intolérance religieuse n'en reste pas moins un facteur majeur de violence dans le monde. Dans de nombreuses sociétés, la religion est manipulée à des fins politiques et utilisée comme un drapeau de ralliement afin de raviver des passions sectaires, tribales ou nationalistes, et d'exacerber les haines. L'intolérance est aussi le fait de pratiquants si profondément convaincus de la vérité de leur croyance qu'ils estiment que tous les moyens sont bons pour l'imposer à autrui. L'incapacité à respecter les traditions religieuses et intellectuelles d'autrui, y compris, bien entendu, celle des non-croyants, conduit à ignorer la diversité des êtres humains et de leurs aspirations légitimes. Comme le Dalaï-lama le dit souvent : «La conviction profonde que l'on a en poursuivant son propre chemin doit se doubler d'un absolu respect de celui des autres.»

La marginalisation de la violence

D'après le juriste Donald Black, dans les pays développés la plupart des crimes sont commis par les membres des secteurs les plus défavorisés de la population. Ceux-ci bénéficient peu de la sécurité que l'État est censé leur assurer. Ils se méfient des autorités, les méprisent et sont méprisés par elles en retour. Selon le criminologue Mark Cooney, ce sont des apatrides au sein de l'État, ils fonctionnent en dehors du système étatique, souvent grâce à des activités illégales. Ne pouvant avoir recours aux tribunaux ni faire appel à la police, ils instituent une justice parallèle qui leur est propre et règlent le plus souvent leurs différends en recourant à la violence[62]. La plupart des homicides s'apparentent ainsi à des peines capitales appliquées par des personnes privées. Selon Steven Pinker, le processus de «civilisation des mœurs» a considérablement réduit la violence dans nos sociétés, mais il ne l'a pas éliminée : il l'a reléguée chez les marginaux socio-économiques[63].

L'éducation et la lecture, catalyseurs de l'empathie

À la fin du XVIIIe siècle, plus de la moitié des Français savaient lire et écrire. En Angleterre, le nombre de livres publiés par décennie passa de quelques centaines au XVe siècle à 80 000 au début du XIXe siècle[64]. Il semble que, dans une certaine mesure, lorsqu'on commença à lire des récits et des romans qui prônaient la tolérance et dépeignaient la souffrance liée à la violence, on prit davantage l'habitude de se mettre à la place de l'autre, d'envisager son point de vue et d'imaginer ses sentiments, ce qui favorisa le développement de l'empathie et le déclin de la violence. *La Case de l'oncle Tom*, par exemple, où la romancière Harriet Beecher Stowe décrit de manière poignante la condition d'un esclave, fut le roman le plus vendu du XIXe siècle et eut un impact majeur sur l'émergence et le succès de la cause abolitionniste[65].

L'influence accrue des femmes

En dépit des progrès qui restent à accomplir, les pays occidentaux s'orientent vers un respect et une reconnaissance accrue du rôle de la femme dans la société. À quelques rares exceptions près, la guerre est planifiée, décidée et perpétrée par des hommes, et 99,9 % des soldats qui prennent part aux combats sont aussi des hommes (même dans les pays comme Israël qui recrutent un grand nombre de femmes, celles-ci sont rarement sur les lignes de front). Les hommes sont par ailleurs plus intransigeants lors de négociations. Swanee Hunt, ancienne ambassadrice américaine et militante contre l'exploitation des femmes dans le monde, nous raconta qu'elle avait un jour rencontré un groupe d'officiels africains engagés dans des négociations de paix qui semblaient bloquées par l'inflexibilité des deux parties en présence. Ayant remarqué que les deux délégations étaient composées exclusivement d'hommes, Hunt demanda : « Pourquoi n'y a-t-il aucune femme dans votre groupe ? » On lui répondit : « Parce qu'elles feraient des concessions. » Swanee Hunt se souvient d'avoir pensé à ce moment-là : « Eurêka ! Voilà pourquoi cette négociation, comme tant d'autres, n'aboutit pas[66] ! » En effet, comment trouver une solution acceptable par les divers protagonistes sans faire des concessions mutuelles ?

Un ensemble d'études ethnographiques montre que toute société qui traite mieux les femmes est moins favorable à la guerre. Au Moyen-Orient notamment, un sondage a révélé que les personnes les plus favorables à l'égalité de la condition des hommes et des femmes étaient aussi les plus favorables à une résolution non violente du conflit israélo-arabe[67]. Steven Pinker en conclut que :

> L'étude de la biologie et de l'histoire conduit à penser que, toutes choses égales par ailleurs, un monde dans lequel les femmes jouiraient de plus d'influence serait un monde dans lequel il y aurait moins de guerres[68].

Tsutomu Yamaguchi, un survivant des deux attaques nucléaires d'Hiroshima et de Nagasaki (où il s'enfuit après l'explosion d'Hiroshima, croyant y trouver refuge) formula cet ultime conseil avant de mourir à quatre-vingt-treize ans : «Les seules personnes qui devraient être autorisées à gouverner un pays doté de l'arme nucléaire devraient être des mères – celles qui allaitent encore leur bébé[69].» Les femmes et les enfants sont les premières victimes des guerres, et plus elles auront voix au chapitre dans la société, moins les risques de conflits seront élevés. Il ne s'agit d'ailleurs pas simplement de donner davantage de pouvoir aux femmes, mais également de s'éloigner des modèles culturels qui célèbrent la force virile, glorifient la guerre et font l'apologie de la violence comme moyen rapide et efficace de résoudre les problèmes[70]. Dans *Sex and War*, le biologiste Malcom Potts et ses coauteurs estiment que donner aux femmes les pleins pouvoirs sur leur reproduction (en leur laissant libre accès à la contraception et au choix de leur conjoint) est un facteur crucial pour combattre la violence[71]. Refuser que les femmes ne soient traitées que comme des êtres voués à la reproduction est le meilleur moyen d'éviter qu'une part démesurée de la population soit constituée d'hommes jeunes, qui se retrouvent souvent sans emploi et marginalisés. Il est démontré que, dans les sociétés qui accordent davantage d'autonomie aux femmes, on observe moins de bandes de jeunes hommes déracinés qui deviennent des fauteurs de troubles[72].

Desmond Tutu, l'activiste gandhienne Ela Bhatt, l'ancien président Jimmy Carter, et les autres membres du Groupe des sages (les Global Elders) ont lancé le mouvement «Filles, pas épouses[73]». L'archevêque Desmond Tutu, en particulier, milite avec passion contre le mariage des filles dès l'enfance ou à l'âge de la puberté, phénomène encore très répandu en Afrique et en Asie (chaque jour, 25 000 filles sont mariées trop jeunes sans leur consentement). Une adolescente de moins de quinze ans a cinq fois plus de risques de mourir en couches qu'une jeune femme d'une vingtaine d'années. Ce fléau est de nature à empêcher la réalisation de six des huit Objectifs du millénaire pour le développement poursuivis par les Nations unies : réduire la pauvreté et la faim, assurer l'éducation primaire pour tous, promouvoir l'égalité des sexes et l'autonomie des femmes, réduire la mortalité infantile, améliorer la sante maternelle, combattre le sida, le paludisme et les autres maladies. Seuls deux objectifs, la préservation de l'environnement et la mise en place d'un partenariat mondial pour le développement ne sont pas directement liés au problème du mariage précoce des filles. L'éducation obligatoire des filles pourrait contribuer à contrecarrer cette coutume.

Mieux vaut restaurer la paix et guérir les blessures que venger les affronts

La plupart des processus de paix ont été couronnés de succès lorsqu'une des parties en présence a fait de son plein gré un pas novateur, risqué et irrévocable. Ce genre d'initiative rassure l'adversaire et lui donne confiance dans le fait que l'autre n'a pas l'intention de reprendre les hostilités. En ce qui concerne les conflits civils, il est avéré qu'il vaut mieux apaiser les ressentiments et faciliter la réconciliation qu'insister pour que «justice soit faite» à tout prix. J'ai récemment entendu le témoignage de femmes du Liberia affirmant qu'elles préféraient le retour de la paix dans la communauté plutôt que de raviver les haines en poursuivant tous ceux qui avaient commis des atrocités. Ce souhait de tourner la page en se satisfaisant d'une justice incomplète et en accordant une amnistie générale (sauf pour quelques chefs militaires) rendit perplexe les représentants de la Cour internationale de justice, partagés entre leur engagement à ne pas laisser impunis des crimes contre l'humanité et l'opinion des citoyens concernés, pour qui la réconciliation comptait plus qu'une justice punitive.

L'un des meilleurs exemples de cette attitude est celui de la Commission de la vérité et de la réconciliation créée en 1995 par Nelson Mandela et présidée par l'archevêque Desmond Tutu, tous deux prix Nobel de la paix. Cette commission fut chargée de recenser les violations des droits de l'homme et méfaits commis durant les quinze dernières années de l'apartheid, par le gouvernement sud-africain et par les mouvements de libération, afin de permettre une réconciliation nationale entre victimes et auteurs d'exactions.

Le point fort de cette démarche a consisté à encourager la confession publique des crimes commis, souvent associée à une demande de pardon, en présence des victimes, et à offrir en échange une amnistie. Il était important aux yeux de tous de dévoiler la vérité et de reconnaître sans dissimulation tous les crimes commis, afin de ne rien laisser dans l'ombre qui puisse perpétuer les ressentiments, puis de décider d'un commun accord de renoncer à l'application de la loi du talion. «Pardonner sans oublier» (*To forgive, not to forget*) fut la devise de cette entreprise de guérison[74].

Les défis qu'il reste à surmonter

Il y a encore beaucoup à faire, et d'immenses ressources financières sont encore gaspillées pour entretenir des guerres. 2 milliards de dollars par jour sont consacrés mondialement aux dépenses militaires, alors que ces sommes colossales pourraient être utilisées pour subvenir à toutes sortes de besoins pressants pour l'humanité et la planète. Pour ne donner qu'un exemple récent, le coût de la guerre d'Irak s'est monté à 3000 milliards de dollars et celui de la guerre d'Afghanistan, depuis son début en 2001 jusqu'à son terme 2011, à 557 milliards de dollars[75].

Aujourd'hui, 95% des armes qui alimentent les conflits dans le monde sont fabriquées et vendues par les cinq membres permanents du Conseil de sécurité des Nations unies. On voit qu'il y a là une contradiction flagrante avec la raison d'être de ce conseil. Le commerce des armes est certainement l'une des activités les plus immorales des États. Comme le déclarait le Dalaï-lama lors d'une visite en France : «Un pays qui vend des armes vend son âme.»

Mais la réduction des armements ne suffirait pas en soi. Les armes ne sont que les outils de la guerre, et les études historiques montrent que l'augmentation du pouvoir destructeur des armes n'entraîne pas nécessairement un accroissement du nombre de victimes dans les conflits. L'arme absolue, la bombe atomique, n'a fort heureusement plus été utilisée depuis Hiroshima et Nagasaki. Ce sont donc les facteurs propices à la guerre qu'il faut contrecarrer en priorité.

La pénurie de ressources naturelles n'est pas fatalement un facteur qui incite les peuples à entrer en guerre. Beaucoup de pays d'Afrique disposant d'importantes ressources minières n'en sont pas moins ravagés par les conflits[76]. Ainsi que nous l'avons vu, les causes récurrentes des conflits sont plutôt liées à l'absence de gouvernement démocratique stable, à la corruption, à la répression et aux idéologies intolérantes.

La pauvreté des citoyens, surtout lorsqu'elle s'aggrave rapidement, représente, elle, une cause majeure d'instabilité et de violence. Les privations alimentaires, la dégradation des services de santé, d'éducation et de sécurité sont des causes fréquentes de conflits. La moitié des guerres se produisent aujourd'hui dans les pays où vivent le milliard de personnes les plus démunies (ce ne fut pas toujours le cas, puisque dans le passé les pays riches partaient souvent à la conquête de colonies ou se battaient entre eux). Les pays dont le PNB était de 250 dollars par habitant en 2003 sont, en moyenne, entrés cinq fois plus souvent en guerre (15 % contre 3 %) dans les cinq dernières années que les pays dont le PNB moyen était de 1 500 dollars. Négliger la pauvreté dans le monde entretient donc une source majeure d'insécurité et de violence[77].

Si la pauvreté peut conduire à la guerre, la guerre conduit à son tour à la pauvreté en entraînant la dévastation des infrastructures (routes, usines, etc.) et des ressources agricoles, la dispersion des personnes qualifiées et le chaos des institutions. Quant aux dictateurs, ils font peu de cas de la raison et de la vie humaine. Un état stable et démocratique est donc, nous l'avons vu, indispensable pour sortir à la fois de la pauvreté et des guerres. Les transitions sont toujours longues et difficiles, comme l'atteste l'état actuel des pays de l'ancien bloc communiste, car la mise en place de la démocratie exige du temps et requiert une profonde transformation des cultures.

Les religions, quant à elles, doivent faire des efforts particuliers en faveur de la paix. Historiquement, elles n'ont guère été les instruments de la paix que leurs idéaux prônent pourtant. Elles sont souvent devenues des ferments de division et non d'union. Il est donc d'autant plus important que les chefs religieux se rencontrent et apprennent à mieux se connaître, comme le recommande constamment le Dalaï-lama, afin qu'ils puissent agir tous ensemble dans le sens de l'apaisement lorsque des troubles et des dissensions apparaissent.

En résumé, les guerres causent plus de souffrance chez les victimes d'une agression qu'elles n'apportent de bien-être aux agresseurs. Mais tant que l'agresseur retire des avantages de la guerre, aussi limités soient-ils, il sera difficile d'empêcher que les guerres ne surviennent. Il faut donc que ceux qui ont recours à la violence soient pénalisés, de sorte qu'ils n'y trouvent plus leur compte.

L'âge de raison

À mesure que de plus en plus d'enfants ont accès à l'éducation et peuvent développer au mieux leur intelligence et leurs connaissances, les citoyens du monde prennent conscience de la nécessité de vivre en paix. On a constaté que les facultés de raisonnement, le degré d'intelligence et le niveau d'équilibre émotionnel des enfants de dix ans présageaient leur acceptation ultérieure des points de vue démocratiques, pacifistes, antiracistes et égalitaires vis-à-vis des femmes[78].

En conclusion de son ouvrage de 800 pages sur le déclin de la violence, Steven Pinker mise sur la raison pour réduire la violence. Il considère qu'elle seule peut nous permettre d'étendre le cercle de l'empathie et du sens moral par-delà le cercle de nos proches et des membres de notre «groupe» – nation, religion, ethnie ou tout autre particularisme susceptible de porter atteinte à la perception de notre humanité commune[79].

33

L'instrumentalisation des animaux : une aberration morale

La notion d'altruisme est mise à rude épreuve avec la façon dont nous traitons les animaux. Lorsqu'une société accepte comme allant de soi la pure et simple utilisation d'autres êtres sensibles au service de ses propres fins, n'accordant guère de considération au sort de ceux qu'elle instrumentalise, alors on ne peut parler que d'égoïsme institutionnalisé.

La dévalorisation des êtres humains conduit souvent, nous l'avons vu, à les assimiler à des animaux et à les traiter avec la brutalité que l'on réserve habituellement à ces derniers. L'exploitation massive des animaux s'accompagne d'un degré de dévalorisation supplémentaire : ils sont réduits à l'état de produits de consommation, de machines à faire de la viande, de jouets vivants dont la souffrance amuse ou fascine les foules. On ignore sciemment leur caractère d'être sensible pour les ravaler au rang d'objets.

Ce point de vue fut exprimé crûment par Émile Baudement, détenteur de la première chaire de zootechnie à l'Institut agronomique de Versailles :

> Les animaux sont des machines vivantes, non pas dans l'acception figurée du mot, mais dans son acception la plus rigoureuse telle que l'admettent la mécanique et l'industrie. [...] Ils donnent du lait, de la viande, de la force : ce sont des machines produisant un rendement pour une certaine dépense[1].

Dans la même ligne de pensée, dans les années 1970, le commentateur d'un reportage télévisé consacré à l'implantation de l'élevage industriel en France annonçait avec une certaine fierté dans la voix : «Tous les actes de leur vie biologique devront correspondre à nos besoins et à nos heures. [...] Le bovin devient ce qu'on espérait : un produit industriel[2]. » Plus cynique encore, un dirigeant de la firme américaine Wall's Meat déclarait récemment :

> La truie reproductrice devrait être conçue comme un élément précieux d'équipement mécanique dont la fonction est de recracher des porcelets comme une machine à saucisses, et elle devrait être traitée comme telle[3].

La vision du système est résumée par le président d'une entreprise de volailles américaines de 225 000 poules pondeuses, Fred C. Haley : « Le but de la production d'œufs est de faire de l'argent. Quand nous perdons ça de vue, nous manquons notre objectif[4]. »

Est-il concevable de souhaiter l'avènement d'une société plus altruiste tout en fermant les yeux sur le sort que nous infligeons aux milliards d'animaux tués chaque année pour notre consommation ?

Dans les élevages industriels, la durée de vie des animaux est d'environ 1/60e de ce qu'elle serait dans des conditions naturelles. C'est comme si l'espérance de vie d'un Français n'était que d'un an et quatre mois[5]. On confine les animaux dans des boxes où ils ne peuvent pas même se retourner ; on les castre ; on sépare à la naissance les mères de leurs petits ; on les fait souffrir pour nous divertir (corridas, combats de chiens, de coqs) ; on les attrape avec des pièges qui leur broient les membres dans des mâchoires d'acier ; on les écorche vifs*, on les broie vivants dans des vis sans fin (c'est le sort réservé à des centaines de millions de poussins mâles chaque année).

Bref, on décide quand, où et comment ils doivent mourir sans nous soucier le moins du monde de ce qu'ils ressentent.

L'étendue des souffrances que nous infligeons aux animaux

Les hommes ont toujours exploité les animaux, d'abord en les chassant puis en les domestiquant. Mais ce n'est qu'au début du XXe siècle que cette exploitation a pris une ampleur jusqu'alors inégalée. Parallèle-

* C'est notamment le cas d'animaux à fourrure dans les élevages chinois par exemple et cela arrive également dans les abattoirs quand les animaux ont survécu à ce qui était censé les mettre à mort et sont de ce fait écorchés vifs.

ment, elle en est venue à disparaître de notre vie quotidienne puisqu'elle est délibérément perpétrée à l'abri de nos regards. Les publicités et les livres d'enfants nous montrent des images de vaches folâtrant dans des champs fleuris, mais la réalité est tout autre. Dans les pays riches, en Amérique du Nord, en Europe et de plus en plus ailleurs dans le monde, en Chine notamment, 99 % des animaux que nous mangeons sont « produits » dans des élevages industriels où leur courte vie n'est qu'une succession de souffrances. Tout cela est rendu possible dès l'instant où nous considérons d'autres êtres vivants comme des objets de consommation, des réserves de viande, des « produits agricoles » ou des « biens mobiliers »[5] que nous pouvons traiter comme bon nous semble.

Au début du XXe siècle, les premiers grands abattoirs américains étaient, selon le témoignage de James Barreti, « dominés par le spectacle, le bruit et l'odeur de la mort à une échelle monumentale[6] ». Les sons émis par les machines à tuer et les animaux mis à mort assaillaient l'oreille en permanence.

Dans *La Jungle*[7], ouvrage qui provoqua un véritable tollé en 1906, Upton Sinclair décrivit la situation dans les abattoirs de Chicago, où les animaux étaient tués en masse par des travailleurs pauvres, le plus souvent des émigrés exploités par les grands trusts financiers de l'époque :

> Chaque jour, on y convoyait environ dix mille bovins, autant de cochons et cinq mille moutons, c'est-à-dire que tous les ans huit à dix millions d'animaux vivants étaient transformés ici en denrées comestibles. [...] On dirigeait d'abord les troupeaux vers des passerelles de la largeur d'une route, qui enjambaient les parcs et par lesquelles s'écoulait un flux continuel d'animaux. À les voir se hâter vers leur sort sans se douter de rien, on éprouvait un sentiment de malaise : on eût dit un fleuve charriant la mort. Mais nos amis n'étaient pas poètes... Ils n'y voyaient qu'une organisation d'une prodigieuse efficacité. [...] « Rien ne se perd ici, expliqua le guide, on utilise tout dans le cochon, sauf son cri. »[8]

Le politologue Jeremy Rifkin remarque que « pour la première fois, des machines sont utilisées pour accélérer le processus de meurtre de masse, reléguant les hommes au niveau de simples exécutants contraints de se conformer au rythme et aux exigences imposées par la chaîne elle-même[9] ». Upton Sinclair poursuit son récit :

À l'entrée, se dressait une immense roue en fer d'environ vingt pieds de circonférence, avec des anneaux fixés sur le pourtour. [...] Les hommes attachèrent l'extrémité d'une chaîne autour de la jambe du cochon le plus proche et accrochèrent l'autre bout à l'un des anneaux de la roue. Celle-ci étant en rotation, l'animal fut brutalement soulevé de terre. [...] Le cochon avait entamé un voyage sans retour. Une fois parvenu au sommet de la roue, il fut aiguillé sur un rail et traversa la pièce, suspendu dans le vide. Pendant ce temps, on hissait un autre de ses congénères, puis un deuxième, puis un troisième et ainsi de suite jusqu'à ce qu'ils forment deux rangées. Les animaux ainsi pendus par une patte se débattaient frénétiquement en couinant. Le vacarme était effroyable, à vous déchirer les tympans. [...] Après quelques instants d'accalmie, le tumulte reprenait de plus belle et s'enflait encore jusqu'à atteindre un paroxysme assourdissant. C'était plus que n'en pouvaient supporter certains des visiteurs. Les hommes échangeaient des regards en riant nerveusement ; les femmes se figeaient, les mains crispées, le visage congestionné, les larmes aux yeux.

Mais, en contrebas, les ouvriers, indifférents à ces réactions, continuaient ce qu'ils avaient à faire. Ni les vociférations des bêtes ni les pleurs des humains ne les troublaient. Ils accrochaient les cochons un par un, puis, d'un coup de lame rapide, les égorgeaient. Au fur et à mesure de la progression des bêtes, les cris diminuaient en même temps que le sang et la vie s'échappaient de leur corps. Enfin, après un dernier spasme, elles disparaissaient dans une gerbe d'éclaboussures à l'intérieur d'une énorme cuve d'eau bouillante. [...] Cette machine à tuer continuait imperturbablement sa besogne, qu'il y ait ou non des spectateurs. C'était comme un crime atroce perpétré dans le secret d'un cachot, à l'insu de tous et dans l'oubli général[10].

La rentabilité avant tout

De nos jours, rien qu'aux États-Unis, on tue plus d'animaux en *un seul jour* qu'en un an dans tous les abattoirs à l'époque de Sinclair. D'après David Cantor, fondateur d'un groupe d'études pour une politique responsable à l'égard des animaux, c'est « un système cruel, expéditif, à la gestion serrée, orientée par le profit, où l'on considère à peine les animaux comme des êtres vivants, dont les souffrances et la mort ne comptent pas[11] ».

Dans les dernières décennies du XXe siècle des changements majeurs se sont opérés dans l'industrie de la viande. Les abattoirs sont devenus moins nombreux, mais beaucoup plus grands, capables d'abattre chacun *plusieurs millions* d'animaux par an. On aurait pu espérer que le sort des animaux allait, lui aussi, s'améliorer. Dans les pays de l'Union européenne, de nouvelles réglementations visent à réduire quelque peu les souffrances dans les élevages industriels. Aux États-Unis, des témoignages récents, comme celui de l'écrivain Jonathan Safran Foer[12], montrent que la seule chose qui ait réellement changé c'est que l'on tue maintenant plus d'animaux, plus vite, plus efficacement et pour moins cher.

L'élevage industriel échappe presque partout aux lois protégeant les animaux de la maltraitance : « Les Common Farming Exemptions [dérogations en matière d'élevage] rendent légale toute méthode d'élevage tant que celle-ci est une pratique courante du secteur, constate Foer. En d'autres termes, les éleveurs – "compagnies commerciales" serait un terme plus approprié – ont le pouvoir de définir ce qu'est la cruauté. Si l'industrie adopte une pratique, par exemple celle de procéder à l'amputation d'un appendice non souhaité sans analgésique – vous pouvez laisser libre cours à votre imagination sur ce point –, cette opération devient automatiquement légale[13]. »

Comme cela coûterait de l'argent de soigner ou même d'euthanasier les animaux affaiblis ou en mauvaise santé qui s'écroulent sans pouvoir se relever pour suivre les autres sur « l'escalier vers le Paradis » (le nom donné à la rampe qui mène à la mise à mort), dans la majorité des États américains, il est légal de laisser ces animaux affaiblis agoniser de faim et de soif durant des jours, ou de les jeter, vivants, dans des bennes à ordures. Cela se produit tous les jours.

Les ouvriers sont constamment maintenus sous pression pour que la chaîne d'abattage continue d'avancer à plein régime : « Ils ne ralentissent la chaîne pour rien ni personne », confiait un employé à Gail Eisnitz, enquêtrice de l'Humane Farming Association[14] :

> Tant que la chaîne avance, ils se foutent de ce que vous devrez faire pour y faire entrer le cochon. Il faut suspendre une bête à chaque crochet si vous ne voulez pas que le contremaître vous botte

> le cul. [...] Tous les convoyeurs utilisent des tuyaux pour tuer les cochons qui ne veulent pas aller vers les rampes. Si un cochon refuse de passer et qu'il arrête la production, vous le battez à mort. Ensuite, vous le mettez de côté pour l'accrocher plus tard[15].

La compétition économique fait que chaque abattoir s'efforce de tuer plus d'animaux par heure que ses concurrents. La vitesse des convoyeurs dans les abattoirs permet de traiter onze cents animaux à l'heure, ce qui signifie qu'un ouvrier doit tuer un animal toutes les quelques secondes. Les ratés sont monnaie courante[16].

En Angleterre, le Dr Alan Long, qui se rend régulièrement dans les abattoirs en tant que chercheur, a remarqué une certaine retenue chez les ouvriers sur le point de tuer de jeunes animaux. Ils lui ont confié que le plus dur dans leur travail était de tuer les agneaux et les veaux, parce que « ce ne sont que des bébés ». C'est un moment poignant, dit le Dr Long, « quand un petit veau affolé, qu'on vient d'arracher à sa mère, se met à téter les doigts du boucher dans l'espoir d'en tirer du lait, et ne reçoit que de la méchanceté humaine ». Il a qualifié ce qui se passe dans les abattoirs d'entreprise d'« implacable, impitoyable et sans remords[17] ».

L'hypocrisie des « soins »

Si les professionnels conseillent parfois aux éleveurs d'éviter telle ou telle pratique cruelle, c'est en raison de ses répercussions négatives sur la prise de poids des animaux ; si on les incite à traiter moins durement les animaux conduits à l'abattoir, c'est parce que les meurtrissures font perdre de la valeur à la carcasse : on ne pense jamais qu'il faudrait éviter de maltraiter les animaux parce que c'est, en soi, immoral[18].

Quant aux vétérinaires employés par l'industrie, leur rôle n'est pas de veiller à la santé des animaux, mais de contribuer à la maximisation du profit. Les médicaments ne sont pas utilisés pour guérir les maladies, mais pour se substituer à des systèmes immunitaires détruits. Les éleveurs ne cherchent pas même à produire des animaux sains, mais à éviter qu'ils meurent trop tôt, avant d'avoir engendré un profit[19]. Du coup, les animaux sont bourrés d'antibiotiques et d'hormones de croissance. 60 % des antibiotiques utilisés aux États-Unis sont destinés à l'élevage. Comme le remarque la philosophe Élisabeth de Fontenay :

> Le pire se dissimule dans la formidable hypocrisie qui consiste à préconiser et mettre en œuvre une prétendue éthique du bien-être, comme s'il s'agissait d'une limitation apportée par respect de l'animal aux exactions de l'élevage industriel, alors qu'elle profite nécessairement au bon fonctionnement et à la rentabilité de l'entreprise[20].

Une fois qu'ils ont servi, on détruit ce qui reste comme des objets encombrants et on les évacue comme des ordures.

Une réalité cachée

Dans les années 1990, l'artiste peintre Sue Coe déploya pendant six ans des trésors d'ingéniosité pour s'introduire dans les abattoirs de différents pays, principalement aux États-Unis. Elle eut constamment à faire face à une hostilité marquée, allant d'imprécations telles que : «Vous n'avez rien à faire ici!» jusqu'à des menaces de mort si elle publiait le nom de l'abattoir visité. On ne l'a jamais autorisée à utiliser son appareil photo; seuls ses croquis étaient au mieux tolérés : «Les abattoirs, en particulier les plus grands, sont gardés comme des bâtiments militaires. Je parvenais à y entrer généralement parce que je connaissais quelqu'un qui avait des relations commerciales avec l'usine ou l'abattoir.» Dans son livre *Dead Meat* («Viande morte»), elle décrit ainsi sa visite dans un abattoir de Pennsylvanie[21] :

> Le sol était très glissant, et les murs et tout le reste étaient couverts de sang. Le sang séché avait formé une croûte sur les chaînes. Je n'ai aucune envie de tomber dans tout ce sang et ces intestins. Les ouvriers portent des bottes antidérapantes, des tabliers jaunes et des casques. C'est un spectacle de chaos contrôlé, mécanisé.

Comme la plupart des abattoirs, «cet endroit est sale – crasseux, même –, des mouches volent partout». Selon un autre témoignage, les salles de refroidissement sont pleines de rats et, la nuit, ils courent sur la viande et la grignotent[22].

Vient l'heure du déjeuner; les ouvriers se dispersent. Sue reste seule avec six corps décapités qui pissent le sang. Les murs sont éclaboussés et il y a des gouttes de sang sur son carnet. Elle sent quelque chose bouger à sa droite et s'approche du box d'abattage pour mieux voir. À l'intérieur, il y a une vache. Elle n'a pas été assommée; elle a glissé dans le sang et elle est tombée. Les hommes sont allés déjeuner en la laissant là. Les minutes passent. De temps à autre elle se débat, heurtant de ses sabots les parois de l'enclos. Une fois elle lève suffisamment la tête pour regarder dehors et retombe. On entend le sang qui goutte, et de la musique sort d'un haut-parleur.

Sue commence à dessiner...

Un homme, Danny, revient de son déjeuner. Il donne trois ou quatre coups de pied violents à la vache blessée pour la faire lever, mais elle ne peut pas. Il se penche dans le box métallique et tente de l'assommer de son pistolet pneumatique, puis lui tire une balle de douze centimètres dans la tête.

Danny attache une chaîne à l'une des pattes arrière de la vache et la soulève. Mais la vache n'est pas morte. Elle lutte, ses pattes s'agitent tandis qu'elle s'élève, la tête en bas. Sue remarque que certaines vaches sont totalement assommées mais d'autres pas du tout. « Elles se débattent comme des folles pendant que Danny leur tranche la gorge. » Danny parle à celles qui sont encore conscientes : « Allez, ma fille, sois gentille ! » Sue regarde le sang gicler « comme si tous les êtres vivants étaient des récipients mous qui n'attendaient que d'être percés ».

Danny s'approche de la porte et fait avancer les vaches suivantes à coups de bâton électrique. Les vaches terrifiées résistent et donnent des coups de sabots. Tandis qu'il les force à pénétrer dans l'enclos où elles vont être assommées, Danny répète d'une voix chantante : « Allez, ma fille ! »

Sue visite ensuite un abattoir de chevaux au Texas. Les chevaux en attente d'être abattus sont dans un terrible état. L'un d'eux a la mâchoire fracturée. Les coups de fouet pleuvent sur eux avec des claquements qui s'accompagnent d'une odeur de brûlé. Les chevaux tentent de s'échapper de la zone d'abattage, mais des hommes les frappent à la tête jusqu'à ce qu'ils fassent demi-tour. Le compagnon de Sue voit une jument blanche en train de donner naissance à un poulain devant l'enclos. Deux employés la fouettent pour la forcer à aller plus vite vers la zone d'abattage et jettent le poulain dans un bassin destiné aux abats. Sur une rampe, au-dessus d'eux, le patron observe nonchalamment la scène, coiffé d'un chapeau de cow-boy.

En sortant d'une autre usine qui lui rappellera l'enfer de Dante, Sue Coe voit une vache à la patte cassée gisant en plein soleil. Elle s'approche d'elle, mais le personnel de sécurité l'arrête et l'oblige à quitter les lieux : «La Shoah ne cesse de me revenir à l'esprit, ce qui m'ennuie furieusement[23]», écrit Sue.

Une entreprise globale

Le sort des autres animaux d'élevage n'est guère meilleur. En Amérique, on tue chaque année cent cinquante fois plus de poulets qu'il y a quatre-vingts ans, grâce au développement de l'élevage en batterie. Tyson Foods, la plus grosse compagnie au monde de poulets, en abat plus de 10 millions *par semaine*. 50 milliards de volailles sont tuées annuellement dans le monde.

Chaque poulet dispose, pendant sa courte vie, d'un espace de la taille d'une feuille de papier à lettres. L'air qu'il respire est chargé d'ammoniaque, de poussières et de bactéries[24]. L'entassement est la cause de nombreux comportements anormaux – déplumage, coups de bec agressifs et cannibalisme. «La batterie devient une maison de fous pour gallinacés», remarque le naturaliste texan Roy Bedichek[25]. La croissance artificiellement accélérée des poulets peut être comparée à celle d'un enfant qui atteindrait le poids de 150 kilos à l'âge de dix ans.

Pour réduire ces comportements qui leur coûtent cher, les éleveurs maintiennent les poulets dans une quasi-obscurité et, pour les empêcher de se blesser ou de se tuer, ils leur sectionnent le bec. Dans les années 1940, on brûlait les becs au chalumeau. Aujourd'hui, les éleveurs utilisent une guillotine munie de lames chauffantes. Les moignons qui résultent de cette amputation expéditive forment souvent des névromes qui provoquent de vives douleurs[26].

Dans une ferme américaine où s'entassaient 2 millions de poules pondeuses réparties dans des hangars qui en abritaient chacun 90 000, un responsable expliqua à des journalistes du *National Geographic* : «Quand la production [d'œufs] baisse en dessous du seuil de rentabilité, les 90 000 poules sont vendues en bloc à un transformateur qui en fera du pâté ou de la soupe au poulet[27].» Et on repart de zéro.

Les transports sont également source de longues souffrances. Aux États-Unis, on estime que 10 à 15 % des poulets meurent pendant le voyage. Parmi ceux qui arrivent aux abattoirs, un tiers présente des fractures récentes dues à la façon dont ils ont été manipulés et transportés en masse.

Les abattoirs sont censés étourdir les poulets dans un bain électrisé. Mais pour faire des économies ils emploient généralement un voltage trop faible (1/10 de la dose requise pour étourdir). En conséquence, de nombreux poulets – au moins 4 millions par an en Amérique, selon une estimation gouvernementale – arrivent encore conscients dans la cuve à ébouillanter[28].

Les poussins mâles des poules pondeuses sont détruits – 50 millions en France, 250 millions aux États-Unis chaque année. «*Détruits*? Voilà un mot au sujet duquel il paraît intéressant d'en savoir plus», se demande Jonathan Safran Foer : «La plupart des poussins mâles sont tués après avoir été aspirés le long d'une succession de tuyaux jusqu'à une plaque électrisée. [...] D'autres sont jetés, pleinement conscients, dans des broyeurs (imaginez une déchiqueteuse à bois pleine de poussins). Cruel? Cela dépend de votre définition de la cruauté[29].»

Quant aux cochons, pour les empêcher de se mordre la queue entre eux, on la leur coupe avec un instrument qui écrase le moignon en même temps pour réduire le saignement. Les truies sont confinées dans des boxes métalliques à peine plus grands que leur corps où elles sont attachées pendant deux ou trois mois par un collier qui les empêche de se tourner et de faire plus d'un pas en avant ou en arrière. Quand la truie est prête à mettre bas, on la place dans un dispositif appelé «vierge d'acier», un cadre métallique qui interdit toute liberté de mouvement. Les mâles sont castrés sans anesthésie. On leur incise la peau des bourses avec un couteau, on dénude les testicules et on tire dessus jusqu'à rompre le cordon qui le retient[30].

Selon Foer, «les porcelets qui ne grandissent pas assez vite – les plus faibles – coûtent cher en ressources et n'ont pas leur place dans l'élevage. On les attrape par les pattes arrière, puis on leur éclate la tête sur le sol en béton. Une pratique courante : "Il nous est arrivé d'en exploser jusqu'à cent vingt en un seul jour", raconte un ouvrier d'un élevage du Missouri[31]».

Les veaux souffrent d'être séparés de leur mère et sont enfermés dans des boxes qui les empêchent d'adopter leur position naturelle de sommeil, la tête sous le flanc. Les boxes sont aussi trop étroits pour permettre au veau de se tourner ou de se lécher. Les aliments pour veaux sont délibérément appauvris en fer, car les consommateurs apprécient la viande «pâle» dont la couleur est due au fait que les animaux ont été rendus anémiques[32]. Du coup, les veaux lèchent n'importe quelle pièce en fer présente dans leur box. Voilà pourquoi les boxes sont en bois afin de garder toute pièce en fer hors de leur portée[33].

Tous les jours, toute l'année...

Jonathan Safran Foer nous livre une description à peine supportable de la procédure complète d'abattage. N'oublions pas que cela se passe aujourd'hui, tous les jours, à longueur d'année, dans la quasi-totalité des abattoirs des pays dits civilisés.

> Dans un abattoir classique, les bêtes descendent par un toboggan jusqu'au box d'étourdissement. [...] Le responsable de l'opération, le *knocker*, appuie un grand pistolet pneumatique entre les yeux du bovin. Une tige en acier s'enfonce dans le crâne de l'animal, ce qui le plonge dans l'inconscience, voire le tue, puis se rétracte dans le canon. Parfois, la tige ne fait qu'étourdir la bête qui, dans ce cas, reste consciente, ou se réveille plus tard en plein «traitement»[34].

Certains directeurs d'abattoir choisissent délibérément des méthodes d'étourdissement moins efficaces, parce que si les animaux sont «trop morts» et que leur cœur ne fonctionne plus, ils saignent trop lentement, ou insuffisamment. Ainsi, certains animaux restent conscients, ou se réveillent durant le traitement :

> Parlons clairement : les animaux sont saignés, écorchés et démembrés alors qu'ils sont encore conscients. Cela arrive tout le temps, et l'industrie comme les autorités le savent. Plusieurs abattoirs accusés de saigner, écorcher ou démembrer des animaux vivants ont défendu leurs actes en affirmant que ces pratiques étaient courantes.

Quand Temple Grandin, professeur d'éthologie à l'université du Colorado, a réalisé un audit de l'ensemble de la profession en 1996, elle a conclu qu'un abattoir de bovins sur quatre est incapable de rendre les animaux inconscients du premier coup de façon fiable. La vitesse de la chaîne a augmenté de près de 800 % en un siècle et le personnel, souvent formé de manière expéditive, travaille dans des conditions cauchemardesques : les erreurs sont inévitables.

Ainsi, il est fréquent que les animaux ne soient pas étourdis du tout. Dans un abattoir, des employés outrés ont tourné clandestinement une vidéo qu'ils ont transmise au *Washington Post.* Plus de vingt ouvriers ont signé des déclarations sous serment affirmant que les violations dénoncées dans le film sont fréquentes et que les responsables sont parfaitement au courant. L'un des employés témoigne : «J'ai vu des milliers et des milliers de vaches subir vivantes le processus d'abattage. [...] Elles peuvent se trouver depuis sept minutes dans la chaîne et être encore en vie. J'ai travaillé à l'écorchage et j'en ai vu qui étaient encore vivantes.» À cette étape, on retire la peau de la tête de l'animal à partir du cou. Et quand la direction daigne écouter les salariés qui se plaignent, c'est souvent pour les licencier ensuite.

Après l'écorcheur de tête, la carcasse (ou la vache) atteint les «coupeurs de pattes» : «Quand il y en a qui se réveillent, explique un employé de la chaîne, on a l'impression qu'elles cherchent à grimper le long des murs.» Quand les vaches arrivent au niveau des coupeurs, les coupeurs de pattes n'ont pas le temps d'attendre que leur collègue vienne assommer de nouveau la vache. Donc, ils leur coupent simplement le bas des pattes avec les pinces : «Les bêtes deviennent folles, elles donnent des coups de pied dans tous les sens.»

Cent millions d'animaux sont également tués chaque année pour leur fourrure. Sur un documentaire filmé en caméra cachée par une équipe d'investigateurs suisses[35], on voit des éleveurs chinois qui étourdissent des visons en les faisant tournoyer, tenus par leurs pattes arrière, et en leur cognant la tête sur le sol. Puis ils les écorchent vifs et une fois que toute la peau est enlevée avec la fourrure, ils jettent les animaux dont la chair est entièrement à vif sur une pile de leurs congénères. Le regard de ces visons qui agonisent lentement, silencieux et immobiles, est insupportable à toute personne douée ne serait-ce que d'une once de pitié. Le contraste est d'autant plus saisissant que, tout en continuant à «éplucher» ces animaux comme des courgettes, les éleveurs conversent entre eux, la cigarette au bec, comme si de rien n'était.

Toutes descriptions et, plus encore, la vision de documentaires montrant cette triste réalité, sont peut-être insoutenables pour nombre d'entre nous. Mais il serait bon de nous demander pourquoi cela nous gêne à ce point. Ne serait-ce pas parce que nous le tolérons malgré tout ?

Malheureusement, il ne s'agit pas là de quelques scènes d'horreur montées en épingle. Les chiffres dépassent l'imagination. Chaque année, plus de 1 milliard d'animaux terrestres sont tués en France, 15 milliards aux États-Unis, et approximativement 100 milliards dans le monde[36]. Plus récemment, la Chine, l'Inde et de nombreux autres pays émergents ont intensifié l'élevage industriel. Dans de nombreux pays, notamment au sein de l'Union européenne, de nouvelles lois devraient mettre fin aux pires de ces traitements, mais ceux-ci sont encore pratiqués dans beaucoup d'élevages industriels ailleurs dans le monde.

Quant aux poissons, crustacés et « fruits » de mer, une étude utilisant les données fournies par plusieurs organisations internationales concernant les prises annuelles, étude qui tient compte du tonnage des prises et d'une évaluation du poids moyen de chaque espèce, aboutit au chiffre astronomique d'environ 1 billion, soit *1 000 milliards*, de poissons tués annuellement[37].

Cette estimation n'inclut ni les très nombreuses prises qui ne sont pas enregistrées officiellement, soit au moins le double, ni le nombre immense d'espèces marines qui sont gravement affectées par l'industrie de la pêche. En France, le nombre de poissons et de crustacés tués chaque année se situe aux alentours de 2 milliards.

Comme le remarque Foer : « Aucun poisson ne connaît une mort douce. Pas un seul. Pas la peine de se demander si le poisson dans votre assiette a souffert. La réponse est toujours oui. Que nous parlions de poissons, de porcs ou d'autres animaux que nous mangeons, cette souffrance est-elle la chose la plus importante au monde ? Manifestement pas. Mais là n'est pas la question. Cette souffrance est-elle plus importante que les sushis, le bacon ou les *chicken nuggets* ? Là est la question[38]. »

Tuer humainement ?

Il est vrai qu'ici ou là certaines améliorations sont intervenues. Aux États-Unis, où l'élevage industriel a longtemps été exempté de l'application de toutes les lois sur la protection des animaux, la situation s'est un tout petit peu améliorée grâce au travail de Temple Grandin qui a redessiné les plans des abattoirs afin que les animaux soient moins pris de panique à l'approche de la mort. La rampe qui conduit les animaux en file indienne vers l'endroit où ils seront tués s'appelle donc désormais «l'escalier vers le Paradis». Dommage que les animaux ne sachent pas lire... Il est certes indéniablement souhaitable d'atténuer toutes les souffrances des animaux, de quelque nature qu'elle soit, mais il y a quelque chose de terrible dans l'attitude qui consiste à se rassurer en se disant que, dorénavant, 100 milliards d'animaux seront «tués humainement» chaque année.

Le juriste et auteur David Chauvet remarque à ce sujet : «Pour la plupart des gens, le fait de tuer les animaux ne constitue pas un problème, du moment qu'on les tue sans souffrance. On parle alors de "tuer humainement". Bien entendu, personne n'accepterait d'être "tué humainement", sauf peut-être si c'est dans son intérêt personnel, par exemple s'il s'agit d'abréger ses propres souffrances. Mais ce n'est certainement pas l'intérêt des animaux d'être tués pour finir en pièces détachées dans les rayons des supermarchés[39].»

En décembre 2006, le gouverneur de Floride, Jeff Bush, frère de l'ancien président des États-Unis, suspendit temporairement l'exécution des condamnés à mort parce qu'il avait fallu vingt minutes pour que l'un d'entre eux succombe à une injection létale supposée le tuer en quatre. Il affirma agir par «souci d'humanité». Je ne vois personnellement que très peu d'humanité dans le fait de tuer quelqu'un en quatre minutes plutôt qu'en vingt. On sert aussi aux condamnés leur repas favori avant l'exécution. Cela vaut mieux que de torturer le condamné pendant des heures avant de le tuer, mais la peine de mort reste ce qu'elle est, un acte de vengeance légale : «Si le crime est une transgression de la loi, la vengeance est ce qui s'abrite derrière la loi pour commettre un crime», écrit Bertrand Vergely[40]. L'exploitation de milliards d'animaux peut être, elle, considérée comme un massacre permanent qui s'abrite derrière l'indifférence.

Ce point n'a pas échappé à certains défenseurs des droits des animaux : se contenter de rendre plus «humaines» les conditions de vie et de mort n'est qu'une échappatoire pour se donner meilleure conscience tout en poursuivant le massacre des animaux. Ce qu'il faut, c'est y mettre fin. Ils rappellent que les tentatives pour rendre l'esclavage plus «humain» ne contribuaient en fait qu'à le prolonger, alors que c'était son abolition qui était nécessaire.

La plupart des souffrances que nous infligeons à autrui n'ont rien d'inéluctable. Elles sont rendues possibles par notre façon de voir les autres. Si nous identifions un groupe ethnique, par exemple, à de la vermine, nous n'aurons aucun scrupule à vouloir l'éliminer. Si nous considérons certaines personnes comme des ennemis jurés, nous nous féliciterons de leurs souffrances. À partir du moment où d'autres êtres sensibles sont pour nous des êtres inférieurs dont le sort est négligeable, nous n'hésiterons pas à nous servir d'eux comme d'instruments au service de notre bien-être.

Certains objecteront : « Après tout, c'est la vie. Pourquoi tant de sentimentalité à l'égard de comportements qui ont toujours été les nôtres ? Les animaux eux-mêmes se sont toujours entre-dévorés. Ce sont les lois de la nature. À quoi bon vouloir les changer ? » On peut déjà répondre à cela que nous sommes supposés avoir évolué depuis les époques considérées comme barbares, en devenant plus pacifiques et plus humains. À quoi bon sinon s'émerveiller des progrès de la civilisation ? Aujourd'hui encore, ceux qui utilisent systématiquement la brutalité et la violence ne sont-ils pas qualifiés de « barbares » ? « Le barbare, écrit Claude Lévi-Strauss, c'est d'abord l'homme qui croit à la barbarie[41]. »

Il suffirait sans doute à la plupart d'entre nous d'être mieux informés, et de prendre conscience de ce qui se passe tous les jours dans les élevages industriels et les abattoirs, pour que nous changions naturellement d'opinion, et même de mode de vie. Les médias, qui participent souvent à la diffusion du prêt-à-penser, n'informent guère le public, et, de toute façon, il leur serait impossible d'enquêter librement dans les abattoirs. On trouve cependant, sur Internet en particulier, des reportages montrant sans ambiguïté la réalité des lieux d'où provient la viande que nous mangeons. Citons le documentaire intitulé *Terriens*[42], qui montre clairement la façon dont nous traitons les animaux.

Est-il encore possible de garder les yeux fermés ? Un jour, peut-être, la vision futuriste de H. G. Wells deviendra-t-elle réalité :

> Pas de viande sur la planète ronde d'Utopie. Dans le temps, il y en avait. Mais aujourd'hui nous ne supportons plus l'idée d'abattoir... Je me souviens encore de ma joie, alors que j'étais enfant, à la fermeture du dernier abattoir[43].

Cela ne dépend que de nous.

34

Un retour de flamme : effets de l'élevage et de l'alimentation carnée sur la pauvreté, l'environnement et la santé

Dans le chapitre précédent, nous avons soulevé les graves préoccupations éthiques concernant la manière dont nous traitons les animaux. Mais ce n'est pas tout. Si l'on se préoccupe de la pauvreté et des inégalités croissantes entre les riches et les pauvres, de l'environnement et de la santé humaine, et si l'on accepte les conclusions des recherches scientifiques présentées par plusieurs rapports de synthèse – ceux du Groupe d'experts intergouvernemental sur l'évolution du climat (GIEC de l'ONU), de l'Organisation des Nations unies pour l'alimentation et l'agriculture (Food and Agriculture Organization ou FAO), de l'Institut Worldwatch et d'autres encore, on ne peut que s'interroger sur l'importance démesurée donnée à l'élevage et sur les impacts négatifs de la consommation de viande pour l'homme et pour notre environnement. Qu'on en juge au vu de ces quelques chiffres :

— l'élevage contribue à 18 % des émissions de gaz à effet de serre liées aux activités humaines, en deuxième position après les bâtiments et avant les transports ;

— pour produire 1 kilo de viande, il faut utiliser 10 kilos d'aliments qui pourraient nourrir les pays pauvres[1] ;

— 60 % des terres disponibles dans le monde sont consacrées à l'élevage ;

— l'élevage à lui seul consomme 45 % de toute l'eau destinée à la production d'aliments ;

— en réduisant la consommation de viande, on pourrait éviter 14 % des décès dans le monde.

La viande des pays riches coûte cher aux pays pauvres

L'équation est simple : 1 hectare de terre peut nourrir 50 végétaliens ou 2 carnivores. Pour produire 1 kilo de viande, il faut la même surface de terre que pour cultiver 200 kilos de tomates, 160 kilos de pommes de terre ou 80 kilos de pommes[2].

Dans *Sans viande et sans regrets*, Frances Moore Lappé souligne que 1 acre de céréales donne cinq fois plus de protéines que la même acre utilisée pour produire de la viande; 1 acre de légumineuses en donne dix fois plus, et 1 acre de légumes feuillus quinze fois plus[3].

L'élevage consomme chaque année 750 millions de tonnes de blé et de maïs qui suffiraient à nourrir convenablement les 1,4 milliard d'êtres humains les plus pauvres. Plus de 90 % des 225 millions de tonnes de soja récoltées dans le monde servent aussi à nourrir les animaux d'élevage[4].

Aux États-Unis, 70 % des céréales vont aux animaux d'élevage; en Inde, seulement 2 %[5].

Or près des deux tiers de toutes les terres disponibles sont utilisées pour l'élevage (30 % pour les pâturages et 30 % pour produire les aliments des animaux d'élevage[6]).

Pour obtenir 1 calorie de viande de bœuf par élevage intensif, il faut de 8 à 26 calories d'aliments végétaux, qui auraient pu être consommées directement par l'homme[7]. En poids, 7 kilos de céréales sont nécessaires pour produire 1 kilo de viande de bœuf. *Le rendement est donc déplorable.* Il n'est pas étonnant que Frances Moore Lappé ait qualifié ce genre d'agriculture d'« usine de protéines à l'envers[8] ».

En plantant de l'avoine, on obtient six fois plus de calories par hectare qu'en consacrant cet hectare à produire de la viande de porc, et vingt-cinq fois plus pour la viande de bœuf. 1 hectare de brocolis produit vingt-quatre fois plus de fer que 1 hectare utilisé pour produire de la viande de bœuf.

Manger de la viande est un privilège de pays riche qui s'exerce au détriment des pays pauvres. Comme le montre la figure page suivante, plus les populations s'enrichissent, plus elles consomment de viande. Un Américain mange 120 kilos de viande par an, contre seulement 2,5 kilos pour un Indien. En moyenne, les pays riches consomment dix fois plus de viande que les pays pauvres[9]. La consommation mondiale de viande a été multipliée par 5 entre 1950 et 2006, soit un taux de croissance deux fois supérieur à celui de la population mondiale et, si la tendance actuelle se poursuit, cette consommation va encore doubler d'ici à 2050[10].

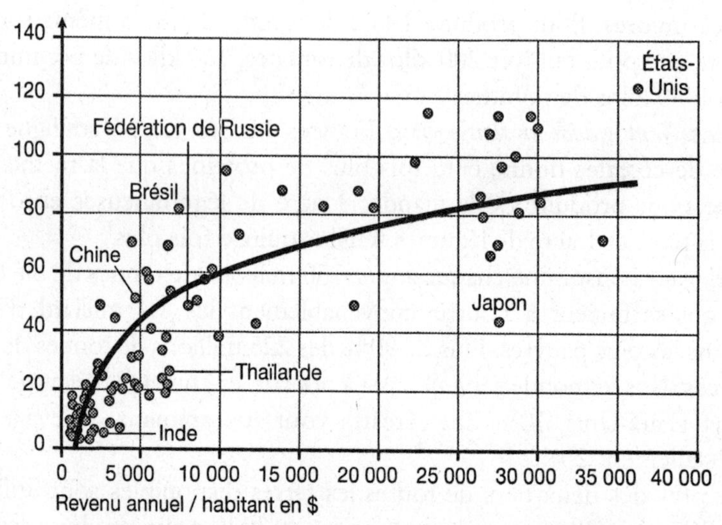

Rapport entre consommation de viande et richesse (2002)

En bref, un peu plus d'un tiers de la production mondiale de céréales est destinée aux animaux d'élevage chaque année, de même qu'un quart de la production mondiale de poisson[11]. Comme le remarque l'environnementaliste Éric Lambin, «cette compétition entre l'homme et le bétail pour la consommation des céréales se traduit par une augmentation du prix de ces dernières, ce qui a des conséquences tragiques pour les populations les plus pauvres[12]».

Le fait que le quart des 2,8 milliards de personnes qui vivent avec moins de 2 dollars par jour dépendent de l'élevage pour leur subsistance et que l'élevage en général contribue de manière importante au développement économique doit être pris en compte, mais n'infirme pas le point de vue que nous venons d'exprimer. En effet, ce ne sont pas ces petits exploitants qui contribuent à la production massive de viande (un Indien, nous l'avons vu, consomme soixante fois moins de viande qu'un Américain) et, par conséquent, au détournement vers la production de viande de ressources céréalières qui pourraient nourrir directement les populations pauvres[13]. Ce sont les grandes exploitations quasi industrielles destinées à l'élevage intensif, ainsi que les monocultures destinées à ces exploitations, qui créent ce déséquilibre et cette injustice. Malgré tout, même les petites exploitations des populations pauvres participent à la dégradation des terres sur lesquelles ces populations vivent. À long terme, leur subsistance serait mieux assurée par le développement de méthodes agroécologiques qui ménagent la qualité des sols et de la végétation[14].

D'après les estimations de l'Institute Worldwatch, pour produire un steak haché de bœuf en Amérique centrale, on transforme en pâturage 17 mètres carrés de forêt vierge et on détruit 75 kilos de plantes et d'animaux[15]. Or les États-Unis importent 100000 tonnes de bœuf d'Amérique centrale chaque année[16]. Si toutes les céréales destinées au bétail américain étaient consommées directement, elles pourraient nourrir 800 millions d'humains[17]. En 1985, pendant la famine en Éthiopie, alors que la population mourait de faim, ce pays exportait des céréales pour le bétail anglais[18].

Les forêts tropicales humides couvrent environ 720 millions d'hectares et abritent quelque 50 % de la biodiversité de la planète. Plus de 200 millions d'hectares de ces forêts ont été détruits depuis 1950, notamment pour faire place à des pâturages ou des fermes de bovins[19]. Un rapport de Greenpeace publié fin janvier 2009 estime que 80 % du déboisement de l'Amazonie est provoqué par l'augmentation du nombre de bovins[20].

Quant au fait de consacrer 100 millions de tonnes de blé et de maïs à la production d'éthanol pour l'automobile, l'émissaire des Nations unies pour l'alimentation a estimé que ce détournement constituait un « crime contre l'humanité ». Nourrir des voitures quand près de 1 milliard de personnes ne mangent pas à leur faim...

L'impact sur les réserves d'eau douce

L'eau douce est une ressource rare et précieuse. Seulement 2,5 % de l'eau de la planète est de l'eau douce, dont près des trois quarts sont contenus dans les glaciers et les neiges éternelles[21]. Dans nombre de pays pauvres, l'accès à l'eau est très limité. Les populations, en majorité des femmes et des enfants, doivent souvent parcourir plusieurs kilomètres à pied pour parvenir à un point d'eau et la rapporter dans leur habitation.

La pénurie d'eau potable menace à l'échelle mondiale : 40 % de la population du monde répartie dans 24 pays souffrent de pénurie d'eau, tant du point de vue de la quantité que de la qualité[22].

Plus de 3 millions d'enfants de moins de cinq ans meurent chaque année de diarrhées causées essentiellement par les eaux contaminées et les germes pathogènes transmis par les aliments. D'ores et déjà, 70 % des ressources en eau douce sont dégradées ou polluées[23].

Or la production de 1 kilo de viande exige cinquante fois plus d'eau que celle de 1 kilo de blé[24]. La revue *Newsweek* a décrit ce volume d'eau de façon imagée : «L'eau qui entre dans la production d'un bœuf de 500 kilos ferait flotter un destroyer[25].» On estime que la moitié de la consommation d'eau potable mondiale est destinée à la production de viande et de produits laitiers. En Europe, plus de 50 % des eaux polluées sont dues à l'élevage intensif des animaux, y compris les élevages de poissons. Aux États-Unis, 80 % de l'eau potable sert à l'élevage des animaux. Les exigences de la production animale sont en train d'épuiser de vastes nappes phréatiques dont dépendent d'innombrables régions sèches dans le monde. Au rythme actuel, la quantité d'eau utilisée pour l'élevage industriel devrait augmenter de 50 % d'ici à 2050[26].

Élevage et changement climatique

Les impacts environnementaux de la production de viande sont particulièrement sévères dans le cas de l'élevage intensif. L'élevage intensif et la production de viande, nous l'avons vu, sont la deuxième cause majeure d'émissions de gaz à effet de serre (18 % des contributions liées aux activités humaines).

La production de 1 kilo de viande de bœuf engendre ainsi cinquante fois plus d'émissions de gaz à effet de serre que celle d'1 kilo de blé[27]. La production mondiale de viande contribue à hauteur de 18 % aux émissions de gaz à effet de serre responsables du changement climatique[28]. Ce chiffre inclut les gaz émis aux diverses étapes du cycle de production de la viande · déboisement pour créer des pâturages, production et transport des engrais, combustibles des engins agricoles, fabrication des hormones de croissance et des additifs alimentaires, rejets gazeux du système digestif du bétail, transport du bétail vers les abattoirs, mécanisation de l'abattage, traitement et emballage de la viande et transport vers les points de vente. Au total, l'élevage destiné à la production de viande contribue plus au réchauffement du climat que l'ensemble du secteur du transport (qui représente 13 % des émissions de gaz à effet de serre) et n'est dépassé que par l'industrie du bâtiment et les dépenses énergétiques globales de l'habitat humain.

L'effet de serre est surtout dû à trois gaz : le méthane, le dioxyde de carbone et le protoxyde d'azote. Le méthane est particulièrement actif puisqu'une molécule de ce gaz contribue vingt fois plus à l'effet de serre qu'une molécule de dioxyde de carbone. Or de 15 à 20 % des émissions mondiales de méthane sont liées à l'élevage des animaux. Depuis deux siècles, la concentration de méthane dans l'atmosphère a plus que doublé.

Les ruminants – bœufs, vaches, buffles, moutons, chèvres et chameaux – constituent l'une des sources les plus importantes de production de méthane (37 % des émissions liées à l'homme). Le méthane résulte de la fermentation microbienne dans le système digestif des ruminants : il est exhalé au cours de la respiration par des éructations, ou sous forme de flatulences. Il est également rejeté par les déchets solides que produisent ces animaux, par la décomposition du fumier et par la fermentation des déjections animales dans les fosses de stockage[29]. Une vache laitière produit plus de 130 kilos de méthane par an, ce qui correspond à 500 litres de gaz par jour[30] !

Quant au dioxyde de carbone, l'expansion de l'industrie de la viande a contribué de manière importante à l'augmentation de 30 % de sa concentration atmosphérique depuis deux ans. La production de la viande industrielle dépend en effet de la mécanisation de l'agriculture – afin de produire l'énorme quantité d'aliments pour animaux dont elle a besoin –, de la fabrication et de l'utilisation d'engrais chimiques à base de pétrole, du déboisement et d'autres éléments qui sont autant de sources d'émission de CO_2.

D'après Steve Boyan, de l'université de Maryland, une automobile produit 3 kilos par jour de dioxyde de carbone, tandis que la destruction d'une forêt tropicale nécessaire à la production d'un seul hamburger produit 75 kilos de ce même gaz.

Quant au protoxyde d'azote, c'est le plus agressif des gaz à effet de serre : trois cent vingt fois plus actif que le dioxyde de carbone. C'est aussi un composé stable qui possède, dans l'atmosphère, une durée de vie de cent vingt ans. Les principales sources d'émission de ce gaz sont l'épandage d'engrais azoté, le processus de dégradation de ces engrais dans le sol et les déchets de l'élevage. 65 % des émissions de protoxyde d'azote dues à l'homme sont produites par l'élevage. La contribution du protoxyde d'azote représente environ 6 % du total des gaz à effet de serre[31].

Déjections des animaux

Un bovin produit en moyenne 23 tonnes de déjections par an[32]. Rien qu'aux États-Unis, les animaux d'élevage produisent cent trente fois plus d'excréments que les humains, soit 40 000 kilos par seconde. Le pouvoir de pollution de ces excréments est, à poids égal, cent soixante fois plus élevé que celui des épandages non traités d'un égout municipal. Les déchets animaux polluent les eaux plus que toutes les autres sources industrielles combinées[33]. L'entreprise Smithfield, à elle seule, tue chaque année 31 millions de cochons qui produisent l'équivalent de 130 kilos d'excréments par citoyen d'Amérique du Nord. Cette entreprise a immensément pollué les rivières de Caroline du Nord.

Les excréments d'animaux engendrent d'énormes quantités d'ammoniac qui polluent les cours d'eau et les rivages marins et causent une invasion d'algues qui étouffent la vie aquatique. D'immenses zones d'Europe de l'Ouest, du nord-est des États-Unis et des régions côtières du Sud-Est asiatique, ainsi que de vastes plaines de la Chine, reçoivent aujourd'hui des excédents considérables d'azote pouvant aller de 200 à 1 000 kilos d'azote par hectare et par an[34].

Les excédents d'azote et de phosphore s'infiltrent également dans le sol par lessivage ou par ruissellement, polluant les nappes phréatiques, les écosystèmes aquatiques et les zones humides[35].

Les effets de la pêche

La pêche intensive conduit progressivement à l'extinction de nombreuses espèces de poissons et a un impact énorme sur la biodiversité. Les pêcheurs vont chercher les poissons de plus en plus profondément dans l'océan. Après avoir épuisé les espèces qui vivent près de la surface, les bateaux usines n'ont cessé de faire descendre plus profondément leurs filets, et grattent désormais le fond des océans. De plus, on estime que la quantité de poissons pêchés mondialement est largement supérieure aux prises déclarées. Pour ne donner qu'un exemple, selon les estimations du biologiste marin Daniel Pauly et de ses collègues de l'université de Colombie-Britannique à Vancouver, la Chine capturerait chaque année 4,5 millions de tonnes de poissons, dont une grande partie le long des côtes africaines, bien qu'elle n'en déclare que 368 000 tonnes à la FAO[36].

En raison de considérations purement commerciales et de régulations inadaptées, la pêche industrielle s'accompagne également d'un immense gaspillage de vies. Une opération de chalutage de crevettes, par exemple, rejette par-dessus bord, morts ou agonisants, entre 80 et 90 % des animaux marins ramenés à chaque remontée du chalut de fond. De plus, une bonne partie de ces prises accessoires (le *bycatch*) est constituée d'espèces menacées. Les crevettes ne représentent en poids que 2 % de la quantité d'aliments marins consommés dans le monde, mais 33 % du bycatch mondial. Comme le note Jonathan Safran Foer dans *Faut-il manger les animaux ?* : « Nous n'y pensons guère car nous n'en savons rien. Que se passerait-il si l'étiquetage d'un produit indiquait combien d'animaux ont été tués pour que celui que nous voulons manger se retrouve dans notre assiette ? Eh bien, pour ce qui concerne les crevettes d'Indonésie, par exemple, on pourrait lire sur l'emballage : "POUR 500 GRAMMES DE CREVETTES, 13 KILOS D'AUTRES ANIMAUX MARINS ONT ÉTÉ TUÉS ET REJETÉS À LA MER." Dans le cas de la pêche au thon, 145 autres espèces non visées sont également tuées de façon régulière[37]. »

Consommation de viande et santé humaine

De nombreuses études épidémiologiques ont établi que manger de la viande, surtout la viande rouge et les charcuteries, augmente le risque de cancer du côlon et de l'estomac, ainsi que des maladies cardio-vasculaires.

Une étude menée par le réseau EPIC (European Prospective Investigation into Cancer and Nutrition) sous la direction d'Elio Riboli et portant sur 521 000 individus, a montré que les participants au test qui mangeaient le plus de viande rouge avaient 35 % plus de risques de développer un cancer du côlon que ceux qui en consommaient le moins[38].

Une étude parue dans *Archives of Internal Medicine* et portant sur 500 000 personnes montre que 11 % des décès chez les hommes et 16 % chez les femmes pourraient être évités par une réduction de la consommation de viande rouge[39].

Selon le rapport des Nations unies sur le Développement humain (2007-2008), le risque de cancer colorectal diminue d'environ 30 % chaque fois que l'on réduit de 100 grammes la consommation quotidienne de viande rouge. Les pays grands consommateurs de viande rouge comme l'Argentine et l'Uruguay sont également les pays où les taux de cancer du côlon sont les plus élevés au monde[40]. La consommation de viandes traitées (charcuterie) a été, quant à elle, associée à une augmentation du risque de cancer de l'estomac.

D'après une autre étude publiée à l'université d'Harvard en 2012 par An Pan, Frank Hu et leurs collègues, portant sur plus de 100 000 personnes suivies pendant de nombreuses années, la consommation quotidienne de viande est associée à un risque accru de 18 % chez les hommes et de 21 % chez les femmes pour la mortalité cardio-vasculaire, et de respectivement 10 % et 16 % pour la mortalité par cancer[41].

Chez les gros consommateurs de viande rouge, le simple fait de remplacer la viande par des céréales complètes ou d'autres sources de protéines végétales diminue de 14 % le risque de mortalité précoce. Au total, sur la durée de cette même étude, 9,3 % des décès chez les hommes et 7,6 % chez les femmes auraient pu être évités si tous les participants avaient consommé moins de 40 grammes de viande rouge par jour.

À cause du phénomène de bioconcentration, la viande contient environ quatorze fois plus – et les produits laitiers, 5,5 fois plus – de résidus de pesticides que les végétaux[42]. Les polluants organiques persistants s'accumulent en effet dans les tissus graisseux des animaux et entrent ainsi dans l'alimentation humaine. Ces polluants organiques persistants se retrouvent également dans la chair des poissons d'élevage, lesquels sont nourris d'aliments concentrés fabriqués notamment à partir de protéines animales. Ces molécules sont cancérigènes et toxiques pour le développement du système nerveux du fœtus et des jeunes enfants[43].

Ainsi que nous l'avons dit au chapitre précédent, aux États-Unis, 60 % des antibiotiques sont utilisés dans le seul but de maintenir en vie des animaux d'élevage industriel jusqu'au moment où ils seront tués. Les grandes fermes industrielles ne pouvant pas traiter individuellement les animaux malades, on ajoute donc des quantités massives d'antibiotiques dans leurs aliments. De 25 à 75% de ces antibiotiques se retrouvent dans les rivières, la terre et l'eau potable, favorisant l'apparition de résistances à ces traitements et provoquant d'autres effets indésirables.

Les bonnes nouvelles

Le méthane, nous l'avons vu, est vingt fois plus actif que le CO_2 dans la production de l'effet de serre. Il y a toutefois une bonne nouvelle : sa durée de vie dans l'atmosphère n'est que de dix ans, contre un siècle dans le cas du CO_2. Il suffirait donc de réduire la production de viande pour que diminue rapidement un facteur important du réchauffement climatique.

Une autre bonne nouvelle est que, ainsi que nous l'avons mentionné, le monde pourrait nourrir 1,5 milliard de pauvres en leur consacrant le milliard de tonnes de céréales qui nourrit le bétail destiné à l'abattage. Si, par exemple, tous les habitants de l'Amérique du Nord s'abstenaient de manger de la viande pendant une seule journée, cela permettrait, indirectement, de nourrir 25 millions de pauvres tous les jours pendant une année entière! Cela contribuerait aussi à lutter efficacement contre le changement climatique. C'est pourquoi, selon, R. K. Pachauri, prix Nobel de la paix et directeur du Groupe d'experts intergouvernemental sur l'évolution du climat aux Nations unies, une tendance mondiale vers un régime végétalien est essentielle pour combattre la faim dans le monde ainsi que la pénurie d'énergie et les pires impacts du changement climatique : «En termes d'action immédiate et de faisabilité pour obtenir des réductions dans un court laps de temps, c'est clairement l'option la plus attirante[44]», conclut-il.

L'excellente nouvelle est donc que nous pouvons tous participer de façon efficace, facile et rapide, au ralentissement du réchauffement global et à l'éradication de la pauvreté. Il n'est pas nécessaire pour cela d'arrêter de voyager ou de se chauffer (bien que nous devions pour sûr modérer ces facteurs également), il suffit d'une chose : décider, ici et maintenant, d'arrêter de manger de la viande, ou, si c'est trop difficile, au moins d'en réduire sa consommation.

35

L'égoïsme institutionnalisé

Ceux qui ont confiance et croient en l'émergence d'une société plus altruiste ne doivent pas se décourager face aux manifestations de l'égoïsme. Néanmoins, l'existence de l'altruisme véritable ne fait pas disparaître l'égoïsme de la société. Celui-ci revêt même parfois des formes extrêmes qui, même si elles ne sont que le fait d'une minorité d'entre nous, peuvent mettre en péril la société dans son ensemble.

On comprend que l'égoïsme soit la règle dans les régimes totalitaires qui accordent peu de valeur à l'individu. Il se manifeste toutefois dans les pays libres et démocratiques, lorsque des groupes d'intérêts cyniques font de leur profit une priorité absolue, ignorant les conséquences néfastes de leur activité pour la population. Quand ces groupes ont sciemment recours à toutes sortes de manipulations pour préserver leurs intérêts, il est alors légitime de parler d'*égoïsme institutionnalisé*.

C'est le cas d'industries, d'entreprises ou de groupes financiers qui, pourvus de moyens considérables, en viennent à influencer les gouvernements et à obtenir qu'ils modifient les lois et les règlements en faveur de leurs intérêts particuliers. Ces organisations consacrent des fortunes en campagnes publicitaires destinées à promouvoir des produits nuisibles, ou à dissimuler les effets délétères de leurs activités, quel qu'en soit le prix à payer pour les humains et la planète. Leur puissance financière leur permet aussi d'avoir recours à des avocats de haut niveau afin de prolonger indéfiniment les procès qui leur sont intentés et de décourager par là même les victimes de leurs activités, qui ne disposent souvent que de modestes ressources.

Si ces groupes d'intérêt peuvent ainsi concentrer les richesses, se défausser des coûts environnementaux sur la société, exploiter les travailleurs et tromper les consommateurs – tout cela au nom d'une croissance économique qui n'est même pas au rendez-vous –, et si leur contribution à la société est en fin de compte négative, alors, comme le souligne Joseph Stiglitz à propos de la crise financière de 2008, c'est le système économique et politique qui pose problème : «Une seule expression peut décrire ce qui s'est passé : perte des repères. Dans le secteur financier et dans bien d'autres secteurs, la boussole éthique de très nombreux professionnels s'est déréglée[1].»

Les exemples d'égoïsme institutionnalisé abondent, et le propos de ce livre n'est pas d'en dresser l'inventaire. Quelques exemples particulièrement emblématiques suffisent malheureusement à démontrer comment de telles pratiques ont pu voir le jour et perdurent encore en toute impunité.

Les marchands de doute

Tel est le titre de l'ouvrage de Naomi Oreskes et d'Erik Conway, historiens des sciences, qui décrit, preuves à l'appui, les malversations de l'industrie du tabac, principalement aux États-Unis, et de groupes d'intérêt qui nient et la réalité du réchauffement climatique et l'influence des activités humaines sur le climat[2]. L'un des aspects les plus perturbants de leur enquête est le rôle joué par des scientifiques proches de l'extrême droite américaine qui, pendant plusieurs décennies, ont mené des campagnes de désinformation efficaces leur permettant de tromper l'opinion et de dénigrer des faits scientifiquement bien établis.

Les physiciens Frederick Steitz et Fred Singer participèrent, le premier à la création de la bombe atomique durant la Seconde Guerre mondiale, le second à la mise au point des fusées spatiales et des satellites d'observation. Steitz devint aussi président de l'Académie des sciences américaine[3]. Rien dans leur formation scientifique ne leur conférait les compétences requises pour proclamer, comme ils l'ont fait durant des années, que les liens entre tabac et cancer n'étaient pas prouvés, que les pluies acides n'étaient pas provoquées par les fumées de l'industrie du charbon (mais par les volcans, ce qui est faux), et que les gaz CFC (ou chlorofluocarbures) n'avaient pas d'effet sur la destruction de la couche d'ozone. Cessant tout travail de recherche, et rejoints par les physiciens William «Bill» Nierenberg et Robert Jastrow, ils se sont également ingéniés pendant trente ans à nier le réchauffement global de la planète. Ils commencèrent par affirmer qu'il n'existait pas, puis qu'il était naturel et, finalement, que, même s'il continuait d'augmenter, il suffirait de s'y adapter, contestant les résultats des études sérieuses menées à ce sujet et prétendant que la communauté scientifique était partagée sur ces questions.

Leurs tactiques étaient d'autant plus perverses qu'ils se posaient eux-mêmes en défenseurs de la «bonne science» accusant leurs collègues de manipuler les données et les conclusions de leurs recherches au service de courants politiques anticapitalistes, liberticides, voire communistes. Forts de leur notoriété et du soutien inconditionnel des industries qui redoutaient une réglementation de leurs activités, ils réussirent à influencer plusieurs présidents en place, Ronald Reagan et Bush père et fils en particulier (George Bush père les appelait «mes savants»[4].) Ils dupèrent également des organes de presse aussi respectables que le *New York Times*, le *Washington Post* et *Newsweek* qui se firent volontiers l'écho de ces campagnes de désinformation, dans le souci de «donner une place égale aux divers courants d'opinion», mettant sur le même pied des recherches scientifiques scrupuleuses avec des opinions biaisées. Ces experts acquis aux lobbies financiers avaient tous en commun une obsession antisoviétique datant de la guerre froide et une sympathie avouée pour le capitalisme ultralibéral[5].

100 millions de morts au XXe siècle : l'histoire du tabac

Dès les années 1930, des chercheurs allemands avaient montré que le tabac favorise le cancer du poumon. Mais, du fait de leur association avec le régime nazi, leurs recherches furent ignorées. C'est en 1953 qu'Ernest Wynder et ses collègues de l'Institut du Sloan-Kettering, à New York, découvrirent que les goudrons de tabac enduits sur la peau de souris entraînaient des cancers mortels[6]. Cette nouvelle fit l'effet d'une bombe dans les médias, et l'industrie du tabac fut prise de panique.

En décembre 1953, les présidents des quatre plus grandes marques de cigarettes américaines[7] se réunirent autour de John Hill, le patron de la principale agence de communication des États-Unis, afin de mettre sur pied une campagne médiatique destinée à convaincre la population que les «conclusions des chercheurs étaient dénuées de fondements», et leurs accusations, des «nouvelles à sensation» concoctées par des chercheurs avides de publicité et de subsides pour leur laboratoire[8]. Cette campagne sera ultérieurement considérée par les tribunaux comme la première en date des nombreuses étapes d'un complot organisé dans le but de dissimuler les effets toxiques du tabac.

Hill et ses complices commencèrent par former le Comité de recherche de l'industrie du tabac, Hill insistant pour inclure le mot «recherche» afin, disait-il, de «semer et de maintenir le doute» dans l'esprit du public. Ce comité distribua aux médecins, hommes politiques et journalistes des centaines de milliers d'opuscules dans lesquels était prétendument démontré qu'il n'y avait aucune raison de s'alarmer de la nocivité du tabac[9]. Ce faisant, ils réussirent à jeter le trouble dans l'opinion.

«Le doute est notre "produit", puisque c'est le meilleur moyen de combattre l'ensemble des faits qui sont maintenant connus du grand public», déclarait un mémorandum interne d'un dirigeant d'une grande marque de tabac en 1957[10]. *Doubt Is Their Product* («Le doute est leur produit») est aussi le titre du livre du scientifique David Michaels, secrétaire adjoint de l'Énergie, de l'Environnement, de la Sécurité et de la Santé sous l'administration Clinton et qui, à l'instar d'Oreskes et de Conway, démontre comment l'industrie du tabac a très vite recruté des «experts» missionnés pour fournir des éléments à leurs services de communication permettant de «garder le débat ouvert» là où les travaux de recherche avaient établi sans équivoque que le tabac est la cause de millions de morts prématurées[11].

En 1957, le Service américain de la santé publique statua que le tabac était «la cause principale de l'augmentation de la fréquence des cancers du poumon». En Europe, d'autres organismes de santé publique firent des déclarations similaires.

En 1964, sur la base de plus de 7 000 études démontrant la nocivité du tabac, le «chirurgien général*» établit dans un rapport, lui aussi intitulé «Tabac et Santé», qu'un fumeur avait «vingt fois plus de risques de mourir d'un cancer du poumon qu'un non-fumeur», que le tabac entraînait par ailleurs une nette augmentation des autres maladies pulmonaires

* Aux États-Unis, ce dernier remplit une fonction intermédiaire entre celle de ministre de la Santé et celle de porte-parole des institutions de santé.

et cardiaques, et que plus une personne fumait, plus l'effet était néfaste sur sa santé[12].

L'industrie comprit qu'elle faisait face à une crise grave, mais ne s'avoua pas vaincue et regroupa ses forces. Le service de relations publiques de la marque Brown et Williamson choisit de faire comme si de rien n'était et annonça, en 1967, qu'«il n'y avait aucune preuve scientifique montrant que le tabac causait le cancer ou toute autre maladie». Devant les tribunaux, l'industrie du tabac arrivait toujours à rallier quelques scientifiques à son clan pour affirmer que les données de la science restaient incertaines.

Il n'a transparu qu'ultérieurement que ces scientifiques au service de l'industrie étaient en fait parvenus à la même conclusion que les autres. Bien plus : ils avaient aussi constaté que la nicotine créait une accoutumance chez le fumeur, deux conclusions que l'industrie choisit d'abord de cacher, puis de nier jusqu'aux années 1990, lorsqu'elle fut accusée de dissimulation. Comme tactique préventive, elle introduisit sur le marché dans les années 1960 des marques de cigarettes dites «meilleures pour la santé». Si l'on songe que 5 millions de personnes mouraient alors dans le monde et meurent encore chaque année à cause de la cigarette, on mesure le cynisme de ce label.

Un nouveau vent de panique parcourut l'industrie dans les années 1980, lorsque le chirurgien général conclut que le tabagisme passif était, lui aussi, nocif pour la santé et préconisa des mesures limitant l'usage du tabac à l'intérieur des bâtiments. L'industrie du tabac s'allia à nouveau avec Fred Singer pour discréditer non seulement l'EPA (Environnemental Protection Agency, agence de protection de l'Environnement), qui avait compilé les travaux scientifiques, mais les chercheurs eux-mêmes, les accusant de faire de la «recherche de pacotille».

Là encore, dès les années 1970, l'industrie du tabac savait que les fumées qui flottent dans l'air contiennent davantage de produits toxiques que la fumée inhalée par le fumeur*. La raison principale en est que la combustion de cette fumée latérale se fait à plus basse température et de manière incomplète[13].

L'étude la plus convaincante vint du Japon en 1981. Takeshi Hirayama, de l'Institut de recherche sur le cancer, démontra que les

* La fumée du tabac contient 4000 substances chimiques différentes, dont 60 sont cancérigènes. La fumée qui s'échappe latéralement de la cigarette, contient sept fois plus de benzène, soixante-dix fois plus de nitrosamines et cent fois plus d'ammoniac que la fumée inhalée ou rejetée par le fumeur.

femmes de fumeurs mouraient deux fois plus du cancer du poumon que les femmes de non-fumeurs. L'étude portait sur 540 femmes suivies pendant quatorze ans. Plus le mari fumait, plus le taux de mortalité des épouses augmentait[14].

L'industrie du tabac se tourna alors vers un statisticien renommé, Nathan Mantel, qui déclara que les résultats d'Hirayama avaient été incorrectement analysés. Les services de communication des firmes prirent le relais, les journaux titrèrent en première page que de nouvelles investigations démentaient les risques du tabagisme passif, et de pleines pages de publicité annonçant la bonne nouvelle furent financées par les cigarettiers. Nouvelle duplicité, des mémorandums internes, retrouvés depuis, confirment qu'ils savaient fort bien où se situait la vérité. L'un d'eux note : «Hirayama avait raison. TI (Tobacco Industry) le savait et a attaqué Hirayama tout en sachant que ses résultats étaient exacts.»[15]

Fumer n'était donc plus seulement une question de risque personnel. Mettre en danger ses amis, ses collègues et ses propres enfants était une tout autre affaire, que l'opinion publique n'avalerait sûrement pas aussi facilement.

Et pourtant, les industriels du tabac persistèrent dans leur entreprise mensongère : Sylvester Stallone toucha 500 000 dollars pour fumer des cigarettes dans cinq de ses films, afin d'associer l'acte de fumer à la force et à la bonne santé. Philip Morris finança un projet nommé *Whitecoat* («Manteau blanc»), enrôlant des scientifiques européens afin d'«inverser la conception scientifique et populaire erronée selon laquelle la FTE [fumée de tabac environnementale] est nuisible à la santé[16]». Une dépense de 16 millions de dollars dans le seul but de maintenir le doute dans l'esprit du public. Fred Singer, fidèle au poste, multiplia les articles dans la presse, dénonçant les nouveaux rapports scientifiques qu'il qualifia de «science de bas étage» (*junk science*). En 1999, analysant les articles parus dans la presse concernant le tabagisme passif, deux chercheurs de l'université de Californie, Gail Kennedy et Lisa Bero, établirent que 62 % des articles publiés dans les journaux et magazines non spécialisés entre 1992 et 1994 continuaient à affirmer que les recherches concluant aux effets néfastes du tabagisme passif étaient «sujettes à controverse», alors que *tous* les travaux scientifiques sérieux avaient confirmé cette nocivité[17].

Un autre stratagème consista à créer des revues pseudo-scientifiques dans lesquelles l'industrie du tabac publia des articles qui n'auraient jamais passé le seuil des comités de lecture des revues scientifiques sérieuses, et d'organiser des conférences où elle invitait des scientifiques gagnés à sa cause, dont les opinions étaient ensuite reprises dans des «comptes rendus». Toutes ces stratégies servaient à constituer un ensemble de références qui, bien que dépourvu de valeur scientifique, avait pour but de contredire les recherches sérieuses[18].

Finalement, en 2006, un tribunal américain statua que «l'industrie du tabac avait mis au point et appliqué des stratagèmes destinés à tromper les consommateurs sur les dangers de la cigarette, dangers dont ils étaient conscients depuis les années 1950, comme le prouvaient les documents internes des compagnies de tabac elles-mêmes».

En novembre 2012, un juge fédéral américain a ordonné aux compagnies de tabac de publier dans les journaux des déclarations correctives affirmant clairement qu'elles ont menti sur les dangers du tabagisme. Ces déclarations doivent décrire sans dissimulation les effets du tabac sur la santé des fumeurs et mentionner le fait que le tabagisme tue en moyenne plus de 1200 Américains par jour, plus que les meurtres, le sida, le suicide, la drogue, l'alcool et les accidents de voiture réunis[19].

Aujourd'hui encore, selon l'Organisation mondiale de la santé (OMS)[20], le tabagisme tue près de 6 millions de personnes chaque année. 5 millions d'entre elles sont des consommateurs ou d'anciens consommateurs, et plus de 600000, dont 80000 en Europe, sont des non-fumeurs involontairement exposés à la fumée[21]. Le tabagisme passif est donc dangereux, même à petites doses[22].

Le tabac a provoqué 100 millions de morts au XXe siècle. Si la tendance actuelle se poursuit, il entraînera jusqu'à 1 milliard de victimes au XXIe siècle. 80% de ces décès se produiront dans des pays à revenus faibles ou moyens.

En dépit de tout cela, l'industrie du tabac n'a toujours pas baissé les bras. Elle vise maintenant les pays en voie de développement, et prospère en Afrique et en Asie (qui abrite 60% du milliard de fumeurs sur la planète, dont 350 millions de Chinois). En Indonésie, par exemple, elle propose aux jeunes une rémunération s'ils acceptent de transformer leur voiture en support publicitaire pour ses marques. Le matin à la télévision, il y a jusqu'à 15 spots publicitaires par heure pour promouvoir la consommation de tabac. Dans ce pays, avec 11 millions de travailleurs, la filière du tabac est le deuxième employeur national et 63% de la population masculine sont des fumeurs[23]. En Inde, 50000 enfants travaillent dans les fermes et usines de tabac. En Chine, Marlboro va jusqu'à sponsoriser des uniformes scolaires (avec leur logo bien sûr[24].) Mondialement, selon l'OMS, les recettes fiscales sur les ventes du tabac sont en moyenne cent cinquante-quatre fois plus élevées que les sommes dépensées pour la lutte antitabac[25]. Les effets à long terme des campagnes de désinformation continuent à se faire sentir puisque 25 % des Américains pensent encore aujourd'hui qu'il n'y a aucun élément solide prouvant que fumer tue[26].

Un chauffard en état d'ivresse qui provoque un accident mortel sera condamné pour « avoir causé la mort sans intention de la donner ». Que dire de ceux qui causent la mort sans « intention » de la donner tout en sachant parfaitement qu'ils la donnent ?

Quelles solutions ?

Selon l'OMS, les publicités antitabac choquantes et les photos apposées sur les paquets permettent de diminuer le nombre de jeunes qui commencent à fumer et d'accroître celui des fumeurs qui décident d'arrêter la cigarette. On sait aussi que l'interdiction de la publicité fait baisser la consommation. La première chose à faire serait donc d'*interdire toute publicité.*

Les études montrent que la plupart des fumeurs conscients des dangers du tabac souhaitent s'arrêter de fumer. Toutefois, dans beaucoup de pays, peu de gens connaissent les risques spécifiques à la consommation de tabac (seulement 37 % en Chine, où les gens fument librement dans des trains ou des autobus bondés). Les gouvernements doivent donc en premier lieu *informer correctement* la population.

On sait qu'un suivi thérapeutique, des conseils et la prise de certains médicaments peuvent, au minimum, doubler les chances de succès d'arrêt de la cigarette. Les consommateurs ont donc besoin d'*aide au sevrage.* Or seuls 19 pays, représentant 14 % de la population mondiale, disposent de services de santé nationaux proposant une aide au sevrage.

Compte tenu du caractère addictif de la nicotine et de ses effets meurtriers, une *interdiction globale* semblerait être la solution la plus évidente et la plus humaine. Il est insensé que l'on accorde si peu d'importance à l'hécatombe engendrée par le tabac. Comme le remarquait Jacques Attali dans un éditorial de *L'Express* :

> Le scandale du Mediator, au cœur d'un nœud de conflits d'intérêts, est exemplaire d'une inquiétante dérive de notre système de santé. [...] Mais ce qui est ahurissant, c'est que personne, absolument personne, ne se demande pourquoi on ne traite pas avec la même sévérité un produit totalement inutile, à la nocivité aujourd'hui avérée, consommé chaque jour par 1,3 milliard de personnes dans le monde et qui fait chaque année 5 millions de morts, soit plus que le sida et le paludisme réunis. [...] Mais on ne l'interdit pas. Pourquoi ? Parce qu'il rapporte beaucoup d'argent aux États. En France, il a rapporté en 2009, 10 milliards d'euros de taxe et 3 milliards de TVA. [...] Il ne faut plus tergiverser. Tout est clair désormais : il faut interdire la production, la distribution et la consommation de tabac. On remettrait en cause quelques emplois ; les États perdraient quelques recettes ; on encouragerait pour un temps le marché noir ; on devrait faire quelques dépenses pour désintoxiquer ceux qui le sont. Mais on gagnerait tant en qualité et en espérance de vie que le bilan, même économique, serait évidemment partout positif[27].

C'est aussi l'avis de la journaliste et médecin Martine Perez, qui a consacré un livre à ce sujet et remet les chiffres en perspective, en disant que, si le Mediator est tenu pour responsable de 500 à 2000 décès en trente ans, sur la même période le tabac a fait 1,8 million de morts dans le même pays[28].

L'OMS, elle, juge une interdiction inefficace dans le contexte de la mondialisation. On pourrait toutefois imaginer qu'une organisation comme l'Union européenne prenne l'initiative et donne l'exemple. Des pays comme la Finlande, l'Australie et la Nouvelle-Zélande ont déjà pris le chemin de l'éradication avec deux initiatives : enlever toute image positive du tabac en uniformisant les paquets de cigarettes, et interdire de fumer dans la rue pour mettre fin au phénomène d'imitation.

Un groupe d'experts médicaux anglais estime également que la perspective d'une interdiction mondiale est peu réaliste ; il encourage plutôt les gouvernements à faire payer systématiquement la note de santé publique aux compagnies de tabac, puisqu'elles sont les pourvoyeuses de toutes ces maladies et décès[29]. Au Canada, un procès en recours collectif est en cours, représentant 45000 Québécois qui réclament 27 milliards de dollars de dédommagements à ces compagnies. Aux États-Unis, les grandes marques de cigarettes ont signé en 1998 le Master Settlement

Agreement, par lequel elles se sont engagées à payer la somme record de 246 milliards de dollars sur vingt-cinq ans. Visiblement, la justice américaine n'a malgré tout pas frappé assez fort, puisque l'industrie du tabac continue de bien se porter, contrairement à ceux qui fument ses produits.

Le déni du réchauffement climatique

En 1965, Roger Revelle, conseiller scientifique du président Johnson, fut chargé de préparer un rapport sur l'augmentation de dioxyde de carbone dans l'atmosphère. Ses conclusions, présentées à la Chambre du Congrès, statuaient : «La génération actuelle a altéré la composition de l'atmosphère à une échelle mondiale en émettant régulièrement une quantité de dioxyde de carbone provenant de la combustion de carburants fossiles[30].» Mais c'était l'époque de la guerre du Vietnam, et le gouvernement avait d'autres priorités. Les climatologues, quant à eux, avaient déjà conçu des modèles prédisant, sous l'effet de l'augmentation du CO_2, un accroissement de la température à la surface du globe, avec des conséquences considérables à tout point de vue – biodiversité, migrations humaines, maladies, etc.

Le gouvernement américain demanda alors à deux groupes d'experts d'étudier la question plus avant*. Ils parvinrent eux aussi à la même conclusion. Constat qui mit les hommes politiques très mal à l'aise : intervenir efficacement aurait exigé des changements considérables dans le domaine de l'énergie. Ils choisirent donc de laisser le problème de côté. L'un des scientifiques relate que, lorsque l'on disait aux gouvernants à Washington que le taux de CO_2 dans l'atmosphère allait doubler d'ici à cinquante ans, ils répondaient : «Revenez dans quarante-neuf ans[31].» Le gouvernement américain adopta le point de vue du «on verra bien» et prétendit que, de toute façon, l'humanité saurait s'adapter. Pourquoi aurait-il donc été nécessaire de réglementer pour diminuer le taux de CO_2 dans l'atmosphère[32] ?

Alors que les scientifiques continuent à accumuler les études et à tenter d'alerter les responsables et l'opinion, des magnats américains financent des campagnes dans les médias pour nier le réchauffement climatique, soutenus par quelques laboratoires disposés à défendre cette

* Un groupe qui s'est surnommé les «Jasons» et était principalement composé de physiciens, puis une commission dirigée par Jule Charney, professeur au Massachusetts Institute of Technology (MIT) de Boston.

thèse. Selon les calculs présentés dans un rapport d'investigation de Greenpeace, les frères David et Charles Koch, deux magnats de l'industrie pétrolière aux opinions ultraconservatrices, qui sont respectivement les cinquième et sixième fortunes mondiales, y ont contribué à hauteur de plus de 60 millions de dollars depuis 1997[33]. Le journaliste Chris Mooney a montré qu'Exxon Mobil avait, en quelques années, versé 8 millions de dollars à pas moins de 40 organisations qui dénigrent les recherches scientifiques prouvant le réchauffement global[34]. En 2009, il y avait plus de 2300 lobbyistes au Congrès américain focalisés sur les questions liées au changement climatique, dans le but de protéger les intérêts des grandes industries[35].

L'association indépendante américaine Open Secrets, qui lutte pour une «politique responsable», a publié l'ensemble des montants des contributions faites aux élections américaines de novembre 2012. On apprend ainsi que nombre d'entreprises françaises – GDF Suez, Lafarge, Sanofi, etc. – ont financé la campagne de candidats comptant parmi les plus actifs négateurs du réchauffement climatique, tel le représentant de l'Illinois John Shimkus, lequel déclara en 2009 que la montée du niveau des océans ne se produirait pas puisque Dieu a promis à Noé que l'humanité ne serait plus jamais menacée par un déluge[36].

Comme le souligne Thomas Homer-Dixon, du Centre international d'innovation dans la gouvernance en Ontario : «L'ensemble du processus de négociation sur les changements climatiques est un exercice de mensonge prolongé et élaboré – mensonges les uns envers les autres, à nous-mêmes et, surtout, à nos enfants. Et ces mensonges commencent à corrompre notre civilisation à tous les niveaux[37].»

La science malmenée

Chercheur aux qualifications irréprochables, Benjamin Santer travaille au Lawrence Livermore National Laboratory, lié à l'université de Californie. C'est lui qui, dans un article de la revue *Nature*, a apporté en 1996 la preuve décisive que le réchauffement climatique était dû aux activités humaines et non aux variations de l'activité solaire. Ses travaux ont en effet démontré que la troposphère (la partie de l'espace la plus proche de nous) s'échauffait, tandis que la stratosphère (l'espace situé à l'extérieur de la troposphère) se refroidissait. Cela aurait dû être le contraire si le réchauffement de notre climat était causé par le soleil : la stratosphère recevant en premier les rayons du soleil, c'est elle qui aurait dû commencer à se réchauffer[38].

Santer fut alors chargé de coordonner la rédaction du huitième chapitre du rapport du GIEC des Nations unies – traitant des changements climatiques. Cette institution a reçu le prix Nobel de la paix en 2007, avec Al Gore.

Confrontés à l'évidence de la conclusion découlant des données présentées par Santer, incapables de la contester scientifiquement, Steitz, Singer, Bill Nierenberg et leurs comparses proclamèrent que le chercheur avait délibérément falsifié ses résultats. Ils tentèrent aussi de le faire renvoyer de son université. Steitz rédigea un éditorial dans le *Wall Street Journal* intitulé «Une tromperie majeure sur le prétendu "réchauffement global"», ainsi que d'autres articles du même acabit accusant Santer d'avoir supprimé certaines parties de ce huitième chapitre du rapport du GIEC, passages qui jetaient des doutes sur le réchauffement global et ses causes.

En vérité, Ben Santer n'avait fait que procéder à un certain nombre de révisions à la suite de recommandations de ses collègues. Lorsqu'un chercheur soumet un article à une revue scientifique ou écrit un rapport de synthèse, il est en effet normal que ses données, analyses et conclusions soient passées au crible par un groupe d'experts. Comme à l'accoutumée, ces derniers avaient demandé des précisions et des informations supplémentaires.

Fred Steitz connaissait évidemment ce processus. Il affirma toutefois, et sans le moindre fondement, que les modifications apportées par le chercheur étaient destinées à «tromper les décideurs politiques et le public afin de leur faire croire qu'il existait des preuves scientifiques montrant que les activités humaines engendraient un réchauffement du climat[39]». Dans un article, il prétendit n'avoir jamais vu «pire exemple de corruption du processus de vérification par les experts». Or, n'étant pas un spécialiste des questions climatiques, Fred Steitz n'avait pas eu connaissance de la teneur des modifications apportées à l'article. Ses commentaires n'étaient donc que du vent, mais un vent qu'il réussit à faire souffler sur tous les médias américains*.

---

* Le *Wall Street Journal* refusa tout d'abord à Santer un droit de réponse, puis, à sa troisième demande, le publia finalement, tronqué et expurgé des signatures de quarante autres scientifiques de renom qui lui avaient apporté leur caution.

C'est ainsi qu'au fil des années, les médias américains ont été bombardés d'informations fallacieuses destinées à apporter aux hommes politiques les plus conservateurs les arguments dont ils avaient besoin. La revue de l'Académie des sciences américaine, la *PNAS*, publia une étude montrant que 97 % des chercheurs spécialisés dans le climat aux États-Unis attribuaient à l'homme la responsabilité du réchauffement climatique et de ses conséquences attendues. Cette unanimité de la communauté scientifique ne suffit pas à impressionner le sénateur de l'Oklahoma, James Inhofe, qui rétorqua : «Ces 97 % ne veulent rien dire[40].» En d'autres circonstances, ce même sénateur avait décrit le réchauffement global comme «le plus grand canular jamais monté contre le peuple américain[41]», ajoutant que le «CO_2 ne cause aucun problème et serait plutôt bénéfique à notre environnement et notre économie[42]». Tous les candidats républicains à l'investiture présidentielle de 2012 ont clamé leur scepticisme à propos des changements climatiques et refusé de considérer les émanations industrielles de dioxyde de carbone comme étant la première cause du réchauffement global[43]. 64 % des Américains continuent de penser que la communauté scientifique est profondément divisée sur le sujet[44].

En France, l'ancien ministre Claude Allègre a réussi, dans son ouvrage *L'Imposture climatique*[45], à cumuler la plupart des erreurs et opinions gratuites disséminées par les lobbies américains. Il niait en particulier l'ampleur du réchauffement climatique et le fait qu'il est dû aux émissions de gaz à effet de serre – «je crois que, aux teneurs actuelles, l'influence majeure du CO_2 sur le climat n'est pas démontrée, et qu'elle est même douteuse[46]», ressortant l'hypothèse depuis longtemps discréditée par Ben Santer qui rendrait le soleil responsable d'un réchauffement momentané de la planète, niant la fonte de la glace de l'Antarctique[47] et confondant l'instabilité des conditions météorologiques avec le changement climatique[48]. De fait, aucun facteur naturel connu ne peut expliquer le réchauffement récent et les conclusions des experts du GIEC sur le rôle des activités humaines sur le réchauffement récent s'appuient sur plus de 500 travaux concordants[49].

En avril 2010, plus de 600 scientifiques spécialistes du climat réagirent aux positions de Claude Allègre et en appelèrent à la direction du CNRS[50]. Parmi les autres réactions, Stéphane Foucart faisait la liste dans *Le Monde* du «Cent-fautes de Claude Allègre», montrant que le livre était truffé d'erreurs : référence à des auteurs ou à des articles qui n'existent pas, assimilation des opinions de présentateurs météo de la télévision américaine à celles des scientifiques du climat, enrôlement arbitraire de scientifiques au service de points de vue qu'ils n'ont jamais défendus, etc.

«Semer le doute», «maintenir la controverse ouverte», les objectifs des groupes d'intérêt ont été couronnés de succès. Or il s'agit de faire prévaloir l'intérêt de quelques-uns sur le bien commun. Faire de ce genre de déni un cheval de bataille relève donc bien de l'égoïsme institutionnalisé.

L'industrie pharmaceutique : un défi pour la santé publique

Depuis un siècle, les sociétés pharmaceutiques du monde entier ont produit des médicaments, les antibiotiques en particulier, qui ont sauvé un nombre incalculable de personnes, et ont contribué à faire passer l'espérance de vie, en France, de quarante-huit ans en 1900 à quatre-vingts ans aujourd'hui. Toutefois, ces succès incontestés ne sont pas une excuse pour se livrer à un ensemble de pratiques qui ne sont certainement pas dans l'intérêt des patients.

Il est en effet alarmant de constater, comme vient de le démontrer le médecin anglais Ben Goldacre dans son ouvrage *Bad Pharma*[51], que les intérêts privés des entreprises pharmaceutiques ont très souvent pris le dessus sur ceux de la santé publique. Sous prétexte de protéger leurs investissements dans la recherche, ces entreprises occultent les données des études sur la base desquelles ils affirment qu'un nouveau médicament est efficace. En particulier, ils ne communiquent à la communauté médicale et scientifique que les résultats des études favorables à leurs produits. Si l'on ajoute à cela les exagérations et distorsions inhérentes à toute campagne de publicité, qui vante les marchandises de manière disproportionnée par rapport à leurs bienfaits réels, les médecins ne disposent pas des informations qui leur permettraient de choisir en toute connaissance de cause les meilleurs traitements pour leurs patients. Bref, comme l'exprime Philippe Masquelier, médecin généraliste et vice-président de l'association Formindep* : «La transparence de l'industrie pharmaceutique s'arrête là où ses intérêts financiers commencent.»

* Un collectif fondé en 2004, dont le but est de «favoriser une formation et une information médicales indépendantes de tout autre intérêt que celui de la santé des personnes».

Une distorsion de la recherche scientifique

Il serait parfaitement possible de connaître sans ambiguïté l'efficacité des médicaments vendus sur le marché. Or, en raison d'un manque de transparence systématique des compagnies pharmaceutiques et du manque de volonté des organismes de réglementation, ce n'est pas le cas. Pourquoi ?

Les médicaments sont testés par ceux-là mêmes qui les fabriquent, et non par des laboratoires scientifiques indépendants. La comparaison entre les protocoles expérimentaux utilisés dans les études scientifiques rigoureuses et ceux mis en œuvre dans les laboratoires pharmaceutiques montre que, dans ces derniers, elles sont souvent mal conçues, effectuées sur un nombre de patients insuffisant, sur une durée trop courte. En outre, ces résultats sont interprétés de façon à exagérer les bienfaits du produit. Lorsque les tests produisent des résultats qui ne satisfont pas les entreprises, celles-ci se contentent de les ignorer, privant ainsi les investigateurs indépendants d'informations indispensables à une juste évaluation du médicament en question.

En 2007, Lisa Bero et d'autres chercheurs de l'université de San Francisco ont examiné tous les tests publiés concernant les bienfaits des statines, médicaments anticholestérol qui réduisent le risque de crise cardiaque et sont prescrits en très grandes quantités. Ils ont analysé 192 tests comparant une statine spécifique avec une autre ou avec un type de médicament différent, et ils ont constaté que les études financées par l'industrie donnaient *vingt fois plus souvent des résultats favorables* concernant leurs propres produits que les études effectuées par des laboratoires scientifiques indépendants. Cet exemple est la règle plutôt que l'exception[52].

Pour réaliser une étude rigoureuse, il faut réunir un groupe comprenant un nombre suffisant de personnes souffrant d'une certaine maladie, puis le diviser en deux groupes par tirage au sort. La première moitié recevra le traitement étudié, l'autre un placebo ne contenant aucune substance active ni aucun autre médicament*. L'effet placebo (l'écart entre les

* Ni les malades ni ceux qui administrent le traitement ne savent s'il s'agit d'un placebo ou des substances étudiées. Seuls ceux qui analysent les résultats auront accès à ces informations. Ce type d'étude, dite en « double aveugle », est la seule façon de distinguer entre un effet placebo et un effet de la substance qui *s'ajoute* à l'effet placebo, lequel est toujours présent.

effets de la prise du placebo et l'évolution des patients sans aucune médication) est habituellement de l'ordre de 30 % et peut atteindre 60 à 70 % dans le cas des migraines et des dépressions[53]. Un médicament doit donc avoir une efficacité supérieure à celle d'un placebo.

Malheureusement, il existe de nombreuses façons de biaiser ces procédures expérimentales. Ainsi sélectionnera-t-on des patients qui sont plus susceptibles de réagir favorablement au traitement. Ou bien, l'on se contentera de regarder les résultats à mi-parcours et d'interrompre l'étude prématurément pour éviter d'obtenir un moins bon résultat au terme du même test. Les compagnies pharmaceutiques qui utilisent les services de chercheurs se réservent, par contrat, la prérogative d'interrompre une étude à tout moment si elles jugent qu'elle ne va pas dans la bonne direction, ce qui bien évidemment fausse l'évaluation objective du médicament testé. L'étude achevée, la compagnie contrôle entièrement la publication ou la mise à l'écart des résultats, selon ce qui l'arrange.

Les entreprises pharmaceutiques manquent totalement de transparence

Un article publié dans *JAMA* (*Journal of the American Medical Association*), la principale revue médicale américaine, relève que sur un échantillon de 44 études réalisées par des laboratoires pharmaceutiques, dans 40 cas, les chercheurs ont dû signer un contrat de confidentialité[54]. Cette confidentialité n'a rien à voir avec la protection des droits des laboratoires sur le produit qu'ils ont mis au point. Elle vise uniquement à ne diffuser que les tests qui montrent que leurs produits sont efficaces et à passer impunément sous silence les tests qui ont donné des résultats négatifs. Pour prendre l'exemple de l'Union européenne, la moitié de tous les tests effectués sur des produits médicaux ne sont jamais publiés. Or la connaissance de l'*ensemble* des études réalisées sur un nouveau produit et la comparaison avec des médicaments déjà existants sont indispensables pour que les médecins soient en mesure de prescrire le médicament le plus efficace. Aujourd'hui, les médecins ne disposent que de résultats présélectionnés par les laboratoires. De fait, les quelques études systématiques, longues et coûteuses, qui ont été réalisées indiquent que la majorité des nouveaux médicaments mis sur le marché ne sont pas plus efficaces que ceux qui existent déjà. Et, parfois, ils le sont même moins.

Citons un exemple révélateur, celui du Tamiflu. En 2005, craignant une pandémie de grippe aviaire, les gouvernements du monde entier ont dépensé des milliards de dollars pour acheter et stocker ce médicament supposé réduire les complications de la grippe, qui peuvent être fatales. En Angleterre, il y avait de quoi traiter 80 % de la population. Pourtant, à ce jour, Roche, le fabricant, n'a publié aucune donnée montrant que le Tamiflu réduisait efficacement le taux de pneumonie et la mortalité. Le site Internet de Roche n'en annonce pas moins que ce médicament réduit les complications de 67 %.

En décembre 2009, Cochrane Collaboration, une organisation à but non lucratif qui a pour but de faciliter la collaboration entre scientifiques du monde entier, décida de vérifier ce qu'il en était. Cette organisation effectue et publie chaque année des centaines d'analyses systématiques et approfondies portant sur la recherche médicale. Cochrane contacta Roche, qui se dit prêt à communiquer les données sous réserve qu'elles restent confidentielles, ce qui n'avait aucun sens pour une organisation dont le but était d'informer la communauté scientifique. De plus, Cochrane devait s'engager à ne révéler ni les conditions imposées par Roche, ni les résultats de leur investigation, ni même le fait que ces investigations existaient ! Tout cela à propos d'un médicament qui avait déjà été consommé par des centaines de milliers de personnes et avait coûté des milliards aux gouvernements, donc aux citoyens. Cochrane demanda des éclaircissements et Roche ne répondit pas[55]. En janvier 2011, Roche annonça que toutes ses données avaient été transmises à Cochrane, ce qui était faux, et, en février, qu'elles avaient été publiées, ce qui était également faux. En octobre 2012, la rédactrice en chef du prestigieux *British Medical Journal*, Fiona Godlee, publia une lettre ouverte à Roche, lui demandant de rendre publics les résultats d'une dizaine de tests non publiés, Roche n'ayant rendu public que les résultats de deux tests favorables à son médicament[56]. Toujours en vain.

Cochrane effectua donc une analyse sur le peu de données disponibles, et il devint clair que les méthodes décrites dans les articles censés prouver les bienfaits du Tamiflu étaient loin d'être optimales : le type de personnes choisies pour être testées, notamment, n'était pas aléatoire, mais déterminé par le résultat positif auquel la société souhaitait aboutir. De plus, beaucoup de données importantes manquaient. À ce jour, il n'existe aucune étude réalisée en « double aveugle » et contre placebo démontrant l'efficacité du Tamiflu sur les formes graves de la grippe. On a tout au plus noté une légère réduction de la durée des symptômes sur les formes banales.

À la suite d'une enquête publiée en 2008, il est avéré que GlaxoSmithKline (GSK) s'était abstenu de faire connaître les données de 9 études montrant non seulement l'inefficacité sur les enfants de son antidépresseur à base de paroxétine, mais mettant également en évidence des effets indésirables graves, à savoir une augmentation du risque de suicide chez ces enfants[57]. GSK n'a fait aucun effort pour en informer quiconque, et un document interne affirme : « Il serait commercialement inacceptable d'inclure dans les notices une déclaration indiquant que l'efficacité n'a pas été démontrée, car cela nuirait au profil de la paroxétine. » Dans l'année qui suivit cette note confidentielle, dans le seul Royaume-Uni, 32 000 ordonnances de paroxétine ont été délivrées à des enfants.

Le Vioxx (rofécoxib) fut mis sur le marché par le laboratoire Merck principalement pour le soulagement des douleurs de l'arthrose. Merck a continué à mener des campagnes de marketing agressives pour promouvoir les ventes de Vioxx alors même que le laboratoire connaissait depuis 2000 les dangers cardio-vasculaires graves de ce produit. La firme ne se décida à le retirer du marché qu'en 2004, après que des dizaines de milliers d'accidents cardio-vasculaires, souvent mortels, eurent été recensés[58].

À l'occasion d'un procès, un groupe d'experts indépendants montra que Merck avait occulté la surmortalité due au rofécoxib, pourtant constatée au cours d'essais cliniques qui visaient à explorer son action sur la maladie d'Alzheimer. Sous couvert de la confidentialité, Merck n'avait fourni que des informations partielles et des analyses incorrectes. Or, selon deux essais cliniques non publiés, la mortalité était trois fois supérieure sous rofécoxib par rapport à un placebo[59]. Dans les deux articles publiés, les auteurs, dont plusieurs étaient employés par Merck, avaient affirmé que le rofécoxib était « bien toléré[60] ». Par les survivants peut-être ?

Durant la dernière décennie, diverses mesures et résolutions concernant les médicaments ont été prises par les organismes nationaux et internationaux, ainsi que par les éditeurs de revues médicales, mais aucune ne fut respectée[61]. En 2007, il fut décidé que les résultats de toutes les études, positives ou négatives, devaient être mis en ligne sur un site Internet créé à cet effet. Là encore, un audit publié dans le *British Medical Journal* révéla que seule 1 étude sur 5 était ainsi mise à la disposition de la communauté médicale. Encore un faux-semblant.

Les régulateurs ne font pas leur devoir

Il en va de même des régulateurs gouvernementaux qui sont censés vérifier la qualité des recherches des laboratoires de médicaments et donner les autorisations de mise sur le marché. Ils n'ont pas toujours accès à toutes les données des firmes pharmaceutiques ; selon Goldacre, le médecin anglais auteur de *Bad Pharma*, il est parfois aussi difficile d'obtenir d'eux les données dont ils disposent que « d'extraire du sang d'une pierre ».

Il donne l'exemple des chercheurs du Centre Cochrane qui travaillaient en 2007 sur une étude systématique portant sur deux médicaments largement utilisés pour les cures d'amaigrissement, l'Orlistat et le Rimonabant. Une telle étude nécessite l'accès à toutes les données existantes : s'il en manque, particulièrement celles qui ont donné des résultats négatifs, les chercheurs ne peuvent avoir qu'une image déformée de la situation.

En juin 2007, Cochrane demanda à l'EMA (European Medicines Agency, l'Agence européenne des médicaments), l'organisme qui approuve et surveille les médicaments pour l'ensemble de l'Europe, de lui communiquer les protocoles expérimentaux et les rapports sur les études en question. Deux mois plus tard, l'EMA répondit qu'elle avait décidé de ne pas fournir ces rapports, en invoquant la protection des intérêts commerciaux et la propriété intellectuelle des compagnies pharmaceutiques. Les chercheurs répondirent par retour du courrier qu'il n'y avait strictement rien, dans un rapport d'étude objectif sur l'innocuité et l'efficacité d'un médicament, qui puisse porter atteinte à la protection de tels intérêts commerciaux. Et même s'il y en avait, l'EMA pourrait-elle expliquer pourquoi les intérêts commerciaux des compagnies pharmaceutiques devraient l'emporter sur la santé des patients[62] ?

En désespoir de cause, les chercheurs de Cochrane se tournèrent vers le Médiateur européen. « Ce fut le début d'une bataille pour les données qui allait faire honte à l'EMA, et durer plus de trois ans », rapporte Goldacre[63]. En 2009, coup de théâtre, l'un des deux médicaments, le Rimonabant est retiré du marché parce qu'il augmente le risque de problèmes psychiatriques graves et de suicides. L'EMA fut alors contrainte par le Médiateur européen de fournir toutes les données en sa possession. En 2010, les conclusions du Médiateur furent accablantes : l'EMA avait manqué à ses devoirs et échoué à répondre à l'accusation grave selon laquelle sa rétention d'informations était contraire à l'intérêt des patients. Pendant toutes ces années, les patients ont souffert du manque de transparence des entreprises pharmaceutiques et des régulateurs gouvernementaux.

En grande fanfare, l'Agence européenne des médicaments a créé un registre des tests médicaux appelé EudraCT, et la législation européenne exige que toutes les études y soient consignées. Mais, d'après tous les avis compétents, la transparence continue de faire défaut, et l'OMS, entre autres, a déclaré que le registre EudraCT était pratiquement inutilisable du fait qu'il est presque impossible de naviguer dans la masse de données brutes et mal organisées qui ont été mises en ligne[64].

Le coût de la recherche est largement inférieur à celui des dépenses publicitaires

Les compagnies pharmaceutiques dépensent des sommes astronomiques chaque année en publicité pour influencer les décisions thérapeutiques des médecins – 60 milliards de dollars par an rien qu'aux États-Unis, l'équivalent du PIB de la Bolivie ou du Kenya, et trois fois celui du Laos[65].

Quand une société pharmaceutique refuse de laisser un pays en voie de développement utiliser un nouveau médicament pour le sida à un prix abordable, c'est, dit-elle, parce qu'elle a besoin des revenus pour financer des recherches très coûteuses. Cet argument perd toute crédibilité quand on apprend que cette société, comme toutes les autres entreprises pharmaceutiques, dépense deux fois plus d'argent pour le marketing de ses produits que pour la recherche.

Il est inacceptable de considérer un médicament comme un produit de consommation ordinaire, un produit cosmétique ou un paquet de lessive, par exemple. Les médicaments ne devraient avoir d'autre raison d'être que leur utilité au service de la santé publique. En conséquence, on ne devrait leur appliquer que des critères de décision strictement scientifiques et commencer par interdire toute forme de publicité les concernant.

L'argent dépensé en publicité est d'ailleurs entièrement payé par les patients eux-mêmes, ou par les deniers publics s'ils sont remboursés par la Sécurité sociale, ou encore par les compagnies d'assurances que financent les cotisations des patients. Environ 25 % du prix de vente d'un médicament sert à couvrir les dépenses publicitaires

La publicité médicale fait plus qu'attirer l'attention des médecins vers un médicament plutôt qu'un autre, elle est fréquemment mensongère. Il suffit, pour le vérifier, de rassembler les affirmations trouvées dans les annonces médicales et de les comparer aux données disponibles sur les médicaments en question.

Une telle étude a été réalisée en 2010 par un groupe de chercheurs hollandais qui a épluché les principales revues médicales dans le monde entre 2003 et 2005[66]. Les résultats furent atterrants : la moitié seulement des effets thérapeutiques décrits par les publicités était corroborée par les études scientifiques correspondantes. De plus, seulement la moitié des études elles-mêmes était de bonne qualité.

Les plus grandes revues médicales mondiales, *JAMA* et *NEJM* (*New England Journal of Medicine*), par exemple, reçoivent chacune entre 10 et 20 millions de dollars de revenus pour les publicités payées par les entreprises pharmaceutiques[67].

Les stratégies promotionnelles des firmes pharmaceutiques englobent la presse médicale, les représentants médicaux, les divers dispositifs de formation médicale et les leaders d'opinion dans le domaine de la santé[68].

Les visiteurs médicaux influencent indûment les médecins

De nombreuses raisons devraient pousser les médecins à cesser de recevoir les représentants de commerce des entreprises pharmaceutiques[69]. Ces représentants, appelés « visiteurs médicaux », viennent régulièrement vanter les produits fabriqués par leur laboratoire. En 2006, un peu plus de 22 000 visiteurs médicaux sillonnaient la France, soit 22 % des effectifs de l'industrie pharmaceutique[70]. Le nombre de médecins en activité en France étant d'environ 220 000 en 2012[71], cela fait donc 1 représentant pour 10 médecins (1 pour 6 aux États-Unis !). En France, un tiers des médecins reçoit plus de 7 visiteurs médicaux par semaine.

Les visiteurs médicaux font certainement leur travail consciencieusement, et il serait malséant de les critiquer sur le plan personnel. De plus, dans la situation actuelle, ils facilitent la tâche du médecin, ses horaires souvent surchargés lui rendant impossible de lire toute la littérature scientifique qui paraît chaque mois dans leur spécialité.

C'est le système qui est déficient et éthiquement inacceptable, puisque l'on sait que les entreprises pharmaceutiques, et par extension ceux qui les représentent, offrent une image déformée de leurs produits. L'intérêt général serait servi si les nouveaux médicaments vantés par les laboratoires étaient plus efficaces que ceux qui existent déjà, or bien souvent, comme nous l'avons vu, ce n'est pas le cas.

En France, la loi précise bien que l'information fournie par les représentants doit être exempte de toute forme d'incitation à la prescription. Mais comment pourraient-ils ne pas influencer la prescription? Les représentants médicaux doivent, de par la mission qui leur est confiée, donner une opinion partisane sur la société qu'ils représentent. Ils distribuent des tirés à part d'articles académiques élogieux de ses produits et sont bien obligés de passer sous silence les études mentionnant que les substances en question sont inactives, moins efficaces que les médicaments déjà disponibles, ou pis, qu'elles présentent des effets secondaires indésirables. Ainsi peut-on dire qu'ils sont, dans une certaine mesure, complices de la stratégie de rétention d'informations des firmes pharmaceutiques qu'ils représentent.

La plupart des médecins affirment garder leur esprit critique. Les études réalisées sur cette question montrent qu'il en va tout autrement. L'une d'entre elles a suivi, aux États-Unis, un groupe de médecins avant et après un voyage effectué aux frais d'une compagnie pharmaceutique dans un lieu de villégiature à la mode[72]. Avant leur départ, la majorité des médecins avaient déclaré qu'ils ne pensaient pas que ce genre d'événement allait changer leurs habitudes de prescription. Toutefois, il s'est avéré qu'à leur retour ils avaient triplé les prescriptions des produits de l'entreprise en question. Comment le sait-on? Aux États-Unis, c'est chose facile puisque les pharmacies sont autorisées à vendre leurs archives de prescription à des entreprises commerciales qui les analysent pour le compte des sociétés pharmaceutiques[73]. Les noms des patients sont omis, mais pas ceux des médecins. Les entreprises peuvent donc savoir quels médicaments le médecin prescrit, et ajuster l'argumentaire de vente de leurs représentants. Et, contrairement à la

France, rien ne leur interdit d'accorder des faveurs aux médecins qui utilisent le plus leurs produits.

D'après Ben Goldacre, il faut que les médecins refusent tout simplement de recevoir les visiteurs médicaux et que l'accès aux cliniques, hôpitaux et facultés de médecine leur soit interdit[74]. Par ailleurs, les pharmaciens ne devraient en aucun cas être autorisés à divulguer des informations concernant les ordonnances.

En France, c'est aussi l'opinion de Martin Hirsch à présent directeur de l'Agence du service civique, qui a déclaré sur une chaîne de télévision en janvier 2011 : «Mettons les labos à la porte des hôpitaux, de la formation initiale et continue des médecins. Bannissons les visiteurs médicaux des cabinets[75].» «Dangereux, car que proposez-vous pour ces 22000 personnes qui n'auraient plus d'emploi?» lui a-t-on rétorqué. La question ne peut être réduite à de telles considérations à court terme. Il en va de la santé publique. En outre, compte tenu des économies considérables que réaliserait la Sécurité sociale, l'État trouverait largement son compte en aidant ces visiteurs médicaux à se reconvertir.

Nombre de recherches ne servent qu'à produire un avatar de ce qui existe déjà

Il arrive bien sûr qu'un laboratoire pharmaceutique découvre et fabrique un nouveau médicament qui sauve des centaines de milliers de vies. Mais, de nos jours, la plupart des nouveaux médicaments n'apportent aucun progrès thérapeutique tangible, alors qu'ils sont vendus beaucoup plus cher que les précédents. Une véritable amélioration consisterait en une meilleure efficacité, une prise moins fréquente, une diminution des risques ou encore en une administration plus simple ou plus sûre du traitement.

Or un grand nombre des «nouveaux» médicaments appartient à deux catégories connues en anglais sous le surnom de *me-too* et *me-again*, «moi-aussi» et «moi-encore,» et rien ne justifie leur mise sur le marché.

Les «moi-aussi» sont des copies de médicaments existants vendus sous des noms différents. Les «moi-encore» sont des médicaments dont le brevet touche à son terme (la durée légale est de vingt ans) et va bientôt tomber dans le domaine public. Les fabricants, voyant arriver avec anxiété le jour où d'autres entreprises seront libres de commercialiser des versions génériques de produits qui jusqu'alors leur rapportaient des fortunes, s'empressent de sortir une nouvelle version dont la formule chimique est très légèrement modifiée, sans que cela entraîne la moindre différence thérapeutique. Rebaptisé et lancé à grand renfort de publicité, le «moi-encore» sera vendu deux à trois fois plus cher que le produit défunt. Ce n'est pas difficile, puisque, nous l'avons vu, pour obtenir l'autorisation de commercialiser un médicament, il suffit de démontrer qu'il est très légèrement meilleur à un placebo, ce qui est le cas de 30 % des nouveaux médicaments approuvés par les autorités sanitaires. Ce dont les patients ont besoin, ce n'est pas d'un duplicata plus cher, mais d'un médicament plus efficace.

D'après une analyse d'Adrian Hollis publiée par l'OMS, le principal problème avec les «moi-aussi» et les «moi-encore», c'est qu'ils restreignent l'incitation à innover. Il faudrait donc exiger, avant d'autoriser un nouveau médicament sur le marché, des preuves qu'il est réellement *supérieur* à ceux qui existent déjà[76].

Pour ne donner qu'un exemple parmi des centaines d'autres, il y a dix ans environ, la société AstraZeneca gagnait 5 milliards de dollars chaque année, soit un tiers de son chiffre d'affaires total, en vendant de l'oméprazole pour traiter le reflux gastrique et les brûlures d'estomac. Le brevet venant à échéance, les fabricants de médicaments génériques allaient entrer en scène, les prix allaient chuter (pour le plus grand bien des patients) et le chiffre d'affaires baisser. AstraZeneca a donc introduit un «moi-encore» sous la forme de l'ésoméprazole* que la société lança en 2001. La différence ? D'un point de vue thérapeutique, aucune[77]. Sauf qu'il coûte dix fois plus cher. Pourquoi les médecins le prescrivent-ils à ce prix-là ? Tel est le pouvoir de la publicité mensongère.

Aux États-Unis, Thomas Scully, le directeur de Medicare et Medicaid, a démontré que le gaspillage d'argent engendré par l'usage de l'ésoméprazole (commercialisé sous le nom de Nexium), à la place du précédent, s'élevait à 800 millions de dollars annuels. Il alla jusqu'à dire : «Tout médecin qui prescrit du Nexium devrait avoir honte de lui-même.» AstraZeneca s'est plainte à la Maison-Blanche, et le Congrès a fait savoir à Scully qu'il ferait mieux de se taire[78].

---

* Pour avoir une nouvelle autorisation de vente, il fallait au moins une petite différence. L'ésoméprazole est donc un énantiomère du précédent, c'est-à-dire une molécule qui est comme l'image inversée dans un miroir d'une autre molécule, ce qui, dans ce cas, ne change strictement rien à ses propriétés thérapeutiques.

L'étude ALLHAT (antihypertensive and lipid-lowering treatment & prevent heart attack trial, traitement antihypertenseur et hypolipidémiant pour prévenir les crises cardiaques)[79], qui a débuté en 1994 et a coûté 125 millions de dollars, portait sur la tension artérielle, une maladie qui affecte environ un quart de la population adulte. On y a comparé la chlorthalidone, un composé ancien et bon marché, avec l'amlodipine, un nouveau composé très cher qui est abondamment prescrit. On savait que les deux remèdes étaient aussi efficaces l'un que l'autre pour contrôler la pression artérielle. Le but était de connaître le nombre de crises cardiaques affectant les patients traités par ces deux médicaments. Au terme de l'étude, en 2002, on a constaté – au grand étonnement de tous – que l'ancien médicament était nettement meilleur. De plus, les économies réalisées pour les patients et la Sécurité sociale si ce remède était utilisé auraient largement excédé le coût de l'étude elle-même. Cette étude n'a malheureusement pas empêché la vente de l'amlodipine au prix fort et à grand renfort de publicité auprès des médecins et des pharmaciens[80].

Une autre étude menée par James Moon et ses collègues a montré, après investigation des dix composés le plus souvent prescrits en Angleterre, que le fait d'utiliser toute une panoplie de «moi-aussi» au lieu du remède le moins coûteux (bien qu'identique) grevait les finances publiques de plusieurs milliards de livres sterling par an, sans aucun bénéfice pour la santé des patients[81]. Il en va de même partout dans le monde.

Graves fautes d'éthique à l'égard des «cobayes» humains

Pendant des décennies, aux États-Unis, nombre de nouveaux médicaments étaient testés sur des prisonniers. Aujourd'hui, ce sont les pauvres des pays riches et les populations des pays en voie de développement qui font les frais de ces tests. Certes, ils sont payés, parfois des sommes alléchantes pour un Indien démuni, mais les sous-traitants sont peu surveillés et très souvent peu scrupuleux, les accidents fréquents, et le recours des victimes inexistant dans ces cas-là. Parfois, ceux qui font ainsi de l'expérience de cobaye un métier dont dépend leur survie souffrent tant de la prise continuelle de substances nouvelles, qu'ils en viennent à faire semblant d'avaler les pilules. L'un de ces «professionnels» décrit son calvaire comme «une économie de la torture douce[82]».

Ces tests présentent également le défaut d'être effectués sur des groupes ethniques différents des populations auxquelles les médicaments seront finalement administrés. Il est loin d'être certain que des habitants pauvres de communautés rurales en Chine, en Russie, ou en Inde réagiront aux substances qu'on leur donne de la même manière qu'un habitant de New York. Si, par exemple, vous donnez un nouveau médicament pour la tension artérielle à des personnes qui n'en ont jamais pris, il est très probable que les effets seront beaucoup plus encourageants que chez quelqu'un qui a déjà suivi divers traitements. Les résultats sont ainsi faussés. Enfin, ceux qui se prêtent à ces recherches seront rarement les bénéficiaires de ces nouveaux médicaments, destinés principalement aux pays riches.

Les solutions possibles

Face à une telle indifférence au bien d'autrui, face à des manquements aussi graves, il importe d'envisager les remèdes possibles. Nous avons vu que l'industrie pharmaceutique ne fournit que des informations incomplètes et biaisées. Cette situation a jusqu'à récemment largement échappé aux médias et au public, en dépit de cris d'alarme poussés occasionnellement par des scientifiques responsables.

Il est donc indispensable que les autorités régulatrices de la santé, indépendantes de l'industrie, soient celles qui informent clairement les praticiens des vertus et des dangers des médicaments existants, et qu'elles assurent la formation continue des médecins. Des comités scientifiques indépendants doivent aussi juger de la validité des études effectuées par les laboratoires. Pour cela, la condition préalable indispensable est l'accès à *toutes les données expérimentales* des tests d'efficacité des produits médicamenteux. Ce dispositif serait certes onéreux, mais en fin de compte, les États réaliseraient des économies colossales.

Les entreprises pharmaceutiques devraient aussi être pénalisées s'il est révélé qu'elles ont dissimulé des résultats d'études défavorables à leur produit, ce qui est monnaie courante aujourd'hui. Dans *Bad Pharma* ou comment les industries pharmaceutiques trompent les médecins et nuisent aux patients, Ben Goldacre, auteur de l'une des plus sérieuses études sur la question, estime que consacrer des ressources à assainir le système de la production médicamenteuse serait plus important et utile à la société que de faire de nouvelles recherches.

En France, la revue médicale *Prescrire*, fondée en 1981 par un groupe de pharmaciens et de médecins, fait diligence dans le même sens, dénonçant l'influence inappropriée des lobbies pharmaceutiques, les traitements inefficaces, voire dangereux (*Prescrire* a été la première à demander, en 2005, le retrait du Mediator). La revue, dédiée à la formation permanente des soignants, n'accepte aucune publicité des entreprises pharmaceutiques. Chaque année, cette revue publie un palmarès des firmes pharmaceutiques établi en fonction de leur transparence, de leur bonne volonté à mettre à disposition les données de leurs recherches et de leur objectivité concernant l'efficacité et les effets indésirables de leurs produits.

En 2012, *Prescrire* a identifié quinze nouveaux médicaments considérés comme dangereux et relevé que la plupart des nouveaux produits mis sur le marché durant l'année ne font qu'ajouter à l'accumulation des substances qui ne présentent pas d'effets thérapeutiques supérieurs à ceux des médicaments déjà disponibles. Plus inquiétant encore, une nouveauté sur cinq présente une balance bénéfices-risques négative et est à éviter.

Les experts de la revue recommandent l'augmentation du financement des recherches cliniques indépendantes des firmes pharmaceutiques ; la mise en place d'un corps d'experts indépendants ; l'exigence de comparer les nouveaux médicaments avec les traitements existants ; une plus grande transparence garantissant un accès aux données des essais cliniques et des formations continues des soignants qui soient entièrement indépendantes financièrement des firmes pharmaceutiques.

En conclusion, le cœur du problème reste celui des données manquantes ainsi que l'explique Ben Goldacre : « C'est la clé de toute cette histoire [...] parce qu'elle empoisonne l'eau du puits pour tout le monde. Si les tests adéquats ne sont jamais faits et si les tests qui ont donné des résultats négatifs sont occultés, il est tout simplement impossible de connaître les effets réels des traitements que nous utilisons. » Par manque d'information ou parce que les données transmises sont biaisées, voire erronées, les médecins prennent de mauvaises décisions et vont ainsi, bien involontairement, infliger des souffrances inutiles, et parfois la mort, à ceux qu'ils souhaitaient guérir[83].

Monsanto, archétype caricatural de l'égoïsme institutionnalisé

Monsanto a incarné l'égoïsme institutionnalisé pendant près d'un siècle, et mérite à ce titre d'être mis en exergue. Implantée dans quarante-six pays, cette entreprise est surtout connue du grand public comme le leader mondial des OGM et l'un des responsables de l'extension massive des monocultures. Elle exerce un contrôle draconien sur les fermiers à qui elle vend des semences, ces derniers n'étant pas autorisés à les réutiliser d'une année sur l'autre.

Ce que l'on sait moins, c'est que, depuis sa création en 1901 par un chimiste autodidacte, John Francis Queeny, la firme a été l'un des plus grands producteurs de produits toxiques, y compris les PCB (commercialisés sous le nom de «Pyralène» en France*) et le tristement célèbre agent orange utilisé durant la guerre du Vietnam. Des milliers de personnes sont mortes à cause de ces produits qui contenaient notamment des dioxines. Pendant des dizaines d'années, Monsanto a dissimulé, puis nié les effets nuisibles de ces produits sur la santé, jusqu'à ce qu'une série de procès dévoile ses malversations criminelles. Monsanto se présente aujourd'hui comme une entreprise des «sciences de la vie», soudain convertie aux vertus du développement durable.

Dans son ouvrage intitulé *Le Monde selon Monsanto*, Marie-Monique Robin, journaliste lauréate du prix Albert-Londres et réalisatrice de documentaires, rapporte les résultats d'un minutieux travail d'investigation qu'elle a mené sur tous les continents.

Une ville empoisonnée

Anniston est une petite ville de l'État d'Alabama, dans le sud des États-Unis, qui compte aujourd'hui 23000 habitants, dont 25%, principalement des Noirs, vivent au-dessous du seuil de pauvreté. Anniston fut un temps l'une des villes les plus polluées des États-Unis. C'est là, en effet, qu'entre 1929 et 1971, Monsanto a fabriqué des PCB et déversé impunément pendant quarante ans les déchets hautement

* Le PCB, commercialisé par Monsanto sous le nom d'Aroclor aux États-Unis, est une huile chlorée hautement toxique qui fut utilisée comme isolant dans les industries électriques et électroniques, et qui, sous l'effet de la chaleur, dégage de la dioxine. Le Pyralène est interdit en France depuis 1987.

toxiques de cette fabrication dans le Snow Creek, un canal qui traverse la ville. «C'était de l'eau empoisonnée. Monsanto le savait, mais n'a jamais rien dit...», raconte David Baker, un rescapé*. Aujourd'hui, les quartiers les plus pollués ont été abandonnés et donnent l'image d'une ville fantôme.

Les PCB servaient de lubrifiants et d'isolants dans des machines, ils entraient dans la composition de peintures et de produits pour le traitement du métal, les soudures, les adhésifs, etc. Il y en avait partout. Ils ont maintenant été classés parmi les «polluants organiques persistants» (POP), substances très dangereuses car elles résistent aux dégradations naturelles et s'accumulent dans les tissus vivants tout au long de la chaîne alimentaire.

Vers la fin des années 1960, des informations publiques commencent à circuler à propos des dangers que feraient courir les PCB. Monsanto s'inquiète... pour ses affaires. Une note interne rédigée en 1970 explique aux agents commerciaux : «Vous pouvez répondre oralement, mais ne donnez jamais de réponse écrite. Nous ne pouvons pas nous permettre de perdre 1 dollar de business.»

Dans les années 1990, à Anniston, le rythme des décès s'accélère, les femmes font de nombreuses fausses couches et une proportion élevée d'enfants manifeste des signes de retard mental. Monsanto offre aux habitants pauvres d'acheter leur maison un bon prix en échange de la promesse de ne pas les poursuivre en justice. Puis la firme propose 1 million de dollars aux habitants des quartiers affectés pour acheter leur silence et régler la question une fois pour toutes. Avant que cette stratégie se concrétise, un avocat d'Anniston, Donald Stewart, prend fait et cause pour la population et finit par obtenir d'un tribunal l'autorisation de consulter les archives internes de Monsanto, une montagne de documents que l'entreprise refusait de communiquer jusqu'alors.

L'examen de ces archives révèle que, dès 1937, l'entreprise a su que les PCB présentaient des risques graves pour la santé, que des ouvriers étaient morts après avoir été exposés à des vapeurs de PCB contenant des dioxines, et que d'autres avaient contracté une maladie de peau qui

* Selon un rapport déclassifié, établi en mars 2005 par l'Agence de protection de l'environnement des États-Unis (Environnement Protection Agency ou EPA), pendant quarante ans, 810 tonnes de PCB ont été déversées dans des canaux comme le Snow Creek et 32 000 tonnes de déchets contaminés ont été déposées dans une décharge à ciel ouvert, située sur le site même, au cœur du quartier habité par la communauté noire de la ville.

les avait défigurés. Cette maladie, baptisée «chloracné», se traduit par une éruption de pustules sur tout le corps et un brunissement de la peau, et peut durer plusieurs années, voire ne jamais disparaître.

En 1955, un chercheur de Monsanto basé à Londres suggère que des recherches soient effectuées pour évaluer de manière rigoureuse les effets toxiques de l'Aroclor. Le Dr Kelly, directeur du service médical de Monsanto, lui répond sèchement : «Je ne vois pas quel avantage particulier vous pourriez tirer de faire de nouvelles études[84].»

Mais la pression monte. En novembre 1966, le Pr Denzel Ferguson, biologiste de l'université du Mississippi et son équipe plongent vingt-cinq poissons encagés dans l'eau du canal qui traverse Anniston : «Tous ont perdu le sens de l'équilibre et sont morts en trois minutes et demie en crachant du sang.» À certains endroits, l'eau est si polluée qu'elle tue tous les poissons, même diluée trois cents fois. L'expert conclut : «Snow Creek est une source potentielle de problèmes légaux futurs. [...] Monsanto doit mesurer les effets biologiques de ses rejets pour se protéger d'éventuelles accusations[85].»

Les PCB se répandent dans le monde entier

Les PCB ont contaminé la planète entière, de l'Arctique à l'Antarctique[86]. En 1966, un chercheur suédois, Søren Jensen, découvre une substance toxique inhabituelle dans des échantillons de sang humain : du PCB. Il s'aperçoit de fil en aiguille que les PCB ont largement contaminé l'environnement, quand bien même ils ne sont pas fabriqués en Suède. Il en trouve des quantités importantes dans les saumons pêchés près des côtes et même dans les cheveux de ses propres enfants[87]. Il en conclut que les PCB s'accumulent au long de la chaîne alimentaire dans les organes et les tissus graisseux des animaux, et qu'ils sont au moins aussi toxiques que le DDT.

«Pour autant, commente Marie-Monique Robin, la direction de Monsanto ne change pas d'attitude : un an plus tard, elle vote un crédit supplémentaire de 2,9 millions de dollars pour développer la gamme des produits Aroclor à Anniston et Sauget.»

En France, en 2007, le Rhône fut sérieusement pollué par le Pyralène (au point qu'il est toujours interdit de pêcher certaines espèces de poissons dans ce fleuve), interdit à la vente depuis 1987, mais encore présent dans de nombreux équipements, à un taux cinq à douze fois supérieur aux normes sanitaires. Pour les mêmes raisons, aujourd'hui encore la pêche est totalement interdite dans la Seine en aval de Paris et partiellement dans la Garonne et la Loire[88]. Selon le rapport annuel de l'association Robin des Bois, en France en avril 2013, 550 sites terrestres français étaient pollués par le PCB, soit 100 de plus qu'en 2011. Cet extension est due au fait que le Pyralène, en dépit de son interdiction, reste présent dans de nombreuses machines et continue de se répandre dans l'environnement, notamment lorsque ces machines et équipements ménagers (radiateurs à bain d'huile, par exemple) sont laissés à l'abandon.

Protéger les affaires, ne rien dire

Pendant *quarante ans*, la société Monsanto a fait comme si de rien n'était, et ce, jusqu'à l'interdiction définitive des PCB aux États-Unis en 1977[89]. « L'irresponsabilité de la firme est absolument hallucinante », commente Ken Cook, directeur d'Environmental Working Group, une ONG de Washington qui héberge sur son site Internet la « montagne de documents » internes de Monsanto[90] : « Elle a toutes les données en main, mais ne fait rien. C'est pourquoi j'affirme que son comportement est criminel. »

Monsanto finit par demander à un laboratoire privé de faire des recherches dont les résultats indiquent que les PCB « montrent un degré de toxicité encore plus élevé qu'attendu[91] ». Cela n'empêche pas qu'en 1976, les bureaux de Saint Louis, siège de la compagnie, adressent un courrier à Monsanto Europe, en les avertissant que si des questions sont posées sur les effets cancérigènes des PCB, ils doivent répondre que « les études sanitaires préliminaires conduites sur nos ouvriers fabriquant des PCB, de même que les études à long terme réalisées sur des animaux, ne nous permettent pas de penser que les PCB sont cancérigènes[92] ». En résumé, comme l'écrit Marie-Monique Robin, « la seule et unique obsession de la compagnie de Saint Louis était de poursuivre son activité et de continuer à faire des affaires, contre vents et marées[93] ».

Une lourde condamnation, vite oubliée

Un procès a finalement lieu, en 2002, grâce à l'entrée en scène d'un grand cabinet d'avocats de New York. Monsanto et sa filiale Solutia sont jugées coupables d'avoir pollué le territoire d'Anniston et le sang de sa population avec les PCB. Les motifs de la condamnation sont : «négligence, abandon, fraude, atteinte aux personnes et aux biens, et nuisance». Le verdict s'accompagne d'un jugement sévère qui estime que le comportement de Monsanto «a dépassé de façon extrême toutes les limites de la décence, et qu'il peut être considéré comme atroce et absolument intolérable dans une société civilisée[94]». Monsanto et ses filiales sont condamnées à payer 700 millions de dollars de dommages et intérêts.

En dépit de cela, «ils n'ont jamais montré la moindre compassion pour les victimes : pas un mot d'excuse ou un signe de regret, le déni encore et toujours!» dira Ken Cook qui a suivi tout le processus[95].

«Intégrité, transparence, dialogue, partage et respect», proclamait la charte de Monsanto en 2005. Aujourd'hui, le site Internet français de l'entreprise renchérit :

> L'intégrité est la base de tout ce que nous entreprenons. Elle inclut l'honnêteté, la bienséance, la cohérence et le courage. [...] Nous veillerons à ce que l'information soit disponible, accessible et compréhensible. [...] La sécurité de nos collaborateurs, des communautés auprès desquelles nous opérons, de nos clients, des consommateurs et de l'environnement sera notre priorité absolue[96].

La sécurité, une priorité absolue de Monsanto? Elle ne l'a certainement pas été dans le passé et rien ne prouve qu'elle le sera à l'avenir. Un autre juge fédéral devra-t-il obliger Monsanto à publier dans les journaux la liste de ses méfaits?

L'agent orange

En 1959, Monsanto se lance dans la production de l'herbicide Lasso, plus connu sous le pseudonyme d'«agent orange», qui sera vendu à l'armée américaine pour défolier la jungle vietnamienne de 1962 à 1971[97]. L'agent orange a provoqué de nombreux cancers au Vietnam, de même que la naissance de 150 000 enfants affligés de sévères malformations congénitales et de maladies graves[98]. De nombreux soldats américains en souffrirent également.

Des documents déclassés ont révélé que les deux principaux fabricants, Monsanto et Dow Chemicals, avaient délibérément occulté les données de leurs propres recherches, pour ne pas perdre un marché très profitable, qui à l'époque avait donné lieu à la signature du plus gros contrat jamais signé par l'armée américaine[99]. En 1983, Raymond Suskind, de l'université de Cincinnati, publia une étude, commanditée par Monsanto, concluant que les dioxines issues du 2,4,5-trichlorophénol, la substance principale de l'agent orange, n'avaient pas d'effets néfastes sur la santé[100]. Son étude sera souvent citée pour rassurer l'opinion lorsque l'armée américaine utilisera l'agent orange au Vietnam. Au cours d'un procès intenté à Monsanto, il s'avéra, trop tard pour les victimes, que Suskind avait manipulé les données dans le but de démontrer l'innocuité d'un produit hautement cancérigène[101].

À la suite d'un dossier constitué par Greenpeace et d'un rapport sur les fraudes de Monsanto rédigé par Cate Jenkins de l'Agence de protection de l'environnement – que Monsanto essaya par tous les moyens de faire taire[102] – et finalement de l'intervention décisive de l'amiral Elmo Zumwalt, ancien commandant de la flotte américaine au Vietnam dont le fils était mort des suites de l'exposition à l'agent orange, le Congrès américain finit par demander à l'Académie nationale des sciences d'établir une liste des maladies pouvant être attribuées à une exposition à la dioxine[103]. Cette liste, remise seize ans plus tard, comportait treize pathologies graves, ce qui a permis au Département des anciens combattants d'indemniser et de prendre en charge médicalement des milliers de vétérans ayant servi pendant la guerre du Vietnam[104]. C'est donc finalement l'État qui a payé, et non Monsanto. Rien en revanche n'a été prévu pour les enfants vietnamiens.

Le Roundup

C'était le désherbant miracle de Monsanto, possédant toutes les vertus, aucun effet nuisible pour l'homme et, qui plus est, certifié biodégradable, donc respectueux de l'environnement. «Le Roundup peut être utilisé dans des endroits où jouent des enfants et des animaux de compagnie, car il se décompose en matières naturelles», annonce Monsanto. Depuis, l'entreprise a été condamnée dans plusieurs pays pour publicité mensongère, en France notamment en 2007, mais seulement à 15 000 euros d'amende, ce qui montre qu'il est finalement rentable de tromper le monde, puisque même si on est pris la main dans le sac, les sanctions sont légères.

En Argentine, où le Roundup est couramment déversé par avion sur de vastes plantations de soja, de nombreux cas d'intoxications, dont certaines mortelles, ont été recensés. Aux États-Unis, les documents déclassifiés ont montré que les laboratoires travaillant sous l'égide de Monsanto avaient dissimulé les rapports établissant la toxicité du glyphosate-4 (le composant chimique du Roundup) pour les animaux[105]. Depuis, plusieurs études ont associé son usage à une augmentation de certains cancers aux États-Unis, au Canada et en Suède[106].

Les OGM

En 1972, deux généticiens de Stanford, Paul Berg et Stanley Cohen, parviennent l'un à recombiner deux morceaux d'ADN issus d'espèces différentes dans une seule molécule hybride, et l'autre à introduire dans l'ADN d'une bactérie un gène extrait d'un chromosome de crapaud[107].

La même année, Monsanto demande au généticien Ernest Jaworski, assisté d'un groupe d'une trentaine de chercheurs, d'essayer de manipuler le patrimoine génétique des plantes pour les rendre résistantes aux herbicides. Après de nombreuses péripéties, les chercheurs de Monsanto, ainsi que ceux de deux autres laboratoires, annoncent qu'ils ont réussi à introduire un gène de résistance à un antibiotique dans des cellules de tabac et de pétunia, en utilisant comme vecteur une bactérie qui infecte fréquemment ces deux plantes.

Les trois laboratoires en question, dont Monsanto, déposent des brevets. C'est le début de la «privatisation du vivant», la Cour suprême des États-Unis ayant statué que «tout ce qui sous le soleil a été touché par l'homme peut être breveté». L'Office européen des brevets de Munich emboîte le pas et accorde des brevets sur des micro-organismes, puis sur des plantes (1985), des animaux (1988) et finalement des embryons humains (2000)[108]. Aujourd'hui, l'Office des brevets de Washington accorde chaque année environ 15 000 brevets concernant des organismes vivants.

Les chercheurs de Monsanto se lancent alors dans une course folle pour développer des plantes résistantes à leur herbicide vedette, le

Roundup. Le projet est le suivant : les agriculteurs planteront du soja résistant au Roundup, puis pulvériseront l'herbicide en quantité suffisante pour tuer toutes les mauvaises herbes et toute autre forme de végétation. Seul le soja résistant sera épargné et poussera seul au milieu d'un désert biologique[109].

Les chercheurs de Monsanto réussissent finalement à insérer dans les cellules du soja un gène de résistance au Roundup récupéré parmi les micro-organismes des bassins de dépollution d'une usine de glyphosate. En 1993, Monsanto lance le soja Roundup Ready (prêt pour le Roundup). Comme le remarque le biologiste japonais Masaharu Kawata, de l'université de Nagoya, la combinaison de gènes étrangers insérés dans le soja, surnommée «cassette génétique», «n'a jamais existé dans le domaine naturel de la vie, et aucune évolution naturelle n'aurait pu la produire[110]».

En 1994, Monsanto dépose une demande de mise sur le marché de son soja Roundup Ready (RR), le premier OGM de culture industrielle. L'institution régulatrice américaine, la Food and Drug Administration (FDA), décrète que «les aliments [...] dérivés de variétés végétales développées par les nouvelles méthodes de modification génétique sont réglementés dans le même cadre et selon la même approche que ceux qui sont issus du croisement traditionnel des plantes[111]».

Prétendre que les OGM sont «quasi identiques» à leurs homologues naturels (ce qui est appelé le «principe d'équivalence», un concept dénué de tout fondement scientifique) revient à les assimiler à des produits alimentaires normaux et permet aux entreprises de biotechnologie d'échapper aux tests toxicologiques prévus par la loi pour les additifs alimentaires et autres produits synthétiques, ainsi qu'à l'étiquetage de leurs produits aux États-Unis[112].

Monsanto se reconvertit

Monsanto se rend compte que, pour maximiser ses profits, il faut aussi posséder les semences. La firme acquiert donc un grand nombre d'entreprises semencières et ses actions en Bourse montent en flèche.

«Améliorer l'agriculture, améliorer la vie», telle est la devise que l'on peut lire sur le site français de Monsanto qui se décrit aujourd'hui comme une «société relativement nouvelle» dont l'objectif principal est d'aider les agriculteurs du monde entier. C'est comme si le lourd passé chimique de Monsanto, remontant à 1901, n'avait jamais existé.

Vers la fin des années 1990, la firme change de cap et se concentre sur l'agriculture sous l'impulsion d'un nouveau président, Robert B. Shapiro, surnommé le «gourou de Monsanto». Sous la bannière «Nourriture, Santé et Espoir», il promet monts et merveilles – des plantes qui fabriquent des plastiques biodégradables, des maïs produisant des anticorps contre le cancer, des huiles de colza qui protègent contre les maladies cardio-vasculaires, etc.

Aux États-Unis, plus de 90% du maïs, du soja et du coton est cultivé à partir de semences génétiquement modifiées dont Monsanto détient la plupart des brevets, et les produits dérivés d'OGM apparaissent dans environ 70% des denrées alimentaires manufacturées.

Monsanto contrôle ses graines avec une poigne de fer et engage d'innombrables poursuites légales à l'encontre de fermiers et de petites entreprises. Généralement, les enquêteurs de Monsanto se présentent chez l'agriculteur et lui signifient qu'il a violé les conventions technologiques (Monsanto exige qu'on lui rachète de nouvelles semences chaque année)[113]. Selon Bill Freese, analyste du Center for Food Safety (Centre pour la sûreté de la nourriture) de Washington, les enquêteurs disent : «Monsanto sait que vous conservez et réutilisez des semences Roundup Ready. Si vous ne signez pas ces documents, Monsanto va vous poursuivre, prendre votre ferme ou tout ce que vous possédez.» La plupart des agriculteurs cèdent et paient des dommages et intérêts. Ceux qui résistent font face à la colère juridique de Monsanto. La condamnation la plus lourde rendue contre un agriculteur s'est élevée à 3 millions de dollars, et le niveau moyen des peines atteint 380000 dollars, de quoi ruiner un exploitant agricole. Mais ces jugements ne sont que la partie visible de l'iceberg. Le nombre de cas réglés hors des tribunaux est vingt à quarante fois plus important que celui des procès.

Et le comble est que si vous possédez une ferme située à côté d'une autre ferme dans laquelle les semences de Monsanto sont utilisées, et si par malchance des semences migrent sur votre terre, emportées par le vent ou les oiseaux, Monsanto peut vous poursuivre, vous réclamer des redevances et parfois vous ruiner.

«Notre mission d'entreprise agricole et technologique engagée en faveur des droits de l'homme constitue une opportunité unique de protéger et de faire avancer les droits de l'homme.» Ainsi parle l'actuel président de Monsanto, Hugh Grant, ajoutant prudemment : «Mais aussi, de protéger, ce faisant, les droits des salariés de Monsanto et de nos partenaires commerciaux.» Comme l'écrivait Auguste Detœuf, polytechnicien et humoriste : «L'ouvrier ne vend que son corps; le technicien ne vend que son cerveau; le commerçant vend son âme[114].»

L'expansion des OGM sur tous les continents

En 1998, des scientifiques africains se sont fortement opposés à la campagne de promotion des OGM de Monsanto qui utilisait des enfants africains affamés avec ce titre : «Que la moisson commence!» Ces scientifiques, qui représentaient la plupart des pays touchés par la pauvreté et la faim, ont déclaré que les technologies génétiques saperaient la capacité des nations à se nourrir par elles-mêmes en détruisant la biodiversité, les techniques locales et les méthodes agricoles durables[115].

C'est ce qui s'est déjà produit en Amérique du Sud. Comme Walter Pengue, un ingénieur agronome de l'université de Buenos Aires, le confiait à Marie-Monique Robin : «Le soja Roundup Ready s'est répandu en Argentine à une vitesse absolument unique dans l'histoire de l'agriculture : plus d'un million d'hectares en moyenne par an! C'est un véritable désert vert qui dévore désormais l'un des greniers du monde[116].» Avant l'arrivée des OGM, l'Argentine cultivait une grande variété de céréales (maïs, blé, sorgho), d'oléagineux (tournesol, arachide, soja), et de légumes et de fruits, et la production de lait était si développée que l'on parlait de «bassin du lait». Certaines régions de l'Argentine, comme la province de Santiago del Estero, ont l'un des taux de déforestation le plus élevés du monde. Des forêts d'une très grande biodiversité cèdent la place à des monocultures de soja. La main-d'œuvre locale perd ses activités et ses sources de revenu. Les grandes entreprises évincent souvent par la force les paysans de leurs terres.

À court terme, la culture intensive du soja OGM a sorti de la faillite le gouvernement argentin pour qui les prélèvements sur les grains et les huiles représentent 30 % du budget national. Mais les dommages à long terme sont d'une ampleur à peine concevable. L'usage intensif du Roundup tend à rendre la terre stérile, puisqu'il tue tout sauf le soja OGM. Les milliers d'espèces de micro-organismes qui donnent vie à la terre disparaissent. Sur le plan de la santé, les médecins locaux ont observé une augmentation significative des anomalies de la fécondité, comme les fausses couches ou les morts fœtales précoces, et de nombreux autres problèmes dans les villages qui se trouvent le plus fréquemment sous les pulvérisations aériennes massives de l'insecticide[117].

L'Inde, quant à elle, ploie sous le prix élevé des semences de coton transgénique de Monsanto (variété connue sous le sigle Bt) et des engrais qui doivent les accompagner, ce qui plonge les paysans dans l'endettement. Et lorsque le prix de vente de leurs récoltes baisse, de nombreux chefs de famille sont poussés à se suicider, souvent en avalant un insecticide ou de l'engrais, le poison même qui a causé leur ruine. «Ils nous ont menti, dit un chef du village à Marie-Monique Robin, ils avaient dit que ces semences magiques allaient nous permettre de gagner de l'argent, mais nous sommes tous endettés et la récolte est nulle! Qu'allons-nous devenir? Dites au monde que le coton Bt est un désastre!» s'exclame un autre fermier[118]. Le *Hindu Times* fait état de 270940 suicides de paysans indiens depuis 1995. Monsanto nie qu'il existe un lien entre ces suicides et l'introduction du coton Bt, mais les fermiers indiens et les ONG de terrain ne semblent pas du même avis.

Vandana Shiva, lauréate du prix Nobel alternatif en 2003 et nommée par le journal anglais *The Guardian* l'une des cent femmes les plus remarquables du monde, s'insurge contre les pratiques qui sont à la racine de tant d'actes de désespoir en Inde. Elle explique que la région de l'Inde qui a le taux le plus haut élevé de suicides d'agriculteurs est la région de Vidharbha, dans le Maharashtra (10 suicides par jour). C'est aussi la région qui comprend la plus importante superficie de coton Monsanto OGM Bt.

Les semences de Monsanto OGM ont bouleversé le marché des semences. Les graines de coton qui se reproduisaient naturellement à l'infini coûtaient 7 roupies le kilo. À l'inverse, celles du coton Bt coûtent jusqu'à 17000 roupies le kilo[119]. En août 2012, l'État du Maharashtra a interdit la vente de graines de coton Monsanto transgénique, commercialisées par sa succursale indienne Mahyco Monsanto Biotech en raison de la qualité inférieure des graines, vendues à des prix exorbitants*.

En 1987, Navdanya, la fondation de Vandana Shiva, a lancé une campagne appelée «Graines d'espoir», en contrepoint au titre du livre

* Les variétés traditionnelles de semences de coton se prêtent à la cueillette après 150-160 jours contrairement aux variétés Bt qui prennent 180-200 jours. L'utilisation de ces semences traditionnelles réduit également le besoin en engrais et pesticides.

de Shiva *Seeds of Suicide* (« Graines de suicide »)[120]. Elle appelle à une transition comprenant un retour aux semences renouvelables organiques et aux variétés de semences à pollinisation ouverte que les agriculteurs peuvent conserver et partager. S'amorce alors une transition de l'agriculture chimique vers l'agriculture biologique et du commerce inique fondé sur des prix artificiels au commerce équitable, fondé sur les prix réels. Selon son expérience de terrain, elle estime que les agriculteurs qui ont adopté ce changement gagnent dix fois plus que les agriculteurs cultivant le coton Bt.

À ceux qui la traitent de naïve idéaliste et prétendent que l'agriculture biologique ne sera jamais en mesure de répondre aux besoins alimentaires de la planète, Vandana Shiva répond que la puissance de l'agro-industrie va conduire à une domination de semences génétiquement homogènes, nuisant de manière catastrophique à la biodiversité, ce qui finira par obliger les agriculteurs à utiliser des quantités croissantes d'engrais chimiques, de pesticides et d'eau. Les agriculteurs des pays en voie de développement ne recevront pas équitablement les bénéfices économiques de leurs récoltes, ceux-ci allant à une poignée de multinationales qui détiendront le pouvoir et le devenir de la sécurité alimentaire.

Quelques victoires

Pour le consommateur qui fait ses courses dans un supermarché, le seul moyen de savoir si un produit contient des OGM, ou en est issu, est l'étiquetage. Or les législations sont différentes en Europe et aux États-Unis. L'Europe est plus protégée que les États-Unis contre les abus de firmes comme Monsanto. La loi européenne stipule que l'étiquetage est obligatoire pour tout produit contenant plus de 0,9 % d'ingrédients d'origine transgénique. Par contre, aux États-Unis, aucune règle allant dans ce sens n'a été imposée à ce jour pour l'ensemble des États. La Californie se battait encore en novembre 2012 pour que les aliments contenant des OGM soient étiquetés et les ingrédients transgéniques mentionnés. Si ce nouveau projet de loi californien, appelé « Proposition 37 », passe, ce combat constituerait un précédent dans un pays où 88 % du maïs et 94 % du soja sont issus de semences génétiquement modifiées[121].

Le gouvernement français a plaidé en octobre 2012 pour «une remise à plat du dispositif européen d'évaluation, d'autorisation et de contrôle des OGM et des pesticides». Il a déclaré tout mettre en œuvre pour renforcer les études scientifiques et indépendantes sur les effets à long terme de la consommation d'aliments OGM associés à des pesticides. Un nouveau rapport de la Fédération nationale des amis de la terre révèle que la culture des plantes OGM continue de baisser en Europe et que la surface cultivée en OGM diminue elle aussi[122].

De son côté, l'Allemagne, ainsi que cinq pays européens, a suspendu en 2012 la culture du maïs génétiquement modifié; cette décision a été prise contre l'avis de la Commission européenne.

Rappelons que Greenpeace n'a cessé d'alerter l'opinion sur les dangers potentiels de l'agriculture basée sur des semences génétiquement modifiées et sur les manipulations de l'industrie agroalimentaire.

Pour remédier à la faim dans le monde et nourrir 9 milliards de personnes en 2050, il est plus judicieux d'investir dans une agriculture verte et non dans l'usage de manipulations génétiques coûteuses qui menacent la biodiversité et livrent les agriculteurs à l'avidité des multinationales. Il faut aussi cesser de breveter le vivant. Les États ont manifesté beaucoup trop d'indulgence à l'égard des manipulations opaques de ces multinationales qui détournent la mondialisation à leur profit, alors qu'une mondialisation éclairée, fondée sur la solidarité et la compréhension de l'interdépendance des êtres vivants et de leur écosystème, pourrait être au contraire un ferment de coopération pour le bien de tous.

En conclusion, l'égoïsme institutionnalisé dont nous venons de donner quelques exemples pourrait donner à penser que l'altruisme n'est pas une composante fondamentale de la nature humaine et décourager ceux qui s'efforcent de le cultiver et de promouvoir la solidarité au sein de la société. Mais l'ensemble des faits présentés dans ce livre ne permet pas de remettre en cause l'existence ni l'importance de l'altruisme dans notre vie. Ce que ce chapitre montre avant tout, c'est le pouvoir dont dispose une minorité d'égoïstes déterminés, puissants et sans scrupule pour faire dérailler la bonne marche de la société et tout détourner à leur seul profit. Un chien qui mord fait plus de mal que cent chiens inoffensifs. Il incombe donc à la société civile de dénoncer les malversations de ceux qui pratiquent l'égoïsme institutionnalisé et aux instances gouvernementales de les neutraliser.

VI

CONSTRUIRE UNE SOCIÉTÉ PLUS ALTRUISTE

L'utopie ne signifie pas l'irréalisable, mais l'irréalisé.
L'utopie d'hier peut devenir la réalité d'aujourd'hui.
Théodore Monod

36

Les vertus de la coopération

La seule voie qui offre quelque espoir d'un avenir meilleur pour toute l'humanité est celle de la coopération et du partenariat.

Kofi Annan[1]

Comme le souligne Joël Candau, du laboratoire d'anthropologie et de sociologie de l'université de Nice : «Notre espèce est la seule où l'on observe des coopérations fortes, régulières, diverses, risquées, étendues et supposant des sanctions parfois coûteuses entre individus sans relations de parenté[2].» Entraide, dons réciproques, partage, échanges, collaboration, alliances, associations, participation sont autant de formes de la coopération omniprésente dans la société humaine. La coopération est non seulement la force créatrice de l'évolution – nous avons vu que l'évolution a *besoin* de coopération pour être en mesure de construire des niveaux d'organisation de plus en plus complexes –, elle est aussi au cœur des accomplissements sans précédent de l'espèce humaine. Elle permet à la société d'accomplir des tâches qu'une personne seule ne pourrait accomplir. Lorsqu'on demanda au grand inventeur Thomas Edison pourquoi il avait vingt et un assistants, il répondit : «Si je pouvais résoudre tous les problèmes tout seul, je le ferais.»

Coopérer peut sembler paradoxal. Du point de vue de l'égoïsme, la stratégie la plus tentante est celle du «passager clandestin» qui profite des efforts des autres pour parvenir à ses fins au prix d'un minimum d'efforts. Pourtant, nombre d'études montrent qu'il est préférable, pour soi comme pour les autres, de se faire mutuellement confiance et de coopérer, plutôt que de faire cavalier seul. Bien que l'être humain ait une certaine tendance à la coopération «fermée» qui engendre l'instinct tribal, il est également doué d'une aptitude unique à la coopération «ouverte», qui s'étend bien au-delà de la parenté et du groupe d'appartenance[3].

«À ce titre, poursuit Candau, la coopération humaine constitue un défi tout autant à la théorie la plus orthodoxe de l'évolution, arc-boutée sur la notion de compétition entre individus uniquement préoccupés par leur propre reproduction, qu'à la théorie économique classique fondée sur l'existence d'acteurs "égoïstes" entièrement voués à la maximisation de leurs intérêts. Il y a donc là un fait anthropologique qui demande à être expliqué[4].»

Les avantages de la coopération

Par un beau matin d'automne, je retrouvai mon ami Paul Ekman, l'un des plus éminents psychologues de notre époque, qui a consacré sa vie à l'étude des émotions. Je l'avais connu en 2000, lors d'une rencontre de l'Institut Mind and Life organisée autour du Dalaï-lama, en Inde, sur le thème des émotions destructrices et, depuis, nous n'avons cessé de collaborer[5].

Nous avions prévu de passer une journée ensemble à nous entretenir sur la question de l'altruisme. À la suite de ses multiples rencontres et dialogues avec le Dalaï-lama, Paul est devenu, lui aussi, convaincu que nous devons faire tout ce qui est humainement possible pour faciliter l'avènement d'une société plus altruiste, solidaire et coopérative.

Il commença par me raconter comment dans les petites communautés et les villages, plus les habitants coopèrent, plus ils deviennent prospères et plus leurs enfants ont de chances de survivre. Parmi les tribus de Nouvelle-Guinée, où Paul travailla dans les années 1960, de la préparation des repas à l'accouchement, en passant par la défense contre les prédateurs, tous doivent œuvrer ensemble. Dans les villages, personne ne veut travailler avec ceux qui cherchent querelle, et si quelqu'un tente d'exploiter les autres, il n'échappera pas à une mauvaise réputation qui lui laissera peu de chances de survivre dans la communauté. C'est pourquoi, au fil du temps, notre héritage génétique nous a orientés vers la coopération.

En outre, il y a une satisfaction inhérente au fait d'œuvrer ensemble pour atteindre un objectif commun. En raison de la diversité naturelle, il y aura toujours des gens foncièrement égoïstes, mais ils ne représentent qu'une frange de la société. Malheureusement, comme nous l'avons vu dans le chapitre sur l'égoïsme institutionnalisé, ils peuvent, dans certains cas, devenir une oligarchie très puissante.

Dans une petite communauté, si quelqu'un souffre, les autres se sentent immédiatement concernés et ont tendance à lui porter secours. Ephraïm Grenadou, un paysan français du début du XXe siècle, se souvient : « Quand on sonnait le tocsin au clocher du village, s'il y avait un incendie ou quelque chose, tout le monde venait très, très vite. Ils accouraient des champs, des maisons, de partout. En quelques instants la grande place du village était noire de monde[6]. » Dans notre monde moderne, les médias nous confrontent en une journée à plus de souffrance que nous ne pourrions jamais en soulager en une vie entière, une situation unique dans l'histoire de l'espèce humaine. C'est pourquoi, selon Paul Ekman : « Si nous devons effectuer un changement qui tende vers un accroissement de l'altruisme, il doit être sélectif, concentré sur des buts spécifiques et lié à des actions qui ont des impacts et qui s'intègrent dans un mouvement social. »

Jusqu'à quel point la coopération et la bienveillance peuvent-elles dépasser le cercle de nos proches ? Rien n'est gravé dans la pierre : l'éducation et l'environnement culturel sont au moins aussi importants que l'héritage génétique. L'environnement des cinq premières années de notre vie, en particulier, a une influence considérable sur la structuration de nos motivations et de nos émotions, lesquelles agissent ensuite comme un filtre sur notre perception des émotions d'autrui. D'après Paul Ekman, exprimant le point de vue de l'évolution, les émotions adéquates, c'est-à-dire celles qui sont adaptées à une situation donnée et s'expriment de manière constructive, favorisent la coopération. Autrement dit, sans coopération, nous ne pouvons survivre.

Les êtres humains, de par leur langage, leur capacité d'empathie et leur vaste registre émotionnel, sont doués d'une profonde sociabilité qui est rarement prise en compte par les politiques publiques et négligée par la plupart des économistes. Selon les épidémiologistes Richard Wilkinson et Kate Pickett : « Si nous nous concevons nous-mêmes comme des individus mus par notre intérêt personnel et un instinct asocial de possession, nous risquons de mettre en place des systèmes reposant sur la carotte et le bâton, la punition et la récompense, créant ainsi une version erronée et malheureuse de l'humanité dont nous rêvons[7]. »

Sur le plan individuel, la compétition empoisonne les liens affectifs et sociaux.

Dans une société fortement compétitive, les individus se méfient les uns des autres, s'inquiètent de leur sécurité et cherchent constamment à promouvoir leurs intérêts et leur rang social, sans trop se soucier des autres. À l'opposé, dans une société coopérative, les individus se font confiance et sont prêts à consacrer du temps et des ressources à autrui. Ainsi s'enclenche un cycle vertueux de solidarité et de réciprocité qui nourrit des rapports harmonieux.

Si la coopération est globalement profitable, comment la promouvoir ? Pour Joël Candau, le choix d'une coopération « ouverte », qui transcende les groupes d'appartenance, est avant tout un choix moral, qui nécessite que l'on dépasse le doute inhérent aux défis auxquels sont confrontés les membres de toute société : faut-il borner la coopération aux membres de la communauté ou bien l'ouvrir à d'autres groupes ? Quel équilibre trouver entre coopération et compétition ? Quel sort réserver à ceux qui profitent d'un système coopératif pour promouvoir leurs seuls intérêts[8] ?

Coopération au sein d'une entreprise, concurrence entre les entreprises

Selon Richard Layard, professeur à la London School of Economics, la coopération est un facteur de prospérité indispensable au sein d'une entreprise. Depuis quelque temps, on a vu se répandre l'idée selon laquelle il est souhaitable de promouvoir une compétition sans merci entre les employés d'une même entreprise – ou entre les élèves d'une classe dans le cas de l'éducation –, car les résultats de tous devraient s'en trouver améliorés. En réalité, cette compétition est nuisible, car elle détériore les rapports humains et les conditions de travail. En fin de compte, comme l'a montré l'économiste Jeffrey Carpenter, elle est contre-productive et diminue la prospérité de l'entreprise[9].

Le travail d'équipe, en particulier, est miné par les incitations et les bonus *individuels*. À l'opposé, la rémunération du résultat de *l'équipe dans son ensemble* encourage la coopération et améliore ces résultats[10]. Les dirigeants et les chefs d'entreprise doivent donc s'efforcer de faciliter la confiance, la solidarité et la coopération.

Selon Layard, la compétition n'est saine et utile qu'*entre* les entreprises. Mettre les entreprises en libre concurrence stimule l'innovation et la recherche d'améliorations dans les services et les produits. Elle entraîne aussi une réduction des prix qui profite à tous. Il en va tout autrement dans une économie étatique, lourdement bureaucratisée et centralisée, qui conduit le plus souvent à la stagnation et à l'inefficacité[11].

Le mouvement des coopératives

Selon l'historien Joel Mokyr, le succès des entreprises repose moins sur des génies aux mille talents que sur la coopération fructueuse entre des personnes qui ont de bonnes raisons de se faire confiance[12]. Selon l'Alliance coopérative internationale, une ONG qui regroupe des coopératives du monde entier, une coopérative est «une association autonome de personnes volontairement réunies pour satisfaire leurs aspirations et leurs besoins économiques, sociaux et culturels communs au moyen d'une entreprise dont la propriété est collective et où le pouvoir est exercé démocratiquement». Dans le cas où les salariés sont propriétaires de l'entreprise et décident eux-mêmes de la répartition des revenus, il s'avère que ces salariés sont plus satisfaits des conditions de travail, sont en meilleure santé physique et mentale et ont même un taux de mortalité plus faible[13].

Le mouvement coopératif a pris naissance dans la volonté d'affranchir les employés de la mainmise du patronat sur les profits et de leur permettre de bénéficier équitablement des richesses qu'ils participent à produire. Selon l'Organisation internationale du travail, «les coopératives ont un rôle d'émancipation en permettant aux couches les plus pauvres de la population de participer aux progrès économiques. Elles offrent des possibilités d'emploi à ceux qui ont des compétences, mais peu ou pas de capital, et organisent la solidarité et l'assistance mutuelle au sein des communautés». Ce mouvement inclut les coopératives d'usagers ou de consommateurs, les coopératives de production au sein desquelles les associés sont en majorité les salariés, les coopératives d'entreprises qui associent des entrepreneurs agricoles, des artisans, des marins, des commerçants, etc., ainsi que les banques coopératives où les associés sont les clients de la banque (Caisse d'épargne, Crédit mutuel, par exemple[14]). À ce titre, les coopératives, les mutuelles et les ONG relèvent de l'économie dite sociale et solidaire[15]. Il y a plus de 21 000 coopératives en France, laquelle fait figure de leader européen, puisque ses coopératives rassemblent 23 millions de membres (contre 20 millions en Allemagne et 13 millions en Italie, celles-ci venant en deuxième et troisième position parmi 37 pays membres des Coopératives d'Europe[16]).

La confiance réciproque résout le problème des biens communs

Dans un article paru en 1968 dans la revue *Science*, article qui allait être abondamment cité par la suite, Garrett Hardin parlait de la « tragédie des biens communs[17] ». Prenant l'exemple d'un village d'éleveurs anglais où chacun peut faire paître ses moutons dans un pré n'appartenant à personne, il émet l'hypothèse que, dans une telle situation, chaque fermier a intérêt à faire paître un maximum d'animaux sur un terrain dont l'accès est ouvert à tous mais dont les ressources sont limitées, ce qui mène inévitablement à la surexploitation et, en fin de compte, à la dégradation du pré. Finalement, pensait-il, tout le monde y perd.

Hardin présentait ce résultat comme inévitable, sans pour autant appuyer ses conclusions sur des données historiques solides. Depuis la publication de son article, la « tragédie des biens communs » est devenue l'un des sujets de discussion favoris des économistes. Hardin donnait également l'exemple de l'exploitation des océans qui risquait d'amener, les unes après les autres, les différentes espèces de poissons et de mammifères marins au bord de l'extinction. Sur ce point, son article, datant de 1968, était prophétique puisque, aujourd'hui, 90 % de la population des grands poissons a été exterminée.

En revanche, dans le cas de l'exemple choisi par Hardin – la pratique des « prés communs » qui a longtemps eu cours dans de nombreux pays européens et se trouve encore pratiquée dans certaines régions du monde –, les recherches historiques ont montré qu'il s'était trompé. Tout d'abord, il est faux d'affirmer que les prés n'appartenaient à personne : ils étaient tacitement la propriété de la communauté, laquelle était fort consciente de sa valeur. Les membres de cette communauté avaient instauré un système de régulation harmonieuse de l'usage des biens communs qui fonctionnait à la satisfaction générale. Comme le souligne l'historienne Susan Buck Cox : «Ce qui a existé, en fait, n'était pas une "tragédie", mais plutôt un "triomphe" des prés communs : pendant des siècles, et peut-être des millénaires, [...] la terre a été efficacement gérée par des communautés[18].»

L'écologiste Ian Angus[19] abonde dans ce sens et note que Friedrich Engels avait décrit l'existence de cette coutume dans l'Allemagne précapitaliste. Les communautés qui partageaient ainsi l'usage des terres étaient appelées des «marques» :

> L'utilisation de terres arables et des prairies était sous la supervision et la direction de la communauté. [...] La nature de cette utilisation était déterminée par les membres de la communauté dans son ensemble. [...] À intervalles réguliers, les pasteurs se rencontraient dans les champs afin de discuter des affaires de la «marque» et de prononcer des jugements sur les transgressions aux règles et sur les litiges[20].

Ce système a finalement succombé à la révolution industrielle et aux réformes agraires qui ont donné la prééminence à la propriété privée, aux grands propriétaires terriens, à la monoculture et aux exploitations agricoles industrielles. La privatisation des terres a souvent été néfaste à la prospérité. Celle des forêts, par exemple, a permis à des propriétaires avides de profits rapides de les détruire. De même, ce ne sont pas les petites communautés, mais les grands propriétaires terriens qui ont surexploité les terres et provoqué l'érosion et l'épuisement des sols, l'utilisation excessive d'engrais et de pesticides, et la monoculture d'OGM.

Comme beaucoup d'autres, Hardin supposait que la nature humaine était égoïste et que la société n'était qu'un ensemble d'individus indifférents à l'impact de leurs actions sur la société. De fait, son article a souvent été utilisé comme prétexte pour promouvoir la privatisation des terres. C'est ainsi que le gouvernement conservateur canadien a proposé, en 2007, de privatiser les terres de peuples premiers, soi-disant afin de faciliter leur «développement».

Une vision plus proche de la réalité a été proposée par Elinor Ostrom, première femme à recevoir le prix Nobel d'économie, qui a consacré l'essentiel de sa carrière scientifique à ce thème. Son ouvrage *La Gouvernance des biens communs*[21] fourmille d'exemples de populations ayant conclu des accords de stratégie coopérative. Partout dans le monde, en effet, de petits agriculteurs, pêcheurs et autres communautés locales ont créé leurs propres institutions et défini des règles destinées à préserver leurs ressources communes, en veillant à ce qu'elles perdurent dans les bonnes comme dans les mauvaises années.

En Espagne, dans des régions où l'eau est rare, le système d'irrigation des *huertas* fonctionne efficacement depuis plus de cinq siècles, peut-être dix[22]. Les utilisateurs des réseaux d'irrigation se rencontrent régulièrement afin d'ajuster les règles de leur gestion communautaire, de nommer des gardes et de résoudre les conflits occasionnels. La coopération fonctionne parfaitement bien et, dans la région de Valence, par exemple, le taux d'infraction par prélèvement d'eau illégal n'est que de 0,008 %. Comme le note le psychologue Jacques Lecomte, à Murcie, le tribunal des eaux s'appelle d'ailleurs « le Conseil des hommes bons »[23] !

En Éthiopie, Devesh Rustagi et ses collègues ont étudié l'exploitation du patrimoine forestier communal par 49 groupes dans la région de Bale de la province d'Oromia. Ils se sont aperçus que les groupes qui comprenaient le plus grand nombre de coopérateurs étaient les plus performants dans la gestion des ressources forestières. Le fait de mettre en place des sanctions et d'organiser des patrouilles pour prévenir le pillage s'est avéré décisif pour la réussite de la coopération[24].

Ostrom a montré que le bon fonctionnement de telles communautés dépendait d'un certain nombre de critères. Tout d'abord, les groupes doivent avoir des frontières définies. S'ils sont trop grands, les membres ne se connaissent pas et la coopération a du mal à s'installer. Il faut aussi qu'il y ait des règles qui régissent l'usage des biens collectifs et répondent aux spécificités des besoins locaux tout en étant modifiables selon les circonstances. Les coopérateurs doivent non seulement respecter ces règles, mais disposer d'un système de sanctions graduées en cas de conflits et accepter le fait que la résolution des litiges puisse être coûteuse.

Dans un éloge rendu à Ostrom, Hervé Le Crosnier conclut ainsi : « Fondamentalement, son message est de dire que les gens confrontés jour après jour à la nécessité d'assurer la permanence des biens communs qui sont le support de leur vie ont bien plus d'imagination et de créativité que les économistes et les théoriciens ne veulent bien l'entendre[25]. »

L'Internet offre d'innombrables exemples de contributions bénévoles, mais précieuses au bien commun. Le système d'exploitation informatique *Linux,* par exemple, qui régit Google, Amazon et Facebook, pour ne citer qu'eux, est un système non propriétaire, non commercial, dont les codes sont ouverts à tous et qui peut ainsi être amélioré par les programmateurs du monde entier.

Coopération et «punition altruiste»

Pour que la coopération règne dans la société, il est indispensable de pouvoir identifier et neutraliser ceux qui utilisent à leur profit la bonne volonté de tous, en détournant ainsi la coopération de son but premier. Dans une petite communauté où tout le monde se connaît, les profiteurs sont rapidement repérés et mis au ban de la société. En revanche, quand ils peuvent plus facilement passer inaperçus, dans les villes, par exemple, il est indispensable de promouvoir la coopération par l'éducation et la transformation des normes sociales.

En avril 2010, une rencontre sur le thème «L'altruisme est-il compatible avec les systèmes économiques modernes?» fut organisée à Zurich, sous l'égide de l'Institut Mind and Life et du Département d'économie de l'université de Zurich (UZH)*. D'éminents économistes, psychologues, spécialistes des sciences cognitives et entrepreneurs sociaux se réunirent autour du Dalaï-lama. À cette occasion, j'ai eu la chance de pouvoir discuter avec Ernst Fehr, un économiste suisse de grande réputation qui a remis en cause le paradigme selon lequel les individus n'ont d'autres considérations que leurs propres intérêts. Ses travaux ont en effet montré qu'une majorité de gens était au contraire disposée à faire confiance aux autres, à coopérer et à se comporter de façon altruiste. Il en a conclu qu'il était irréaliste et contre-productif de bâtir des théories économiques fondées sur le principe de l'égoïsme universel[26].

Ernst Fehr et ses collaborateurs ont placé à maintes reprises des groupes dans des situations où la confiance mutuelle joue un rôle déterminant. Ils leur ont par exemple demandé de participer à des jeux d'argent pouvant se solder par des pertes ou des gains réels.

L'expérience type se déroule comme suit. On donne à 10 personnes 20 euros. Elles peuvent les garder pour elles-mêmes ou contribuer à un

* Tania Singer, Diego Hangartner et moi-même avons conçu et organisé cette conférence tant au niveau du contenu des débats que des intervenants conviés, parmi lesquels figuraient notamment le psychologue Daniel Batson, l'éthologue Joan Silk, le neuroscientifique William Harbaugh, et l'entrepreneur social Bunker Roy.

projet commun. Quand l'une d'elles a investi ses 20 euros dans le projet, l'expérimentateur double la mise, lui allouant 40 euros. Une fois que les dix participants ont décidé de leur stratégie, la somme totale investie dans le projet est répartie également entre les membres du groupe.

On s'aperçoit alors que, si tous coopèrent, chacun y gagne. En effet, les 200 euros investis par le groupe, majorés des 200 autres euros provenant du laboratoire, rapportent 40 euros à chaque participant, soit le double de leur investissement. Cette situation idéale suppose que chacun des membres du groupe se fasse confiance. De fait, il suffit que plus de la moitié des participants coopèrent pour que tous en bénéficient.

Par contre si, la méfiance régnant, neuf personnes gardent leurs 20 euros et une seule investit son argent dans le projet commun, une fois cette maigre somme divisée entre tous, les neuf participants qui ont refusé de coopérer se retrouvent avec 22 euros (les 20 euros qu'ils ont gardés et les 2 euros issus du partage des 20 euros de la personne qui a fait confiance), tandis que l'unique coopérateur se retrouve avec seulement 2 euros (les 20 euros qu'il a investis se trouvant partagés entre dix personnes), soit une perte de 18 euros. Selon les théories économiques classiques, dans une société d'égoïstes qui se méfient de tout le monde personne n'aurait intérêt à coopérer.

Or l'équipe de Ernst Fehr a observé, au cours d'expériences maintes fois répétées, que, contrairement aux idées reçues, 60 % à 70 % des gens se font initialement confiance et collaborent spontanément.

Néanmoins, dans toute population, il y a toujours un certain nombre d'individus qui n'aiment pas coopérer (environs 30 %). Qu'observe-t-on? Au deuxième tour, les coopérateurs ont noté qu'il y a des mauvais joueurs dans le groupe, mais ils persévèrent néanmoins à coopérer. Toutefois, à mesure que le jeu se répète, ils se lassent de ceux qui profitent de la confiance générale pour s'enrichir sans prendre de risque. La coopération s'effondre et devient presque nulle au dixième tour.

Ainsi, l'érosion de la confiance et de la bonne volonté de la majorité se produit quand une minorité exploite le système à son profit, nuisant à l'ensemble de la communauté. C'est malheureusement ce qui se passe dans un système économique qui accorde une totale liberté aux spéculateurs sans scrupule. Telle est également la conséquence de la dérégulation totale des systèmes financiers. Le problème n'est donc pas que les gens ne sont pas prêts à collaborer et que l'altruisme n'a pas sa place dans l'économie, mais que les profiteurs empêchent l'altruisme majoritaire de s'exprimer. Autrement dit, les égoïstes font dérailler le système.

Peut-on empêcher la coopération de s'effondrer? Ernst Fehr eut l'idée de poursuivre l'expérience en introduisant un nouveau paramètre : la possibilité de sanctionner les mauvais collaborateurs. Tout participant pouvait désormais dépenser anonymement de sa poche 1 euro pour qu'une amende de 3 euros soit infligée aux profiteurs par l'expérimentateur. C'est ce que Ernst Fehr appelle une «sanction altruiste», du fait qu'elle entraîne un coût à celui qui l'inflige et ne lui rapporte rien dans l'immédiat[27]. Pourquoi quelqu'un devrait-il agir ainsi? Cela semble absurde du point de vue de l'intérêt personnel, mais l'expérience montre que la plupart des gens ont un fort sens de l'équité et sont prêts à dépenser une certaine somme pour que la justice soit respectée.

L'impact de cette nouvelle mesure a été spectaculaire. Le taux de coopération est monté en flèche et s'est stabilisé à presque 100%. Il est important de faire remarquer que ce nouveau protocole s'est déroulé avec les mêmes participants qu'auparavant. Les cavaliers seuls, qui ne contribuaient jamais aux gains du groupe, se sont mis à coopérer et ont investi la totalité de leur argent dans le projet commun.

Dans la première phase du test, les égoïstes avaient saboté la dynamique du groupe. Dans la seconde, les altruistes ont réussi non pas à transformer les égoïstes en altruistes – ce qui est malheureusement utopique – mais à créer un système tel que les égoïstes avaient intérêt à se comporter *comme s'ils étaient altruistes*. Il en ressort donc que ce sont les altruistes éclairés qui doivent établir les règles, de même que les institutions qui les feront respecter.

En définitive, tout le monde en bénéficie, à tel point que si, quelques épisodes de jeu plus tard, on propose au groupe de supprimer la sanction altruiste, l'ensemble des participants déclare souhaiter son maintien, y compris les 30% de profiteurs qui se sont aperçus que la communauté fonctionnait beaucoup mieux de la sorte et qu'eux-mêmes y trouvaient leur compte. La méthode des sanctions altruistes est très ancienne et a permis aux sociétés primitives de maintenir pendant des dizaines de milliers d'années des systèmes coopératifs efficaces[28].

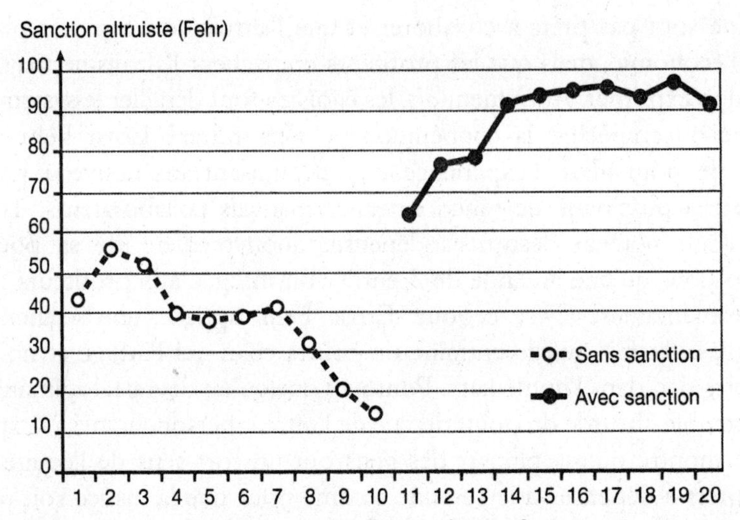

Déclin de la coopération sous l'influence des profiteurs, et augmentation spectaculaire de la coopération après l'introduction de la sanction altruiste

Les recherches montrent qu'en l'absence de règles, l'effondrement de la coopération est observé dans toutes les cultures. En revanche, les effets de la sanction altruiste diffèrent considérablement d'une culture à l'autre. Dans certaines cultures, la majorité des gens n'apprécie pas les justiciers et se venge en les punissant à leur tour. Faute de pouvoir identifier individuellement les coopérateurs, ils décident de les punir au hasard pour leur faire comprendre qu'ils feraient mieux de ne pas se mêler des affaires des autres. Une *sanction antisociale* se substitue alors à la *sanction altruiste.*

Cette tendance est forte dans les cultures qui ont peu de sens civique, où l'État est inefficace, la justice peu respectée, et où les gens ne font pas confiance aux forces de l'ordre corrompues. Dans ces pays, la fraude est non seulement admise, mais considérée comme un moyen de survie. On peut mesurer la force du sens civique en évaluant, par exemple, quel pourcentage de la population juge acceptable de resquiller dans les transports en commun.

Benedikt Herrmann et ses collègues ont étudié le comportement des habitants de seize villes du monde[29]. Ils ont constaté que les punitions antisociales – qui visent à miner le sens civique au lieu de l'encourager – étaient pratiquement inexistantes dans les pays scandinaves, en Suisse, au Royaume-Uni et dans les autres pays qui mettent l'accent sur la coopération et les valeurs communautaires. Par contre, leur taux est très élevé dans les pays où le sens civique est faible et où la coopération se limite aux parents ou aux amis proches. Dans ce cas, la punition antisociale prédomine. C'est ce qu'on observe, par exemple, en Grèce, au Pakistan et en Somalie, trois pays qui sont par ailleurs très mal notés selon l'indice de perception de la corruption (IPC) publié chaque année par Transparency International[30].

Il s'avère aussi que les sociétés qui ont établi des normes altruistes et coopératives sont plus florissantes et gèrent mieux le problème des biens communs. Si les Danois peuvent, le temps d'un déjeuner, laisser leur bébé prendre l'air sans surveillance dans un landau à l'extérieur d'un restaurant sans craindre que leurs enfants ne soient kidnappés, alors qu'à Mexico ou à New York ce serait une folie, c'est parce qu'ils ont intériorisé un certain système de valeurs*. Si les habitants de Taipei et de Zurich s'acquittent spontanément du coût de leur trajet en bus ou en tramway dans la caisse prévue à cet effet, et en l'absence de tout contrôle, cela montre qu'ils ne sont pas des profiteurs endémiques contraints de se conformer au règlement par peur d'être punis : ils paient volontairement leur ticket et sont choqués s'ils voient quelqu'un frauder. Dans les pays où la fraude est culturellement admise, quel que soit le nombre de contrôleurs, les profiteurs trouvent toujours un moyen d'arriver à leurs fins.

Il est donc important de combiner plusieurs stratégies : mettre en place des institutions appropriées qui permettent aux altruistes de coopérer sans entraves, canaliser les comportements égoïstes vers des comportements prosociaux en établissant des réglementations sensées et équitables, et faire évoluer les habitudes par l'éducation.

Mieux que la punition : la récompense et l'appréciation

Les évolutionnistes Martin Nowak et Drew Fudenberg, de l'université d'Harvard, ont fait remarquer que dans la vie réelle les interactions entre individus ne sont généralement pas anonymes et se produisent

* Une Danoise fut arrêtée par la police new-yorkaise pour «abandon d'enfant» après avoir laissé son enfant dans une poussette à la porte d'un restaurant, comme elle avait l'habitude de le faire dans son pays.

rarement en vase clos. Quand les gens savent qui a coopéré, qui a triché et qui les a punis, la dynamique des interactions change. La répétition des interactions permet de s'ajuster aux comportements de chacun. De plus, les gens se soucient de leur réputation et ne veulent pas prendre le risque d'être ostracisés par leurs pairs pour s'être comportés de manière antisociale[31].

L'étude du comportement de très jeunes enfants montre qu'ils sont capables d'observer comment un individu coopère avec les autres et d'en déduire s'il sera ou non un bon coopérateur avec eux. De fait, dès l'âge d'un an, ils préfèrent les personnes qui se comportent de façon coopérative[32].

Dans ce contexte, Nowak et ses collaborateurs se sont demandé si, dans la réalité, récompenser les bons coopérateurs ne serait pas plus efficace que de punir les mauvais. Les sanctions qualifiées d'« altruistes » par les économistes ne disent rien en vérité sur ce qui les motive. Une punition est véritablement altruiste dans le cas de parents qui corrigent leurs enfants pour les dissuader de prendre des habitudes nuisibles. La sanction peut aussi être motivée par le sentiment qu'il est important de maintenir le sens de l'équité dans la société. Toutefois, elle se réduit parfois à une forme de vengeance. La neuroscientifique Tania Singer a montré que les hommes, en particulier, sont prêts à dépenser une certaine somme d'argent uniquement pour le plaisir de se venger après avoir été trompés dans un jeu de confiance[33]. Dans un contexte où les personnes impliquées sont identifiables, la vengeance risque fort de déclencher un cercle vicieux de représailles où tout le monde est lésé.

Dans une série d'expériences menées par David Rand et d'autres chercheurs sous la direction de Nowak et Fudenberg, il est apparu qu'au cours d'interactions répétées dans un jeu de confiance qui permettait d'identifier personnellement les coopérateurs et les profiteurs (ce qui modifie la situation par rapport à l'expérience de Ernst Fehr dans laquelle les participants sont anonymes), la stratégie qui a produit les meilleurs résultats à long terme consistait à persévérer dans la coopération, quoi qu'il arrive[34]. Dans un groupe de deux cents étudiants, ceux qui avaient réalisé les gains les plus importants étaient tous des coopérateurs. Ceux qui s'étaient uniquement consacrés à sévir se sont généralement enfermés dans des cycles de représailles qui les ont fait choir au bas du tableau des gains.

Les sanctions coûteuses ne sont donc qu'un pis-aller efficace, même si elles valent beaucoup mieux que le laisser-faire. Toutefois, le meilleur moyen d'élever le niveau de coopération est clairement de favoriser et d'encourager les interactions positives – échanges équitables, coopération, renforcement de la confiance mutuelle. Un système centré sur les *récompenses* et les encouragements associé au garde-fou des règlements et des sanctions qui permettent de se protéger contre les profiteurs, semble donc le moyen le plus apte à promouvoir une société juste et bienveillante. Dans une entreprise, en particulier, il est plus utile de créer une atmosphère de travail agréable, d'honorer de diverses façons les bons et loyaux services et de redistribuer aux employés une partie des bénéfices, que de les pénaliser s'ils renâclent à accomplir leurs tâches. Ici encore, la coopération est plus efficace que la sanction.

Éloge de la fraternité

Puissent tous les hommes se souvenir qu'ils sont frères.
Voltaire

En 1843, Jean-Charles Dupont, juriste de la Société des droits de l'homme, écrit dans la *Revue républicaine* : «Tout homme aspire à la liberté, à l'égalité, mais il ne peut l'atteindre sans l'assistance d'autres hommes, sans fraternité[35]. Un siècle plus tard, la Déclaration universelle des droits de l'homme (adoptée en 1948) stipule dès son premier article : «Tous les êtres humains naissent libres et égaux en dignité et en droits. Ils sont doués de raison et de conscience et doivent agir les uns envers les autres dans un esprit de fraternité.»

Sœur jumelle de l'altruisme, la fraternité reflète un désir de plus grande mutualité et de réciprocité ; elle renforce la cohésion sociale en favorisant la solidarité et la coopération. La fraternité, pour Jacques Attali, est «aujourd'hui la force principale qui entraîne l'avant-garde du monde[36]». Selon lui, elle est un refus de la solitude, elle valorise la relation à l'autre, invite au mélange, apprend à connaître l'autre, à donner et à accueillir. Elle nous montre aussi que, au sein d'un monde interdépendant, chacun a besoin que l'autre réussisse. En revanche, quand chacun ne s'intéresse qu'à son propre sort, presque tout le monde finit par y perdre. «La fraternité, poursuit Attali, est encore dans le plaisir de transmettre, lorsque aucun intérêt personnel n'est en cause. Lorsque des gens trouvent plaisir à meubler la solitude de l'autre, à montrer de la compassion pour la souffrance de l'autre, à donner sans espoir de retour, à adopter des enfants pour le simple plaisir de les voir heureux, à s'occuper de personnes handicapées, de faibles pour avoir une occasion de se conduire en êtres humains, sans attendre ni considération ni récompense[37].»

Elle se manifeste alors dans le prodigieux essor des actions caritatives, dans la prolifération d'organisations non gouvernementales pour aider, nourrir, sauver, soigner, réparer, dans la mobilisation qui suit toutes les catastrophes naturelles ; dans la volonté croissante de payer de sa personne et dans la mondialisation lorsque celle-ci entraîne non pas une exploitation économique des pays pauvres par les multinationales mais un partage des connaissances, de la technologie, des richesses culturelles et artistiques[38].

Bien que, toujours selon Attali, «la plupart des révolutionnaires des XIXe et XXe siècles l'aient considérée comme un concept flou, naïf, tout juste bon pour les chrétiens, les francs-maçons ou les imbéciles», la fraternité survit : «Elle est aussi là dans les goulags de toutes les Russie, dans les camps de toutes les Allemagne, quand elle devient condition de survie. Elle est encore là en Inde quand le Mahatma Gandhi en fait l'arme de la dignité. [...] Elle est enfin là chaque fois que quelqu'un a le courage véritablement révolutionnaire d'énoncer simplement que chacun a intérêt au bonheur de l'autre. Elle s'annonce même quand on la nomme autrement : altruisme ou responsabilité, compassion ou générosité, amour ou tolérance[39].»

En une phrase, comme nous avertissait Martin Luther King : «Nous devons apprendre à vivre ensemble comme des frères, sinon nous allons mourir tous ensemble comme des idiots[40].»

Les conditions favorables à la coopération

Dans son ouvrage *Why We Cooperate* («Pourquoi nous coopérons»), le psychologue Michael Tomasello explique que les activités collaboratives de l'homme sont fondées sur l'existence d'un objectif commun dans l'accomplissement duquel les participants assument des rôles différents coordonnés par une attention conjointe[41]. Les collaborateurs doivent être réceptifs aux intentions des autres et y réagir de manière appropriée. En plus d'un objectif commun, l'activité collaborative exige une certaine division du travail et une compréhension des rôles de chacun assurée par une bonne communication. La coopération exige tolérance, confiance et équité.

Elle est aussi renforcée par les normes sociales, lesquelles ont énormément varié au cours des âges. Le philosophe Elliott Sober et l'évolutionniste David Sloan Wilson ont passé en revue un très grand nombre de sociétés dans le monde et observé que dans la vaste majorité d'entre elles, les comportements jugés acceptables sont définis par des normes sociales. L'importance de ces normes tient au fait qu'il ne coûte pas grand-chose de les faire respecter, tandis que les punitions peuvent, au contraire, être très coûteuses pour ceux qui en sont l'objet – l'exclusion de la communauté, par exemple[42]. Fort heureusement, de nos jours, les normes sociales tendent davantage vers le respect de la vie, des droits de l'homme, de la parité entre les hommes et les femmes, de la solidarité, de la non-violence et d'une justice équitable.

Martin Nowak décrit quant à lui cinq facteurs favorables à la coopération. Le premier est la répétition régulière de services réciproques, comme c'est le cas, par exemple, des paysans qui s'entraident au moment des moissons, ou des villageois qui participent tous à la construction de la maison d'un voisin. Le deuxième facteur est l'importance de la réputation au sein d'une communauté : ceux qui coopèrent volontiers sont appréciés de tous, tandis que les mauvais coopérateurs sont mal vus. Le troisième facteur tient à la structure de la population et des réseaux sociaux, structure qui facilite ou contrecarre la formation de communautés coopérantes. Le quatrième facteur est l'influence des liens familiaux qui incite à coopérer davantage avec les individus apparentés. Enfin, le cinquième facteur est lié au fait que la sélection naturelle opère à plusieurs niveaux : dans certaines circonstances, la sélection agit uniquement au niveau des individus et, dans d'autres, elle influence le sort d'un groupe d'individus considéré dans son ensemble. Dans ce dernier cas, un groupe de coopérateurs peut avoir plus de succès qu'un groupe de mauvais coopérateurs constamment en compétition les uns avec les autres.

Au fil des générations, les êtres humains ont tissé une toile de réciprocité et de coopération dans les villages, les villes, les États et, de nos jours, à travers le monde entier. En raison de la connectivité des réseaux mondiaux, l'information et les connaissances peuvent se répandre à l'ensemble de la planète en quelques secondes. Si une pensée stimulante, une innovation productive ou une solution à un problème d'importance vitale est ainsi diffusée, elle peut être mise à profit dans le monde entier. Il existe ainsi d'innombrables modalités propices au développement de la coopération. Désormais, plus que jamais, nous avons besoin de coopérer, et ce, à l'échelle mondiale.

37

Une éducation éclairée

Enseigner, ce n'est pas remplir un vase, c'est allumer un feu.

Aristophane

On n'est intelligent qu'à plusieurs.

Albert Einstein

Martin Seligman, l'un des fondateurs de la «psychologie positive» (selon laquelle, pour s'épanouir dans l'existence, il ne suffit pas de neutraliser les émotions négatives et perturbatrices, il faut aussi favoriser l'éclosion d'émotions positives), a posé à des milliers de parents la question suivante : «Que désirez-vous le plus, pour vos enfants ?» En majorité, ils ont répondu : le bonheur, la confiance en soi, la joie, l'épanouissement, l'équilibre, la gentillesse, la santé, la satisfaction, l'amour, une conduite équilibrée et une vie pleine de sens. Pour résumer, le bien-être arrive en tête de ce que les parents souhaitent en priorité pour leurs enfants[1].

«Qu'enseigne-t-on à l'école ?» demanda ensuite Seligman aux mêmes parents, qui répondirent : la capacité de réflexion, la capacité à s'adapter à un moule, les compétences en langues et en mathématiques, le sens du travail, l'habitude de passer des examens, la discipline et la réussite. Les réponses à ces deux questions ne se recoupent pratiquement pas. Les qualités enseignées à l'école sont indiscutablement utiles et pour la plupart nécessaires, mais l'école pourrait également enseigner les moyens de parvenir au bien-être et à l'accomplissement de soi, bref, à ce que Seligman appelle une «éducation positive», une éducation qui apprend aussi à chaque élève à devenir un meilleur être humain.

Dans la plupart de ses conférences publiques, le Dalaï-lama insiste sur le fait que l'intelligence, pour importante qu'elle soit, ne reste qu'un outil qui peut être utilisé pour le bien comme pour le mal. L'usage que nous ferons de notre intelligence dépend en fait entièrement des valeurs humaines qui inspirent notre existence. Selon le Dalaï-lama, et il insiste sur ce point, l'intelligence doit être mise au service de valeurs altruistes. Autrefois, ces valeurs étaient inculquées par l'éducation religieuse, parfois de manière positive, mais trop souvent de façon normative et dogmatique qui ne laissait guère aux enfants la possibilité d'explorer leur potentiel personnel. Aujourd'hui, l'éducation ne peut être que séculière, respectant ainsi la liberté de chacun. Mais, ce faisant, l'éducation moderne, trop souvent centrée sur la «réussite», l'individualisme et la compétition, n'offre guère de moyens permettant d'apprécier l'importance des valeurs humaines. Le Dalaï-lama explique :

> L'éducation ne se résume pas à transmettre le savoir et les compétences permettant d'atteindre des buts limités. Elle consiste aussi à ouvrir les yeux des enfants sur les droits et les besoins des autres. Il nous incombe de les amener à comprendre que leurs actions ont une dimension universelle, et nous devons trouver un moyen de développer leur empathie innée de manière qu'ils acquièrent un sentiment de responsabilité envers leur prochain. Car c'est cela qui nous pousse à agir. En fait, s'il nous fallait choisir entre la vertu et le savoir, la vertu serait certainement préférable. Le bon cœur qui en est le fruit est en soi un grand bienfait pour l'humanité. Ce n'est pas le cas du savoir[2].

Toujours selon lui, il est donc essentiel de réintroduire dans l'éducation l'enseignement de ces valeurs fondamentales sur la base des connaissances scientifiques acquises au cours des dernières décennies dans le domaine de la psychologie, du développement de l'enfant, de la plasticité du cerveau, de l'entraînement à l'attention et à l'équilibre émotionnel, des vertus de la bienveillance, de la solidarité, de la coopération et de la compréhension de l'interdépendance entre tous les êtres.

Voyons maintenant, sans prétendre en offrir une analyse exhaustive, quelques initiatives susceptibles de favoriser l'épanouissement de ces valeurs altruistes.

La neutralité ne mène nulle part

Par peur d'imposer des valeurs particulières, beaucoup d'éducateurs préfèrent adopter une approche moralement neutre et estiment que ce n'est pas le rôle de l'école d'influencer les préférences morales des élèves. On peut certes se méfier d'un enseignement prescriptif de la morale qui reflète la vision du monde de celui qui les enseigne. Mais qui pourrait déplorer le fait d'inspirer chez les enfants une appréciation constructive de l'entraide, de l'honnêteté et de la tolérance ? La neutralité morale est en fait un leurre puisque les enfants se forgeront de toute façon un système de valeurs. Mais, sans le soutien d'éducateurs avisés, ils risquent de le trouver dans les médias qui exsudent la violence, dans la primauté donnée à la consommation et à l'individualisme promus par la publicité ou dans la fréquentation d'autres enfants tout aussi désorientés qu'eux. Pour être harmonieuses et justes, une société et l'éducation qui la sous-tend ne peuvent se passer d'un consensus sur la nocivité de la violence et de la discrimination ainsi que sur les avantages de la bienveillance, de l'équité et de la tolérance. De fait, nombre d'enseignants offrent des points de repère qui permettent aux jeunes de s'orienter dans l'existence ainsi que des sources d'inspiration universellement acceptées[3].

De nombreuses initiatives vont dans cette direction. Ainsi, au Canada, en Colombie-Britannique, sous l'impulsion de Clyde Herzman et d'autres chercheurs, on enseigne à présent l'intelligence émotionnelle dans la plupart des écoles. Au Québec, un nouveau programme d'enseignement d'éthique séculière a été lancé et, en 2010, le Dalaï-lama a tenu conférence sur ce sujet devant un public de plusieurs centaines d'enseignants en cours de formation. En Inde, en janvier 2013, toujours à l'initiative du Dalaï-lama, l'université de Delhi a décidé d'inclure des cours de « valeurs humaines séculières » dans toutes ses formations. Aux États-Unis, sous l'impulsion du pédagogue et psychologue Mark Greenberg, plusieurs centaines d'écoles enseignent aux enfants à mieux reconnaître et gérer leurs émotions et celles des autres, ce qui contribue à diminuer le nombre des conflits[4]. En France, des éducateurs comme Daniel Favre, neuroscientifique et professeur en sciences de l'éducation à l'IUFM de Montpellier, ont montré par leurs travaux et leur expérience de terrain que l'on pouvait remotiver les élèves et réduire la violence en milieu scolaire[5].

Une révolution tranquille

L'école primaire de Kidlington est située dans une banlieue pauvre d'Oxford en Angleterre. En 1993, Neil Hawkes, le directeur, décida d'introduire l'enseignement des valeurs humanistes dans l'éducation des cinq cents élèves de l'école[6]. L'une des méthodes employées consiste à établir une liste de mots représentant les valeurs jugées les plus importantes par les enseignants et les élèves : respect, bienveillance, responsabilité, coopération, confiance, tolérance, ouverture, patience, paix, courage, honnêteté, humilité, gratitude, espoir, amour, générosité, etc. Chaque mot devient tour à tour le «mot du mois» et est affiché de façon prééminente sur les murs de l'école. Ce mot est l'objet de discussions en groupe et représente le point focal autour duquel les différentes matières sont enseignées. Il sert aussi de base de discussion pour résoudre les conflits.

Plutôt que de considérer les valeurs humaines comme un appendice à enseigner en marge d'autres matières, ces valeurs deviennent la plateforme à partir de laquelle le curriculum des études est élaboré et les décisions organisationnelles et pédagogiques prises.

Chez les élèves, prendre conscience du fait qu'ils peuvent gérer leurs émotions et leur comportement transforme l'ambiance de la classe, suscite un engagement plus soutenu et accroît le plaisir d'étudier. Les évaluations de cette méthode au fil des ans ont montré que l'environnement créé par cette pédagogie fondée sur les valeurs humaines est favorable non seulement au développement personnel des élèves et à la qualité de leurs relations sociales, mais aussi à leurs progrès scolaires. Depuis l'introduction de ce programme, les résultats de l'école de Kidlington ont toujours été au-dessus de la moyenne nationale et bien supérieurs à ceux des écoles situées, comme c'est le cas de Kidlington, dans des quartiers défavorisés[7].

Frances Farrer, auteur de cette évaluation, a relevé une amélioration de la stabilité émotionnelle, des comportements en général et un sentiment accru d'appartenance à la communauté. L'école de Kidlington est maintenant visitée par des éducateurs du monde entier qui souhaitent s'inspirer de son modèle. Farrer constate également que les courtes périodes de réflexion silencieuse qui ouvrent les cours du matin et de l'après-midi ont un effet apaisant durable sur les élèves et diminuent l'incidence des conflits.

En 2003, en Australie, sous l'égide du ministère de l'Education, un programme similaire fut lancé dans 316 écoles regroupant plus de 100 000 élèves. Une évaluation des résultats, effectuée par Terence Lovat et ses collègues de l'université de Newcastle, a permis de confirmer que dans un environnement où les valeurs humaines façonnent les activités de la classe, l'apprentissage s'améliore, les enseignants et les étudiants sont plus satisfaits et l'école est plus calme. L'école, selon Lovat, est ainsi devenue «un meilleur endroit pour enseigner et un meilleur endroit pour apprendre[8]».

Une réussite spectaculaire

C'est le matin, dans la salle de classe d'une école maternelle de Madison, dans l'État du Wisconsin, aux États-Unis. Allongés sur le dos, des enfants de quatre à cinq ans, issus en majorité de milieux défavorisés, apprennent à se concentrer sur le va-et-vient de leur souffle et sur les mouvements d'un petit ours en peluche posé sur leur poitrine. Après quelques minutes, au son d'un triangle musical, ils se lèvent et vont ensemble observer les progrès des «graines de paix» qu'ils ont chacun plantées dans des pots rangés le long des fenêtres de la classe. L'enseignant leur demande de prendre conscience du soin dont les plantes ont besoin et, par association d'idées, du soin dont l'amitié, elle aussi, a besoin. Puis il les aide à comprendre que ce qui les rend sereins est aussi ce qui permet aux autres enfants d'être sereins. Au début de chaque séance, les enfants expriment à voix haute la motivation qui doit inspirer leur journée : «Puisse tout ce que je pense, tout ce que je dis et tout ce que je fais ne causer aucun tort aux autres, mais au contraire les aider.»

Ce sont là quelques éléments d'un programme de dix semaines conçu par le Centre d'investigation de la bonne santé mentale (Center for Investigating Healthy Minds), fondé par le psychologue et neuroscientifique Richard Davidson. Bien que sa collaboratrice Laura Pinger et leurs autres collègues n'enseignent ce programme que trois fois par semaine, à raison de trente minutes par séance, il a un effet notable sur les enfants. Ceux-ci demandent d'ailleurs aux instructeurs pourquoi ils ne viennent pas tous les jours[9].

Au fil des semaines, les enfants sont amenés très naturellement à pratiquer des actes de bonté, à se rendre compte que ce qui les met mal à l'aise met aussi mal à l'aise les autres, à mieux identifier leurs émotions et celles de leurs camarades, à pratiquer la gratitude et à former des souhaits bienveillants pour eux-mêmes et pour autrui. Lorsqu'ils sont perturbés, on leur montre qu'ils peuvent certes résoudre leurs problèmes en agissant sur les circonstances extérieures mais aussi en agissant sur leurs propres émotions.

Au bout de cinq semaines vient le moment de donner à d'autres une ou plusieurs plantes que chacun a fait pousser. Les enfants sont ensuite amenés à prendre conscience qu'ils sont reliés à tous les enfants de la planète, à toutes les écoles et à tous les peuples, lesquels aspirent à la paix et dépendent tous les uns des autres. Cela les conduit à éprouver de la gratitude à l'égard de la nature, des animaux, des arbres, des lacs, des océans, de l'air que nous respirons, et à prendre conscience qu'il est important de prendre soin de notre monde.

On peut se demander s'il n'est pas un peu naïf de penser qu'un tel programme, aussi intéressant qu'il paraisse, peut avoir un effet réel sur des enfants aussi jeunes. C'est la raison pour laquelle les chercheurs ne se sont pas contentés d'observations subjectives, mais ont aussi évalué les effets du programme en questionnant de manière approfondie les enseignants et les parents sur le comportement et les attitudes des enfants avant et après l'avoir suivi. Cette évaluation a révélé une nette amélioration des comportements prosociaux et une diminution des troubles émotionnels et des conflits chez les participants à l'expérience.

Mais les scientifiques ont ajouté un dernier test, celui dit « des autocollants ». À deux reprises, au début et à la fin du programme, ils ont donné à chacun des enfants un certain nombre de petites figurines autocollantes dont les enfants raffolent, ainsi que quatre enveloppes sur lesquelles figuraient, respectivement, une photo de leur meilleur(e) ami(e), de celui ou celle qu'ils appréciaient le moins, d'un enfant inconnu et d'un enfant visiblement malade portant un pansement sur le front. Ils ont ensuite demandé à chaque enfant de répartir comme il le voulait les autocollants dans les quatre enveloppes qui seraient distribuées à leurs camarades. Au début de l'intervention, les enfants ont donné la quasi-totalité des autocollants à leur meilleur(e) ami(e) et très peu aux autres.

On pouvait espérer qu'après dix semaines de pratique de la bienveillance il se produise un changement. Et, de fait, la différence a été spectaculaire : lors du deuxième test, en fin de programme, les enfants ont donné un *nombre égal* d'autocollants aux quatre catégories d'enfants : ils ne faisaient même plus de différence entre leur camarade préféré(e) et celui ou celle qu'ils aimaient le moins. On mesure la portée de ce résultat quand on sait à quel point les divisions liées au sentiment d'appartenance à un groupe sont habituellement marquées et durables.

Au vu des résultats remarquables de cette méthode, de sa simplicité et de l'effet qu'elle peut avoir sur le développement ultérieur des enfants – ce qui fait à présent l'objet d'une autre étude –, il semble regrettable de ne pas la mettre en œuvre partout dans le monde. De fait, la municipalité de Madison a maintenant demandé à l'équipe dirigée par Richard Davidson d'étendre ce programme à plusieurs écoles de la ville. Lorsque ces résultats ont été portés à la connaissance du Dalaï-lama, il a eu ce commentaire : «Une école, dix écoles, cent écoles, puis, par l'intermédiaire des Nations unies, les écoles du monde entier...»

Découvrir l'interdépendance

Nous sommes dans une classe d'une vingtaine d'enfants âgés de six à sept ans et vivant en famille d'accueil de l'école Paideia, à Atlanta, aux États-Unis. Un instructeur venu de l'université d'Emory demande : «Regardez ce pull-over. Je l'aime. Il est confortable, il me tient chaud. C'est mon père qui me l'a donné et, quand je le porte, je pense à lui. Mais il ne vient pas de nulle part. D'où est-il venu ? Qu'a-t-il fallu pour que je puisse maintenant porter ce pull ?»

Les réponses des enfants fusent. «Vous !» «Oui, certes, répond l'éducateur un peu déconcerté, mais quoi d'autre ?» «Vous avez besoin de votre papa», dit un autre. «Oui, bien sûr. Mais mon papa ne fabrique pas des pull-overs.»

«Il l'a acheté dans un magasin !» lance quelqu'un. «Oui, mais le vendeur, lui non plus, ne tricote pas les chandails.» De fil en aiguille – si l'on peut dire – les enfants en arrivent à parler du tricot, de la laine, des moutons, des fermes, du transport, des routes, et de tous les gens impliqués dans l'existence du pull qui, eux aussi, ont besoin de parents, de grands-parents, d'une maison, de nourriture, etc.

«Où cela finit-il ?» questionne l'éducateur. Sans hésiter, un enfant s'exclame joyeusement : «Cela ne finit pas ! Vous avez besoin du monde entier !»

La conclusion rend les enfants un peu rêveurs, jusqu'à ce que l'un d'eux demande, perplexe : «Même des enfants ?» L'éducateur hoche la tête. «Oui, même des enfants.»

Une éducation du cœur et de l'esprit

La prise de conscience de l'interdépendance de tous les êtres fait partie d'un programme conçu par l'université d'Emory à Atlanta. Ce programme vise à enseigner une méditation analytique sur l'altruisme et la compassion (CBCT, Cognitive Based Compassion Therapy, ou « thérapie cognitive basée sur la compassion ») à des enfants vivant en famille d'accueil après avoir souffert de traumatismes liés à la négligence parentale et à la séparation d'avec leurs parents biologiques. La probabilité que ces enfants interrompent leur scolarité est très élevée[10]. Dans le cadre du programme, ils participent à des séances de vingt-cinq à trente minutes deux fois par semaine pendant la journée scolaire normale.

Intelligence émotionnelle, compassion pour soi-même et autrui, conscience de l'interdépendance, empathie, non-discrimination : telles sont les qualités principales que se propose de promouvoir ce programme. Plus largement, l'objectif du programme CBCT est d'agir à la fois sur la communauté scolaire, sur les enseignants, les administrateurs de l'école, sur les parents et même sur le système de placement des enfants, grâce à l'accent mis sur la compassion.

Ce programme dure huit semaines et comporte (1) le développement de l'attention et de la stabilité de l'esprit ; (2) l'observation du monde intérieur des pensées, des sentiments et des émotions ; (3) l'exploration de la compassion envers soi-même – la reconnaissance de notre aspiration au bonheur, des états mentaux contribuant à l'épanouissement personnel et de la volonté de se libérer des états émotionnels défavorables au bonheur ; (4) le développement de l'impartialité envers tous les êtres, qu'ils soient amis, ennemis ou étrangers, et parallèlement l'interrogation sur la valeur – fixe, ou superficielle et changeante de cette catégorisation, et l'identification d'un désir commun à tous, d'être heureux et de ne pas souffrir ; (5) le développement de la gratitude envers tous, personne ne pouvant survivre sans le soutien d'innombrables autres ; (6) le développement de la bienveillance et de l'empathie ; (7) le développement de la compassion envers ceux qui souffrent et du désir qu'ils soient libérés de leurs souffrances ; (8) la mise en œuvre de l'altruisme et de la compassion dans la vie quotidienne.

Les enfants sont très réceptifs à ce genre d'éducation et expriment généralement le souhait qu'elle se poursuive. Alors qu'un des instructeurs comparait la colère à une étincelle dans une forêt, qui au début peut être facilement éteinte mais qui devient vite un grand feu dévastateur et incontrôlable, une petite fille de cinq ans fait ce constat : «Il y a beaucoup de feux de forêt dans ma vie.»

L'apprentissage coopératif

Apprendre avec les autres, par les autres, pour les autres, et non pas seul contre les autres : l'apprentissage coopératif consiste à faire travailler ensemble des élèves dans des petits groupes dans lesquels on s'entraide, on s'encourage et on loue les succès et les efforts des uns et des autres. Lorsqu'une tâche difficile doit être accomplie, les efforts de chaque membre du groupe sont nécessaires au succès de l'ensemble de l'entreprise, ce qui suppose non seulement d'œuvrer en commun mais encore de réfléchir à la façon d'associer au mieux les compétences de chacun.

À l'école, l'éducation coopérative consiste à former des groupes composés d'enfants de niveaux différents, de sorte que les plus avancés puissent aider ceux qui sont en difficulté. Dans ce cas, on observe que les enfants qui apprennent facilement, au lieu de se sentir supérieurs aux autres (comme c'est le cas dans un système d'évaluation constante au moyen d'interrogations écrites notées) se sentent investis de la responsabilité d'aider ceux qui ont plus de mal à comprendre. De plus, l'esprit de camaraderie du groupe et l'absence de jugements intimidants de la part des autres inspirent confiance aux enfants et les incitent à donner le meilleur d'eux-mêmes.

Dans le cas de groupes de coopération composés d'enfants de même niveau qui ont des difficultés dans leurs études, on a observé que la solidarité les aidait à envisager de nouvelles façons de résoudre leurs difficultés, là où ils se sentaient auparavant ostracisés en raison de leur niveau. Dans son ouvrage, *L'Apprentissage coopérant*, Robert Pléty, professeur de mathématiques et chercheur à l'université de Lyon, explique comment il procède en classe : il donne son cours de mathématiques suivi d'un exercice pour repérer les élèves qui ont compris et ceux qui n'ont pas compris. Il les divise alors en groupes de deux, trois ou quatre, certains composés uniquement d'élèves n'ayant pas compris, d'autres composés d'élèves ayant tout compris, et d'autres encore d'un mélange des deux. Il observe ensuite ce qui se passe lorsqu'il leur donne à nouveau à faire le même exercice (ce qui est important dans le cas des élèves n'ayant pas compris) ou un nouvel exercice (pour voir si la coopération améliore également les résultats des meilleurs élèves). Robert Pléty a poursuivi cette étude pendant sept ans, en accumulant un grand nombre de données.

Les résultats sont impressionnants : dans le cas de groupes mixtes, le taux de réussite augmente de 75 % ! Les groupes composés des meilleurs élèves se maintiennent, dans la majorité des cas, au niveau le plus élevé. La surprise vient des groupes d'élèves qui avaient tous échoué : après avoir été mis ensemble, 24 % d'entre eux réussissent l'exercice. La dynamique de l'apprentissage a donc changé. Les moins bons élèves réussissent à progresser ensemble en adoptant la méthode par essais et erreurs qui finit par être couronnée de succès. De plus, observe Pléty, « l'intérêt et la satisfaction semblaient s'installer sur les visages éternellement renfrognés de certains élèves en cours de mathématiques[11] ».

L'idée de l'apprentissage coopérant n'est pas nouvelle. Au XVIIe siècle, Johann Amos Comenius, un éducateur tchèque précurseur de Rousseau qui était très influent à son époque et que certains considèrent comme le père de l'éducation moderne, était persuadé que les étudiants pouvaient tirer profit d'un enseignement réciproque.

Plus tard, à la fin du XIXe siècle, à Quincy, dans le Massachusetts, un éducateur passionné, Francis Parker, généralisa l'apprentissage coopératif à toutes les écoles de la région. Des milliers de visiteurs venaient chaque année visiter ses écoles, et ses méthodes d'apprentissage coopératif se propagèrent à travers l'ensemble du système éducatif d'Amérique du Nord. Malheureusement, dans les années 1930, on commença à favoriser la compétition dans les écoles publiques. Dans les années 1940, toutefois, l'apprentissage coopératif fut remis au goût du jour par le sociologue Morton Deutsch et promu des années 1980 jusqu'à nos jours par David et Roger Johnson et bien d'autres éducateurs. Il est maintenant pratiqué avec succès un peu partout dans le monde, bien qu'il reste encore une tendance minoritaire.

Ces derniers ont conçu une méthode qu'ils ont mise en œuvre dans de nombreuses écoles et dont ils ont ensuite évalué les résultats. Avec Mary Beth Stanne de l'université de l'Arizona, les Johnson ont par ailleurs aussi synthétisé les données issues de cent soixante-quatre travaux de recherche portant sur différentes méthodes d'apprentissage coopératif, et ils ont constaté que les meilleurs résultats étaient obtenus par de petits groupes de deux à cinq élèves qui, après avoir reçu les instructions de l'enseignant, travaillent ensemble jusqu'à ce qu'ils aient tous compris et accompli la tâche qui leur a été donnée. Ils fêtent ensuite leur réussite collective. Les meilleurs résultats sont obtenus quand les groupes sont hétérogènes du point de vue des compétences, du sexe, de l'origine culturelle et du niveau de motivation[12].

Comparé avec l'enseignement compétitif, l'apprentissage coopératif présente de multiples avantages en termes de mémorisation des leçons, de désir d'apprendre, de temps nécessaire à l'accomplissement d'une tâche et de transfert de connaissances entre les élèves. De plus, on observe une amélioration de l'intelligence émotionnelle, du sens moral, des relations amicales, des comportements altruistes et des rapports avec les enseignants. Les enfants ont une meilleure santé psychologique, davantage de confiance en eux-mêmes et de plaisir à étudier. Sur le plan du comportement, l'apprentissage coopératif s'accompagne d'une baisse des discriminations (racistes et sexistes), de la délinquance, du harcèlement et de la toxicomanie. 61 % des classes pratiquant l'apprentissage coopératif ont obtenu des résultats supérieurs à ceux des classes traditionnelles[13].

Les Johnson décrivent la compétition comme une «interdépendance négative» au sein de laquelle les étudiants travaillent les uns contre les autres pour atteindre un objectif que seuls quelques-uns peuvent atteindre[14].

Les bienfaits du tutorat

L'association d'enfants d'aptitudes différentes peut aussi se faire dans le cadre du tutorat. Dans ce cas, un enfant se voit confier un enfant plus jeune et lui donne des cours particuliers, quelques heures par semaine, sous la supervision d'un enseignant qui aide le tuteur à préparer les séances. Là encore, les bienfaits sont multiples, comme le montre une synthèse effectuée par Peter Cohen, James et Chen-Lin Kulik du Centre de recherche sur l'apprentissage et l'enseignement de l'université du Michigan, et portant sur soixante-cinq études[15].

Un résultat assez inattendu est que non seulement l'enfant qui reçoit l'enseignement progresse, mais qu'il en va de même de son tuteur.

Lorsque le tuteur n'a pas un bon niveau scolaire, on pourrait redouter que le temps qu'il passe à s'occuper des études d'un autre aggrave ses difficultés. Or ce qui a surpris les chercheurs, c'est que c'est le contraire qui se produit : le tuteur, se sentant responsable de son élève, fait des efforts pour réviser les matières qu'il a étudiées un ou deux ans plus tôt, et prend lui-même davantage goût à ses propres études. Ainsi, l'élève en difficulté est tantôt celui qui reçoit une aide, tantôt celui qui apporte une aide, et le tutorat accroît la capacité des tuteurs à apprendre en développant leur capacité à enseigner. En fin d'année, les enfants associés en binôme tuteur-élève ont, en moyenne, des résultats supérieurs à ceux des élèves qui n'ont pas participé à ce programme[16]. Le tutorat entre pairs est aujourd'hui pratiqué aux États-Unis, en Grande-Bretagne, en Australie, en Nouvelle-Zélande, en Israël, en Belgique francophone (plusieurs centaines d'écoles), et un peu partout ailleurs dans le monde.

Une autre forme de tutorat est celle exercée par un adulte en faveur d'un enfant en difficulté. En 1991, Ray Chambers* créa aux États-Unis la fondation Points of Light («Points de lumière») dont le but était d'enrôler des personnes susceptibles de servir de tuteurs à des enfants issus de milieux défavorisés. Ce programme regroupe aujourd'hui plus de cinq millions de tuteurs et donne des résultats remarquables.

L'initiative des Écoles respectueuses des droits

Cette initiative de la branche canadienne de l'UNICEF aide les écoles à transformer le milieu d'apprentissage en adoptant une approche fondée sur le respect des droits, qui favorise la compréhension des valeurs universelles de respect envers les autres et envers soi-même au sein de la communauté scolaire. Elle est maintenant appliquée dans plusieurs pays, principalement au Canada et au Royaume-Uni[17].

Une étude menée au Royaume-Uni dans plus de 1 600 Écoles respectueuses des droits a mis en évidence une amélioration de l'apprentissage, une baisse de l'absentéisme, des préjugés et des brimades, ainsi qu'une amélioration des comportements prosociaux et une attitude plus

* Ray Chambers fit d'abord carrière avec succès dans le monde de la finance puis, lassé par le milieu de Wall Street, décida d'aider des centaines d'étudiants méritants pauvres du New Jersey à poursuivre leurs études. Aujourd'hui, il est émissaire du Secrétaire général des Nations unies pour l'éradication de la malaria.

positive vis-à-vis de la diversité. De plus, les élèves qui fréquentent ces établissements sont plus motivés et ont appris à exprimer leurs opinions, à participer au processus décisionnel, à résoudre les conflits de façon pacifique, et ils comprennent mieux les enjeux mondiaux en matière de justice sociale.

La philosophie avec des enfants de huit ans

Dans le petit village de Tursac, en Dordogne, l'instituteur Claude Diologent a décidé de faire des ateliers de philosophie avec ses élèves du cours élémentaire. Trop compliqué ? Pas du tout. Les enfants adorent ça. Parfois, l'instituteur propose un thème, parfois les enfants choisissent une question qui les intéresse – le bonheur, l'honnêteté, l'équité, la gentillesse, etc. – et, avec l'aide de l'instituteur, discutent ensemble. Ils s'assoient en cercle et se passent l'un à l'autre un bâton de parole. L'enfant qui reçoit le bâton peut s'exprimer tranquillement sans être interrompu. Lorsque le bâton a fait le tour du cercle, un dialogue s'engage entre les enfants, guidé par l'instituteur. Tous les vendredis après-midi, les enfants se réunissent autour de celui qui est, pour un mois, le « président » de l'assemblée des enfants et ils discutent des problèmes survenus durant la semaine. Si, par exemple, un élève a insulté un camarade, le président lui demande pourquoi il a agi ainsi et s'il se rend compte qu'il a fait de la peine à quelqu'un. L'élève reconnaît volontiers que c'est le cas, s'explique et présente des excuses, et l'autre lui pardonne.

De tels ateliers philosophiques destinés à de très jeunes élèves ont été mis en œuvre un peu partout dans le monde. Keith Topping, de l'université de Dundee, et Steve Trickey, psychologue scolaire, ont effectué une synthèse de dix études qui a mis en évidence une amélioration de la pensée créative, des aptitudes cognitives, de l'intelligence émotionnelle, du raisonnement logique, de la lecture, de l'aptitude aux mathématiques et de la confiance en soi. Au vu de ces résultats, Topping et Trickey se sont demandé pourquoi la philosophie avec les jeunes enfants n'était pas systématiquement intégrée dans l'éducation[18].

La classe en puzzle

Le *Jigsaw classroom*, ou «classe en puzzle», est une technique d'enseignement mise au point en 1971 par le psychologue américain Elliot Aronson[19]. Fondée sur l'apprentissage coopératif, cette méthode encourage les élèves à l'écoute, à l'interaction et au partage en conférant à chacun un rôle essentiel à jouer : l'apprentissage ne peut se faire sans la coopération de chacun et, tout comme dans un puzzle, chaque pièce est indispensable à la compréhension de l'ensemble.

Les étudiants sont répartis en groupes de six et les leçons sont divisées en six parties, chaque élève recevant seulement l'une d'entre elles qu'il doit étudier seul pendant une dizaine de minutes. Ensuite, les élèves de chaque groupe qui ont reçu la même partie de la leçon se rassemblent et échangent pour vérifier qu'ils ont bien compris leur partie. Puis les groupes de six élèves se reforment et passent une demi-heure à échanger leur savoir avec les autres membres du groupe. Tous sont finalement interrogés sur la leçon complète. Les élèves apprennent ainsi rapidement à partager leurs connaissances et prennent conscience qu'aucun d'entre eux ne peut réussir le test sans l'aide de tous les autres.

Les classes en puzzle réduisent l'hostilité entre élèves et les brimades. Elles se sont révélées particulièrement efficaces pour éliminer les préjugés raciaux et autres formes de discriminations, et pour améliorer les résultats scolaires des élèves appartenant à des ethnies minoritaires[20]. Les effets les plus bénéfiques sont obtenus lorsque cette méthode est adoptée dès l'école primaire. On a en outre constaté qu'elle améliorait les résultats scolaires des élèves même si elle n'est mise en œuvre que pendant 20% du temps en classe. Elle peut donc être utilisée en conjonction avec toute autre pédagogie.

Le *Barefoot College* («Collège des pieds nus»), l'école des bergers et le Parlement des enfants

Il est 19 heures, un mois de février. Près de Tilonia, un petit village du Rajasthan en Inde, nous entrons dans une pièce de quatre mètres sur six d'une maison située au bord de la mare du village. Deux lampes tempête, rechargées pendant la journée sur des panneaux solaires, éclairent l'endroit. En quelques minutes, une trentaine de filles âgées de six à quatorze ans, accompagnées de quatre ou cinq garçons, s'y assoient sur la terre battue.

La maîtresse est à peine plus vieille que la plus âgée des élèves. La classe commence dans un joyeux brouhaha. La maîtresse a disposé en cercle sur le sol une série de cartons blancs sur lesquels figurent des syllabes en langue hindi. Dès qu'une élève a repéré deux syllabes qui peuvent former un mot, elle se précipite sur un des cartons, le montre à tous les autres et explique le sens du mot. Puis une longue phrase est écrite en cercle à l'aide des cartons, et les élèves doivent, chacune à son tour, faire le tour du cercle en lisant la phrase. Ensuite, par groupe de deux, les fillettes chantent des couplets liés à la pluie (la pluie est si rare au Rajasthan que tous prient pour sa venue), à la moisson, aux animaux de ferme, en accompagnant leurs chants de gestes mimant les sujets. La soirée se poursuit ainsi de manière ludique jusqu'à 22 heures et, durant ce temps, les enfants saisissent toutes les occasions de répondre aux questions posées par la maîtresse. Aucun signe de lassitude ou de distraction ne se lit sur leur visage.

Ces écolières ne sont pas comme les autres. Toute la journée, elles gardent des vaches ou des chèvres. Dans les environs de Tilonia, l'équipe du Barefoot College, fondé il y a près de quarante ans par Bunker Roy*, a peu à peu créé cent dix écoles du soir pour les enfants des paysans de toute la région. Dans chaque salle de classe, une pièce mise à disposition par le village, la maîtresse donne cinq niveaux de cours.

Sita a quatorze ans. La maîtresse lui demande combien de litres de lait sa vache donne chaque jour. « Quatre. » De combien de vaches t'occupes-tu ? « De trois. » « Combien de litres de lait cela fait-il tous les quinze jours ? » Sita se dirige vers le tableau noir, fabriqué pour le Barefoot College par les femmes des villages, sort de sa poche une craie fabriquée par de jeunes handicapés du Collège et fait la multiplication. Immédiatement, trois fillettes s'approchent et l'assistent, vérifiant les chiffres qu'elle aligne et chuchotant leur avis. Ici, on n'est pas puni si on aide ses camarades lorsque le professeur leur pose une question. C'est une réaction normale. Toute l'éducation, liée de façon imagée à la vie quotidienne, se fait dans le cadre de la coopération.

* Sur la vie de Sanjit « Bunker » Roy, voir chapitre 1, « La nature de l'altruisme ».

Sous l'égide du Barefoot College, les enfants de ces cent dix écoles du soir ont aussi constitué un «Parlement des enfants» fort de quarante députés, en majorité des filles, qui fonctionne toute l'année, élit des ministres et se réunit une fois par mois pour discuter des questions relatives à la vie des enfants. Ces derniers y prennent conscience de leurs droits et n'hésitent pas à soulever les questions les plus délicates lorsque des abus sont commis sur certains d'entre eux. Les parents et chefs de village prennent cela très au sérieux et envoient une délégation assister, en silence, aux délibérations du Parlement. Les enfants font aussi campagne dans les villages au moment des élections, tous les deux ans, et apprennent ainsi les principes de la démocratie. Le Parlement des enfants du Rajasthan permet à ceux-ci de devenir des membres égaux et responsables de la société, indépendamment de leur caste, leur sexe ou la situation économique. Les députés inspectent régulièrement les quelque cent cinquante écoles du soir placées sous leur juridiction.

Les enfants font pression sur les autorités locales villageoises pour les inciter à améliorer les conditions, de vie dans les villages, l'installation d'énergie solaire ou de pompes à eau, par exemple. Ils organisent également des activités culturelles et des festivals pour enfants, conçus pour apporter des intermèdes bienvenus au sein de leur dure routine quotidienne. Fait remarquable, les autorités sanitaires ont observé une amélioration générale de la situation de santé dans les villages de la région couverte par le Parlement des enfants.

Bunker Roy raconte que lorsque ce Parlement a reçu un prix en Suède, une fillette de treize ans qui avait alors le rang de Premier ministre, a rencontré la reine de Suède. Celle-ci, impressionnée par l'aplomb et le calme que la petite villageoise manifestait au milieu de l'assemblée de dignitaires adultes, lui demanda : «Comment se fait-il que tu aies tant d'assurance?» Ce à quoi la jeune paysanne répondit : «Je suis Premier ministre, Votre Majesté.»

L'empathie des enseignants

Selon l'éducateur américain Mark Greenberg, du point de vue des élèves, un bon professeur est quelqu'un qui non seulement sait bien enseigner, mais manifeste également un ensemble de qualités humaines (écoute, bienveillance, disponibilité, etc.). En outre, on a remarqué en outre que lorsque les enseignants font preuve d'empathie, le niveau scolaire des élèves s'élève, tandis que la violence et le vandalisme diminuent[21].

Comme l'explique le psychologue Jacques Lecomte dans un article sur les résultats de l'éducation humaniste, il est en effet essentiel que les enseignants établissent une relation de personne à personne avec leurs élèves et ne se contentent pas de leur transmettre des connaissances de façon froide et détachée[22]. Pour allumer la flamme dont parlait Aristophane, l'enseignant doit être sincèrement concerné par le sort de l'élève. Il doit en particulier manifester à son égard trois qualités indispensables : l'authenticité, la sollicitude et l'empathie.

Dans leur ouvrage, *On n'apprend pas d'un prof qu'on n'aime pas*, David Aspy et Flora Roebuck, du Consortium national pour l'humanisation de l'éducation, à Washington, ont constaté que les enseignants qui manifestent le plus ces trois qualités permettent à l'ensemble de leurs élèves de progresser davantage que la moyenne de l'établissement au cours de l'année scolaire[23]. Aspy et Roebuck ont mis au point un programme destiné à améliorer ces trois qualités chez les enseignants d'une école située dans un environnement socioéconomique très pauvre. Les résultats ont été concluants : cette école a gagné neuf rangs dans l'échelle de compétence en lecture. En moyenne, les élèves de sept à dix ans ont fait plus de progrès en mathématiques que tous les autres élèves de la même zone scolaire. L'école a connu son taux d'absentéisme le plus bas en quarante-cinq ans d'existence. Le vandalisme et la fréquence des bagarres entre élèves ont nettement diminué. Les avantages sont mutuels : le pourcentage de démission chez les enseignants est passé de 80 à 0 %. La nouvelle s'étant répandue, nombre d'enseignants d'autres établissements scolaires ont demandé à être mutés dans cette école.

Au Népal, Uttam Sanjel, le fondateur des écoles Samata Shiksha Niketan – qui sont entièrement construites en bambou et abritent chacune jusqu'à deux mille enfants* –, a eu recours à une méthode peu ordinaire pour recruter des enseignants. Lorsqu'il a eu besoin d'engager cent nouveaux professeurs pour une école nouvellement construite à Pokhara, il a mis une annonce dans le journal, et il a reçu près de mille candidatures. Avec son équipe, il en a présélectionné environ trois cents (en majorité des femmes), puis il a mis à l'essai trois enseignantes par

* La construction de neuf de ces écoles a été financée par Karuna-Shechen, l'association humanitaire que j'ai fondée avec un groupe d'amis. Voir www.karuna-shechen.org.

classe, une semaine chacune. Ensuite, il a demandé aux enfants de choisir l'enseignante qui les inspirait le plus, qu'ils comprenaient le mieux et avec laquelle ils avaient le plus envie d'étudier. Nul doute que cette méthode d'évaluation des compétences n'est pas prête à être mise en vigueur en Occident, mais, en l'occurrence, elle semble avoir donné d'excellents résultats. Les classes sont très dynamiques et les enfants dialoguent constamment entre eux et avec les enseignants. Aux examens nationaux annuels, les élèves des écoles Samata ont un taux de réussite supérieur à la moyenne.

Un bébé dans la classe

Dans une classe réservée à des enfants difficiles, souvent violents, une mère amène son tout jeune bébé et le pose par terre sur une couverture autour de laquelle les élèves font cercle. Ils observent attentivement le bébé pendant quelque temps, puis on leur propose de le prendre dans leurs bras. Les élèves hésitent, mais finalement certains se décident et le tiennent avec grand soin. On leur demande ensuite de décrire ce qu'ils imaginent être l'expérience du bébé, ainsi que leurs propres émotions.

Tel est le projet Racines de l'empathie conçu par Mary Gordon, qui avec ses collaborateurs, travaille au Canada et en Australie à accroître la sollicitude et le respect mutuel entre les élèves. Cette organisation a maintenant plus de 1100 programmes concernant 70000 étudiants. Mary Gordon voit dans ce mode d'intervention original une manière de construire, «enfant par enfant», une société plus attentionnée, pacifique et civile[24].

Une fois par mois, la mère revient avec son bébé et les élèves suivent son développement, ses nouvelles manières d'interagir avec l'entourage, etc. À chaque séance, les étudiants discutent entre eux et avec les éducateurs.

Les évaluations de l'efficacité de Racines de l'empathie, effectuées par Kimberly Schonert-Reichl, de l'université de Colombie-Britannique, montrent que le programme a des effets positifs sur le développement affectif des élèves. On observe une réduction des comportements d'agression, une atmosphère plus bienveillante dans les classes, une meilleure intelligence émotionnelle, une augmentation du comportement altruiste (chez 78 % des élèves), de la faculté d'adopter le point de vue de l'autre (71 %), des comportements de partage (69 %), et une diminution de l'agression chez 39 % des élèves[25]. Qui plus est, ces améliorations se sont maintenues ou ont progressé au cours des trois années qui ont suivi la fin du programme[26]. Selon Mary Gordon, la réponse aux brimades et aux autres comportements antisociaux réside dans la bienveillance et la compassion naturellement présentes en chacun de nous.

Les enfants, encadrés par l'instructeur de Racines de l'empathie, observent la relation parent-enfant, la façon dont l'enfant se développe, et ils apprennent par la même occasion à mieux comprendre l'amour parental ainsi que leur propre tempérament et celui de leurs camarades de classe.

Darren, un élève de quinze ans, avait déjà été incarcéré à deux reprises en maison de redressement. Sa mère avait été assassinée sous ses yeux quand il avait quatre ans et, depuis, il avait vécu dans des familles d'accueil. Il prenait toujours des airs menaçants pour établir son autorité. Il avait la tête rasée à l'exception d'une queue-de-cheval au sommet du crâne, et il avait un gros tatouage sur la nuque. Ce jour-là, c'était une jeune mère qui rendait visite à la classe avec Evan, son bébé de six mois. À la fin de la classe, la mère a demandé si quelqu'un voulait prendre l'enfant. À la surprise générale, Darren se proposa. La mère était un peu inquiète, mais lui tendit néanmoins le bébé. Darren le plaça dans le harnais, tourné vers sa poitrine, et le bébé y resta paisiblement blotti. Il l'emmena dans un coin tranquille et se balança d'avant en arrière avec le bébé dans ses bras pendant plusieurs minutes. Enfin, il revint à l'endroit où la mère et l'instructeur attendaient et demanda : « Si personne ne vous a jamais aimé, pensez-vous que vous pouvez être un bon père ? » Une graine avait été semée. Grâce à ces moments de contact avec l'affection inconditionnelle d'un bébé, un adolescent dont la vie avait été marquée par la tragédie et l'abandon a commencé à avoir une autre image de lui-même et des relations possibles entre humains.

Renouer avec la nature

Récemment, j'étais en Franche-Comté chez un ami dont les parents furent les derniers agriculteurs indépendants de la région. Alors que nous parcourions la campagne, cet ami me disait : « Autrefois, à la saison des cerises, nous étions tous dans les arbres à nous régaler. Maintenant, les cerises restent sur les branches. Les enfants d'aujourd'hui ne grimpent plus aux arbres.»

Plusieurs études ont en effet montré que les enfants d'Europe et d'Amérique du Nord en milieux urbains jouent dix fois moins ensemble dans les lieux publics, la rue notamment, qu'il y a trente ans[27]. Le contact avec la nature se limite souvent à une image de fond d'écran d'ordinateur et les jeux sont de plus en plus solitaires, dénués de beauté, d'émerveillement, d'esprit de camaraderie et de satisfactions simples. Entre 1997 et 2003, le pourcentage des enfants de neuf à douze ans qui passaient du temps dehors à jouer ensemble, à faire des randonnées ou du jardinage a chuté de moitié[28]. Ce phénomène est lié à de nombreux facteurs : le fait que de plus en plus de familles vivent en milieu urbain, que «la rue» est devenue dangereuse aux yeux des parents – circulation, mauvaises rencontres, etc.

Dans son livre *Last Child in the Woods* («Le Dernier Enfant dans la forêt»), Richard Louv, journaliste et écrivain américain, écrit que nous élevons une génération d'enfants qui souffrent de «trouble du déficit de la nature», du fait qu'ils n'ont pratiquement plus aucun contact ni aucune interaction avec un milieu naturel. Louv cite cette remarque d'un jeune élève : «Je préfère jouer à la maison parce que c'est là qu'il y a tous les appareils électroniques[29].» Plusieurs recherches suggèrent qu'une intensification du contact direct avec la nature a un impact important sur le développement cognitif et affectif de l'enfant[30].

Depuis des années, la Finlande est réputée pour être le pays d'Europe où l'éducation est la meilleure. De nombreux facteurs ont contribué à cela, incluant le fait que le métier de professeur est très valorisé et que les enseignants ont une grande latitude pour choisir les méthodes pédagogiques qui leur semblent les plus appropriées. Les Finlandais veillent aussi à respecter un équilibre entre l'attention dirigée en classe et le jeu en groupe à l'extérieur qui améliore les facultés empathiques et l'intelligence émotionnelle des enfants. Le ministère finlandais des Affaires sociales et de la Santé résume ainsi la vision de la philosophie éducative de son pays : «L'essentiel dans l'acquisition du savoir, ce n'est pas l'information [...] prédigérée venue de l'extérieur, mais l'interaction entre un enfant et l'environnement[31].»

L'éducation positive

Bien souvent le succès est mesuré simplement par la réussite aux examens scolaires et par l'obtention d'une situation bien rémunérée. En conséquence, trop souvent, dans le monde actuel, les pressions exercées sur les enfants pour qu'ils réussissent sont considérables. Martin Seligman et d'autres psychologues estiment que cette pression et la vulnérabilité qu'elle entraîne en cas d'échec comptent parmi les facteurs qui ont contribué à la forte augmentation – dix fois plus que dans les années 1960 – du taux de dépression et de suicide chez les adolescents dans les pays développés. Il y a cinquante ans, l'âge moyen de la première dépression aux États-Unis et en Europe occidentale se situait autour de vingt-sept ans ; aujourd'hui, c'est avant l'âge de quinze ans[32].

Dans le cadre de ce qu'ils ont dénommé l'«éducation positive», qui a pour but l'enseignement du bien-être aux jeunes, Seligman et ses collaborateurs de l'université de Pennsylvanie, Karen Reivich et Jane Gillham, ont mis au point deux programmes principaux destinés aux écoles. Le premier est le Programme de résilience de l'université de Pennsylvanie (Penn Resiliency Programme, PRP) et le Programme de psychologie positive de Strath Haven. Le premier a pour but d'améliorer la capacité des étudiants à faire face aux problèmes quotidiens qui sont le lot de tout adolescent. Il favorise l'optimisme et apprend aux élèves à envisager avec plus de souplesse les problèmes qu'ils rencontrent. Il leur apprend aussi des techniques de gestion du stress. Au cours des vingt dernières années, 21 études portant sur plus de 3 000 jeunes âgés de huit à vingt et un ans ont montré que ce programme permet notamment de diminuer considérablement les risques de dépression.

En 2008, une école australienne, la Geelong Grammar School, proposa à Martin Seligman de venir avec toute sa famille et une quinzaine de collaborateurs pendant plusieurs mois pour mettre en place les méthodes de la psychologie positive à tous les niveaux de l'école, du proviseur aux cuisiniers, en passant bien entendu par les élèves et les enseignants. Les professeurs de Geelong intègrent l'éducation positive dans toutes les matières théoriques, sur le terrain de sport, dans le travail des conseils de classe et jusque dans l'enseignement de la musique.

L'empathie et la bienveillance font partie du programme, et les élèves sont encouragés à les mettre en œuvre dans leur vie quotidienne.

« On se sent mieux quand on fait quelque chose pour les autres, déclara un des élèves, que lorsqu'on joue, même à des jeux vidéo. »

Un an plus tard, de l'avis de tous, l'atmosphère de l'école avait profondément changé, pas un seul des deux cents enseignants n'a quitté Geelong à la fin de l'année scolaire et les admissions comme les candidatures étaient en hausse.

La plupart des initiatives qui sous-tendent l'éducation positive et coopérative sont fondées sur des évaluations qui ont amplement démontré les bienfaits qu'elles apportent aux enfants. On voit ainsi que les valeurs humaines, et en particulier les diverses composantes de l'altruisme, de la coopération et du tutorat peuvent jouer un rôle très positif dans l'éducation.

38

Combattre les inégalités

Le déséquilibre entre les riches et les pauvres est la plus fatale et la plus ancienne des maladies des républiques.
Plutarque

Les inégalités sont présentes partout dans la nature, entre les différentes espèces animales comme entre les individus d'une même espèce, et les êtres humains ne font pas exception à la règle. Si nous sommes inégaux sur le plan de la force physique, des capacités intellectuelles ou de la richesse à la naissance, on peut dire, par contre, que nous sommes égaux dans notre désir de ne pas souffrir et de nous épanouir dans l'existence. La société ne peut prétendre imposer à tous un bonheur sur mesure. Elle a, en revanche, le devoir de ne pas délaisser ceux qui souffrent. Nous ne pouvons empêcher les inégalités de se produire, néanmoins nous devons faire tout ce qui est en notre pouvoir pour éviter qu'elles ne perdurent. Une société individualiste fera peu d'efforts dans ce sens, tandis qu'une société qui attache de la valeur à l'altruisme et place le sort d'autrui au cœur de ses préoccupations veillera à corriger les inégalités qui sont source de souffrances, de discriminations, de difficulté à s'épanouir dans l'existence et d'accès réduit à l'éducation et à la santé.

Les inégalités, explique le sociologue et philosophe Edgar Morin, peuvent revêtir plusieurs caractères : territorial (régions pauvres et régions riches), économique (de l'extrême richesse à l'extrême misère au sein d'une même région), sociologique (modes de vie) ou sanitaire (entre ceux qui jouissent des avancées de la médecine et de la technologie et les autres). Il faut encore distinguer entre les inégalités liées à l'éducation et aux conditions professionnelles (entre ceux qui prennent plaisir à l'exercice de leur profession et ceux qui le subissent dans la contrainte), les inégalités dans l'administration de la justice (dans certains pays où la plupart des juges sont vénaux), dans la fiscalité (évasion des capitaux vers les paradis fiscaux) et les inégalités entre ceux qui subissent leur vie et ceux qui en jouissent. Selon Morin :

> Ces inégalités ne se mesurent pas seulement d'après la quantité d'argent dont on dispose. La richesse ne fait pas forcément le bonheur. Mais la misère, elle, fait le malheur. [...] Une politique de l'humanité a pour mission non pas de tout égaliser, ce qui amènerait une destruction des diversités, mais d'envisager les voies réformatrices qui permettraient de réduire progressivement les pires inégalités[1].

Les inégalités économiques augmentent presque partout dans le monde

Nous avons vu qu'aux États-Unis, les 1% les plus fortunés détiennent à présent 40% de la richesse du pays, alors qu'ils n'en possédaient que 13% il y a vingt-cinq ans[2]. Ce chiffre symbole de l'inégalité a été repris par le mouvement Occupy Wall Street* et a donné naissance à son slogan : «Nous sommes les 99%.» Moralement injustifiable, un tel niveau d'inégalité est un fléau pour la société. En outre, contrairement à ce que soutiennent les néolibéraux, la richesse d'en haut reste en haut et ne «ruisselle» pas vers le bas en créant une économie plus dynamique pour tous.

> L'inégalité, explique Stiglitz, est la cause et la conséquence de la faillite du système politique, et elle alimente dans notre système économique une instabilité qui l'aggrave à son tour. C'est ce cercle vicieux qui nous a plongés dans l'abîme, et nous ne pourrons en sortir que par des politiques concertées[3].

* Occupy Wall Street est un mouvement de contestation pacifique dénonçant les abus du capitalisme financier qui débuta en septembre 2011 alors qu'un millier de personnes manifestèrent dans les environ de Wall Street, le quartier de la Bourse à New York. Ce mouvement, qui s'apparente à celui des *Indignés* inspiré par Stéphane Hessel en Europe, s'est rapidement étendu à l'ensemble des États-Unis et à 500 villes dans 82 pays.

Les sociétés les plus égalitaires font constamment des efforts pour maintenir la justice sociale, tandis que dans les sociétés les plus inégalitaires, les institutions financières et politiques s'affairent tout aussi énergiquement à maintenir l'inégalité aux profits de la minorité dominante[4].

L'inégalité démotive ceux qui en souffrent le plus et s'estiment être injustement traités. La perte de confiance et le désillusionnement ne favorisent ni la productivité ni la qualité de vie au travail.

Dans les années 1880-1890, le banquier Pierpont Morgan faisait savoir qu'il n'accepterait jamais d'investir dans une société dont les dirigeants étaient payés plus de six fois le salaire moyen[5]. Aux États-Unis, en 2011 un patron touchait en moyenne deux cent cinquante-trois fois plus qu'un simple salarié (au lieu de trente fois il y a cinquante ans, et seize fois aujourd'hui au Japon)[6].

En France, selon le rapport de l'agence d'analyse Proxinvest, le revenu annuel d'un « grand patron » représente de quatre cents à mille cinq cents années de SMIC, allant de 5,5 millions d'euros pour le patron de l'entreprise de sécurité digitale Gemalto à 19,6 millions d'euros pour le patron de l'entreprise de publicité Publicis. Quant au revenu annuel des cadres supérieurs et de certains sportifs, il correspond à trente-cinq années de SMIC pour un sportif de haut niveau, vingt-trois années pour un cadre du secteur de la finance, dix-huit années pour un dirigeant d'entreprise salarié[7]. Comme l'explique Edgar Morin, dans le contexte français, la nouvelle pauvreté, celle des précarisés, des dépendants, des sans-défense, celle du « quart-monde » (ainsi nommée par le fondateur d'ATD Quart Monde, Joseph Wresinski en 1960) est la première à s'aggraver[8].

On peut se demander, comme le fait Andrew Sheng, conseiller en chef de la Commission régulatrice des banques de Chine : « Pourquoi un ingénieur financier doit-il être payé cent fois plus qu'un véritable ingénieur ? Un véritable ingénieur construit des ponts, un ingénieur financier construit des rêves. Et quand ces rêves tournent au cauchemar, ce sont les autres qui paient[9]. »

Un ami économiste m'a rapporté qu'à la question « comment justifiez-vous les sommes colossales que vous recevez [10 millions d'euros par an] comparé à vos employés ? », le patron de l'une des plus grandes banques européennes avait répondu : « Parce que je le mérite. » Existe-t-il vraiment un patron qui mérite d'être payé *trois cents fois plus* que ses employés ? Le peuple suisse n'est pas de cet avis et, en mars 2013, il a voté lors d'un référendum pour que les très hauts salaires des chefs d'entreprise restent dans des limites raisonnables.

L'Amérique se fracture de plus en plus vite. Depuis trente ans, 90% des Américains ont vu leurs revenus progresser de 15% seulement, alors que ceux qui font partie des 1% les plus fortunés ont connu une augmentation de 150%. Entre 2002 et 2007, ces 1% de la population ont accaparé plus de 65% de l'accroissement du revenu national[10]. Pendant que les plus nantis s'enrichissaient considérablement, la situation de la majorité des Américains se dégradait.

En Europe, bien que les inégalités de salaires soient nettement moins élevées qu'aux États-Unis, elles vont croissant. Les pays les plus égalitaires sont les pays scandinaves, où l'écart de revenus entre les 10% les plus pauvres et les 10% les plus riches n'est que de 1 à 6[11].

En France, selon l'Insee (Institut national de la statistique et des études économiques), 10% des Français possèdent 50% du patrimoine des ménages[12]. Comme aux États-Unis, la crise n'a pas affecté les plus hauts revenus. Les 10% des ménages les plus pauvres détiennent moins de 0,1% du patrimoine global des ménages français. Et l'écart se creuse continuellement : entre 1998 et 2005, le revenu des 3500 foyers les plus riches a augmenté de 42%, tandis que le revenu moyen des Français n'augmentait que de 6%.

Des recherches menées par les économistes du FMI suggèrent que, presque partout dans le monde, l'inégalité des revenus ralentit la croissance et provoque des crises financières. Un rapport récent de la Banque asiatique de développement a fait valoir que si l'inégalité dans la répartition des revenus dans les pays émergents d'Asie ne s'était pas aggravée au cours des vingt dernières années, la croissance rapide de cette région du monde aurait sorti 240 millions de personnes supplémentaires de l'extrême pauvreté[13].

La Chine fait exception, puisqu'en dépit du maintien d'un régime totalitaire et oppressif, étrangement allié depuis les années 1990 à un système capitaliste d'État, elle a sorti au cours des dernières décennies plus de gens de la pauvreté qu'aucun autre pays dans l'histoire. Selon un rapport de l'OCDE, le nombre de personnes se trouvant au-dessous du seuil de pauvreté (1 euro par jour) a diminué de 150 millions entre 2000 et 2010 et ne représente plus que 6% de la population rurale. Dans la même période, sur l'ensemble du pays, le salaire des plus pauvres a proportionnellement augmenté davantage que celui des plus riches. Toutefois, parmi les plus riches, d'immenses fortunes se sont constituées, souvent grâce au népotisme des dirigeants et à l'omniprésence de la corruption, ces inégalités causant des troubles sociaux et des revendications sans cesse croissants[14]. L'opacité du système permet également que de nombreux scandales restent cachés, leurs auteurs échappant ainsi à toute sanction.

En Inde, depuis que les réformes néolibérales ont été introduites dans les années 1980, l'économie a fortement prospéré et le PIB a augmenté en moyenne de 6 % par an. Mais cette prospérité nationale s'est accompagnée d'un accroissement considérable des inégalités. Tandis que les 20 % les plus riches font de plus en plus étalage de signes extérieurs de richesse, les pauvres sont devenus encore plus vulnérables, et leur situation plus précaire.

Les analyses du statisticien Abhijit Sen de l'université Jawaharlal-Nehru, à New Delhi, montrent que si le pouvoir d'achat des 20 % les plus riches a augmenté de 40 % entre 1989 et 2004, celui des 80 % les plus pauvres – soit 600 millions de personnes, principalement des populations rurales – *a décliné.*

Globalement, selon une étude portant sur 70 pays et publiée par l'Organisation internationale du travail sous l'égide des Nations unies, depuis le début des années 1900, les inégalités de revenus ont continué de se creuser dans la plupart des régions du monde. Les travailleurs n'ont obtenu qu'une infime part des fruits de la croissance économique mondiale.

De plus, dans tous les pays étudiés, en période de crise, les élites s'en sortent presque toujours, tandis que les personnes à bas revenus sont affectées de façon disproportionnée. Les plus riches profitent également davantage que les autres du redémarrage de l'économie[15]. En résumé, dans 51 des 73 pays étudiés, l'écart entre les riches et les pauvres s'est accentué[16].

Dans *Fraternités*, Jacques Attali résume cette évolution depuis deux cents ans :

> Le revenu moyen des pays les plus riches, trois fois supérieur à celui des plus pauvres en 1820, l'a été de onze fois en 1913, de trente-cinq fois en 1950, de quarante-quatre fois en 1973 et de soixante-douze fois en 1993. Le cinquième de l'humanité le plus riche reçoit 86 % du revenu mondial, contre seulement 1 % pour le

dernier cinquième. La richesse totale du milliard d'êtres humains les plus déshérités est aujourd'hui égale à celle des cent plus riches[17] !

Les femmes, quant à elles, ne gagnent que 10 % du revenu mondial, alors qu'elles effectuent les deux tiers du travail de l'humanité.

Un rapport de l'OCDE de 2011 a confirmé cette tendance et, lors de la sortie de ce rapport à Paris, Ángel Gurría, le Secrétaire général de l'organisation, a déclaré :

> Le contrat social commence à se lézarder dans de nombreux pays. Cette étude balaie l'hypothèse qui voudrait que les bienfaits de la croissance économique se répercutent automatiquement sur les catégories défavorisées, et qu'un surcroît d'inégalité stimule la mobilité sociale. Sans stratégie exhaustive de croissance solidaire, le creusement des inégalités se poursuivra.

Les dispositifs fiscaux et de protection sociale qui jouent un rôle majeur dans l'atténuation des inégalités induites par le libre marché ont, dans beaucoup de pays, perdu de leur efficacité depuis les quinze dernières années. Un autre facteur a été la baisse du taux d'imposition maximal pour les personnes à revenu élevé dans la plupart des pays. L'OCDE souligne la nécessité pour les gouvernements de réviser leur fiscalité, afin que les plus nantis assument une part équitable de la charge fiscale. Comme le disait Warren Buffet : « Il y a bien eu une guerre des classes depuis vingt ans, et ma classe a gagné. »

Une enquête, menée par le Forum économique mondial de Davos auprès de plus d'un millier d'experts, conclut que l'inégalité doit être considérée comme le problème le plus urgent de la décennie à venir[18].

L'exception sud-américaine

En Amérique latine, le taux de pauvreté a baissé de 30 % durant les dix dernières années. Selon Nora Lustig, économiste à l'université de Tulane, ce progrès est dû à l'éducation, à l'égalisation des salaires et aux avantages sociaux accordés aux familles les plus pauvres à condition qu'elles envoient leurs enfants à l'école[19]. Le salaire minimum à travers tout le continent a grimpé en flèche depuis 2003, de plus de 50 %, au Brésil, notamment. Il en va de même des retraites, qui sont indexées sur les salaires.

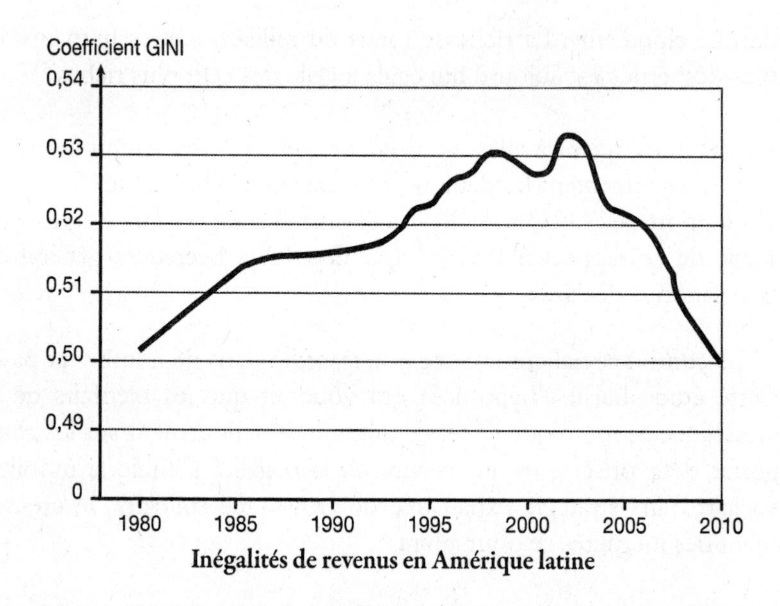

Inégalités de revenus en Amérique latine

D'après Karla Breceda, Jamele Rigolini et Jaime Saavedra, trois économistes de la Banque mondiale, les gouvernements latino-américains dépensent maintenant une part nettement plus grande de leur PIB à l'éducation des enfants qui appartiennent aux 20 % les plus pauvres que ne le font les États-Unis[20]. Dans certains pays d'Amérique latine, la proportion d'enfants qui terminent leurs études secondaires a augmenté de 20 %. De nombreux pays sud-américains se sont également fait les champions de l'éducation préscolaire. Le gouvernement de la ville de Rio, par exemple, a considérablement augmenté son réseau d'écoles maternelles depuis 2009. Tout enfant issu d'une famille sous le seuil de pauvreté est certain d'avoir une place libre dans un jardin d'enfants à partir de l'âge de six mois. Un rapport de la Banque mondiale indique que les enfants de la génération actuelle en Amérique latine sont plus instruits que leurs parents et gravissent plus rapidement l'échelle éducative.

Le prix des inégalités

Richard Wilkinson, un épidémiologiste de l'université de Nottingham en Angleterre et Kate Pickett, de l'université de York, ont passé à eux deux cinquante ans à étudier les effets des inégalités sur la société. Ils ont consigné les conclusions de leurs recherches dans un ouvrage, *The Spirit Level**, qui démontre qu'une plus grande égalité engendre des sociétés en meilleure santé, où règnent une harmonie et une prospérité plus grandes[21].

En se fondant sur la masse de recherches scientifiques et de données fournies par les principales organisations internationales, dont les Nations unies, les auteurs démontrent que, pour chacun des paramètres sanitaires ou sociaux que sont la santé physique, la santé mentale, la réussite scolaire, le statut de la femme, la confiance en autrui, l'obésité, la toxicomanie, la violence et les homicides, le taux d'emprisonnement, la possibilité de passer de la pauvreté à l'aisance, les grossesses précoces, la mortalité infantile et le bien-être des enfants en général, les résultats sont nettement pires dans les pays où règne l'inégalité la plus grande.

Une analyse de synthèse, menée par des épidémiologistes de l'université japonaise de Yamanashi et de l'École de santé publique d'Harvard, a permis de montrer que, dans les 30 pays les plus riches, on pourrait abaisser de près de 10% la mortalité des quinze-soixante ans en réduisant les inégalités de revenus. Rien qu'aux États-Unis, 900000 décès pourraient être évités chaque année si le taux d'inégalité diminuait de 7%[22].

Même si l'on ne considère que les pays développés, les différences sont frappantes entre les États les plus égalitaires, tels que le Japon, les pays scandinaves, les Pays-Bas et la Belgique, et les plus inégalitaires, comme Singapour, les États-Unis, l'Afrique du Sud, le Mexique, la Russie, le Portugal et le Royaume-Uni. Au sein même des États-Unis, dans l'État le plus égalitaire, le New Hampshire, tous les paramètres cités ci-dessus sont nettement meilleurs que dans les autres États du pays.

Au regard de l'espérance de vie à la naissance dans les pays développés, ce sont encore les pays les plus égalitaires (le Japon, la Suède et les autres pays scandinaves), où la cohésion sociale est forte, qui sont en tête, tandis que les États-Unis sont les derniers du classement.

Il en va de même des contributions à l'aide internationale en proportion du PIB : elle est de loin la plus importante dans les pays scandinaves (entre 0,8 et 1% du PIB) tandis qu'elle est quatre fois moindre pour les États-Unis, l'Australie et le Portugal (tous aux environs de 0,2%) qui sont aussi les champions en matière d'inégalités. Tant pour

* *Spirit level* se réfère à un «niveau à bulle» qui permet de vérifier si un plan est horizontal ou incliné. Ce mot est ici utilisé symboliquement pour indiquer un moyen de détecter les inégalités.

ces dernières que pour l'aide internationale (0,5 % du PIB), la France se situe au milieu de l'échelle.

La confiance dans les autres joue en particulier un rôle très important dans la bonne marche d'une société. Son absence se traduit par une anxiété accrue, un sentiment d'insécurité et davantage de violence, d'isolement et de troubles mentaux. La confiance favorise l'altruisme et la coopération. Or le niveau de confiance est étroitement lié au degré d'égalité. Si l'on pose la question suivante : « Pensez-vous que l'on peut faire confiance à la plupart des gens ? », la réponse est positive à près de 70 % dans les pays scandinaves, et chute à 40 % aux États-Unis, 35 % au Royaume-Uni, 20 % à Singapour et 17 % au Portugal. Si l'on considère l'évolution au cours du temps, la chute du taux de confiance qui passe aux États-Unis de 60 % en 1960 à 40 % en 2004, date de la dernière enquête, correspond à l'augmentation des inégalités[23].

Dans de nombreux pays, il s'avère que si les pauvres sont en moins bonne santé que les riches, et s'ils vivent moins longtemps, ce n'est pas tant en raison du montant absolu de leurs revenus, qu'en raison des différences de revenus entre les plus riches et les plus démunis. À pouvoir d'achat égal, compte tenu du niveau de vie du pays, un Américain noir avait en 1996 une espérance de vie de 66,1 ans, là où elle est de 75 ans pour un homme du Costa Rica. La différence s'explique par le fait qu'au Costa Rica, la discrimination raciale est peu élevée, alors que les Noirs américains sont victimes du racisme, ont en moyenne une moins bonne éducation que les Blancs et vivent dans les quartiers défavorisés, isolés du reste de la société[24].

Les inégalités sont en effet source de mépris et de rejet, ainsi qu'on le constate de manière flagrante avec la stigmatisation de certains groupes (les Noirs aux États-Unis, les immigrés en Europe, les étrangers un peu partout ailleurs, etc.). L'une des conséquences de cette stigmatisation est l'opinion fort répandue que ce sont les individus eux-mêmes, et pas la société, qui sont responsables de la pauvreté, et l'on va jusqu'à les en blâmer. Comme l'avait déjà remarqué Tocqueville : « Ainsi, le même homme qui est plein d'humanité pour ses semblables quand ceux-ci sont en même temps ses égaux, devient insensible à leurs douleurs dès que l'égalité cesse[25]. »

Les grands écarts de richesse engendrent des sociétés violentes et conflictuelles, car la richesse n'est pas seulement mesurable en volume de biens, mais en termes de qualité relationnelle. Il en découle également, de la part des plus pauvres, un retrait de la vie publique et une forte abstention lors des élections.

À l'inverse, la solidarité profite aux pauvres quand la coopération l'emporte sur la compétition, mais elle profite également à la classe moyenne et aux classes aisées, qui se portent mieux quand l'éventail des disparités est réduit. Les sociétés démocratiques les plus égalitaires sont aussi les plus prospères à la longue. La Suède, par exemple, beaucoup plus égalitaire que les États-Unis, enregistre 0,5 point de croissance de plus par an depuis 2000.

Dans une analyse publiée en 2011, deux économistes du FMI, Andrew Berg et Jonathan Ostry, ont constaté que la croissance a été plus persistante dans les pays les plus égalitaires et que, pour la durée des périodes de croissance, la répartition des revenus comptait plus que le degré de libéralisation des échanges[26].

En Finlande et en Belgique, non seulement le taux de réussite scolaire des moins favorisés est bien meilleur que dans les pays très inégalitaires comme les États-Unis, mais il est aussi meilleur, bien que dans une moindre proportion, chez les enfants des parents les plus fortunés. Les bienfaits de l'égalité sociale se propagent ainsi à l'ensemble de la société. Dans un document de la Banque mondiale, Ezequiel Molina, Jaime Saavedra et Ambar Narayan constatent que les pays où l'inégalité scolaire est la plus élevée se développent plus lentement[27].

Ces constatations réduisent à néant l'argument sans cesse répété par les conservateurs américains selon lequel trop d'égalité tuerait la croissance. Pour les inconditionnels de l'économie de la libre concurrence, l'enrichissement des plus riches stimule l'économie et profite à tous, ce qui, nous l'avons vu, est faux. Wilkinson et Pickett démontrent exactement le contraire : c'est l'enrichissement des pauvres qui profite à tous, même aux riches !

L'une des caractéristiques des pays les plus égalitaires est la « mobilité sociale », c'est-à-dire la probabilité que les pauvres deviennent riches et que les riches ne restent pas aussi riches au cours de leur vie, ou d'une génération à la suivante. En Suède, par exemple, seulement 20 % du niveau de richesse (ou de pauvreté) se transmet d'une génération à l'autre, alors qu'en Chine, pays beaucoup plus inégalitaire, ce taux est de 60 %[28].

Comment réduire les inégalités

Dans *La Voie*, Edgar Morin avance une série de propositions pour réduire ces inégalités comme, par exemple, revoir à la baisse ou effacer totalement les dettes des pays pauvres et leur fournir à des prix abordables des sources d'énergie renouvelables, des médicaments et, gratuitement, des traitements contre les pandémies, ainsi que, en cas de famine, les aliments dont ils ont besoin. Il faudrait aussi rétablir l'autosuffisance vivrière des pays qui l'ont perdue et mettre en place des systèmes de régulation économique propres à juguler les spéculations financières, sources des fluctuations artificielles des prix des produits de base, fluctuations qui provoquent fréquemment la ruine des petits producteurs. Il faudrait encore instaurer des contrôles internationaux pour éviter que la corruption ne détourne l'aide apportée aux pays pauvres tout en accroissant les inégalités[29].

Dans *Le Chemin de l'espérance*, Edgar Morin et Stéphane Hessel proposent la création, au niveau international, d'un Conseil permanent de lutte contre les inégalités, qui veillerait aux causes et aux manifestations de ces inégalités, tout en contrôlant les excès au sommet et en remédiant aux insuffisances, à la précarité et aux dépendances liées à la misère, à la base[30].

Au niveau international, ajoute Edgar Morin, il faudrait aussi instituer un observatoire permanent des inégalités qui suivrait leur évolution et proposerait des mesures concrètes permettant de les réduire progressivement.

En Scandinavie, la principale source de l'égalité est la redistribution des ressources par l'État. Les taux d'imposition sont élevés, mais les services sociaux sont très importants. Le gouvernement suédois, en particulier, a œuvré avec plus d'audace que d'autres pour renforcer l'efficacité du service public, conçu pour protéger les pauvres. Cela n'a pas empêché les pays scandinaves, les plus égalitaires au monde, de rester parmi les pays dont la croissance est la plus forte et la plus stable.

Par ailleurs, selon un rapport du FMI datant de 2011 : « Nous constatons une forte corrélation entre les longues périodes de croissance et l'évolution de la répartition des revenus dans le sens de l'égalité[31]. »

Une synthèse des propositions de nombreux experts publiée par la revue *The Economist* présente des réformes qui permettraient de réduire les inégalités dans le monde. Il faudrait en premier lieu sévir contre la corruption, le népotisme et les trafics d'influences qui permettent à des individus bien placés et à des multinationales d'exercer des pressions indues sur les gouvernements et de jouir de monopoles grâce auxquels ils maintiennent leur mainmise sur les marchés. Le népotisme est particulièrement répandu en Chine et dans d'autres pays émergents, tandis que, dans les pays développés, les monopoles industriels contribuent fortement à entretenir les inégalités et à concentrer les richesses entre les mains d'une minorité. Les banques et les grandes entreprises font pression sur l'État en période de crise, au prétexte qu'elles sont « trop grandes pour faire faillite sans entraîner des catastrophes nationales », ce qui leur permet d'échapper à toute sanction pour leur gestion déplorable, voire malhonnête. Parmi les autres priorités figurent la réduction des abus et des gaspillages et l'instauration d'une protection sociale efficace qui subviendrait, en particulier, aux besoins des plus pauvres et des plus jeunes tout en demandant davantage d'aide financière aux plus riches et aux plus âgés. L'Amérique latine a montré que c'était possible en liant l'aide sociale à l'implication des citoyens dans l'apprentissage professionnel et dans l'éducation de leurs enfants.

L'impôt sur le revenu doit être considéré comme un moyen de financer l'État et de réduire les inégalités, et non comme un outil pour punir les riches. Selon divers experts, il serait préférable, non pas d'augmenter massivement le taux d'imposition des plus riches, mais de s'assurer que l'imposition est bien progressive – le milliardaire américain Warren Buffet a défrayé la chronique en 2012, en déclarant que sa secrétaire payait proportionnellement plus d'impôts que lui, et qu'il était prêt à augmenter sa contribution fiscale – et que le système fiscal devienne plus efficace, en éliminant les paradis fiscaux notamment. Les plus riches disposent en effet de moyens d'échapper à l'impôt et de déduire des sommes considérables de leurs déclarations de revenus grâce à différents stratagèmes qui ne sont pas à la portée des classes moyennes et des pauvres, ce qui accentue encore les injustices et les inégalités.

Cela est également vrai au niveau des entreprises. BP, par exemple, a annoncé son intention de déduire de ses impôts 9,9 des 32,2 milliards de dollars qu'il a été condamné à dépenser pour nettoyer les dégâts causés dans le golfe du Mexique par la gigantesque marée noire d'avril 2010. Bien que le ministère de la Justice américain ait accusé BP de « faute lourde » et « délibérée » dans cette affaire, cette déduction d'impôts sera ainsi à la charge de l'État, et en fin de compte des contribuables[32]. De même, aux États-Unis, les compagnies pharmaceutiques ont obtenu de l'État qu'il ne négocie pas le prix des médicaments remboursables par la Sécurité sociale, recevant ainsi un cadeau de l'État et, par extension, des contribuables, d'au moins 50 milliards de dollars chaque année[33].

En essence, une société inégalitaire est une société fracturée. Les leaders politiques doivent donc réparer cette fracture et combler les inégalités qui, partout, sauf en Amérique latine et dans les pays scandinaves n'ont cessé de se creuser depuis les années 1970. Il faut à cette fin une volonté politique qui ne peut être inspirée par le seul laisser-faire du libre marché et qui exige de favoriser une économie du bien commun, fondée sur la solidarité, la réciprocité et la justice sociale, aussi appelée « économie positive », terme proposé par le groupe BeCitizen pour désigner une économie altruiste qui restaure le bien-être social et le capital écologique.

39

Vers une économie altruiste

Il y a assez sur terre pour répondre aux besoins de tous mais pas assez pour satisfaire l'avidité de chacun.

Gandhi

L'économie doit être au service de la société et non la société au service de l'économie. Elle doit aussi bénéficier à la société *dans son ensemble.*

Sans pour autant exercer des contraintes stérilisantes sur l'esprit d'entreprise, l'innovation et la prospérité, la régulation de l'économie doit empêcher ceux qui sont mus par la poursuite de leurs seuls intérêts de profiter des rouages du système financier pour rediriger vers eux seuls des ressources disproportionnées au regard de leur contribution à la collectivité. Comme le notait l'écrivain Daniel Pennac : « Le bonheur individuel se doit de produire des retombées collectives, faute de quoi la société n'est qu'un rêve de prédateur[1]. » L'État doit protéger les faibles, garantir que le travail de chacun est rétribué à sa juste valeur, veiller à ce que les privilégiés et les plus fortunés n'utilisent pas leur puissance pour influencer les décisions politiques en leur faveur.

Une économie est dysfonctionnelle lorsque ceux qui ont apporté une contribution négative à la société sont ceux qui en profitent le plus. Cela peut être le cas d'un autocrate qui s'enrichit démesurément en s'appropriant les bénéfices des ressources naturelles de son pays, ou encore d'un banquier qui reçoit des bonus colossaux, alors que ses agissements ont mis la société en difficulté.

Une économie saine ne doit pas conduire à des inégalités disproportionnées. Il ne s'agit pas ici des disparités naturelles qui se manifestent dans toute communauté humaine, mais des inégalités extrêmes qui sont les produits, non pas des capacités réelles des personnes, mais de systèmes économiques et politiques qui sont biaisés pour faciliter cette iniquité.

Rien dans tout cela ne relève de la fatalité, et il est tout à fait possible d'orienter différemment le cours des choses, pour peu qu'il y ait une volonté populaire et politique. Même dans le monde économique, le respect des valeurs humaines incarnées dans l'altruisme n'est pas un rêve idéaliste mais l'expression pragmatique de la meilleure façon d'arriver à une économie équitable et à une harmonie durable. Pour être harmonieuse, la poursuite de la prospérité doit intégrer les aspirations au bien-être de l'ensemble des citoyens et le respect de l'environnement.

Homo economicus, rationnel, calculateur et égoïste

Le concept d'«homme économique», *Homo economicus*, est apparu à la fin du XIXe siècle sous la plume de critiques des écrits d'économie politique de John Stuart Mill[2] et fut abondamment repris par les fondateurs de la théorie de l'économie dite «néoclassique», Francis Edgeworth et Vilfredo Pareto en particulier. Il s'agit d'une représentation théorique des rapports entre êtres humains, selon laquelle ils seraient des acteurs égoïstes capables de faire de manière rationnelle les choix les plus aptes à satisfaire leurs préférences et à promouvoir leurs intérêts propres[3]. Cette théorie s'oppose à la notion d'*Homo reciprocans*, qui affirme que les humains sont motivés par le désir de coopérer et prennent en considération le bien de la communauté.

L'idée sous-jacente est que, si tout le monde se comporte de la sorte et si le marché de l'offre et de la demande reste libre de toute contrainte, ledit marché fonctionnera pour le plus grand bien de chacun. La théorie «néoclassique» a été enseignée à des millions d'étudiants depuis le début du XXe siècle. Dans *Economics*, l'un des plus influents manuels d'économie, qui en est à sa dix-septième édition, Paul Samuelson et William Nordhaus expliquent que l'*Homo economicus* est une vision idéalisée de l'homme rationnel selon laquelle la population serait composée de deux types de personnes, «les consommateurs, qui essaient de satisfaire leurs goûts le mieux possible, et les entrepreneurs qui s'efforcent uniquement de maximiser leurs profits[4]». Or, comme le souligne Philippe Kourilsky, professeur au Collège de France : «*Homo economicus* est une caricature de l'homme réel. En vérité, il est déshumanisé et contribue à la déshumanisation d'une partie de la science économique[5].»

Comme on s'en doute, l'*Homo economicus* n'est pas un altruiste : «Le premier principe de l'économie est que chaque agent est uniquement motivé par l'intérêt personnel[6]», écrivait Francis Edgeworth, l'un des fondateurs de l'économie moderne*. Bien d'autres lui ont fait écho, dont William Landes et Richard Posner, l'un économiste, l'autre juriste, qui affirment : «Dans le marché concurrentiel, l'altruisme n'est pas un trait doté d'une valeur de survie positive[7].»

Selon cette vision réductrice de l'être humain, même si nous nous rendons mutuellement service, c'est toujours pour servir nos intérêts propres, et nous n'entretenons des relations humaines que pour en tirer profit[8]. On retrouve ici l'idée de l'égoïsme universel dont nous avons débattu précédemment. Même la notion d'équité, à laquelle les économistes font souvent appel, n'échappe pas à ce sort. La psychologue Elaine Walster et ses coauteurs nous assurent en effet que : «La théorie de l'équité, elle aussi, repose sur l'hypothèse simple, mais éminemment sûre, que l'homme est égoïste[9].» Toutes ces affirmations reposent non sur des connaissances scientifiques, mais sur des croyances simplistes.

Cette vision de l'économie est en effet à la fois réductrice et erronée. Comme l'écrit Amartya Sen, lauréat du prix Nobel et professeur à Harvard :

> Il me paraît tout à fait extraordinaire que l'on puisse soutenir que toute attitude autre que la maximisation de l'intérêt personnel est irrationnelle. [Une telle position] implique nécessairement que l'on rejette le rôle de l'éthique dans la prise de décision réelle. [...] Tenir l'égoïsme universel pour une réalité est peut-être un leurre, mais en faire un critère de rationalité est carrément absurde[10].

Le plus grave défaut de l'*Homo economicus*, poursuit Kourilsky, est son amoralité fondamentale : «En économie classique, on suppose que ce déficit de moralité serait compensé par la notion un peu mystique de "main invisible" qui rétablirait, de façon plutôt mystérieuse, certains équilibres[11].» Selon la métaphore proposée par Adam Smith, la «main

* Francis Edgeworth (1845-1926) fut titulaire de la chaire d'économie à Oxford et fait partie des plus importants représentants de l'école économique dite «néoclassique».

invisible» désigne un phénomène spontané qui guide les marchés lorsque des individus raisonnables qui ne cherchent que leur intérêt personnel sont mis en concurrence libre. Smith soutient qu'en essayant de maximiser leur propre bien-être, les individus participent au bien de la société tout entière. Selon lui, l'intervention de l'État est inutile car la main invisible est le meilleur guide de l'économie. Les partisans inconditionnels de l'économie de marché estiment en conséquence que cette main invisible prenant soin de tout, ils n'ont aucun devoir envers la société[12]. En vérité, la main invisible d'un égoïsme aveugle ne peut construire un monde meilleur : les libertés sans devoirs ne conduisent qu'à une exacerbation de l'individualisme. Adam Smith lui-même le reconnaissait volontiers : «Il est rare, écrit-il, que des gens du même métier se trouvent réunis, fût-ce pour quelque partie de plaisir ou pour se distraire, sans que la conversation finisse par quelque conspiration contre le public, ou par quelque machination pour faire hausser les prix[13].»

Aujourd'hui, bien des créateurs d'entreprise sont conscients que la vision de l'*Homo economicus* n'est qu'une caricature de la nature humaine et ont eux-mêmes des systèmes de valeur autrement plus complexes dans lesquels les valeurs altruistes ont une place à part entière.

Milton Friedman, le célèbre promoteur de l'économie libertarienne et de la dérégulation, affirmait : «Peu de tendances pourraient autant ébranler les fondations de notre société libre que l'acceptation par les dirigeants d'entreprise d'une responsabilité sociale autre que celle de faire le plus d'argent possible pour leurs actionnaires.» Au cours des dix dernières années, remarque Frans de Waal dans *L'Âge de l'empathie* : «Tous les pays avancés ont connu d'énormes scandales dans leur secteur des affaires, et, chaque fois, c'est en suivant les conseils de Milton Friedman que les dirigeants ont réussi à ébranler les fondations de leur société. [...] Dans de telles conditions, l'escroquerie colossale de la société Enron a rendu les soixante-quatre pages de son "Code d'éthique" aussi fictives que le manuel de sécurité du *Titanic*[14].»

Il est clair, souligne l'économiste français Serge-Christophe Kolm, qu'«un système économique ne produit pas que des biens et des services. Il produit aussi des êtres humains et des relations entre eux. La façon dont la société produit et consomme a une grande influence sur les personnalités, les caractères, les connaissances, les désirs, les bonheurs, les types de relations interpersonnelles[15]». Tant de choses essentielles au bonheur n'ont rien à voir avec des transactions économiques.

Adam Smith lui-même, le père de l'économie de marché, était loin d'être aussi extrême que ses successeurs et, dans un ouvrage que les économistes ont trop souvent oublié, *Théorie des sentiments moraux*, il affirmait : «Contenir nos affections égoïstes et laisser libre cours à nos affections bienveillantes forme la perfection de la nature humaine ; et cela seul peut produire parmi les hommes cette harmonie des sentiments et des passions en quoi consistent toute leur grâce et leur convenance[16].»

Une théorie économique qui exclut l'altruisme est fondamentalement incomplète et réductrice. Elle est surtout en porte-à-faux avec la réalité, et vouée par conséquent à l'échec. En effet, les modèles mathématiques complexes construits par les économistes néoclassiques pour tenter d'expliquer les comportements humains sont fondés sur des présuppositions qui, pour la plupart, sont fausses, car la majorité des gens ne sont pas totalement égoïstes, ne sont pas pleinement informés (la dissimulation de l'information est l'un des stratagèmes qu'emploient ceux qui manipulent les marchés) et sont loin de toujours faire des choix rationnels.

Nos décisions, économiques ou autres, sont très souvent irrationnelles et fortement influencées par nos émotions. Ces points ont été amplement mis en évidence en psychologie comportementale, notamment par Amos Tversky et Daniel Kahneman. Leur démonstration leur a valu le premier prix Nobel d'économie décerné à un psychologue, à Kahneman en l'occurrence[17]. De même, le neuroscientifique Brian Knutson et son équipe à l'université de Stanford ont montré à quel point les décisions économiques, la prise de risque notamment, étaient très fortement influencées par l'émotivité, l'impulsivité et les préférences personnelles. Il s'avère que les aires cérébrales du système limbique, qui sont liées aux émotions guidant les comportements primitifs de recherche de nourriture et d'évitement des prédateurs, jouent également un rôle important dans nos réactions aux récompenses monétaires et aux punitions[18]. De plus, au moment où les investisseurs prennent des décisions financières, l'observation de leur activité cérébrale révèle des états d'excitation élevés qui facilitent la prise de risque et influence l'objectivité de leurs décisions.

Le contexte d'une situation influence aussi, à notre insu, des décisions supposées être rationnelles : le psychologue Dan Ariely a demandé à des sujets de noter sur une feuille les deux derniers chiffres de leur numéro de Sécurité sociale, puis les a fait participer à une vente aux enchères. Les étudiants dont le numéro de Sécurité sociale se terminait par un nombre élevé, compris entre 80 et 99, ont offert en moyenne 56 dollars pour un clavier d'ordinateur, tandis que ceux dont le numéro se terminait par un petit nombre, entre 1 et 20, n'ont offert que 16 dollars pour le même clavier[19] ! Rien de raisonnable dans cette décision économique pourtant bien ordinaire. Dans *Les Deux Vitesses de la pensée* (*Thinking, fast and slow*), Daniel Kahneman donne de multiples exemples de décisions irrationnelles que nous prenons constamment[20].

Les émotions, les motivations et les systèmes de valeurs influent indéniablement sur les décisions économiques. Puisque c'est le cas, autant que les émotions soient positives et les motivations altruistes. Pourquoi alors ne pas introduire dans l'économie la voix de la sollicitude, au lieu de se contenter d'écouter la voix de la raison – une voix nécessaire mais insuffisante dont les économistes font si grand cas ?

Les dérives du libre marché

L'investisseur milliardaire et philanthrope George Soros parle de « fondamentalisme du libre marché » pour décrire la croyance que le libre marché n'est pas seulement la meilleure mais *la seule* façon de gérer un système économique et de préserver la liberté des citoyens : « La doctrine du laisser-faire capitaliste considère que le bien commun est servi au mieux par la poursuite sans entrave de l'intérêt personnel[21] », écrit-il. Si le laisser-faire du libre marché totalement dérégulé était fondé sur les lois de la nature et avait une valeur scientifique, s'il n'était autre qu'un acte de foi énoncé par les champions de l'ultralibéralisme, il aurait résisté à l'épreuve du temps. Or ce n'est pas le cas, puisque son imprévisibilité et les abus qu'il a permis ont conduit aux crises financières que l'on connaît. Pour Soros, si la doctrine du laisser-faire économique devait répondre aux critères d'une théorie scientifique réfutable par les faits, elle aurait été rejetée depuis longtemps[22].

Le libre marché favorise la création d'entreprises, l'innovation dans de multiples domaines, celui des technologies nouvelles, celui de la santé, de l'Internet et des énergies renouvelables, par exemple, et fournit des opportunités indéniables aux jeunes entrepreneurs qui souhaitent développer des activités utiles à la société. Nous avons vu également, dans le chapitre sur le déclin de la violence, que les échanges commerciaux entre pays démocratiques réduisent considérablement les risques de conflit armé entre ces pays. Toutefois, en l'absence de garde-fou, le libre marché permet un usage prédateur des systèmes financiers, accroissant l'oligarchie, les inégalités, l'exploitation des producteurs les plus pauvres et la monétisation de nombreux aspects de la vie humaine dont la valeur relève de toute autre considération que l'argent.

Le prix de tout, la valeur de rien

Dans son livre intitulé *What Money Can't Buy : The Moral Limits of Markets* («Ce que l'argent ne peut acheter : Les limites morales des marchés»)[23], Michael Sandel, l'un des philosophes les plus en vue aux États-Unis et l'un des conseillers du président Obama, estime que les économistes néolibéraux connaissent le prix de tout et ne reconnaissent la valeur de rien.

En 1997, il en irrita plus d'un lorsqu'il contesta la moralité du protocole de Kyoto sur le réchauffement climatique, accord qui avait supprimé la stigmatisation morale attachée aux activités nuisibles à l'environnement en faisant simplement payer le «droit de polluer». Selon lui, la Chine et les États-Unis sont les pays les moins réceptifs aux objections qu'il exprime face à l'intégrisme du libre marché : «Dans d'autres parties de l'Asie, en Inde notamment, ainsi qu'en Europe et au Brésil, personne ne doute qu'il y a des limites morales aux marchés commerciaux[24].» Il donne quelques exemples de la commercialisation de valeurs qui, selon lui, ne devraient pas être monnayables :

— pour 8 000 dollars, des couples occidentaux peuvent acheter les services d'une mère porteuse indienne;

— pour 250 000 dollars, en Afrique du Sud, un riche chasseur peut s'offrir le droit de tuer un rhinocéros noir, une espèce protégée en voie de disparition;

— pour 1 500 à 25 000 dollars par an, des médecins, de plus en plus nombreux, proposent aux États-Unis un service de «conciergerie», permettant l'accès permanent à leur téléphone portable et la possibilité d'avoir un rendez-vous le jour même;

— un casino en ligne a «donné» 10 000 dollars à une mère célibataire de l'Utah, en situation de grande précarité pour éduquer son fils, en exigeant en contrepartie qu'elle se fasse tatouer de façon permanente l'adresse Internet de ce casino sur le front.

Peut-on tout monnayer? Cela aurait-il un sens d'acheter un prix Nobel sans l'avoir mérité? Quant à l'esclavage, il continue, sous de nouvelles formes : trafic des femmes et des enfants pour la prostitution dans le monde entier; travailleurs bangladais, népalais et pakistanais durement exploités dans les pays du Golfe; familles entières, en Inde, liées par des dettes sur plusieurs générations à des employeurs qui les privent de toute liberté (dans ces familles, plus de dix millions d'enfants sont ainsi sujets au travail forcé).

En ce qui concerne l'adoption, les lois européennes ne permettent plus que des enfants soient vendus et achetés, même si le processus d'adoption est lent et compliqué et que les futurs parents sont impatients : les enfants ne sont pas des biens de consommation, mais des êtres dignes d'amour et de respect. Mais le commerce d'enfants continue dans d'autres parties du monde.

Quant aux animaux, auxquels on ne pense généralement jamais, ils sont assimilés à des esclaves que l'on vend et que l'on achète, bien sûr contre leur gré, puisque la plupart de nos sociétés les traitent toujours comme des objets commerciaux.

La seule question que l'économiste pose est : « Combien ? » Les marchés ne font pas de différence entre les choix dignes et les choix indignes : seules les parties concernées conviennent de la valeur des choses et des services échangés. Cela peut s'appliquer à n'importe quoi, y compris à un contrat de tueur à gages.

Voulons-nous une économie de marché ou une société de marché ? Selon Sandel, si l'économie de marché est un outil efficace d'organisation des activités productives, d'un point de vue moral, elle ne devrait pas pour autant envahir tous les secteurs de la vie humaine.

Ce n'est donc pas le libre-échange en lui-même qui doit être remis en question, mais le fait que toute liberté ne peut s'exercer que dans le cadre de responsabilités à l'égard d'autrui. Ces responsabilités sont guidées par des valeurs morales et par une éthique respectueuse du bien-être de la communauté, à commencer par l'obligation de ne pas nuire à autrui en poursuivant des intérêts personnels. Du fait que les profiteurs sans scrupule ne manquent pas de saisir toute occasion d'utiliser à leur profit et au détriment d'autrui toute liberté sans condition, il est indispensable d'instaurer des règles, qui ne sont rien de plus que des mesures de protection de la société. Ce n'est pourtant pas ce qui s'est passé et, comme l'explique Amartya Sen :

> Les outils de la régulation ont été démolis un par un par l'administration Reagan jusqu'à celle de George W. Bush. Or le succès de l'économie libérale a toujours dépendu, certes du dynamisme du marché lui-même, mais aussi de mécanismes de régulation et de contrôle pour éviter que la spéculation et la recherche de profit ne conduisent à prendre trop de risques. [...] Si vous êtes préoccupés par la liberté et le bonheur, vous essayez d'organiser l'économie de telle sorte que ces choses soient possibles[25].

D'après Stiglitz, la «réglementation fonctionne puisque les périodes durant lesquelles il existait des réglementations bien conçues ont été des périodes de longue prospérité, tandis que la déréglementation financière a engendré une volatilité catastrophique des marchés et permis les manipulations les plus distordues qui soient de la part des profiteurs, entraînant notamment un désalignement colossal entre les rémunérations privées de ces investisseurs et les bienfaits sociaux de l'économie[26]».

Dans la réalité, l'économie du libre marché ne fonctionne pas aussi bien que le prétendent ses partisans. On dit qu'elle permet une meilleure stabilité, mais les crises mondiales successives ont montré qu'elle peut être très instable et avoir ainsi des conséquences dévastatrices. De plus, de toute évidence, le marché est loin d'être aussi efficace qu'on le prétend et l'égalité de l'offre et de la demande, chère aux économistes classiques, n'est qu'un mythe, puisque nous vivons dans un monde où d'immenses besoins restent insatisfaits, où, en particulier, les investissements nécessaires pour éradiquer la pauvreté et répondre au défi du réchauffement climatique font défaut. Pour Stiglitz, le chômage, qui fait que d'innombrables travailleurs sans emploi ne contribuent pas à la collectivité à hauteur de leur potentiel, est le pire échec du marché dérégulé, la plus grande source d'inefficacité et l'une des causes majeures des inégalités. La pauvreté, explique Amartya Sen, est une privation de liberté, et pas n'importe quelle liberté : celle d'exprimer le potentiel que chacun possède dans l'existence[27].

Qui plus est, les champions du marché libre sont bien souvent irresponsables. Comme le souligne Stiglitz : «Les banquiers avaient fait des paris qui, sans le secours de l'État, les auraient mis à terre, et avec eux toute l'économie. Mais l'examen attentif du *système* prouve que ce n'était pas un accident : ils ont été incités à se comporter ainsi[28].» Incités par des politiciens accommodants et des régulateurs qui ne voulaient rien voir.

Les politiciens et les économistes qui dominent la politique des États-Unis depuis l'administration Reagan ont imaginé qu'il fallait supprimer toutes les régulations s'appliquant au libre marché et donner libre cours au «laisser-faire» cher à la philosophe Ayn Rand. Ils ont pensé que c'était la meilleure façon de favoriser l'égalité des chances pour tous : les plus entreprenants et les plus travailleurs seraient ceux qui réussiraient le mieux. Le rêve américain est celui du cireur de chaussures qui devient millionnaire à force d'ingéniosité et de persévérance.

Pourtant, aux États-Unis, les études montrent qu'à quelques exceptions près, les plus riches qui, rappelons-le, constituent 1 % de la population, ainsi que leurs descendants, ont les plus fortes chances de préserver leur niveau de richesse à long terme. Stiglitz résume la situation ainsi : «L'Amérique a créé une machine économique merveilleuse mais qui, manifestement, ne travaille qu'au profit de ceux d'en haut.[29]»

Selon les chantres de la dérégulation, l'enrichissement des riches est censé profiter aux pauvres, du fait que les riches créent des emplois, dynamisent l'économie et font «ruisseler» la richesse vers le bas. Il ne faut donc pas tuer la poule aux œufs d'or. Le problème commence quand la poule garde tous ses œufs. Chiffres à l'appui, Thierry Pech, directeur du mensuel *Alternatives économiques*, montre dans son ouvrage, *Le Temps des riches*, que dans la réalité le ruissellement d'aujourd'hui est minime et n'étanche pas plus la soif des pauvres que l'eau d'un mirage. Si l'on a les moyens de payer, souvent très cher, un conseiller fiscal qui vous aide à protéger vos avoirs en élaborant de savants montages vous permettant d'éviter de verser à l'État la contribution dont la majorité des citoyens moins fortunés s'acquitte, il est possible de ne payer pratiquement aucun impôt. En France, certaines années, relève Pech, on a compté jusqu'à 7 000 contribuables aisés dont le revenu annuel moyen dépassait 200 000 euros mais qui se révélaient non imposables à l'impôt sur le revenu[30]. Bref, les pauvres ne paient pas d'impôts, les classes moyennes paient des impôts, et les plus riches paient des conseillers fiscaux pour ne pas payer d'impôts.

Aux États-Unis, des millions de personnes parmi les plus démunies ont été chassées de leur logement à la suite du manque de transparence des banques qui leur avait accordé des crédits dans des conditions apparemment idylliques, en vérité prédatrices. La plupart des pays nantis ont à la fois une pléthore de logements vides et un nombre croissant de sans-abri. Le superflu des uns a fini par priver les autres du nécessaire.

Si des citoyens de plus en plus nombreux à travers le monde s'indignent contre le système économique actuel c'est, comme le rappelle Joseph Stiglitz, parce qu'à la suite de la crise de 2008, «ils considèrent à juste titre comme des injustices flagrantes le fait que de nombreux professionnels de la finance soient sortis de cette crise en empochant des primes démesurées, alors que les victimes de la crise provoquée par leurs agissements en sont sorties chômeurs. [...] Ce qui s'est passé dans cette crise l'a clairement montré : ce n'est pas la contribution à la société qui détermine l'importance relative des rémunérations. Les banquiers ont été richement rétribués, alors que leur contribution à la société – et même à leur propre entreprise – a été *négative.* L'enrichissement des élites et des banquiers n'a qu'une seule cause : ils veulent et peuvent profiter des autres[31] ».

Pour illustrer ce propos, rappelons qu'à l'aube de la crise, Goldman Sachs recommandait chaudement à ses clients d'investir dans InfoSpace*, une start-up qui s'était rapidement développée en vendant différents services sur l'Internet, à qui il donnait la notation la plus élevée possible, alors qu'un de ses propres analystes la qualifiait de «pacotille». Excite, une entreprise du même genre également très bien notée, était considérée en interne comme une «merde**». En 2008, après que 9 millions d'Américains pauvres eurent perdu leur maison, souvent leur seul bien, les responsables de Goldman Sachs reçurent de leur côté 16 milliards de dollars de bonus***. Pareillement, les cinq principaux dirigeants de Lehman Brothers, l'un des plus gros vendeurs de prêts hypothécaires à risque, ont empoché plus de 1 milliard de dollars entre 2000 et 2007. Lorsque l'entreprise a fait faillite et que leurs clients ont été ruinés, ils ont gardé l'intégralité de cet argent. Comme le remarque Stiglitz : «Quand la fin, gagner plus, justifie des moyens qui, dans la crise américaine des *subprimes*, consistaient à exploiter les plus pauvres et les moins instruits d'entre nous, c'est qu'un accident grave est arrivé à notre sens moral[32].»

Des garde-fous pour le bien de tous

Le président Ronald Reagan, appuyé par les économistes de l'École de Chicago favorables au «laisser-faire», inaugura une période de trente ans de déréglementation financière en supprimant, en 1982, les régulations sur les dépôts effectués par les clients dans les banques, permettant aux banquiers de faire des investissements risqués avec l'argent de

* En 2000, InfoSpace a utilisé des méthodes comptables douteuses pour déclarer 46 millions de dollars de bénéfices alors qu'en fait il avait perdu 282 millions de dollars.

** Lors d'une audition à la Chambre du Congrès, le sénateur Carl Levin demanda au président de Goldman Sachs, Lloyd Blankfein : «N'y a-t-il pas conflit lorsque vous vendez quelque chose à quelqu'un, tout en étant contre ce même investissement, et que vous ne divulguez rien sur la situation réelle à la personne à qui vous le vendez ?» Et Blankfein de répondre : «Dans le cadre de l'aménagement du marché, ce n'est pas un conflit.» En 2008, Blankfein gagnait 825900 dollars par semaine. Il déclara par ailleurs qu'en tant que banquier «il faisait le travail de Dieu». (*The Sunday Times,* 8 novembre 2010.)

*** 485 millions pour leur PDG, Richard Fuld.

ceux qui leur avaient confié leur épargne. À la fin de la décennie, des centaines de sociétés d'épargne et de crédit avaient déposé leur bilan, ce qui a coûté 124 milliards de dollars aux contribuables américains et englouti les économies de ceux qui leur avaient fait confiance[33]. En 2004, Henry Paulson, PDG de Goldman Sachs, a manœuvré dans les cercles politiques pour faire déréguler les limites de l'endettement des banques, ce qui a permis à ces dernières d'augmenter démesurément leurs emprunts sans la moindre garantie de pouvoir les rembourser.

Selon Nouriel Roubini, professeur à la Business School de l'université de New York, le secteur financier, étape par étape, s'est emparé du système politique. Entre 1998 et 2008, il a dépensé plus de 5 milliards de dollars pour faire du lobbying auprès des hommes politiques. À Washington, il y a en moyenne six lobbyistes pour un représentant du Congrès ou un sénateur. Depuis la crise de 2008, ces lobbyistes dépensent encore plus d'argent. En Europe, selon les chiffres de 2005 communiqués par Siim Kallas, commissaire européen aux Affaire administratives, 15 000 lobbyistes représentant 2 600 groupes d'intérêt sont établis à Bruxelles[34].

L'économiste James K. Galbraith (fils du célèbre économiste John K. Galbraith) en conclut que « les membres de cette nouvelle classe ont décidé de s'emparer de l'État et de le gérer, non pour mettre en œuvre un projet idéologique, mais de la façon qui leur rapporte le plus d'argent, qui perturbe le moins leur pouvoir et qui leur offre le plus de chances d'être renfloués au cas où quelque chose tournerait mal. Bref, ils ont décidé d'agir en prédateurs vis-à-vis des institutions existantes[35]. »

La liberté offerte par la dérégulation aurait dû être utilisée pour stimuler la créativité ainsi qu'une concurrence saine et loyale, mais bien souvent elle a permis aux investisseurs de faire usage des nouvelles technologies pour contourner les quelques réglementations restantes, pratiquer des crédits prédateurs et tromper les usagers par des montages financiers de plus en plus opaques. Lord Turner, patron de l'Autorité des services financiers anglais (Financial Services Authority) reconnaissait en 2009 qu'une « bonne partie des activités de la City* n'avait aucune utilité sociale[36] ».

Les seules régulations qui sont en vigueur aux États-Unis, par exemple, ont été conçues sous l'influence des grands groupes financiers pour écraser toute concurrence possible et revenir à l'âge des mono-

* La City est le centre financier londonien, l'un des plus importants au monde.

poles. Les brevets sur le vivant, sur les plantes et les semences, et les actions d'entreprises comme Monsanto et les compagnies pharmaceutiques en sont des exemples flagrants*. Les puissances financières résistent notamment à toute réglementation visant à protéger le consommateur et l'environnement.

George Soros estime que les marchés étant instables par nature, les réglementations sont aussi indispensables que les compartiments étanches d'un grand paquebot : si un secteur financier prend l'eau, les autres restent indemnes, évitant que l'ensemble ne coule. La déréglementation a entraîné la fin de la compartimentation sécuritaire entre les secteurs financiers. L'un des moyens de limiter la volatilité des marchés serait d'appliquer la taxe Tobin, suggérée en 1972 par le lauréat du prix Nobel d'économie, James Tobin, qui consiste en une taxation des transactions monétaires internationales. Le taux de taxation serait faible, entre 0,05 % et 0,2 %, mais aiderait à contrôler l'instabilité des transactions. Une taxe sur les transactions de change d'un taux de 0,005 % appliquée sur les marchés de change des principales devises (dollar, euro, livre et yen) engendrerait des recettes de plus de 30 milliards de dollars par an et réduirait le volume des transactions de 14 %, stabilisant ainsi le marché. Une taxe de 0,1 % sur les transactions financières procurerait annuellement entre 150 et 300 milliards de dollars qui pourraient être utilisés pour subventionner par exemple le développement des énergies renouvelables. Elle serait aussi un instrument efficace contre la spéculation. Une telle taxe est aujourd'hui sérieusement envisagée par plusieurs gouvernements et par le Parlement européen[37].

Les régulations doivent être conçues par des experts suffisamment compétents qui ont en vue les intérêts de l'ensemble de la société, veillent à préserver l'équité, à réduire les inégalités, à mettre au pas les profiteurs et à donner à la majorité de la population, qui souhaite la coopération et la réciprocité bienveillante (comme nous l'avons vu à propos des expériences de Ernst Fehr et de Martin Nowak, voir chapitre 36, p. 598 et 599), la possibilité de ne pas être prise en otage par une minorité de spéculateurs sans scrupule.

Selon Michael Porter, professeur à Harvard, et Mark Kramer, consultant économique, les bonnes régulations sont celles qui encouragent les objectifs sociaux et les investissements, génèrent des bienfaits partagés

* Voir chapitre 35, « L'égoïsme institutionnalisé ».

et stimulent l'innovation, plutôt que de favoriser la poursuite de profits à court terme et seulement pour le bien de quelques-uns, comme c'est le cas de l'économie dérégulée. De telles régulations doivent, selon ces auteurs, fixer des buts sociaux clairement définis, relatifs, par exemple, à l'utilisation des ressources énergétiques, ainsi qu'aux questions de santé et de sécurité. Elles doivent aussi inciter les producteurs à inclure dans leur comptabilité et dans l'évaluation des prix de revient le coût des conséquences écologiques de leurs produits et de leurs activités (gestion des déchets, dégradation de l'environnement, dilapidation des richesses naturelles). Les régulations doivent toutefois préserver les capacités d'innovation des entreprises en leur donnant la liberté de choisir les moyens permettant d'accomplir les buts sociaux et environnementaux fixés par les régulateurs. Les régulations ne doivent pas miner les progrès qu'elles cherchent à encourager.

Dans tous les cas, les régulations doivent favoriser la transparence, neutraliser les pratiques trompeuses et servir d'antidote à la perversion des marchés soumis au monopole des grandes multinationales.

Porter et Kramer prônent un capitalisme nourri de buts sociaux, qui crée des valeurs partagées et engendre des bienfaits réciproques. Ils donnent l'exemple de Yara, une entreprise norvégienne d'engrais minéraux qui a pris conscience que nombre de fermiers africains ne pouvaient avoir accès aux engrais et autres commodités agricoles en raison du manque de facilités portuaires et routières. Avec l'aide du gouvernement norvégien, Yara a mis en œuvre au Mozambique et en Tanzanie un programme de 60 millions de dollars destiné à améliorer les installations portuaires et les routes, pour créer des «couloirs de croissance» dont le but est d'améliorer la situation de 200 000 fermiers et de créer 350 000 nouveaux emplois[38].

Le début de la fin des bonus exorbitants : les Suisses montrent le chemin

Les dérives actuelles illustrent ce qui se passe quand on oublie les règles d'éthique ou même de bon sens qui constituaient originellement la base du «libéralisme protestant». Un banquier britannique expliquait à l'un de mes amis que le contrat de travail qu'il avait signé lors de son embauche à la City de Londres précisait que «bien évidemment, aucun bonus ne sera versé si l'ensemble de la banque n'a pas dégagé de profits». Si de tels contrats, qui étaient la règle dans les années 1970, étaient restés en vigueur, on aurait évité beaucoup de scandales. «Ç'a été de la folie. Les gens ont perdu leur âme, il fallait gagner toujours plus, plus que les autres. Pourquoi? Ils ne le savaient même pas», raconte Henri Philippi, ex-patron d'HSBC France dans *L'Argent sans maître*[39]. Quand tout va bien, les financiers reçoivent des *salaires d'incitation*, qui ont pour but de les encourager à la performance, et quand les résultats sont mauvais, ils reçoivent des salaires, toujours aussi élevés, dits de *rétention* (on n'ose plus parler d'incitation), afin de les inciter à rester dans l'entreprise[40]. Certaines entreprises vont même jusqu'à offrir des bonus de départ à leurs cadres pour qu'ils promettent de ne pas rejoindre une entreprise concurrente.

Le 3 mars 2013, lors d'un référendum, 67,9 % des Suisses ont largement approuvé une loi limitant les «rémunérations abusives» des patrons des sociétés suisses. Cette loi interdit notamment les bonus de bienvenue et de départ (les fameux parachutes dorés). Nombre de grandes entreprises attirent en effet des dirigeants en leur offrant une prime de bienvenue qui peut s'élever à 5 ou 10 millions d'euros. Qui plus est, les Suisses ont décidé que les rémunérations du conseil d'administration et de la direction des entreprises doivent désormais être approuvées annuellement par l'assemblée générale des actionnaires. Les sanctions en cas d'infraction vont d'une amende correspondant à six ans de revenus et trois années de prison.

Peu avant ce vote historique, la prime de départ de 72 millions de francs suisses (60 millions d'euros), que le conseil d'administration du groupe pharmaceutique Novartis avait prévue pour son président Daniel Vasella, avait soulevé un véritable tollé d'indignation fin février, forçant M. Vasella, qui a déjà accumulé près de 100 millions d'euros durant son séjour à Novartis, à renoncer à ce parachute en or massif.

Au cas où le message n'aurait pas été clairement entendu, le 10 mars 2013, pour la première fois dans l'histoire de l'économie moderne, les actionnaires de la banque suisse Julius Baer ont rejeté, à une majorité de 63,9 % contre 36,1 %, le rapport sur les rémunérations de ses dirigeants lors d'un vote durant l'assemblée générale. Ce rapport prévoyait notamment une rémunération totale de 6,6 millions de francs suisses (5,4 millions d'euros par an) pour le directeur général, Boris Collardi[41].

L'Union européenne pourrait emboîter le pas en 2014 et envisage des mesures destinées à limiter les bonus bancaires. Elle a momentanément reporté le vote sur ces mesures sous la pression du Royaume-Uni (en 2008, ces bonus des financiers de la City londonienne avaient atteint un pic de 11,5 milliards de livres sterling, mais ce chiffre a déjà fondu à 4,4 milliards de livres en 2012, selon des chiffres du Centre for Economics and Business Research).

Unir la voix de la sollicitude à celle de la raison

«Il y a deux problèmes que l'économie de marché et l'égoïsme individualiste ne pourront jamais résoudre, celui des biens communs et celui de la pauvreté au milieu de l'abondance. Pour ce faire, nous avons besoin de la sollicitude (*care* en anglais) et de l'altruisme.» Telle est l'opinion exprimée par Dennis Snower, professeur d'économie à Kiel et fondateur du Global Economic Symposium (GES) qui s'est tenu à Rio de Janeiro en octobre 2012 et auquel il m'avait invité en compagnie de la neuroscientifique Tania Singer.

Faire une telle déclaration dans un discours d'ouverture, devant un parterre de quelque six cents financiers, hommes d'État, entrepreneurs sociaux et journalistes, demandait une certaine audace. En effet, pour les économistes classiques, il est incongru de parler de motivation (autre que l'intérêt personnel), d'émotions (bien qu'elles interviennent dans toutes nos décisions) et, à plus forte raison, d'altruisme et de solidarité. Nous l'avons vu : l'économie n'est pas censée utiliser un autre langage que celui de la *raison*. Dennis Snower était donc passablement soucieux avant de prononcer son discours, comme il l'était de consacrer trois séances plénières à une neuroscientifique qui allait parler de l'empathie et, pis encore, à un moine bouddhiste qui allait expliquer qu'altruisme et bonheur étant indissociables, le concept qui répond le plus efficacement aux défis de notre temps est donc l'altruisme.

À son grand soulagement, les choses se passèrent fort bien et, trois jours plus tard, lorsque les participants durent voter pour dix propositions que le GES devait s'efforcer de soutenir, deux de nos projets furent retenus. Il s'agissait de celui des «gymnases mentaux de l'altruisme» destinés à cultiver l'altruisme au sein des entreprises, ainsi que de celui de l'entraînement à la compassion dès l'école maternelle, un programme de recherche mené par le psychologue et neurobiologiste Richard Davidson à Madison avec un succès étonnant, et que j'avais présenté à cette occasion. À notre grand étonnement, ce dernier projet fut adopté comme projet n° 1. Dennis Snower avait réussi son pari : les participants s'étaient ouverts à sa vision des choses.

Le questionnement de Dennis Snower était le suivant : comment promouvoir la coopération nécessaire pour résoudre les problèmes mondiaux les plus importants ? Nous sommes confrontés en particulier à deux types de problèmes, celui des « biens communs » ou « biens publics » et celui de la pauvreté au milieu de l'abondance.

Un bien commun existe pour un groupe social dans la mesure où il peut être utilisé par tous les membres du groupe, indépendamment de leur contribution à ce bien public. Les services sociaux, la science fondamentale et la recherche médicale, les parcs et jardins dont tous bénéficient, en sont des exemples. Les libertés démocratiques sont l'un des biens communs les plus importants, même si elles ne sont généralement pas reconnues comme telles. Dans de nombreux pays, les citoyens se sont battus pour ces libertés et ils ont souvent dû payer un prix élevé pour les instaurer. Mais, une fois ces libertés acquises, tout le monde en profite, même ceux qui ne se sont pas battus pour elles.

Le problème des biens communs est que ceux qui n'y contribuent pas peuvent malgré tout continuer à en bénéficier. La tentation de se comporter en profiteur est donc forte. Pour ceux qui contribuent au bien commun, il s'agit d'un comportement véritablement altruiste, parce que l'on s'expose à un coût qui bénéficiera à d'autres. C'est ce qui se passe, par exemple, quand on écrit un article sur Wikipédia, lorsque l'on cotise à la Sécurité sociale, ou lorsque l'on fait des efforts pour prévenir le réchauffement climatique, la surexploitation des océans, ou tout autre dommage causé à l'environnement.

La qualité de l'environnement en particulier est l'une des richesses communes les plus essentielles dont chacun peut bénéficier sans qu'elle fasse défaut à d'autres. Chacun profite, par exemple, de la réduction des émissions de gaz à effet de serre. Si tous contribuent aux efforts et aux coûts nécessaires à la réduction de ces gaz, tout le monde y gagnera. Mais, si seuls quelques-uns y contribuent, ils paieront cher leur geste sans que personne en profite beaucoup, car quelques efforts isolés ne suffiront pas. Sur un tout autre plan, les efforts visant à établir des règles mondiales pour assainir le système financier devenu dysfonctionnel contribuent aussi aux biens communs, alors que laisser libre cours aux égoïstes et aux profiteurs ne peut que dégrader l'environnement et la société.

Font bien sûr partie des bien communs, les richesses naturelles – les forêts, les pâturages ouverts, l'eau, la biodiversité, etc. Chaque hectare de forêt abattue pour le compte d'un particulier ou d'un petit groupe réduit la surface des forêts pour tous les habitants de la planète. Si chacun agit égoïstement, l'effet sera catastrophique.

Pour reprendre les termes de Dennis Snower, «*Homo economicus* – l'être individualiste, égoïste et supposé rationnel sur lequel reposent le système et la politique économiques – ne contribue pas suffisamment à la richesse collective car le libre-échange ne le récompense pas pour les bienfaits qu'il pourrait apporter au monde.» Autrement dit, si un individu isolé s'abstient sagement d'abattre trop d'arbres, l'économie de marché s'en moque.

Quel est le remède à cette situation? se demande alors Snower. La réponse est claire : «C'est la volonté des individus de contribuer au bien commun, même si leur contribution dépasse les bénéfices personnels qu'ils en retirent.»

Le deuxième problème est la pauvreté au milieu de l'abondance. C'est là encore un problème que l'*Homo economicus* ne sera jamais enclin à résoudre, car ce n'est pas son affaire. Selon lui, si une mère célibataire qui n'a pas eu la chance d'aller à l'école est dans la misère, elle n'a qu'à travailler plus. Le processus de mondialisation et l'accroissement des richesses ont aussi laissé de côté de nombreux pays qui restent piégés dans la pauvreté, la mauvaise santé, l'insécurité alimentaire, la corruption, les conflits et un faible niveau d'éducation.

Pour briser ce cercle vicieux, les privilégiés doivent non seulement accepter de corriger ces inégalités, mais aussi le désirer, sans nourrir d'autre espoir que d'améliorer la vie des autres. Pour Snower, c'est quelque chose que le libre marché ne pourra jamais engendrer spontanément et, là encore, la solution réside dans la volonté des plus favorisés d'accepter de payer de leur personne pour offrir de meilleurs services aux plus pauvres.

Les économistes classiques en ont conclu qu'il fallait trouver des moyens d'inciter les gens à faire face aux problèmes de la pauvreté et des richesses communes. Le gouvernement peut, par exemple, lever des impôts et subventionner les plus démunis; il peut aussi redéfinir les droits de propriété, redistribuer les revenus et la richesse, ou fournir directement des biens collectifs à la population.

Mais dans un monde où le but des politiciens est de se faire élire ou réélire, où les groupes d'intérêts financiers exercent une influence disproportionnée dans l'élaboration des politiques, où les intérêts des générations futures sont souvent ignorés puisque leurs représentants ne sont pas assis à la table des négociations, où les gouvernements poursuivent leurs politiques économiques nationales au détriment de l'intérêt mondial, les décideurs ne sont guère disposés à créer des institutions dont l'objectif serait d'encourager les citoyens à contribuer à la richesse collective, ce qui permettrait d'éradiquer la pauvreté.

Dans ces conditions, comment inciter les gens de différents pays et cultures à contribuer aux biens communs ? Deux réponses sont envisageables : l'une est exprimée par la voix de la raison, l'autre, par la voix de la sollicitude, du *care*.

La voix de la raison est celle qui nous incite à envisager les choses objectivement. Elle nous permet notamment de réfléchir à l'interchangeabilité des points de vue et nous fait comprendre que si nous souhaitons que les autres se comportent de façon responsable, nous devons commencer par le faire nous-mêmes, ce qui favorise la coopération. Cette démarche rationnelle a sans doute constitué un facteur important dans la promotion des droits des femmes, des minorités et d'autres groupes d'individus dont les droits sont bafoués. En outre, elle nous incite à tenir compte des conséquences à long terme de nos actions.

Mais en dépit de ces considérations, personne, affirme Dennis Snower, n'a été en mesure de montrer de façon convaincante que la raison seule, sans l'aide d'une motivation prosociale, suffit à amener les individus à élargir le domaine de leur responsabilité pour y inclure tous ceux qui sont affectés par leurs actions. De plus, si la balance du pouvoir penche en votre faveur, rien ne vous empêchera de vous en servir sans vergogne au détriment d'autrui. Séparée de la sollicitude et aiguillonnée par l'égoïsme, la raison peut conduire à des comportements déplorables, à la manipulation, l'exploitation, et à l'opportunisme sans merci.

C'est pourquoi la voix de la sollicitude est nécessaire. Elle est fondée sur une interprétation différente de la nature humaine et permet d'inclure naturellement dans l'économie, comme nous le faisons dans notre existence, l'empathie, la capacité de se mettre à la place de l'autre, la compassion pour ceux qui souffrent, et l'altruisme qui inclut toutes ces qualités.

S'ajoutant à la voix de la raison, la voix de la sollicitude peut changer fondamentalement notre volonté de contribuer à la richesse commune.

À ceux qui soutiennent qu'il est plus rationnel d'être égoïste qu'altruiste, parce que c'est la façon la plus réaliste et efficace d'assurer sa prospérité et sa survie, et que les altruistes sont des idéalistes utopiques et irrationnels qui se font toujours exploiter, on peut répondre avec Robert Frank, de l'université de Cornell : «Les altruistes ne sont ni plus ni moins rationnels que les égoïstes. Ils poursuivent simplement des buts différents[42].» Il est même probable que, dans bien des situations, l'altruiste se comportera d'une manière plus réaliste que l'égoïste, dont les jugements seront biaisés par la recherche de son seul intérêt. L'altruiste envisage les situations dans une perspective plus ouverte. Il aura plus de facilité à considérer les situations sous différents angles, et à prendre les décisions les plus appropriées. N'avoir aucune considération pour l'intérêt d'autrui n'est pas rationnel, c'est seulement inhumain.

En outre, alors que la voix de la raison seule ne fournit pas aux égoïstes de justification suffisante pour les convaincre d'éliminer la pauvreté au milieu de l'abondance, la voix de la sollicitude peut leur en fournir un grand nombre. À ce titre, elle mérite notre attention et doit nous guider dans nos efforts pour résoudre les problèmes mondiaux.

Étendre la réciprocité

L'altruisme est contagieux, et l'imitation, ou l'inspiration, joue un rôle important dans les sociétés humaines. De nombreuses études ont montré que le simple fait d'avoir vu quelqu'un aider un inconnu augmente la probabilité pour que je fasse de même. Cette tendance est cumulative : plus je vois les autres agir généreusement et prendre soin d'autrui, plus j'ai tendance à me comporter comme eux. À l'inverse, plus les autres sont égoïstes, plus je tends à l'être aussi.

Dans les années 1980, l'économiste français Serge-Christophe Kolm, ancien professeur à Stanford et directeur d'étude à l'École des hautes études en sciences sociales à Paris, s'est interrogé, dans *La Bonne économie. La réciprocité générale*, sur la manière de parvenir à une économie et à une société suffisamment altruistes et solidaires dans le contexte du monde moderne. Tenant des propos singulièrement différents de ceux de

Francis Edgeworth cité plus haut, et inhabituels pour un économiste, Kolm estime que :

> La bonne société est faite d'hommes bons. [...] La bonté : c'est mettre en avant l'altruisme, la solidarité volontaire, le don réciproque, la générosité, le partage en frères, la libre communauté, l'amour du prochain et la charité, la bienveillance et l'amitié, la sympathie et la compassion[43].

Selon lui, deux systèmes économiques ont prévalu au XXe siècle : « Le marché capitaliste et la planification totalitaire, tous deux fondés sur l'égoïsme, le traitement d'autrui comme une chose, l'hostilité, le conflit et la concurrence entre personnes, la domination, l'exploitation, l'aliénation. » Mais il existe une alternative : « Un autre système est possible, fondé sur le meilleur en l'homme, sur les meilleures relations sociales, et les renforçant. » Ce système, c'est l'économie de réciprocité, une économie qui engendre des rapports interpersonnels « infiniment plus gratifiants et humains, qui produisent des personnes meilleures, sans comparaison et de l'avis de tous ». D'après Kolm, la réciprocité générale, dans laquelle chacun donne à la société (du temps, des ressources, des capacités) et, réciproquement, bénéficierait des dons de chacun, sans que l'on puisse dire avec précision de qui vient ce que l'on reçoit. C'est « tous pour un, un pour tous[44] ». À l'inverse, on pourrait parler de *réciprocité négative* si l'on échange des biens et des services avec l'idée que l'on va profiter de l'échange plus que les autres.

Pour ceux qui craignent qu'une telle économie ne puisse fonctionner et entraîne une récession, Kolm démontre, équations à l'appui, que c'est le contraire qui se produirait. La réciprocité « permet une réalisation économique beaucoup plus efficace et productive[45] ».

De plus, cette efficacité, et la prospérité qui lui est associée, ne se réduit pas à une « prospérité globale » abstraite, calculée en additionnant indistinctement toutes les fortunes, qui donnerait une image trompeuse de la situation des différents secteurs de la population. Ce qui importe, c'est la prospérité réelle qui profite à la population *à tous les niveaux*, y compris les classes moyennes et les gens les plus pauvres. Que la richesse du pays double aux États-Unis où 1 % de la population détient 40 % des richesses, ou dans un pays africain dont les ressources pétrolières ou minières vont directement dans les coffres des dirigeants, n'est d'aucune utilité pour ceux qui restent dans la pauvreté. Aux États-Unis, la prospérité n'a même pas profité à la classe moyenne, dont les revenus stagnent depuis vingt ans. Comme l'écrivait Auguste Detœuf : «Le capital est du travail accumulé, mais comme on ne peut pas tout faire, ce sont les uns qui travaillent et les autres qui accumulent[46].»

Selon Kolm, les avantages de la réciprocité sont multiples. Elle favorise l'efficacité, la productivité et la transparence, du fait que l'information est naturellement partagée au lieu d'être monopolisée ou dissimulée, comme c'est le cas, nous l'avons vu, dans la plupart des grandes entreprises. Les motivations altruistes favorisent la coopération, laquelle augmente l'efficacité. La réciprocité engendre plus de justice dans la distribution des ressources et des bénéfices. La justice, à son tour, favorise la réciprocité, et un cercle vertueux s'enclenche. La réciprocité entraîne la coopération, laquelle a toujours été au cœur de l'évolution des espèces, de la créativité et du progrès. Elle se renforce à mesure que les individus prennent conscience de ses possibilités et de ses avantages. Elle entraîne en particulier une diminution des dépenses habituellement allouées à la concurrence, et une amélioration considérable des relations de travail, ce qui favorise la créativité[47]. Comment influencer cette dynamique?

Mondragon, une alternative réussie

Les sociétés modernes ont pour la plupart choisi une organisation capitaliste de la production. Dans le capitalisme, des propriétaires privés créent des entreprises, sélectionnent leurs administrateurs et décident ce qu'ils veulent produire, où le produire, et quel usage faire des bénéfices. Une poignée de personnes prend ainsi toutes ces décisions au nom d'une majorité d'employés qui fournissent l'essentiel du travail productif. Cette majorité doit accepter les conséquences des décisions prises par la direction et les principaux actionnaires. Le capitalisme insiste sur le fait que cette organisation hautement antidémocratique de la production est la seule façon d'être efficace en termes de résultats. Le succès exemplaire de Mondragon, dans le Pays basque espagnol, et de nombreuses autres coopératives dans le monde, démontre la fausseté de cette allégation.

La Corporation Mondragon (CM), aujourd'hui le plus grand groupe coopératif au monde, est le fruit de la vision d'un jeune prêtre basque, Don José María Arizmendiarrieta Madariaga. En 1941, il est nommé vicaire de la paroisse de Mondragon, petite ville durement affectée par la guerre d'Espagne. Pour faire face à un chômage massif, Don José María décide d'œuvrer au développement économique de la ville sur la base des idées mutualistes[48]. En 1943, il monte une école de formation professionnelle gérée démocratiquement. En 1956, cinq jeunes diplômés de cette école fondent un atelier consacré à la fabrication de fourneaux et de réchauds au pétrole. Peu à peu, l'effort solidaire des salariés-associés permet de transformer ce modeste atelier en un groupe industriel qui devient le premier au Pays basque et le septième en Espagne.

Toujours sous l'impulsion de Don José María, ces jeunes entrepreneurs fondent aussi la Caja Laboral Popular Coopérativa de Crédito (Banque populaire des travailleurs), une banque coopérative de crédit qui procure aux travailleurs les fonds nécessaires pour démarrer de nouvelles entreprises coopératives. En 2010, Caja Laboral avait plus de 20 milliards d'euros de dépôts.

Aujourd'hui, la Corporation Mondragon (CM) comprend plus de 250 sociétés (dont la moitié restent des coopératives) regroupées en six domaines : industrie, finance, commerce de détail, connaissance (université Mondragon), recherche et formation. En 2010, Mondragon comptait 85 000 membres dont 43 % de femmes. L'égalité de pouvoir entre les hommes et les femmes influence favorablement les relations au sein de l'entreprise, à la différence des grosses sociétés capitalistes, qui sont le plus souvent dominées par des hommes. Les recettes globales se montent à 30 milliards d'euros par an, mais Mondragon est resté indépendant de la Bourse, ce qui lui permet de prendre ses décisions en toute liberté. Toute la différence tient dans la manière dont Mondragon est organisé.

Dans chaque entreprise, les membres de la coopérative (en moyenne 80-85 % de tous les travailleurs de chaque entreprise) possèdent collectivement l'entreprise et la dirigent. Lors de l'assemblée générale annuelle, ce sont les travailleurs-partenaires qui choisissent démocratiquement, embauchent ou licencient leurs cadres. Ils nomment un gestionnaire général, mais conservent le pouvoir de prendre les décisions fondamentales : que faire, où et comment, et comment utiliser les bénéfices.

L'employé le mieux payé peut gagner seulement six fois plus que le moins payé – au lieu de quatre cents fois en général dans une société américaine. En conséquence, au Pays basque, les salaires des ouvriers de CM sont supérieurs de 15 % à la moyenne locale, alors que les salaires des cadres sont nettement inférieurs à ceux du secteur privé.

Mondragon favorise aussi la sécurité de l'emploi grâce à un système permettant de déplacer les travailleurs des entreprises de la Corporation ayant besoin de moins d'employés vers d'autres qui en ont un besoin accru, d'une façon ouverte et transparente régie par des règles démocratiques associées à des subventions permettant de minimiser les coûts pour les salariés déplacés.

Une partie des revenus de chaque entreprise membre alimente un fonds pour la recherche, ce qui a permis un impressionnant développement de nouveaux produits. CM a aussi fondé l'université de Mondragon, où sont inscrits plus de 4 000 étudiants.

Lors de la visite d'un journaliste britannique du *Guardian*, un employé de CM a déclaré : «Nous ne sommes pas un paradis, mais plutôt une famille d'entreprises coopératives qui luttent pour construire un autre type de vie autour d'une autre façon de travailler[49].»

Comme le remarque ce journaliste, Richard Wolff, «compte tenu de la performance du capitalisme espagnol de nos jours – 25 % de chômage, un système bancaire brisé, et l'austérité imposée par le gouvernement (comme s'il n'y avait aucune alternative) –, Mondragon ressemble à une oasis bienvenue dans un désert capitaliste».

Vers une économie positive et solidaire

Selon Edgar Morin, on assiste aujourd'hui à une renaissance de l'économie sociale et solidaire dans différents pays, dont la France. Ce développement repose sur des coopératives et des mutuelles, sur le microcrédit (pour autant qu'il ne soit pas détourné de son intention originelle par le profit bancaire), et sur le commerce équitable qui favorise les petits producteurs des pays du Sud en maintenant des prix d'achat qui ne subissent pas les fluctuations brutales du marché, et en soutenant les associations locales qui éliminent les intermédiaires prédateurs. Il faudrait également encourager l'alimentation de proximité, comme le font les Associations pour le maintien d'une agriculture paysanne (AMAP) au sein desquelles les maraîchers livrent directement leurs produits aux particuliers urbains, ainsi que la culture biologique et l'agroécologie.

On y retrouve ainsi la volonté de se libérer de la seule logique du marché et de privilégier celle de l'entraide, en ayant recours aux réseaux sociaux qui utilisent différents instruments de financement ou de cautionnement reposant sur la confiance entre les membres[50].

Une économie du bien commun doit favoriser la justice sociale et l'égalité des chances, afin que chaque être humain puisse pleinement exprimer ses capacités. Lors du Forum économique mondial de Davos de janvier 2010, au cours de la séance intitulée : «Repenser les valeurs dans le monde de l'après-crise», Muhammad Yunus, prix Nobel de la paix et créateur du microcrédit permettant aux pauvres d'échapper par eux-mêmes à la pauvreté, déclara :

Il n'est pas nécessaire de changer la façon de faire des affaires, il suffit de changer l'objectif poursuivi. Une économie dont le but n'est que la recherche du profit est égoïste. Elle rabaisse l'humanité à une seule dimension, celle de l'argent, ce qui revient à ignorer notre humanité. Et puis, il y a l'économie altruiste dont la finalité première est de se mettre au service de la société. C'est ce qu'on appelle une « économie sociale ». La charité peut aider de manière momentanée et ponctuelle, mais elle n'a pas d'effet continu. L'économie sociale, elle, peut aider durablement la société[51].

L'économie sociale en elle-même est aussi viable que l'économie égoïste, mais son bénéficiaire direct est la société. Vous pouvez, par exemple, fonder une entreprise dans le but de créer des dizaines de milliers d'emplois ou de fournir de l'eau potable et bon marché à des milliers de villages, comme l'a fait la Grameen Bank de Yunus. Voilà des objectifs qui diffèrent de la simple recherche de profit. Si vous réussissez à créer ces emplois ou à fournir cette eau potable, ce sera votre indicateur de succès dans le bilan de fin d'année. Selon Yunus : « Aujourd'hui, l'essentiel de la technologie est mis au service d'entreprises égoïstes. Or cette même technologie pourrait être mise au service d'entreprises altruistes[52]. »

Muhammad Yunus, ou comment ne pas rétrécir l'être humain

« La crise d'aujourd'hui est due à l'homme, ce n'est pas comme un tsunami, un désastre naturel. Comment l'avons-nous provoquée ? Nous avons transformé le marché financier en casino. Ce marché, aujourd'hui, est commandé par l'avidité, la spéculation, et non par la production réelle. Quand vous passez de l'économie réelle à l'économie spéculative, voilà ce que vous obtenez[53].

Nous devons tout repenser. Courir après l'argent et maximiser les profits finissent par absorber toute notre attention et nous transformer en espèces de machines à faire de l'argent. Nous devons nous rappeler que nous sommes des êtres humains, et qu'un être humain est une entité bien plus vaste. Nous oublions notre but. Faire de l'argent ne peut pas tout résoudre. Cela nous rétrécit, nous réduit à être des machines à profit.

Quand je vois un problème, j'ai immédiatement envie de créer une activité économique qui le résoudra. Dans l'entreprise sociale, les profits ne vont pas aux investisseurs, mais à la société. C'est une compagnie sans dividende conçue pour résoudre des problèmes sociaux. Elle doit être efficace, pas pour gagner de l'argent, mais pour que les choses se fassent. Dans l'économie conventionnelle, l'objectif est de faire du profit. Dans l'économie sociale, l'objectif est de réaliser un projet qui profite à la communauté.

Prenons un exemple. Il y a 160 millions d'habitants au Bangladesh, et 70 % d'entre eux n'avaient pas l'électricité. Cela m'a fait penser : « Voilà une bonne occasion de faire quelque chose d'utile. » Nous avons donc créé Grameen Energy pour fournir de l'énergie solaire, renouvelable, dans les villages. Au début, nous vendions à peine une douzaine de panneaux par jour, à un prix légèrement au-dessus du prix coûtant simplement pour pouvoir maintenir l'activité. Aujourd'hui, seize ans plus tard, nous vendons mille panneaux par jour et, en novembre 2012, nous avons dépassé le chiffre symbolique d'un million de foyers équipés de systèmes solaires.

La conséquence a été que le prix des panneaux solaires a baissé. Comme, dans le même temps, celui du pétrole a flambé, il est encore plus attrayant pour les pauvres de disposer d'une énergie renouvelable. Il a fallu seize ans pour toucher un million de foyers, mais il nous faudra moins de trois ans pour en toucher un million de plus. Nous n'avons pas fait cela pour gagner de l'argent, mais pour réaliser un objectif social. Le fait d'utiliser le pétrole pour faire la cuisine et éclairer les maisons est la cause de nombreux problèmes de santé et d'incendies. L'énergie renouvelable est donc bonne à la fois pour l'environnement et pour la santé et la subsistance des gens.

Les deux tiers de la population du Bangladesh sont plongés dans la pauvreté. Ces gens-là n'ont rien à faire avec les banques. Les mains vides, ils sont impuissants. Le microcrédit est arrivé pour remplir le vide laissé par les banques. Au début, les grandes institutions financières ont déclaré que c'était impossible. Nous leur avons montré que cela fonctionnait très bien.

Grameen Bank ne fait venir aucun argent de l'extérieur. Nous recevons uniquement l'argent que les gens déposent chez nous. Il s'agit pour la plupart de femmes qui nous font de petits emprunts et nous confient aussi leurs économies, quand elles en ont un peu. Nous devons proposer aux femmes à qui nous prêtons des plans qu'elles soient capables de comprendre, qui soient à la fois simples et attrayants. Nous avons actuellement 8,5 millions d'emprunteurs dans 80 000 villages. Ce ne sont pas les gens qui doivent venir à la banque, c'est Grameen Bank qui, chaque semaine, va vers eux, jusqu'à leur porte.

Je n'ai jamais acheté ni possédé une seule action de la Grameen Bank. L'argent ne m'intéresse pas. Aujourd'hui, après trente-sept ans d'expérience, nous prêtons chaque année 1,5 milliard de dollars. Et plus de 99 % de cette somme sont remboursés.

De nombreuses grandes compagnies possèdent des fondations caritatives. Celles-ci pourraient facilement se convertir à l'économie sociale et devenir des instruments beaucoup plus puissants. Elles ne signeront pas de chèques. Dans les entreprises sociales, vous devez vous engager vous-mêmes et apporter votre sollicitude et votre pouvoir créatif. Cela devient ainsi beaucoup plus gratifiant.

La science-fiction a toujours une longueur d'avance sur la science. Mais une grande partie de ce qu'était hier de la science-fiction est aujourd'hui de la science. De la même façon, on devrait écrire de la "social-fiction" et inspirer les gens, qui se diraient alors : Pourquoi pas ? On n'opère pas de vrais changements en faisant simplement des prédictions. Celles-ci sont notoirement connues pour ne pas prédire correctement le futur. Personne n'a prédit la chute du mur de Berlin, ou de l'Union soviétique, mais cela s'est passé très vite. Nous devons donc imaginer le futur, puis le faire devenir réalité.»

L'essor du commerce équitable

Dans son ouvrage, *Le Commerce équitable*, l'entrepreneur social Tristan Lecomte parle du drame des petits producteurs qui, en raison de leur pauvreté chronique, de leur isolement, de leur incapacité à se regrouper et à proposer un volume suffisant de production, sont incapables de négocier face à des acheteurs et à des multinationales très puissantes qui dictent leurs prix à un grand nombre de petits producteurs dispersés et désorganisés. Pour avoir un accès direct aux marchés, ces petits producteurs doivent être intégrés à un groupement qui respecte leurs intérêts et leur garantit un revenu décent[54].

Qui plus est, de nombreux intermédiaires s'approprient la majeure partie du profit. En Thaïlande, par exemple, le riz non décortiqué est acheté au petit producteur pour seulement *10 centimes* d'euros le kilo. Les acheteurs thaïlandais ont constitué un réseau quasi mafieux qui maintient les prix d'achat au plus bas possible pour un prix de revente bien supérieur[55]. De plus, les cours mondiaux sont très fluctuants. Le cours du café, par exemple, a baissé de 45 % en un an de 1998 à 1999.

Un ouvrier malgache qui coud des tee-shirts dans une usine textile touche, quant à lui, 2,5 centimes par tee-shirt, soit cinquante fois moins que ce que gagnerait un ouvrier français pour le même travail[56].

Le Conférence des Nations unies sur le commerce et le travail (CNUCED) prône des échanges plus équitables entre les pays du Sud et ceux du Nord, mais tout comme l'Organisation internationale du travail

(OIT) qui vise à protéger les travailleurs des pays pauvres, elle n'a aucun pouvoir juridique, à la différence de l'Organisation mondiale du commerce (OMC) qui a pouvoir de sanction sur les pays qui ne respectent pas leurs obligations, mais freine malheureusement l'ouverture des marchés des pays riches aux producteurs des pays pauvres. Quant aux prêts du FMI aux pays en difficulté, ils sont associés à des exigences d'ajustements structurels qui ont souvent permis à ces pays d'éviter la faillite (comme ce fut le cas pour l'Argentine), mais ne vont quasiment jamais dans le sens des intérêts des plus démunis et des petits producteurs, du fait qu'ils favorisent l'hégémonie des multinationales.

Pour favoriser le développement durable et le commerce équitable, il est donc indispensable d'aider les centres de production des pays pauvres à progresser en améliorant les conditions sociales et environnementales liées à leur production. Sans cet accompagnement, les exigences de protection de l'environnement peuvent devenir un fardeau supplémentaire pour les petits producteurs, auxquels on impose des contraintes paralysantes tout en continuant à acheter leurs produits à des prix ridicules.

Comme l'explique Tristan Lecomte, à la différence de l'aide apportée sous forme de dons, le commerce équitable établit un système d'échange qui permet aux petits producteurs de prospérer et, à terme, de s'autofinancer[57]. Une économie solidaire remplace ainsi la charité.

L'année 1988 a vu la création de la Fédération internationale du commerce équitable (International Federation for Alternative Trade ou IFAT) et le lancement aux Pays-Bas, au début avec les produits labellisés Max Havelaar, du commerce équitable dans la grande distribution. En 1997, les trois principaux labels internationaux du commerce équitable, Max Havelaar, Transfair et Fairtrade se regroupèrent dans l'Organisation de labellisation du commerce équitable (Fairtrade Labelling Organization ou FLO). Oxfam est également une association anglaise pionnière dans ce domaine, qui a couplé des programmes d'aide au développement avec l'achat de produits de petits producteurs et leur revente par un large réseau de magasins, principalement en Angleterre.

Le logo «Max Havelaar» garantit le caractère équitable de la filière et touche aujourd'hui plus de 800 000 producteurs dans 46 pays, tout en améliorant les conditions de vie de 5 millions de personnes.

En bref, selon la charte de la Plate-forme pour le commerce équitable (PFCE), ce type de commerce doit être solidaire et s'adresser en priorité aux producteurs les plus défavorisés pour une collaboration durable. Il faut acheter leurs produits le plus directement possible et à un prix qui permette au producteur de vivre décemment. Ce commerce doit aussi être «transparent» en donnant toute l'information sur le produit lui-même et sur les circuits de sa commercialisation. Il doit valoriser l'environnement et les négociations libres et démocratiques entre producteurs et acheteurs, tout en éliminant le travail abusif des enfants et en encourageant les producteurs à l'autonomie.

Dans *80 Hommes pour changer le monde*, les entrepreneurs Sylvain Darnil et Mathieu Le Roux donnent de nombreux exemples de réussite du commerce équitable[58]. Au Laos, par exemple, Sisaliao Svengsuka a fondé *Lao's Farmer products* (Produits des fermiers laotiens), la première coopérative non collectiviste de ce pays aujourd'hui paisible, mais encore dirigé par un gouvernement communiste autoritaire. Cette entreprise rassemble les récoltes de 10 000 familles pour livrer leurs produits aux points de vente du commerce équitable en Europe et aux États-Unis.

Au Japon, Yusuke Saraya a fondé Saraya Limited, une entreprise prospère de détergents biodégradables à 99,9 %. En 2003, l'entreprise a réalisé un chiffre d'affaires de 150 millions d'euros. Saraya est parvenu à réduire de 5 à 10 % par an sa consommation d'énergie, d'eau, et d'emballages, tout en maintenant sa croissance.

En Inde, Elaben Bhatt a fondé le premier syndicat pour les vendeuses ambulantes de la région du Gujarat, la Self Employed Women Association (SEWA), qui a permis à ces femmes exclues des marchés officiels et victimes de harcèlement de la part des autorités d'être reconnues et respectées. Elaben s'est battue pour leur obtenir des licences et a aussi créé une banque de microcrédit sur le modèle de la Grameen Bank de Muhammad Yunus. Pour les 700 000 adhérentes du syndicat, il est désormais possible d'obtenir des prêts à des taux décents pour investir dans leurs activités. Comme pour la Grameen Bank, les emprunts sont remboursés à hauteur de 98 %[59].

Les fonds éthiques

Bien qu'ils ne représentent encore que quelques pourcents du marché financier, les fonds éthiques sont aujourd'hui en pleine expansion.

Divers critères de qualification sont retenus : interdiction du travail des enfants, aide à l'éducation, à la santé et au développement des populations du tiers-monde, protection de l'environnement et politique de ressources humaines favorables aux salariés. Qui plus est, les fonds éthiques se révèlent de bons placements sur le long terme du fait qu'ils sont, en raison de leur vocation altruiste, moins sujets aux malversations qui sont les fléaux de l'économie égoïste.

L'Investissement socialement responsable (ISR) applique les principes du développement durable aux placements financiers. Les gestionnaires financiers qui pratiquent l'ISR sélectionnent les entreprises ayant les meilleures pratiques environnementales, sociales ou de gouvernance, et excluent les entreprises fondées sur des valeurs insuffisamment morales qui ne respectent pas les normes des conventions internationales, ainsi que des secteurs d'activité entiers tels que le tabac ou le commerce des armes. L'ISR a commencé à s'organiser en France depuis les années 1980 et, depuis 2011, une Semaine de l'ISR, placée sous le haut patronage du ministère de l'Écologie, du Développement durable et de l'Énergie, coordonne chaque année une cinquantaine d'événements. En conséquence, le système bancaire français commence à prendre l'ISR au sérieux et la France vient en première position des marchés ISR en Europe, avec, en 2012, 1 884 milliards d'euros d'actifs financiers, devant le Royaume-Uni (1 235 milliards) et les Pays-Bas (636 milliards)[60]. En 2012, dans 14 pays d'Europe étudiés en détail, l'ISR atteint 6 760 milliards d'euros, soit 14 % des actifs financiers. Il convient de noter toutefois que le label IRS est souvent accordé à des fonds qui se contentent de ne pas investir dans certaines industries, comme celles du tabac ou de l'armement, par exemple, mais qui vont investir par ailleurs dans des industries pétrolières ou pharmaceutiques dont les critères éthiques sont très faibles. Il existe en revanche une minorité de fonds ISR qui recherchent activement des sociétés ayant un impact social et environnemental véritablement positif, comme c'est le cas, par exemple, de la Banque Triodos aux Pays-Bas, qui offre une parfaite transparence sur ses investissements[61], ainsi que Calvert Investments aux États-Unis.

De son côté, l'ancien vice-président des États-Unis, Al Gore, a lancé au Royaume-Uni, avec le financier David Blood, un fonds d'investissement appelé Generation Investment Management (GIM), destiné aux projets et services qui favorisent les projets à long terme et la préservation de l'environnement. Ce fonds a déjà recueilli plusieurs centaines de millions de livres sterling.

Global Alliance for Banking on Values (GABV) est un consortium qui regroupe, sur les cinq continents, une vingtaine de banques alternatives (microfinance, banques communautaires, banques de développement durable) ou éthiques qui ont fait vœu de servir les communautés locales tout en recherchant des solutions viables aux problèmes globaux et en prenant en compte de façon équilibrée le triple bilan (la notion de *triple bottom line* fréquemment utilisée par les économistes) le profit, les individus et la planète. Ce consortium en expansion rapide espère toucher un milliard de personnes d'ici à 2020.

Les banques coopératives

En France, un certain nombre d'établissements bancaires fonctionnent sur le mode coopératif et proposent des placements dans des activités sociales et dans le développement durable. Citons le Crédit coopératif, qui finance les coopératives de production et de consommation en leur offrant des solutions de microfinance et de placements solidaires au service de la communauté. Ayant choisi de ne pas être coté en Bourse afin de préserver son indépendance vis-à-vis du marché et de travailler dans une logique de long terme, le Crédit coopératif n'a donc pas d'actionnaires, mais des « sociétaires ». Selon Claude Sevaistre, responsable de la communication, « la primauté est donnée à l'homme, pas au capital. Chaque sociétaire n'a qu'une seule voix[62] ».

Autre exemple, la NEF (Nouvelle Économie fraternelle), fondée en 1979, propose des outils financiers destinés à soutenir des projets environnementaux, sociaux et culturels. Selon un guide, *Environnement : comment choisir ma banque ?*, publié en 2008 par les Amis de la Terre, le plus grand réseau écologique mondial, « la NEF est le seul acteur financier français qui publie chaque année l'intégralité des projets qu'il finance en incluant le montant du prêt octroyé et la description des activités financées[63] ».

L'investissement à impact (*impact investing*) est une nouvelle méthode d'investissement qui a comme premier objectif de répondre à un besoin social ou environnemental, avec éventuellement un retour financier «modéré». D'après certains experts financiers, cette méthode constitue une nouvelle classe d'actifs financiers destinée à croître très fortement. Une étude de J.P. Morgan et de la Fondation Rockefeller publiée en 2010 estime que ce type d'investissement atteindra 500 milliards de dollars dans les dix ans à venir.

Créer une bourse de l'économie positive

Une initiative utile consisterait à créer, en France et ailleurs, des *bourses de l'économie positive* qui regrouperaient les investissements liés aux activités économiques qui visent au bien commun et comportent ainsi une composante altruiste. L'objectif de telles bourses ne serait pas d'entrer en compétition avec le système financier dominant, mais d'offrir une alternative fiable et efficace à tous ceux qui souhaitent participer à l'essor des divers secteurs de l'économie positive :

— *l'économie sociale et solidaire*, qui regroupe les coopératives, les mutuelles, les banques d'épargne solidaires, les entreprises de microcrédit, la finance participative (*crowd-funding*), l'investissement à impact, et les métiers de solidarité;

— les *fonds éthiques* qui n'offrent que des investissements socialement et écologiquement responsables et autres placements dont le profil est conforme à un ensemble de critères éthiques;

— le *commerce équitable*, qui sauvegarde l'intérêt des petits producteurs, leur permet de mieux s'organiser et de gagner en visibilité;

— l'*économie verte* et la production d'énergies renouvelables (à laquelle l'État accorderait des subsides jusqu'à ce qu'elle ait remplacé la production basée sur les hydrocarbures). Elle inclut également les investissements dans la dépollution des villes et des milieux naturels (rivières, océans, etc.), ainsi que dans la production de protéines végétales et la diminution de l'élevage industriel et de l'instrumentalisation des animaux.

Quelques initiatives ont déjà été lancées. À Londres, une Bourse sociale (*Social Stock-Exchange* ou SSE), en gestation depuis 2007, est sur le point, après quelques difficultés, d'être ouverte cette année (en 2013) et espère devenir un portail d'accès pour les entreprises sociales qui veulent lever des capitaux et pour les investisseurs qui souhaitent trouver des entreprises reflétant leurs valeurs éthiques et solidaires.

Au Brésil, un entrepreneur social, Celso Grecco, a fondé une *Bourse des valeurs sociales* (Bolsa de Valores Sociais ou BVS), qui opère au sein de la plus grande bourse du Brésil, Bovespa, et offre aux investisseurs un portefeuille d'opportunités d'investissement social crédible avec l'efficacité et la transparence qui manquent parfois dans les organisations philanthropiques, celles du Brésil en particulier. En 2006, le modèle BVS a été reproduit en Afrique du Sud par l'entrepreneur social Tamzin Ratcliffe qui a fondé Greater Good en partenariat avec la Bourse de Johannesburg, créant ainsi de nouvelles voies pour l'investissement social et solidaire.

L'aide au développement

En ce qui concerne l'aide accordée par les États aux pays en voie de développement (APD), en montant monétaire brut les États-Unis viennent en tête avec, selon les chiffres de l'OCDE, 30,7 milliards de dollars en 2011, devant l'Allemagne (14,5), le Royaume-Uni (13,7), la France (13,9) et le Japon (10,6). Toutefois, si l'on rapporte ce montant au revenu national brut (ADP/RNB) des pays concernés, la Suède, la Norvège, le Luxembourg sont les seuls à atteindre 1 %, et ils ne sont rejoints que par le Danemark (0,86 %) et les Pays-Bas (0,75 %) dans la liste des cinq pays ayant atteint le taux de 0,7 % fixé comme but par les Nations unies. Ces pays sont loin devant les États-Unis (0,2 %), la Corée du Sud (0,12 %) et la Grèce (0,11 %). La France se situe dans la moyenne avec 0,46 %[64].

Redonner à la société : la philanthropie au niveau planétaire

Parmi les grands philanthropes des XXe et XXIe siècles, figure notamment Andrew Carnegie, industriel américain qui donna au début du XXe siècle l'équivalent de 7 milliards de dollars d'aujourd'hui à diverses fondations et créa notamment quelque 2 500 bibliothèques publiques gratuites aux États-Unis. Bill Gates, le fondateur de Microsoft, a consacré 95 % de sa fortune à la lutte contre les maladies et l'analphabétisme dans les pays du Sud. Sa fondation, la Fondation Bill & Melinda Gates, créée en 2000, a déjà dépensé près de 10 milliards de dollars pour vacciner 55 millions d'enfants en particulier, et dispose d'un budget aussi important que celui de l'Organisation mondiale de la santé (OMS)[65].

Le milliardaire Warren Buffett, quant à lui, a annoncé son intention de donner l'équivalent de 28 milliards d'euros à des organisations caritatives dirigées par Bill et Melinda Gates et par des membres de sa propre famille. Cette décision, qui porte sur plus de 80 % de sa fortune, constitue la plus grosse donation individuelle jamais réalisée dans l'histoire.

Chuck Feeney, un philanthrope américain d'origine irlandaise, fut longtemps l'un des plus grands philanthropes anonymes de l'histoire. Il a fait don secrètement de 6 milliards de dollars à diverses causes dans le monde avant d'être finalement identifié en 1997 (voir encadré ci-contre)[66]. Quant à Pierre Omidyar, fondateur d'eBay, et son épouse Pam, leur fondation, Omidyar Network, est impliquée dans des projets de microcrédit au Bangladesh, dans l'amélioration du sort des femmes en Inde et dans la promotion de la transparence gouvernementale dans de nombreux pays.

Giving Pledge, campagne lancée en 2010 par Warren Buffett et Bill Gates, est destinée à encourager les personnes les plus riches du monde à donner la plus grande partie de leur fortune à des causes philanthropiques. En avril 2013, 105 milliardaires avaient déjà signé un engagement dans ce sens[67]. Ces philanthropes font remarquer qu'il est bon de laisser à ses héritiers suffisamment d'argent pour qu'ils puissent se débrouiller, mais pas trop, car ils risquent de ne rien en faire. Cette vision répandue en Amérique du Nord reste assez éloignée de la culture européenne, fidèle à la transmission des biens par héritage. Ainsi, certaines des plus grandes fortunes françaises contactées par Warren Buffett, Arnaud Lagardère et Liliane Bettencourt notamment, ont décliné l'offre de prendre part à ce projet philanthropique[68].

En France, selon le Centre d'étude et de recherche sur la philanthropie (CerPhi), le montant donné par les Français est passé de 1 milliard à 4 milliards d'euros entre 1980 et 2008. En 2009, selon Recherches et Solidarités (qui se définit comme un « réseau d'experts au service des solidarités[69] »), le montant moyen des dons déclarés en France a été de 280 euros par foyer. Aux États-Unis, la philanthropie privée représente 1 % du PIB américain, soit plus du double de la moyenne européenne.

Le philanthrope invisible

Au cours des trente dernières années, Chuck Feeney, à la tête d'une fortune de 7,5 milliards de dollars provenant de l'empire des boutiques duty free qu'il avait créées, a sillonné le globe pour mener à bien des opérations clandestines destinées à alimenter les multiples projets caritatifs de sa fondation, Atlantic Philanthropies. Des États-Unis à l'Australie, en passant par l'Irlande et le Vietnam, celle-ci a consacré 6,2 milliards de dollars à l'éducation, la science, la santé et les droits humains. Personne, à ce niveau de richesse, n'a jamais donné sa fortune si totalement de son vivant. Le solde de 1,3 milliard de dollars sera dépensé d'ici à 2016. Alors que les titans du monde des affaires sont obsédés par la thésaurisation et la multiplication des richesses, Feeney met tout en œuvre pour vivre et mourir dans la frugalité.

Pendant les quinze premières années de cette mission, entreprise en 1984, il a caché sa générosité de façon quasi obsessionnelle. La plupart des organisations qui bénéficiaient de ses dons n'avaient aucune idée de la provenance des sommes considérables qu'elles recevaient par l'intermédiaire d'Atlantic Philanthropies. Les personnes qui le savaient étaient tenues au secret.

Soupçonné de dissimuler illégalement d'importantes sommes d'argent, Feeney dut finalement révéler ses activités lorsqu'il voulut vendre sa société. Il dut alors prouver que ces sommes, il les avait... données. «Je suis heureux, déclare-t-il dans l'une des très rares interviews qu'il a accepté de donner, quand ce que je fais aide les autres, et malheureux quand ce que je fais ne leur est pas utile[72].»

En 1997, Feeney renonça donc à regret à son anonymat. Toutefois, cette transition fut bénéfique puisque deux des hommes les plus riches du monde, Bill Gates et Warren Buffett, ont reconnu qu'il était pour eux une source d'inspiration majeure. Bill Gates et sa femme créèrent la Bill & Melinda Gates Foundation à laquelle ils ont déjà consacré 30 milliards de dollars.

Au fil de ses voyages, Chuck Feeney continue de vivre frugalement et réside dans des logements modestes. Il a parcouru des millions de kilomètres en classe économique, déclarant que la classe affaires ne lui permettait pas d'arriver plus vite à destination; il porte une montre Casio en caoutchouc qui, dit-il, indique l'heure aussi bien qu'une Rolex. Son message aux philanthropes est simple : «N'attendez pas d'être vieux ou, pis encore, mort pour donner votre fortune. Donnez-la tant que vous avez suffisamment d'énergie, de relations et d'influence pour faire des vagues[73].»

Lors de la conférence «Philanthropie pour le XXIe siècle» (*Philanthropy for the 21st Century*) qui s'est tenue en Grande-Bretagne en février 2012[70], les participants ont souligné le fait que la philanthropie n'est pas encore reconnue à sa juste valeur par les États. Pourtant, le fait qu'une proportion croissante de la richesse du monde se trouve entre des mains privées montre qu'elle est l'un des meilleurs moyens de donner une utilité sociale à une partie de ces fonds au profit du bien commun. De plus, un nombre croissant d'entreprises a pris conscience que l'engagement social n'est pas seulement bon pour leur image, mais améliore également la motivation et la satisfaction de leurs employés.

D'après Antoine Vaccaro, président du CerPhi[71], dans un monde qui ne peut plus compter uniquement sur l'État pour garantir l'intérêt général, les formes nouvelles de fondations et les passerelles multiples entre le monde de la générosité et celui de l'économie sociale et solidaire sont désormais reconnues comme capables de constituer une contribution notable à la prise en charge de l'intérêt général, aux côtés des États.

L'avènement d'une solidarité de masse

En France, l'explosion du secteur associatif s'est produite dans les années 1970 ; près de 30 000 associations se sont créées dans la seule année 1975. On estime aujourd'hui à environ 1,2 million le nombre d'associations hexagonales.

Le financement participatif sur Internet, ou *crowd-funding*, a connu lui aussi un développement spectaculaire en quelques années. Environ 2,7 milliards de dollars (dont 1,6 en Amérique du Nord) ont été investis de la sorte en 2012, soit un bond de 80 % par rapport à 2011. Ce type de financement devrait atteindre plus de 5 milliards de dollars en 2013.

Sur le site GlobalGiving, entre 2002 et mai 2013, 321 644 donateurs ont donné pour près de 85 millions de dollars à 7 830 projets. L'un des projets en cours en mai 2013, Kranti (révolution), a reçu 165 342 dollars de 1 142 donateurs pour offrir une éducation à des adolescentes indiennes qui, victimes de trafiquants d'êtres humains, avaient été forcées à se prostituer.

Kiva fut fondée en 2005 sur la conviction que « les gens sont naturellement généreux et vont aider les autres si on leur donne la possibilité de le faire de façon transparente et responsable[74] ». Par l'intermédiaire de son site de microcrédit, Kiva encourage des relations de partenariat et non de bienfaisance. Selon les chiffres de mai 2013, *chaque semaine* plus de 1,5 million de dollars sont prêtés à plus de 3 200 emprunteurs par 21 600 prêteurs, soit un prêt accordé en ligne toutes les douze secondes. Depuis le lancement de Kiva en 2005, 98,99 % des prêts ont été dûment remboursés.

Sur Kickstarter, l'une des plates-formes Internet parmi les plus connues dans ce domaine, en 2012 environ 30 % des investissements ont été consacrés à des projets sociaux ou philanthropiques, contre 17 % à de petites entreprises, 12 % à des films ou aux arts de la scène et 7,5 % à la musique. L'un des donateurs a contribué à lui seul à plus de 750 projets.

Depuis sa création en 2006, le site de financement participatif Razoo a déjà levé 150 millions de dollars et permis à plus de 15 000 ONG d'accomplir d'innombrables projets sociaux. Le site australien StartSomeGood (Commencer à faire du bien) a hébergé, par exemple, le projet de l'association A Place in the Sun (Une place au soleil), qui souhaitait organiser un camp d'été de sept semaines en milieu rural au Mali pour mettre au point, avec cinq institutrices locales, un programme pilote d'enseignement primaire. Au Mali, seulement 33 % des adultes savent lire et écrire, ce qui représente le taux d'alphabétisation le plus faible au monde. 9 600 dollars étaient nécessaires et, quand nous avons consulté le site, en neuf jours 43 donneurs avaient donné à hauteur de 7 800 dollars.

Edgar Morin et Stéphane Hessel ont proposé de créer des Maisons de la Fraternité qui regrouperaient les institutions publiques et privées à caractère solidaire existantes (Secours populaire, Secours catholique, SOS amitié, SOS suicide, etc.) et y ajouteraient de nouveaux services d'urgence auprès des victimes de détresses morales ou matérielles, « des victimes d'overdose non pas seulement de drogue, mais aussi de mal-être ou de chagrin ». Ce seraient des centres d'amitié et d'attention aux autres, de secours, d'information, d'initiatives et de bénévolat[75].

L'essor de la gratuité de l'accès au savoir

Les quelque 18,6 millions de contributeurs enregistrés à l'encyclopédie en ligne Wikipédia ont consacré bénévolement 41 019 000 heures à leur collaboration à ce projet, contre seulement 12 000 heures de travail pour la première édition de l'*Encyclopædia Britannica*, payante elle, qui a longtemps fait figure d'autorité en la matière. Rien qu'en France, plus d'1 million de rubriques sont modifiées chaque trimestre et, depuis le lancement de Wikipédia en 2001 jusqu'en avril 2013, 1,29 milliard de modifications ont été effectuées dans les diverses langues proposées[76].

Partout dans le monde où une connexion Internet est disponible, il est désormais possible de suivre gratuitement les cours des universités les plus prestigieuses. En France, toutes les universités ont un site Web dédié à l'enseignement en ligne (www.universites-numeriques.fr). Selon le ministère de l'Enseignement supérieur, qui a financé la formation de 2000 enseignants en la matière, le volume de cours disponibles en fichiers téléchargeables, vidéo ou audio, a triplé entre 2009 et 2010, passant de douze mille à trente mille heures. Cette pratique est inspirée de la célèbre université américaine Massachusetts Institute of Technology (MIT), qui ouvrit cette voie nouvelle il y a plus de vingt ans. Aujourd'hui, la plupart des grandes universités du monde lui ont emboîté le pas. Le site Internet Coursera (www.coursera.org) offre d'ores et déjà 370 cours gratuits issus de 33 universités à 3,5 millions d'abonnés, tandis que EDX (www.edx.org) met à disposition des cours enseignés dans 28 des plus prestigieuses universités, Harvard, MIT, l'École polytechnique de Lausanne, l'Université nationale d'Australie, etc.

Ces systèmes permettent de sélectionner les meilleurs cours disponibles, tout en augmentant la visibilité des enseignants, lesquels touchent désormais un très large public. Les enseignants se font quant à eux un devoir de fournir des cours bien présentés, attrayants et régulièrement mis à jour.

L'enseignant le plus écouté dans le monde

En août 2004, Salman Khan, qui s'occupait alors d'un hedge-fund à Boston, a commencé à donner des cours par téléphone à sa cousine, Nadia, qui avait du mal à faire ses devoirs de maths. Nadia ayant fait de rapides progrès, d'autres cousins demandèrent à bénéficier des conseils de «Sal». Pour faciliter les choses, en 2006, Sal a affiché des vidéos pédagogiques de dix minutes sur YouTube, afin que chacun puisse les consulter à sa convenance. En 2010, Sal a quitté son emploi de gestionnaire de fonds pour se consacrer à plein temps à sa vocation d'offrir «une éducation gratuite de niveau mondial à n'importe qui n'importe où», aidé de quelques collaborateurs (entre 10 et 30 personnes selon les besoins). Aujourd'hui, la «Khan Academy» offre gratuitement plus de 4300 vidéos sur l'arithmétique, la physique, la chimie, la biologie, l'histoire et la finance, qui ont été regardées par plus de 260 millions d'élèves, dont 6 millions de personnes différentes chaque mois.

Le succès de ces systèmes altruistes infirme donc les présuppositions des économistes classiques et montre que les systèmes fondés sur la coopération, l'ouverture et la confiance fonctionnent finalement mieux, comme le souligne Gilles Babinet, spécialiste des questions d'économie numérique :

La transition numérique restera incomplète sans le passage d'une culture de défiance et de cloisonnement à une culture de la collaboration et du partage. L'essor de la transformation numérique repose en effet sur des valeurs d'ouverture, de libre accès à l'information et de cocréation de valeur. Son succès est le plus souvent celui de la fertilisation croisée de contenus élaborés librement par de multiples contributeurs. Les sphères publiques ou les grandes entreprises privilégiant le cloisonnement, la culture du secret, le principe hiérarchique et les canaux de communication verticaux ont beaucoup de mal à s'adapter[77].

L'innovation au service du bien commun

Dans nombre de pays en voie de développement, des téléphones portables bon marché offrent des services bancaires à des millions de petits fermiers et producteurs, leur permettant de vendre directement leurs produits au meilleur prix sans passer par de multiples intermédiaires qui prélèvent à chaque étape une partie du profit. Au Kenya, Vodafone M-pesa sert ainsi 10 millions de petits producteurs, et les transactions faites par ce biais représentent 11 % du PIB national. En Inde, Thomson Reuters a mis en place, pour un coût équivalant à 4 euros d'abonnement par trimestre, un service de messagerie sur téléphone portable qui informe les paysans sur le cours des produits agricoles et les prévisions météo, tout en leur donnant des conseils. Une première évaluation des bienfaits de ce service a montré qu'il avait amélioré les revenus de 60 % des 2 millions de paysans qui y avaient souscrit[78].

Johnson & Johnson, une entreprise qui, depuis sa fondation en 1886, met l'accent sur les valeurs sociales, a aidé, par exemple, ses employés à cesser de fumer, ce qui a eu pour effet une diminution de deux tiers du nombre de fumeurs. Cette compagnie a, en fin de compte, économisé 250 millions de dollars en frais de santé, soit près de 3 dollars par dollar investi dans les programmes de désintoxication entre 2002 et 2008[79]. Johnson & Johnson a aussi été classée troisième parmi les entreprises les plus «vertes» aux États-Unis en 2012, selon l'hebdomadaire *Newsweek*[80]. On voit qu'il y a là des bénéfices mutuels pour l'employeur et l'employé, le producteur et le consommateur.

L'homme qui a changé le paysage du Bangladesh

Lorsque j'ai rencontré Fazle Abed pour la première fois à Vancouver, en prenant une tasse de thé, lors d'une conférence pour la paix avec le Dalaï-lama, j'ignorais tout de lui. Il m'a demandé ce que je faisais et je lui ai répondu que je m'occupais d'une organisation humanitaire qui avait construit une trentaine d'écoles et une quinzaine de cliniques. Il m'a alors affirmé sans la moindre affectation : «J'ai construit 35000 écoles.» Je me suis senti tout petit. À une autre occasion, à Delhi, il m'a dit : «C'est tout simple, tu n'as qu'à multiplier ce que tu fais par cent.»

C'est en tout cas ce qu'il a fait. Né au Pakistan oriental, qui allait devenir le Bangladesh, Fazle Abed étudia d'abord l'architecture navale à l'université de Glasgow. Étant donné qu'il n'y avait quasiment pas de chantiers navals au Pakistan oriental, il fit des études d'expert-comptable à Londres. De retour dans son pays, Fazle fut embauché par la compagnie Shell; ses compétences lui permirent de gravir rapidement les échelons de l'entreprise. En 1970, il travaillait au siège de la compagnie à Londres lorsqu'un cyclone dévasta son pays, faisant 300000 victimes. Fazle décida de quitter son emploi hautement rémunéré et de repartir au Pakistan oriental où, avec quelques amis, il créa HELP, une organisation dont le but était d'aider les plus sinistrés de l'île de Manpura, laquelle avait perdu les trois quarts de sa population. Il fut contraint de quitter à nouveau le Pakistan oriental lors des combats qui précédèrent la partition d'avec le Pakistan occidental. Il créa une ONG pour soutenir la cause de l'indépendance de son pays auprès des pays européens.

Lorsque la guerre d'indépendance fut terminée, fin 1971, Fazle vendit son appartement à Londres et partit, en emmenant tous ses biens, afin de voir ce qu'il pourrait apporter à son pays. Le nouveau Bangladesh sortait d'une guerre dévastatrice, et les 10 millions de personnes qui s'étaient réfugiées en Inde étaient revenues. Fazle choisit de commencer ses activités dans une région rurale reculée du Nord-Est, et fonda Bangladesh Rural Advancement Committee (BRAC). Grâce à son génie de l'organisation et à sa lucidité, BRAC est aujourd'hui la plus grande ONG du monde. À ce jour, cet organisme a aidé 70 millions de femmes et, en tout, plus de 110 millions de personnes dans 69000 villages. Il emploie 80000 bénévoles et 120000 salariés dans un nombre sans cesse croissant de pays, en Afrique notamment, où il a constaté que son modèle d'intervention à de multiples niveaux – microcrédit (80 millions de personnes en ont bénéficié par l'intermédiaire de BRAC), éducation, gestion de l'eau potable, amélioration de l'hygiène, etc. – était tout à fait approprié et efficace dans des régions où très peu d'autres programmes avaient réussi. Il n'est pas exagéré de dire que BRAC a changé le paysage du Bangladesh. Il n'y a pas un endroit, dans les campagnes, où le sigle de cette ONG n'est pas apposé sur une école, un atelier de formation de femmes ou un centre de planning familial.

Fazle Abed a réussi son pari. Il n'a pas seulement multiplié ses activités par cent, mais par cent mille, tout en conservant la même efficacité et la même qualité. Au Forum économique mondial de Davos, bon nombre de participants arrivent en jet privé à l'aéroport de Milan, puis se rendent en hélicoptère ou en limousine jusqu'à la célèbre station de villégiature. Un matin, à 5 heures, à la fin du Forum de 2010, j'ai retrouvé Fazle, assis seul dans l'obscurité d'un car qui devait nous emmener à l'aéroport de Zurich. Cela en disait long, pour moi, sur la simplicité et la modestie derrière lesquelles se cache l'indomptable détermination qui lui a permis d'accomplir une si grande tâche.

40

La simplicité volontaire et heureuse

La civilisation dans le vrai sens du terme ne consiste pas à multiplier les désirs mais à les réduire volontairement. Cela seul instaure le vrai bonheur et le contentement tout en accroissant notre capacité de servir.

Gandhi[1]

Le mot «austérité» n'est pas agréable à entendre. Dans l'esprit de la plupart des gens, il évoque la privation des plaisirs quotidiens, une vie morne et des restrictions interdisant de s'épanouir librement dans l'existence. De plus, d'après certains économistes, l'histoire montre que les programmes d'austérité sont généralement peu efficaces, du fait qu'ils induisent un sous-emploi, conduisant au chômage et à la récession[2].

La simplicité volontaire est un concept très différent. Elle ne consiste pas à se priver de ce qui nous rend heureux – ce serait absurde – mais à mieux comprendre ce qui procure une satisfaction véritable et à ne plus être assoiffé de ce qui engendre davantage de tourments que de bonheur. La simplicité va de pair avec le contentement.

«La simplicité volontaire, selon l'activiste social américain Duane Elgin, est une vie extérieurement simple et intérieurement riche[3].» D'après lui, cette simplicité n'exige pas un «retour à la nature» pour ceux qui l'ont déjà quittée et peut être pratiquée dans toutes les situations. Simplifier notre existence, c'est avoir l'intelligence d'examiner ce que l'on considère habituellement comme des plaisirs indispensables et de vérifier s'ils apportent un authentique mieux-être. La simplicité volontaire peut être ressentie comme un acte libérateur. Elle n'implique donc pas de vivre dans la pauvreté, mais dans la sobriété. Elle n'est pas la solution à tous les problèmes, mais elle peut certainement y contribuer. La simplicité volontaire n'est pas non plus l'apanage de tribus primitives qui n'ont pas d'autre choix : un sondage effectué en Norvège a montré que 74 % des personnes interrogées préféreraient une vie plus simple, centrée sur l'essentiel et l'indispensable, à une vie opulente liée à de nombreux avantages matériels obtenus au prix d'un stress élevé[4]. La simplicité volontaire n'est pas non plus une mode née dans les pays riches. Cette façon de vivre, parfois associée à la sagesse, a été louée de tout temps dans toutes les cultures.

L'écrivain et penseur Pierre Rabhi, l'un des pionniers de l'agroécologie, estime que le temps est venu d'instaurer une politique et une culture fondées sur la puissance d'une « sobriété heureuse », à laquelle on a librement consenti, en décidant de modérer ses besoins, de rompre avec les tensions anthropophages de la société de consommation et de remettre l'humain au cœur des préoccupations. Un tel choix s'avère alors être profondément libérateur[5].

Il nous est loisible d'accroître sans cesse nos biens, de vivre dans une belle maison décorée avec style, de manger des plats toujours plus raffinés, mais à quel prix ? Celui de notre temps, de notre énergie et de notre attention et, en fin de compte, de notre bien-être... Comme le disait le sage taoïste Tchouang-tseu : « Celui qui a pénétré le sens de la vie ne se donne plus de peine pour ce qui ne contribue pas à la vie. »

La crise actuelle a en effet deux aspects. Le premier est un drame humain, celui des populations les plus pauvres qui souffrent durement des crises financières et de l'inégalité croissante, alors que les riches sont peu affectés et en profitent même pour s'enrichir davantage. Le deuxième est lié à la quête inépuisable du superflu. Récemment, j'ai vu au milieu du hall d'un grand hôtel de Singapour d'immenses colonnes en marbre de deux mètres de diamètre qui s'élevaient jusqu'au plafond. Cette décoration ostentatoire avait dû coûter une fortune tout en étant parfaitement inutile.

La simplicité volontaire est à la fois heureuse et altruiste. Heureuse du fait qu'elle n'est pas constamment tourmentée par la soif du « davantage » ; altruiste, car elle n'incite pas à concentrer entre quelques mains des ressources disproportionnées qui, réparties autrement, amélioreraient considérablement la vie de ceux qui sont privés du nécessaire.

La simplicité volontaire est également assortie à la sagesse : n'aspirant pas au déraisonnable, on garde constamment dans le champ de sa conscience le sort de ceux qui aujourd'hui sont dans le besoin ainsi que le bien-être des générations futures.

Que peut-on espérer du consumérisme* ?

En 1955, un spécialiste américain de la vente au détail du nom de Victor Lebow décrivait ce qu'un capitalisme en pleine expansion exigerait de nous :

> Notre économie superproductive exige que nous fassions de la consommation notre mode de vie, que nous convertissions l'achat et l'utilisation de biens en rituels, que nous cherchions nos satisfactions spirituelles et celles de notre ego dans la consommation. L'économie a besoin que les choses soient consommées, brûlées, épuisées, remplacées et jetées à un rythme toujours croissant[6].

Lors de la crise financière de 2008, l'une des premières réactions publiques du président George W. Bush a été de demander aux citoyens américains de recommencer à consommer au plus vite. Plus ils consommeraient, plus le pays se remettrait rapidement de la crise, et plus les gens seraient heureux.

Le moins que l'on puisse dire est que cette logique ne correspond pas aux conclusions des recherches scientifiques. Les multiples effets du consumérisme ont été étudiés sur de longues périodes de temps par des psychosociologues, en particulier Tim Kasser (auteur de *The High Price of Materialism* «Le coût élevé du matérialisme») et ses collègues. Leurs études, couvrant deux décennies et impliquant des échantillons de milliers de participants représentatifs de la population dans son ensemble, ont établi que les individus les plus portés à la consommation de toutes sortes de biens et services – ceux qui donnent la priorité à la richesse, à l'image, au statut social et à diverses autres valeurs matérialistes promues par une société dite de consommation – sont nettement moins satisfaits de leur vie que ceux qui mettent l'accent sur les valeurs plus fondamentales de l'existence comme l'amitié, le contentement, la qualité

* Nous employons ici le mot «consumérisme» au sens répandu en sociologie (bien que douteux du point de vue étymologique) qui définit une attitude et un mode de vie centrés sur la consommation. Il ne s'agit donc pas ici du sens, lui aussi courant, qui définit l'«action concertée de consommateurs».

de l'expérience vécue, le souci d'autrui ainsi que le sentiment de responsabilité à l'égard de la société et de l'environnement.

Comparés au reste de la population, ceux qui sont enclins à rechercher leur satisfaction dans la consommation de toutes sortes de biens, et qui sont attachés aux valeurs matérielles éprouvent moins d'émotions positives. Lorsqu'on leur demande de consigner dans un journal intime leurs expériences quotidiennes, on constate qu'ils parlent moins de joie, d'enthousiasme, de gratitude et de sérénité que les personnes peu enclines au consumérisme.

Toujours selon l'étude de Tim Kasser, les grands consommateurs sont plus anxieux et déprimés, davantage sujets aux maux de tête et aux douleurs d'estomac. Ils ont moins de vitalité et font état de difficultés à s'adapter à l'existence en général. Leur santé est moins bonne que celle de la moyenne de la population. Ils boivent plus d'alcool et fument plus de cigarettes. Ils passent plus de temps à regarder la télévision. Quand ils se sentent un peu déprimés, ils ont tendance à aller « faire du *shopping*». Préoccupés par leurs possessions, ils sont plus contrariés que la moyenne s'ils viennent à les perdre. Ils rêvent plus souvent à la mort qui les tourmente. Ils admirent les riches et estiment que ces derniers sont « intelligents, cultivés, et réussissent en tout». Selon le Dalaï-lama, « cela explique pourquoi mettre trop d'espoir dans le développement matériel est une erreur. Le problème n'est pas le matérialisme en tant que tel. C'est plutôt l'hypothèse sous-jacente selon laquelle un parfait contentement pourrait naître de l'assouvissement des seuls sens[7]. »

Consommation et altruisme

On note en particulier que les matérialistes à tous crins expriment, par rapport à la moyenne, peu d'empathie et de compassion envers ceux qui souffrent; ils sont manipulateurs et ont tendance à exploiter les autres à leur profit. Les recherches de Kasser ont aussi montré qu'ils n'aiment pas se mettre mentalement « à la place de l'autre »[8]. Peu intéressés par les solutions qui nécessitent une vue d'ensemble des problèmes, ils préfèrent la compétition à la coopération[9]. Ils contribuent moins à l'intérêt général et ne sont guère concernés par les questions environnementales. Leurs liens sociaux sont faibles : ils ont des relations professionnelles, mais peu de vrais amis. Leurs amitiés et leurs relations sont plus superficielles et moins durables que celles du reste de la population. Ils souffrent davantage de la solitude et se sentent détachés de leur environnement.

Bref, d'après Tim Kasser, il semble que «les valeurs matérialistes amènent les gens à penser qu'ils n'ont aucun avantage à être proches des autres et à leur manifester de la sollicitude, car ils n'ont rien à y gagner. [...] Ces valeurs conduisent les individus à considérer les autres principalement comme des instruments pour arriver à leurs fins matérialistes[10]».

Le psychologue Barry Schwartz parle d'«amitiés utilitaires» et estime que dans les sociétés capitalistes et consommatrices, «tout ce qui est nécessaire, c'est que chaque "ami" puisse offrir quelque chose d'"utile" à l'autre. Les amitiés utilitaires se rapprochent beaucoup des relations contractuelles de l'économie de marché[11]».

Ces corrélations négatives entre les tendances consuméristes et le bien-être ont été observées dans une large variété de contextes en Amérique du Nord et du Sud, en Europe et en Asie. Partout, l'importance accordée à la richesse et au statut social se révèle être liée à un moindre souci pour l'environnement en général[12].

En somme, les recherches de Kasser et de ses collègues démontrent que le goût pour la consommation et les valeurs matérialistes favorisent la souffrance personnelle et font obstacle à l'établissement d'interactions humaines harmonieuses et empreintes de sollicitude. Sheldon et Kasser ont également montré qu'atteindre des buts liés aux valeurs humaines entraîne une satisfaction beaucoup plus grande que la réalisation d'objectifs matériels[13].

La société de consommation est fondée sur le culte du désir. Influencé par un neveu de Sigmund Freud, Edward Bernays (lequel était en charge de la machine de propagande du président Woodrow Wilson et l'un des maîtres à penser des entreprises de publicité), banquier à Wall Street dans les années 1930, expliquait ainsi ses objectifs :

> Nous devons faire glisser les Américains d'une culture des besoins vers une culture du désir. Les gens doivent être habitués à désirer, à vouloir de nouvelles choses, avant même que les précédentes aient été entièrement consommées. Nous devons former une nouvelle mentalité. Les désirs de l'homme doivent l'emporter sur ses besoins[14].

Ces belles paroles me rappellent la réflexion d'un lama tibétain contemplant les centaines de néons publicitaires qui illuminaient les façades des immeubles de Times Square à New York : «Ils essaient de voler mon esprit.»

Pour remédier à l'inclination pour la consommation, Kasser suggère en particulier d'interdire toute publicité destinée aux enfants, comme cela a été fait en Suède et en Norvège[15]. Il cite les propos révélateurs de Wayne Chilicki, P-DG de General Mills, l'une des plus grosses entreprises alimentaires du monde : «Quand il s'agit de cibler des consommateurs en bas âge, nous suivons chez General Mills le modèle de Procter & Gamble du "berceau jusqu'à la tombe". Nous pensons que nous devons attraper les enfants très tôt, puis les conserver toute la vie[16].»

Tim Kasser conclut qu'en mettant l'accent sur les valeurs extérieures par rapport aux valeurs intérieures, nous cherchons le bonheur là où il ne se trouve pas et nous contribuons à notre propre insatisfaction. Il remarque que, dans le paysage économique actuel, l'égoïsme et le matérialisme ne sont plus considérés comme des problèmes moraux, mais comme des objectifs cardinaux de l'existence. Ce qu'exprime ainsi Pierre Rabhi : «Le consommateur devient le rouage d'une machine qui produit toujours plus afin que l'on consomme toujours plus[17].»

Louer et réparer au lieu d'acheter

Il y a à peine un demi-siècle, on avait une montre ou un appareil photo pour la vie. On prenait soin de ces objets dont l'une des qualités principales était de durer. Aujourd'hui, le cycle de vie des produits de consommation est de plus en plus court, ce qui augmente considérablement la pollution industrielle. L'une des solutions proposées par l'homme politique Anders Wijkman et l'écologiste Johan Rockström est de remplacer l'achat de produits manufacturés par un système de location accompagné d'un service d'entretien et de mise à jour de qualité. Les consommateurs jouiraient des meilleurs produits disponibles, tandis que les fabricants auraient intérêt à maintenir le plus longtemps possible leurs produits en service et à les recycler de manière efficace.

Les services de maintenance créeraient également de nombreux emplois, ce qui n'est pas le cas lorsque les produits sont simplement mis au rebut. On renforcerait ainsi l'aspect circulaire et recyclable de la consommation, évitant l'interminable gaspillage qui est la norme aujourd'hui. En 2010, 65 milliards de tonnes de matières premières nouvellement extraites de l'environnement sont entrées dans le système économique. On s'attend à ce que ce chiffre atteigne 82 milliards en 2020[18].

Certaines initiatives ont été prises dans cette direction. La firme Xerox loue les services de ses machines au lieu de les vendre. De la même manière, Michelin loue les pneus pour véhicules lourds, les maintient en état et les recycle en fin de vie. Rolls-Royce a cessé de vendre ses moteurs à réaction aux compagnies aériennes, mais les loue et en assure la maintenance[19].

En France, le sénateur écologiste Jean-Vincent Placé a dénoncé l'obsolescence programmée, c'est-à-dire le fait que nombre d'industriels programment la durée de vie de leurs produits de sorte qu'elle dépasse légèrement celle de la garantie. À la première panne, les produits sont jugés irréparables et il faut donc en acheter un neuf.

Jean-Vincent Placé dénonce ce procédé comme «une aberration écologique et sociale», et a déposé en avril 2013 une proposition de loi imposant aux fabricants une extension de la durée légale de conformité du produit. Cette nouvelle garantie obligera les fabricants à prendre en charge les produits défectueux sur une période plus étendue (de deux à cinq ans). La loi proposée exige également la mise à disposition de pièces détachées pour les réparations sur une période de dix ans, à compter de l'achat du produit. Les fabricants qui réduiraient volontairement la durée de vie d'un produit encourraient deux ans de prison et jusqu'à 37 500 euros d'amende[20].

En Angleterre, de nombreux comités de bénévoles férus de mécanique et de bricolage se sont ainsi formés et la nouvelle tendance est : «On ne jette plus, on répare.» En France le site commentreparer.com met à la disposition des consommateurs des fiches explicatives pour les aider à réparer eux-mêmes leurs appareils.

L'argent ne fait pas le bonheur... sauf si on le donne

L'esprit s'enrichit de ce qu'il reçoit, le cœur de ce qu'il donne.

Victor Hugo

Il est évident que, pour ceux qui sont privés des moyens élémentaires de subsistance et ont du mal à nourrir leurs enfants, le fait de doubler ou de tripler leurs ressources peut tout changer et leur procurer un sentiment de satisfaction inespéré. Mais, passé le seuil de l'aisance, l'augmentation de la richesse ne conduit pas à une augmentation correspondante de la satisfaction de vie[21]. Le «paradoxe d'Easterlin» (schéma ci-dessous) doit son nom au chercheur qui a mis en évidence ce phénomène.

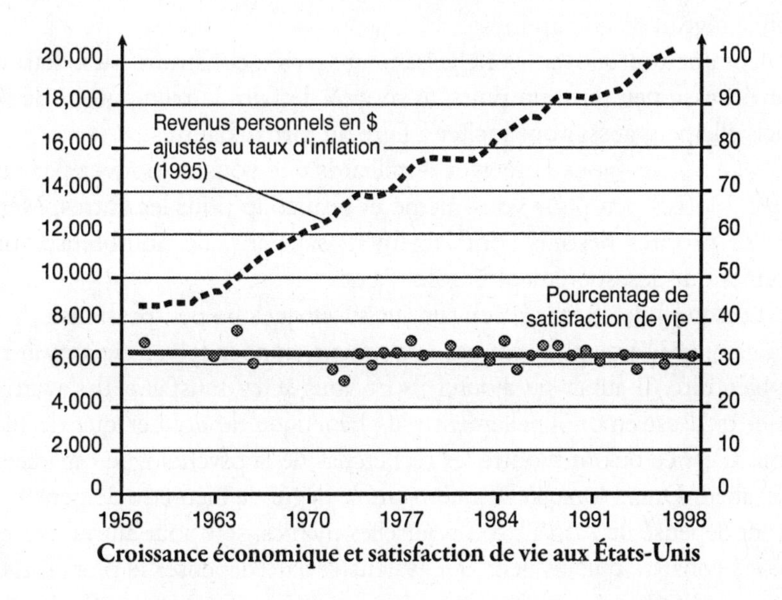

Croissance économique et satisfaction de vie aux États-Unis

Ce schéma illustre parfaitement que l'augmentation très importante de la croissance économique aux États-Unis n'a entraîné aucune augmentation de la satisfaction de vie[22].

Les Nigériens s'estiment tout aussi heureux que les Japonais alors que leur PIB par habitant est vingt-cinq fois inférieur à celui du Japon[23]. Selon Richard Layard, professeur à la London School of Economics :

«Ce paradoxe est vrai aussi bien pour les États-Unis, l'Angleterre et le Japon. [...] Nous avons plus de nourriture, plus de vêtements, plus d'automobiles, nous vivons dans de plus grandes maisons, équipées de chauffage central, nous passons davantage de vacances à l'étranger, nous avons une semaine de travail plus courte et jouissons, avant tout, d'une meilleure santé, et pourtant nous n'en sommes pas plus heureux[24].»

Bien d'autres facteurs sont aussi importants, sinon plus, que la richesse. La confiance dans ses semblables est l'un d'entre eux. Le Danemark est, selon de nombreuses études, l'un des pays où les gens sont les plus satisfaits de leurs conditions de vie. Il ne figure pas parmi les pays les plus riches, mais il y a très peu de pauvreté et d'inégalités. Cette satisfaction s'explique, entre autres raisons, par le haut niveau de confiance que les gens entretiennent les uns envers les autres, y compris à l'égard des inconnus et des institutions : les gens estiment qu'un inconnu est a priori bienveillant. Cette confiance va de pair avec un très faible niveau de corruption.

Comme tout moyen, la richesse peut servir à construire ou à détruire. La richesse peut être un puissant moyen de faire le bien autour de soi, mais elle peut aussi nous inciter à faire du tort aux autres.

Que pouvez-vous faire avec 4 milliards que vous ne pouvez pas faire avec 2? Très peu pour vous-même et beaucoup pour les autres. Même si vos propres besoins sont largement satisfaits, de nombreuses personnes ont désespérément besoin d'aide.

Lorsque Jules Renard, écrivain incisif et quelque peu pessimiste, s'exclamait : «Si l'argent ne fait pas le bonheur, donnez-le!», il ne croyait pas si bien dire. Il aurait pu ajouter : «Et vous serez satisfait.» Il s'avère en effet qu'il est émotionnellement plus bénéfique de donner que de recevoir. C'est ce qu'ont montré les recherches de la psychologue canadienne Elizabeth Dunn, lorsqu'elle a comparé le degré de bien-être de personnes ayant dépensé de l'argent soit pour elles-mêmes, soit pour autrui : «Nous avons constaté que les gens qui avaient déclaré dépenser le plus d'argent pour autrui étaient aussi les plus heureux[25].» Cet effet a été confirmé, aussi bien dans le cas de la philanthropie à grande échelle que pour les dons d'un montant de 5 dollars, au cours d'une enquête conduite dans 136 pays où chaque fois 1 300 personnes en moyenne ont été interrogées[26].

La corrélation entre l'argent et le bonheur est donc étonnamment faible, ce qui, selon les psychologues Elizabeth Dunn, Daniel Gilbert et Timothy Wilson, peut s'expliquer en partie par la façon dont les gens dépensent leur argent. S'appuyant sur des recherches empiriques, ils suggèrent que, pour être heureux, les consommateurs invétérés feraient mieux de rechercher davantage d'expériences gratifiantes que d'objets matériels, d'utiliser leur argent pour aider les autres au lieu de le dépenser pour eux-mêmes, de cesser de se comparer matériellement à autrui (ce qui alimente l'envie ou la vanité), et d'accorder une attention toute particulière au bonheur des autres[27].

Simplifier, simplifier, simplifier

«Notre vie se perd dans des détails... Simplifiez, simplifiez, simplifiez!» disait le moraliste américain Henry David Thoreau. Simplifier ainsi ses actes, ses paroles et ses pensées, c'est ne pas se laisser accaparer par des activités et des ambitions qui dévorent le temps et n'apportent que des satisfactions mineures et se contenter matériellement de ce qui est utile et nécessaire à une vie décente sans désirer le superflu.

En 2005, Kirk Brown et Tim Kasser ont comparé un groupe de deux cents adeptes de la simplicité volontaire à un groupe de deux cents Américains ordinaires. Plusieurs différences intéressantes sont apparues : les pratiquants de la simplicité volontaire étaient beaucoup plus satisfaits de leur vie, nettement plus susceptibles d'agir de façon favorable à l'environnement et de réduire leur empreinte écologique[28].

Le président de la simplicité

L'Uruguayen José Mujica, plus connu sous le nom de Pepe, est non seulement le président le plus pauvre du monde, il est aussi en passe de devenir le plus populaire. Le journal *Courrier international* a sélectionné son histoire comme étant l'«article préféré» pour l'année 2012. À ceux qui s'étonnent, il explique : «Mon style de vie n'a rien de révolutionnaire, je ne suis pas pauvre, je vis simplement. J'ai l'air d'être un vieil homme excentrique, mais c'est un choix libre et délibéré.»

Avant d'arriver à la présidence, il avait passé quinze ans en prison, dont neuf dans un isolement total, payant ainsi très cher son engagement auprès des Tupamaros qui luttaient contre la dictature. Torturé tout au long de sa détention, il est presque devenu fou. Il explique que ce sont la lecture et l'écriture qui lui ont sauvé la vie. En 1985, quand la démocratie a été restaurée, Pepe Mujica s'est lancé dans la politique et a été élu président en 2009.

Pour Pepe, pas de luxueux palais présidentiel à Montevideo. Le président préfère vivre dans une ferme délabrée de 45 mètres carrés sous un toit en zinc, avec un puits dans le jardin où il va puiser l'eau, dans une banlieue pauvre de Montevideo. Il y habite depuis vingt ans avec sa femme Lucia et sa chienne Manuela, une bâtarde à trois pattes. La maison ne lui appartient même pas, elle est à sa femme, qui est sénatrice. Tous deux cultivent eux-mêmes la terre pour vendre des fleurs.

José Mujica reverse plus de 90 % de son salaire présidentiel (environ 9 400 euros par mois) à des ONG, notamment à un programme de logement pour les habitants les plus pauvres. Ce qui lui reste pour vivre est à peu près équivalent au revenu moyen en Uruguay. Mujica refuse la société de consommation, citant les philosophes de l'Antiquité : « Le pauvre, c'est celui qui a besoin de beaucoup. » Sa seule possession est une Volkswagen Coccinelle, achetée en 1987 et estimée à 1 400 euros. Ses dernières vacances, il les a passées avec Lucia, aux terrasses des cafés, sans garde du corps.

« Je veux avoir du temps pour les choses qui me motivent. [...] C'est ça, la vraie liberté : la sobriété, consommer peu, avoir une petite maison qui me laisse du temps pour profiter de ce que j'aime vraiment. [...] Si j'avais beaucoup de choses, il faudrait que je fasse attention à ce qu'on ne me les vole pas. La vieille ou moi, on passe le balai, et voilà, il nous reste beaucoup de temps, c'est ça qui nous enthousiasme. »

En septembre dernier, à soixante-dix-sept ans, il est apparu à une importante conférence latino-américaine du Mercosur* avec le nez cassé : il a expliqué qu'il s'était blessé en aidant un voisin à réparer sa maison détruite lors d'intempéries. Il a son franc-parler et n'a pas hésité à traiter le couple Kirchner, à la tête de l'Argentine, de « péronistes délinquants », et l'ancien président argentin Carlos Menem de « mafieux » et de « voleur ». L'Uruguay est le pays le moins corrompu du continent sud-américain, et l'un des plus heureux.

Pepe Mujica accuse la plupart des dirigeants du monde de nourrir une « pulsion aveugle de promotion de la croissance par la consommation, comme si le contraire signifiait la fin du monde[29] ».

Un appel à la simplicité

En juin dernier, lors de la conférence sur le développement durable des Nations unies « Rio + 20 », José Mujica, encore lui, a fait un discours mémorable sur la simplicité :

* Abréviation de « Marché commun du Sud » en espagnol, communauté économique qui regroupe plusieurs pays d'Amérique du Sud.

Nous ne pouvons pas continuer, indéfiniment, à être gouvernés par les marchés ; nous devons gouverner les marchés. [...] Les anciens penseurs Épicure, Sénèque, et même les Aymaras disaient : « Celui qui est pauvre n'est pas celui qui possède peu, mais celui qui a besoin de beaucoup et qui désire toujours avoir davantage. » [...]

Mes compatriotes se sont battus pour obtenir la journée de travail de huit heures. Aujourd'hui, ils travaillent six heures. Mais celui qui travaille six heures doit cumuler deux boulots ; donc il travaille encore plus qu'avant. Pourquoi ? Parce qu'il accumule les crédits à rembourser : la moto, la voiture... toujours plus de crédits. Et, quand il a fini de payer, c'est un vieillard perclus de rhumatismes, comme moi, et la vie est passée. Je vous pose la question. Est-ce que c'est cela, la vie ?

Nous touchons ici au cœur du problème. Le développement ne doit pas être opposé au bonheur, il doit favoriser le bonheur des hommes, il doit favoriser l'amour, les relations humaines, permettre de s'occuper de ses enfants, d'avoir des amis, d'avoir le nécessaire. Parce que c'est précisément la chose la plus précieuse.

41

L'altruisme envers les générations futures

L'holocène : une période exceptionnelle pour la prospérité humaine

Pendant les douze mille dernières années, nous avons vécu sous une ère géologique appelée «holocène», caractérisée par une exceptionnelle stabilité climatique qui a permis l'expansion de la civilisation humaine telle que nous la connaissons (voir figure page suivante). C'est dans l'environnement idéal de cette période tempérée que l'agriculture et les sociétés complexes ont pu se développer. Il n'a fallu alors qu'un millier d'années à la majorité des semi-nomades vivant de chasse et de cueillette pour se sédentariser il y a environ dix mille ans[1].

Avant l'holocène, les humains avaient beaucoup de mal à survivre. Il fut même un temps où ils frôlèrent l'extinction : des études sur l'ADN des populations mondiales montrent que nous descendons probablement tous de seulement 2000 individus, seuls rescapés, il y a environ cent mille ans, de conditions de vie particulièrement dures dans la région subsaharienne[2]. Nous sommes les survivants d'une espèce menacée et, cette survie, nous la devons en grande partie à la stabilité sans précédent du climat des dix derniers milliers d'années. Avant cela, les glaciations et la forte instabilité du climat limitaient l'accroissement de la population. Il y a douze mille ans, la Terre comptait 1 à 10 millions d'êtres humains, il y a cinq mille ans environ 15 millions. Ce n'est que depuis deux mille cinq cents ans à peu près que le seuil de 100 millions a été dépassé[3].

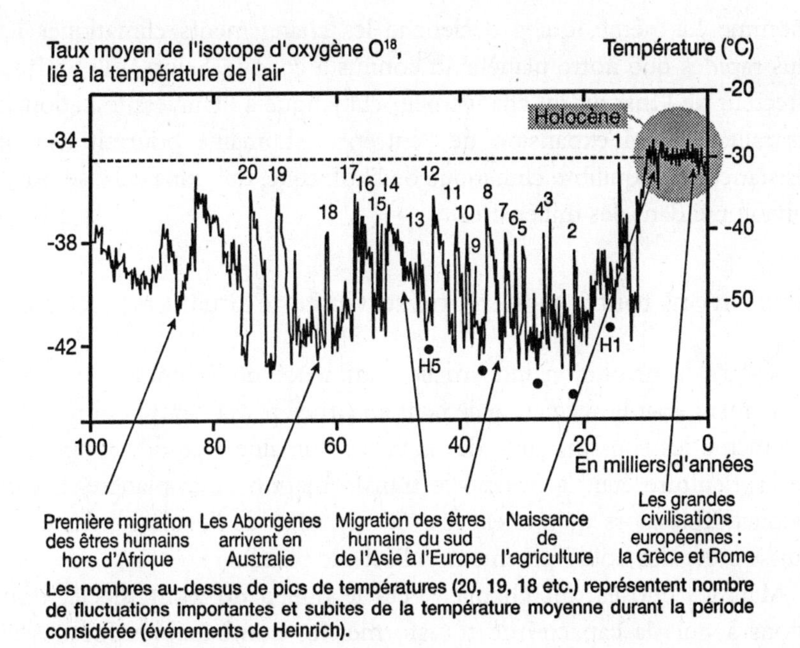

Les nombres au-dessus de pics de températures (20, 19, 18 etc.) représentent nombre de fluctuations importantes et subites de la température moyenne durant la période considérée (événements de Heinrich).

Durant la période glaciaire qui a précédé l'holocène, une grande partie de l'hémisphère Nord était recouverte de glaciers de plusieurs kilomètres d'épaisseur, interdisant la formation d'importantes sociétés humaines et la pratique de l'agriculture. Pourtant, la température moyenne *n'était que de 4 à 5 °C plus basse que celle d'aujourd'hui*, ce qui montre à quel point des écarts de température qui peuvent sembler a priori minimes sont susceptibles d'engendrer des conditions de vie radicalement différentes.

Quelques perturbations climatiques mineures se sont certes produites durant l'holocène – le réchauffement de l'an 1000 et la petite glaciation du début du XVIIe siècle – mais, chaque fois, le système terrestre a rapidement retrouvé son équilibre.

La raison la plus probable de cette stabilité climatique exceptionnelle des dix derniers millénaires est que l'orbite de la Terre autour du Soleil est restée particulièrement stable, à peu près circulaire, depuis douze mille ans. Les variations de cette orbite sont en effet considérées comme une cause majeure des changements climatiques qui se sont produits dans le passé[4]. Cette stabilité pourrait se poursuivre pendant au moins vingt mille ans si elle n'était pas aujourd'hui menacée par l'homme lui-même, qui a déclenché les changements climatiques les plus rapides que notre planète ait connus à ce jour. Selon Will Steffen, directeur de l'Institut du changement climatique à l'Université nationale australienne : «L'expansion de l'entreprise humaine pourrait user la résistance de l'équilibre climatique de l'holocène, qui, sans cela, se poursuivrait pendant des millénaires[5].»

Nous avons tout à gagner à préserver cette situation favorable

Jusqu'à la révolution industrielle, l'influence de l'homme sur l'environnement était limitée et facilement absorbée par la nature qui recyclait elle-même les sous-produits des activités humaines. Le développement de l'agriculture était la principale transformation de la planète. Il était inconcevable alors qu'une espèce vivante issue de l'évolution naturelle puisse créer des bouleversements à l'échelle planétaire.

Mais les choses ont changé. Vers le milieu du XVIIIe siècle, nous avons acquis la capacité de transformer les combustibles fossiles en sources d'énergie bon marché et efficaces, innovation qui a permis un développement économique et social sans précédent. Le captage et la transformation de l'azote de l'atmosphère en produits chimiques, les fertilisants en particulier, ont eux aussi été rendus possibles par l'utilisation des énergies fossiles. D'immenses progrès furent réalisés dans le domaine des conditions sanitaires, de la médecine et de la viabilité des environnements urbains, permettant une explosion de la population : 1 milliard d'habitants peuple la planète en 1800, 7 milliards aujourd'hui.

Ces nouvelles sources d'énergie ont permis à l'homme d'aménager et d'exploiter de vastes régions restées jusqu'alors sauvages, entraînant en particulier une déforestation sans précédent. En 2011, la moitié des forêts de la Terre avait été abattue, la plus grande partie durant les cinquante dernières années. Depuis 1990, la moitié des forêts tropicales a été détruite et il est possible qu'elles disparaissent entièrement d'ici à quarante ans[6].

Pour la première fois, les caractéristiques d'une ère géologique sont étroitement associées à l'action de l'homme. Depuis 1950, nous sommes en effet entrés dans cette ère qu'il est désormais convenu d'appeler l'anthropocène, l'«ère humaine», la première au cours de laquelle les activités de l'homme sont devenues le principal agent de transformation de la planète, l'équivalent des plus grandes forces de la nature.

Pourquoi 1950? Si l'on regarde les courbes de croissance des divers facteurs qui ont eu un impact sur l'environnement, on constate que les années 1950 ont marqué ce que les scientifiques ont nommé «la grande accélération*».

Les graphiques présentés ci-après sont éloquents : la consommation d'eau douce, le nombre d'automobiles, la déforestation, l'exploitation des ressources marines, l'utilisation d'engrais chimiques, le taux de CO_2 et de méthane dans l'atmosphère, etc., ont augmenté de façon quasi exponentielle. Il n'est pas nécessaire d'être un génie en mathématiques pour saisir qu'il est inconcevable que la croissance se poursuive au même rythme sans provoquer des bouleversements majeurs.

Le niveau de l'océan s'élève d'un peu plus de 3 millimètres par an, un rythme qui est le double de celui du XXe siècle; la température moyenne risque d'augmenter de 2 °C (selon les estimations les plus optimistes) à 8 °C avant la fin du siècle (selon les estimations les plus pessimistes); dans le monde, la surface de 95 % des glaciers se réduit d'année en année[7]; la déforestation ne ralentit pas**, et les océans se réchauffent et s'acidifient par suite de la dissolution du gaz carbonique en excédent dans l'atmosphère, affectant les organismes marins qui n'ont pas connu de changements aussi prononcés au cours des vingt-cinq derniers millions d'années. Aujourd'hui, selon Johan Rockström, directeur du Centre de résilience de l'université de Stockholm : «La pression humaine sur le système terrestre a atteint une telle importance que de brusques changements environnementaux mondiaux ne peuvent plus être exclus[8].»

* Certains font remonter le début de l'anthropocène au XVIIIe siècle. Toutefois la plupart des environnementalistes considèrent que c'est la «grande accélération», à partir de 1950, qui marque le début de cette ère en raison de l'ampleur des changements écologiques.

** La déforestation et les incendies qui l'accompagnent contribuent à hauteur d'au moins 20 % des émissions de CO_2 imputables à l'homme.

Bienvenue dans l'anthropocène : une planète façonnée par les humains

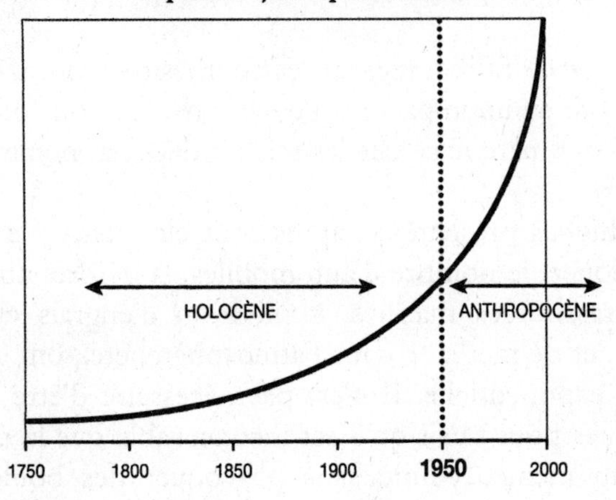

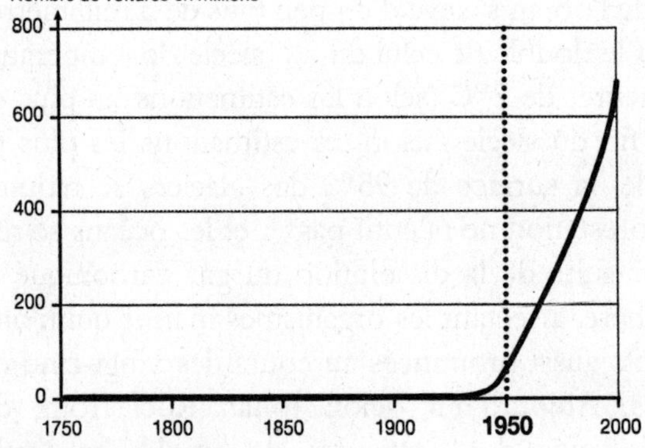

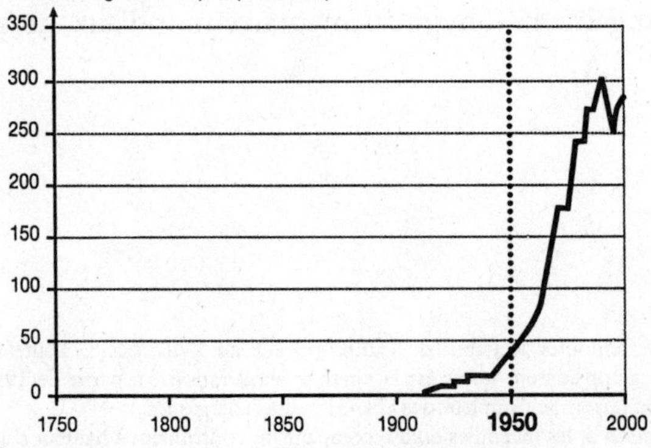

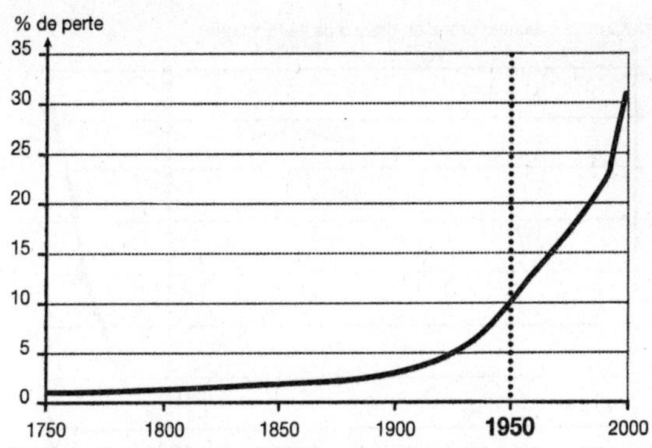

Perte de forêts tropicales humides et de régions boisées en Afrique tropicale, Amérique latine, Asie du Sud et du Sud-Est

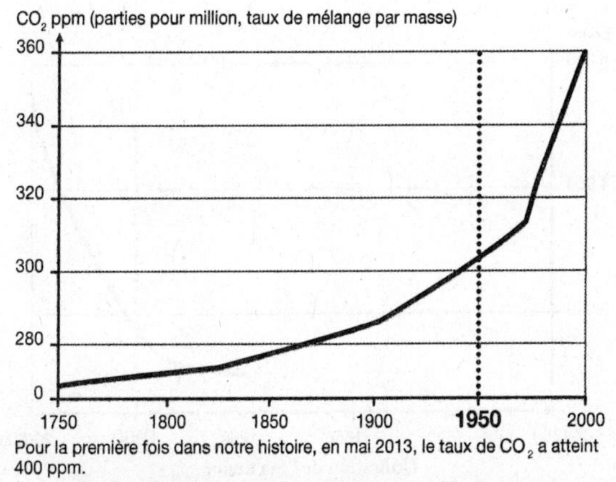

Pour la première fois dans notre histoire, en mai 2013, le taux de CO_2 a atteint 400 ppm.

Réchauffement de la planète par les gaz à effet de serre

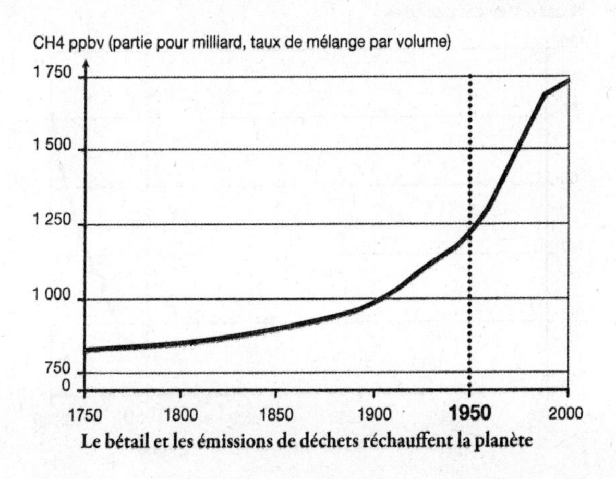

Le bétail et les émissions de déchets réchauffent la planète

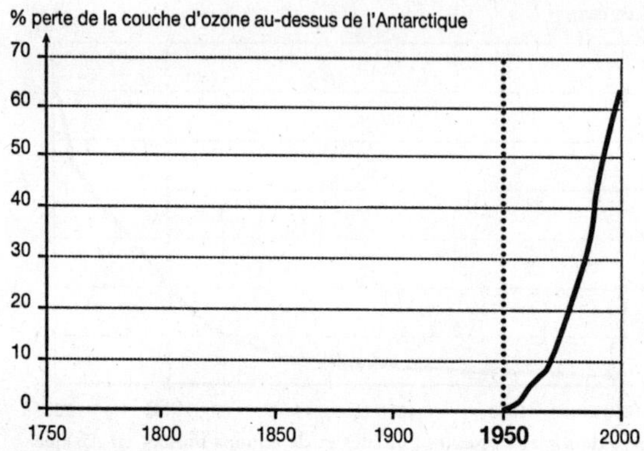

Corrélation entre la déperdition de la couche d'ozone protectrice et l'augmentation du cancer

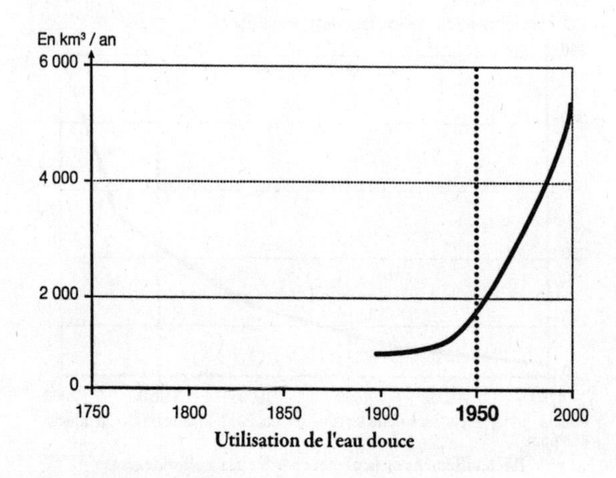

Utilisation de l'eau douce

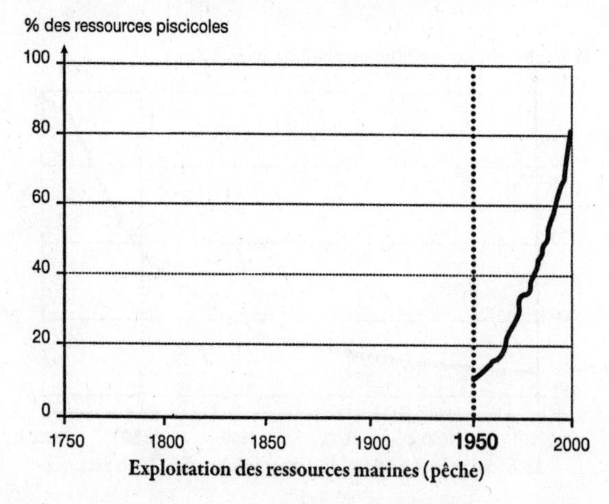

Exploitation des ressources marines (pêche)

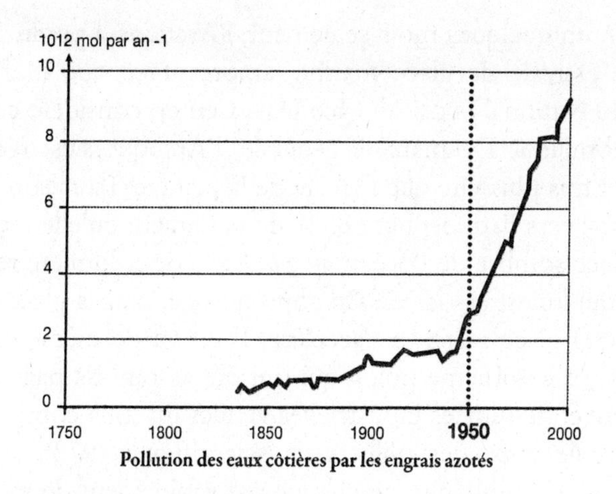

Pollution des eaux côtières par les engrais azotés

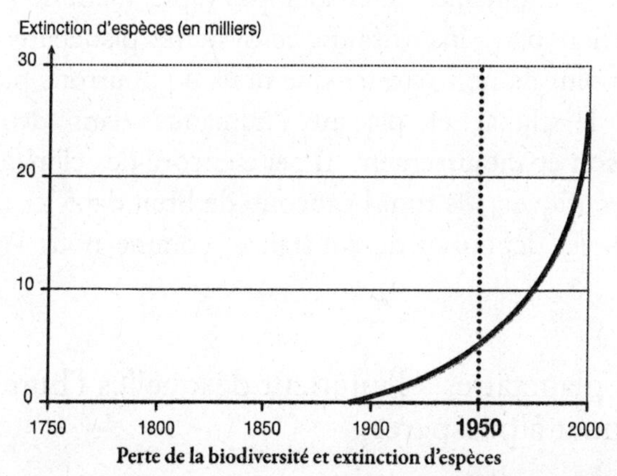

Perte de la biodiversité et extinction d'espèces

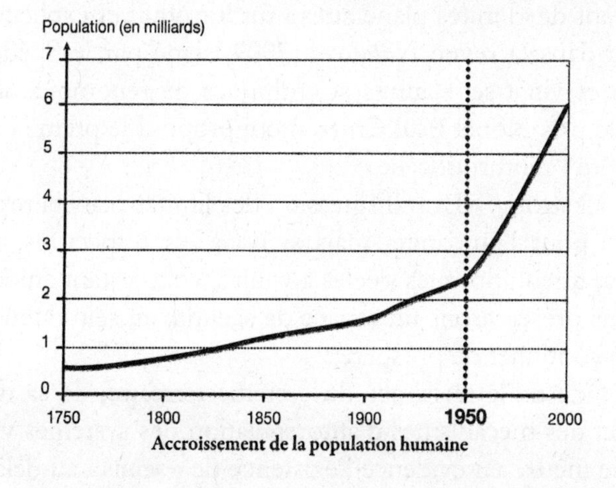

Accroissement de la population humaine

En 2007, en quelques mois seulement, l'Arctique a perdu 30 % de sa couverture estivale de glace marine, amorçant ce que Mark Serreze, directeur du National Snow and Ice Data Center, considère comme une « spirale mortelle[9] ». De manière générale, l'Arctique s'est réchauffé au moins deux fois plus vite que le reste de la planète. La raison en est que la glace *reflète* vers l'atmosphère 85 % de la lumière qu'elle reçoit, tandis que la surface sombre de l'océan *absorbe* 85 % de la lumière reçue (et de la chaleur qui lui est associée). En conséquence, plus la glace fond, plus la fonte de la glace restante s'accélère. Il en va de même des glaciers himalayens, ce « troisième pôle » qui ont été assombris par la pollution de poussière et de fumées industrielles venues du sous-continent indien.

D'une seule voix, des milliers de scientifiques (97 % d'entre eux) affirment que si l'humanité ne change pas rapidement de mode de vie, et si sa réaction reste insuffisante, le système planétaire risque d'atteindre un « point de non-retour » que nous ne pourrons plus maîtriser, déstabilisant le climat et plaçant l'humanité dans des conditions contraires à son épanouissement. Il reste encore des climato-sceptiques (3 % des scientifiques), ils font beaucoup de bruit dans les médias, mais leur discours est dépourvu de substance, comme nous l'avons vu au chapitre 35.

Les limites planétaires à l'intérieur desquelles l'humanité peut continuer à prospérer

Le concept de « limites planétaires » fut introduit et explicité dans un article paru dans la revue *Nature* en 2009, signé par le Suédois Johan Rockström et vingt-sept autres scientifiques de renommée internationale, dont le prix Nobel Paul Crutzen qui proposa le premier de rebaptiser notre ère l'« anthropocène »[10].

Selon Rockström : « La transgression des limites planétaires peut être dévastatrice pour l'humanité, mais si nous les respectons, un avenir brillant nous attend pour les siècles à venir[11]. » En restant en deçà de ces limites, nous préserverons un espace de sécurité au sein duquel l'humanité pourra continuer de prospérer.

C'est l'étude de la résilience du système terrestre, de sa dynamique complexe et des mécanismes d'autorégulation des systèmes vivants qui a permis de mettre en évidence l'existence de « seuils » au-delà desquels il risque de se produire des «basculements» potentiellement irréversibles.

Pour dix grands changements environnementaux, des limites à ne pas franchir ont été identifiées et, pour la plupart, précisément quantifiées :
— le changement climatique;
— la diminution de la couche d'ozone;
— l'utilisation des sols (agriculture, élevage, exploitation des forêts)·
— l'utilisation de l'eau douce;
— l'appauvrissement de la biodiversité;
— l'acidification des océans;
— les entrées d'azote et de phosphore dans la biosphère et les océans (deux facteurs);
— la teneur de l'atmosphère en aérosols*;
— la pollution chimique.

Ces dix facteurs doivent être maintenus dans une zone de sécurité au-delà de laquelle nous risquons d'atteindre un point de non-retour. Comme on le voit sur les figures ci-après, tous les facteurs mesurés étaient insignifiants en 1900 et restaient encore largement en 1950 en deçà des limites fixées ultérieurement. Aujourd'hui, trois facteurs majeurs – le changement climatique, la perte de biodiversité (dont le taux est devenu dix à cent fois supérieur au taux de sécurité[12]), et la pollution par les composés azotés (dont le taux est trois fois supérieur à la limite de sécurité) – ont franchi leurs limites respectives, et les six autres s'en approchent rapidement.

Il y a bien sûr une marge d'incertitude dans les évaluations de ces limites, mais ce qui est certain, c'est que la biosphère est entrée dans une zone dangereuse, à l'image d'un automobiliste engagé dans la brume sur une route menant à un précipice sans connaître la distance exacte au-delà de laquelle il sera trop tard pour freiner.

Qui plus est, ces limites sont intimement dépendantes les unes des autres, et le dépassement de l'une d'elles peut déclencher un effet domino qui accélère le franchissement des autres. L'acidification des océans, par exemple, est étroitement liée au changement climatique, du fait qu'un quart du dioxyde de carbone supplémentaire généré par les humains se dissout dans les océans, où il forme de l'acide carbonique

* Les particules d'aérosol dans l'atmosphère sont responsables d'environ 800 000 décès prématurés chaque année dans le monde. La charge en aérosols est suffisamment importante pour être incluse parmi les limites planétaires, mais le seuil de sécurité n'a pas encore été déterminé quantitativement avec précision.

qui inhibe la capacité des coraux, des mollusques, des crustacés et du plancton à construire leurs coquilles et leurs squelettes. L'acidification de la surface des océans a augmenté de 30 % depuis le début de la révolution industrielle. Elle est aujourd'hui cent fois plus rapide qu'elle ne l'a jamais été depuis vingt millions d'années, endommageant gravement les récifs coralliens[13].

La perte de la biodiversité est particulièrement sévère. À l'allure où vont les choses, jusqu'à 30 % de tous les mammifères, oiseaux et amphibiens sont menacés d'extinction avant la fin du XXIe siècle[14]. Le taux d'extinction des espèces a été accéléré de 100 à 1 000 fois par les activités humaines au XXe siècle, comparé au taux moyen en l'absence de catastrophes majeures (du type de celle qui a conduit à la disparition des dinosaures). Au XXIe siècle, on s'attend à ce que ce taux soit encore multiplié par dix. Ce ne sont pas là des choses que l'on peut réparer.

Évolution des dix facteurs pour lesquels des limites planétaires de sécurité ont été définies

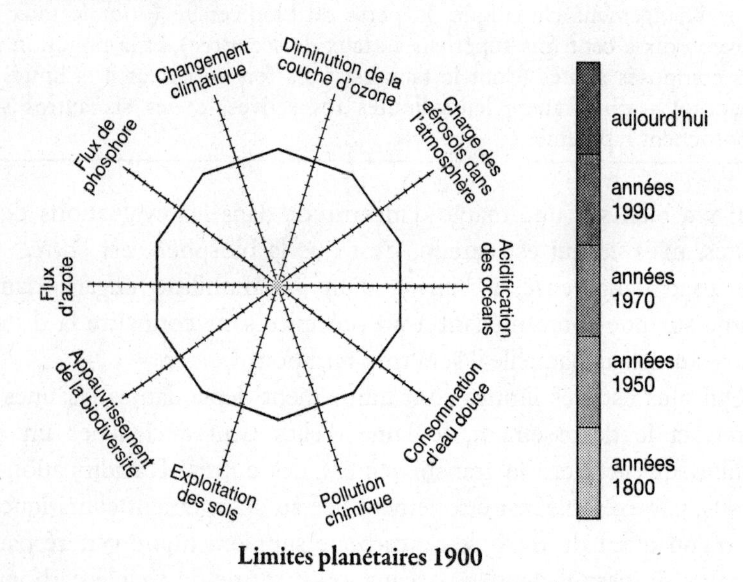

Limites planétaires 1900

Évolution des dix facteurs pour lesquels des limites planétaires de sécurité ont été définies

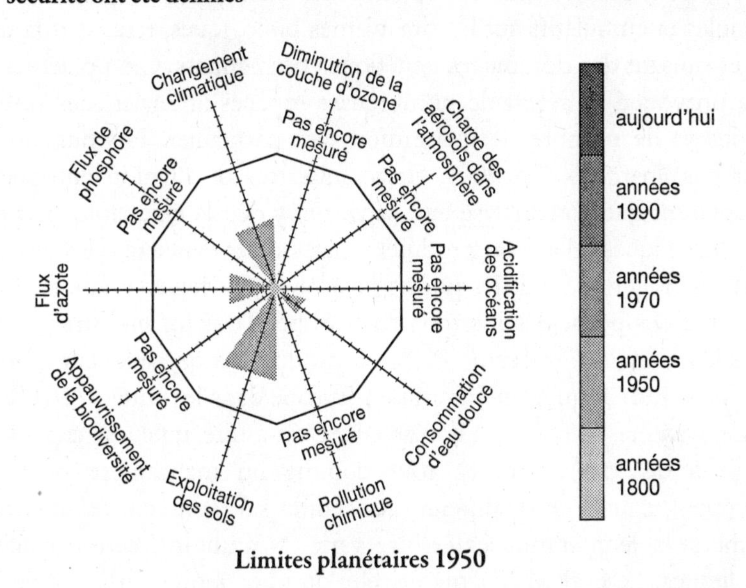

Limites planétaires 1950

Évolution des dix facteurs pour lesquels des limites planétaires de sécurité ont été définies

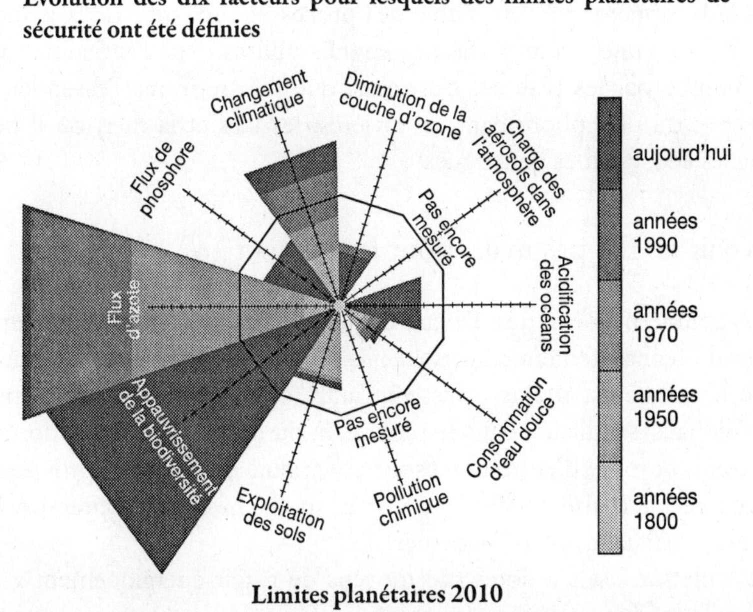

Limites planétaires 2010

Quant aux produits chimiques, les «polluants organiques persistants», les métaux lourds et les éléments radioactifs, ils ont des effets nuisibles et cumulatifs sur les organismes biologiques, réduisant la fertilité et causant des dommages génétiques permanents. Ces polluants ont déjà provoqué le déclin de nombreuses espèces animales, des oiseaux marins et de nombre de mammifères en particulier. Les humains ne sont pas épargnés. En 2004, treize ministres de l'Union européenne acceptèrent que l'on analyse leur sang. On y décela cinquante-cinq produits chimiques, allant de produits utilisés pour éviter que les aliments n'attachent sur le fond des poêles jusqu'aux plastiques et aux parfums, et même des pesticides interdits en Europe. Tous les ministres avaient dans leur sang des traces de PCB, un produit toxique qui était fabriqué par Monsanto et qui a été interdit en Europe dans les années 1970[15].

Le système planétaire est résilient, c'est-à-dire qu'il est capable de réagir à des perturbations, tout comme un mammifère peut, par exemple, réguler et maintenir constante sa température intérieure, même si la température extérieure varie. Néanmoins, cette capacité a des limites. Le cycle de l'azote et celui du phosphore, par exemple, ont été profondément perturbés. Les pratiques agricoles modernes et le traitement inadéquat des déchets urbains libèrent aujourd'hui plus d'azote dans la biosphère que l'ensemble des processus terrestres de la planète réunis. Seule une petite partie des engrais utilisés dans l'agriculture est métabolisée par les plantes; c'est ainsi que l'on retrouve l'essentiel de l'azote et du phosphore dans les rivières, les lacs et la mer, où il perturbe les écosystèmes aquatiques[16].

L'avenir ne fait pas mal... pour le moment

La grande majorité des Tibétains que je connais n'a jamais entendu parler du réchauffement climatique; ils savent tous, en revanche, que la glace hivernale est moins épaisse qu'autrefois et que les températures sont en hausse. Ailleurs dans le monde, là où l'accès à l'information est libre, bon nombre d'entre nous sont conscients des dangers provoqués par ce réchauffement climatique, mais nous hésitons à prendre les mesures suffisantes pour l'endiguer.

L'évolution nous a dotés des moyens de réagir énergiquement à un danger immédiat, mais il nous est plus difficile de nous sentir concernés par un problème qui se produira dans dix ou vingt ans. Nous avons tendance à penser : « On verra bien quand ça arrivera. »

Nous sommes encore moins enclins à tenir compte des conséquences de notre train de vie sur l'environnement des générations futures. Souvent nous répugnons à l'idée de nous priver de plaisirs immédiats dans la perspective de réduire les effets désastreux qu'ils auront très probablement à long terme. Diana Liverman, une chercheuse respectée en science de l'environnement, regrettait que le CO_2 ne soit pas de couleur rose. Si tout le monde pouvait voir le ciel devenir de plus en plus rose à mesure que nous émettons du CO_2 il est probable que nous nous alarmerions un peu plus des conséquences de ces émissions[17].

Les Indiens d'Amérique avaient coutume de dire qu'avant de prendre une décision importante, il fallait envisager les effets de cette décision sur leur peuple jusqu'à la septième génération. Aujourd'hui, il est bien difficile d'intéresser les décideurs à ce qui risque d'arriver à la génération suivante. Quant aux économistes ultralibéraux, ils ne s'intéressent qu'aux relations entre producteurs et consommateurs, et tiennent pour acquis que l'accès à l'énergie et aux ressources naturelles sans restriction est un dû qui ne saurait être remis en question. Aujourd'hui, les deux tiers des écosystèmes les plus importants de la planète sont surexploités[18] et, selon la formule de Pavan Sukhdev, banquier indien et directeur du groupe d'étude Économie des écosystèmes et de la biodiversité (The Economics of Ecosystems and Biodiversity ou TEEB) : « Nous sommes en train de consommer le passé, le présent et l'avenir de notre planète[19]. »

L'ampleur du défi

En 2010, les émissions de gaz à effet de serre ont augmenté en moyenne de 5,9 %, contre 1,7 % par an entre 1970 et 1995. En dépit des dénégations des sceptiques, les températures moyennes ont elles aussi continuellement augmenté*, comme on le voit ci-après. L'accroissement de la température moyenne est dix fois plus rapide que durant la dernière ère glaciaire. Cette rapidité, selon la vaste majorité des experts, ne s'explique que par les activités humaines, toutes les alternatives proposées, notamment l'hypothèse selon laquelle le réchauffement serait

* D'après Rockström, 2009, p. 102.

dû à une activité solaire accrue, ayant été réfutées*. Au rythme où vont les choses, la probabilité que n'importe quel été suivant celui de l'année en cours soit le plus chaud jamais enregistré (depuis que l'on a commencé à prendre des mesures en 1900) sera de 50 à 80 % en Afrique en 2050, et approchera les 100 % à la fin du XXIe siècle[20].

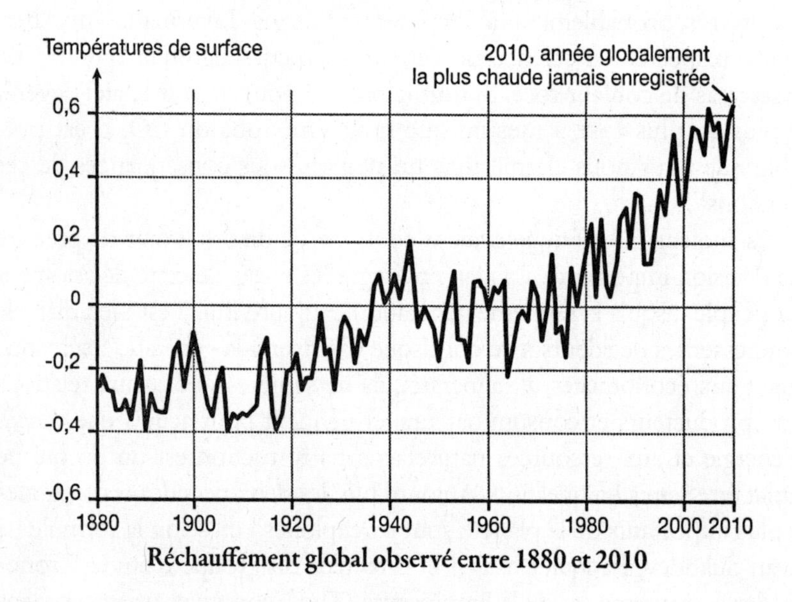

Réchauffement global observé entre 1880 et 2010

Une grande partie de l'incertitude concernant l'ampleur du réchauffement est liée à la possibilité d'une accélération soudaine provoquée par l'interaction de plusieurs facteurs. Une étude publiée en 2010 par Natalia Shakhova et ses collègues de l'International Arctic Research Center montre, par exemple, que les émissions de méthane dues à la fonte du permafrost de la toundra sibérienne sont beaucoup plus importantes que celles qui avaient été prédites jusqu'alors[21].

Or un réchauffement ne serait-ce que de 1,5 °C du climat entraînerait déjà des changements majeurs pour les sociétés humaines. Les ressources alimentaires diminueront, nombre de maladies contagieuses

* Ce réchauffement global qui reflète l'évolution générale du climat depuis un siècle ne doit pas être confondu avec les fluctuations météorologiques, parfois extrêmes, qui se produisent en toutes circonstances en certains lieux. L'hiver 2010, par exemple, a été particulièrement froid en Scandinavie, en Russie et sur la côte Est des États-Unis, mais a été plus chaud que la normale dans le reste du monde. Dans l'Arctique et au Canada, les températures étaient de 4 °C au-dessus de la moyenne.

sensibles à la température augmenteront, et les migrations de population imposées par le changement de climat seront sources de nombreux conflits. On pourrait dénombrer jusqu'à 200 millions de réfugiés.

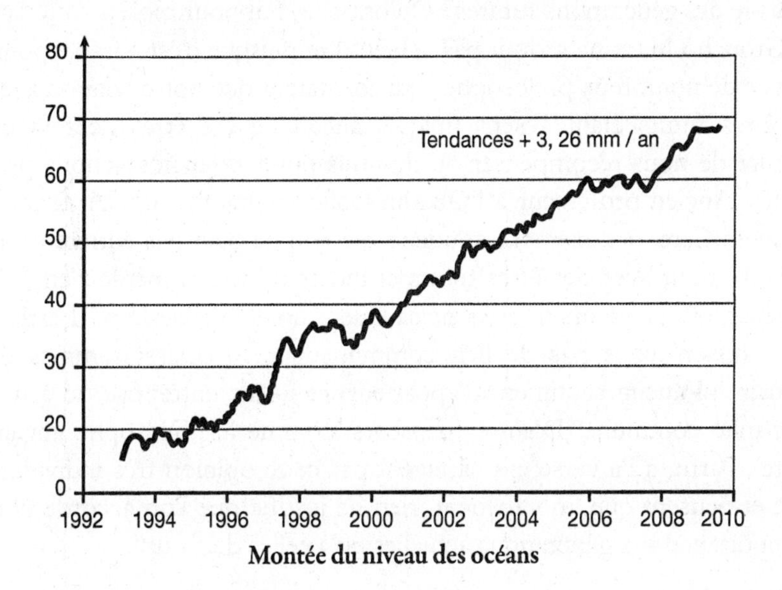

Montée du niveau des océans

Quant au niveau des mers, mesuré depuis 1993 par les satellites altimétriques, il monte de 3,3 millimètres par an et, du fait de son accélération, pourrait s'élever de 80 centimètres d'ici à 2100, forçant des populations entières à émigrer[22]. Plus de 200 millions de personnes seront en danger. Aujourd'hui 14 des 19 mégapoles mondiales se trouvent au niveau de la mer.

Une violation démesurée des droits de l'homme ?

Imaginons que quelques milliers d'individus décident du sort des 7 milliards d'autres, sans les consulter ni se préoccuper de leurs aspirations. On conçoit aisément le tollé d'indignation qu'une telle initiative déclencherait. On parlerait d'une violation flagrante des droits de l'homme. Or n'est-ce pas ce que nous faisons actuellement en décidant du sort des générations futures ?

Cette attitude reflète la conception limitée qu'un certain nombre d'entre nous ont de l'altruisme. Ils sont préoccupés par le sort de leurs enfants et petits-enfants, mais il leur est difficile de se sentir concernés par le sort des générations suivantes. Groucho Marx illustre à merveille cette attitude égocentrée avec sa célèbre boutade : «Pourquoi m'inquiéterais-je des générations futures ? Qu'ont-elles fait pour moi ?»

Groucho Marx ne croyait pas si bien dire puisque c'est aussi le point de vue de nombreux philosophes qui constatent que notre relation avec les êtres futurs étant à sens unique, aucun de ces êtres ne sera en mesure de nous récompenser ou de nous punir pour nos actions présentes. Ancien professeur à l'Oberlin College dans l'Ohio, l'Américain Norman Care, par exemple, soutient que l'on ne peut pas entretenir de liens d'amour avec des êtres futurs et indéterminés, ni même s'en préoccuper, et que «leurs intérêts ne sauraient nous intéresser[23]». Il estime que nous n'avons pas de lien communautaire avec les hommes de demain, ni aucun sentiment d'appartenance à une entreprise ou à une humanité commune. D'autres penseurs, comme le philosophe anglais Derek Parfit, à l'inverse, ne partagent pas cette opinion très individualiste et pensent que, moralement, rien ne justifie que l'on accorde plus d'importance aux générations actuelles qu'à celles du futur[24].

Les êtres à venir ont-ils déjà des droits ?

Sans doute avons-nous du mal à nous représenter ces générations à venir : elles ne sont à nos yeux qu'une multitude de personnes indéterminées. Les philosophes se sont d'ailleurs interrogés sur le statut moral des êtres qui n'existent pas encore en se demandant, notamment, s'ils pouvaient avoir des droits. La question peut paraître bizarre puisque, aussi virtuels et anonymes qu'ils soient aujourd'hui, il est certain qu'un nombre incalculable d'entre eux viendra au monde.

Selon la philosophe de l'environnement Clare Palmer*, que j'ai interrogée à ce sujet, les philosophes se heurtent là au fait que les théories traitant des droits de l'individu ont été conçues pour résoudre des questions d'éthique entre personnes vivant à notre époque[25]. Richard Degeorge, de l'université du Kansas, est parmi ceux qui considèrent

* Professeur à l'université du Texas. Auteur de plusieurs ouvrages et coéditrice d'une collection en cinq volumes sur la philosophie de l'environnement : *Environmental Philosophy*, avec J. Baird Callicott, Routledge (2005).

qu'un être futur ne pourra avoir de droits que lorsqu'il viendra au monde[26].

Ernest Partridge, philosophe américain spécialiste de l'éthique environnementale, répond que cet argument vaut pour les « droits actifs », à savoir les droits de faire telle ou telle chose, mais que les « droits passifs », le droit de ne pas être privé de la possibilité de vivre en bonne santé, par exemple, sont parfaitement applicables aux personnes futures[27].

Par ailleurs, nombre de philosophes considèrent que droits et devoirs ne peuvent concerner que des personnes précises et que nous n'avons pas à nous sentir responsables de la souffrance et du bonheur des êtres en général. Pour résoudre cette impasse, il suffit, au lieu d'argumenter sur la notion de « droit », de parler le langage de l'altruisme et de la compassion. Si l'extension de l'altruisme à tous les êtres qui nous entourent est une faculté unique au genre humain, son extension aux générations futures n'en est qu'une conséquence logique.

Ne pas savoir qui ces êtres seront n'enlève rien au fait que, comme nous, ils aspireront à ne pas souffrir et à être heureux. Nous ne pouvons donc nous sentir dispensés de nous interroger sur les conséquences de nos actions et de notre mode de vie. Nous trouvons normal de ne pas saccager la maison que nous allons léguer à nos petits-enfants. Pourquoi ne pas manifester la même attention à l'égard des futurs habitants de la planète ? Tel est le point de vue d'Edith Brown Weiss, professeur de droit international et environnemental à l'université de Georgetown, qui parle d'un « principe d'équité intergénérationnelle » exigeant que chaque génération laisse à la suivante (ou aux suivantes) une planète au moins en aussi bon état que celle dont elle a hérité[28].

Comment réagissent nos contemporains ?

D'après les investigations de Robert Kurzban et Daniel Houser, l'un, psychologue à l'université de Pennsylvanie, l'autre, économiste, environ 20 % des gens sont des altruistes éclairés qui tiennent compte du sort des générations futures et sont disposés à modifier leur mode de consommation pour éviter de dégrader l'environnement. Parmi eux, certains sont motivés principalement par le respect de la nature, d'autres sont surtout préoccupés par le bien-être humain, d'autres encore estiment que ces deux questions sont indissociables[29].

Environ 60% des gens suivent les tendances prédominantes et les leaders d'opinion, ce qui reflète la puissance de l'instinct grégaire chez l'être humain. Ces «suiveurs» sont aussi des «coopérateurs conditionnels» : ils contribuent au bien public à condition que tout le monde en fasse autant.

Enfin, 20% ne sont pas du tout enclins à coopérer et désirent avant tout profiter de toutes les opportunités qui se présentent à eux. Ils ne sont pas a priori opposés au bonheur des autres, mais ce n'est pas leur affaire. Ils revendiquent le droit d'être heureux sans que cela implique en contrepartie des devoirs et des responsabilités envers autrui. Préférant la compétition à la coopération, ils se consacrent à promouvoir leur prospérité personnelle.

Ces individualistes dans l'âme qui font cavaliers seuls sont parfois désignés moins charitablement par le terme *free riders*, littéralement des «resquilleurs», du fait qu'ils profitent le plus possible de leurs semblables et de la planète, considérés comme des instruments de leur bien-être personnel. Se sentant peu responsables de leurs contemporains, ils se soucient encore moins de leurs semblables de demain. On retrouve ici l'attitude des libertariens, adeptes d'Ayn Rand – «moi, moi, encore moi, ici et maintenant» – et on se rappellera les paroles du milliardaire Steven Forbes à propos de l'élévation attendue du niveau des mers : «Modifier nos comportements parce que quelque chose va se produire dans cent ans est, je dirais, profondément bizarre[30].» Autrement dit, après moi le déluge...

Empreinte écologique

Le mode de vie de cette minorité individualiste, souvent la plus riche, est tel que son empreinte écologique est disproportionnée par rapport au reste de la population. L'empreinte écologique d'une personne est définie comme la surface de terre nécessaire pour lui fournir nourriture et habitat, l'énergie nécessaire aux déplacements qu'elle a effectués et qui sont liés à ce qu'elle consomme, comme à la gestion de ses déchets, ainsi que les émissions (gaz à effet de serre et polluants) dont elle est responsable. Si l'on divise la surface totale des sols biologiquement productifs de la Terre par le nombre d'habitants, chaque personne devrait disposer de 1,8 hectare. Or l'empreinte écologique actuelle est en moyenne de 2,7 hectares par personne dans le monde, ce qui confirme que nous vivons globalement au-dessus de nos moyens. Ces empreintes écologiques varient avec le niveau de vie : celle d'un Américain moyen est de 8 hectares ; elle est de 6 hectares pour un Suédois, de 1,8 hectare pour la plupart des Africains et de 0,4 hectare pour un Indien[31]. Stephen Pacala, de l'université de Princeton, a calculé que les plus nantis, qui représentent 7 % de la population mondiale, sont responsables de la moitié des émissions de CO_2, tandis que les 50 % les plus pauvres n'émettent que 7 % de CO_2, une proportion infime pour 3,5 milliards de personnes. Les 7 % les plus riches qui ont par ailleurs les meilleurs moyens de se protéger de la pollution, profitent donc du reste du monde[32].

Il existe certes, parmi les grandes fortunes, des êtres généreux et déterminés à œuvrer pour un monde meilleur, mais ils restent une minorité. Aujourd'hui, le mode de vie des plus nantis compromet la prospérité future de l'humanité et l'intégrité de la biosphère.

Il faut agir mais il ne suffit pas d'économiser en se contentant d'isoler mieux les habitations, d'utiliser de l'énergie d'origine solaire ou géothermique, de se servir d'appareils qui consomment moins d'électricité, etc. On s'aperçoit, en effet, que ceux qui font ce type d'économies dépensent par ailleurs plus d'argent pour voyager, par exemple, ou pour effectuer d'autres activités et achats qui engendrent, directement ou indirectement, des émissions de gaz à effet de serre et diverses autres formes de pollution. Il faut donc non seulement économiser l'énergie, mais aussi vivre plus sobrement, et cesser d'associer sobriété et insatisfaction[33].

Certains pays ont réussi à relever ce défi. Le Japon, par exemple, consomme deux fois moins d'énergie par habitant que les pays de l'Union européenne et trois fois moins que les États-Unis. Cela est dû au fait qu'il doit importer une bonne partie de son énergie, ce qui en augmente le coût. Le prix élevé de l'énergie a eu un effet salutaire sur la consommation, sans pour autant nuire à la prospérité du pays et à sa compétitivité sur le plan international. Au contraire, ces limitations ont stimulé l'innovation et le développement d'entreprises moins gourmandes en énergie, en particulier dans le domaine des nouvelles technologies[34].

Une collaboration intime entre la science et les gouvernements est indispensable

Limiter le réchauffement global à 2 °C semble exiger, d'après les recherches les plus récentes, une réduction de 80 % des émissions de CO_2 d'ici à 2050. La volonté politique qui permettrait d'atteindre cet objectif reste très faible, particulièrement en temps de récession, alors que les dirigeants ne songent qu'à relancer la consommation[35]. Les scientifiques, qui apportent les données les plus fiables, sont plus souvent considérés comme des trouble-fête que comme les dépositaires d'un savoir qui permet d'éclairer le débat et de prendre les meilleures décisions[36]. Les décideurs ne cessent de négocier des compromis qui sont par nature nuisibles, puisque moins efficaces que les solutions recommandées. C'est comme si une personne gravement malade négociait avec son médecin la possibilité de ne prendre que des demi-doses de remèdes indispensables à sa guérison.

Depuis trente ans, les gouvernements ont signé plus de 500 accords internationaux pour protéger l'environnement. Mais, à l'exception du Protocole de Montréal (1987) qui a permis de ralentir efficacement la raréfaction de la couche d'ozone, la plupart ont eu relativement peu d'effets en raison d'un manque de coordination, de volonté politique et, surtout, de l'absence de sanctions à l'encontre de ceux qui ne respectent pas ces accords.

Dans son livre intitulé *Effondrement : Comment les sociétés décident de leur disparition ou de leur survie* (*Collapse : How Societies Choose to Fail or Succeed*), Jared Diamond a calculé que le milliard d'habitants qui vit dans les pays riches jouit de ressources trente-deux fois plus élevées par personne que les 6 milliards restants[37]. Si ces 6 milliards consommaient autant que le milliard le plus aisé, trois planètes seraient nécessaires afin de pourvoir à leurs besoins. Pour ne prendre que la Chine, où le revenu par tête d'habitant n'est encore que le dixième de celui d'un Américain moyen, si chaque Chinois consommait autant que l'Américain moyen, les besoins planétaires en ressources naturelles doubleraient. Ou encore, si la Chine avait le même nombre de voitures par habitant que les États-Unis, elle absorberait toute la production pétrolière mondiale[38]. Or la Chine en prend clairement le chemin. Cette situation n'est donc pas viable.

Il est grand temps d'instaurer un climat de confiance entre les scientifiques, les décideurs, les économistes, les entreprises et les médias afin que les derniers cités écoutent et entendent les scientifiques et qu'ils œuvrent pour une cause commune dans un esprit de coopération et de solidarité. Comme le disait H. G. Wells : «L'histoire est une course entre l'éducation et la catastrophe.»

Nous n'avons pas non plus su tirer les leçons de l'histoire, qui montrent que nombre de cultures, dont la civilisation maya et la civilisation khmère, un temps très prospères, ont disparu pour avoir, entre autres raisons, surexploité les sols et les ressources naturelles dont elles disposaient[39]. Aujourd'hui, il ne s'agit plus seulement du sort de peuples circonscrits à des territoires bien définis, mais du destin de l'humanité et de la biodiversité tout entière. Les solutions, elles aussi, doivent être mises en œuvre par l'ensemble des nations.

La société contemporaine s'est construite sur le mythe d'une croissance illimitée que très peu d'économistes et d'hommes politiques souhaitent remettre en question. Aucune génération passée n'a à ce point hypothéqué l'avenir. Les créanciers de ces dettes se présenteront sous la forme de désastres écologiques lorsque nous aurons transgressé les limites de sécurité de notre planète. Au début, les pays qui auront le moins contribué au gaspillage souffriront plus que les autres, mais en fin de compte, aucun ne sera épargné. Comme le disait Martin Luther King : «Nous sommes arrivés sur différents esquifs, mais nous sommes maintenant tous sur le même bateau.»

Nourrir 9 milliards d'êtres humains

La population humaine va continuer d'augmenter jusque vers 2050, et probablement se stabiliser aux alentours de 9 milliards. Cet accroissement se produira principalement dans les pays les plus pauvres*. En conséquence, la production de nourriture devra augmenter de 70 % d'ici à 2050. Sortir 1 milliard d'êtres humains de la pauvreté et en nourrir 2 ou 3 milliards de plus est un défi gigantesque, encore amplifié par la fra-

* Évaluation réalisée par l'IAASTD – International Assessment of Agricultural Knowledge, Science and Technology for Development (Évaluation internationale de la connaissance, de la science et de la technologie agricole pour le développement) –, une organisation fondée par les Nations unies et la Banque mondiale.

gilisation de l'écosystème qu'engendre la production des biens alimentaires additionnels requis. L'expansion de l'agriculture et de l'élevage contribue en effet très largement au dépassement de cinq des neuf seuils planétaires à respecter pour préserver la sécurité de l'humanité*. Il est donc indispensable de mettre en œuvre les moyens de produire plus de nourriture pour les êtres humains sans dégrader davantage notre écosystème.

L'agriculture à elle seule contribue à hauteur de 17 % à l'émission de gaz à effet de serre. Selon une évaluation de la FAO, dans l'ensemble des zones tropicales mondiales, le produit des récoltes pourrait diminuer de 25 à 50 % dans les cinquante ans à venir, à la suite d'une réduction des précipitations annuelles dans ces zones[40]. Le réchauffement entraînera une augmentation temporaire de la production agricole dans les zones tempérées, mais cette augmentation risque d'être rapidement compromise par la prolifération de maladies et de parasites nuisibles aux récoltes.

Toutefois, d'après le rapport « Agroécologie et droit à l'alimentation » publié en 2011 par Olivier De Schutter, le rapporteur spécial des Nations unies sur le droit à l'alimentation, l'agroécologie peut doubler la production alimentaire de régions entières en dix ans tout en réduisant la pauvreté rurale et en apportant des solutions au changement climatique. Les propositions de ce juriste belge pourraient transformer le système de commerce international bâti depuis l'après-guerre par l'OMC[41].

À ceux qui arguent que, si on supprime les pesticides, la production agricole chutera de 40 % et qu'on ne pourra pas nourrir tout le monde, Olivier De Schutter répond : « Ces chiffres supposent que l'on renonce aux pesticides sans que ceci soit compensé par une amélioration de nos manières de produire, par exemple par des méthodes de contrôle biologique que l'agroécologie promeut. [...] En outre, l'agroécologie réduit les coûts de production, car elle réduit l'utilisation des pesticides ou engrais chimiques. Les prix de ces produits ont d'ailleurs augmenté plus vite ces quatre ou cinq dernières années que les prix des denrées alimentaires elles-mêmes. L'agroécologie est particulièrement bénéfique pour les petits producteurs des pays du Sud qui veulent produire à faible coût[42]. »

---

* Ces cinq limites concernent : l'utilisation des sols, les quantités d'azote et de phosphore libérées dans la biosphère, la perte de la biodiversité, la pollution chimique et le changement climatique.

L'agroécologie est une science de pointe qui marie écologie, biologie et connaissances traditionnelles. La recherche en agroécologie n'est pas encore assez développée car elle n'est pas brevetable, donc peu attrayante pour les grandes entreprises. Elle souffre aussi du fait que les gens ne voient la modernisation de l'agriculture que sous l'angle d'une mécanisation et d'une industrialisation toujours plus poussées.

L'injustice des changements environnementaux

J'ai rencontré pour la première fois Jonathan Patz en compagnie de mon ami le neurobiologiste Richard Davidson, dans un petit restaurant népalais installé à Madison, dans le Wisconsin. Jonathan arriva en vélo, et rien dans sa simplicité ne laissait deviner son éminent parcours académique. Il est maintenant directeur du Global Health Institute à l'université de Madison et l'un des principaux auteurs des rapports du GIEC des Nations unis et colauréat du prix Nobel de la paix avec Al Gore en 2007. Il s'est spécialisé entre autres dans l'étude des effets des changements environnementaux sur la santé.

Il nous expliqua pourquoi les changements environnementaux mondiaux sont à l'origine de l'une des plus graves crises éthiques de notre temps, à savoir l'inégalité avec laquelle ces changements affectent les populations. Inégalité entre les nations (les pays pauvres souffriront beaucoup plus que les plus riches), entre les générations (les générations futures seront plus atteintes que la génération présente), entre les espèces (certaines seront affectées au point de s'éteindre) et entre les classes sociales dans un même pays (ici encore, les plus démunis pâtiront davantage que les nantis, les enfants et les personnes âgées plus que les adultes dans la force de l'âge, et ceux qui vivent dans la rue plus que ceux qui ont un logement[43]).

Les régions qui souffrent déjà et vont souffrir le plus des conséquences du réchauffement mondial et des autres bouleversements de nos écosystèmes sont, en effet, les moins responsables de ces changements. Jonathan nous montra deux cartes du monde. Sur la première, la taille des pays est proportionnelle à leur part de responsabilité dans le volume global d'émissions de CO_2 dans l'atmosphère. On voit que les pays riches de l'hémisphère Nord, des États-Unis, d'Europe et de Russie, sont gonflés comme des baudruches, tandis que l'Afrique disparaît pratiquement de la carte. Sur la deuxième carte, la taille des pays est maintenant proportionnelle au nombre de morts dues aux récents pics de température. Cette fois-ci, ce sont les pays riches qui deviennent presque invisibles, tandis que l'Afrique et l'Inde envahissent le planisphère[44]. Le risque des pathologies liées au climat aura plus que doublé en 2030[45].

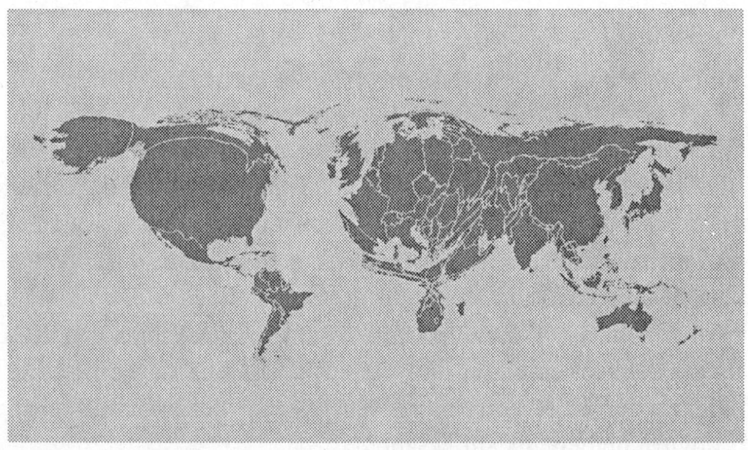

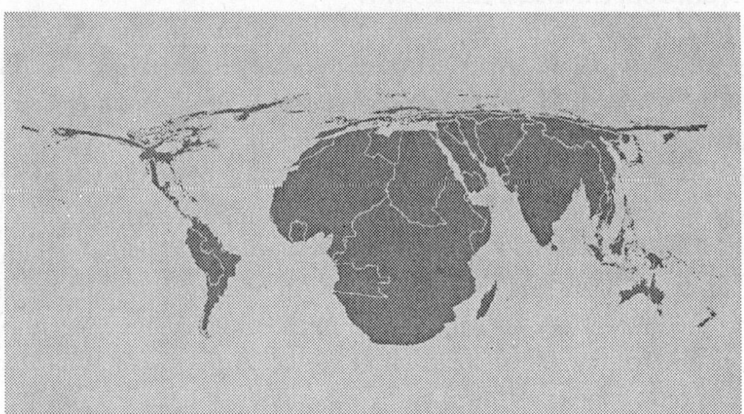

Sur la carte du haut, la taille des pays est proportionnelle à leur part de responsabilité dans le volume global d'émission de CO_2 dans l'atmosphère (d'après Smith *et al.*, 2004). Sur la carte du bas, la taille des pays est proportionnelle à la répartition des décès dus aux récents extrêmes des températures (d'après Mc Michael *et al.*, 2004).
Reproduit avec l'autorisation de J. Patz.

Ce sont les mêmes pays qui souffriront de manière disproportionnée de l'augmentation des nombreuses maladies dont les incidences varient avec le climat. Selon l'OMS, 88 % de la morbidité attribuable au changement climatique touche les enfants de moins de cinq ans. De multiples maladies sont en cause, parmi lesquelles la malaria, la dengue, la fièvre jaune, le choléra, la diarrhée, la cécité des rivières (onchocercose), la leishmaniose, la maladie de Lyme, les maladies respiratoires, l'asthme en particulier. Chaque année, 800 000 décès sont dus à la pollution de l'air en milieu urbain[46].

De plus, la santé des populations sera également affectée par la malnutrition, les migrations forcées et les conflits liés au changement climatique. D'après Jonathan, l'ensemble des données actuelles permet de conclure que 23 % de tous les décès – 36 % chez les enfants – sont liés à des facteurs environnementaux influencés par les activités humaines. Il nous a cité un exemple frappant : pendant les Jeux olympiques d'été à Atlanta, en 1996, les organisateurs avaient limité la circulation automobile. L'une des conséquences fut que le trafic de pointe du matin diminua de 23 %, et les pics d'ozone baissèrent de 28 %. Dans le même temps, les visites d'urgence liées à l'asthme chez les enfants chutèrent de 42 % dans les hôpitaux !

À l'inverse, durant le réchauffement provoqué par le phénomène El Niño entre 1997 et 1998 à Lima, les températures hivernales ont été de 5 °C au-dessus de la normale, et le nombre d'admissions dans les hôpitaux pour diarrhées aiguës a augmenté de 200 % par rapport aux cinq années précédentes[47].

La malaria tue 1 à 3 millions de personnes chaque année dans le monde, en majorité des enfants vivant dans des pays en voie de développement. Or il se trouve que la transmission de la malaria est fortement affectée par le climat. Le temps de développement du parasite à l'intérieur du moustique dépend étroitement de la température. Il peut être de trente jours si la température ambiante est d'environ 18 °C, mais il ne sera que de dix jours à 30 °C. De plus, la relation n'est pas linéaire : dans les régions chaudes, une augmentation de 0,5 °C de la température peut se traduire par une augmentation de 30 % à 100 % du nombre de moustiques.

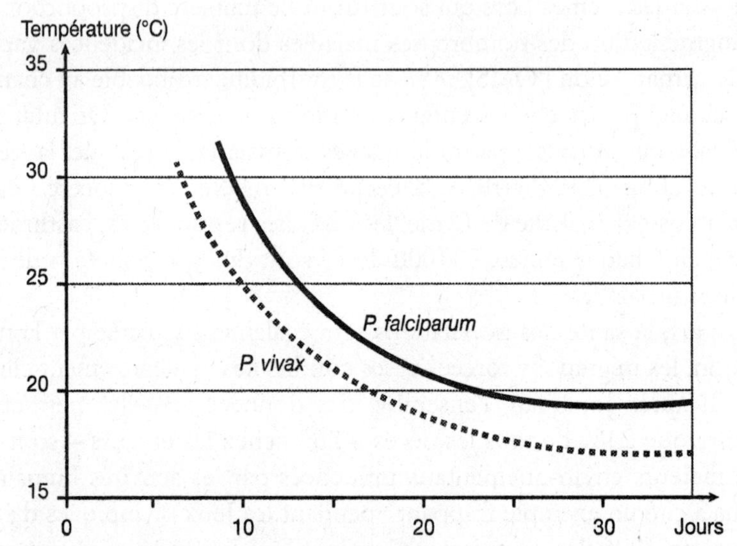

Rapport entre la température et le temps de développement de l'agent infectieux de la malaria à l'intérieur du moustique. Ce temps se réduit à mesure que la température augmente, de sorte que les moustiques deviennent infectieux plus rapidement.

De même, l'incidence de la malaria est fortement accrue par la déforestation. On a pu montrer que la déforestation dans le bassin de l'Amazone augmente la surface de l'habitat propice à la reproduction du moustique *Anopheles darlingi*, le principal vecteur de la malaria dans cette région. Le taux de piqûres dans les zones déboisées de l'Amazonie péruvienne est près de trois cents fois plus élevé que dans les régions où la forêt est intacte (en tenant compte des différences de densité de population humaine dans ces divers biotopes[48]). De nombreuses études ont également mis en évidence une corrélation entre la déforestation et l'exposition accrue à la malaria en Afrique subsaharienne[49].

De plus, comme l'a souligné l'économiste Jeffrey Sachs, on a observé une corrélation entre la prévalence de la malaria et la pauvreté : plus les populations sont pauvres, moins elles peuvent se défendre contre la malaria ; et plus les populations sont affectées par la maladie, moins leur économie prospère[50]. Les pays africains où la malaria est endémique ont un PIB qui croît en moyenne de 0,4 % par an, contre 2,3 % pour les pays qui sont relativement peu affectés par cette maladie.

Sous l'impulsion de l'ancien investisseur et philanthrope Ray Chambers, aujourd'hui émissaire des Nations unies pour l'éradication de la malaria, un programme ambitieux a été lancé dans les sept pays africains les plus touchés. Ray et son équipe ont réussi à collecter 6 milliards de dollars et ont distribué 300 millions de moustiquaires imprégnées d'insecticide, ce qui permet de protéger 800 millions de personnes. Ce projet a déjà sauvé la vie de 1 million de personnes, et Ray espère éradiquer la malaria dans ces pays d'ici à 2015*. Toutefois, de tels efforts risquent d'être compromis à moyen terme par le réchauffement climatique.

Un exemple édifiant d'interdépendance

Pour finir, Jonathan Patz nous raconta cette anecdote qui montre à quel point tous les éléments de l'environnement sont étroitement interdépendants. Dans les années 1950, l'OMS avait lancé un programme de contrôle de la malaria à Bornéo, en utilisant de grandes quantités de dieldrine. Le programme semblait efficace puisque les moustiques furent en grande partie éradiqués. Toutefois, un ou deux ans plus tard, une épidémie de typhus éclata ; dans le même temps, tous les toits de chaume des villages s'écroulèrent. Pourquoi ?

La dieldrine avait bien tué les moustiques, ainsi que les mouches et les cafards. Mais ce n'était pas tout. Les geckos qui se nourrissent d'insectes dans les maisons ont accumulé des taux très élevés de dieldrine dans leurs tissus adipeux. Les chats, qui mangent les geckos, en sont morts. En l'absence de chats, les rats ont pullulé et, avec eux, les puces qui parasitent les rats et sont porteuses du typhus. Les puces ont transmis la maladie aux humains. Voilà déjà une première catastrophe en chaîne, mais pourquoi les toits se sont-ils effondrés ? La dieldrine n'a pas tué que les moustiques, les mouches et les cafards. Elle a aussi quasiment éliminé une espèce de guêpe qui tue un certain type de chenilles pour y déposer ses œufs, ce qui permet aux futures larves de se nourrir du cadavre de la chenille. De ce fait, les chenilles ont proliféré dans les toits de chaume qui se sont délités puis effondrés. Cet exemple illustre à merveille l'incroyable richesse et la subtilité des liens d'interdépendance qui associent tous les acteurs et les forces dynamiques de la Nature. Il nous incite également à prendre d'autant plus soin des équilibres naturels qui se sont mis en place au fil des millénaires.

---

* Ray Chambers, communication personnelle.

Le pessimisme entraîne une perte de temps : des solutions existent

Comme le disait justement Yann Arthus-Bertrand, photographe et environnementaliste, si nous voulons préserver la prospérité de notre biosphère, «il est trop tard pour être pessimiste». Johan Rockström donne deux bonnes raisons d'être optimiste : la possibilité de remplacer entièrement les énergies fossiles d'ici à 2050 par des énergies renouvelables, et l'avènement tout aussi possible d'une révolution agricole «triplement verte».

Le Conseil allemand sur le changement climatique (Wissenschaftlicher Beirat der Bundesregierung Globale Umweltverwänderungen ou WGBU) a conçu un plan qui permettrait de mettre un terme à l'utilisation de toutes les énergies fossiles – pétrole, charbon et gaz naturel – d'ici à 2050, tout en satisfaisant les demandes mondiales d'énergie. En sus du recours aux énergies renouvelables, l'un des points clés de ce plan est l'usage généralisé de véhicules fonctionnant à l'hydrogène, au méthane, au gaz, à l'électricité, etc.[51].

Mettre en œuvre un tel programme suppose évidemment que les dirigeants de la planète se mobilisent : ce projet nécessitera un investissement mondial d'environ 1 milliard de dollars par an, et sera rentable à long terme. Cet investissement massif est loin d'être irréalisable, puisque les subventions gouvernementales mondiales destinées à maintenir le prix du pétrole à un niveau inférieur à son coût réel représentent 400 à 500 milliards de dollars annuels. Ces subventions perpétuent la consommation de pétrole et de gaz et entravent le développement des technologies d'énergies renouvelables, qui n'ont reçu dans le même temps que 66 milliards de dollars de subsides[52].

Le G20 a maintenant pris l'engagement de mettre fin aux subventions sur les énergies fossiles, dont l'utilisation diminuera au fur et à mesure que les énergies renouvelables seront mises à la disposition des pays pauvres, afin de ne pas handicaper ces derniers par une hausse considérable du prix de l'énergie.

Nous avons une autre raison d'être optimistes. Au contraire d'autres dégradations environnementales irrémédiables (la perte des espèces animales et végétales en particulier), le réchauffement climatique est en partie réversible : il est possible de refroidir l'atmosphère en capturant suffisamment de CO_2. Un rapport de la compagnie McKinsey, datant de 2010, montre qu'une réduction de 40% des émissions de gaz à effet de serre est possible d'ici à 2030, grâce à des changements technologiques qui, de surcroît, nous feraient faire des économies[53].

La Fondation européenne pour le climat (European Climate Foundation ou ECF) a publié un rapport intitulé *Roadmap 2050* (« Feuille de route pour 2050 ») qui montre qu'il est tout à fait possible de réduire les émissions de CO_2 de 80 à 95% d'ici à 2050, à condition que 80% de l'électricité provienne de sources d'énergie renouvelable. De plus, ce rapport démontre de façon convaincante que, sur la durée, le coût de l'énergie deviendrait nettement inférieur à celui des énergies fossiles.

Pour Rockström et ses collègues, il ne fait aucun doute qu'une taxe de 50 à 180 dollars par tonne de CO_2 émis constituerait la meilleure incitation pour accélérer la transition vers les énergies renouvelables. La taxe appliquée actuellement par l'Union européenne n'est que de 20 dollars par tonne, ce qui est insuffisant de l'avis des scientifiques. L'exemple de la Suède est édifiant. Ce pays y a imposé une taxe de 100 dollars par tonne, ce qui a pratiquement éliminé l'utilisation d'hydrocarbures fossiles pour le chauffage et considérablement réduit les émissions industrielles de CO_2 sans pour autant entraver la croissance économique du pays. En Allemagne, un nouveau système de tarification de l'électricité a engendré un remarquable essor des énergies renouvelables, notamment éoliennes et solaires, qui assurent désormais 10% de la production du pays. En Chine, le secteur de l'énergie solaire va décupler d'ici à 2015. Selon un rapport de la Commission australienne sur le climat, en 2012 la Chine a réduit de moitié sa croissance en demande d'électricité. Des progrès considérables sont aussi réalisés en Espagne et dans les pays scandinaves. Comme le rapporte Jeremy Rifkin, président de la Fondation pour les tendances économiques, en 2009 on a installé dans l'Union européenne plus d'éolien que de toute autre source d'énergie : 38% du déploiement total d'énergies nouvelles. Le secteur, qui emploie actuellement près de 200000 salariés dans l'ensemble de l'Union et produit 4,8% de l'électricité, pourrait fournir, selon les prévisions, près de 17% de l'électricité sur le marché européen en 2020 et 35% en 2030. Il aura alors une main-d'œuvre de près d'un demi-million de personnes[54]. Le moment est venu d'effectuer cette transition au niveau mondial.

Le coût nécessaire pour limiter les émissions de gaz à effet de serre, protéger les forêts tropicales et stabiliser le climat a été estimé à environ

150 à 200 milliards de dollars par an. Cela représente certes une somme considérable, mais si l'on songe que 400 milliards de dollars sont dépensés chaque année dans le monde pour la publicité, que la production de 500 nouveaux avions de chasse F15 pour l'armée américaine coûte 500 milliards de dollars, et que la guerre d'Irak aura coûté 3000 milliards de dollars aux États-Unis[55], force est de constater que les entreprises et les gouvernements sont prêts à faire des dépenses colossales pour des réalisations secondaires ou à des fins destructrices.

Divers moyens permettraient de réunir cette somme chaque année, pour autant que la volonté politique existe. Une taxe de 1 dollar par baril de pétrole, par exemple, rapporterait 30 milliards de dollars par an, ce qui n'est pas excessif si l'on pense que l'utilisation du pétrole est, directement ou indirectement, la principale cause du changement climatique.

Restaurer et préserver les écosystèmes entraîne des dépenses à court terme, mais constitue un excellent investissement à long terme. Ainsi, dans le cas des forêts tropicales, le coût de la restauration est estimé à 3450 dollars par hectare, tandis que les bénéfices issus de cette restauration s'élèvent à 1620 dollars, soit un retour interne de 50 %. Ce dividende est de 20 % dans le cas des autres types de forêts, de 27 % pour les lacs et rivières, de 7 % pour les récifs coralliens, de 12 % pour les marécages, et d'environ 79 % pour les herbages[56].

Selon Rockström, les entreprises financières, industrielles et bancaires devraient toutes fournir un bilan de leur impact environnemental et inclure dans la formation de leur personnel une éducation sur les effets de leurs activités sur l'environnement.

L'indispensable alternative aux hydrocarbures

Nous avons vu que 78 % des émissions de CO_2 proviennent de l'utilisation d'énergies fossiles. La production d'hydrocarbures a plus que décuplé depuis 1950. L'agriculture est, elle aussi, devenue de plus en plus dépendante de l'énergie fossile : des calculs effectués aux États-Unis montrent que 7 à 8 calories d'énergie fossile sont nécessaires à la production de chaque calorie de nourriture consommée. Il faut aujourd'hui 1,6 tonne d'hydrocarbures pour nourrir un Américain moyen pendant une année.

Jusqu'à maintenant, la croissance économique des pays riches est allée de pair avec l'accroissement de la consommation en hydrocarbures[57]. Mais l'époque du pétrole bon marché est révolue. Chaque année, nous consommons deux fois plus de pétrole que nous n'en découvrons d'où la déplorable idée de se tourner vers les gaz de schiste. Différentes études menées par plusieurs groupes indépendants ont montré que le niveau de production maximal d'hydrocarbures sera atteint en 2018 au plus tard, et qu'il sera suivi d'une constante augmentation des prix*. La plupart des efforts se sont concentrés sur l'exploitation des ressources existantes et la recherche de nouveaux gisements, une solution qui ne fait que repousser l'échéance. Les gouvernements ont pris un retard considérable dans l'élaboration de solutions de rechange.

Si nous réussissons à générer la quasi-totalité de l'énergie dont nous avons besoin à partir de sources renouvelables, nous aurons résolu la majeure partie du défi climatique. La beauté de la gestion de l'énergie, remarque Rockström, réside dans le fait que les énergies produites sont parfaitement substituables les unes aux autres : l'électricité engendrée à l'aide du charbon est exactement la même que celle qui est produite par des éoliennes[58].

Une transition totale vers les énergies renouvelables

Il ne fait aucun doute que les énergies renouvelables peuvent largement suffire aux besoins mondiaux, qui, actuellement, sont d'environ 500 exajoules (EJ) : le potentiel de production d'énergie éolienne est supérieur à 1000 EJ, et si l'on fait la somme des potentiels d'énergie géothermique, solaire et hydroélectrique, on atteint 11 000 EJ[59].

Le projet Desertec, qui a vu le jour en Allemagne, s'est donné pour but d'installer au Sahara un système nouveau de captage de l'énergie

---

* Incluant Fredrick Robelius, membre de l'équipe suédoise de Kjell Aleklett (Global Energy System/«Système énergétique global» à Upsala), qui s'est penché sur l'ensemble des grandes réserves de pétrole dans le monde; l'ASPO (Association for the Study of Peak Oil and Gas, Association pour l'étude du pic pétrolier et du gaz), présidée également par le professeur Aleklett; la Banque centrale allemande, Merrill Lynch & Co.; le rapport *Sustainable Energy and Security* (Énergie durable et sécurité) produit par la compagnie d'assurances Lloyd's et le rapport *The Oil Crunch* (La crise du pétrole) préparé par plusieurs hommes d'affaires regroupés autour de Richard Branson, et le *UK Industry Task Force on Peak Oil and Energy Security* (Groupe de travail de l'industrie sur le pic pétrolier et la sécurité énergétique. Cités par Wigkman, A., & Rockström, J. (2013). *Bankrupting Nature: Denying Our Planctary) Boundaries.* Routledge, p. 69.

solaire. Durant le jour, le rayonnement solaire pourrait chauffer jusqu'à 1300 °C des réservoirs d'huile dont la chaleur servirait ensuite à produire de la vapeur entraînant à son tour des turbines génératrices d'électricité. L'huile se refroidissant relativement lentement, la chaleur emmagasinée pendant le jour suffirait à assurer pendant la nuit la production d'électricité jusqu'au lendemain matin. Seulement 10 kilomètres carrés d'installations dans le Sahara permettraient d'approvisionner l'Afrique du Nord et la quasi-totalité de l'Europe en électricité (par l'intermédiaire de câbles sous-marins, pratiquement sans perte d'énergie). Desertec a déjà entrepris des projets pilotes au Maroc, en Tunisie et en Égypte. Cette technologie est applicable à tous les déserts du monde, du centre de l'Espagne à l'Australie en passant par le désert de Gobi. De même, selon une étude japonaise, si des panneaux voltaïques étaient installés sur 4 % de la surface des déserts du monde, ils produiraient une énergie égale à la consommation mondiale d'énergie[60].

En 2009, pour la première fois en Europe, les investissements dans la production d'électricité renouvelable au moyen d'éoliennes et de panneaux solaires ont dépassé les investissements dans l'électricité conventionnelle. Globalement, la production d'énergie renouvelable ne représente encore qu'un faible pourcentage de l'énergie produite dans le monde, mais cette production croît de plus de 20 % par an. Le défi est donc de passer de 2 à 3 % d'énergies renouvelables à 80 %, voire à 100 %, avant 2050[61].

Les bâtiments résidentiels et commerciaux consomment à l'heure actuelle 40 % de toute l'énergie produite et sont le premier facteur d'émissions de gaz à effet de serre. Aujourd'hui, il est possible d'utiliser des « énergies passives », et même d'équiper les bâtiments de telle façon qu'ils produisent de l'électricité redistribuable sur le réseau.

Fournir de l'énergie aux pays pauvres

Pendant ce temps-là, les pays pauvres souffrent d'un manque chronique de ressources énergétiques. En Afrique, 85 % de la population n'a pas accès à l'électricité. Il en va de même pour 60 % de la population de l'Asie du Sud. L'apport d'énergie saine et renouvelable au tiers-monde est essentiel pour remédier à la pauvreté et améliorer la santé des populations démunies. Un meilleur accès aux énergies renouvelables permettrait également de mieux faire fonctionner les écoles, les cliniques et les bâtiments communaux des villages. Au Bangladesh, par exemple, grâce au programme mené par l'organisation *Grameen Solar* de Muhammad Yunus, en 2010, un million de personnes reçoivent de l'électricité captée par des panneaux solaires. La production massive de cette énergie solaire a également fait chuter considérablement le coût de l'électricité. Développer l'accès des populations pauvres aux sources d'énergie constitue maintenant l'une des priorités des Nations unies, dont l'objectif est de fournir un accès universel à l'énergie d'ici à 2030[62].

Plus d'un million et demi de personnes meurent chaque année du fait de la pollution causée à l'intérieur des habitations par les foyers qui brûlent du bois, du charbon ou des bouses séchées, et par l'éclairage à l'huile ou au kérosène. Le recours à l'électricité et aux fours solaires, qui utilisent de grandes paraboles bon marché pour faire bouillir l'eau et cuire les aliments, permet de supprimer ces causes d'accident.

Gérer rationnellement les ressources en eau

Il est aussi absolument indispensable de rendre notre gestion des ressources d'eau douce plus rationnelle. Aujourd'hui, 70 % de l'eau douce que nous utilisons provient de lacs, de rivières et de nappes phréatiques qui s'épuisent. Un quart des grands cours d'eau du monde n'atteint plus l'océan, leurs eaux étant surexploitées pour les besoins de l'agriculture. Et la situation ne fait que s'aggraver.

Nous avons vu que 70 % des prélèvements d'eau douce sont utilisés pour l'agriculture. Rien ne consomme plus d'eau que de produire de la nourriture, surtout carnée (la production de 1 kilo de viande, rappelons-le, exige cinquante fois plus d'eau que celle de 1 kilo de céréales). Dans le monde, la production de nourriture pour une seule personne requiert en moyenne, *à toutes les étapes*, entre 3 000 et 4 000 litres d'eau par jour, un chiffre étonnamment élevé, alors que 50 à 150 litres couvrent ses autres besoins, celui de boire, de se laver et de nettoyer son intérieur et ses vêtements.

Deux types d'amélioration sont nécessaires : récupérer davantage d'eau de pluie et mieux utiliser l'eau « verte ». Si on appelle « eau bleue » l'eau des rivières, des lacs et des nappes phréatiques, l'eau « verte » est l'eau invisible qui maintient l'humidité du sol, se trouve à l'intérieur des plantes, s'évapore à la suite de la transpiration de la végétation et retourne dans l'atmosphère. Plus de 60 % de l'eau qui fait partie du cycle hydraulique naturel est de l'eau « verte »[63]. C'est elle qui fait pousser toutes les plantes et permet l'agriculture tributaire des eaux de pluies, qui représente 80 % de l'agriculture mondiale. C'est à ce niveau que se situent les meilleures possibilités d'amélioration de l'agriculture.

Dans les pays en voie de développement, et plus particulièrement en Asie du Sud, il est possible de restaurer le niveau des nappes phréatiques et de réalimenter les puits asséchés des villages en construisant des digues de rétention de l'eau de pluie, ce qui permet à l'eau de s'infiltrer dans les sols au lieu de s'évaporer rapidement. De plus, collecter l'eau de pluie sur le toit des maisons et la stocker dans de vastes citernes souterraines construites avec des matériaux traditionnels suffit amplement à pourvoir aux besoins de villages qui, jusqu'alors, souffraient d'une terrible pénurie d'eau douce. Ces techniques ont été en particulier mises au point par le Barefoot College fondé par Bunker Roy dans les régions arides du Rajasthan, en Inde.

De la nourriture pour tous sans détruire la biosphère : une révolution véritablement verte

40 % de la surface terrestre est utilisée pour l'agriculture. L'agriculture et l'élevage sont responsables de 30 % des émissions de gaz à effet de serre et sont les principales causes des fuites d'azote et de phosphore dans le milieu naturel. Plusieurs rapports scientifiques font état de nouvelles méthodes qui permettraient de *produire suffisamment de nourriture tout en évitant de détériorer notre environnement*[64].

Un rapport de synthèse, publié par la FAO en 2011, montre qu'il est possible de produire 70 % de plus de nourriture dans le monde sans augmenter la surface des terres cultivées[65]. Toutefois, ce rapport souligne que l'accroissement de la productivité ne doit pas se faire en ayant recours aux méthodes de culture intensive qui utilisent des engrais chimiques et des pesticides.

Selon Johan Rockström, c'est d'une révolution *triplement verte* dont nous avons besoin. La première révolution verte qui s'est produite dans les années 1960 a plus que doublé la production mondiale de céréales, principalement le riz, le maïs et le blé. L'Inde, en particulier, a profité d'une augmentation spectaculaire des ressources alimentaires. Toutefois, cette première révolution s'est appuyée sur une utilisation massive d'engrais chimiques, de pesticides, de nouvelles semences hybrides et de méthodes d'irrigation par des pompes au diesel qui vont chercher l'eau très profondément dans le sol.

Les conséquences à long terme de cette augmentation temporaire de la production ont été néfastes dans bien des domaines : épuisement des nappes phréatiques, érosion et appauvrissement des sols, pollution chimique et impacts sociaux négatifs sur les communautés paysannes dont le mode de vie a été profondément perturbé. Dans son livre prophétique, *Printemps silencieux*, Rachel Carson se demandait : « Une telle quantité de substances toxiques peut-elle être appliquée à la surface de la terre sans la rendre impropre à la vie[66] ? » On parle d'insecticides, alors qu'il s'agit véritablement de « biocides ».

Les agroécologistes du monde entier possèdent désormais un nombre croissant de preuves montrant que l'agriculture biologique peut, même à grande échelle, produire approximativement la même quantité de ressources alimentaires que l'agriculture « chimique ». Ils ont obtenu ces résultats en équilibrant l'agriculture et l'élevage, lequel produit de l'engrais naturel, en procédant à la rotation des cultures, qui permet de réapprovisionner le sol en azote organique, et en évitant le labour profond, ce qui préserve la qualité des sols. Les pertes d'azote des sols sont réduites de 30 % si les agriculteurs cultivent des plantes de couverture l'hiver, du seigle ou du blé par exemple, ce qui accroît également la séquestration du carbone dans les sols.

Selon l'Institut de l'environnement et le Centre de résilience de Stockholm dirigé par Rockström, la nouvelle révolution agricole devra ajouter deux révolutions vertes à la première. Il faudra d'une part abandonner progressivement l'usage des engrais chimiques et des pesticides et, d'autre part, utiliser de l'eau « verte » issue de sources renouvelables qui n'épuisent pas les lacs, les rivières et les nappes phréatiques.

Un résumé de toutes ces possibilités, présenté dans « Solutions pour une planète cultivée[67] », un article de Jonathan Foley paru dans la revue *Nature*, montre qu'il est possible de nourrir 9 milliards d'êtres humains en cultivant de manière non destructrice les terres qui sont encore disponibles, dans les régions tropicales en particulier. Ces auteurs mettent également l'accent sur la nécessité de réduire, à différentes étapes de production, le gaspillage des ressources alimentaires : 30 % de la nourriture achetée dans les pays riches finit à la poubelle (il en va de même des médicaments). Près de 50 % de la nourriture produite dans le monde n'atteint jamais un estomac humain en raison de problèmes aussi variés que l'insuffisance des infrastructures et des installations de stockage, les règles trop strictes sur les dates de péremption, les offres du type « pour un acheté, un deuxième gratuit » et l'habitude qu'ont prise les consommateurs de ne choisir que des aliments d'apparence parfaite.

Revitaliser les sols

L'une des mesures les plus vivement recommandées est l'abandon du labour qui expose à l'air la partie la plus riche du sol : les matières organiques chauffent au soleil, se dessèchent et s'évaporent, émettant du CO_2 et entraînant une perte massive des réserves en carbone. La microfaune – bactéries, acariens, vers de terre et autres organismes qui donnent vie au sol – est détruite et l'érosion s'aggrave. La terre aseptisée par le labour devient, de plus, dure et compacte, ce qui empêche les racines d'atteindre l'eau profonde. Le sol est ainsi de moins en moins fertile et son rendement diminue. Les terres devraient donc être travaillées le plus légèrement possible à la surface, voire pas du tout : en Uruguay, au Paraguay et en Bolivie, durant les dix à quinze dernières années, 70 % des fermiers ont abandonné le labourage des champs et leur rendement est revenu à son meilleur niveau.

Ces techniques ont également été introduites dans de nombreuses exploitations françaises[68]. Elles permettent d'enfouir légèrement les graines dans la terre, tout en évitant de retourner le sol. Elles ont l'avantage de réduire considérablement l'érosion et le temps de travail (et donc la consommation énergétique), d'améliorer la structure, la portance et la porosité du sol (permettant à l'eau de mieux s'infiltrer) et de favoriser la richesse biologique de la terre.

Dans les années 1980, au Burkina Faso, l'agroécologiste Pierre Rabhi a montré qu'il était possible d'inverser le processus de désertification avec des méthodes aisément applicables par les communautés locales. Ces méthodes simples consistent à revitaliser les sols arides par de l'humus naturel, riche en micro-organismes et capable de retenir jusqu'à cinq fois son poids en eau, à reboiser, à reconstruire des murets en pierre qui ralentissent l'écoulement de l'eau et à remettre en valeur les semences traditionnelles qui sont plus durables[69]. Ces mêmes techniques ont été appliquées par un humble paysan, Yacouba Sawadogo, qui a depuis gagné le respect de tous les agriculteurs du pays et des grandes organisations internationales et qui en trente ans a réussi a revégétaliser 6 millions d'hectares au Sahel. Sur ces territoires, le niveau des nappes phréatiques est remonté, les arbres ont reverdi le paysage et les récoltes céréalières sont devenues abondantes[70].

Comme nous l'avons vu au chapitre intitulé «L'égoïsme institutionalisé», l'ONG indienne Navdanya est présente dans seize États indiens où elle distribue des semences, ne comprenant pas moins de 600 variétés de riz et 150 variétés de blé, aux agriculteurs désireux de pratiquer l'agriculture biologique et de retrouver leur autonomie alimentaire*. À ce jour, l'association Navdanya compte un demi-million de paysans parmi ses membres.

Le mariage du riz et du canard

Au village de Fukuoka, le fermier japonais Takao Furuno, dans sa jeunesse, a été le témoin attristé de la disparition des oiseaux et des animaux sauvages due à l'expansion de l'agriculture intensive. Dès 1978, inspiré par lecture de *Printemps silencieux*, le livre culte de Rachel Carson[71], Takao décide d'adopter les méthodes de l'agriculture biologique. Le travail n'est pas facile et Takao passe de longues journées à entretenir ses rizières et à enlever laborieusement les mauvaises herbes qui l'envahissent. Dix ans plus tard, il trouve par hasard un vieux livre qui raconte qu'autrefois les cultivateurs avaient coutume de faire patauger des canards dans les rizières. Pourquoi? se demande Takao. Esprit curieux, il lâche des canards dans ses rizières et comprend vite : les canards se nourrissent des mauvaises herbes et des insectes parasites, mais ne touchent pas aux plants de riz. De plus, en remuant le fond des rizières inondées, ils oxygènent l'eau. En guise de bonus, leurs déjections constituent un excellent engrais.

Les canards et le riz sont faits pour s'entendre. Comme le rapportent les deux entrepreneurs Sylvain Darnil et Mathieu Le Roux dans *80 Hommes pour changer le monde*[72], après dix années de travail éreintant, Takao Furuno et sa femme ont trouvé le moyen de se passer de produits chimiques et laissent les canards travailler à leur place. Qui plus est, le rendement s'améliore

* Il existe une vingtaine d'espèces de riz qui comptent des milliers de variétés souvent classées selon leur degré de précocité et la longueur de leur cycle végétatif (qui va de quatre-vingt-dix à plus de deux cent dix jours).

considérablement et peut atteindre jusqu'à 6 500 kg à l'hectare les bonnes années, contre 3 800 kg en moyenne pour les fermes avoisinantes[73]. Le fermier fait également de grosses économies en arrêtant d'employer des produits chimiques. Alors qu'il faut en moyenne 1 litre de pétrole (transformé en engrais, pesticides et combustibles) pour produire 1 kilo de riz, cette méthode permet de s'en passer totalement. Au Japon, les produits biologiques étant très demandés, le « riz canard » (*duck rice*) est vendu à un prix 20 à 30 % plus élevé que le riz traditionnel.

Au Vietnam, au Cambodge ou au Laos, les fermiers qui ont adopté la méthode du riz canard ont vu la productivité de leurs rizières augmenter de 30 % en moyenne par rapport à celles qui sont cultivées par des méthodes traditionnelles.

Takao, dont le livre, *The Power of Duck* (« Le Pouvoir du canard »)[74], est un best-seller en Asie, estime que sur ce continent 75 000 fermes, dont 10 000 au Japon (produisant 5 % du riz consommé dans le pays), ont adopté ses méthodes. L'élevage de canards donne également aux agriculteurs l'occasion d'utiliser les insectes comme une ressource alimentaire au lieu de passer beaucoup de temps à les éliminer. Takao a même introduit des poissons dans les rizières.

Instaurer une économie circulaire en recyclant tous les métaux rares

En dépit d'efforts méritoires, le taux de recyclage des matières premières reste extrêmement faible. Selon un rapport de 2011 du Programme des Nations unies pour l'environnement (PNUE), le passage à une économie verte suppose une progression spectaculaire des faibles taux actuels de recyclage des métaux. Seuls 20 des 60 métaux pris en considération sont recyclés à plus de 50 %, et ce taux est inférieur à 1 % pour 34 des 40 autres métaux dont beaucoup jouent un rôle crucial dans les technologies propres, comme les batteries de voitures hybrides ou les aimants d'éoliennes[75]. En théorie pourtant, *les métaux peuvent être recyclés indéfiniment*, et leur recyclage offrirait de nouvelles sources d'emploi.

En recyclant l'aluminium au lieu de le produire à partir de la bauxite, on réduirait de 90 % les émissions de CO_2 liées à sa production. Aujourd'hui, pourtant, seulement un tiers de l'aluminium provient du recyclage. De même, si l'on recyclait le plomb au lieu de l'extraire de son minerai, on diminuerait de 99 % les émissions correspondantes de CO_2. Il en va de même avec le fer, le cuivre, le nickel, l'étain et les autres métaux.

Par ailleurs, 50 millions de tonnes de déchets électroniques sont produites annuellement, dont à peine 15 à 20 % sont recyclées[76].

Qui plus est, les gisements de métaux rares s'épuisent très rapidement. D'après une évaluation des réserves de 18 métaux rares utilisés dans des secteurs clés de l'industrie, 6 seront épuisées d'ici à cinquante ans au taux actuel de consommation, et 13 le seraient dans le même temps si le monde entier utilisait ne serait-ce que la moitié de la quantité consommée par les États-Unis[77]. Avez-vous entendu parler de l'indium ? Cet élément est en forte demande pour la fabrication d'écrans plats d'ordinateurs et de télévisions. C'est le plus menacé des 18 métaux rares et, au taux de consommation actuel, il devrait être épuisé d'ici à treize ans. Son prix a déjà décuplé entre 2006 et 2009. Le prix du tantale, utilisé pour la fabrication des téléphones portables, a aussi augmenté considérablement, et la volonté de contrôler son exploitation est l'une des causes de la sanglante guerre civile du Congo.

Au même rythme – si la demande n'augmente pas, ce qui est peu probable –, le zinc sera épuisé dans quarante-six ans, l'étain dans quarante ans, l'argent dans vingt-neuf ans et le cuivre dans soixante et un ans. Seuls l'aluminium (mille vingt-sept ans), le platine (trois cent soixante ans) et le chrome (cent quarante-trois ans) sont encore relativement abondants.

Un réseau intelligent de partage des énergies renouvelables

Dans *La Troisième Révolution industrielle*[78], l'économiste Jeremy Rifkin propose de convertir tous les bâtiments en autant de mini-centrales électriques locales fonctionnant grâce à la géothermie, au vent, au soleil et à la transformation des déchets. Si des millions de bâtiments collectaient ainsi des énergies renouvelables, stockaient les surplus sous forme d'hydrogène (qui peut à tout moment être reconverti en électricité) ou les revendaient à des millions d'autres utilisateurs, le pouvoir qui en résulterait surpasserait largement ce que peuvent produire des centrales électriques nationales, qu'elles soient nucléaires, au charbon ou au gaz. Le processus consiste à produire de l'hydrogène par simple électrolyse de l'eau à partir de l'électricité solaire, tandis qu'un autre système le recombine avec de l'oxygène dans une pile à combustible pour produire de l'électricité à la demande. Ce procédé a l'immense avantage d'être absolument propre, et, contrairement aux batteries, n'utilise aucun élément polluant, comme le cadmium ou le lithium.

Un système de programmation informatique pourrait permettre de distribuer les excédents dans les zones qui n'ont pas d'électricité à un moment particulier en raison des intermittences de production, et d'alimenter les bornes de rechargement des véhicules à hydrogène. Des autobus expérimentaux et des voitures à hydrogène circulent déjà en Europe. En mai 2007, le Parlement européen a voté une déclaration officielle par laquelle ce corps législatif des vingt-sept États membres de l'Union européenne s'est engagé en faveur de cette troisième révolution industrielle[79]. Plusieurs projets pilotes ont été mis en place, en Corse notamment où, près d'Ajaccio, un large champ de panneaux photovoltaïques a été couplé à un système de production et de stockage d'hydrogène qui permet de compenser l'intermittence inévitable liée à la production d'électricité à partir du soleil, à une échelle quasi industrielle.

Quelques signes encourageants

Certains pays ont fait des efforts louables dans le domaine de la préservation de l'environnement. Le Vietnam, par exemple, a réussi, en dépit d'une modernisation rapide, mais grâce à un effort systématique de reforestation, qui contraste singulièrement avec la déforestation sauvage de son voisin indonésien, à faire passer sa surface forestière de 28 à 38 % du territoire entre 1990 et 2005. Le taux de reforestation entre 1970 et 1980 y était deux fois plus rapide que celui de la déforestation[80]. Au Costa Rica, plus de 95 % de l'énergie du pays provient de sources renouvelables. Dans l'Himalaya, le Bhoutan, un pays grand comme la Suisse, a le projet de se passer totalement d'engrais et de pesticides d'ici à cinq ans et d'avoir un taux d'émission net de CO_2 de 0 % d'ici à dix ans, c'est-à-dire que le pays n'émettra pas plus de CO_2 qu'il ne pourra en être capturé par les 65 % de couverture naturelle (principalement des forêts) du pays.

Le *sommet mondial sur la biodiversité* organisé par les Nations unies à Nagoya, en 2010, a débouché sur un consensus entre les gouvernements mondiaux pour augmenter la surface des zones biologiquement protégées. 17 % de la surface terrestre et 10 % des océans seront constitués en réserves naturelles. Lors d'un deuxième sommet, à Hyderabad en Inde en octobre 2012, les pays signataires de la Convention pour la diversité biologique ont décidé de doubler les financements (10 milliards de dollars) des pays développés vers les pays en développement, d'ici à 2015, pour mettre en œuvre le plan de sauvetage du «vivant» et la stratégie en vingt points adoptée à Nagoya pour la période 2010-2020. Le processus de protection des zones de haute mer est passé à la vitesse supérieure et des «aires marines d'intérêt biologique ou écologique» ont été définies dans le Pacifique Sud-Ouest, les Caraïbes, l'Atlantique Centre-Ouest et dans la Méditerranée.

Une autre initiative est celle des «marchés éthiques» qui utilisent des «bilans de transition verte» (Green Transition Scorecard ou GTS) et suivent l'évolution des investissements du secteur privé dans les «marchés verts». Le rapport publié par cette organisation en 2012 fait état de 3,3 trillions de dollars de chiffre d'affaires dans ces marchés depuis 2007[81].

Les villes vertes montrent l'exemple

La ville de Portland, dans l'Oregon, a été, année après année, élue au premier rang du palmarès des villes américaines dans lesquelles il fait bon vivre. Dans les années 1970, Tom McCall, le premier maire écologiste, a fait carrément détruire l'autoroute qui traversait la ville pour la transformer en un espace vert public de 4000 hectares. Ses successeurs lui ont emboîté le pas. Entre 1990 et 2008, la ville a réduit de 19% ses émissions de CO_2. Sa surface plantée d'arbres a désormais atteint 26% et continue d'augmenter (jusqu'à 30% d'ici à 2030). Cette ville de 1,4 million d'habitants a construit plus de 700 kilomètres de pistes cyclables, et les salariés qui vont au travail à pied ou en vélo touchent, dans la plupart des entreprises, 50 dollars de plus par mois. Les bouteilles de verre sont toutes consignées pour encourager le recyclage, et la plupart des restaurants de type fast-food (McDonald's, Starbucks, etc.) ont fermé boutique pour laisser place à des restaurants où l'on mange des produits locaux. Portland est la seule ville américaine où Walmart, le numéro un mondial des supermarchés, n'a pu s'implanter en raison du refus des habitants[82].

Stockholm, ville de 1 million habitants, est elle aussi un modèle de ville verte, comme le rapporte Edgar Morin dans *La Voie*. 70 % du chauffage urbain provient d'énergies renouvelables. La ville s'est fixé pour objectif de ne plus avoir recours aux énergies fossiles d'ici à 2050[83]. Aujourd'hui, 95 % de la population de Stockholm vit à moins de trois cents mètres d'un espace vert. Les nombreuses zones vertes de la ville participent à la purification de l'eau, à la réduction du bruit, à la diversité biologique et au bien-être des habitants.

La plupart des habitants de Stockholm utilisent des transports en commun non polluants. La mise en place d'un péage urbain, suite à un référendum intervenu en 2007, a considérablement réduit la circulation automobile et, par voie de conséquence, la pollution atmosphérique. Ainsi, depuis 1990, les émissions de gaz à effet de serre ont diminué de 25 % à Stockholm. La capitale a également mis en place un système innovant de gestion des déchets qui assure un taux de recyclage élevé.

À Hambourg, un éco-quartier en construction sera chauffé par cogénération : il utilisera le solaire et le photovoltaïque, et gérera la récupération des eaux de pluie.

La Convention des maires associe des villes européennes qui s'engagent à améliorer leur efficacité énergétique et à augmenter l'usage des sources d'énergies renouvelables. Les signataires de la Convention visent à respecter, voire à dépasser, l'objectif de l'Union européenne de réduire les émissions de CO_2 de 20 % d'ici à 2020. Plus de quatre mille villes d'Europe ont souscrit à ces obligations, parmi lesquelles Paris, Marseille, Lille, Toulouse, Rennes et nombre de petites villes françaises[84]. Bougival, municipalité de 8 500 habitants du département des Yvelines, a rénové entièrement l'éclairage public et, en réduisant l'intensité de la lumière pendant certaines heures de la nuit, a réalisé 70 % d'économies. La ville a également rénové un groupe scolaire et réduit son empreinte carbone de 98 % en équipant les bâtiments d'un chauffage au bois alimenté par les élagages des forêts. Les habitants ont créé des jardins partagés et implanté des ruchers. Les jardiniers municipaux ont supprimé l'usage des pesticides[85].

Masdar, cité en construction depuis 2008 près d'Abou Dhabi, fonctionnera exclusivement au moyen d'énergies renouvelables, dont le solaire, ressource constante dans le désert de l'émirat. Elle doit être achevée en 2015 et comptera 50 000 habitants. Elle est prévue pour fonctionner avec un niveau zéro d'émission de CO_2, et sans déchets. Elle sera sans voitures. Pas mal au royaume du pétrole !

Au nord de Shanghai, en Chine, Dongtan, projet de ville écologique utilisant uniquement de l'énergie renouvelable, devrait accueillir entre 50 000 et 80 000 habitants au début et jusqu'à 500 000 en 2050.

Autre exemple, BedZED (Beddington Zero Emissions Development)[86] est un ensemble de logements respectueux de l'environnement dans le quartier d'Hackbridge à Londres, qui produisent plus d'énergie qu'ils n'en consomment et présentent un bilan carbone positif.

Passer à l'action et ne plus chercher des excuses pour ne rien faire

Les progrès nécessaires pour relever les défis environnementaux se heurtent naturellement à toutes sortes d'obstacles, allant de l'inertie au déni, en passant par les compromis et l'attentisme.

Il y a d'abord les *négationnistes* qui nient le changement climatique ou son origine humaine. Ils incarnent davantage la déraison et l'absurdité à mesure que les données scientifiques continuent de s'accumuler et que les changements de la biosphère se produisent sous nos yeux. En effet, les données scientifiques dont nous disposons actuellement sont largement suffisantes pour justifier des actions résolues, à moins que nous ne succombions à ce que mon père, Jean-François Revel, appelait « la connaissance inutile ».

Il y a aussi les *blasés* qui affirment que l'on nous annonce depuis des décennies des catastrophes qui ne se produisent pas. Vers 1880, un scientifique annonça l'engloutissement prochain des rues de Paris sous une couche de crottin de cheval, puisqu'il y avait toujours plus de chevaux dans la capitale française. Mais ces sceptiques qui proclament en avoir vu d'autres s'apercevront vite qu'il ne s'agit plus simplement de craintes alarmistes liées à des problèmes localisés, comme par exemple la pollution industrielle de Londres, au XIXe siècle, qui avait rendu l'atmosphère irrespirable et transformé la Tamise en un cloaque putride, mais de transformations dont un grand nombre sont irréversibles.

Il est vrai que l'accumulation de nouvelles alarmantes à propos du changement climatique, de la perte de biodiversité et d'autres défis environnementaux est telle qu'une partie de l'opinion publique finit par être blasée ou, à l'inverse, par éprouver un sentiment d'impuissance face à la magnitude des transformations qui s'opèrent et des interventions nécessaires pour les pallier. Tout le monde regrette que les populations d'abeilles périclitent partout dans le monde, que la population des grands poissons marins ait diminué de 90 %, qu'il ne reste plus que 10 % des forêts d'il y a dix mille ans : « Quel dommage ! » pense-t-on, tout en tentant de se rassurer, en se disant : « Bah, on trouvera bien une solution... » Comme le résume Sunita Narain, directrice du Centre pour la science et l'environnement, à New Delhi : « Ne vous inquiétez pas, contentez-vous de consommer ! » Tel est le mantra de notre temps[87].

Dans le passé, des communautés locales ont certes surmonté avec succès nombre de difficultés de ce genre, mais, aujourd'hui, le problème est tout autre : c'est la première fois dans l'histoire de l'humanité que notre espèce est associée à des changements planétaires aussi rapides et aussi radicaux.

Viennent ensuite les *relativistes* qui, tel le statisticien danois Bjorn Lomborg, pensent qu'il est plus urgent de remédier à la pauvreté, à la raréfaction des ressources alimentaires, au sida et autres maladies contagieuses que de consacrer des ressources à prévenir un réchauffement climatique qu'il juge incertain[88]. Il s'agit là d'une double erreur de jugement, puisque le réchauffement est maintenant indéniable et que, répétons-le, ce sont précisément les populations les plus démunies qui souffriront le plus des maladies, dont la rapidité de contagion est fonction de la température et de la raréfaction des ressources alimentaires, elle aussi aggravée par le changement climatique. Le bien-être de l'humanité va donc de pair avec le combat contre le réchauffement climatique.

Affirmer que le bien-être de l'humanité d'aujourd'hui importe davantage que la survie de celle de demain revient à dire qu'il est plus utile d'améliorer le confort des maisons d'un village que d'éteindre l'incendie qui menace de les détruire.

Il y a encore les *opportunistes*, que l'idée de prospérité sans croissance importune. Ils souhaitent une croissance maximale qui profite le plus possible à la génération présente. Pour ne rien faire maintenant en faveur de l'environnement, ils louent d'avance l'ingéniosité des générations futures, lesquelles trouveront, affirment-ils, des solutions. Il ne s'agit pas de sous-estimer la créativité et les capacités d'innovation de l'espèce humaine, mais il faut être clairvoyant, l'existence de seuils critiques rendra la tâche impossible dans nombre de domaines. Dès aujourd'hui, nous essayons de réintroduire ici et là quelques espèces localement disparues – loups, diables de Tasmanie et, en France, ours, lynx et vautours – mais ces ajustements cosmétiques, rarement couronnés de succès, n'offriront au mieux qu'une maigre consolation si 30% de toutes les espèces vivantes disparaissent, ce qui, au rythme actuel, sera le cas en 2050.

Une question de bon sens

La planète n'a jamais été figée et ne le sera jamais. D'innombrables espèces sont apparues et se sont éteintes bien avant qu'*Homo sapiens* n'entre en scène. Il ne saurait donc être question de concevoir un «état idéal» pour une planète en constante évolution. Mais un changement majeur est intervenu, nous sommes entrés dans cette ère que les scientifiques sont convenus d'appeler l'«anthropocène», cette ère au cours de laquelle l'homme est devenu une force géologique qui modifie en profondeur les équilibres naturels de façon suffisamment importante pour menacer le bien-être de l'humanité et la survie d'innombrables espèces.

En conclusion, il est impératif et urgent de prendre conscience des interactions entre l'homme et la nature, entre nos économies et les grandes transformations qui affectent la planète, c'est-à-dire fondamentalement de notre appartenance à la biosphère. Alors que nous approchons des limites de ce que la Terre peut nous offrir et supporter, nous devons reconnaître que notre bien-être futur dépend de notre capacité à rester en deçà de ces seuils de sécurité. Le rapport *Harmonie avec la nature*, présenté en 2010 par le Secrétaire général des Nations unies, prend acte de cette interdépendance :

> Finalement, les comportements destructeurs au plan écologique apparaissent lorsque l'on oublie que les êtres humains font partie intégrante de la nature et que porter atteinte à celle-ci, c'est aussi nous nuire gravement à nous-mêmes[89].

La mise en œuvre des actions nécessaires passe ensuite par le renforcement de la gouvernance et de la coopération internationale, mais aussi et surtout par le développement de l'altruisme et de la solidarité au niveau des communautés tout comme à celui des individus que nous sommes.

42

Une harmonie durable

Vous ne pouvez résoudre des problèmes avec la même manière de penser qui les a créés.

Albert Einstein

À quoi bon une nation qui serait richissime et toute-puissante, mais dans laquelle les gens ne seraient pas heureux? Une société humaine avisée, nous l'avons vu, doit assurer une qualité de vie convenable aux générations présentes en remédiant à la pauvreté, et aux générations futures en évitant de dégrader la planète. Selon cette conception, la croissance est en elle-même secondaire par rapport à l'établissement d'un équilibre entre les aspirations de tous et d'une «harmonie durable» qui tienne compte du sort des générations à venir et n'est concevable que dans le contexte de la coopération et de l'altruisme. Seule la réalisation de ces deux derniers points nous permettra de relever le défi présenté au début de cet ouvrage et de concilier les exigences de la prospérité, de la qualité de vie et de la protection de l'environnement, à court, à moyen et à long terme. Aujourd'hui, mieux vaut rechercher une croissance qualitative des conditions de vie qu'une croissance quantitative de la consommation.

Ni croissance ni décroissance : une prospérité équilibrée

À l'heure actuelle, la majorité des économistes définissent la croissance en termes d'augmentation des richesses – voire d'accumulation des richesses comme un but en soi – et d'exploitation des ressources naturelles. Or ce type de croissance n'est plus adapté aux réalités d'aujourd'hui. Les ressources naturelles ont suffi à nos besoins jusqu'à maintenant, mais elles sont limitées par la force des choses. Pourtant, l'idée même d'une limitation de la croissance est accueillie avec incrédulité par la plupart des économistes et des politiciens et, comme le souligne l'économiste anglais Partha Das Gupta, «la Nature continue d'être traitée comme un capital dont la seule utilité est d'être exploitée pour servir les intérêts humains[1]». Selon l'environnementaliste Johan Rockström, on ne pourrait mieux décrire l'hérésie d'une économie qui croît aux dépens mêmes des ressources premières qui lui permettent d'exister : «La population mondiale augmente, la consommation augmente, mais la Terre, elle, n'augmente pas[2].» Il souligne que les seules ressources naturelles qui soient pratiquement illimitées sont le vent et l'énergie solaire. Or ce sont celles que nous utilisons le moins.

Bref, comme le remarquait Kenneth Boulding, économiste anglais naturalisé américain : «Ceux qui pensent que la croissance économique peut continuer indéfiniment sont soit des malades mentaux, soit des économistes[3].»

Mais ce n'est pas tout. En choisissant de continuer à encourager la croissance comme si de rien n'était, les économistes font un très mauvais pari pour les générations à venir. Le rapport présenté par l'un de leurs plus éminents collègues, sir Nicholas Stern, a en effet montré de manière convaincante que les coûts économiques de l'inaction en matière de prévention du réchauffement climatique seront très largement supérieurs aux investissements qui permettraient de modérer ou d'empêcher ce réchauffement[4]. Stern prévoit, entre autres, le déplacement de plus de 200 millions de personnes d'ici à 2050, en raison des changements climatiques.

Herman Daly, professeur à l'université du Maryland, estime qu'aujourd'hui déjà les coûts environnementaux liés à la croissance économique dépassent les profits qu'elle engendre : passé un certain seuil, la croissance économique, qui oublie de comptabiliser comme des coûts les dégâts qu'elle occasionne, nous appauvrit au lieu de nous enrichir[5].

Nous sommes ici confrontés à un profond dilemme. En effet, ni la croissance, qui, dans sa forme et à son rythme actuels, est insoutenable avec les ressources naturelles dont nous disposons, ni la décroissance, qui nuirait aux plus pauvres, ne constituent des moyens adéquats pour gérer les défis actuels. C'est ce que souligne l'économiste britannique

Tim Jackson, professeur de développement durable à l'université du Surrey, dans son ouvrage *Prospérité sans croissance : La transition vers une économie durable*[6]. Jackson identifie trois raisons pour lesquelles la croissance actuelle ne peut se poursuivre : premièrement, le modèle économique en vigueur tient pour acquis que la richesse est un indicateur approprié de la prospérité. C'est là, bien sûr, une vision naïve et réductrice de ce qui constitue la qualité de l'existence, du fait que, bien souvent, une croissance outrancière va à l'encontre du bien-être de la majorité en entraînant ce que Jackson appelle une «récession sociale».

Deuxièmement, les bienfaits de la croissance sont distribués de façon très inégale et profitent démesurément à ceux qui sont déjà riches. Rappelons que 5% de l'humanité empochent 75% des revenus mondiaux, tandis que 5% des plus pauvres n'en reçoivent que 2%. Dans un système qui aggrave les inégalités au lieu de les réduire, souligne Jackson, «vous pourriez faire croître l'économie mondiale pendant un million d'années sans pour autant faire disparaître la pauvreté[7]».

Troisièmement, une croissance économique illimitée est tout simplement impossible en raison des limites écologiques de la planète. Les citoyens de la seconde moitié du XXIe siècle paieront très cher l'égoïsme et les excès des citoyens d'aujourd'hui.

Jackson ne se fait pas pour autant l'avocat d'une *décroissance*. Celle-ci déstabiliserait la société en aggravant le chômage et en nuisant, une fois de plus, principalement aux plus pauvres, qui auraient ainsi encore moins de chances d'accéder aux services sociaux de base de nos sociétés développées. Cet auteur ne propose pas de solution miracle, mais démontre que la poursuite aveugle d'une consommation sans cesse accrue est préjudiciable à l'avenir de l'humanité.

Le juste milieu entre croissance et décroissance se situe dans une *harmonie durable*, c'est-à-dire une situation qui assurerait à chacun un mode de vie décent et réduirait les inégalités tout en cessant d'exploiter la planète à un rythme effréné. Pour parvenir à cette harmonie et la maintenir, il faut donc d'une part sortir un milliard de personnes de la pauvreté et, d'autre part, réduire la consommation galopante propre aux pays riches. Il faut également prendre conscience qu'une croissance matérielle illimitée n'est nullement nécessaire à notre bien-être. On sait par exemple que dans les dix années à venir la croissance économique de l'Europe et de bien d'autres pays va très probablement stagner.

Il vaut donc mieux rediriger notre attention vers une croissance qualitative de la satisfaction de vie et vers la préservation de l'environnement.

Les faiblesses du modèle économique actuel

Selon James Gustave Speth, doyen des études environnementales à l'université de Yale et ancien directeur du Programme des Nations unies pour le développement (PNUD), la dégradation accélérée de la Terre n'est pas simplement le résultat de politiques nationales déficientes ou de simples négligences : elle est due aux défaillances systémiques du capitalisme d'aujourd'hui qui, en visant une croissance économique perpétuelle, nous a amenés simultanément au seuil de l'abondance et au bord de la ruine. Dans *The Bridge at the Edge of the World*[8] («Un pont au bout du monde»), il identifie comme principal moteur de destruction de l'environnement les 60000 sociétés multinationales qui ont émergé au cours des dernières décennies et qui s'efforcent continuellement d'augmenter leur taille et leur rentabilité sans aucune considération pour les générations futures. Il estime que le système du capitalisme moderne ne peut qu'engendrer des conséquences environnementales de plus en plus graves, qui dépasseront tous les efforts faits pour les gérer. Il est donc nécessaire de changer de cap et de s'attacher à construire dès aujourd'hui une société de «post-croissance», fondée davantage sur le bien-être que sur la richesse économique.

Le principal changement de perspective concerne l'importance accordée au PIB. Pour Amartya Sen, lauréat du prix Nobel d'économie, la crise économique est une occasion de repenser plus largement les notions de progrès et de bonheur et de concevoir d'autres outils de mesure que le PIB. Pour Sen, «le PIB est très limité. Utilisé seul, c'est un désastre. Les indicateurs de production ou de consommation de marchandises ne disent pas grand-chose de la liberté et du bien-être, qui dépendent de l'organisation de la société, de la distribution des revenus[9]». Nous avons donc besoin de plusieurs autres indicateurs qui reflètent entre autres l'espérance de vie, l'éducation, l'accès aux soins, l'inégalité, le bien-être subjectif, la préservation de l'environnement, etc.

L'inventeur du PIB, le prix Nobel d'économie Simon Kuznets, avait montré il y a déjà soixante ans que le PNB (produit national brut) et le

PIB (produit intérieur brut), conçus pour gérer la crise de 1929, ne mesurent que quelques aspects de l'économie et ne devraient jamais servir à évaluer le bien-être, voire les progrès d'une nation : «Le bien-être d'un pays peut [...] difficilement se déduire de la mesure du revenu national[10]», écrivait Kuznets dès 1934. Il attirait l'attention sur le fait qu'il ne fallait pas se contenter de s'interroger uniquement sur ce qui augmente quantitativement, mais sur la *nature* de ce qui augmente : «Il faut garder à l'esprit la distinction entre quantité et qualité de la croissance [...]. Quand on fixe comme objectif "plus" de croissance, il faudrait préciser plus de croissance *de quoi* et *pour quoi faire*[11]».

Le PIB quantifie la valeur totale de la production, au cours d'une année, de la richesse créée par les agents économiques (ménages, entreprises, administrations publiques) résidant à l'intérieur du pays. Or la prospérité véritable possède en effet de nombreux autres paramètres que le PIB ne prend pas en compte. En particulier, la mesure du PIB ne fait aucune distinction entre l'augmentation du volume des biens et des services quand elle s'accompagne d'un plus grand bien-être et la même augmentation lorsqu'elle se fait au détriment de ce bien-être.

Dans les années 1990, les économistes ont commencé à parler plus souvent de PIB que de PNB, ce qui a affaibli plus encore la corrélation entre la richesse théorique d'un pays et le bien-être de sa population. Le PNB correspond à la production annuelle de richesses créées par un pays, que cette production ait lieu sur le sol national ou à l'étranger. Toutefois, si les produits d'un pays sont exportés en grande quantité, ce qui est généralement le cas des ressources minières et pétrolières, le PIB augmente, alors que le PNB peut diminuer si les citoyens ne bénéficient pas des revenus engendrés par ces ressources – soit qu'elles sont exploitées par des compagnies étrangères, soit qu'une classe gouvernante peu scrupuleuse se les approprie. Dans d'autres cas, le PIB augmente fortement tandis que la qualité de vie se dégrade en raison des dégâts environnementaux et des conflits liés à la mainmise sur les ressources minières, comme c'est le cas au Congo. Ainsi que le souligne le psychologue Martin Seligman :

> À l'époque de la révolution industrielle, les indicateurs économiques constituaient une très bonne approximation de la réussite d'un pays. La satisfaction des besoins élémentaires – se nourrir, se

loger, se vêtir – était hasardeuse, et elle progressait avec l'augmentation des richesses. Mais plus une société devient prospère, moins la mesure de la richesse est un bon indicateur de sa réussite. Au XXIᵉ siècle, les produits et les services essentiels, autrefois rares, sont devenus courants, et certains pays en disposent en surabondance. Du fait que les besoins élémentaires sont amplement satisfaits dans les sociétés modernes, des facteurs autres que la richesse jouent désormais un rôle considérable dans l'évaluation de leur réussite. [...] Aujourd'hui, la divergence existant entre richesse et qualité de vie saute aux yeux[12].

On ne peut s'attendre à ce que la qualité de vie soit un simple sous-produit de la croissance économique, car l'une et l'autre n'ont pas les mêmes critères. Il serait plus approprié d'introduire le concept de « bonheur national brut », pour reprendre un terme que le Bhoutan, petit pays himalayen, a lancé il y a quelques années. Il existe depuis trois décennies une science qui permet de mesurer divers aspects de la satisfaction de vie et ses corrélations avec d'autres facteurs extrinsèques (ressources financières, rang social, éducation, degré de liberté, niveau de violence dans la société, situation politique) et intrinsèques (bien-être subjectif, optimisme ou pessimisme, égocentrisme ou altruisme).

Il y a près de quarante ans déjà, alors qu'il se présentait à la présidence des États-Unis, le sénateur Robert Kennedy déclarait de façon visionnaire :

> Nous avons trop et trop longtemps abandonné l'excellence et les valeurs de la société au profit de l'accumulation de biens matériels. Aujourd'hui, notre produit intérieur brut est supérieur à 800 milliards de dollars par an, mais ce PIB – si nous devions évaluer l'Amérique par cet outil – comptabilise la pollution de l'air et la publicité pour les cigarettes et les revenus des ambulances qui s'occupent des blessés lors des accidents de la route. Il prend en compte la destruction de nos séquoias et de nos merveilles naturelles dans une expansion chaotique. Il prend en compte le napalm et le coût des ogives nucléaires, ainsi que les voitures de police blindées qui combattent les émeutes dans nos rues. Il prend en compte les fusils et les couteaux, ainsi que les programmes de télévision qui glorifient la violence afin de vendre des jouets à nos enfants.

Mais le produit intérieur brut ne tient pas compte de la santé de nos enfants, de la qualité de leur éducation, ou du plaisir de leurs jeux. Il ne prend pas en compte la beauté de notre poésie ou la solidité de nos mariages ; l'intelligence de nos débats publics ou l'intégrité de nos responsables officiels. Il ne mesure ni notre humour ni notre courage ; ni notre sagesse ni nos connaissances ; ni notre compassion ni notre dévouement pour notre pays ; en résumé, il mesure tout, sauf ce qui donne de la valeur à notre vie[13].

Vers de nouveaux critères de prospérité

Aucun État ne souhaite avoir le sentiment que sa prospérité décline, et tout déclin du PIB inquiète ou donne lieu à un constat d'échec. Toutefois, si la prospérité des nations était mesurée simultanément en termes de prospérité économique, de bien-être et d'intégrité de l'environnement, les dirigeants et les citoyens pourraient se réjouir d'une croissance annuelle des deux derniers indicateurs, même si le PIB n'augmente pas. Plusieurs initiatives, soutenues par un certain nombre d'économistes influents* et d'hommes politiques, tentent d'intégrer ces trois paramètres dans un système cohérent :

L'*indicateur de véritable progrès* (IVP, ou Genuine Progress Indicator, GPI), utilisé par l'institut californien Redefining Progress (« Redéfinir le Progrès »), intègre le travail domestique et le bénévolat dans les contributions économiques, et en soustrait la pollution et les inégalités sociales. Pour les années 1950 à 2002, la courbe de la satisfaction de vie mesurée aux États-Unis n'est pas du tout corrélée avec celle du PIB, mais se superpose à celle de l'IVP.

L'indice de développement humain (IDH) publié depuis 1990 par le PNUD (Programme de développement des Nations unies) prend en compte la qualité de l'éducation, l'espérance de vie et le PIB. Il a toutefois le défaut d'omettre l'évaluation de la qualité de l'environnement.

À partir de 1987, au sein de l'Institut Fordham, deux sociologues américains, Marc et Marque-Luisa Miringoff ont calculé un *indice de santé sociale* (ISS) composé de seize variables, parmi lesquelles la mortalité et

* Parmi lesquels Herman Daly, Robert Costanza, Manfred Max-Neef et Charles Hall, ainsi que des économistes progressistes comme Joseph Stiglitz, Nicholas Stern, Dennis Snower, Partha Das Gupta, et Amartya Sen.

la pauvreté infantile, la maltraitance des enfants, le suicide et l'abus de drogues chez les adolescents ainsi que l'abandon d'études universitaires, le chômage, l'inégalité des revenus, l'accès au logement, la couverture par l'assurance-maladie, le taux de criminalité, la pauvreté des plus de soixante-cinq ans et leur espérance de vie[14]. On notera que ces mesures n'incluent aucune évaluation du bien-être subjectif qui reflète le niveau de satisfaction de vie des citoyens.

À la même époque, dans leur ouvrage *For the Common Good* («Pour le bien commun»), les économistes Herman Daly et John Cobb ont quant à eux formulé un *indice de bien-être économique durable* (IBDE) qui a pour but de corriger les limitations les plus évidentes du PIB[15]. Ils soustraient, par exemple, du PIB les activités qui nuisent au développement durable – la pollution et la dégradation de l'environnement en premier lieu –, et y ajoutent des activités qui contribuent à la qualité de l'environnement. Daly et Cobb observent que, jusqu'à un certain point, l'augmentation du PIB va de pair avec celle du bien-être, en particulier dans les pays pauvres. Toutefois, au-delà d'un certain niveau, une augmentation du PIB se traduit par une diminution du bien-être et une dégradation de l'environnement en raison des nuisances engendrées par la surconsommation.

L'économiste chilien Manfred Max-Neef, qui a participé aux délibérations sur le bonheur national brut (BNB) au Bhoutan a, quant à lui, proposé un modèle qui inclut neuf besoins humains fondamentaux, parmi lesquels on trouve les besoins matériels habituels, mais aussi les besoins de protection, de liberté, de participation (à la vie sociale) et d'affection. Il fonde son modèle sur six principes :

— l'économie est au service des citoyens, et non les citoyens au service de l'économie;

— le développement concerne les personnes et non des objets;

— la croissance n'est pas la même chose que le développement, et le développement ne requiert pas nécessairement la croissance;

— aucune économie n'est possible en l'absence des services fournis par nos écosystèmes;

— l'économie est un sous-système d'un système plus vaste mais fini, la biosphère. La croissance incessante est donc impossible;

— un processus économique ou des intérêts financiers ne peuvent en aucun cas être placés au-dessus du respect de la vie.

Au Royaume-Uni, à la suite de la publication, en 2012, d'un rapport sur le bien-être de la population, le Premier ministre David Cameron fut accusé de se préoccuper de questions présentant un intérêt mineur pour le pays, ce à quoi il rétorqua : « À ceux qui disent que tout cela ressemble à une distraction par rapport à la gravité des affaires du gouvernement, je dirais que rechercher ce qui améliore vraiment la vie des citoyens et œuvrer en ce sens constituent, en vérité, les affaires importantes d'un gouvernement. »

Trois indicateurs essentiels : prospérité équilibrée, satisfaction de vie, qualité de l'environnement

L'approche du bonheur national brut (BNB) proposée par le Bhoutan semble particulièrement prometteuse parce qu'elle s'accompagne d'une vision à long terme. Elle suscite de ce fait l'intérêt d'un nombre croissant d'économistes, de sociologues et d'hommes politiques. À la différence des indices cités précédemment, le BNB s'intéresse de près au bonheur subjectif et a affiné les moyens de l'évaluer, mais il intègre aussi des indicateurs de richesse sociale (bénévolat, coopération, etc.) et de richesse naturelle (valeur du patrimoine naturel intact) en complément à la prospérité économique qui cesse d'être l'unique priorité.

Le royaume du Bhoutan, devenu récemment une monarchie constitutionnelle, est un pays himalayen d'une superficie légèrement supérieure à celle de la Suisse et qui compte environ 700 000 habitants. Il est passé directement du Moyen Âge au développement durable, en sautant l'étape de la dégradation des ressources naturelles qui a affecté la plupart des autres pays. Le bilan est inspirant : au lieu de diminuer (comme cela a été le cas de tous les pays d'Asie, à l'exception du Vietnam), le taux de couverture naturelle, représenté par les forêts, les zones humides, les prairies, les glaciers et autres surfaces qui ne sont pas activement utilisées par l'homme, a *augmenté* au cours des vingt dernières années, passant de 60 à 65 % de la surface du pays.

Ainsi que nous l'avons souligné au chapitre « Une harmonie durable », le pays dans son ensemble a le projet de devenir « carbone zéro » d'ici à dix ans (il n'émettra pas plus de CO_2 qu'il ne peut en capter) et le peu d'engrais chimiques utilisé dans quelques vallées sera banni d'ici à cinq ans. La chasse et la pêche sont désormais interdites sur l'ensemble du territoire*,

* Les Bhoutanais abattent toutefois des animaux pour la viande et seule une minorité d'entre eux sont végétariens. Les précédents rois se livraient à la chasse de façon privilégiée, mais cette pratique a maintenant été abandonnée.

ainsi que la vente du tabac. L'éducation et la médecine sont gratuites. Qui plus est, inspiré par sa culture bouddhiste qui met l'accent sur la paix intérieure, le pays a décidé de faire de la poursuite du bonheur la priorité de l'État. Les Bhoutanais sont tout à fait conscients qu'ils ont encore fort à faire eux-mêmes pour améliorer la qualité de vie dans leur pays et que le BNB n'est pas une formule magique, mais ils ont le mérite d'avoir choisi des priorités aptes à assurer une prospérité reposant sur quatre piliers : le développement durable, la conservation de l'environnement, la préservation de la culture et une bonne gouvernance.

Le Premier ministre du Bhoutan, Lyonchen Jigme Thinley, souligne à quel point il est essentiel d'avoir une vision d'avenir à long terme. Lorsqu'il demandait à certains de ses collègues étrangers comment ils envisageaient l'avenir de leur pays dans cinquante ans, il a été frappé de constater qu'ils semblaient souvent « tâtonner dans l'obscurité[16] ».

Cette aventure a commencé en 1972, lorsque le quatrième roi du pays, Jigme Singye Wangchuck*, déclara dans un fameux discours, après son accession au trône : « Le bonheur national brut importe davantage que le produit national brut. » Les premières fois qu'ils énoncèrent ce concept dans les réunions internationales, les représentants bhoutanais furent accueillis par des sourires amusés. Depuis, ce nouveau paradigme de prospérité a fait son chemin et attiré l'attention des plus grands économistes du moment. Comme le commente Joseph Stiglitz :

> Quand le Bhoutan a adopté le concept de BNB, certains ont prétendu qu'ils espéraient ainsi détourner l'attention de leur manque de développement. Je pense tout le contraire. La crise nous a fait prendre conscience du degré d'inadéquation de nos mesures, même en économie : le PIB américain semblait bon, puis nous avons réalisé qu'il ne s'agissait que d'un fantasme[17].

En juillet 2011, une résolution intitulée « Bonheur, vers une approche holistique du développement », déposée par le Bhoutan et coparrainée par 68 pays, fut adoptée à l'unanimité par les 193 membres des Nations

* Jusqu'à la fin du XIXe siècle, le Bhoutan était constitué d'un ensemble de petites provinces fédérées sans gouvernement central. Le premier roi, Ugyen Wangchuck, régna de 1907 à 1952. Le Bhoutan est entré aux Nations unies en 1971. En 2006, le quatrième roi, Jigme Sengye Wangchuck, déclara qu'il souhaitait instituer la démocratie, abdiqua en faveur de son fils, Jigme Khesar Namgyel Wangchuck, qui devint en 2010 le cinquième roi au sein d'une monarchie constitutionnelle comparable à la monarchie britannique.

unies. En avril 2012, une journée entière, à laquelle je participai, fut consacrée à la mise en œuvre de cette résolution, au siège des Nations unies à New York. À cette occasion, son Secrétaire général, Ban Ki-moon, déclara :

> La prospérité matérielle est importante, mais elle est loin d'être le seul déterminant du bien-être. [...] Le Bhoutan a reconnu la suprématie du bonheur national sur le revenu national depuis les années 1970 et adopté le désormais célèbre «bonheur national brut» au lieu du produit national brut. Une telle vision est en train de gagner du terrain dans d'autres pays. Le Costa Rica est connu pour être le pays le plus «vert» au monde – un exemple de développement global et écologiquement responsable. Comparé aux autres pays avec des niveaux de revenu similaires, il se classe premier dans le développement humain, et c'est un havre de paix et de démocratie[18].

Durant cette journée, lors de la réunion préparatoire organisée par l'Institut de la Terre dirigé par Jeffrey Sachs à l'université de Columbia, trois prix Nobel d'économie, des scientifiques[19], des philosophes et des représentants de nombreux pays (dont la présidente du Costa Rica et une importante délégation brésilienne) ont mis en place un plan d'action. Depuis lors, le mouvement n'a cessé de prendre de l'ampleur. Outre le Bhoutan et le Costa Rica, les gouvernements du Brésil et du Japon ont maintenant pris des mesures afin d'inclure le bonheur national brut dans leur agenda politique national. La province d'Alberta, au Canada a, elle aussi, instauré un «index canadien du bien-être», qu'il a ensuite mesuré.

La Commission européenne a son projet «PIB et au-delà», tandis que l'Organisation de coopération et de développement économiques, représentée aux Nations unies par la statisticienne en chef de l'OCDE, Martine Durand, a établi ses propres lignes directrices de mesure du bien-être.

Une comptabilité nationale qui reconnaisse la valeur du capital naturel et du capital humain

Le PIB ne prend en compte que les transactions monétaires du marché Lorsque les forêts sont abattues et les océans vidés de toute vie, ces résultats sont comptabilisés positivement sous la forme d'un accroissement du PIB. Il y a là un effet doublement pervers car non seulement on omet de compter la valeur des biens naturels, mais leur dégradation est comptabilisée sous forme de gain économique[20]. Comme l'explique le Premier ministre du Bhoutan :

> Si nous devions abattre toutes nos forêts, le PIB exploserait car il ne mesure la valeur du bois que lorsque les arbres sont débités et vendus sur le marché. Le PIB ignore complètement la valeur de nos forêts vivantes et non abattues. Il n'est donc pas étonnant que le monde ait accumulé une dette écologique massive qui n'apparaît nulle part dans les comptabilités nationales[21].

La sociologue Dominique Méda abonde dans ce sens : « En poussant la logique à son terme, on pourrait soutenir qu'une société qui se détruit entièrement, qui se consomme et se consume, serait de plus en plus riche, jusqu'à ce qu'elle n'ait plus rien à vendre[22]. »

S'il y a dans un pays plus de criminalité, de pollution, de guerres et de maladies, le PIB augmente en raison des mouvements financiers liés aux dépenses dans les prisons, la police, les armes et les soins de santé. Cette augmentation est comptabilisée comme le signe positif d'une économie en expansion, alors qu'elle correspond à un déclin du bien-être. De plus, ajoute Lyonchen Jigme Thinley :

> Le PIB ignore tout un ensemble d'activités économiques qui contribuent, elles, à notre qualité de vie – simplement parce qu'il n'y a aucun échange monétaire. Ainsi le travail bénévole, les activités d'intérêt collectif, le travail vital et non rémunéré réalisé au sein du foyer, tout cela ne représente rien pour le PIB ; de même, le temps précieux dont nous avons besoin pour méditer, jardiner et être en lien avec notre famille ou des amis n'a aucune valeur pour le PIB.

Ce point fut illustré par le psychologue américain Tim Kasser lors d'une conférence sur les rapports entre le bouddhisme et la société de consommation, qui s'est tenue à Bangkok en 2008 : « Ce matin, j'ai passé un merveilleux moment avec mon fils dans un parc. Outre la joie d'être ensemble, nous avons découvert toutes sortes de fleurs tropicales et d'oiseaux multicolores, et nous avons profité de la beauté et du calme du lieu. Imaginons qu'à la place, j'aie emmené mon fils faire du shopping dans un supermarché, qu'à la sortie nous ayons pris un triporteur "tuk-tuk" et que celui-ci ait accroché une voiture. Nous aurions dû emmener le conducteur, légèrement blessé, à l'hôpital, et une amende aurait été infligée au chauffard responsable de l'accrochage : tout cela aurait été bien meilleur pour le PIB.»

L'un des premiers économistes modernes, Jean-Baptiste Say, soulignait en 1803 que l'air, l'eau et la lumière du soleil ne sont pas des biens auxquels on donne généralement le nom de «richesses»[23]. Il est toutefois évident que la qualité de l'air comme celle de l'eau influencent notablement la qualité de vie et, avec la lumière solaire qui est une source inépuisable d'énergie renouvelable, doivent être considérées comme un capital naturel. Wijkman et Rockström, l'un politicien, l'autre scientifique de l'environnement, attirent également notre attention sur le fait qu'on ne peut pas indéfiniment substituer des biens artificiels aux biens naturels : le fait de remplacer le bois par du plastique et le travail humain par des machines a des limites[24]. Rien ne peut remplacer l'air pur, une végétation intacte et des terres saines et fertiles. Il est donc essentiel de distinguer et d'évaluer à leur juste valeur les différents types de capitaux – industriels, financiers, humains et naturels – et d'accorder à chacun l'importance qu'il mérite.

Par ailleurs, le PIB, lui, continue de croître aussi longtemps que le pays s'enrichit globalement, même si ce sont les 1 % les plus riches qui concentrent la plus grande partie des richesses acquises, alors que le bonheur national brut est incompatible avec l'injustice sociale et les inégalités croissantes entre les riches et les pauvres.

Il y a bien d'autres exemples de cette manière absurde de faire les comptes : d'après le dogme économique en vigueur, plus nous brûlons de carburants fossiles et produisons ainsi de gaz à effet de serre, plus le PIB augmente et plus nous devenons «riches». Les véritables conséquences négatives du changement climatique demeurent invisibles – dans l'immédiat tout au moins. L'exemple des fuites de pétrole qui ont dévasté le golfe du Mexique montre que le vrai coût de l'essence ne se reflète jamais dans le prix affiché à la pompe, les systèmes de comptabilité actuels ignorant les dommages écologiques. Comble de l'ironie, même les dépenses affectées au nettoyage et à la réparation des sites se traduisent par une augmentation du PIB.

Le fait que le capital naturel ait subi des pertes considérables et que certains écosystèmes soient sur le point de basculer vers une dégradation irréversible n'apparaît nulle part dans les comptes. Les seuls chiffres négatifs parfois pris en considération sont ceux afférents à l'usure des machines et des bâtiments, jamais à la dégradation de la planète[25].

Les économistes rechignent, en particulier, à considérer des « externalités », un terme qui fait référence aux conséquences indirectes des activités économiques. Une entreprise d'exploitation forestière qui rase 1 000 hectares n'inclut en aucun cas dans ses comptes l'externalité que représente le déficit de production d'oxygène et d'absorption du CO_2, l'érosion des sols et la perte de biodiversité provoquées par la disparition des arbres.

Le terme même d'*externalité* montre bien à quel point les effets néfastes des activités économiques sur l'environnement sont considérés comme des inconvénients secondaires et des perturbations indésirables dans la conduite des affaires. Dans la réalité, en raison de la sévérité de leur impact sur les conditions de vie, ces externalités ont pris une importance telle qu'elles sont sur le point d'éclipser les préoccupations centrales des économistes. Il faut donc abandonner ce concept d'externalité et intégrer les variables qu'il représente dans les évaluations économiques.

En bref, le capital naturel – la valeur des forêts intactes, des réserves d'eau douce, des zones humides, de la biodiversité – doit être évalué à sa juste valeur et inclus dans le bilan économique d'un pays, au même titre que les revenus financiers ou les réserves en or, par exemple. Il représente en effet un trésor inestimable, et une économie qui n'inclut pas ce capital naturel est foncièrement biaisée.

De fait, sous l'égide des Nations unies, le Groupe d'étude économique des écosystèmes et de la biodiversité (The Economy of Ecosystems and Biodiversity ou TEEB) s'est livré à une série d'investigations qui ont permis de jeter les bases d'un système de comptabilité nationale prenant en compte l'état des écosystèmes.

Au Bhoutan, au sein de la Commission du bonheur national brut dirigée par Dasho Karma Ura, de nombreux experts internationaux inspirés par cette expérience unique prêtent leurs services pour assurer le succès de ces nouvelles données économiques. Robert Costanza et Ida Kubiszewski ont notamment fourni la première estimation jamais réalisée de la valeur économique du capital naturel d'un pays – en l'occurrence, le Bhoutan –, soit 760 milliards de ngultrums (la monnaie bhoutanaise), soit l'équivalent de 11 milliards d'euros pour les services rendus par l'écosystème chaque année. Or c'est 4,4 fois plus que le PIB bhoutanais. De plus, les services rendus par l'écosystème, les forêts en premier lieu, s'étendent hors des frontières du Bhoutan, puisque celles-ci participent à la régulation du climat, emmagasinent le carbone et protègent les bassins fluviaux dont bénéficient d'autres pays.

La comptabilité nationale du Bhoutan intègre également le capital social, y compris le temps que les gens offrent de façon bénévole pour aider leurs semblables en nettoyant les détritus, en réparant les monuments publics ou religieux, en combattant les incendies ou en aidant les malades, les personnes âgées et les handicapés. Ils tiennent également compte des coûts de santé négatifs liés à l'alcoolisme (au lieu de comptabiliser positivement la vente d'alcool) et à d'autres biens de consommation nuisibles.

Ce nouveau paradigme économique permet donc d'évaluer et d'inclure dans la comptabilité nationale les économies réalisées lorsque la criminalité diminue, les bénéfices réalisés par le système de santé à la suite de l'interdiction de la vente du tabac (mortalité moins élevée due à la diminution des cancers du poumon, des maladies cardiaques et des affections respiratoires).

Quant au bien-être subjectif, les Bhoutanais, sous l'impulsion de Dasho Karma Ura, ont développé un ensemble de questionnaires beaucoup plus détaillés et sophistiqués que la plupart des sondages utilisés dans le monde pour évaluer le bonheur subjectif. Parmi les questions qui ont été posées à huit mille d'entre eux constituant un échantillon représentatif de la population figurent, par exemple : « Combien de fois avez-vous ressenti de la jalousie durant les quinze derniers jours ? », ou : « Quelle est la qualité de votre sommeil ? », « Sur combien de personnes pourriez-vous compter si vous tombiez malade ? », « Combien de temps par jour passez-vous à socialiser avec vos voisins ? », « Parlez-vous souvent de spiritualité à vos enfants ? », ou encore : « Pratiquez-vous la méditation ? »

Selon leur Premier ministre : « Si nous pouvons démontrer la viabilité pratique d'une comptabilité fonctionnant sur la base du BNB (et non pas du PIB), capable ainsi de fixer un cap et d'aller de l'avant de façon saine et équilibrée, cette démonstration constituera l'une des plus grandes contributions de notre petit pays au reste du monde. »

Une écologie du bien-être

Nous avons beaucoup insisté sur l'environnement en tant que richesse naturelle, et sur l'importance essentielle de sa préservation pour la prospérité future de la biosphère. Mais il faut également souligner que la présence d'un environnement naturel sain contribue remarquablement au bien-être subjectif. Dans son ouvrage intitulé *Une écologie du bonheur*, Éric Lambin, professeur aux universités de Louvain et de Stanford, présente une synthèse de nombreux travaux qui montrent qu'en dépit des contingences de la vie moderne, nous restons intimement liés à la Nature[26].

Le physicien slovène Aleksander Zidansek a relevé, notamment, une corrélation positive entre la satisfaction de vie – subjective – des habitants d'un pays donné et l'indice de performances environnementales de ce pays[27]. Il a également montré que le taux d'émission de dioxyde de carbone d'un pays est inversement proportionnel au bien-être de ses citoyens.

Quant au père de la sociobiologie, E. O. Wilson, il parle de «biophilie» et constate à quel point l'homme a une affinité émotionnelle innée avec les autres êtres vivants, avec le monde végétal et les paysages naturels. Cette relation immémoriale à la Nature, profondément intégrée dans notre constitution biologique, a fait l'objet d'une recherche scientifique particulièrement intéressante. Ainsi, lorsque l'on présente à différentes personnes des photographies de paysages variés, celles qui sont le plus appréciées sont celles qui représentent de vastes paysages de savanes verdoyantes parsemés de petits bosquets et de surfaces d'eau[28].

Il est assez étonnant de noter que cette préférence se vérifie quelle que soit l'origine géographique des personnes interrogées, y compris chez les Esquimaux qui n'ont pourtant jamais vu de tels paysages! Ces réactions s'expliquent sans doute par le fait que pour nos ancêtres, venus des régions subsahariennes, les lieux légèrement surélevés avec une vue dégagée et quelques arbres où s'abriter offraient un point de vue idéal pour surveiller aussi bien les prédateurs, qu'ils craignaient, que le gibier dont ils se nourrissaient. L'aspect verdoyant évoque l'abondance et les points d'eau, les conditions favorables à la survie. La contemplation de tels paysages engendre chez la plupart d'entre nous un sentiment de paix, de sécurité et de contentement.

Une étude publiée dans la revue *Science* par le géographe américain Roger Ulrich a également montré que des patients en convalescence après une intervention chirurgicale récupéraient mieux lorsque leur chambre d'hôpital s'ouvrait sur un paysage naturel – un parc ou un lac – que sur un mur de briques ou un bâtiment. Les premiers quittaient en moyenne l'hôpital un jour plus tôt que les seconds, ils avaient moins besoin d'antidouleurs et les infirmières trouvaient qu'ils étaient des patients plus agréables[29].

De même, dans une prison du Michigan, on a observé que les prisonniers dont la fenêtre de la cellule donnait sur une cour intérieure avaient recours aux services médicaux avec une fréquence de 24% supérieure à celle des prisonniers dont la fenêtre donnait sur un paysage champêtre[30].

Mutualité : intégrer le capital économique, le capital social et le capital naturel au sein de l'entreprise

Une entreprise capitaliste peut-elle appliquer ces principes d'harmonie durable et prendre en compte, dans ses activités, les trois indicateurs de prospérité matérielle, de satisfaction de vie et de préservation de l'environnement que nous avons décrits dans ce chapitre ? C'est en tout cas le projet de l'entreprise Mars, connue pour les barres chocolatées du même nom, bien qu'elle commercialise de nombreux autres produits alimentaires – Snickers, Bounty, le riz Uncle Ben's, Suzi Wan, diverses marques de thé et de café, des aliments pour animaux de compagnie (Pedigree, Petcare, Whiskas), ainsi que des semences organiques (Seeds of Change). Mars emploie directement 80000 personnes, possède 160 usines et dispose d'un capital de 35 milliards de dollars (vingt fois plus que Danone, pour donner un point de comparaison). Entreprise familiale non cotée en bourse, elle peut décider assez librement de son orientation.

Depuis une dizaine d'années, Mars a demandé à une équipe dirigée par l'économiste français Bruno Roche de mettre au point un système qui permette de concilier les trois exigences que sont la prospérité économique, la qualité de vie de tous ceux qui sont impliqués dans les activités de l'entreprise, y compris les petits producteurs locaux, et la préservation de l'environnement. Pour ce faire, il fallait que Mars soit ouvert à l'idée de limiter ses profits pour intégrer les deux autres composantes.

Bruno Roche a ainsi conçu le concept de «mutualité» qui, selon lui, peut permettre de faire face aux défis contemporains liés à la raréfaction des ressources naturelles, de la dégradation de l'environnement et des effets néfastes des inégalités sociales.

L'expression «économie de la mutualité» renvoie au fait que les bénéfices doivent être *mutuellement partagés* par les investisseurs, les travailleurs et la nature. Elle s'appuie sur trois piliers qu'il faut respecter et dont il faut assurer la pérennité : la *nature* qui fournit des ressources et dont on doit prendre soin, le *travail* qui utilise et transforme ces ressources et qui doit être rémunéré équitablement, et le *capital* qui permet d'assurer la continuité entre plusieurs projets consécutifs. La nature, le travail et le capital doivent être «rétribués», chacun à sa manière, si l'on veut éviter des déséquilibres entre ces trois piliers de la prospérité.

Comme me l'a expliqué Bruno Roche au cours des discussions que nous avons depuis quelques années, différentes écoles de pensée ont poursuivi des approches déséquilibrées par rapport à ces trois piliers : les économies marxistes souhaitent rémunérer le travail, aux dépens du capital et de la nature; les économies du libre marché entièrement dérégulé souhaitent rémunérer uniquement le capital, tandis que les écologistes purs se focalisent entièrement sur la protection de la nature. Selon Bruno Roche, il est indispensable d'intégrer de manière constructive ces trois composantes omniprésentes dans les activités humaines.

L'économie de la mutualité prend donc sérieusement en considération le bien-être des personnes concernées par les activités économiques; elle est également disposée à limiter le profit pour protéger les ressources naturelles. Mars a maintenant lancé un projet pilote dans un secteur de son activité (le café) et, si tout se passe comme prévu, projette d'étendre ce système à l'ensemble de l'entreprise. Bien qu'elle soit restée pour le moment assez discrète sur son initiative, cette entreprise espère en inspirer d'autres à adopter ce modèle alternatif de développement durable.

Entre la philanthropie, qui est une démarche du don, et l'entreprise sociale, qui réinvestit les profits dans une cause sociale et ne distribue pas de dividendes à ses actionnaires, l'économie de la mutualité pourrait permettre aux grandes entreprises de fonctionner d'une manière plus respectueuse du bonheur national brut et de la biosphère.

Dans son ouvrage intitulé *La Troisième Révolution industrielle*, le politologue Jeremy Rifkin conclut :

> Notre tâche cruciale et immédiate est de mettre le capital public, le capital privé et tout particulièrement le capital social de l'humanité au service d'une mission : faire passer le monde à une économie de troisième révolution industrielle et à une ère postcarbone. [...] C'est seulement quand nous commencerons à penser en famille étendue, mondiale – qui ne comprend pas seulement notre propre espèce, mais aussi tous nos compagnons de voyage dans cet habitat évolutionniste qu'est la Terre – que nous serons capables de sauver notre communauté biosphérique et de régénérer la planète pour nos descendants[31].

43

Engagement local, responsabilité globale

Un politicien pense à la prochaine élection, un homme d'État à la prochaine génération.

James Freeman Clarke*

Le nationalisme est aux pays ce que l'individualisme est aux individus. De même que les problèmes de société ne peuvent être résolus qu'avec la participation de chacun à la mise en œuvre de solutions conçues de manière collective, les problèmes mondiaux ne peuvent l'être qu'avec la collaboration des nations à des institutions transnationales dont elles reconnaissent l'autorité.

Pour relever les multiples défis qui nous concernent tous, ceux de la dégradation de l'environnement en particulier, les chefs d'État devraient jouer au niveau mondial un rôle équivalant à celui des autorités provinciales au sein d'une nation**. Tout en administrant les affaires nationales, ils devraient déférer à des autorités transnationales le pouvoir de prendre les décisions affectant le sort de la planète tout entière.

Le réchauffement de l'atmosphère, la perte de la biodiversité, la pollution de l'air, de la terre et de l'eau, la fonte des glaciers et la dégradation des océans sont des problèmes dont le contrôle dépasse largement les capacités des seules communautés locales. Celles-ci doivent cependant être étroitement impliquées dans la mise en œuvre de solutions globales.

---

* James Freeman Clark (1810-1888) était un théologien américain défenseur des droits de l'homme et activiste social.

** Je remercie mon ami Thierry Lombard, philanthrope et associé de Lombard-Odier & Co, pour les discussions que nous avons eues sur ce sujet.

Tous ces phénomènes sont fortement interconnectés, mais ils sont également liés aux questions de santé, de pauvreté, de droits de l'homme, de dérèglement des systèmes financiers et de bien d'autres difficultés. Il est donc indispensable d'apporter des solutions intégrées qui régissent la conduite globale des affaires humaines.

Si un État mondial n'est, de l'avis du philosophe André Comte-Sponville, ni possible ni souhaitable, nous avons besoin à l'évidence d'une politique mondiale qui aille «dans le sens d'une humanité une, sur une planète unique, qui tente de préserver l'essentiel. [...] Une gouvernance mondiale ne se fera pas contre les États, ni sans eux[1]».

Pour Pascal Lamy, qui fut pendant huit ans directeur de l'OMC : «La gouvernance mondiale désigne le système que nous mettons en place pour aider la société humaine à atteindre son objectif commun de manière durable, c'est-à-dire dans l'équité et la justice[2].» Selon lui, la meilleure manière d'instaurer plus de justice et d'équité est d'avoir plus de gouvernance mondiale. C'est la gestion des biens mondiaux collectifs – les biens environnementaux en particulier – qui constitue la base de la gouvernance mondiale, compte tenu du fait que les réponses purement nationales ne suffisent plus. C'est aussi l'opinion de Laurence Tubiana, fondatrice de l'Institut du développement durable, et de Jean-Michel Severino, ancien directeur de l'Agence française de développement, pour qui «le recentrage doctrinal de la coopération internationale autour du concept de biens publics permet [...] de sortir des impasses des négociations internationales sur le développement, la perception des intérêts communs pouvant relancer une solidarité internationale qui s'essouffle[3].»

Selon l'appel lancé par les membres du *Collegium International** en mars 2012 : «Un ordre global de marche du monde est devenu incontournable.» Pour ce faire, il faut que les hommes et femmes du monde reconnaissent leurs interdépendances multiples, entre continents, entre nations et entre individus, et qu'ils prennent conscience de leur communauté de destin. Les intérêts de la communauté humaine ne peuvent être sauvegardés que par des mesures communes à tous, alors qu'ils se heurtent à la myopie des intérêts nationaux, aux égoïsmes locaux, à l'hégémonie des entreprises multinationales, aux manipulations des lobbies

* Le Collegium International compte, ou comptait notamment parmi ses membres Edgar Morin, Michel Rocard, Mireille Delmas-Marty, Richard von Weizsäcker, Stéphane Hessel, Fernando Henrique Cardoso, Peter Sloterdijk, Patrick Viveret, Ruth Dreifuss et bien d'autres.

qui mettent la main sur les politiques, transformant souvent la scène internationale en forum de marchandages généralement sordides.

Quel gouvernement pour le monde ?

Le terme *gouvernance*, l'« art ou la manière de gouverner », était employé en ancien français jusqu'au XIVe siècle comme synonyme de gouvernement. Tombé en désuétude, il réapparut dans les années 1990 par le biais de l'anglais (*governance*). Bien que ce vocable irrite certains penseurs, comme l'universitaire canadien Alain Deneault, qui le considère comme une façon de travestir la mainmise des entreprises privées sur l'État[4], l'expression « gouvernance mondiale » désigne aujourd'hui l'ensemble des règles d'organisation des sociétés humaines à l'échelle de la planète[5].

Selon Pierre Jacquet, directeur de l'Institut français de relations internationales, l'économiste Jean Pisani-Ferry et Laurence Tubiana : « Pour que le choix de l'intégration internationale soit durable, il faut que les populations en perçoivent les bénéfices, que les États s'entendent sur ses finalités, et que les institutions qui la gouvernent soient perçues comme légitimes[6]. » Ces trois conditions ne sont encore que très partiellement remplies.

Des instances internationales dotées d'un pouvoir exécutif doivent pouvoir régir tout ce qui a trait notamment à la santé globale, aux droits de l'homme et des animaux, à la justice internationale, à la pauvreté, au contrôle des armes et aux questions environnementales.

La construction d'une gouvernance mondiale responsable qui permette d'adapter l'organisation politique de la société à la mondialisation implique la formation d'une légitimité politique démocratique à toutes les échelles : locale, étatique, régionale, mondiale. Pour ce faire, il faut un système d'organisations internationales justes, transparentes, démocratiques et dotées de ressources et de capacités d'intervention importantes.

Nous avons mentionné les avancées remarquables qui se sont déjà produites au XXe siècle : l'adoption de la Déclaration universelle des droits de l'homme, la création des Nations unies, de l'OMS, de l'OMC, de la FAO, du Bureau international du travail, de la Cour internationale de justice, de la Communauté européenne, et de bien d'autres instances internationales. Ces organismes ont déjà accompli un travail considérable, même s'ils sont parfois entravés par ceux qui font passer les intérêts nationaux avant ceux de la communauté mondiale, ainsi que par des conflits d'intérêts.

D'autres sont plus contestés, les institutions financières internationales, la Banque mondiale, le FMI et la Banque des règlements internationaux (BRI) notamment, puisqu'ils restent, pour la plupart, sous le contrôle des États-Unis qui y dictent leur loi. La Chine et l'Inde, qui représentent maintenant près du quart du PIB mondial, n'y disposent que de 5 % des votes[7]. Comme le souligne Joseph Stiglitz : «Le besoin d'institutions internationales telles que le FMI, la Banque mondiale et l'OMC n'a jamais été aussi grand, mais la confiance qui leur est accordée n'a jamais été aussi faible[8].» Le FMI et la Banque mondiale, par exemple, aident les pays en développement, mais les forcent en retour à ouvrir leurs marchés aux produits occidentaux, agricoles par exemple, qui sont subventionnés, et à adopter des restructurations qui nuisent à l'économie locale de ces pays, particulièrement aux petits producteurs qui ne peuvent concurrencer les multinationales.

Jacquet, Pisani-Ferry et Tubiana parlent d'une incomplétude des institutions internationales, attribuable au décalage qui «s'est creusé entre la nature des problèmes à traiter et l'architecture institutionnelle : celle-ci ne reflète pas la hiérarchie des problèmes d'aujourd'hui. Par exemple, l'environnement est devenu un sujet de préoccupation et de négociation central, mais il ne bénéficie pas d'un support institutionnel à la mesure de son importance[9]».

Comment progresser d'un engagement local à une responsabilité globale ? Il faut pour cela intégrer trois niveaux de transformation : individuel, communautaire et global.

Se transformer soi-même afin de transformer le monde

Telle pourrait être la devise d'un engagement personnel doublé d'un sentiment de responsabilité globale. Le fait d'être personnellement plongé depuis douze ans dans le monde de l'action humanitaire m'a montré que les grains de sable qui viennent souvent en bloquer les rouages résultent de la corruption, de conflits d'ego et autres imperfections humaines. Parti pour aider les autres, on finit par perdre entièrement de vue le but vertueux que l'on s'était fixé.

Vouloir œuvrer précipitamment au bien d'autrui, sans d'abord se préparer, c'est comme vouloir opérer sur-le-champ des malades dans la rue, sans prendre le temps d'apprendre la médecine et de construire des hôpitaux. Il est vrai que les années d'études et les innombrables travaux nécessaires à la construction d'un hôpital ne guérissent personne, mais une fois accomplis, ils permettent de soigner les malades avec infiniment plus d'efficacité.

La première chose à faire si l'on veut servir les autres, c'est donc de développer soi-même suffisamment de compassion, d'amour altruiste et de courage pour pouvoir se mettre efficacement à leur service sans trahir son objectif de départ. Remédier à son propre égocentrisme est un puissant moyen de servir autrui. Il ne faut donc pas sous-estimer l'importance de la transformation personnelle.

Engagement communautaire : la révolution des ONG

Après la transformation personnelle vient l'engagement communautaire. Dans *Une brève histoire de l'avenir*, Jacques Attali déclare que nous allons vers une montée formidable du pouvoir de l'altruisme avec les organisations non gouvernementales qui, de son avis, sont celles qui gouverneront un jour le monde[10].

Pour ce faire, ces ONG, issues d'engagements locaux et de mouvements sociaux, doivent savoir coopérer afin de créer une synergie globale et d'étendre leurs capacités d'action.

Selon le psychologue Paul Ekman, ce qui fait la différence entre les membres d'ONG fortement motivés et ceux de grandes organisations internationales qui sont souvent loin du terrain, c'est le sentiment d'un lien émotionnel avec ceux dont ils s'efforcent d'améliorer la condition, et avec ceux qui partagent leur vision et les accompagnent dans leur action.

Cet engagement communautaire est souvent mis en mouvement par la force des idées, par l'imagination créatrice et le pouvoir d'inspiration de grandes figures morales comme Nelson Mandela ou le Dalaï-lama, de même que d'entrepreneurs sociaux alliant une vision altruiste à long terme à une remarquable efficacité d'action, tels Muhammad Yunus, Fazle Abed, Vandana Shiva, Bunker Roy et bien d'autres. Il faut réveiller l'espoir et enflammer l'enthousiasme tout en mettant en œuvre des solutions pragmatiques susceptibles d'être reproduites à grande échelle.

L'influence des ONG environnementales a permis d'aboutir au protocole de Kyoto sur la réduction des émissions de gaz à effet de serre. Le travail de Handicap International et de celui de l'ONG Campagne internationale pour l'interdiction des mines antipersonnel terrestres, qui valut à sa directrice Jody Williams le prix Nobel de la paix, ont débouché sur le traité d'Ottawa sur l'interdiction des mines antipersonnel. Amnesty International et la Fédération internationale des droits de l'homme ont également aidé à la création de la Cour pénale internationale. Les campagnes de Greenpeace ont abouti à nombre de mesures importantes, bien qu'encore largement insuffisantes, pour protéger l'environnement.

Les grandes ONG internationales, comme Oxfam, Care, Amnesty International, Human Rights Watch, Médecins sans frontières, Médecins du monde, Save the Children, Action contre la faim, Greenpeace, ou Max Havelaar, produisent des biens publics mondiaux, mais ont encore très peu d'influence dans les pays soumis à des régimes dictatoriaux pour qui l'appellation «organisation non gouvernementale» est perçue à elle seule comme une menace. Dans les États démocratiques, en revanche, leur stature indépendante et objective leur permet de mobiliser l'opinion, de proposer des solutions et, avec plus ou moins de succès, de peser sur les gouvernements.

Les petites ONG, en revanche, qui se sont créées par millions, sont souvent capables de mener des actions très bénéfiques à un niveau local en évitant, dans la mesure du possible, d'attirer sur elles l'ire des régimes autoritaires, et d'effectuer, dans le domaine de la santé, de l'éducation et des services sociaux, un travail qui devrait être normalement celui d'un État fonctionnel. Elles sont l'expression de l'esprit de solidarité et de détermination que l'on retrouve dans toutes les sociétés au niveau de la population civile.

Donner davantage d'importance à la société civile

Henry Mintzberg, professeur canadien de l'université de McGill, mondialement reconnu dans le domaine du management, propose une revitalisation radicale de la société civile, ce qu'il appelle le secteur «pluriel», qui comprend les organisations caritatives, les fondations, les organismes communautaires et non gouvernementaux, les associations professionnelles, les coopératives, les mutuelles, les établissements de santé, les écoles et universités à but non lucratif, autant d'organisations qui ont, par nature, plus de facilité à créer une dynamique collective de création de valeurs, et à adopter un comportement responsable vis-à-vis des biens communs : les ressources naturelles et les communautés humaines[11].

Il estime que nous devons transcender les politiques linéaires de gauche, de droite et du centre, et comprendre qu'une société équilibrée, comme un tabouret stable, doit reposer sur trois piliers solides : un secteur public de forces politiques qui se manifeste au sein de gouvernements respectés, un secteur privé de forces économiques qui se manifeste dans des entreprises responsables, et un secteur pluriel de forces sociales qui se manifeste dans des communautés civiles robustes. Une société harmonieuse et solidaire réside donc dans l'équilibre de ces trois secteurs : «Chacun doit jouer son rôle. Si le secteur public est la tête et le secteur privé les tripes, le secteur pluriel, lui, est le cœur de la société.» Aujourd'hui, le secteur pluriel est le plus faible des trois et doit être renforcé pour prendre sa place aux côtés des deux autres si l'on veut atteindre un équilibre dans la société. «Certains pays, comme les États-Unis ou le Royaume-Uni, doivent le développer face au poids écrasant du secteur privé; d'autres, comme la Chine, le doivent également face au poids tout aussi écrasant du secteur public; le Brésil, peut-être l'Inde, sont à mon avis les plus proches de l'équilibre entre les trois secteurs, et sont en ce sens les meilleurs agents du modèle économique à venir[12].»

De manière provocatrice, Mintzberg définit ainsi le credo de la société capitaliste : la cupidité est bonne, les marchés sont sacro-saints, la propriété privée est sacrée, et les gouvernements sont suspects. Il n'est pas plus tendre avec les gouvernements totalitaires qui, à l'extrême opposé, retirent le pouvoir des mains des citoyens pour le placer entièrement sous la coupe de l'État. Dans les deux cas, on aboutit à un déséquilibre.

Pour Mintzberg, les structures de gouvernance sont coincées dans une forme de démocratie individualiste qui remonte au XVIIIe siècle, alors que la résolution des problèmes de notre temps requiert principalement des efforts de coopération au niveau international. Il estime que les groupes communautaires du secteur pluriel sont les mieux adaptés à la création des initiatives sociales dont nous avons besoin. Une multitude de telles initiatives sont actuellement en cours par le biais des médias sociaux, mais beaucoup d'autres sont nécessaires pour contourner l'alliance malsaine entre les grandes entreprises et les gouvernements.

Dans *La Troisième Révolution industrielle*, Jeremy Rifkin décrit la société civile comme le lieu où les humains créent du capital social. Il regrette lui aussi que cette société civile soit souvent reléguée à l'arrière-plan de la vie sociale et jugée marginale par rapport à l'économie et à l'État, alors qu'elle est en fait l'espace principal où se développe la civilisation :

> Il n'y a à ma connaissance dans l'histoire aucun exemple de peuple qui ait d'abord créé des marchés et des États, puis, par la suite, une culture. Les marchés et les États constituent des prolongements de la culture. [...] La société civile est le lieu où nous créons le capital social qui est en réalité de la confiance accumulée –, et c'est ce capital qui s'investit dans les marchés et les États. Si ceux-ci détruisent la confiance sociale qu'elle a mise en eux, la population cessera de les soutenir ou imposera leur réorganisation[13].

Rifkin rappelle que la société civile est aussi une force économique émergente et qu'une étude réalisée en 2010 sur plus de quarante pays par le Johns Hopkins Center for Civil Society Studies a révélé que le «tiers secteur» à but non lucratif représente en moyenne 5 % du PIB dans les huit pays où cette étude a été réalisée[14], soit davantage, par exemple, que les compagnies d'électricité, de gaz et d'eau, et autant que le bâtiment (5,1 %)[15].

Dans de nombreux pays, le «tiers secteur» représente aussi un important pourcentage des emplois. Des millions de personnes y travaillent bénévolement, mais des millions d'autres travaillent dans ces mêmes organisations en tant que salariés. Le secteur à but non lucratif emploie environ 5,6 % de la population économiquement active dans les quarante-deux pays étudiés. Aujourd'hui, c'est en Europe que la croissance du secteur à but non lucratif est la plus élevée[16].

Contrairement à ce qui se passait il y a encore une dizaine d'années, parmi les jeunes, beaucoup dédaignent les emplois traditionnels dans le secteur privé et le secteur public pour travailler dans le tiers secteur à but non lucratif[17].

Intégrer la compréhension de l'interdépendance

Pour passer de l'engagement communautaire à la responsabilité globale, il est indispensable de prendre conscience de l'interdépendance de toutes choses et d'assimiler cette vision du monde, de sorte que notre manière d'agir s'en trouve transformée. L'altruisme et la compassion sont intimement liés à cette compréhension de l'interdépendance, qui permet de mettre à bas le mur illusoire que nous dressons entre « moi » et « autrui », entre « je » et « nous », et nous rend responsables de notre terre et de ses habitants. Comme l'explique le Dalaï-lama :

> Acquérir un sentiment de responsabilité universelle – percevoir la dimension universelle de chacun de nos actes et le droit de tous au bonheur et à la non-souffrance –, c'est acquérir une attitude d'esprit qui, quand nous voyons une occasion d'aider autrui, nous porte à la saisir plutôt que de nous soucier uniquement de nos petits intérêts personnels[18].

La mondialisation pour le meilleur comme pour le pire

Comment relier de façon altruiste l'action communautaire locale à celle qui touche l'ensemble de la planète ? Dans *Le Chemin de l'espérance*, Stéphane Hessel et Edgar Morin examinent les aspects souvent antagonistes de la mondialisation :

> La mondialisation constitue à la fois le meilleur et le pire de ce qui a pu advenir à l'humanité. Le meilleur, parce que tous les fragments de l'humanité sont pour la première fois devenus interdépendants, qu'ils vivent une communauté de destin. [...] Le pire, parce qu'elle a donné lieu à une course effrénée vers des catastrophes en chaîne[19].

C'est aussi l'avis de l'économiste Joseph Stiglitz, aux yeux duquel la mondialisation n'est pas mauvaise en elle-même, mais elle devient perverse quand les États la gèrent essentiellement au profit d'intérêts particuliers, celui de multinationales ou de dictateurs notamment. Relier les peuples, les pays et les économies autour du globe peut être aussi efficace pour stimuler la prospérité que pour répandre la cupidité et accentuer la misère[20].

Alors que 70 % de sa population vit au-dessous du seuil de pauvreté, le Nigeria, par exemple, compte de nombreux milliardaires qui se sont enrichis grâce à la vente mondiale de ses richesses pétrolières. Dans de tels cas, la mondialisation est pervertie par l'alliance de mauvaises institutions politiques – qui permettent l'enrichissement privé d'oligarques – avec des multinationales dont le seul but est de gonfler indéfiniment leurs profits tout en laissant les communautés locales croupir dans la pauvreté. Comme l'historien américain Francis Fukuyama l'a souligné, les mauvaises institutions existent parce que c'est dans l'intérêt de groupes politiques au pouvoir de maintenir cette situation, aussi délétère soit-elle pour le pays dans son ensemble[21].

Pour Joseph Stiglitz, «la mondialisation *telle qu'elle est actuellement gérée*, ne fait progresser ni l'efficacité mondiale ni la justice[22]». Une mondialisation sans entrave et sans considération approfondie de la situation de tous ceux qui sont affectés ne peut servir efficacement la majorité des populations et ne profite qu'aux plus puissants.

Selon *Le Paradoxe de la globalisation*[23] de Dani Rodrik, professeur à Harvard, bien que la mondialisation économique ait élevé le niveau de prospérité des pays développés tout en donnant du travail à des centaines de millions de travailleurs pauvres en Chine et ailleurs en Asie – travail qui confine souvent à une véritable exploitation –, ce concept repose sur des piliers branlants, et sa viabilité à long terme n'est nullement acquise. Le cœur de l'argument de Rodrik est qu'il est impossible de poursuivre simultanément la démocratie, la mondialisation et l'autodétermination nationale et économique. Donnez trop de pouvoir aux gouvernements et vous allez vers le protectionnisme ; donnez trop de libertés aux marchés et vous obtenez une économie mondiale instable avec très peu de soutien social et politique pour ceux que la mondialisation était censée aider. Rodrik est en faveur d'une mondialisation intelligente, et non maximale et sauvage.

Ce dont nous avons besoin, ce n'est pas d'une globalisation de l'exploitation économique des pays du tiers-monde, mais d'une mondialisation de l'accès à la santé, aux connaissances (les connaissances scientifiques comme les connaissances ancestrales) et des conditions de paix et de liberté qui permettent à chacun d'accomplir ce qu'il a de mieux. Pour Hessel et Morin, il faut savoir à la fois mondialiser et démondialiser : il faut perpétuer et développer «tout ce que la mondialisation apporte d'intersolidarités et de fécondités culturelles[24]», mais il faut en même temps démondialiser pour restituer aux populations locales des autonomies vitales, en favorisant les diversités culturelles, l'économie du terroir, l'agroécologie et l'alimentation locale, l'artisanat et les commerces de proximité, et en sauvegardant les pratiques et sagesses traditionnelles qui ont fait leurs preuves des siècles durant.

Pascal Lamy observe que «l'écart se creuse entre les défis mondiaux et les façons d'y répondre, plus personne ne le conteste aujourd'hui. L'une des conséquences les plus importantes de cet écart est, à mon avis, le sentiment de dépossession qui se répand parmi les citoyens de cette planète. Dépossession de leur propre destinée, dépossession des moyens d'agir au plan individuel aussi bien que national – sans parler du plan mondial[25]». Selon lui, ce n'est pas la mondialisation qui crée ce sentiment, mais l'absence de moyens d'y faire face comme il conviendrait. C'est l'absence de gouvernance démocratique au niveau requis, le niveau mondial.

Universalité des droits, responsabilité de chacun

Au cours d'un dialogue entre Stéphane Hessel et le Dalaï-lama, le premier faisait remarquer :

> L'effort des rédacteurs de la Déclaration universelle ne concerne pas l'Occident, mais bien l'universalité des êtres humains. Ses rédacteurs comprenaient un Chinois, un Libanais, des Latino-Américains, un Indien. Ce n'est pas pour rien que René Cassin a pu faire adopter l'adjectif «universel» à ce texte, à cet égard unique parmi les textes internationaux. Ne laissons pas des dictateurs se réfugier derrière l'accusation d'occidentalisme de ce texte pour échapper à ses exigences[26].

Le Dalaï-lama confirma ce point sans ambiguïté :

> Certains gouvernements d'Asie ont soutenu que les critères des droits de l'homme énoncés dans la Déclaration universelle sont ceux revendiqués par l'Occident, et qu'ils ne peuvent être appliqués en Asie et dans d'autres parties du tiers-monde en raison de différences culturelles et des niveaux inégaux de développement social

et économique. Je ne partage pas ce point de vue [...], car il est dans la nature de tous les êtres humains d'aspirer à la liberté, à l'égalité, à la dignité, et les Orientaux y ont droit au même titre que les autres. [...] La diversité des cultures et des traditions ne peut en aucun cas justifier les violations des droits de l'homme. Ainsi, les discriminations à l'égard des femmes, des personnes d'origine différente, et des catégories plus faibles de la société peuvent relever de la tradition dans certaines régions, mais si elles vont à l'encontre de droits humains universellement reconnus, alors ces formes de comportement doivent changer.

Une démocratie informée et une méritocratie responsable

Comment faire en sorte que les peuples se donnent le meilleur gouvernement possible ? Comme l'a dit le Dalaï-lama après avoir « librement, joyeusement et fièrement » mis fin à quatre siècles de collusion entre pouvoir spirituel et pouvoir temporel au sein de l'administration tibétaine en exil : « Le temps de la mainmise des dictateurs et des chefs religieux sur les gouvernements est révolu. Le monde appartient à 7 milliards d'êtres humains, et c'est eux et seulement eux qui doivent décider démocratiquement du sort de l'humanité. » Tels sont les propos qu'il a prononcés à maintes reprises depuis 2011, lorsqu'il abandonna les dernières prérogatives politiques qui étaient jusqu'alors associées à sa fonction, au terme d'un processus de démocratisation des institutions tibétaines qu'il entreprit dès son arrivé en exil sur le sol de l'Inde.

« La démocratie, plaisantait Churchill, est le pire système de gouvernement, à l'exception de tous les autres qui ont été expérimentés[27]. » Comment faire, en effet, pour que les décisions les meilleures pour l'ensemble de la population puissent émerger d'une immense masse d'individus qui n'ont pas toujours accès à un savoir leur permettant de décider en toute connaissance de cause ? Les dictateurs ont résolu la question en décidant pour tout le monde, et les chefs religieux en décidant selon les dogmes de leur religion respective. À de rares exceptions près, les premiers comme les seconds ont causé, et causent encore, d'incommensurables souffrances.

La plupart des tribus primitives, nous l'avons vu, étaient de nature fondamentalement égalitaires. Lorsqu'elles se sont sédentarisées, ce sont généralement les individus considérés comme les plus sages, ceux qui avaient le plus d'expérience et qui avaient fait leurs preuves, qui étaient pris pour chefs. Le choix des dirigeants conciliait ainsi consensus et méritocratie. À mesure que ces communautés ont grandi, ont accumulé des richesses et se sont hiérarchisées, d'autres systèmes sont apparus, notamment la conquête brutale du pouvoir et la soumission des populations à l'autorité de potentats. L'histoire humaine a fini par montrer que la démocratie était la seule forme de gouvernement susceptible de respecter les aspirations d'une majorité de citoyens.

Mais comment éviter les dérives du populisme, des décisions hâtives prises en vue de satisfaire les demandes de ceux qui ne jugent les politiques qu'en fonction des avantages et des inconvénients à court terme ? Les politiciens assurent leur réélection en accédant à ces demandes et n'osent pas s'engager dans des réformes en profondeur dont les fruits ne seront pas récoltés immédiatement, et qui impliquent parfois des décisions impopulaires.

Les risques de la démagogie sont aujourd'hui particulièrement évidents dans le cas du déni du réchauffement global, très en vogue aux États-Unis, déni dont les arguments fondraient cent fois plus vite que les glaces de l'Arctique si la majorité de la population, des médias et des hommes politiques étaient mieux au fait des connaissances acquises par la science, et si ceux qui sont correctement informés étaient en mesure de prendre les décisions nécessaires à la prospérité à long terme de l'humanité. Il faut aussi que la science se plie moins aux exigences des marchés financiers qui l'éloignent de la production de connaissances au profit d'une valorisation économique de la recherche. La marchandisation de la science et de la médecine fait souvent passer les intérêts des laboratoires pharmaceutiques devant ceux des malades, et les intérêts des firmes agroalimentaires devant ceux des agriculteurs et des consommateurs[28].

L'Institut Berggruen pour la gouvernance, fondé par le philanthrope d'origine allemande Nicolas Berggruen, qui a décidé de consacrer sa fortune à l'amélioration des systèmes de gouvernance dans le monde, définit la « gouvernance intelligente »[29] comme la réalisation d'un équilibre entre une méritocratie construite grâce à une série de choix effectués à différents niveaux de la société (des autorités locales aux responsables nationaux) et un processus démocratique qui permet aux citoyens d'empêcher les dérives potentielles du pouvoir vers la corruption, le népotisme, les abus et le totalitarisme*.

Selon Nicolas Berggruen et l'éditorialiste politique Nathan Gardels, une *démocratie informée* implique une décentralisation maximale du pouvoir décisionnel, confiée à des communautés citoyennes actives dans les domaines relevant de leur compétence[30]. Afin de gérer et d'intégrer ces pouvoirs interdépendants mais délocalisés, il faudrait, selon ces auteurs, mettre en place une instance politique fondée sur les compétences et sur l'expérience, qui dispose d'une vue d'ensemble sur le système et prenne les décisions sur les questions qui concernent le bien commun des citoyens. Cette instance constitue une *méritocratie éclairée*, protégée des pressions correspondant aux intérêts immédiats de certains groupes d'influence. Toutefois, pour rester légitime, cette instance doit être transparente, tenue de rendre des comptes, et son fonctionnement doit être surveillé par des représentants des citoyens, démocratiquement élus.

Berggruen et Gardels conçoivent une structure pyramidale qui encouragerait l'émergence, à chaque niveau de représentation, de communautés à taille humaine d'élus qui se connaissent et sont capables de juger de l'expérience et des capacités de leurs pairs[31]. Imaginons que ce système soit appliqué à un pays de 80 millions d'habitants. Le pays est divisé en 100 districts de 800 000 habitants. Chaque communauté de 2 000 habitants, constituant un « arrondissement » élit 10 délégués. Ceux-ci se rencontrent, délibèrent et élisent l'un des leurs, appelé à siéger dans un conseil de « secteur » composé de 20 membres représentant au total 40 000 habitants. Ceux-ci élisent à leur tour 1 représentant régional et 20 représentants régionaux élisent un député qui représente un district de 800 000 habitants et siège au Parlement national composé ainsi de 100 députés.

Les élus représentent ainsi des groupes qui, à différents niveaux, reflètent l'ensemble du corps électoral. Ce système est notamment utilisé en Australie et en Irlande. La différence avec l'élection directe de 1 député représentant 800 000 habitants est qu'à chaque niveau les personnes qui élisent celui qui les représentera au niveau supérieur se connaissent et sont à même d'apprécier de première main l'expérience,

* Le Conseil pour le XXIe siècle, issu de l'Institut Berggruen, rassemble un nombre de personnalités, dont Gordon Brown, Gerhard Schröder, Amartya Sen, Joseph Stiglitz, Francis Fukuyama et Pascal Lamy.

la sagesse et les capacités de la personne qu'ils élisent. À chaque niveau, les candidats doivent prouver qu'ils disposent de capacités (connaissances et expérience) proportionnelles au degré de responsabilité visé. Cette solution consiste donc à fragmenter le système politique en petites unités gérables, à taille humaine, chacune élisant celle qui lui est immédiatement supérieure[32].

Vers une fédération mondiale ?

De son côté, dans *Demain qui gouvernera le monde ?* Jacques Attali estime que le fédéralisme est la forme d'administration du monde qui a le plus de chances d'être efficace. Une gouvernance mondiale doit en effet posséder une dimension de supranationalité sans pour autant être centralisée. D'où le fédéralisme. « Le fédéralisme, précise Attali, obéit à trois principes : la *séparation*, qui consiste à répartir les compétences législatives entre gouvernement fédéral et gouvernements fédérés ; l'*autonomie*, qui permet à chaque niveau de gouvernement d'être seul responsable dans son domaine de compétence ; l'*appropriation*, grâce à laquelle les entités fédérées, représentées au sein des institutions fédérales et participant à l'adoption des lois fédérales, éprouvent un sentiment d'appartenance à la communauté et à ses règles, et ont la certitude de la capacité du centre de maintenir la diversité et le compromis[33]. » En bref, conclut Attali :

> Pour survivre, l'humanité doit même aller beaucoup plus loin que l'actuelle prise de conscience d'une vague « communauté internationale ». Elle doit prendre conscience de l'unité de son destin, et d'abord de son existence en tant que telle. Elle doit comprendre que, rassemblée, elle peut faire beaucoup plus que divisée.

Conclusion
Oser l'altruisme

> *Ce n'est pas parce que les choses sont difficiles qu'on n'ose pas. C'est parce qu'on n'ose pas qu'elles sont difficiles.*
>
> Sénèque

Nous arrivons au terme de cette longue aventure. Pour ma part, je m'y suis consacré avec passion tout au long de cinq fructueuses années de recherche, de lectures et de rencontres.

J'avais d'abord envisagé de ne traiter que deux sujets centraux, l'existence de l'altruisme véritable et la façon de le cultiver. Mais était-il possible d'ignorer ce qui s'oppose à l'altruisme et le menace, l'égocentrisme, la dévalorisation de l'autre, la violence ? En approfondissant mes investigations j'ai peu à peu découvert que l'altruisme jouait un rôle déterminant dans la plupart des dimensions de notre existence, et tout particulièrement qu'il était la clé de la résolution des crises que nous traversons actuellement, crises sociale, économique, écologique. Aussi cet essai en est-il venu à s'étoffer. Il fallait éviter de simplifier une réalité infiniment complexe, dans laquelle les différents phénomènes sont largement interdépendants.

Au cours de cette décennie, j'ai eu la chance de rencontrer et de dialoguer avec la plupart des penseurs, scientifiques et économistes dont j'ai ici présenté les conclusions et parfois les travaux. Néanmoins, je suis bien conscient que ce travail de synthèse reste imparfait et que quelques années supplémentaires de recherche m'auraient permis d'offrir aux lecteurs un ensemble plus abouti. Il reste que les idées et les travaux scientifiques que j'ai pu rassembler permettent d'étayer l'hypothèse que je présentais au début de cet ouvrage, à savoir que l'altruisme est le fil d'Ariane permettant de relier harmonieusement les exigences de l'économie, à court terme, de la satisfaction de vie à moyen terme et de notre environnement futur, à plus long terme. Je souhaite du fond du cœur que cet ouvrage puisse apporter sa pierre, fût-elle modeste, à l'édification d'un monde meilleur.

Pour autant, afin que les choses changent vraiment, il faut oser l'altruisme. Oser dire que l'altruisme véritable existe, qu'il peut être cultivé par chacun de nous, et que l'évolution des cultures peut favoriser son expansion. Oser, de même, l'enseigner dans les écoles comme un outil précieux permettant aux enfants de réaliser leur potentiel naturel de bienveillance et de coopération. Oser affirmer que l'économie ne peut se contenter de la voix de la raison et du strict intérêt personnel, mais qu'elle doit aussi écouter et faire entendre celle de la sollicitude. Oser prendre sérieusement en compte le sort des générations futures, et modifier la façon dont nous exploitons aujourd'hui la planète qui sera la leur demain. Oser, enfin, proclamer que l'altruisme n'est pas un luxe, mais une nécessité.

Alors que nous approchons d'un dangereux point de non-retour sur le plan de l'environnement, nous avons pourtant le pouvoir de surmonter ces difficultés en exploitant pleinement notre extraordinaire aptitude à coopérer les uns avec les autres : «La coopération, nous rappelle l'évolutionniste Martin Nowak, a non seulement été l'architecte principal de quatre milliards d'années d'évolution, mais elle constitue le meilleur espoir pour l'avenir de l'humanité et nous permettra de relever les graves défis qui nous attendent[1].»

Pour ce faire, nous devons cultiver l'altruisme sur le plan individuel, car c'est là que tout commence. L'altruisme nous indique ce qu'il est bon de faire, mais aussi comment il est souhaitable d'être et quelles qualités et vertus nous devons cultiver. Partant d'une motivation bienveillante, l'altruisme doit être intégré dans l'expérience vécue et refléter le caractère unique de chaque être et de chaque situation. Il faut également promouvoir l'altruisme au niveau de la société grâce à l'éducation, aux institutions qui respectent les droits de chacun et aux systèmes politiques et économiques qui permettent à tous de s'épanouir sans pour autant sacrifier le bien-être des générations futures. Il est enfin essentiel de fédérer dans un effort commun les différents mouvements qui s'efforcent de promouvoir l'altruisme et la coopération : «La seule chose qui va racheter l'humanité est la coopération[2]», disait le philosophe et mathématicien Bertrand Russell.

L'altruisme a été le concept central de mes recherches car il est le plus englobant, mais on n'en oubliera pas pour autant que fondamentalement c'est d'amour qu'il s'agit, d'un amour qui s'étend à tous, y compris soi-même. «Le meilleur des conseils pratiques que je peux donner à la génération actuelle est de pratiquer la vertu de l'amour», disait encore Bertrand Russell, rejoint en cela par le Dalaï-lama, qui affirme si souvent que l'amour et la compassion sont les fondements mêmes de la société et proclame : «Ma religion, c'est la bonté.» Il explicite ainsi sa pensée dans *Sagesse ancienne, monde moderne : Éthique pour le nouveau millénaire* :

> La révolution spirituelle que je préconise n'est pas une révolution religieuse. Elle n'a rien à voir, non plus, avec un style de vie qui, en quelque sorte, serait d'un autre monde, et moins encore avec quoi que ce soit de magique ou de mystérieux. Il s'agit plutôt d'une réorientation radicale, loin de nos préoccupations égoïstes habituelles, au profit de la communauté qui est la nôtre, d'une conduite qui prenne en compte, en même temps que les nôtres, les intérêts d'autrui.

Cet amour altruiste est le meilleur garant d'une vie qui est pleine de sens, une vie dans laquelle on œuvre au bonheur des autres et on essaie de remédier à leurs souffrances, une vie que l'on peut considérer avec un sentiment de satisfaction sereine à l'approche de la mort. «Tous ceux que j'ai connus pour être vraiment heureux avaient appris comment servir les autres», concluait Albert Schweitzer[3]. Le vrai bonheur est indissociable de l'altruisme, car il participe d'une bonté essentielle qui s'accompagne du souhait profond que chacun puisse s'épanouir dans l'existence. C'est un amour toujours disponible et qui procède de la simplicité, de la sérénité et de la force immuables d'un cœur bon.

Katmandou, Népal, 2 juin 2013.

Tant qu'il y aura des êtres,
Et tant que l'espace durera
Puissé-je, moi aussi, demeurer
Pour dissiper la souffrance du monde !
Shantideva

Notes

Introduction

1. Plaute (1971). *La Comédie des ânes*, in *Théâtre complet*. Gallimard, Folio, p. 85.
2. Hobbes, T. (1651/1999). *Le Léviathan*. Dalloz, chap. 13, p. 125.
3. Freud, S. (1991). *Correspondance avec le pasteur Pfister 1909-1939*. Gallimard, p. 103.
4. Tennyson, A. L. (1994). *Works of Alfred Lord Tennyson*. Wordsworth Editions.
5. Voir notamment, Tremblay, R. E. (2008). *Prévenir la violence dès la petite enfance*. Odile Jacob, et l'ouvrage de synthèse de Pinker, S. (2011). *The Better Angels of Our Nature: Why Violence Has Declined*. Viking Adult.
6. Voir notamment les écrits du psychologue Daniel Batson, *The Altruism Question* (1991) et *Altruism in Humans (*2011). Oxford University Press. Ainsi que ceux de la politologue et philosophe Kristen Renwick Monroe, *The Heart of Altruism* (1996), du sociologue Alfie Kohn, *The Brighter Side of Human Nature, Altruism and Empathy in Everyday Life* (1992), des psychologues Michael et Lise Wallach, *Psychology's Sanction for Selfishness* (1983), de l'éthologue Frans de Waal, *L'Âge de l'empathie* (2010) et du psychologue Jacques Lecomte, *La Bonté humaine : Altruisme, empathie, générosité* (2012), Odile Jacob, ainsi que de nombreux philosophes, incluant Joseph Butler, David Hume, Charlie D. Broad, et Norman J. Brown.
7. Kasser, T. (2003). *The High Price of Materialism*. The MIT Press.
8. Stephen Forbes, déclaration lors d'un débat sur Fox News, 18 octobre 2009.
9. BBC World Service, 8 janvier 2010.
10. Voir à ce sujet les excellents chapitres de Jacques Lecomte dans *La Bonté humaine* (2012), *op. cit.*, sur les déformations et exagérations auxquelles ont donné lieu nombre de récentes tragédies, ainsi que le chapitre 9 de cet ouvrage, «La banalité du bien».

I. Qu'est-ce que l'altruisme ?

1. La nature de l'altruisme

1. Comte, A. (1830). *Œuvres d'Auguste Comte*, vol. 7-10. «Système de politique positive ou Traité de sociologie». Anthropos.
2. Nagel, T. (1970/1979). *Possibility of Altruism*. Princeton University Press, p. 79.

3. *Ibid.*, p. 80.
4. Post, S. G. (2003). *Unlimited Love: Altruism, Compassion, and Service.* Templeton Foundation Press, p. vi.
5. Batson, C. D. (2011). *Altruism in Humans. Op. cit.*, p. 20.
6. Kourilsky, P. (2011). *Le Manifeste de l'altruisme.* Odile Jacob, p. 27.
7. Monroe, K. R. (1996). *The Heart of Altruism: Perceptions of a Common Humanity.* Princeton University Press, p. 6.
8. *Ibid.*
9. L'exposé complet des caractéristiques de la motivation altruiste se trouve dans Batson, C. D. (2011). *Op. cit.*, p. 22-23.
10. Dans son ouvrage consacré à la sympathie, le philosophe Max Scheler écrit : «L'amour est un mouvement qui passe d'une valeur inférieure à une valeur plus élevée, processus au cours duquel la plus grande valeur de l'objet ou de la personne s'impose soudainement à nous; la haine, au contraire, se meut dans la direction opposée.» Plus tard, Edith Stein reprendra les analyses de Max Scheler et envisagera la question de l'empathie selon une approche purement phénoménologique dans la tradition de Husserl, dont elle fut proche disciple. Voir Scheler, M. (1954/2008). *The Nature of Sympathy* (édition révisée). Transaction Publishers, et Stein, E. (1917/1989). *On the Problem of Empathy.* ICS Publications. Je dois à Michel Bitbol d'avoir attiré mon attention sur ces deux ouvrages.
11. Alexandre Jollien, lors d'une conversation avec l'auteur, Gstaad. 29 janvier 2012.
12. Hutcheson, F. (2003). *Essai sur la nature et la conduite des passions et affections avec illustrations sur le sens moral.* L'Harmattan, p. 189. Cité par Terestchenko, M. (2007). *Un si fragile vernis d'humanité : Banalité du mal, banalité du bien.* La Découverte, p. 60.
13. Hallie, P. P., & Berger, M. (1980). *Le Sang des innocents : Le Chambon-sur-Lignon, village sauveur.* Stock. Cité par Terestchenko, M. (2007). *Op. cit.*, p. 207.
14. Monroe, K. R. (1996). *Op. cit.*, p. 3.
15. Deschamps, J. F., & Finkelstein, R. (2012). Existe-t-il un véritable altruisme basé sur les valeurs personnelles? *Les Cahiers internationaux de psychologie sociale* (1), 37–62.
16. Taylor, C. (1989). *Sources of the Self: The Making of the Modern Identity.* Harvard University Press.

2. *Étendre l'altruisme*

1. Parole d'Alexandre Jollien lors d'une conversation avec l'auteur. Gstaad. 29 janvier 2012.
2. Dalaï-lama, G. T. (1999). *Sagesse ancienne, monde moderne.* Fayard.
3. Voir André, C. (2009). *Les États d'âme.* Odile Jacob, p. 351 et suivantes.
4. Voir Ricard, M. (2003). *Plaidoyer pour le bonheur.* NiL.
5. Aristote (2007). *Rhétorique*, II, 4, 1380b 34. Cité par Audi, P. (2011). *L'Empire de la compassion*, Les Belles Lettres, p. 37.
6. Dalaï-lama & Vreeland, N. (2004). *L'Art de la compassion.* Éditions 84, p. 67-71.
7. Jean-François Revel, conversation avec l'auteur.
8. Gunaratana, B. H. (2001). *Eight Mindful Steps to Happiness: Walking the Path of the Buddha.* Wisdom Publications, p. 74. Trad. française : Gunaratana, B.H. (2013). *Les Huit Marches vers le bonheur*, Marabout.
9. Darwin, C. (1891). *La Descendance de l'homme et la sélection sexuelle.* C. Reinwald, p. 669.

10. Sober, E., & Wilson, D. S. (1999). *Unto others: The Evolution and Psychology of Unselfish Behavior.* Harvard University Press.

11. Je dois à Daniel Batson de m'avoir aidé à préciser ces deux points au cours de conversations.

12. Darwin, C. (1891). *Op. cit.*, p.145.

13. Einstein. Lettre écrite en 1950 à son ami Robert S. Marcus, qui venait de perdre son fils. Le manuscrit de la lettre se trouve au Albert Einstein Archives at Hebrew at University of Jerusalem, Israel. Une reproduction de l'original peut être vue sur le site : http://blog.onbeing.org/post/241572419/einstein-sleuthing-by-nancy-rosenbaum-associate producer.

14. Voir le chapitre 26, «Avoir pour soi de la haine ou de la compassion».

15. Trungpa, C. (1976). *Au-delà du matérialisme spirituel*, Le Seuil, Points Sagesses.

16. Shantideva. (2008). *Bodhicaryâvatâra : La Marche vers l'Éveil.* Padmakara.

17. Kohn, A. (1992). *The Brighter Side of Human Nature: Altruism and Empathy in Everyday Life.* Basic Books, p. 156.

18. BBC World Service, Outlook, 7 septembre 2011.

19. Camus, A. (1947). *La Peste.* Gallimard, p. 87.

20. Traduit du tibétain par Matthieu Ricard à partir des Œuvres complètes : *The Collected Works of the Seventh Dalai Lama (Gsun 'Bum) blo-bzan-bskal-bzang-rgya-mtsho*, publié par Dodrup Sangye, Gangtok (1975-1983).

3. Qu'est-ce que l'empathie ?

1. Lipps, T. (1903). Einfühlung, innere Nachahmung und Organempfindung. *Archiv für die gesamte Psychologie, 1*(2), 185-204.

2. Voir notamment Decety, J., L'empathie est-elle une simulation mentale de la subjectivité d'autrui, p. 78, et Pacherie, E., L'empathie et ses degrés, p. 147, dans Berthoz, A., Jorland, G., & Collectif. (2004) *L'Empathie.* Odile Jacob.

3. Paul Ekman, lors d'une conversation personnelle, novembre 2009.

4. Darwin, C. (1877). *L'Expression des émotions chez l'homme et les animaux.* C. Reinwald.

5. Darwin, C. (1891). *Op. cit.* ; Eisenberg, N., & Strayer, J. (1990). *Empathy and Its Development.* Cambridge Univ. Press.

6. F.B.M. de Waal (2010). *L'Âge de l'empathie : Leçons de nature pour une société plus apaisée.* Les liens qui libèrent, p. 134.

7. Wilder, D. A. (1986). Social categorization: Implications for creation and reduction of intergroup bias. *Advances in experimental social psychology, 19*, 291-355. Cité dans Kohn, A. (1992). *Op. cit.*, p. 145.

8. Remarque, E. M. (1923/1988). *À l'ouest rien de nouveau.* Le Livre de Poche, p. 220-221.

9. Cité dans Milo, R. D. (1973). *Egoism and Altruism.* Wadsworth Publications, p. 97.

10. Voir notamment Kohut, H. (2009). *The Restoration of the Self.* University of Chicago Press.

11. Batson, C. D. (2009). These things called empathy: Eight related but distinct phenomena, in Decety, J. (2009). *The Social Neuroscience of Empathy.* The MIT Press. Italiques ajoutés par l'auteur.

12. Batson, C. D., *Ibid.*

13. Batson, C. D. (2011). *Op. cit.* On trouvera dans son ouvrage les nombreuses références scientifiques correspondant à ces diverses définitions de l'empathie.

14. Voir Preston, S. D., de Waal, F. B. M., & others (2002). Empathy: Its ultimate and proximate bases. *Behavioral and Brain Sciences, 25*(1), 1–20. Le modèle "Perception-action model" (PAM) fut en partie inspiré par les recherches sur les neurones miroirs, qui sont présents dans quelques aires du cerveau et sont activés lorsque l'on voit, par exemple, quelqu'un d'autre faire un geste qui nous intéresse (voir chapitre 5, sous-chapitre : «Lorsque deux cerveaux s'accordent»). Les neurones miroirs peuvent fournir une base élémentaire à l'imitation et à la résonance intersubjective, mais le phénomène de l'empathie est beaucoup plus complexe et implique de nombreuses aires du cerveau. Rizzolatti, G., & Sinigaglia, C. (2008). *Mirrors in the Brain: How Our Minds Share Actions, Emotions, and Experience.* Oxford University Press, États-Unis.

15. Thompson, R. A. (1987). "Empathy and emotional understanding: The early development of empathy". *Empathy and Its Development,* 119-145. In Eisenberg, N., & Strayer, J. (1990). *Empathy and Its Development.* Cambridge Univ. Press.

16. Batson, C. D., Early, S., & Salvarani, G. (1997). Perspective taking: Imagining how another feels versus imaging how you would feel. *Personality and Social Psychology Bulletin, 23*(7), 751-758.

17. Mikulincer, M., Gillath, O., Halevy, V., Avihou, N., Avidan, S., & Eshkoli, N. (2001). Attachment theory and reactions to others' needs: Evidence that activation of the sense of attachment security promotes empathic responses. *Journal of Personality and Social Psychology, 81*(6), 1205.

18. Coke, J. S., Batson, C. D., & McDavis, K. (1978). Empathic mediation of helping: A two-stage model. *Journal of Personality and Social Psychology, 36*(7), 752.

19. Selon les auteurs, ce type d'empathie est appelé :

— «Détresse empathique», in Hoffman, M. L. (1981). The development of empathy. In J. P. Rushton & R. M. Sorrentino (eds.), *Altruism and Helping Behavior: Social, Personality, and Developmental Perspectives,* Erlbaum, p. 41-63.

— «Sympathie douloureuse» in McDougall, W. (1908). *An Introduction to Social Psychology.* Methuen; «détresse personnelle», in Batson, C. D. (1987). Prosocial motivation: Is it ever truly altruistic. *Advances in Experimental Social Psychology, 20,* 65–122.

— «Sentiment déplaisant provoqué par l'observation», in Piliavin, J. A., Dovidio, J. F., Gaertner, S. L., & Clark, R. D., III (1981). *Emergency Intervention.* Academic Press New York.

— «Empathie», in Krebs, D. (1975). "Empathy and altruism". *Journal of Personality and Social Psychology, 32*(6), 1134. Cités par Batson, C. D. (2011). *Op. cit.*

20. Revault d'Allonnes, M. (2008). *L'Homme compassionnel.* Seuil, p. 22. Cette confusion est compréhensible si on s'en tient à l'étymologie latine de *compassion,* terme dérivé des mots *compatior* «souffrir avec», *compassio* «souffrance commune» (dictionnaire Gaffiot).

21. Batson, C. D. (1991). *The Altruism Question: Toward a Social Psychological Answer.* Lawrence Erlbaum; Batson, C. D. (2011). *Op. cit.*

22. Spinoza n'utilise pas les termes de «pitié» et de «compassion», mais, selon A. Jollien, dans le langage de l'époque, il nous fait comprendre que dans la pitié, ce qui est premier, c'est la tristesse et dans la compassion, c'est l'amour. Dans *L'Éthique* au livre 3, au numéro 28, il dit : «La commisération est une tristesse qu'accompagne l'idée d'un mal survenu à un autre que nous imaginons être semblable à nous.» Et au numéro 24, Spinoza écrit : «La miséricorde est l'amour en tant qu'il affecte l'homme de telle sorte qu'il se réjouisse du bonheur d'un autre et s'attriste au contraire du malheur d'un autre.» Conversation avec A. Jollien, 29 janvier 2012.

23. Zweig, S. (1939). *La Pitié dangereuse.* Grasset, p. 9. Cité par Audi, P. (2011). *L'Empire de la compassion*, Les Belles Lettres, p. 33.

24. S'il s'agit de la douleur, les aires impliquées incluront l'insula antérieure et le cortex cingulaire antérieur (CCA). S'il s'agit du dégoût, ce sera aussi l'insula. Si vous partagez une sensation tactile neutre, le cortex somato-sensoriel secondaire sera activé. Si vous partagez des émotions agréables et des sensations plaisantes, l'insula, le striatum et le cortex orbitofrontal médian pourront être impliqués. La prise de perspective cognitive repose sur le cortex préfrontal médian, la jonction pariétale temporelle (JPT) et le sillon temporal supérieur (STS), un réseau qui est activé lorsque l'on demande aux gens de réfléchir à leurs pensées et à leurs croyances.

25. Voir Vignemont, F. de, & Singer, T. (2006). The empathic brain: how, when and why? *Trends in Cognitive Sciences*, *10*(10), 435–441. Outre cet article, ce chapitre est principalement fondé sur les explications données par Tania Singer, avec qui je collabore depuis plusieurs années, au cours de conversations en janvier 2012.

26. Decety, J. «L'empathie est-elle une simulation mentale de la subjectivité d'autrui», in Berthoz, A., Jorland, G., & collectif (2004). *L'Empathie.* Odile Jacob, p. 86.

27. Singer, T., Seymour, B., O'Doherty, J. P., Stephan, K. E., Dolan, R. J., & Frith, C. D. (2006). Empathic neural responses are modulated by the perceived fairness of others. *Nature*, *439*(7075), 466–469; Hein, G., Silani, G., Preuschoff, K., Batson, C. D., & Singer, T. (2010). Neural responses to ingroup and outgroup members' suffering predict individual differences in costly helping. *Neuron*, *68*(1), 149–160; Hein, G., & Singer, T. (2008). I feel how you feel but not always: the empathic brain and its modulation. *Current Opinion in Neurobiology*, *18*(2), 153–158.

28. Batson, C. D., Lishner, D. A., Cook, J., & Sawyer, S. (2005). Similarity and nurturance: Two possible sources of empathy for strangers. *Basic and Applied Social Psychology*, *27*(1), 15–25.

29. Pour davantage de détails sur ces différents points précités, voir Vignemont, F. de & Singer, T. (2006). *Op. cit.*

30. Singer, T., & Steinbeis, N. (2009). Differential roles of fairness and compassion-based motivations for cooperation, defection, and punishment. *Annals of the New York Academy of Sciences*, *1167*(1), 41–50; Singer, T. (2012). The past, present and future of social neuroscience: A European perspective. *Neuroimage*, *61*(2), 437–449.

31. Klimecki, O., Ricard, M., & Singer, T. (2013). Empathy versus compassion – Lessons from 1st and 3rd person methods. In Singer, T., & Bolz, M. (Eds.) (2013). *Compassion: Bridging Practice and Science.* A multimedia book [E-book].

32. Klimecki, O. M., Leiberg, S., Lamm, C., & Singer, T. (2012). Functional neural plasticity and associated changes in positive affect after compassion training. *Cerebral Cortex.*

4. De l'empathie à la compassion dans un laboratoire de neurosciences

1. Pour une synthèse de 32 études portant sur l'empathie à l'égard de la douleur, voir Lamm, C., Decety, J., & Singer, T. (2011). Meta-analytic evidence for common and distinct neural networks associated with directly experienced pain and empathy for pain. *Neuroimage*, *54*(3), 2492–2502.

2. L'augmentation d'une réaction positive au travers de la compassion est associée à une activation d'un réseau cérébral qui inclut les aires du cortex orbitofrontal médian, du striatum ventral, de l'aire tegmentale ventrale, du noyau du tronc cérébral, du noyau accumbens, de l'insula médiane, du pallidum et du putamen, autant d'aires du cerveau

qui ont été antérieurement associées à l'amour (notamment l'amour maternel), le sentiment d'affiliation et de gratification. Dans le cas de l'empathie, ce sont l'insula antérieure, le cortex cingulaire moyen. Klimecki, O. M., *et al.* (2012). *Op. cit.*; Klimecki, O., Ricard, M., & Singer, T. (2013). *Op. cit.*

3. Felton, J. S. (1998). Burnout as a clinical entity—its importance in health care workers. *Occupational medicine*, *48*(4), 237–250.

4. Pour une distinction neuronale entre la compassion et la fatigue de l'empathie, voir Klimecki, O., & Singer, T. (2011). Empathic distress fatigue rather than compassion fatigue? Integrating findings from empathy research in psychology and social neuroscience, in Oakley, B., Knafo, A., Madhavan, G., & Wilson, D. S. (2011). *Pathological Altruism*. Oxford University Press, États-Unis, p. 368–383.

5. Singer, T., & Bolz, M. (Eds.) (2013). *Op. cit.*; Klimecki, O., Ricard, M., & Singer, T. (2013). *Op. cit.* La dernière en date étant, Klimecki, O. M., Leiberg, S., Ricard, M., & Singer, T. (2013). Differential Pattern of Functional Brain Plasticity after Compassion and Empathy Training. *Social Cognitive and Affective Neuroscience.*

6. Bornemann, B., & Singer, T. (2013). The Resource study training protocol, in Singer, T., & Bolz, M. (Eds.). *Compassion: Bridging practice and Science.* A multimedia book [E-book].

7. Klimecki, O. M., *et al.* (2012). *Op. cit.*

8. Cyrulnik, B., Jorland, G., & collectif. (2012). *Résilience : Connaissances de base.* Odile Jacob.

9. Au niveau neuronal, les chercheurs ont observé que l'entraînement à la résonance empathique augmente l'activité dans un réseau qui est impliqué aussi bien dans l'empathie pour la douleur de l'autre que dans l'expérience de la douleur personnelle. Ce réseau comprend l'insula antérieure et le cortex cingulaire antérieur médian (MCC). Singer, T., & Bolz, M. (Eds.) (2013). *Op. cit.*

10. Plus précisément, ces régions comprennent le cortex orbitofrontal, le striatum ventral et le cortex cingulaire antérieur. Quant à l'entraînement, nos participants ont reçu des cours sur la notion de *metta*, mot qui signifie «amour altruiste» en pali. Les instructions que les participants ont reçues étaient surtout concentrées sur l'aspect de la bienveillance et des souhaits bienveillants («Puissiez-vous être heureux, en bonne santé, etc.»). L'entraînement incluait une journée entière passée avec un enseignant, suivie de pratiques journalières en groupe, une heure chaque soir. Les participants ont été aussi encouragés à pratiquer chez eux.

11. Klimecki, O. M., *et al.* (2012). *Op. cit.*

12. Lutz, A., Brefczynski-Lewis, J., Johnstone, T., & Davidson, R. J. (2008). Regulation of the neural circuitry of emotion by compassion meditation: effects of meditative expertise. *PLoS One*, *3*(3), e1897.

13. André, C. (2009). *Les États d'âme*, Odile Jacob, p. 352.

5. L'amour, émotion suprême

1. Fredrickson, B. L. (2001). The role of positive emotions in positive psychology: The broaden-and-build theory of positive emotions. *American psychologist*, *56*(3), 218; Fredrickson, B. (2002) Positive emotions, in Snyder, C. R., & Lopez, S. J. (2002). *Handbook of Positive Psychology.* Oxford University Press Inc., p. 122 et 125 pour la citation qui suit.

2. Ekman, P. (2007). *Emotions revealed: Recognizing faces and Feelings to Improve Communication and Emotional Life.* Holt Paperbacks; Ekman, P. E., & Davidson, R. J. (1994). *The Nature of Emotion: Fundamental Questions.* Oxford University Press.

3. Atwood, M. (2007). *Faire surface*. Robert Laffont.

4. Fredrickson, B. (2013). *Love 2.0: How Our Supreme Emotion Affects Everything We Feel, Think, Do, and Become*. Hudson Street Press, p. 16. Je suis reconnaissant à B. Fredrickson de m'avoir envoyé les épreuves de son livre avant sa parution.

5. *Ibid.*, p. 5.

6. *Ibid.*

7. House, J. S., Landis, K. R., & Umberson, D. (1988). Social relationships and health. *Science, 241*(4865), 540–545. Voir aussi Diener, E., & Seligman, M. E. P. (2002). Very happy people. *Psychological Science, 13*(1), 81–84.

8. Hegi, K. E., & Bergner, R. M. (2010). What is love ? An empirically-based essentialist account. *Journal of Social and Personal Relationships, 27*(5), 620–636.

9. Fredrickson, B. (2013). *Op. cit.*, note 7, p. 186, ainsi que Fredrickson, B. L., & Roberts, T. A. (1997). Objectification theory. *Psychology of Women Quarterly, 21*(2), 173–206 ; Fredrickson, B. L., Hendler, L. M., Nilsen, S., O'Barr, J. F., & Roberts, T. A. (2011). Bringing back the body: A retrospective on the development of objectification theory. *Psychology of Women Quarterly, 35*(4), 689–696.

10. Stephens, G. J., Silbert, L. J., & Hasson, U. (2010). Speaker–listener neural coupling underlies successful communication. *Proceedings of the National Academy of Sciences, 107*(32), 14425–14430 ; Hasson, U. (2010). I can make your brain look like mine. *Harvard Business Review, 88*(12), 32–33. Cité et expliqué par Fredrickson, B. (2013). *Op. cit.*, p. 39-44.

11. Singer, T., & Lamm, C. (2009). The social neuroscience of empathy. *Annals of the New York Academy of Sciences, 1156*(1), 81–96 ; Craig, A. D. (2009). How do you feel—now ? The anterior insula and human awareness. *Nature Reviews Neuroscience*, 10: 59–70.

12. Hasson, U., Nir, Y., Levy, I., Fuhrmann, G., & Malach, R. (2004). Intersubject synchronization of cortical activity during natural vision. *Science, 303*(5664), 1634–1640 ; Hasson, U., Nir, Y., Levy, I., Fuhrmann, G., & Malach, R. (2004). Intersubject synchronization of cortical activity during natural vision. *Science, 303*(5664), 1634–1640.

13. Fredrickson, B. (2013). *Op. cit.*, p. 43.

14. Fredrickson, B. (2001). *Positivity: Groundbreaking Research Reveals How to Embrace the Hidden Strength of Positive Emotions, Overcome Negativity, and Thrive*. Crown Archetype.

15. Pour une synthèse de la découverte et des recherches sur les neurones miroirs, voir Rizzolatti, G., & Sinigaglia, C. (2008). *Mirrors in the Brain: How Our Minds Share Actions, Emotions, and Experience*. Oxford University Press, États-Unis.

16. Cho, M. M., DeVries, A. C., Williams, J. R., & Carter, C. S. (1999). The effects of oxytocin and vasopressin on partner preferences in male and female prairie voles (Microtus ochrogaster). *Behavioral Neuroscience ; Behavioral Neuroscience, 113*(5), 1071.

17. Champagne, F. A., Weaver, I. C. G., Diorio, J., Dymov, S., Szyf, M., & Meaney, M. J. (2006). Maternal care associated with methylation of the estrogen receptor-alpha1b promoter and estrogen receptor-alpha expression in the medial preoptic area of female offspring. *Endocrinology, 147*(6), 2909–2915.

18. Francis, D., Diorio, J., Liu, D., & Meaney, M. J. (1999). Nongenomic transmission across generations of maternal behavior and stress responses in the rat. *Science, 286*(5442), 1155–1158.

19. Guastella, A. J., Mitchell, P. B., & Dadds, M. R. (2008). Oxytocin increases gaze to the eye region of human faces. *Biological psychiatry, 63*(1), 3 ; Marsh, A. A., Yu, H. H., Pine, D. S., & Blair, R. J. R. (2010). Oxytocin improves specific recognition of positive facial expressions. *Psychopharmacology, 209*(3), 225–232 ; Domes, G., Heinrichs,

M., Michel, A., Berger, C., & Herpertz, S. C. (2007). Oxytocin improves "mind-reading" in humans. *Biological Psychiatry*, *61*(6), 731–733.

20. Kosfeld, M., Heinrichs, M., Zak, P. J., Fischbacher, U., & Fehr, E. (2005). Oxytocin increases trust in humans. *Nature*, *435*(7042), 673–676.

21. Mikolajczak, M., Pinon, N., Lane, A., De Timary, P., & Luminet, O. (2010). Oxytocin not only increases trust when money is at stake, but also when confidential information is in the balance. *Biological Psychology*, *85*(1), 182–184.

22. Gamer, M., Zurowski, B., & Büchel, C. (2010). Different amygdala subregions mediate valence-related and attentional effects of oxytocin in humans. *Proceedings of the National Academy of Sciences*, *107*(20), 9400–9405. Voir aussi : Kirsch, P., Esslinger, C., Chen, Q., Mier, D., Lis, S., Siddhanti, S., Meyer-Lindenberg, A. (2005). Oxytocin modulates neural circuitry for social cognition and fear in humans. *The Journal of Neuroscience*, *25*(49), 11489–11493 ; Petrovic, P., Kalisch, R., Singer, T., & Dolan, R. J. (2008). Oxytocin attenuates affective evaluations of conditioned faces and amygdala activity. *The Journal of Neuroscience*, *28*(26), 6607–6615.

23. Uvnäs-Moberg, K., Arn, I., & Magnusson, D. (2005). The psychobiology of emotion: The role of the oxytocinergic system. *International Journal of Behavioral Medicine*, *12*(2), 59–65.

24. Campbell, A. (2010). Oxytocin and human social behavior. *Personality and Social Psychology Review*, *14*(3), 281–295.

25. Lee, H. J., Macbeth, A. H., & Pagani, J. H. (2009). Oxytocin: the great facilitator of life. *Progress in Neurobiology*, *88*(2), 127–151.

26. Shamay-Tsoory, S. G., Fischer, M., Dvash, J., Harari, H., Perach-Bloom, N., & Levkovitz, Y. (2009). Intranasal administration of oxytocin increases envy and schadenfreude (gloating). *Biological Psychiatry*, *66*(9), 864–870.

27. De Dreu, C. K. W., Greer, L. L., Van Kleef, G. A., Shalvi, S., & Handgraaf, M. J. J. (2011). Oxytocin promotes human ethnocentrism. *Proceedings of the National Academy of Sciences*, *108*(4), 1262–1266.

28. Porges, S. W. (2003). Social engagement and attachment. *Annals of the New York Academy of Sciences*, *1008*(1), 31–47.

29. Bibevski, S., & Dunlap, M. E. (2011). Evidence for impaired vagus nerve activity in heart failure. *Heart Failure Reviews*, *16*(2), 129–135.

30. Kiecolt-Glaser, J. K., McGuire, L., Robles, T. F., & Glaser, R. (2002). Emotions, morbidity, and mortality: new perspectives from psychoneuroimmunology. *Annual Review of Psychology*, *53*(1), 83–107 ; Moskowitz, J. T., Epel, E. S., & Acree, M. (2008). Positive affect uniquely predicts lower risk of mortality in people with diabetes. *Health Psychology*, *27*(1S), S73.

31. Fredrickson, B. (2013). *Op. cit.*, p. 10.

32. Fredrickson, B. L., Cohn, M. A., Coffey, K. A., Pek, J., & Finkel, S. M. (2008). Open hearts build lives: positive emotions, induced through loving-kindness meditation, build consequential personal resources. *Journal of Personality and Social Psychology*, *95*(5), 1045.

33. Kok, B. E., Coffey, K. A., Cohn, M. A., Catalino, L. I., Vacharkulksemsuk, T., Algoe, S. B., Brantley, M. and Fredrickson, B. L. (2012). Positive emotions drive an upward spiral that links social connections and health. Manuscrit soumis pour publication ; Kok, B. E., & Fredrickson, B. L. (2010). Upward spirals of the heart: Autonomic flexibility, as indexed by vagal tone, reciprocally and prospectively predicts positive emotions and social connectedness. *Biological Psychology*, *85*(3), 432–436.

34. Fredrickson, B. (2013). *Op. cit.*, p. 16.
35. *Ibid.*, p. 23.

6. L'accomplissement du double bien, le nôtre et celui d'autrui

1. Shantideva (2008), *Bodhicaryâvatâra : La Marche vers l'Éveil.* Padmakara, VII, 129-130.
2. Butler, J. (1751/1983). *Five Sermons* (nouvelle édition). Hackett Publishing Co, Inc.
3. Voir chapitre 25, «Les champions de l'égoïsme».
4. Khyentsé, D. (2008). *Au cœur de la compassion : Commentaire des Trente-Sept Stances sur la pratique des bodhisattvas.* Padmakara, p. 143.
5. Fromm, E. (1967). *L'Homme pour lui-même.* Les Éditions sociales françaises.
6. Terestchenko, M. (2007). *Op. cit.*, p. 17.
7. Platon (1940). *Gorgias* : Œuvres complètes, tome 1. Gallimard.

II. L'altruisme véritable existe-t-il?

7. L'altruisme intéressé et la réciprocité généralisée

1. La Rochefoucauld, F. de (2010). *Réflexions ou Sentences et maximes morales de Monsieur de La Rochefoucauld.* Nouvelle édition, revue et corrigée. Gale Ecco, Print Editions.
2. Entretiens donné au *Monde des religions.* Propos recueillis par Frédéric Lenoir et Karine Papillaud, 2007.
3. Jacques Attali, interview sur 20minutes.fr, le 19 novembre 2006.
4. Kolm, S.-C. (1984). *Op. cit.*, p. 191.
5. André Comte-Sponville, entretiens lors d'une soirée organisée par les bons soins de Christophe et Pauline André.
6. Darwin, C. (1891). *Op. cit.*, p. 104-108.
7. Wilkinson, G. S. (1988). Reciprocal altruism in bats and other mammals. *Ethology and Sociobiology*, *9*(2-4), 85–100.
8. Je suis redevable à Danielle Follmi de m'avoir fourni ces informations.
9. Ref. scribd.com/doc/16567239/The-Inca-from-Village-to-Empire
10. Turnbull, C. M. (1972). *The Mountain People.* Simon & Schuster, p. 146.
11. Les diverses formes de pratique du don et du contre-don dans les sociétés traditionnelles ont donné lieu à d'innombrables études. Voir notamment Mauss, M. (2007). *Essai sur le don : Forme et raison de l'échange dans les sociétés archaïques.* PUF, ainsi que la préface de Florence Weber.
12. Paul Ekman, communication personnelle, 2009. En 1972, P. Ekman travailla comme anthropologue dans une tribu papoue de Nouvelle-Guinée où il étudia l'expression faciale des émotions.
13. Kolm, S.-C. (1984). *Op. cit.*, p. 11. Je suis reconnaissant à l'économiste belge François Maniquet de m'avoir introduit à la pensée de cet auteur, ainsi qu'à S.-C. Kolm lui-même d'avoir eu la bonté de me recevoir et de me faire partager ses travaux. Serge-Christophe Kolm a été directeur de l'ENPC (centre de recherche en analyse socio-économique), directeur d'études à l'École des hautes études en sciences sociales, et professeur aux universités de Harvard et de Stanford.
14. Kolm, S.-C. (1984). *Op. cit.*, p. 56.

8. *L'altruisme désintéressé*

1. The Samaritans of New York, *The New York Times*, 5 septembre 1988, p. 26.
2. *Daily Mail*, 5 novembre 2010 et CBC News, 4 novembre 2010.
3. Berkowitz, L., & Daniels, L. R. (1963). Responsibility and dependency. *The Journal of Abnormal and Social Psychology*, *66*(5), 429.
4. Kohn, A. (1992). *Op. cit.*, p. 230.
5. Titmuss, R. M. (1970). The gift relationship: From human blood to social. *Policy, London.*
6. Eisenberg-Berg, N., & Neal, C. (1979). Children's moral reasoning about their own spontaneous prosocial behavior. *Developmental Psychology*, *15*(2), 228.
7. La Carnegie Hero Fund Commission fut fondée en 1904 par le philanthrope américain Andrew Carnegie pour récompenser chaque année des actes d'héroïsme ; elle a distribué près de 10 000 médailles depuis sa fondation.
8. Monroe, K. R. (1996). *Op. cit.*, p. 61.
9. Milo, R. D. (1973). *Op. cit.*, p. 98.
10. France 2, « Envoyé spécial » du 9 octobre 2008. Lors d'une séquence, on voyait le Dalaï-lama partir en voiture pour rencontrer, chez un particulier qui vivait dans un grand ranch du Colorado, des personnalités politiques susceptibles de faciliter un dialogue constructif entre les représentants du peuple tibétain en exil et le gouvernement chinois. Je leur avais expliqué la raison du déplacement du Dalaï-lama. Pourtant, le commentaire du reportage fut le suivant : « Le Dalaï-lama part dans un gros 4 × 4 rendre visite à ses amis milliardaires. » L'ensemble du reportage était sur ce ton.

9. *La banalité du bien*

1. Marc Aurèle (1999). *Pensées pour moi-même.* Flammarion.
2. Selon Gaskin, K., Smith, J. D., & Paulwitz, I. (1996). Ein neues Bürgerschaftliches Europa : Eine Untersuchung zur Verbreitung und Rolle von Volunteering in zehn europäischen Ländern. Lambertus. Dans les pays qu'ils ont étudiés, les personnes qui font du volontariat représentent 38 % de la population aux Pays-Bas, 36 % en Suède, 34 % en Grande-Bretagne, 32 % en Belgique, 28 % au Danemark, 25 % en France et Irlande, et 18 % en Allemagne.
3. Martel, F. (2006). *De la culture en Amérique.* Gallimard, p. 358 ; Clary, E. G., & Snyder, M. (1991). A functional analysis of altruism and prosocial behavior: The case of volunteerism. In *Prosocial Behavior* (pp. 119-148). Thonsard Oaks, Sage Publications inc.
4. Laville, J.-L. (2010). *Politique de l'association.* Seuil. Ils œuvrent pour 1 100 000 associations, ayant 21,6 millions d'adhérents.
5. Véronique Châtel, *Profession : bénévole*, in *L'Express*, hors-série, n° 9, mai-juin 2011, p. 54.
6. Les champs d'action sont divers : culture et loisirs (28 %), sports (20 %), action sociale, sanitaire et humanitaire (17 %), défense des droits (15 % syndicats, une association de défense des consommateurs, etc.), religion (8 %), éducation (6 %), partis politiques, mise en valeur du patrimoine (3 %), environnement (2,6 %), défense de la biodiversité, la « renaturation » de milieux naturels, etc.). Voir : Le travail bénévole : un essai de quantification et de valorisation, [archive] INSEE. *Économie et statistique*, n° 373, 2004. [PDF.]

7. Exemple raconté par Post, S. G. (2011). *The Hidden Gifts of Helping: How the Power of Giving, Compassion, and Hope Can Get Us Through Hard Times.* John Wiley & Sons Ltd.

8. http://www.kiva.org/ http://www.microworld.org/fr/ http://www.globalgiving.org/.

9. Lecomte, J. (2012). *La Bonté humaine. Op. cit.*, chapitre 1.

10. Esterbrook J. (31 août 2005). New Orleans fights to stop looting, CBS news. Cité par Lecomte, J. (2012). *Op. cit.*, p. 22.

11. Arkansas Democrat-Gazette (2 septembre 2005). Cité dans Governor Kathleen Blanco: Strong leadership in the midst of catastrophe. Document PDF.

12. Anonyme (2 septembre 2005). Troops told "shoot to kill" in New Orleans, ABC News online.

13. Lecomte, J. (2012). *Op. cit.*, p. 24.

14. Rosenblatt, S., & Rainey, J. (2005). Katrina takes a toll on truth, news accuracy. *Los Angeles Times, 27.*

15. Dwyer, J., & C. Drew. Fear exceeded crime's reality in New Orleans. *New York Times, 25* (2005): A1. Voir également Rodriguez, H., Trainor, J., & Quarantelli, E. L. (2006). Rising to the challenges of a catastrophe: The emergent and prosocial behavior following Hurricane Katrina. *The Annals of the American Academy of Political and Social Science, 604*(1), 82–101. Ainsi que Tierney, K., Bevc, C., & Kuligowski, E. (2006). Metaphors matter: Disaster myths, media frames, and their consequences in Hurricane Katrina. *The Annals of the American Academy of Political and Social Science, 604*(1), 57–81. Cités par Lecomte, J. (2012). *Op. cit.*, p. 348.

16. Lecomte, J. (2012). *Op. cit.*, p. 25-26.

17. Rodriguez H. *et al.* (2006). *Op. cit.*, p. 84.

18. U.S. House of Representatives (2006). A failure of initiative; Final Report of the Select Bipartisan Committee to Investigate the Preparation for and Response to Hurricane Katrina, Washington, U.S. Government printing office, p. 248-249. Cité par Lecomte, J. (2012). *Op. cit.*, p. 348.

19. Tierney, K., Bevc, C., & Kuligowski, E. (2006). *Op. cit.*, p. 68, 75.

20. Quarantelli, E. L. (1954). The nature and conditions of panic. *American Journal of Sociology*, 267–275.

21. Der Heide, E. A. (2004). Common misconceptions about disasters: Panic, the "disaster syndrome," and looting. *The First, 72*, 340–380. Cité par Lecomte, J. (2012), *Op. cit.*, p. 349.

22. Glass, T. A. (2001). Understanding public response to disasters. *Public Health Reports, 116* (suppl. 2), 69. Cité par Lecomte, J. (2012). *Op. cit.*, p. 28.

23. Clarke L. (2002). Le mythe de la panique, *Sciences humaines*, 16-20. Clarke, L. (2002). Panic: myth or reality? *Contexts, 1*(3), 21–26. Ainsi que Connell, R. (2001). Collective behavior in the September 11, 2001 evacuation of the World Trade Center. http://putnam.lib.udel.edu :8080/dspace/handle/19716/683.

24. Drury, J., Cocking, C., & Reicher, S. (2009). The nature of collective resilience: Survivor reactions to the 2005 London bombings. *International Journal of Mass Emergencies and Disasters, 27*(1), 66–95. Résumé par Lecomte, J. (2012). *Op. cit.*, p. 36-37.

25. Cité par Clarke, L. (2002). *Op. cit.*, p. 19.

26. Quarantelli, E. L. (2008). Conventional beliefs and counterintuitive realities. *Social Research: An International Quarterly, 75*(3), 873–904. Cité par Lecomte, J. (2012). *Op. cit.*, p. 33.

10. L'héroïsme altruiste

1. D'après divers articles, principalement celui de Cara Buckley, Man is rescued by stranger on subway tracks, *The New York Times*, 3 janvier 2007. Dans un autre incident semblable, le sauveteur ne voulait même pas être identifié. En mars 2009, après qu'un homme fut tombé sur la voie ferrée à la station Pennsylvania, aux États-Unis, un citoyen sauta sur les rails pour aider cet homme à ressortir. Alors que les gens se pressaient pour féliciter le sauveteur, tout encrassé et souillé par la graisse des rails, celui-ci monta dans le train suivant qui entrait dans la station, et refusa de parler à un journaliste qui se trouvait là. Michael Wilson, An unsung hero of the subway, *The New York Times*, 16 mars 2009.

2. Oliner, S. P. (2003). *Do Unto Others: Extraordinary Acts of Ordinary People* (édition illustrée). Basic Books, p. 21

3. Monroe, K. R. (1996). *The Heart of Altruism*, *op. cit.*, p. 140.

4. Franco, Z. E., Blau, K., & Zimbardo, P. G. (2011). Heroism: A conceptual analysis and differentiation between heroic action and altruism. *Review of General Psychology*, *15*(2), 99–113.

5. Hughes-Hallett, L. (2004). *Heroes*. London: Harper Collins ; Eagly, A., & Becker, S. (2005). Comparing the heroism of women and men. *American Psychologist*, *60*, 343–344.

6. Franco, Z., & Zimbardo, P. (2006-2007, automne-hiver). The banality of heroism. *Greater Good*, *3*, 30–35 ; Glazer, M. P., & Glazer, P. M. (1999). On the trail of courageous behavior. *Sociological Inquiry*, *69*, 276–295 ; Shepela, S. T., Cook, J., Horlitz, E., Leal, R., Luciano, S., Lutfy, E., ... Warden, E. (1999). Courageous resistance. *Theory & Psychology*, *9*, 787– 805.

7. Robin, M.-M. (2010). *Le Monde selon Monsanto*. La Découverte. Kindle, p. 1432-1530.

8. Shepela, S. T., *et al.* (1999). *Op. cit.*

9. Franco, Z. E., Blau, K., & Zimbardo, P. G. (2011). *Op. cit.*

10. Monin, B., Sawyer, P. J., & Marquez, M. J. (2008). Rejection of moral rebels: Resenting those who do the right thing. *Journal of Personality and Social Psychology*, *95*, 76–93.

11. Monroe, K. R. (1996). *Op. cit.*, p. 66-67.

12. 29 juillet 1987, à Little Rock, Arkansas. À la suite de ces événements, Lucille Babcok reçut la médaille de la Carnegie Hero Fund Commission, pour le courage hors du commun qu'elle avait manifesté pour venir au secours de cette jeune femme de vingt-deux ans.

13. Zimbardo, P. (2011). *The Lucifer Effect*. Ebury Digital, Kindle, p. 1134.

11. L'altruisme inconditionnel

1. Monroe, K. R. (1996). *Op. cit.*, p. ix-xv.

2. Opdyke, I. G. (1999). *In My Hands: Memories of a Holocaust Rescuer*. Anchor.

3. 90 % de la population juive de Pologne, soit 3 000 000 de personnes périrent exécutées lors de massacres collectifs ou dans les camps de concentration d'Auschwitz, Sobibor, Treblinka, Belzec, et Majdanek, tous situés en Pologne.

4. Oliner, S. P., & Oliner, P. M. (1988). *The Altruistic Personality: Rescuers of Jews in Nazi Europe*. Macmillan, États-Unis, p. 2.

5. *Ibid.*, p. 166.
6. *Ibid.*, p. 168.
7. *Ibid.*, p. 131.
8. Terestchenko, M. (2007). *Un si fragile vernis d'humanité. Op. cit.*, p. 213 et Hallie, P. P. (1980). *Le Sang des innocents. Op. cit.*, p. 124.
9. *Ibid.*, p. 173.
10. Résumé d'après Terestchenko, M. (2007). *Op. cit.*
11. Hallie, P. P. (1980). *Op. cit.*, p. 267-268.
12. Terestchenko, M. (2007). *Op. cit.*
13. Monroe, K. R. (1996). *Op. cit.*, p. 121.
14. *Ibid.*, p. 140.
15. *Ibid.*, p. 142.
16. *Ibid.*, p. 206-7.
17. Halter, M. (1995). *La Force du bien.* Robert Laffont, p. 95.
18. *Ibid.*
19. Oliner, S. P., & Oliner, P. M. (1988). *Op. cit.*, p. 228.
20. Paldiel M. (8 octobre 1989). Is goodness a mystery? *Jerusalem Post.*

12. Au-delà des simulacres, l'altruisme véritable : une investigation expérimentale

1. Cité par Harold Schulweis, dans la préface à Oliner, S. P., & Oliner, P. M. (1988). *Op. cit.*
2. Ghiselin, M. T. (1974). *The Economy of Nature and the Evolution of Sex.* University of California Press, p. 247.
3. La Rochefoucauld, F. de (1678/2010). *Op. cit.*
4. Campbell, D. T. (1975). On the conflicts between biological and social evolution and between psychology and moral tradition. *American Psychologist, 30*(12), 1103. Cité par Batson, C. D. (1991). *Op. cit.*, p. 42.
5. Batson, C. D. (2011). *Op. cit.*, p. 4.
6. *Ibid.*, p. 87-88.
7. Hatfield, E., Walster, G. W. and Piliavin, J. A. (1978). Equity theory and helping relationship. *Altruism, Sympathy and Helping: Psychological and Sociological Principles*, 115–139. Cité par Batson, C. D. (1991), p. 39.
8. Batson, C. D. (2011). *Op. cit.*, p. 4
9. *Ibid.*, p. 89.
10. Sharp, F. C. (1928). *Ethics.* Century, p. 494.
11. Nagel, T. (1979). *Possibility of Altruism* (nouvelle édition.). Princeton University Press, p. 80.
12. Concernant ces objections, voir Hoffman, M. L. (1991). Is empathy altruistic? *Psychological Inquiry, 2*(2), 131–133; Sober, E., & Wilson, D. S. (1999). *Unto Others: The Evolution and Psychology of Unselfish Behavior.* Harvard Univ. Press; Wallach, L., & Wallach, M. A. (1991). Why altruism, even though it exists, cannot be demonstrated by social psychological experiments. *Psychological Inquiry, 2*(2), 153–155.
13. Le fait qu'ils puissent assurément penser au sort de Katie *plus tard*, après le test, n'influence pas le résultat de l'expérience.
14. Les sujets à faible empathie, en revanche, n'aident que lorsqu'ils craignent que leur inaction soit critiquée.
15. André, C. (2009). *Les États d'âme.* Odile Jacob, p. 353.
16. L'expérience montre aussi que les altruistes réussissent mieux le test lorsque le

sort de Suzanne dépend d'eux, et sont moins attentifs lorsqu'ils savent que Suzanne ne risque rien. À l'inverse, ceux qui ont peu d'empathie ont un score inférieur aux altruistes lorsque Suzanne est en danger, mais obtiennent curieusement un score supérieur lorsqu'ils savent qu'elle ne risque rien. L'explication proposée est que, dans le deuxième cas, ils s'intéressent davantage à leur score personnel, alors que les altruistes se désintéressent du test puisqu'il est inutile à Suzanne.

17. Voir notamment Cialdini, R. B. (1991). Altruism or egoism? That is (still) the question. *Psychological Inquiry*, *2*(2), 124–126.

18. Les lecteurs intéressés trouveront ces détails dans les articles de C. D. Batson et dans la synthèse qu'il en fait dans son récent ouvrage, *Altruism in Humans* (2011). *Op. cit.*

19. Batson, C. D. (1991). *The Altruism Question. Op. cit.*, p. 174.

20. Terestchenko, M. (2004). Égoïsme ou altruisme? *Revue du MAUSS* n° 1, 312-333.

21. Voir notamment Cialdini, R. B. (1991). *Op. cit.*

13. Arguments philosophiques contre l'égoïsme universel

1. Hume, D. (1991). *Enquête sur les principes de la morale*, Garnier-Flammarion.

2. *Ibid.*, p. 221.

3. Cité dans Kohn, A. (1992). *The Brighter Side of Human Nature. Op. cit.*, p. 216.

4. Feinberg, J., & Shafer-Landau, R. (1971). *Reason and Responsibility: Readings in Some Basic Problems of Philosophy.* Wadsworth Publishing Company, chapitre 19.

5. Maslow, A. H. (1966). *The Psychology of Science, a Reconnaissance.* Henry Regnery Co.

6. Kohn, A. (1992). *Op. cit.*

7. Pour plus de détails, voir James, W. (1890). *Principles of Psychology*, Holt, vol. 2, p. 558

8. Spencer, H. (1892). *The Principles of Ethics*, vol. 1. D. Appleton and Co. p. 241, 279. Cité par Kohn, A. (1992). *Op. cit.*, p. 210.

9. Propos confiés à Kristen Monroe, Monroe, K. R. (1996). *Op. cit.*, p. 142.

10. Pour un exposé plus détaillé, voir Broad, C. D. (2010). *Ethics and the History of Philosophy* (réédition), p. 218-231.

11. Schlick, M. (2011). *Problems of Ethics.* Nabu Press.

12. Feinberg, J. (1971). *Op. cit.*

13. Monroe, K. R. (1996). *Op. cit.*, p. 201.

14. Batson, C. D. (2011). *Op. cit.*, p. 64.

15. Butler, J. (1751). *Five Sermons. Op. cit.*

16. Milo, R. (1973). *Op. cit.*

17. Brown, N. J. (1979). Psychological egoism revisited. *Philosophy*, *54*(209), 293–309.

18. Rousseau, J.-J. *Rêveries du promeneur solitaire.* 6e promenade. Le Livre de Poche.

19. Brown, N. J. (1979). *Op. cit.*

20. Haidt, J. (2012). *The Righteous Mind: Why Good People are Divided by Politics and Religion.* Allen Lane.

21. Kagan, J. (1989). *Unstable Ideas: Temperament, Cognition, and Self.* Harvard University Press. Cité par John, A. (1992). *Op. cit.*, p. 41.

22. Mandela, N. (1996). *Un long chemin vers la liberté.* Le Livre de Poche.

III. L'émergence de l'altruisme

14. L'altruisme dans les théories de l'évolution

1. Darwin, C. (1891). *La Descendance de l'homme et la sélection sexuelle. Op. cit.*, p. 121 et p. 120 pour la citation suivante.
2. *Ibid.*, p. 132.
3. Ekman, P. (2010). Darwin's compassionate view of human nature. *JAMA 303*(6), 557.
4. Sober, E., in Davidson, R. J., & Harrington, A. (2002). *Visions of Compassion: Western Scientists and Tibetan Buddhists Examine Human Nature.* Oxford University Press, États-Unis, p. 50.
5. Je remercie Frans de Waal pour les éclaircissements qu'il m'a fournis sur ce point.
6. Voir notamment Trivers, R. L. (1985). *Social Evolution.* Benjamin-Cummings.
7. Mémoires de la Société des naturalistes de Saint-Petersbourg. Cité par Kropotkine, P. (2010). *L'Entraide, un facteur de l'évolution.* Sextant.
8. Pierre Kropotkine s'opposait à la «loi du plus fort», dénonçait l'individualisme propre à la société bourgeoise et souhaitait mettre en évidence la sociabilité de l'homme et des espèces animales. Dans son ouvrage *L'Entraide, un facteur de l'évolution*, publié en 1902, il conclut, sur la base de multiples observations, que la sympathie que nous éprouvons pour nos semblables et la solidarité que nous leur manifestons sont des composantes fondamentales de l'instinct humain et sont observées partout dans la nature. La pensée de Kropotkine est toutefois emplie de contradictions puisque, comme il l'a notamment écrit dans le journal *Le Révolté*, il n'était pas opposé au recours à la violence pour faire triompher la «révolte permanente».
9. Nowak, M. A., & Highfield, R. (2011). *SuperCooperators: altruism, evolution, and why we need each other to succeed.* Simon & Shuster, p. 274-275. Bourke, A. F. G. (2011). *Principles of Social Evolution.* Oxford University Press. Voir également l'excellent article de synthèse de Joël Candau (2012). Pourquoi coopérer. *Terrain* (1), 4-25.
10. On sait, par exemple, que plus de cinq cents espèces de bactéries colonisent les dents et les muqueuses buccales humaines, offrant un potentiel évident pour la coopération comme pour la compétition. Or il a été montré que c'est la coopération entre ces bactéries qui leur permet de survivre dans un environnement où une seule espèce est incapable de proliférer. Voir Kolenbrander, P. E. (2001). Mutualism versus independence : strategies of mixed-species oral biofilms in vitro using saliva as the sole nutrient source. *Infect. Immun.*, *69*, 5794–5804. Concernant les bactéries, voir également, Koschwanez, J. H., Foster, K. R., & Murray, A. W. (2011). Sucrose utilization in budding yeast as a model for the origin of undifferentiated multicellularity. *PLoS biology*, *9*(8).
11. Voir notamment Aron, S., et Passera, L. (2000), *Les Sociétés animales : évolution de la coopération et organisation sociale*, De Boeck Université. Ainsi que, Wilson, E. O. (2012). *The Social Conquest of Earth* (1re édition). Liveright.
12. Candau, J. (2012). *Op. cit.*, et Henrich, J., & Henrich, N. (2007). *Why Humans Cooperate: A Cultural and Evolutionary Explanation.* Oxford University Press.
13. Darwin, C. (1859). *De l'origine des espèces*, chapitre 10.
14. Darwin C. (1891). *La Descendance de l'homme et la sélection sexuelle*, C. Reinwald, chapitre 4.

15. Darwin, C. (1871). *The Origin of Species and the Descent of Man.* 2 vol. Londres.
16. Sober, E., & Wilson, D. S. (1999). *Unto Others. Op. cit.*, p. 201-205.
17. Dugatkin, L. A. (1997). *Cooperation Among Animals,* Oxford University Press.
18. Selon Frans de Waal, cet exemple n'a rien à voir avec l'altruisme, car même du strict point de vue évolutionniste, on ne peut parler d'altruisme que si un trait a été sélectionné parce qu'il est bénéfique à d'autres. Or cela n'aurait pas de sens d'affirmer que le fait d'avoir de mauvaises dents est un trait qui a évolué parce qu'il apporte des bienfaits aux autres. Communication personnelle.
19. Hamilton, W. D. (1963). The evolution of altruistic behavior. *The American Naturalist, 97*(896), 354–356. Hamilton, W. D. (1964). The genetical evolution of social behaviour. *Journal of Theoretical Biology, 7*(1), 1–16.
20. Wilson, E. O. (1971). *The Insect Society.* Cambridge, MA.
21. Clutton-Brock, T. H., O'Riain, M., Brotherton, P., Gaynor, D., Kansky, R., Griffin, A., & Manser, M. (1999). Selfish sentinels in cooperative mammals. *Science, 284*(5420), 1640.
22. Ainsi que chez les crevettes alphéides, le rat-taupe glabre, certaines guêpes, abeilles, coléoptères et, au vu de découvertes récentes, chez certains vers trématodes. La première de ces confirmations vint treize ans après la publication du premier article d'Hamilton, à la suite des recherches de Robert Trivers et Hope Hare : Trivers, R. L., & Hare, H. (1976). Haplodiploidy and the evolution of the social insects. *Science, 191*(4224), 249–263.
23. Voir la biographie de George Price : Harman, O. S. (2010). *The Price of Altruism.* New York, Norton.
24. Hamilton, W. D. (1970). Selfish and spiteful behaviour in an evolutionary model. *Nature*, 228, 1218–1219.
25. Price, G. R., & others. (1970). Selection and covariance. *Nature, 227*(5257), 520.
26. Hill, K. R. (2002). Altruistic cooperation during foraging by the Ache, and the evolved human predisposition to cooperate. *Human Nature, 13*(1), 105–128; Kelly, R. L. (1995). *The Foraging Spectrum: Diversity in Hunter-Gatherer Lifeways.* Smithsonian Institution Press Washington.
27. Richerson, P. J., & Boyd, R. (2004). *Not by Genes Alone: How Culture Transformed Human Evolution.* University of Chicago Press. Wood, W., & Eagly, A. H. (2002). A cross-cultural analysis of the behavior of women and men : implications for the origins of sex differences. *Psychological Bulletin, 128*(5), 699.
28. Trivers, R. L. (1971). The evolution of reciprocal altruism. *Quarterly Review of Biology*, 35–57; Axelrod, R., & Hamilton, W. D. (1981). The evolution of cooperation. *Science, 211*(4489), 1390; Boyd, R., & Richerson, P. J. (1988). An evolutionary model of social learning: the effects of spatial and temporal variation. *Social Learning: Psychological and Biological Perspectives*, 29–48.
29. Hill, K. R. (2002). *Op. cit.*
30. Hill, K. R., Walker, R. S., Božičević, M., Eder, J., Headland, T., Hewlett, B., Hurtado, A. M., *et al.* (2011). Co-residence patterns in hunter-gatherer societies show unique human social structure. *Science, 331*(6022), 1286. Les chercheurs ont notamment étudié les Inuits du Labrador, les Aches du Paraguay, les Wanindiljaugwas australiens et plusieurs autres communautés.
31. Dawkins, R. (2003). *Le Gène égoïste.* Odile Jacob.
32. *Ibid.*, p. 19.
33. *Ibid.*, p. 192.

34. Warneken, F. & Tomasello, M. (2009). The roots of human altruism, *British Journal of Psychology*, *100*, 455-471.

35. Goodall, J., & Berman, P. L. (1999). *Reason for Hope: A Spiritual Journey*. Grand Central Publishing, p. 121.

36. Waal, F. B. M. de (2010). *L'Âge de l'empathie*. *Op. cit.*, p. 63.

37. McLean, B., & Elkind, P. (2003). *The Smartest Guys in the Room: The Amazing Rise and Scandalous Fall of Enron*. Penguin. Cité par Waal, F. B. M. de (2010). *Op. cit.*, p. 63-64. Clarke, T. (2005). Accounting for Enron: shareholder value and stakeholder interests. *Corporate Governance: An International Review*, *13*(5), 598–612.

38. Les héros très humains de Fukushima, *The Guardian*, jeudi 24 mars 2011.

39. Wilson, E. O. (1971). *Op. cit.*

40. Wilson, E. O. (2012). *The Social Conquest of Earth* (1re édition). Liveright.

41. Cavalli-Sforza, L. L., & Feldman, M. W. (1978). Darwinian selection and "altruism". *Theoretical Population Biology*, *14*(2), 268–280.

42. Nowak, M. A., & Highfield, R. (2011). *Op. cit.*, p. 106.

43. Voir le supplément détaillé «Supplementary Information» doi: 10.1038/nature09205, disponible sur www.nature.com/nature, qui accompagne l'article principal Nowak, M. A., Tarnita, C. E., & Wilson, E. O. (2010). The evolution of eusociality. *Nature*, *466*(7310), 1057–1062. L'équation de covariance de George Price n'échappe pas non plus à cette nouvelle analyse, qui la fait apparaître comme une tautologie mathématique.

44. Hunt, J. H. (2007). *The Evolution of Social Wasps*. Oxford University Press, États-Unis ; Gadagkar, R., & Gadagkar, R. (2001). *The Social Biology of Ropalidia Marginata: Toward Understanding the Evolution of Eusociality*. Harvard University Press.

45. Johns, P. M., Howard, K. J., Breisch, N. L., Rivera, A., & Thorne, B. L. (2009). Nonrelatives inherit colony resources in a primitive termite. *Proceedings of the National Academy of Sciences*, *106*(41), 17452–17456. L'éthologue Elli Leadbeater a elle aussi montré que les guêpes *Polistes dominulus* bâtissent de nouveaux nids chaque printemps, et le font fréquemment en petits groupes de femelles qui ne sont pas toutes apparentées. Elle a observé que les femelles participant au travail de construction des nids avaient une descendance plus nombreuse que les guêpes solitaires. Leadbeater, E., Carruthers, J. M., Green, J. P., Rosser, N. S., & Field, J. (2011). Nest inheritance is the missing source of direct fitness in a primitively eusocial insect. *Science*, *333*(6044), 874–876.

46. Nowak, M. A., Tarnita, C. E., & Wilson, E. O. (2010). *Op. cit.* Pour l'une des réactions à cet article voir : Abbot, P., Abe, J., Alcock, J., Alizon, S., Alpedrinha, J. A. C., Andersson, M., ... Balshine, S. (2011). Inclusive fitness theory and eusociality. *Nature*, *471*(7339), E1–E4. Pour la réponse des auteurs : Nowak, M. A., Tarnita, C. E., & Wilson, E. O. (2011). Nowak *et al.* reply. *Nature*, *471*(7339), E9–E10.

47. Hamilton, W. D. (1975). Innate social aptitudes of man: an approach from evolutionary genetics. *Biosocial Anthropology*, *133*, 155.

48. Bowles, S., & Gintis, H. (2011). *A Cooperative species: Human Reciprocity and Its Evolution*. Princeton University Press.

49. Nowak, M. A., & Highfield, R. (2011). *Op. cit.*, p. 262-263.

15. L'amour maternel, fondement de l'altruisme étendu ?

1. Batson, C. D. (2011). *Op. cit.*, p. 4.
2. *Ibid.*
3. Darwin, C. (1871). *Op. cit.*, p. 308. De fait, le soin parental, qui serait l'une des

sources principales de l'empathie, est lui-même fondé sur des instincts plus anciens qui ont précédé la faculté de ressentir de l'empathie, puisqu'on l'observe aussi chez des espèces animales dont le système nerveux rudimentaire n'autorise pas de facultés cognitives et émotionnelles complexes. Les mères scorpions, par exemple, portent leurs petits sur leur dos, bien que cela ralentisse considérablement leurs mouvements et les expose ainsi au risque d'être capturées par un prédateur. Shaffer, L. R., & Formanowicz, J. (1996). A cost of viviparity and parental care in scorpions: reduced sprint speed and behavioural compensation. *Animal Behaviour*, *51*(5), 1017–1024.

4. Bell, D. C. (2001). Evolution of parental caregiving. *Personality and Social Psychology Review*, *5*(3), 216–229.

5. McDougall, W. (1908). *An Introduction to Social Psychology*. Methuen. Je dois ces divers éclaircissements à Daniel Batson. Voir également, Batson, C. D (1991). *Op. cit.*, chapitres 2 et 3.

6. Sober, E., in Davidson, R. J., & Harrington, A. (2002). *Visions of Compassion: Western Scientists and Tibetan Buddhists Examine Human Nature.* Oxford University Press, États-Unis, p. 99 et Sober, E., & Wilson, D. S. (1998). *Op. cit.*; Waal, F. B. M. de (1997). *Le Bon Singe : Les bases naturelles de la morale.* Bayard; Churchland, P. S. (2011). *Braintrust: What Neuroscience Tells Us about Morality.* Princeton University Press.

7. Paul Ekman, propos enregistrés lors d'une conversation avec l'auteur.

8. Léopard et jeune babouin http://www.youtube.com/watch?v=Nvp9cELWHhs.

9. Hrdy, S. B. (2009). *Mothers and Others: The Evolutionary Origins of Mutual Understanding.* Belknap Press, p. 67 et 109.

10. *Ibid.*, p. 66.

11. Marlowe, F. (2005). Who tends Hadza children? in *Hunter-Gatherer Childhoods.* B. Hewlett and M. Lamb. New Brunswick, p. 177-190. Cité par Hrdy, S. B. (2009). *Op. cit.*, p. 76.

12. Sagi, A., IJzendoorn, M. H., Aviezer, O., Donnell, F., Koren-Karie, N., Joels, T., & Harl, Y. (1995). Attachments in a multiple-caregiver and multiple-infant environment: the case of the Israeli kibbutzim. *Monographs of the Society for Research in Child Development*, *60* (2-3), 71–91. Cité par Hrdy, S. B. (2009). *Op. cit.*, p. 131.

13. Hrdy, S. B. (2009). *Op. cit.*, p. 77.

14. Sear, R., Mace, R., & McGregor, I. A. (2000). Maternal grandmothers improve nutritional status and survival of children in rural Gambia. *Proceedings of the Royal Society of London. Series B: Biological Sciences*, *267*(1453), 1641. Cité dans Hrdy, S. B. (2009). *Op. cit.*, p. 107-108.

15. Pope, S. K., Whiteside, L., Brooks-Gunn, J., Kelleher, K. J., Rickert, V. I., Bradley, R. H., & Casey, P. H. (1993). Low-birth-weight infants born to adolescent mothers. *JAMA*, *269*(11), 1396–1400. Cité par Hrdy, S. B. (2009). *Op. cit.*, p. 107-108.

16. Hrdy, S. B. (2009). *Op. cit.*, p. 144.

17. Watson, J. (1928). *Psychological Care of Infant and Child.* W. W. Norton. Cité par Hrdy, S. B. (2009). *Op. cit.*, p. 82.

18. Fernandez-Duque, E. (2007). Cost and benefit of parental care in free ranging owl monkey (*Aotus azarai*). Abstract. Article présenté au 76e colloque annuel de l'American Association of Physical Anthropologists, mars, 28-31, Philadelphie; Wolovich, C. K., Perea-Rodriguez, J. P., & Fernandez-Duque, E. (2008). Food transfers to young and mates in wild owl monkeys (*Aotus azarai*). *American Journal of Primatology*, *70*(3), 211–221. Cité par Hrdy, S. B. (2009). *Op. cit.*, p. 88-89.

19. Boesch, C., Bole, C., Eckhardt, N., & Boesch, H. (2010). Altruism in forest chimpanzees: the case of adoption. *PloS one*, *5*(1), e8901.

20. Busquet, G. (2013). *À l'écoute de l'Inde; des mangroves du Bangladesh aux oasis du Karakoram*. Transboréal, p. 105 et suiv.

21. Hrdy, S. B. (2009). *Op. cit.*, p. 128.

22. *Ibid.*, p. 292-293.

23. Voir notamment l'étude exhaustive sur l'effet des crèches, NICHD Early Child Care Research Network 1997, ainsi que McCartney, K. (2004). Current research on child care effects, in R. E. Tremblay *et al. Encyclopedia on Early Childhood Development [online]. Montreal: Centre of Excellence for Early Childhood Development, 2004*, 1–5. Cette étude se poursuit et l'on peut en suivre les développements sur www.nichd.nih.gov et www.excellence-earlychildhood.ca. Cité par Hrdy, S. B. (2009). *Op. cit.*, p. 125.

24. La philosophe et historienne Élisabeth Badinter, par exemple, considère que le concept d'instinct maternel est «bien usé» et que tout discours qui s'inspire du naturalisme est un retour en arrière. Badinter, É. (2011). *Le Conflit : La femme et la mère*. Le Livre de Poche.

16. L'évolution des cultures

1. Certains vont même jusqu'à en nier l'importance, comme l'anthropologue Laura Betzig, qui n'hésite pas à écrire dans un savant volume : «Personnellement, je trouve la culture inutile.» Betzig, L. L. (1997). *Human Nature: A Critical Reader*. Oxford University Press, États-Unis, p. 17. Cité par Richerson, P. J., & Boyd, R. (2004). *Op. cit.*, p. 19.

2. *Ibid.*, p. 5.

3. Tomasello, M. (2009). *Why we Cooperate*. The MIT Press, p. xiv.

4. *Ibid.*, p. x.

5. Richerson, P.J., & Boyd, R. (2004). *Op. cit.*, p. 6.

6. Boyd, R., & Richerson, P. J. (1976). A simple dual inheritance model of the conflict between social and biological evolution. *Zygon®*, *11*(3), 254–262, ainsi que leur principal ouvrage, *Not by Genes Alone* (2004). *Op. cit.*

7. Richerson, P. J., & Boyd, R. (2004). *Op. cit.*, p. 7.

8. Lydens, L.A. A Longitudinal Study of Crosscultural Adoption : Identity Development Among Asian Adoptees at Adolescence and Early Adulthood. Northwestern University, 1988. Cité par Richerson, P.J., & Boyd, R. (2004). *Op. cit.*, p. 39-42.

9. Heard, J. N., & J. Norman. *White into Red: A Study of the Assimilation of White Persons Captured by Indians*. Scarecrow Press Metuchen, N J., 1973. Cité par Richerson, P.J., & Boyd, R. (2004). *Op. cit.*, p. 41-42.

10. D'après Richerson, P. J., & Boyd, R. (2004). *Op. cit.*, p. 139-145, le développement de l'apprentissage social, propre à l'homme, qui est le fondement de l'évolution des cultures, pourrait avoir eu pour catalyseur les fluctuations climatiques sans précédent qui ont dominé la deuxième moitié de l'ère du pléistocène, durant les 500 000 dernières années. Il existe en effet une corrélation entre les variations climatiques et une augmentation du volume du cerveau des hominidés et de nombreux mammifères, ce qui accroît leur capacité à adopter de nouveaux comportements et, dans le cas des hominidés, à fabriquer de nouveaux outils et à acquérir des connaissances transmissibles. Les hominidés commencèrent à fabriquer des outils il y a environ 2,6 millions d'années, mais ces outils changèrent peu pendant très longtemps. Puis, il y a 250 000 ans, le nombre et surtout la variété des outils augmentèrent brusquement. Finalement, il y a 50 000 ans les humains d'Afrique se répandirent dans le monde

entier. Voir Hofreiter, M., Serre, D., Poinar, H. N., Kuch, M., Pääbo, S., & others. (2001). Ancient DNA. *Nature Reviews Genetics*, *2*(5), 353–359. Cité in Richerson, P. J., & Boyd, R. (2004). *Op. cit.*, p. 143.

17. Les comportements altruistes chez les animaux

1. Darwin, C. (1891), *La Descendance de l'homme et la sélection sexuelle. Op. cit.*, chapitre 4, p. 101-109.
2. Darwin, C. (1877). *L'Expression des émotions chez l'homme et les animaux. Op. cit.*
3. Darwin, C. (1891). *Op. cit.*, p. 68.
4. Parc national Tai, en Côte d'Ivoire, cité par de Waal, F. B. M. de (2010) . *Op. cit.*, p. 7.
5. Waal, F. B. M. de (1997). *Le Bon Singe. Op. cit.*
6. Voir la séquence : www.youtube.com/watch?v=DgjyhKN_35g.
7. Waal, F. B. M. de (2010). *Op. cit.*, p. 56.
8. Savage, E., Temerlin, J., & Lemmon, W. (1975). Contemporary Primatology 5th Int. Congr. Primat., Nagoya 1974, p. 287-291. Karger. Édition française, 1997.
9. Waal, F. B. M. de (1997). *Op. cit.*, p. 220.
10. Moss, C. (1988). *Elephant Memories: Thirteen Years in the Life of an Elephant Family.* William Morrow & Co., p. 124-125.
11. Henderson, J. Y. (1952). *Circus Doctor.* P. Davies, p. 78. Cité dans Masson, J. M., & McCarthy, S. (1997). *Quand les éléphants pleurent.* Albin Michel.
12. Waal, F. B. M. de (2010). *Op. cit.*, p. 153.
13. Goodall, J., & Berman, P. L. (1999). *Reason for Hope: A Spiritual Journey.* Grand Central Publishing, p. 139.
14. Cité dans Waal, F. B. M. de (2010). *Op. cit.*, p. 130-131.
15. Köhler, W., & Winter, E. (1925). *The Mentality of Apes.* K. Paul, Trench, Trubner. Cité par Rollin, B. E. (1989). *The Unheeded Cry: Animal Consciousness, Animal Pain and Science.* Oxford University Press, p. 223.
16. Lee, P. (1987). Allomothering among African elephants. *Animal Behaviour*, *35*(1), 278–291.
17. Bates, L. A., Lee, P. C., Njiraini, N., Poole, J. H., Sayialel, K., Sayialel, S., ... Byrne, R. W. (2008). Do elephants show empathy? *Journal of Consciousness Studies*, *15*(10-11), 204–225.
18. Caldwell, M. C., & Caldwell, D. K. (1966). Epimeletic (care-giving) behavior in Cetacea. *Whales, Porpoises and Dolphins.* University of California Press, Berkeley, Californie, 755–789.
19. Lilly, J. C. (1963). Distress call of the bottlenose dolphin: stimuli and evoked behavioral responses. *Science*, *139*(3550), 116; Lilly, J. C. (1962). *Man and Dolphin.* Gollancz.
20. Brown, D. H., & Norris, K. S. (1956). Observations of captive and wild cetaceans. *Journal of Mammalogy*, *37*(3), 311–326; Siebenaler, J., & Caldwell, D. K. (1956). Cooperation among adult dolphins. *Journal of Mammalogy*, *37*(1), 126–128.
21. L'incident fut photographié. Voir *Daily Mail*, 29 juillet 2009. http://www.dailymail.co.uk/news/article-1202941/Pictured-The-moment-Mila-brave-Beluga-whale-saved-stricken-divers-life-pushing-surface.html.
22. D'après un reportage de New Zealand Press Association, 22 novembre 2004.
23. Nishiwaki. M. (1962), Aerial photographs show sperm whales' interesting

habits. Nor. Hvalfangstid. 51:395-398. Davis. W. M. (1874). *Nimrod of the Sea; or the American Whaleman.* Harper.

24. "Who Is the Walrus?" *The New York Times*, 28 mai 2008.

25. Mohr, E. (1956). *Das Verhalten der Pinnipedier.* W. de Gruyter.

26. Helfer, R. (1990). *The Beauty of the Beasts,* Jeremy P. Tarcher, p. 82-83.

27. Romero, T., Castellanos, M. A., & Waal, F. B. M. de (2010). Consolation as possible expression of sympathetic concern among chimpanzees. *Proceedings of the National Academy of Sciences, 107*(27), 12110.

28. Voir Waal, F. B. M. de (1992). *De la réconciliation chez les primates.* Flammarion.

29. Moss, C. (1988). *Elephant Memories. Op. cit.*, p. 272-273.

30. Ryan, M, Thornycraft, P. Jumbos mourn black rhino killed by poachers, *Sunday Independent,* 18 novembre 2007, cité par Bekoff, M., & Pierce, J. (2009). *Wild Justice: The Moral Lives of Animals.* University of Chicago Press, p. 105.

31. Goodall, J. (2011). *Through A Window: Thirty Years with the Chimpanzees of Gombe.* Phoenix. p. 190. Photo de Flint prostré, p. 213.

32. Goodall, J., & Berman, P. L. (1999). *Reason for Hope: A Spiritual Journey.* Grand Central Publishing, p. 139-140.

33. Boesch, C., Bole, C., Eckhardt, N., & Boesch, H. (2010). Altruism in forest chimpanzees: the case of adoption. *PloS One, 5*(1), e8901.

34. McGrew, W. C. (1992). *Chimpanzee Material Culture : Implications for Human Evolution.* Cambridge University Press; McGrew, W. C. (2004). *The Cultured Chimpanzee: Reflections on Cultural Primatology.* Cambridge University Press. Voir également l'article de Dominique Lestel dans la revue *Science et Avenir,* hors-série, oct.-nov. 2005.

35. Menzel, E. W. (1975). Purposive behavior as a basis for objective communication between chimpanzees. *Science, 189*(4203), 652; Menzel, E. W. (1978). Cognitive mapping in chimpanzees. *Cognitive Processes in Animal Behavior,* 375–422.

36. Premack, D., Woodruff, G., & others. (1978). Does the chimpanzee have a theory of mind? *Behavioral and Brain Sciences, 1*(4), 515–526.

37. Hare, B., Call, J., & Tomasello, M. (2001). Do chimpanzees know what conspecifics know? *Animal Behaviour, 61*(1), 139–151.

38. Bugnyar, T., & Heinrich, B. (2005). Ravens, *Corvus corax,* differentiate between knowledgeable and ignorant competitors. *Proceedings of the Royal Society B: Biological Sciences, 272*(1573), 1641.

39. Chez les loups et les chiens, voir Virányi, Z., Gácsi, M., Kubinyi, E., Topál, J., Belényi, B., Ujfalussy, D., & Miklósi, Á. (2008). Comprehension of human pointing gestures in young human-reared wolves (*Canis lupus*) and dogs (*Canis familiaris*). *Animal Cognition, 11*(3), 373–387. Chez les singes capucins, voir Kuroshima, H., Fujita, K., Adachi, I., Iwata, K., & Fuyuki, A. (3 juillet 2003). A capuchin monkey (*Cebus apella*) recognizes when people do and do not know the location of food. *Animal Cognition, 6*(4), 283–291.

40. Waal, F. B. M. de (2010). *Op. cit.*, p. 150-151 et 346-347.

41. Yamamoto, S., T. Humle, and M. Tanaka. Chimpanzees' flexible targeted helping based on an understanding of conspecifics' Goals. *Proceedings of the National Academy of Sciences of the United States of America* (2012).

42. Rohan, A. de (2003). Deep thinkers: The more we study dolphins, the brighter they turn out to be. *The Guardian* (Grande-Bretagne). Cité in Balcombe, J., & Balcombe, J. P. (2010). *Second Nature: The Inner Lives of Animals.* Palgrave Macmillan, p. 33.

43. Résumé d'après Waal, F. B. M. de (2010). *Op. cit.*, p. 132.

44. Gallup, G. G. (1970). Chimpanzees: self-recognition. *Science*, *167*(3914), 86.

45. Nimchinsky, E. A., Gilissen, E., Allman, J. M., Perl, D. P., Erwin, J. M., & Hof, P. R. (1999). A neuronal morphologic type unique to humans and great apes. *Proceedings of the National Academy of Sciences*, *96*(9), 5268.

46. Hakeem, A. Y., Sherwood, C. C., Bonar, C. J., Butti, C., Hof, P. R., & Allman, J. M. (2009). Von Economo neurons in the elephant brain. *The Anatomical Record: Advances in Integrative Anatomy and Evolutionary Biology*, *292*(2), 242–248.

47. Daniel Batson, communication personnelle.

48. Warneken, F., & Tomasello, M. (2006). Altruistic helping in human infants and young chimpanzees. *Science*, *311*(5765), 1301.

49. Warneken, F., & Tomasello, M. (2007). Helping and cooperation at 14 months of age. *Infancy*, *11*(3), 271–294.

50. Crawford, M. P. (1937). The cooperative solving of problems by young chimpanzees. *Comparative Psychology Monographs*, *14*(2), 1–88. Pour l'extrait de film, voir : http://www.emory.edu/LIVING_LINKS/av/nissencrawford_cut.mov.

51. Plotnik, J. M., Lair, R., Suphachoksahakun, W., & Waal, F. B. M. de (2011). Elephants know when they need a helping trunk in a cooperative task. *Proceedings of the National Academy of Sciences*, *108*(12), 5116.

52. Horner, V., Carter, J. D., Suchak, M., & Waal, F. B. M. de (2011). Spontaneous prosocial choice by chimpanzees. *Proceedings of the National Academy of Sciences*, *108*(33), 13847–13851.

53. Rollin, B. E. (1989). *The Unheeded Cry: Animal Consciousness, Animal Pain and Science.* Oxford University Press.

54. Frans de Waal en dialogue avec Martha Nussbaum, http://www.youtube.com/watch?v=ZL5eONzGIR0&playnext=1&list=PL9B0DC88714CADC51&feature=results_main.

55. Rollin, B. E. (1989). *Op. cit.*, p. 32.

56. Darwin, C. (1891) . *Op. cit.*, p. 68.

57. Waal, F. B. M. de (2010). *Op. cit.*, p. 196.

58. Rollin, B. E. (1989). *Op. cit.*, p. 23.

59. Voir son récent ouvrage, qui retrace l'historique de ses recherches. Davidson, R. J., & Begley, S. (2012). *The Emotional Life of Your Brain.* Hudson Street Press.

18. L'altruisme chez l'enfant

1. Tomasello, M. (2009). *Why We Cooperate. Op. cit.*, p. 3.

2. Tremblay, R. E. (2008). *Prévenir la violence dès la petite enfance.* Odile Jacob.

3. Sagi, A., & Hoffman, M. L. (1976). Empathic distress in the newborn. *Developmental Psychology*, 12(2), 175.

Pour un exposé des diverses phases du développement chez l'enfant de la conscience de soi, de la réaction à la détresse d'autrui, jusqu'aux comportements bienveillants, voir Hoffman, M. L. (2000). *Empathy and Moral Development: Implications for Caring and Justice.* Cambridge Univ. Press ; traduction française : Hoffman, M. (2008). *Empathie et développement moral : Les émotions morales et la justice.* PUG.

4. Martin, G. B., & Clark, R. D. (1982). Distress crying in neonates: Species and peer specificity. *Developmental Psychology*, *18*(1), 3.

5. Sagi et Hoffman en avait déduit la présence d'une « réaction de détresse empathique rudimentaire », qui permet au nouveau-né de se mettre au diapason de l'état affectif d'un autre nourrisson, sans pour autant distinguer clairement ses propres émo-

tions de celles des autres. Selon le neuroscientifique Jean Decety, «ces résultats démontrent que le nouveau-né possède les deux aspects essentiels de l'empathie : 1) le partage d'émotions avec les personnes auxquelles il peut s'identifier et 2) la distinction entre soi et autrui». (Decety, J. L'empathie est-elle une simulation mentale de la subjectivité d'autrui, in Berthoz, A., Jorland, G., & collectif [2004]. *L'Empathie.* Odile Jacob.) D'autres chercheurs, comme la neuroscientifique Tania Singer, sont plus prudents dans leurs interprétations, puisque les signes indubitables de distinction entre soi et autrui n'apparaissent qu'à partir de quatorze mois. Interrogée à ce sujet, Tania Singer estime que la discrimination exercée entre les différents pleurs par le nouveau-né tient simplement au fait que sa constitution lui permet dès la naissance de distinguer une voix humaine d'un bruit ordinaire et d'accorder des degrés d'importance variés à divers types de voix. L'intensité de la contagion émotionnelle pourrait être liée au degré de similarité entre le nourrisson et l'enfant qui pleure. Selon elle, la raison pour laquelle les nouveau-nés ne pleurent pas en entendant un enregistrement de leurs propres pleurs peut être attribuée au fait que notre cerveau anticipe les effets de nos propres réactions (nos pleurs, par exemple) et les neutralisent automatiquement avant que ces réactions ne se produisent. C'est la raison pour laquelle nous ne pouvons nous chatouiller nous-mêmes. De même, poser l'une de mes mains sur l'autre en signe de réconfort n'aura pas le même effet apaisant que si quelqu'un me prend la main lorsque je souffre. (Tania Singer, communication personnelle, février 2012.)

6. Soltis, J. (2004). The signal functions of early infant crying. *Behavioral and Brain Sciences, 27*, 443–490; Zeifman, D. M. (2001). An ethological analysis of human infant crying: Answering Tinbergen's four questions. *Developmental Psychobiology, 39*, 265-285. Cité par Batson, R. D. (2011). *Altruism in humans. Op. cit.*

7. Hamlin, J. K., Wynn, K., & Bloom, P. (2007). Social evaluation by preverbal infants. *Nature, 450*(7169), 557–559. Cette expérience avait déjà été réalisée avec succès au même laboratoire avec des enfants plus âgés, de douze à seize mois. Kuhlmeier, V., Wynn, K., & Bloom, P. (2003). Attribution of dispositional states by 12-month-olds. *Psychological Science, 14*(5), 402–408. Si on refait cette expérience avec des objets inanimés (au lieu de figurines présentant une apparence humaine), aucun des objets n'est préféré à l'autre.

8. Cité par Hoffman, M. L. (2000). *Empathy and Moral Development. Op. cit.*, p. 100. Il leur arrive d'appeler un adulte à l'aide, mais les rapports d'altérité restent assez flous et un enfant de quatorze mois pourra prendre la main d'un enfant en pleurs pour le conduire non pas vers la mère de ce dernier, pourtant présente, mais vers sa propre mère.

9. Hoffman, M. L. (2000). *Op. cit.*; Lecomte, J. (2012). *La Bonté humaine. Op. cit.*, p. 232-235. Carolyn Zahn-Waxler, qui a étudié pendant plus de trente ans l'émergence de l'empathie chez les enfants, a observé la façon dont les jeunes enfants réagissent *dans la vie quotidienne* lorsque des proches se trouvent en difficulté. Elle a, par exemple, demandé à des mères de simuler la douleur de s'être cognées, ou de faire semblant d'être tristes, épuisées, ou d'avoir du mal à respirer. Presque toujours, les enfants se sont comportés de façon consolatrice, en donnant des baisers et d'autres signes d'affection, ou en agissant de façon réfléchie, en apportant, par exemple, un biberon à un frère ou une sœur plus jeune, ou une couverture à une personne qui grelotte de froid. Zahn-Waxler, C., & Radke-Yarrow, M. (1982). The development of altruism: Alternative research strategies. *The Development of Prosocial Behavior*, 109-137.

10. Les enfants qui passent le test du miroir commencent à manifester de l'empa-

thie envers quelqu'un qui sanglote ou semble avoir du chagrin (à dix-huit mois chez les filles, vingt et un mois chez les garçons). Bischof-Köhler, D. (1991). The development of empathy in infants. epub.ub.uni-muenchen.de/2915/1/2915.pdf; Bretherton, I., Fritz, J., Zahn-Waxler, C., & Ridgeway, D. (1986). Learning to talk about emotions: A functionalist perspective. *Child Development*, 529–548.

11. Cité par Kohn, A. (1998). *The Brighter Side of Human Nature. Op. cit.*

12. Voir Barber, N. (2000). *Why Parents Matter: Parental Investment and Child Outcomes.* Praeger Pub Text, p. 124.

13. Rheingold, H. L. (1982). Little children's participation in the work of adults, a nascent prosocial behavior. *Child Development*, 114–125.

14. Reportage sur la radio BBC par Helen Briggs, commentateur scientifique.

15. Mis à part les travaux de Rheingold, H. L. (1982). *Op. cit.*

16. Piaget, J. (1932). *Le Jugement moral chez l'enfant.* F. Alcan.

17. Eisenberg, N., & Fabes, R. A. (1998). Prosocial development. In Eisenberg, N., & Damon, W. (1998). *Handbook of Child Psychology.* John Wiley & Sons, 3: 701–778.

18. Svetlova, M., Nichols, S. R., & Brownell, C. A. (2010). Toddlers' prosocial behavior: From instrumental to empathic to altruistic helping. *Child Development, 81*(6), 1814–1827.

19. Warneken, F., & Tomasello, M. (2006). Altruistic helping in human infants and young chimpanzees. *Science, 311*(5765), 1301 ; Warneken, F., & Tomasello, M. (2009). The roots of human altruism. *British Journal of Psychology, 100*(3), 455–471. Des vidéos de ces expériences peuvent également être visionnées sur le site http://email.eva.mpg.de/~warneken/video.

20. Warneken, F., & Tomasello, M. (2009). *Op. cit.* Tomasello, M. (2009). *Op. cit.*

21. *Ibid.*

22. *Ibid.* Par ailleurs, selon Fabes, R. A., Fultz, J., Eisenberg, N., May-Plumlee, T., & Christopher, F. S. (1989). Effects of rewards on children's prosocial motivation: A socialization study. *Developmental Psychology, 25*(4), 509, le même effet a été observé chez des sujets de sept à onze ans qui participaient à un programme en faveur d'enfants malades dans un hôpital. Certains reçurent d'abord un jouet en récompense, et les autres pas. Dans un deuxième temps, on offrit à nouveau aux enfants la possibilité d'aider les petits malades. Or ceux qui avaient été récompensés la première fois aidèrent moins que les autres. Cet effet négatif était encore plus marqué chez les enfants que leur mère avait l'habitude de récompenser pour leurs services rendus à la maison.

23. Voir, par exemple, les multiples recherches de Joan E. Grusec, notamment Grusec, J. E., & Redler, E. (1980). Attribution, reinforcement, and altruism: A developmental analysis. *Developmental Psychology, 16* (5), 525–534.

24. Tomasello, M. (2009). *Op. cit.*

25. Aknin, L. B., Hamlin, J. K., & Dunn, E. W. (2012). Giving leads to happiness in young children. *PLoS One, 7*(6), e39211.

26. Warneken, F., & Tomasello, M. (2009). *Op. cit.*

27. Hay, D. F. (1994). Prosocial development. *Journal of Child Psychology and Psychiatry, 35*(1), 29–71.

28. Freud, S. (1900/2003). *L'Interprétation du rêve, Œuvres complètes*, vol. 4. PUF, p. 290. Gesammelte Werke : II/III, p. 256.

29. Eisenberg, N., Cumberland, A., Guthrie, I. K., Murphy, B. C., & Shepard, S. A.

(2005). Age changes in prosocial responding and moral reasoning in adolescence and early adulthood. *Journal of Research on Adolescence*, *15*(3), 235–260.

30. Turiel, E. (1983). The development of social knowledge: Morality and convention. Cambridge University Press ; Helwig, C. C., & Turiel, E. (2002). Children's social and moral reasoning. The Wiley-Blackwell Handbook of Childhood Social Development, 567–583. Il existe d'innombrables ouvrages et articles scientifiques à ce sujet. Pour une excellente synthèse, voir Baumard, N. (2010). *Comment nous sommes devenus moraux : Une histoire naturelle du bien et du mal.* Odile Jacob.

31. Greene, J., & Haidt, J. (2002). How (and where) does moral judgment work ? *Trends in Cognitive Sciences*, *6*(12), 517–523.

32. Miller, J. G., & Bersoff, D. M. (1994). Cultural influences on the moral status of reciprocity and the discounting of endogenous motivation. *Personality and Social Psychology Bulletin*, *20*(5), 592–602.

33. Kochanska, G. (2002). Mutually responsive orientation between mothers and their young children: A context for the early development of conscience. *Current Directions in Psychological Science*, *11*(6), 191. Ainsi que Kochanska, G., & Murray, K. T. (2000). Mother–child mutually responsive orientation and conscience development: From toddler to early school age. *Child Development*, *71*(2), 417–431. Cités par Lecomte, J. (2012). *Op. cit.*, p. 239.

34. Barber, N. (2000). *Why parents matter: Parental Investment and Child Outcomes.* Praeger Publications, p. 124.

35. Cité par Kohn, A. (1998). *Op. cit.*

36. Eisenberg, N., & Fabes, R. A. (1998). Prosocial development. *Op. cit.*

37. Tremblay, R. E. (2008). *Prévenir la violence dès la petite enfance.* Odile Jacob ; Keenan, K., Tremblay, R., Barr, R., & Peters, R. V. (2002). The development and socialization of aggression during the first five years of live. R. E. Tremblay, R. G. Barr, R. de V. Peters (eds). *Encyclopedia on Early Childhood Development*, 1–6.

38. Tomasello, M. (2009). *Op. cit.*

39. Hoffman, M. L. (2008). *Empathie et développement moral. Op. cit.*

40. Janssens, J. M., & Gerris, J. R. M. (1992). Child rearing, empathy and prosocial development. In J. M. Janssens & J. R. M. Gerris (eds.), *Child rearing: Influence on Prosocial and Moral Development*, p. 57-75. Swets & Zeitlinger ; Krevans, J., & Gibbs, J. C. (1996). Parents' use of inductive discipline: Relations to children's empathy and prosocial behavior. *Child Development*, *67*(6), 3263–3277.

41. Trickett, P. K., & Kuczynski, L. (1986). Children's misbehaviors and parental discipline strategies in abusive and nonabusive families. *Developmental psychology*, *22*(1), 115.

42. Ricard, E. (2012). *La Dame des mots.* Éditions NiL.

43. Hoffman M. L. (2008). *Empathie et développement moral. Op. cit.* ; Krevans, J. & Gibbs, J. C. (1996). *Op. cit.* ; Stewart, S. M., & McBride-Chang, C. (2000). Influences on children's sharing in a multicultural setting. *Journal of Cross-Cultural Psychology*, *31*(3), 333–348.

44. Lecomte, J. (2012). *La Bonté humaine. Op. cit.*, p. 245. Voir également Crockenberg, S., & Litman, C. (1990). Autonomy as competence in 2-year-olds: Maternal correlates of child defiance, compliance, and self-assertion. *Developmental Psychology*, *26*(6), 961.

45. Lecomte, J. (2007). *Donner un sens à sa vie.* Odile Jacob, chapitre 3.

46. Eisenberg-Berg, N., & Geisheker, E. (1979). Content of preachings and power

of the model/preacher: The effect on children's generosity. *Developmental Psychology, 15*(2), 168.

47. Lecomte, J. (2012). *La Bonté humaine. Op. cit.*, p. 240.

48. Bekkers, R. (2007). Intergenerational transmission of volunteering. *Acta Sociologica, 50*(2), 99–114; Wilhelm, M. O., Brown, E., Rooney, P. M., & Steinberg, R. (2008). The intergenerational transmission of generosity. *Journal of Public Economics, 92*(10-11), 2146–2156; Rice, M. E., & Grusec, J. E. (1975). Saying and doing: Effects on observer performance. *Journal of Personality and Social Psychology, 32*(4), 584; Rushton, J. P., & Littlefield, C. (1979). The effects of age, amount of modelling, and a success experience on seven-to eleven-year-old children's generosity. *Journal of Moral Education, 9*(1), 55–56; Rushton, J. P., & Teachman, G. (1978). The effects of positive reinforcement, attributions, and punishment on model induced altruism in children. *Personality and Social Psychology Bulletin, 4*(2), 322–325.

49. Bryan, J. H., & Walbek, N. H. (1970). The impact of words and deeds concerning altruism upon children. *Child Development*, 747–757.

50. Rogoff, B. (2003). *The Cultural Nature of Human Development.* Oxford University Press, États-Unis.

51. Howes, C., & Eldredge, R. (1985). Responses of abused, neglected, and nonmaltreated children to the behaviors of their peers. *Journal of Applied Developmental Psychology, 6*(2-3), 261–270; Main, M., & George, C. (1985). Responses of abused and disadvantaged toddlers to distress in agemates: A study in the day care setting. *Developmental Psychology, 21*(3), 407; Miller, P. A., & Eisenberg, N. (1988). The relation of empathy to aggressive and externalizing/antisocial behavior. *Psychological Bulletin, 103*(3), 324.

52. Cyrulnik, B. (2004). *Les Vilains Petits Canards.* Odile Jacob.

53. Waal, F. B. M. de (2010). *Op. cit.*, p. 12.

54. Beckett, C., Maughan, B., Rutter, M., Castle, J., Colvert, E., Groothues, C., ... Sonuga-Barke, E. J. (2006). Do the effects of early severe deprivation on cognition persist into early adolescence? Findings from the English and Romanian adoptees study. *Child Development, 77*(3), 696–711.

55. Nanni, V., Uher, R., & Danese, A. (2012). Childhood maltreatment predicts unfavorable course of illness and treatment outcome in depression: a meta-analysis. *American Journal of Psychiatry, 169*(2), 141–151.

56. Jacques Lecomte, communication personnelle. Selon lui, la croyance en la reproduction intergénérationnelle de la maltraitance vient du biais statistique d'inversion des probabilités (la plupart des parents maltraitants ont été maltraités et on déduit à tort que la plupart des enfants maltraités deviennent maltraitants). Voir la thèse de Jacques Lecomte, « Briser le cycle de la violence ; quand d'anciens enfants maltraités deviennent des parents non maltraitants », disponible sur http://www.psychologie-positive.net/spip.php?article8. Voir également, Lecomte, J. (2010). *Guérir de son enfance.* Odile Jacob.

19. Les comportements prosociaux

1. Bierhoff, H. W. (2002). *Prosocial Behaviour.* Psychology Press Ltd. Kindle, 216-227.

2. Bierhoff, H. (1983). Wie hilfreich ist der Mensch ? [À quel point l'être humain est-il serviable ?]. *Bild der Weissenchaft, 20*, 118–126.

3. Milgram, S. (1970). The experience of living in cities. *Set, 167*, 1461–1468. Cette étude est assez ancienne, mais a été confirmée par la suite, voir Amato, P. R. (1983). Helping behavior in urban and rural environments: Field studies based on a taxonomic organization of helping episodes. *Journal of Personality and Social Psychology, 45*(3), 571 ; Levine, R. V., Martinez, T. S., Brase, G., & Sorenson, K. (1994). Helping in 36 US cities. *Journal of Personality and Social Psychology, 67*(1), 69.

4. Piliavin, I. M., Piliavin, J. A., & Rodin, J. (1975). Costs, diffusion, and the stigmatized victim. *Journal of Personality and Social Psychology, 32*(3), 429–438 ; Piliavin, J. A., & Piliavin, I. M. (1972). Effect of blood on reactions to a victim. *Journal of Personality and Social Psychology, 23*(3), 353–361.

5. Latané, B., & Darley, J. M. (1970). *The unresponsive Bystander: Why Doesn't He Help ?* Appleton-Century Crofts New York ; Latané, B., & Nida, S. (1981). Ten years of research on group size and helping. *Psychological Bulletin, 89*(2), 308. Pour une étude plus récente, voir Fischer, P., Krueger, J. I., Greitemeyer, T., Vogrincic, C., Kastenmüller, A., Frey, D., ... Kainbacher, M. (2011). The bystander-effect: A meta-analytic review on bystander intervention in dangerous and non-dangerous emergencies. *Psychological Bulletin, 137*(4), 517–537.

6. http://www.dailymotion.com/video/xlq30q_18-enfant-de-2-ans-renverse-et-ignore-par-les-passants_news.

7. Cité par Oliner, S. P. (2003). *Do Unto Others: Extraordinary Acts of Ordinary People* (édition illustrée). Basic Books, p. 93.

8. Schwartz, S. H., & Gottlieb, A. (1976). Bystander reactions to a violent theft: Crime in Jerusalem. *Journal of Personality and Social Psychology, 34*(6), 1188. Pour un modèle plus élaboré que celui de Latané, voir Schwartz, S. H., & Howard, J. A. (1982). Helping and cooperation: A self-based motivational model. *Cooperation and Helping Behavior: Theories and Research*, 327–353. Dans une situation d'urgence, les personnes qui ont des capacités particulières – les infirmières, les chefs d'équipe, ceux qui ont reçu une formation de secouriste, etc. – ont beaucoup plus tendance que les autres à s'impliquer dans les secours, Cramer, R. E., McMaster, M. R., Bartell, P. A., & Dragna, M. (1988). Subject competence and minimization of the bystander effect. *Journal of Applied Social Psychology, 18*(13), 1133–1148. Quant à ceux qui s'estiment trop incompétents pour intervenir directement, ils prennent souvent l'initiative d'appeler des secours : Shotland, R. L., & Heinold, W. D. (1985). Bystander response to arterial bleeding: Helping skills, the decision-making process, and differentiating the helping response. *Journal of Personality and Social Psychology, 49*(2), 347.

9. Korte, C., & Kerr, N. (1975). Response to altruistic opportunities in urban and nonurban settings. *The Journal of Social Psychology, 95*(2), 183–184.

10. Takooshian, H., Haber, S., & Lucido, D. (1977). Who wouldn't help a lost child ? You, maybe. *Psychology Today, 10*, 67.

11. US Census Bureau, *Statistical Abstracts of the United States* (Washington DC : Author, 2002), Cité dans Barber, N. (2004). *Op. cit.*, p. 148.

12. Cameron, C. D., & Payne, B. K. (2012). The cost of callousness regulating compassion influences the moral self-concept. *Psychological Science.*

13. Whiting, B. B., & Whiting, J. W. (1975). Children of six cultures: A psycho-cultural analysis. Harvard University Press. Par ailleurs, les travaux de D. Rosenhan ont montré plus particulièrement que l'influence des parents jouait un rôle déterminant sur la disposition à aider les autres. Voir Rosenhan, D. (1970). The natural socialization of altruistic autonomy. *Altruism and Helping Behavior*, 251–268.

14. Nadler, A., & Jeffrey, D. (1986). The role of threat to self-esteem and perceived control in recipient reaction to help: Theory development and empirical validation. *Advances in Experimental Social Psychology*, *19*, 81–122.

15. Feldman, R. E. (1968). Response to compatriot and foreigner who seek assistance. *Journal of Personality and Social Psychology*, *10*(3), 202.

16. Triandis, H. C., Vassiliou, V., & Nassiakou, M. (1968). Three cross-cultural studies of subjective culture. *Journal of Personality and Social Psychology*, *8*(4p2), 1.

17. Eagly, A. H., & Crowley, M. (1986). Gender and helping behavior: A meta-analytic review of the social psychological literature. *Psychological Bulletin*, *100*(3), 283.

18. Piliavin, I. M., Rodin, J., & Piliavin, J. A. (1969). Good samaritanism: An underground phenomenon? *Journal of Personality and Social Psychology*, *13*(4), 289. Une synthèse réalisée à partir de 99 études confirme que les hommes aident davantage dans les situations d'urgence. Voir Eagly, A. H., & Crowley, M. (1986). *Op. cit.*, ainsi que, pour les situations dans la vie quotidienne, Bierhoff, H. W., Klein, R., & Kramp, P. (1991). Evidence for the altruistic personality from data on accident research. *Journal of Personality*, *59*(2), 263–280.

19. Eagly, A. H. (2009). The his and hers of prosocial behavior: An examination of the social psychology of gender. *American Psychologist*, *64*(8), 644. Cité par Lecomte, J. (2012). *Op. cit.*, p. 157-158.

20. Eisenberg, N., & Lennon, R. (1983). Sex differences in empathy and related capacities. *Psychological Bulletin*, *94*(1), 100, ont réalisé une méta-analyse de 16 travaux différents dont les conclusions sont très solides.

21. Gaskin, K., Smith, J. D., & Paulwitz, I. (1996). Ein neues bürgerschaftliches Europa: Eine Untersuchung zur Verbreitung und Rolle von Volunteering in zehn europäischen Ländern. Lambertus.

22. Rosenhan, D. (1970). The natural socialization of altruistic autonomy. *Altruism and Helping Behavior*, 251–268; Isen, A. M., & Levin, P. F. (1972). Effect of feeling good on helping: Cookies and kindness. *Journal of Personality and Social Psychology*, *21*(3), 384.

23. Watson, D., Clark, L. A., McIntyre, C. W., & Hamaker, S. (1992). Affect, personality, and social activity. *Journal of Personality and Social Psychology*, *63*(6), 1011.

24. Strenta, A., & DeJong, W. (1981). The effect of a prosocial label on helping behavior. *Social Psychology Quarterly*, 142–147.

25. Schwartz, S. H. (1994). Are there universal aspects in the structure and contents of human values? *Journal of social issues*, *50*(4), 19–45.

26. Deschamps, J. F., & Finkelstein, R. (2012). Existe-t-il un véritable altruisme basé sur les valeurs personnelles? *Les Cahiers internationaux de psychologie sociale* (1), 37–62.

27. Hellhammer, K., Holz, N., & Lessing, J. (2007). Die Determinanten zivilcouragierten Verhaltens. *Zeitschrift Psychologischer Forschung* (Revue de recherche en psychologie), 13.

28. Jeffries, V. (1998). Virtue and the altruistic personality. *Sociological Perspectives*, 151–166.

29. Paluck, E. L. (2009). Reducing intergroup prejudice and conflict using the

media: A field experiment in Rwanda. *Journal of Personality and Social Psychology*, *96*(3), 574–587. Cité par Batson, C. D. (2011). *Op. cit.*, p. 179.

30. Galinsky, A. D., Maddux, W. W., Gilin, D., & White, J. B. (2008). Why it pays to get inside the head of your opponent the differential effects of perspective taking and empathy in negotiations. *Psychological Science*, *19*(4), 378–384. Pour plus de détails et l'ensemble des références, voir Batson, C. D. (2011). *Op. cit.*, p. 171-172.

31. Diener, E., & Seligman, M. E. P. (2002). Very happy people. *Psychological Science*, *13*(1), 81–84.

32. Luks A., & Payne, P. (1991). *The Healing Power of Doing Good: The Health and Spiritual Benefits of Helping Others.* Ballantine. Pour une vision complète des bienfaits des activités altruistes et du bénévolat, voir Post, S. G. (2011). *The Hidden Gifts of Helping: How the Power of Giving, Compassion, and Hope Can Get Us Through Hard Times.* John Wiley & Sons.

33. Nicholson, H. J., Collins, C., & Holmer, H. (2004). Youth as people: The protective aspects of youth development in after-school settings. *The Annals of the American Academy of Political and Social Science*, *591*(1), 55–71.

34. Brown, S. L., Brown, R. M., House, J. S., & Smith, D. M. (2008). Coping with spousal loss: Potential buffering effects of self-reported helping behavior. *Personality and Social Psychology Bulletin*, *34*(6), 849–861.

35. Batson, C. D. (2011). *Op. cit.*, p. 186, ainsi que Dovidio, J. F., Piliavin, J. A., Schroeder, D. A., & Penner, L. (2006). *The Social Psychology of Prosocial Behavior.* Lawrence Erlbaum Associates Publishers.

36. Oman, D. (2007). Does volunteering foster physical health and longevity? In S. G. Post (ed.), *Altruism and Health: Perspectives from Empirical Research.* Oxford University Press, p. 15-32.

37. Depuis, les psychologues Elisabeth Dunn, Lara Aknin et Michael Norton ont amplement démontré ce phénomène, en Amérique du Nord tout d'abord, puis dans de nombreux pays. Voir Dunn, E. W., Aknin, L. B., & Norton, M. I. (2008). Spending money on others promotes happiness. *Science, 319*(5870), 1687. Aknin, L. B., Barrington-Leigh, C. P., Dunn, E. W., Helliwell, J. F., Burns, J., Biswas-Diener, R., ... Norton, M. I. (2013). Prosocial spending and well-being: Cross-cultural evidence for a psychological universal. *Journal of Personality and Social Psychology*, *104*(4), 635–652.

38. Allen, K. (2003). Are pets a healthy pleasure? The influence of pets on blood pressure. *Current Directions in Psychological Science*, *12*(6), 236–239; Dizon, M., Butler, L. D., & Koopman, C. (2007). Befriending man's best friends: Does altruism towards animals promote psychological and physical health? In S. G. Post (ed.), *Altruism and health: Perspectives from empirical research*; Oxford University Press, p. 277-291. Netting, F. E., Wilson, C. C., & New, J. C. (1987). The human-animal bond: Implications for practice. *Social Work*, *32*(1), 60–64.

39. Halter, M. (1995). *La Force du bien.* Robert Laffont, p. 199.

IV. Cultiver l'altruisme

20. Pouvons-nous changer?

1. Begley, S. (2008). *Entraîner votre esprit, transformer votre cerveau : Comment la science de pointe révèle le potentiel extraordinaire de la neuroplasticité.* Ariane Éditions, p. 8.

2. Ces phénomènes furent mis en évidence chez des furets rendus sourds dès la naissance, dont le cortex auditif traitait la perception des rayons lumineux, et chez des

souris aveugles de naissance, dont le cortex visuel traitait la perception des sons. D'une certaine façon, on peut dire que les furets *entendaient la lumière* et que les souris *voyaient les sons.* Begley, S. (2008). *Op. cit.*, p. 51-53, ainsi que : Sur, M., Leamey, C. A., & others. (2001). Development and plasticity of cortical areas and networks. *Nature Reviews Neuroscience*, *2*(4), 251–262 ; Sur, M., & Rubenstein, J. L. R. (2005). Patterning and plasticity of the cerebral cortex. *Science's STKE*, *310*(5749), 805.

3. Altman, J. (1962). Are new neurons formed in the brains of adult mammals? *Science*, *135*(3509), 1127–1128.

4. Nottebohm, F. (1981). A brain for all seasons: cyclical anatomical changes in song control nuclei of the canary brain. *Science*, *214*(4527), 1368.

5. Kempermann, G., Kuhn, H. G., & Gage, F. H. (1997). More hippocampal neurons in adult mice living in an enriched environment. *Nature*, *386*(6624), 493–495.

6. Eriksson, P. S., Perfilieva, E., Björk-Eriksson, T., Alborn, A. M., Nordborg, C., Peterson, D. A., & Gage, F. H. (1998). Neurogenesis in the adult human hippocampus. *Nature Medicine*, *4*(11), 1313–1317.

7. Fred Gage durant la rencontre Mind and Life XII en 2004 (Neuroplasticity: The neuronal substrates of learning and transformation) à Dharamsala en Inde en présence du Dalaï-lama. Voir Begley, S. (2008). *Op. cit.*, p. 73.

8. Elbert, T., Pantev, C., Wienbruch, C., Rockstroh, B., & Taub, E. (1995). Increased cortical representation of the fingers of the left hand in string players. *Science*, *270*(5234), 305–307.

9. Maguire, E. A., Spiers, H. J., Good, C. D., Hartley, T., Frackowiak, R. S. J., & Burgess, N. (2003). Navigation expertise and the human hippocampus: a structural brain imaging analysis. *Hippocampus*, *13*(2), 250–259 ; Maguire, E. A., Woollett, K., & Spiers, H. J. (2006). London taxi drivers and bus drivers: a structural MRI and neuropsychological analysis. *Hippocampus*, *16*(12), 1091–1101.

10. Carey, N. (2011). *The Epigenetics Revolution.* Icon Books.

11. Les modifications épigénétiques peuvent se produire sous l'action de plusieurs mécanismes. L'un d'eux est la « méthylation » des gènes. Un groupe méthyle se fixe sur l'une des bases qui constituent l'ADN et bloque l'accès du gène concerné. Ce gène ne peut plus être transcrit en protéine et reste inactif. On dira que l'expression de ce gène a été « réprimée ». Les chercheurs pensent que la méthylation agit en modifiant la structure tridimensionnelle de l'ADN, provoquant une sorte de « pliure » au niveau du gène, laquelle empêche l'accès de l'ARN qui effectue la transcription du gène en protéines qui seront ensuite actives dans la cellule. Je remercie Michael Meaney pour ces explications.

En dehors de la méthylation, qui est stable, l'acétylation des histones, un groupe de protéines qui s'associent à l'ADN peut engendrer des effets épigénétiques de plus courte durée, tandis que certains types d'ARN, qui ne codent pour aucune protéine, peuvent interagir avec des gènes et les rendre silencieux. Voir Francis, D., Diorio, J., Liu, D., & Meaney, M. J. (1999). Nongenomic transmission across generations of maternal behavior and stress responses in the rat. *Science*, *286*(5442), 1155–1158 ; Champagne, F. A., Weaver, I. C. G., Diorio, J., Dymov, S., Szyf, M., & Meaney, M. J. (2006). Maternal care associated with methylation of the estrogen receptor-alpha1b promoter and estrogen receptor-alpha expression in the medial preoptic area of female offspring. *Endocrinology*, *147*(6), 2909–2915. Voir également Carey, N. (2011). *The Epigenetics Revolution. Op. cit.*

12. Heim, C., Shugart, M., Craighead, W. E., & Nemeroff, C. B. (2010). Neurobio-

logical and psychiatric consequences of child abuse and neglect. *Developmental Psychobiology, 52*(7), 671–690.

13. Dans le cas de personnes qui se sont suicidées, l'analyse post mortem révèle de hauts niveaux de méthylation des gènes des neurones cérébraux quand les sujets ont subi des violences dans leur enfance, mais des niveaux de méthylation relativement bas chez ceux qui n'ont pas subi de tels abus. Cela signifie que le fait d'avoir subi des abus entraîne des modifications durables de l'expression de gènes. Heim, C., Newport, D. J., Heit, S., Graham, Y. P., Wilcox, M., Bonsall, R., ... Nemeroff, C. B. (2000). Pituitary-adrenal and autonomic responses to stress in women after sexual and physical abuse in childhood. *JAMA, 284*(5), 592–597 ; Yehuda, R., Halligan, S. L., & Grossman, R. (2001). Childhood trauma and risk for PTSD: relationship to intergenerational effects of trauma, parental PTSD, and cortisol excretion. *Development and Psychopathology, 13*(03), 733–753 ; McGowan, P. O., Sasaki, A., D'Alessio, A. C., Dymov, S., Labonté, B., Szyf, M., ... Meaney, M. J. (2009). Epigenetic regulation of the glucocorticoid receptor in human brain associates with childhood abuse. *Nature Neuroscience, 12*(3), 342–348. Cité dans Carey, N. (2011). *Op. cit.*

14. Richerson, P. J., & Boyd, R. (2004). *Not by Genes Alone. Op. cit.*, p. 247.

21. L'entraînement de l'esprit : ce qu'en disent les sciences cognitives

1. Le compte-rendu de ces rencontres a donné lieu à un livre : Goleman, D., & Dalaï-lama (2003). *Surmonter les émotions destructrices : Un dialogue avec le Dalaï-lama.* Robert Laffont.

2. Kaufman, M. Meditation gives brain a charge, study finds, *Washington Post*, 3 janvier 2005, p. A05.

3. Voir Ricard, M. (2010), *L'Art de la méditation.* NiL.

4. Davidson, R. J., & Begley, S. (2012). *The Emotional Life of Your Brain: How Its Unique Patterns Affect the Way You Think, Feel, and Live – and How You Can Change Them.* Hudson Street Press, p. xii.

5. Lutz, A., Dunne, J. D., & Davidson, R. J. (2007). Meditation and the neuroscience of consciousness: An introduction. *The Cambridge Handbook of Consciousness*, 499–551.

6. Parmi lesquels les nombreux chercheurs impliqués dans ces recherches, citons à titre d'exemple, Julie Brefczynski-Lewis, Linda Carlson, Richard Davidson, Brooke Dodson-Lavelle, Paul Ekman, Brent Field, Barbara Fredrickson, Hugh Grant, Brita Hölzel, Amishi Jha, Jon Kabat-Zinn, Olga Klimecki, Sara Lazar, Antoine Lutz, Brendan Ozawa-de Silva, David Perlman, Chuck Raison, Cliff Saron, Heleen Slagter, John Teasdale, Fadel Zeidan, Tania Singer, Mark Williams, et bien d'autres encore.

7. Études réalisées par Brent Field, au laboratoire de Jonathan Cohen, à l'université de Princeton, dont les résultats n'ont pas encore été publiés.

8. Brefczynski-Lewis, J. A., Lutz, A., Schaefer, H. S., Levinson, D. B., & Davidson, R. J. (2007). Neural correlates of attentional expertise in long-term meditation practitioners. *Proceedings of the National Academy of Sciences, 104*(27), 11483–11488.

9. Lutz, A., Slagter, H. A., Rawlings, N. B., Francis, A. D., Greischar, L. L., & Davidson, R. J. (2009). Mental training enhances attentional stability: Neural and behavioral evidence. *Journal of Neuroscience, 29*(42), 13418-13427.

10. Gyatso, Tenzin (le XIVe Dalaï-lama) & Jinpa, G. T. (1995). The World of Tibetan Buddhism: An Overview of its Philosophy and Practice. Wisdom Publications. Wallace, B. A. (2006). *The Attention Revolution: Unlocking the Power of the Focused Mind.* Wisdom Publications ; Ricard, M. (2010). *L'Art de la méditation.* Éditions NiL.

11. Cela tient au fait que le cerveau est toujours impliqué dans le traitement du stimulus consciemment perçu et ne dispose pas de ressources attentionnelles suffisantes pour traiter les stimuli suivants. On appelle «période réfractaire» (*attentional blink* en anglais, ou «clignotement attentionnel») l'incapacité à traiter les images suivantes. La découverte la plus surprenante a été que les méditants expérimentés, même s'ils étaient âgés (la période réfractaire s'accroît avec l'âge parce que les mécanismes de l'attention deviennent plus lents) avaient des intervalles remarquablement courts. Un méditant de soixante-cinq ans, en particulier, n'en avait pas du tout et percevait tous les stimuli, qui défilaient pourtant à une vitesse très élevée (résultats non publiés de recherches effectuées au laboratoires d'Anne Treisman et Jonathan Cohen à l'université de Princeton). Heleen Slagter et Antoine Lutz ont aussi montré qu'après trois mois d'entraînement intensif à la méditation sur la pleine conscience, la période réfractaire de l'attention était considérablement réduite. L'interprétation subjective du méditant est qu'habituellement l'attention attirée par un objet se tourne vers cet objet, s'y attache un moment, puis doit s'en détacher. Ce processus prend un certain temps, et une personne non entraînée manque la deuxième puis la troisième image parce que son esprit est encore occupé à traiter la première. Lorsqu'un méditant expérimenté se met dans un état de «présence ouverte», de pleine conscience du moment présent, il est pleinement réceptif et accueille ce qui vient à lui sans s'y attacher, ce qui réduit considérablement, voire élimine, la période réfractaire. Slagter, H. A., Lutz, A., Greischar, L. L., Francis, A. D., Nieuwenhuis, S., Davis, J. M., & Davidson, R. J. (2007). Mental training affects distribution of limited brain resources. *PLoS Biology*, *5*(6), 138.

12. Le premier de ces articles, Lutz, A., Greischar, L. L., Rawlings, N. B., Ricard, M., & Davidson, R. J. (2004). Long-term meditators self-induce high-amplitude gamma synchrony during mental practice. *Proceedings of the National Academy of Sciences of the United States of America*, *101*(46), 16369.

13. Lutz, A., Greischar, L. L., Perlman, D. M., & Davidson, R. J. (2009). BOLD signal in insula is differentially related to cardiac function during compassion meditation in experts vs. novices. *Neuroimage*, *47*(3), 1038–1046.

14. D'autres études suggèrent que des lésions dans l'amygdale perturbent l'aspect affectif de l'empathie, sans affecter son aspect cognitif. Voir Hurlemann, R., Walter, H., Rehme, A. K., *et. al.* (2010). Human amygdala reactivity is diminished by the b-noradrenergic antagonist propanolol. *Psychol. Med*, *40*, 1839–1848.

15. Lutz, A., Brefczynski-Lewis, J., Johnstone, T., & Davidson, R. J. (2008). Regulation of the neural circuitry of emotion by compassion meditation: effects of meditative expertise. *PLoS One*, *3*(3), e1897; Klimecki, O. M., Leiberg, S., Ricard, M., & Singer, T. (2013). Differential Pattern of Functional Brain Plasticity after Compassion and Empathy Training. *Social Cognitive and Affective Neuroscience*. doi:10.1093/scan/nst060.

16. Fredrickson, B. L., Cohn, M. A., Coffey, K. A., Pek, J., & Finkel, S. M. (2008). Open hearts build lives: Positive emotions, induced through loving-kindness meditation, build consequential personal resources. *Journal of Personality and Social Psychology*, *95*(5), 1045.

17. Pace, T. W. W., Negi, L. T., Adame, D. D., Cole, S. P., Sivilli, T. I., Brown, T. D., Issa, M. J., *et al.* (2009). Effect of compassion meditation on neuroendocrine, innate immune and behavioral responses to psychosocial stress. *Psychoneuroendocrinology*, *34*(1), 87–98.

18. Hofmann, S. G., Grossman, P., & Hinton, D. E. (2011). Loving-kindness and

compassion méditation. Potential for psychological interventions. *Clinical Psychology Review*, *31*(7), 1126–1132.

19. C'est-à-dire dans la phase du sommeil le plus profond et non pas durant la phase de «sommeil paradoxal» (REM) qui correspond aux rêves.

20. Lutz, A., Slagter, H. A., Rawlings, N. B., Francis, A. D., Greischar, L. L., & Davidson, R. J. (2009). Mental training enhances attentional stability: neural and behavioral evidence. *The Journal of Neuroscience*, *29*(42), 13418–13427.

21. Lazar, S. W., Kerr, C. E., Wasserman, R. H., Gray, J. R., Greve, D. N., Treadway, M. T., ... Fischl, B. (2005). Meditation experience is associated with increased cortical thickness. *Neuroreport*, *16*(17), 1893. Ces accroissements sont provoqués par une augmentation des plages de substance grise qui contiennent les connexions interneuronales et sont liées au processus d'apprentissage. Le nombre et la taille des synapses et des ramifications dendritiques s'accroissent, phénomènes que l'on l'observe aussi dans les autres formes d'entraînement et d'apprentissage. On appelle neuropile les plages de substance grise situées entre les corps cellulaires neuronaux, les corps cellulaires gliaux et les capillaires sanguins. Le neuropile est constitué par l'enchevêtrement d'une multiplicité de prolongements cytoplasmiques neuronaux (axones et dendrites) et gliaux, de calibre variable.

22. Notamment dans des régions associées à la perception sensorielle, à la régulation émotionnelle et cognitive, et à la production de neurotransmetteurs qui affectent les humeurs, le cortex cingulaire postérieur, l'insula, la jonction pariétale temporelle, le cervelet et le tronc cérébral (qui produit de la noradrénaline). Voir Hölzel, B. *et al.* (2011) ; Hölzel, B. K., Carmody, J., Evans, K. C., Hoge, E. A., Dusek, J. A., Morgan L., Pitman, R. K., *et al.* (2010). Stress reduction correlates with structural changes in the amygdala. *Social Cognitive and Affective Neuroscience*, *5*(1), 11–17 ; Hölzel, B. K., Carmody, J., Vangel, M., Congleton, C., Yerramsetti, S. M., Gard, T., & Lazar, S. W. (2011). Mindfulness practice leads to increases in regional brain gray matter density. *Psychiatry Research: Neuroimaging*, *191*(1), 36–43.

23. Luders, E., Clark, K., Narr, K. L., & Toga, A. W. (2011). Enhanced brain connectivity in long-term meditation practitioners. *NeuroImage*, *57*(4), 1308-1316.

24. Xue, S., Tang, Y.-Y., & Posner, M. I. (2011). Short-term meditation increases network efficiency of the anterior cingulate cortex. *Neuroreport*, *22*(12), 570–574.

25. Goleman, D. & Dalaï-lama (2003). *Surmonter les émotions destructrices : Un dialogue avec le Dalaï-lama*, Robert Laffont.

26. Nancy Eisenberg, «Empathy-related emotional responses, altruism and their socialization», in Davidson, R. J., & Harrington, A. (2002). *Visions of Compassion: Western Scientists and Tibetan Buddhists Examine Human Nature.* Oxford University Press, p. 139.

27. Weng, H. Y., Fox, A. S., Shackman, A. J., Stodola, D. E., Caldwell, J. Z. K., Olson, M. C., Rogers, G., & Davidson R. J. (sous presse). Compassion training alters altruism and neural responses to suffering. *Psychological Science.* NIHMSID: 440274. On peut prédire le degré de comportement prosocial en regardant simplement les différences d'activités cérébrales dans l'amygdale.

28. Leiberg, S., Klimecki, O., & Singer, T. (2011). Short-Term Compassion Training Increases Prosocial Behavior in a Newly Developed Prosocial Game. *PloS One*, *6*(3), e17798.

29. Johnson, D. P., Penn, D. L., Fredrickson, B. L., Kring, A. M., Meyer, P. S., Catalino, L. I., & Brantley, M. (2011). A pilot study of loving-kindness meditation for the negative symptoms of schizophrenia. *Schizophrenia Research.*

30. Baer, R. A. (2003). Mindfulness training as a clinical intervention: A conceptual and empirical review. *Clinical Psychology: Science and Practice*, *10*(2), 125–143 ; Carlson, L. E., & Garland, S. N. (2005). Impact of mindfulness-based stress reduction (MBSR) on sleep, mood, stress and fatigue symptoms in cancer outpatients. *International Journal of Behavioral Medicine*, *12*(4), 278–285 ; Jha, A. P., Krompinger, J., & Baime, M. J. (2007). Mindfulness training modifies subsystems of attention. *Cognitive, Affective, & Behavioral Neuroscience*, *7*(2), 109–119.

31. Teasdale, J. D., Segal, Z. V., Williams, J. M., Ridgeway, V. A., Soulsby, J. M., & Lau, M. A. (2000). Prevention of relapse/recurrence in major depression by mindfulness-based cognitive therapy. *Journal of Consulting and Clinical Psychology*, *68*(4), 615 ; Kuyken, W., Byford, S., Taylor, R. S., Watkins, E., Holden, E., White, K., ... Mullan, E. (2008). Mindfulness-based cognitive therapy to prevent relapse in recurrent depression. *Journal of Consulting and Clinical Psychology*, *76*(6), 966–978.

32. Rudman, L. A., Ashmore, R. D., & Gary, M. L. (2001). "Unlearning" automatic biases: The malleability of implicit prejudice and stereotypes. *Journal of Personality and Social Psychology*, *81*(5), 856–868.

33. Dasgupta, N., & Greenwald, A. G. (2001). On the malleability of automatic attitudes: Combating automatic prejudice with images of admired and disliked individuals. *Journal of Personality and Social Psychology*, *81*(5), 800–814.

34. Hutcherson, C. A., Seppala, E. M., & Gross, J. J. (2008). Loving-kindness meditation increases social connectedness. *Emotion*, *8*(5), 720–724.

35. Kang, Y., Gray, J. R., & Dovidio, J. F. The nondiscriminating heart: Loving-kindness meditation training decreases implicit bias against stigmatized outgroups. *Manuscrit soumis pour publication.*

36. L'activité de l'amygdale et du cortex insulaire antérieur est nettement plus faible chez les méditants que chez les novices.

37. Lutz, A., McFarlin, D. R., Perlman, D. M., Salomons, T. V., & Davidson, R. J. (2012). Altered anterior insula activation during anticipation and experience of painful stimuli in expert meditators. *NeuroImage* ; Perlman, D. M., Salomons, T. V., Davidson, R. J., & Lutz, A. (2010). Differential effects on pain intensity and unpleasantness of two meditation practices. *Emotion*, *10*(1), 65.

38. Zeidan, F., Martucci, K. T., Kraft, R. A., Gordon, N. S., McHaffie, J. G., & Coghill, R. C. (2011). Brain mechanisms supporting the modulation of pain by mindfulness meditation. *The Journal of Neuroscience*, *31*(14), 5540–5548. La réduction de l'intensité subjective de la douleur s'accompagnait d'une activité accrue d'aires du cerveau associée à la régulation cognitive des sensations douloureuses (cortex cingulaire antérieur et insula antérieure), tandis que la réduction de l'aspect déplaisant de la douleur était associée à une activation du cortex préfrontal orbital qui est impliqué dans la mise en perspective et la réévaluation des sensations. Pour une récente étude, voir Zeidan, F., Grant, J. A., Brown, C. A., McHaffie, J. G., & Coghill, R. C. (2012). Mindfulness meditation-related pain relief: Evidence for unique brain mechanisms in the regulation of pain. *Neuroscience Letters.*

39. Fossel, M. (2000). Role of cell senescence in human aging. *Journal of Anti-Aging Medicine*, *3*(1), 91–98 ; Chan, S. R., & Blackburn, E. H. (2004). Telomeres and telomerase. Philosophical transactions of the Royal Society of London. *Series B: Biological Sciences*, *359*(1441), 109–122.

40. Blackburn, E. H. (1991). Structure and function of telomeres. *Nature*, *350*(6319), 569–573.

41. Cawthon, R. M., Smith, K. R., O'Brien, E., Sivatchenko, A., & Kerber, R. A. (2003). Association between telomere length in blood and mortality in people aged 60 years or older. *The Lancet, 361*(9355), 393–395 ; Epel, E. S. (2009). Telomeres in a Life-Span Perspective A New "Psychobiomarker" ? *Current Directions in Psychological Science, 18*(1), 6–10.

42. Voir notamment, Njajou, O. T., Hsueh, W.-C., Blackburn, E. H., Newman, A. B., Wu, S.-H., Li, R., ... Cawthon, R. M. (2009). Association between telomere length, specific causes of death, and years of healthy life in health, aging, and body composition, a population-based cohort study. *The Journals of Gerontology Series A: Biological Sciences and Medical Sciences, 64*(8), 860–864.

43. Ornish, D., Lin, J., Daubenmier, J., Weidner, G., Epel, E., Kemp, C., ... Carroll, P. R. (2008). Increased telomerase activity and comprehensive lifestyle changes: a pilot study. *The Lancet Oncology, 9*(11), 1048–1057.

44. Jacobs, T. L., Epel, E. S., Lin, J., Blackburn, E. H., Wolkowitz, O. M., Bridwell, D. A., Zanesco, A. P., *et al.* (2010). Intensive meditation training, immune cell telomerase activity, and psychological mediators. *Psychoneuroendocrinology.* Voir également Hoge MD, E. A., Chen BS, M. M., Metcalf BA, C. A., Fischer BA, L. E., Pollack MD, M. H., & DeVivo, I. (2013). Loving-kindness meditation practice associated with longer telomeres in women. *Brain, Behavior, and Immunity.*

22. Comment cultiver l'altruisme : méditations sur l'amour altruiste, la compassion, la réjouissance et l'impartialité

1. Davidson, R. J., & Lutz, A. (2008). Buddha's brain: Neuroplasticity and meditation [in the spotlight]. *Signal Processing Magazine, IEEE, 25*(1), 176–174.

2. Greg Norris (université de Harvard). Communication personnelle. Voir le site www.beneficience.org.

3. Hume, D. (2010). *Enquête sur les principes de la morale.* Flammarion.

4. Leibniz, G. (1693), *Codex juris gentium diplomaticus, Principes ou droit naturel.*

5. McCullough, M. E., Emmons, R. A., & Tsang, J.-A. (2002). The grateful disposition: A conceptual and empirical topography. *Journal of Personality and Social Psychology, 82*(1), 112–127 ; Mikulincer, M., & Shaver, P. R. (2005). Attachment security, compassion, and altruism. *Current Directions in Psychological Science, 14*(1), 34–38 ; Lambert, N. M., & Fincham, F. D. (2011). Expressing gratitude to a partner leads to more relationship maintenance behavior. *Emotion-APA, 11*(1), 52 ; Grant, A. M., & Gino, F. (2010). A little thanks goes a long way: Explaining why gratitude expressions motivate prosocial behavior. *Journal of Personality and Social Psychology, 98*(6), 946–955.

6. Shantideva (2008), *Bodhicaryâvatâra : La Marche vers l'Éveil,* Padmakara, chapitre 3, versets 18-22.

7. Dalaï-lama, lors d'une conférence donnée à Porto, Portugal, novembre 2001.

V. Les forces contraires

23. L'égocentrisme et la cristallisation de l'ego

1. Les sociologues parlent d'*endogroupe* et d'*exogroupe.*

2. Pour des développements plus approfondis, voir, Galin, D. (2003), The

concepts of "self","person", and "I" in western psychology and in buddhism, in Wallace, B. A. *Buddhism & Science: Breaking New Ground.* Columbia University Press, p. 107-142; Wallace, B. A. (1998). *Science et Bouddhisme : à chacun sa réalité.* Calmann-Lévy; Damasio, A. R. (2002). *Le Sentiment même de soi : Corps, émotions, conscience.* Odile Jacob.

3. Galin, D. (2003). *Op. cit.*

4. Descartes, R. (1982), *Méditations touchant la première philosophie*, VI, in Adam, C. et Tannery, P., *Œuvres de Descartes*, Vrin, vol. IX.

5. Nous parlerons des théories freudiennes dans le chapitre sur les «champions de l'égoïsme». Nous ne les avons pas incluses dans ce chapitre en raison de leur manque de validité (on peut difficilement écrire cela sans l'étayer, mieux vaudrait ne pas en parler, me semble-t-il) tant du point de vue introspectif du bouddhisme que du point de vue scientifique.

6. Les acteurs se servaient de la bouche du masque comme d'un mégaphone, pour faire porter leur voix.

7. Paul Ekman, communication personnelle. Voir aussi Goleman, D., & Dalaï-lama (2003). *Surmonter les émotions destructrices : Un dialogue avec le Dalaï-lama.* Robert Laffont.

8. Dambrun, M., & Ricard, M. (2011). Self-centeredness and selflessness: A theory of self based psychological functioning and its consequences for happiness. *Review of General Psychology*, *15*(2), 138.

9. Rapport entendu dans «Science in action», une émission scientifique de la BBC World Service, en 2001.

10. LeVine, R. A., & Campbell, D. T. (1972). *Ethnocentrism: Theories of conflict, ethnic attitudes, and group behavior.* Wiley New York.

11. Tajfel, H. (1981). *Human Groups and Social Categories: Studies in Social Psychology.* Cambridge, Royaume-Uni : Cambridge University Press.

12. Les expérimentateurs proposèrent alors une soirée de réconciliation, dont le but secret était en fait d'accentuer les discordes. Ils disposèrent sur une table des fruits et des boissons, la moitié étant intacte et bien présentée, l'autre en mauvaise condition (fruits abîmés, etc.). Ils firent arriver un groupe avant l'autre. Les membres de ce groupe se servirent sans hésiter dans le bon lot, laissant les fruits écrasés à ceux du second groupe qui, une fois arrivés, protestèrent avec véhémence et injurièrent les membres du premier groupe. Le lendemain, le groupe lésé se vengea en salissant les tables du réfectoire, en jetant de la nourriture sur les enfants de l'autre groupe, et en collant des affiches porteuses de déclarations menaçantes.

13. Pettigrew, T. F. (1998). Intergroup contact theory. *Annual Review of Psychology*, *49*(1), 65–85.

14. Sherif, M., Harvey, O. J., White, B. J., Hood, W. E., & Sherif, C. W. (1961). *Intergroup Conflict and Cooperation: The Robber's Cave Experiment.* Norman. University of Oklahoma Book Exchange; Sherif, M. (1961). *The Robbers Cave Experiment: Intergroup Conflict and Cooperation.* Wesleyan.

24. L'expansion de l'individualisme et du narcissisme

1. Hutcherson, C. A., Seppala, E. M., & Gross, J. J. (2008). Loving-kindness meditation increases social connectedness. *Emotion*, *8*(5), 720-724.

2. Cialdini, R. B., Brown, S. L., Lewis, B. P., Luce, C., & Neuberg, S. L. (1997). Reinterpreting the empathy-altruism relationship : When one into one equals oneness. *Journal of Personality and Social Psychology*, *73*, 481–494; Glaeser, E. L., Laibson, D. I.,

Scheinkman, J. A., & Soutter, C. L. (2000). Measuring trust. *The Quarterly Journal of Economics, 115*(3), 811–846.

3. Fehr, E., & Rockenbach, B. (2003). Detrimental effects of sanctions on human altruism. *Nature, 422*(6928), 137–140.

4. Putnam, R. D. (2001). *Bowling Alone : The Collapse and Revival of American Community* (1re édition). Touchstone Books by Simon & Schuster; McPherson, M., Smith-Lovin, L., & Brashears, M. E. (2006). Social isolation in America: Changes in core discussion networks over two decades. *American Sociological Review, 71*(3), 353–375.

5. Rahn, W. M., & Transue, J. E. (1998). Social trust and value change: The decline of social capital in American youth, 1976–1995. *Political Psychology, 19*(3), 545–565.

6. David Brooks, communication personnelle, juillet 2011.

7. Layard, R., & Dunn, J. (2009). *A Good Childhood: Searching for Values in a Competitive Age*. Penguin, p. 6.

8. Twenge, J. M. (2006). *Generation Me : Why Today's Young Americans Are More Confident, Assertive, Entitled–and More Miserable Than Ever Before* (1re édition). Free Press, p. 20.

9. Bruckner, P. (1996). *La Tentation de l'innocence*. Le Livre de Poche.

10. Voir l'analyse de Lipovetsky, G. (1989). *L'Ère du vide : Essais sur l'individualisme contemporain*. Gallimard.

11. Rousseau ne prétend pas décrire ce qui s'est vraiment passé aux temps préhistoriques, mais propose une fiction théorique.

12. Voir Waal, F. B. M. de (2010). *L'Âge de l'empathie*. *Op. cit.*

13. Barrès, M. (1907). *Mes cahiers,* tome 6,. p. 46.

14. Gasset, J. O. (2008). *L'Homme et les gens*. Rue d'Ulm.

15. Dumont, L. (1991). *Essais sur l'individualisme*. Seuil.

16. Alicke, M. D., & Govorun, O. (2005). The better-than-average effect, in M. D. Alicke, D. A. Dunning, & J. I. Krueger (eds.), *The Self in Social Judgment*. New York: Psychology Press, p. 85-106.

17. Preston, C. E., & Harris, S. (1965). Psychology of drivers in traffic accidents. *Journal of Applied Psychology, 49*(4), 284.

18. Pronin, E., Gilovich, T., & Ross, L. (2004). Objectivity in the eye of the beholder: divergent perceptions of bias in self versus others. *Psychological Review, 111*(3), 781.

19. Sondage réalisé par US News, publié en mars 1997. Cité par Christophe André (2009). *Imparfaits, libres et heureux : Pratiques de l'estime de soi*. Odile Jacob, p. 13.

20. Selon le Diagnostic and Statistical Manual of Mental Disorders (DSM-IV-TR, 2000), de l'Association américaine de psychiatrie.

21. Campbell, W. K., Rudich, E. A., & Sedikides, C. (2002). Narcissism, self-esteem, and the positivity of self-views: Two portraits of self-love. *Personality and Social Psychology Bulletin, 28*(3), 358–368; Gabriel, M. T., Critelli, J. W., & Ee, J. S. (1994). Narcissistic illusions in self-evaluations of intelligence and attractiveness. *Journal of Personality, 62*(1), 143–155.

22. Twenge, J. M., & Campbell, W. K. (2010). *The Narcissism Epidemic: Living in the Age of Entitlement*. Free Press, p. 25; Bosson, J. K., Lakey, C. E., Campbell, W. K., Zeigler-Hill, V., Jordan, C. H., & Kernis, M. H. (2008). Untangling the links between narcissism and self-esteem: A theoretical and empirical review. *Social and Personality Psychology Compass, 2*(3), 1415–1439; Gabriel, M. T., Critelli, J. W., & Ee, J. S. (1994). Narcissistic illusions in self-evaluations of intelligence and attractiveness. *Journal of Personality, 62*(1), 143–155.

23. Campbell, W. K., Bosson, J. K., Goheen, T. W., Lakey, C. E., & Kernis, M. H. (2007). Do narcissists dislike themselves “deep down inside”? *Psychological Science*, *18*(3), 227–229.

24. Neff, K. (2011). *Self-Compassion: Stop Beating Yourself Up and Leave Insecurity Behind.* William Morrow. Traduction française : *S'aimer : comment se réconcilier avec soi-même.* Belfond.

25. Jordan, C. H., Spencer, S. J., Zanna, M. P., Hoshino-Browne, E., & Correll, J. (2003). Secure and defensive high self-esteem. *Journal of Personality and Social Psychology*, *85*(5), 969–978.

26. Heatherton, T. F., & Vohs, K. D. (2000). Interpersonal evaluations following threats to self: role of self-esteem. *Journal of Personality and Social Psychology*, *78*(4), 725.

27. Twenge, J. M., & Campbell, W. K. (2010). *Op. cit.*, p. 199.

28. Voir http://fr.wikipedia.org/wiki/Kim_Jong-il qui donne également les nombreuses références.

29. Twenge, Jean M., and W. Keith Campbell (2010). *The Narcissism EpIbidic: Living in the Age of Entitlement.* Free Press. Selon ces études, le «top 5» des pays égotistes est : la Serbie, le Chili, Israël et les États-Unis ; les pays les moins égotistes étant : la Corée du Sud, la Suisse, le Japon, Taïwan et le Maroc.

30. Newsom, C. R., Archer, R. P., Trumbetta, S., & Gottesman, I. I. (2003). Changes in adolescent response patterns on the MMPI/MMPI-A across four decades. *Journal of Personality Assessment*, *81*(1), 74–84. Cité par Twenge, J. M., & Campbell, W. K. (2001). *Op. cit.*, p. 35.

31. Twenge, J. M., & Campbell, W. K. (2001). Age and birth cohort differences in self-esteem: A cross-temporal meta-analysis. *Personality and Social Psychology Review*, *5*, 321, 344 ; Gentile, B., & Twenge, J. M. Birth cohort changes in self-esteem, 1988-2007. Unpublished manuscript. Based on: Gentile, B. (2008). Master's thesis, San Diego State University.

32. Grant, B. F., Chou, S. P., Goldstein, R. B., Huang, B., Stinson, F. S., Saha, T. D., ... Pickering, R. P. (2008). Prevalence, correlates, disability, and comorbidity of DSM-IV borderline personality disorder: results from the Wave 2 National Epidemiologic Survey on Alcohol and Related Conditions. *The Journal of Clinical Psychiatry*, *69*(4), 533.

33. Twenge, J. M., Konrath, S., Foster, J. D., Keith Campbell, W., & Bushman, B. J. (2008). Egos Inflating Over Time: A Cross-Temporal Meta-Analysis of the Narcissistic Personality Inventory. *Journal of Personality*, *76*(4), 875–902.

34. Twenge, J. M., & Campbell, W. K. (2010). *Op. cit.*, p. 34.

35. *Ibid.*, p. 36

36. *Ibid.*, p. 32.

37. *Ibid.*, p. 41.

38. Robins, R. W., & Beer, J. S. (2001). Positive illusions about the self: Short-term benefits and long-term costs. *Journal of Personality and Social Psychology*, *80*(2), 340–352.

39. Paulhus, D. L., Harms, P. D., Bruce, M. N., & Lysy, D. C. (2003). The over-claiming technique: Measuring self-enhancement independent of ability. *Leadership Institute Faculty Publications*, 12. Cité par Twenge, J. M., & Campbell, W. K. (2010)). *Op. cit.*, p. 43.

40. Twenge, J. M., & Campbell, W. K. (2010). *Op. cit.*, p. 94.

41. *Ibid.*, p. 14.

42. Mastromarino, D. (éd.). (2003). *The Girl's Guide To Loving Yourself: A book about Falling in Love with the One Person who Matters Most... YOU!* Blue Mountain Arts.

43. Selon l'expression employée par Gilles Lipovetsky (1989). *L'Ère du vide : Essais sur l'individualisme contemporain.* Gallimard, p. 72.

44. Twenge, J. M., & Campbell, W. K. (2010). *Op. cit.*, p. 4.

45. Baumeister, R. (2005), The Lowdown on high self-esteem. Thinking you're hot stuff isn't the promised cure-all. *Los Angeles Time*, 25 janvier 2005. Cité par Twenge, J. M. (2006). *Op. cit.*, p. 66.

46. Twenge, J. M. (2006). *Op. cit.*, p. 67.

47. André, C., & Lelord, F. (2008). *L'Estime de soi : S'aimer pour mieux vivre avec les autres.* Odile Jacob ; André, C. (2009). *Imparfaits, libres et heureux : Pratiques de l'estime de soi.* Odile Jacob.

48. André, C. (2009). *Op. cit.*, p. 40.

49. James W., *Précis de psychologie* (2003). Les Empêcheurs de penser en rond. Cité par André, C. (2009). *Op. cit.*, p. 88.

50. *Ibid.*, p. 416. Citant Tangney J. P., Humility, in Snyder, C. R., & Lopez, S. J. (2002). *Handbook of Positive Psychology.* Oxford University Press Inc., p. 411-419.

51. Any teenager that claims he is on MySpace to talk to his friends is a liar. It's only about showing off, Kelsey, C. M. (2007). *Generation MySpace: Helping Your Teen Survive Online Adolescence.* Da Capo Press, p. 47. Cité par Twenge, J. M., & Campbell, W. K. (2010), p. 109.

52. Twenge, J. M., & Campbell, W. K. (2010). *Op. cit.*, p. 108-109.

53. Gentile, B., Twenge, J. M., Freeman, E. C., & Campbell, W. K. (2012). The effect of social networking websites on positive self-views: An experimental investigation. *Computers in Human Behavior*, *28*(5), 1929-1933. Ces résultats peuvent dépendre du style des divers réseaux sociaux. La même étude, menée avec des utilisateurs de Facebook, a montré qu'après trente-cinq minutes d'utilisation, ils manifestaient une augmentation de l'estime de soi, mais pas de leur narcissisme.

54. Christophe André lors d'une intervention dans l'émission « Voix bouddhistes », France 2, 10 février 2013.

55. D'après la psychologue Bonne Zucker, interviewée dans le magazine *People.* Field-Meyer, T. Kids out of control. *People*, 20 décembre 2004. Cité par Twenge, J. M. (2006). *Op. cit.*, p. 75.

56. Twenge, J. M. (2006). *Op. cit.*, p. 55.

57. Selon les statistiques gouvernementales du National Assessment of Eductional Progress, cité par Twenge, J. M., & Campbell, W. K. (2010). *Op. cit.*, p. 49.

58. Twenge, J. M. (2006). *Op. cit.*, p. 28.

59. Twenge, J. M., & Campbell, W. K. (2010). *Op. cit.*, p. 147.

60. *Ibid.*, p. 81.

61. Turkle, S. (2011). *Alone Together: Why We Expect More from Technology and Less from Each Other.* Basic Books ; Turkle, S., The flight from conversation, *New York Times*, 24 avril 2012.

62. Chris Meyers, agence Reuters, Tokyo, 20 décembre 2009.

63. BBC News, Asia Pacific. http://www.bbc.co.uk/news/world-asia-pacific-11722248.

64. *Bhagavad-Gita*, chapitre 13, versets 8-12.

65. D'après Nobutaka Inoue, professeur d'études sur le shinto à l'université Kokugakuin de Tokyo. Voir Norrie, J. (2 novembre 2007), Explosion of cults in Japan fails to heed deadly past, *The Age.*

66. Bellah, R. N., *et al.* (1996). *Habits of the Heart: Individualism and Commitment in*

American Life (2e éd.). University of California Press. Cité par Twenge, J. M., *et al.* (2010), p. 246.

67. Trungpa, C. (1976). *Pratique de la voie tibétaine* (nouv. éd. rev.). Seuil.

68. Rand, A. (2006). *La Révolte d'Atlas*, Éditions des Travailleurs, 2009, p. 1636.

69. Rochefoucauld Francois de (2010). *Réflexions : Ou sentences et maximes morales de Monsieur de La Rochefoucauld* (nouvelle édition, revue et corrigée). Gale Ecco, Print Editions.

70. Bushman, B. J., & Baumeister, R. F. (1998). Threatened egotism, narcissism, self-esteem, and direct and displaced aggression: Does self-love or self-hate lead to violence? *Journal of Personality and Social Psychology*, *75*, 219–229.

71. Exline J. J. & Baumeister, R. F. (2000). Case Western Reserve University. Données non publiées citées par J. P. Tangney, Humility, in *Handbook of Positive Psychology* (2002). *Op. cit.*, p. 411-419.

25. Les champions de l'égoïsme

1. Machiavel, N. (1921/2007). *Le Prince.* Gallimard Folio.

2. Stirner, M. (1899). *L'Unique et sa propriété* (trad. de l'allemand par Robert L. Reclaire). Stock, p. 208.

3. Nietzsche, F. (2011). *Le Gai Savoir.* Kindle, p. 1718-1730.

4. Nietzsche, F. (2011). *Ainsi parlait Zarathoustra, De l'amour du prochain.* Kindle, p. 957-960.

5. Nietzsche, F. (1997). *Ecce Homo: Comment on devient ce que l'on est.* Mille et une nuits.

6. Récemment quelques articles et ouvrages sont parus en France à propos d'Ayn Rand. Voir par exemple, «Votez égoïste», par Juliette Cerf, *Télérama*, n° 3276, du 24 octobre 2012, et «Haines américaines» de Guillaume Atgé dans *L'Express* du 4 octobre 2012, ainsi que le livre de l'universitaire canadienne Nicole Morgan, Morgan, N. (2012) *Haine froide : À quoi pense la droite américaine ?* Seuil.

7. Aux États-Unis, par exemple, on ne parle plus de Freud que lorsqu'on étudie l'histoire des idées. Selon Steven Kosslyn, ancien détenteur de la chaire de psychologie d'Harvard, de nos jours, en Amérique du Nord, il n'y a probablement pas une seule thèse de doctorat de psychologie en cours qui ait pour objet la psychanalyse. (Steven Kosslyn, communication personnelle.)

8. Ayn Rand (1905-1982) est un nom de plume. Elle est née Alissa Zinovievna Rosenbaum. Elle émigra de Russie aux États-Unis à la suite de la révolution bolchevique et fut naturalisée américaine.

9. Selon un sondage de l'Institute Gallup réalisé en 2009, près de 25 % des Américains sont des ultralibéraux. Ce mouvement est notamment soutenu par le Cato Institute et par le magazine *Reason* («Raison»), dont des titres récents sont, par exemple : «Elle est de retour ! Ayn Rand est plus grande que jamais.» (*She is back ! Ayn Rand bigger than ever*), décembre 2009, et «Comment saigner le gouvernement avant qu'il ne vous saigne» (*How to slash the government before it slashes you*), novembre 2010.

10. La Bibliothèque nationale américaine.

11. Greenspan, A. (2007). *The Age of Turbulence.* Penguin Press, p. 51.

12. Voir la chronique du prix Nobel d'économie Paul Krugman, Galt, gold and God, éditorial dans le *New York Times*, 23 août 2012.

13. Pour nos citations, nous avons utilisé la traduction numérique publiée par Monique di Pieirro, *La Révolte d'Atlas*, Éditions du Travailleur, 2009. La traductrice a

présenté son travail comme étant «une initiative désintéressée qui fut uniquement motivée par la lassitude et l'exaspération du public francophone de s'être vu régulièrement promettre chaque année, depuis 1957, la publication complète en langue française d'un ouvrage pourtant connu comme un classique de la littérature américaine». Une nouvelle traduction, publiée récemment, Rand, A. (2011), *La Grève* (*Atlas Shrugged*), Belles Lettres, a été financée par l'homme d'affaires américain Andrew Lessman, membre actif de la Fondation Ayn Rand.

14. L'objectivisme affirme que la réalité existe *objectivement* indépendamment de l'observation, sous forme d'*identités* dotées d'attributs spécifiques, et que la conscience est elle aussi douée d'existence réelle. L'objectivisme considère valides les concepts qui sont le produit de la raison. Il n'y a donc rien d'original dans tout cela, Rand reprenant les positions du réalisme métaphysique, lequel est maintenant désavoué par la mécanique quantique.

15. Rand, A. (2008). *La Vertu d'égoïsme*. Belles Lettres.

16. L'interview de Donahue peut être consulté sur YouTube : http://www.youtube.com/watch?v=bx-LpRSbbeA&feature=related.

17. Rand, A. (2006). *Anthem*. Rive Droite.

18. Rand, A. (2009). *Op. cit.*, p. 1626.

19. Ayn Rand était interviewée par le célèbre journaliste Mike Wallace. Voir http://www.youtube.com/watch?v=1ooKsv_SX4Y

20. Rand, A. (1999). *La Source vive*. Omnibus, p. 407.

21. Rand, A. (1964). *The Virtue of Selfishness*. Signet, p. 49-52. Trad. française : Rand, A. (2008). *La Vertu d'égoïsme*.

22. Toutefois, les spécialistes d'Aristote, comme Douglas B. Rasmussen, qualifient l'approche d'Ayn Rand de la philosophie d'Aristote d'«extrêmement imprécise», et la connaissance de son système éthique comme étant «très mince». Den-Uyl, D. J., & Rasmussen, D. B. (1984). *Philosophic Thought of Ayn Rand*. University of Illinois Press, p. 10. Cité par Wikipedia.fr, article "Ayn Rand".

23. Voir notamment l'analyse de la droite américaine par Nicole Morgan dans son ouvrage *Haine froide*. *Op. cit.*

24. Ayn Rand en 1976, citée par *The Economist*, 20 octobre 2012, p. 54.

25. Voir Ayn Rand, *The Nature of Government, in Virtue of Selfishness*. Les idées d'Ayn Rand sur la politique du «laisser-faire» s'inspirent de l'économiste autrichien Ludwig von Mises, qu'elle considérait comme le plus grand économiste des temps modernes.

26. Stiglitz, J. (2012). *Le Prix de l'inégalité*. Les liens qui libèrent, p. 148.

27. *Ibid.*, p. 251.

28. *Ibid.*, ainsi que Wilkinson, R., & Pickett, K. (2010). *The Spirit Level: Why Equality is Better for Everyone*. Penguin.

29. Cohen, D. (2009). *La Prospérité du Vice - une introduction (inquiète) à l'économie*. Albin Michel, 3048.

30. Rand, A. (1964). *Op. cit.*, p. 26.

31. Michael Prescott (2005) http://michaelprescott.freeservers.com.

32. Cavalli-Sforza, F. (1998/2011). *La Science du bonheur*. Odile Jacob.

33. Voir chapitre 19 de cet ouvrage ainsi que Diener, E. & Seligman, M.E.P. (2002) Very happy people, *Psychological Science*, *13*, 81–84 et Seligman, M. E. P. (2002). *Authentic happiness: Using the New Positive Psychology to Realize Your Potential for Lasting Fulfillment*. Free Press.

34. Rachels, J., "Ethical Egoism" (2008). In *Reason & Responsibility: Readings in Some*

Basic Problems of Philosophy. Joel Feinberg & Russ Shafer-Landau (eds), p. 532-540. California: Thomson Wadsworth, 2008.

35. Freud, S. (1900/2003). *L'Interprétation du rêve. Œuvres complètes. Psychanalyse*, vol. 4. PUF, p. 290. *Gesammelte Werke*, II/III, p. 256.

36. Freud, S. (1991). *Correspondance avec le pasteur Pfister, 1909-1939.* Gallimard, p. 103. Ces sources m'ont été fournies avec obligeance par Jacques Van Rillaer.

37. Freud, S. (1900/2003). *Op. cit.*, p. 233. *Gesammelte Werke*, II/III, p. 274.

38. Freud, S. (1981). *Malaise dans la civilisation.* Kindle, p. 1567-1569.

39. Freud, S. (1915). *Sur la guerre et la mort*, dans *Œuvres complètes. Psychanalyse*, vol. 13, PUF, p. 1914-1915.

40. Darwin, C. (1881). *La Descendance de l'homme et la sélection sexuelle.* C. Reinwald (libraire-éditeur), p. 120.

41. *Ibid.*, p. 98.

42. Hochmann, J. (2012). *Une histoire de l'empathie : Connaissance d'autrui, souci du prochain.* Odile Jacob, p. 53-59.

43. Freud, S. (1905/1971). *Standard Edition*, vol. VIII, *Jokes and their Relation to the Unconscious.* Hogarth Press. Passage traduit de l'anglais par Hochmann, J. (2012). *Op. cit.*, p. 54. Ce rire serait aussi déclenché par la constatation que la personne a ainsi réussi à économiser l'énergie que nous dépensons habituellement pour inhiber nos pulsions et nous conformer au bon usage.

44. *Ibid.*, vol. XV, p. 112.

45. Jung, C. G. (1978). *Présent et avenir.* Denoël, p. 137 et 140.

46. Freud S. (1981). *Malaise dans la civilisation.* PUF, p. 68.

47. Freud, S. (1915), *Gesammelte Werke*, X, p. 231. Traduction française. Freud, S. (1968). *Pulsions et destins des pulsions*, Gallimard, Idées, p. 42.

48. Waal, F. B. M. de (2013). *The Bonobo and the Atheist: In Search of Humanism Among the Primates.* WW Norton & Co., p. 39.

49. Haidt, J. (2012). *The Righteous Mind: Why Good People Are Divided by Politics and Religion.* Allen Lane. Cela n'exclut pas le fait que les normes sociales jouent par la suite un rôle important en modelant de diverses façons la moralité personnelle des individus.

50. Turiel, E., Killen, M., & Helwig, C. C. (1987). Morality: Its structure, functions, and vagaries. *The Emergence of Morality in Young Children.* University of Chicago Press, p. 155-243; Hamlin, J. K., Wynn, K., & Bloom, P. (2007). Social evaluation by preverbal infants. *Nature, 450*(7169), 557–559.

51. Freud, S. (1908/1959), *"Civilized" Sexual Morality and Modern Nervous Illness.* In J. Strachey (éd.), The standard edition, Hogarth Press, vol. 9, p. 191.

52. Freud, A. (1936). *Das ich und die Abwehrmechanismen.* Traduction française : Freud, A. *Le Moi et les mécanismes de défense* (15e édition). PUF.

53. Bernard Golse, article Altruisme dans Mijolla, A. de, Golse, B., Mijolla-Mellor, S. de, & Perron, R. (2005). *Dictionnaire international de la psychanalyse* en 2 volumes (édition revue et augmentée). Hachette; Ionescu, S., Jacquet, M.-M., & Lhote, C. (2012). *Les Mécanismes de défense : Théorie et clinique* (2e édition). Armand Colin.

54. Freud, S. (1921) *Psychologie collective et analyse du moi.* Traduction S. Jankélevitch, revue par l'auteur, p. 51. Réédition dans *Essais de psychanalyse* (1968). Petite Bibliothèque Payot.

55. Jacques Van Rillaer, communication personnelle et Van Rillaer, J. (1980). *Les Illusions de la psychanalyse.* Mardaga.

56. Communication de Jacques Lacan, *Lettres de L'École freudienne*, février-mars 1967, p. 34 et suivantes.

57. Canceil, O., Cottraux, J., Falissard, B., Flament, M., Miermont, J., Swendsen, J., ... Thurin, J.-M. (2004). *Psychothérapie : trois approches évaluées.* Inserm.

58. Moscovici, S. (1967/1976). *La Psychanalyse, son image et son public.* PUF, p. 143. Cité par Van Rillaer, J. (1980). *Op. cit.*, p. 374.

59. Baruk, H. (1967). De Freud au néo-paganisme moderne. *La Nef, 3*, p. 143; Baruk, H. (1968) In : *La Psychiatrie française de Pinel à nos jours.* PUF, p. 29. Lors d'une enquête menée par la sociologue Dominique Frischer auprès d'une trentaine d'analysés parisiens, l'un d'eux «déjà égoïste dans le passé, reconnaît que l'analyse a développé cette tendance, faisant de lui un parfait égocentrique». Frischer, D. (1976). *Les Analysés parlent.* Stock, p. 312. Cité par Van Rillaer, J. (1980). *Op. cit.*, p. 373.

60. Cité par Van Rillaer, J. (1981). *Op. cit.*, p. 33.

61. Lacan, J. (1999). *Encore : Le séminaire*, livre XX. Seuil, p. 64.

62. Cité par Van Rillaer, J. (2005). Les bénéfices de la psychanalyse. In *Le Livre noir de la psychanalyse.* Les Arènes, p. 200.

63. Rey, P. (1999). *Une saison chez Lacan.* Laffont, p. 74.

64. *Ibid.*, p. 146. Dans le même registre, la réponse qu'il fit au téléphone à une femme qui l'avait appelé plusieurs fois pour récupérer un livre prêté qu'il avait égaré, est tout aussi édifiante : «Écoute-moi, vieille truie. Ton torchon de bouquin de merde, je l'ai jeté aux chiottes. Maintenant, je te préviens. Si tu me téléphones une fois de plus, je te casse la tête! Je ne veux plus entendre ta voix, plus jamais!» (p. 170).

65. *Ibid.*, p. 156.

66. Freud, S. (1923). *Psychanalyse et théorie de la libido. Œuvres complètes.* PUF, vol. XVI; éd. de 1991, p. 183. Cité par Van Rillaer, J. (2012). La psychanalyse freudienne : science ou pseudo-science? *Pratique Neurologique-FMC, 3*(4), 348–353.

67. De Falco, R. (juin 2009). *Raison*, magazine de la Libre Pensée.

68. Popper montre, par exemple, qu'il est impossible de démontrer ou de réfuter l'existence de l'inconscient freudien, puisque pour le démontrer, il faudrait pouvoir le connaître, et de ce fait il ne serait plus inconscient. Le raisonnement psychanalytique est donc circulaire. L'inconscient cognitif de la psychologie contemporaine et des neurosciences n'a rien à voir avec le précédent et peut, quant à lui, être vérifié par l'étude du comportement et des mécanismes cérébraux.

69. Meyer, C., Borch-Jacobsen, M., Cottraux, J., Pleux, D., & Van Rillaer, J. (2010). *Le Livre noir de la psychanalyse : Vivre, penser et aller mieux sans Freud.* Les Arènes, p. 279.

70. Wittgenstein, L. (1978). *Culture and Value.* Blackwell Publishers, p. 55. Cité par Bouveresse, J. (1991). *Philosophie, mythologie et pseudo-science : Wittgenstein lecteur de Freud.* Éditions de l'éclat, p. 13.

71. Klein, M. (1948). *Essais de psychanalyse.* Trad., Payot, 1948, p. 263. Cité dans Meyer, C., *et al.* (2010). *Op. cit.*, p. 228.

72. Grünbaum, A. (2000). *La Psychanalyse à l'épreuve.* Éditions de l'éclat.

73. Freud, S. (1908). «La morale sexuelle civilisée et la maladie nerveuse des temps modernes». *La Vie sexuelle.* PUF, p. 42.

74. Van Rillaer, J. (2010), «Les mécanismes de défense freudiens,» dans Meyer, C., Borch-Jacobsen, M., Cottraux, J., Pleux, D., & Van Rillaer, J. (2010). *Op. cit.*, p. 364.

75. Ellenberger, H. F. (1972). The story of "Anna O": A critical review with new data. *Journal of the History of the Behavioral Sciences, 8*(3), 267–279. Cité par Van Rillaer, J.

(2012). La psychanalyse freudienne : science ou pseudo-science ? *Pratique neurologique-FMC*, *3*(4), 348–353.

76. Borch-Jacobsen, M. (2011). *Les Patients de Freud : Destins*. Éditions Sciences humaines.

77. Bettelheim, B. (1967). *La Forteresse vide*. Gallimard, p. 171.

78. BBC, Horizon, 8 juin 2006, produit et réalisé par Emma Sutton.

79. Temple Grandin, BBC Radio. *The Interview*, 12 avril 2012, ainsi que les mémoires de sa mère : Cutler, E. (2004). *Thorn in My Pocket: Temple Grandin's Mother Tells the Family Story* (1re édition). Future Horizons.

80. Autisme : un scandale français. *Sciences et Avenir*, 782, avril 2012.

81. *Ibid.*

82. Franck Ramus, propos recueillis par Hervé Ratel, Sciences et Avenir.fr, 29 mars 2012. Certains autistes ont un cerveau plus volumineux et une étude récente, publiée dans la revue *PNAS*, a mis en évidence une surproduction de neurones de 67 % dans le cortex préfrontal impliqué dans le langage et la pensée.

83. Herbert, M. R., & Weintraub, K. (2012). *The Autism Revolution: Whole-Body Strategies for Making Life All It Can Be*. Ballantine Books Inc.

84. Voir notamment le dossier de Franck Ramus, directeur de recherches au CNRS, Autisme : un scandale français, *Sciences et Avenir*. *Op. cit.*

85. Paul Ekman, communication personnelle.

86. Cet exemple fut donné par Robert Holt, in Holt, R. R. (1965). A review of some of Freud's biological assumptions and their influence on his theories. In Greenfield, N. S., & Lewis, W. C. (1965). *Psychoanalysis and Current Biological Thought*. University of Wisconsin Press, *6*, 93–124.

87. Wallach, M. A., & Wallach, L. (1983). *Psychology's Sanction for Selfishness: The Error of Egoism in Theory and Therapy*. W. H. Freeman & Co. Ltd.

88. Horney, K. (1951). *Neurosis and Human Growth – The Struggle Toward Self-Realization*. Routledge and Kegan Paul.

89. Wallach, M. A., & Wallach, L. (1983). *Op. cit.*, p. 116-120.

90. *Ibid.*, p. 162.

26. *Avoir pour soi de la haine ou de la compassion*

1. Pour une excellente revue de l'ensemble des recherches, voir Gilbert, P., & Irons, C. (2005). Focused therapies and compassionate mind training for shame and self-attacking. *Compassion: Conceptualisations, Research and Use in Psychotherapy*, 263–325.

2. *Ibid.*

3. Park, R. J., Goodyer, I. M., & Teasdale, J. D. (2005). Self-devaluative dysphoric experience and the prediction of persistent first-episode major depressive disorder in adolescents. *Psychological Medicine*, *35*(4), 539–548.

4. Gilbert, P., & Irons, C. (2005). *Op. cit.*, p. 271.

5. Neff, K. (2011). *Self-Compassion: Stop Beating Yourself Up and Leave Insecurity Behind*. William Morrow, p. 34 (traduit de l'anglais). Traduction française : Neff, K. (2013). *S'aimer : Comment se réconcilier avec soi-même*. Belfond.

6. *Ibid.*

7. Santa Mina, E. E., & Gallop, R. M. (1998). Childhood sexual and physical abuse and adult self-harm and suicidal behaviour: a literature review. *Canadian Journal of Psychiatry*, *43*, 793–800 ; Glassman, L. H., Weierich, M. R., Hooley, J. M., Deliberto, T. L.,

& Nock, M. K. (2007). Child maltreatment, non-suicidal self-injury, and the mediating role of self-criticism. *Behaviour Research and Therapy*, *45*(10), 2483–2490.

8. Bohus, M., Limberger, M., Ebner, U., Glocker, F. X., Schwarz, B., Wernz, M., & Lieb, K. (2000). Pain perception during self-reported distress and calmness in patients with borderline personality disorder and self-mutilating behavior. *Psychiatry Research*, *95*(3), 251–260.

9. André, C. (2009), *Les États d'âme.* Odile Jacob, p. 356.

10. Pour les tendances suicidaires, voir Stanley, B., Gameroff, M. J., Michalsen, V., & Mann, J. J. (2001). Are suicide attempters who self-mutilate a unique population? *American Journal of Psychiatry*, *158*(3), 427–432.

11. Gilbert, P., & Irons, C. (2005). *Op. cit.*

12. *Ibid.*, p. 291.

13. *Ibid.*, p. 303 et 312.

14. *Ibid.*, p. 287.

15. Neff, K. D. (2011). *Op. cit.*, p. 41. Neff, K. D. (2003). *Op. cit.*, p. 22.

16. Neff, K. D. (2011). *Op. cit.*, p. 43.

17. Kohut, H. (1971). *The Analysis of the Self.* New York Univerity Press. Neff, K. D. (2011). *Op. cit.*, p. 64. Voir aussi Baumeister, R. F., & Leary, M. R. (1995). The need to belong: desire for interpersonal attachments as a fundamental human motivation. *Psychological bulletin*, *117*(3), 497.

18. Neff, K. D. (2011). *Op. cit.*, p. 69.

19. Gilbert, P., & Irons, C. (2005). *Op. cit.*, p. 312.

20. MBSR, «Mindfulness Based Stress Reduction» est un entraînement séculier à la méditation sur la pleine conscience, fondé sur une méditation bouddhiste, qui à été développé dans le système hospitalier des États-Unis d'Amérique depuis plus de vingt ans par Jon Kabat-Zinn et qui est maintenant utilisé avec succès dans plus de 200 hôpitaux pour diminuer les douleurs postopératoires et celles associées au cancer et autres maladies graves. Voir Kabat-Zinn, J., Lipworth, L., & Burney, R. (1985). The clinical use of mindfulness meditation for the self-regulation of chronic pain. *Journal of Behavioral Medicine*, *8*(2), 163–190.

21. Davidson, R. J., Kabat-Zinn, J., Schumacher, J., Rosenkranz, M., Muller, D., Santorelli, S. F., ... Sheridan, J. F. (2003). Alterations in brain and immune function produced by mindfulness meditation. *Psychosomatic Medicine*, *65*(4), 564–570. Sur les effets à long terme de la méditation, voir chapitre 21, «L'entraînement de l'esprit : ce qu'en disent les sciences cognitives».

22. Shapiro, S. L., Astin, J. A., Bishop, S. R., & Cordova, M. (2005). Mindfulness-based stress reduction for health care professionals: Results from a randomized trial. *International Journal of Stress Management*, *12*(2), 164–176.

23. Neff, K. D. (2003*a*). Self-compassion: An alternative conceptualization of a healthy attitude toward oneself. *Self and Identity*, *2*(2), 85–101 ; Neff, K. D. (2003*b*). The development and validation of a scale to measure self-compassion. *Self and Identity*, *2*(3), 223–250.

24. Crocker, J., Moeller, S., & Burson, A. (2010). The costly pursuit of self-esteem. *Handbook of Personality and Self-Regulation*, 403–429.

25. Neff, K. D. (2003*b*). *Op. cit.*

26. Gilbert, P. (1989). *Human Nature and Suffering.* Lawrence Erlbaum ; Gilbert, P., & Irons, C. (2005). *Op. cit.*

27. Neff, K. D., Kirkpatrick, K. L., & Rude, S. S. (2007). Self-compassion and

adaptive psychological functioning. *Journal of Research in Personality*, *41*(1), 139–154. Voir également Swann, W. B. (1996). *Self-Traps: The Elusive Quest for Higher Self-Esteem.* W. H. Freeman, New York.

28. Leary, M. R., Tate, E. B., Adams, C. E., Allen, A. B., & Hancock, J. (2007). Self-compassion and reactions to unpleasant self-relevant events: The implications of treating oneself kindly. *Journal of Personality and Social Psychology*, *92*(5), 887.

29. Voir notamment les conclusions de Richard Tremblay fondées sur l'étude longitudinale de Montréal, qui s'est poursuivie pendant trois décennies. Tremblay, R. E. (2008). *Prévenir la violence dès la petite enfance.* Odile Jacob.

30. Olds, D. L., Robinson, J., O'Brien, R., Luckey, D. W., Pettitt, L. M., Henderson, C. R., ... Hiatt, S. (2002). Home visiting by paraprofessionals and by nurses: a randomized, controlled trial. *Pediatrics*, *110*(3), 486–496.

31. André, C. (2009), *Les États d'âme.* Odile Jacob, p. 353.

27. Les carences de l'empathie

1. Singer, T., & Lamm, C. (2009). The social neuroscience of empathy. *Annals of the New York Academy of Sciences*, *1156*(1), 81–96.

2. Krasner, M. S., Epstein, R. M., Beckman, H., Suchman, A. L., Chapman, B., Mooney, C. J., & Quill, T. E. (2009). Association of an educational program in mindful communication with burnout, empathy, and attitudes among primary care physicians. *JAMA*, *302*(12), 1284–1293.

3. David Shlim, préface à Rinpoche, C. N. (2006). *Medicine and Compassion.*

4. *Ibid.*

5. *Ibid.*

6. Maslach, C. (1982). *Burnout: The Cost of Caring.* Prentice Hall Trade, p. 3.

7. *Ibid.*, p. 4.

8. Préface du Pr Patrick Légeron dans Maslach, C., & Leiter, M. P. (2011). *Burn-out : Le syndrome d'épuisement professionnel.* Les Arènes, p. 16.

9. Maslach, C. (1982). *Op. cit.*, p. 10 et suivantes.

10. Maslach, C., & Leiter, M. P. (2011). *Op. cit.*, p. 32-40.

11. Maslach, C. (1982). *Op. cit.*, p. 58.

12. *Ibid.*, p. 59.

13. *Ibid.*, p. 70.

14. McGrath, M., & Oakley, B. (2011). Codependency and pathological altruism. In Oakley, B., Knafo, A., Madhavan, G., & Wilson, D. (2012). *Pathological Altruism.* Oxford University Press, États-Unis, chapitre 4, p. 59.

15. Zanarini, M. C. (2000). Childhood experiences associated with the development of borderline personality disorder. *Psychiatric Clinics of North America*, *23*(1), 89–101.

16. Richard Davidson, communication personnelle.

17. Le concept de «psychopathe» a été introduit par Cleckley, H. (1941). *The Mask of Sanity; An Attempt to Reinterpret the So-Called Psychopathic Personality.* Édition révisée, 1982. Mosby Medical Library.

18. American Psychiatric Association (1994), *DSM-IV: Diagnostic and Statistical Manual of Mental Disorders* (4e édition). American Psychiatric Association, Washington, DC.

19. Blair, R. J. R, Jones, L., Clark, F., & Smith, M. (1997). The psychopathic individual: A lack of responsiveness to distress cues ? *Psychophysiology*, *34*(2), 192–198.

20. Hare, R. D. (1999). *Without Conscience: The Disturbing World of the Psychopaths Among Us* (1re édition). Guilford Press.

21. Newman, J. P., Patterson, C. M., & Kosson, D. S. (1987). Response perseveration in psychopaths. *Journal of Abnormal Psychology, 96*(2), 145.

22. Miller, G. (2008). Investigating the psychopathic mind. *Science, 321*(5894), 1284–1286.

23. Hare, R. D., McPherson, L. M., & Forth, A. E. (1988). Male psychopaths and their criminal careers. *Journal of Consulting and Clinical Psychology, 56*(5), 710.

24. Hare, R. D. (1993). *Without conscience. Op. cit.*

25. La liste en 20 points d'Hare inclut : le charme superficiel, le sens du grandiose, le besoin de stimulations et une prédisposition à l'ennui, le mensonge pathologique, l'art de manipuler les autres et de les tromper, l'absence de remords et de sentiment de culpabilité, la froideur interpersonnelle, le manque d'empathie, un style de vie parasite, un faible contrôle émotionnel, la promiscuité sexuelle, des problèmes de comportement dès le jeune âge (mensonge, vol, tromperie, vandalisme, cruauté envers les animaux), l'absence de buts réalistes à long terme, l'impulsivité, l'irresponsabilité, l'incapacité d'assumer la responsabilité de ses propres actions, un grand nombre de rapports sentimentaux à court terme, la délinquance juvénile, la récidive, et la multiplicité et la diversité des activités criminelles. Pour la plus récente version de cette liste, voir Hare, R. D. (2003). *Manual for the Revised Psychopathy Checklist* (2e édition). Toronto, ON, Canada, Multi-Health Systems.

26. Hare, R. D. (1993). *Without Conscience. Op. cit.*

27. Raine, A., Lencz, T., Bihrle, S., LaCasse, L., & Colletti, P. (2000). Reduced prefrontal gray matter volume and reduced autonomic activity in antisocial personality disorder. *Archives of General Psychiatry, 57*(2), 119.

28. Cité par Pinker, S. (2011). *The Better Angels of Our Nature: Why Biolence Has Declined. Viking Adult,* p. 495.

29. http://en.wikipedia.org/wiki/Jose_Antonio_Rodriguez_Vega.

30. Norris, J. (1992). *Walking Time Bombs.* Bantam, p. 63.

31. McCormick, J., Annin, P. (1994). Alienated, marginal and deadly. *Newsweeks,* septembre 1994. Cité par Pinker, S. (2011). *Op. cit.*, p. 495.

32. Fazle, S., & Danesh, J. (2002). Serious mental disorder in 23 000 prisoners: a systematic review of 62 surveys. *Lancet, 359*(9306), 545–550. Hart, S. D., & Hare, R. D. (1996). Psychopathy and antisocial personality disorder. *Current Opinion in Psychiatry, 9*(2), 129–132.

33. Hemphill, J. F., Hare, R. D., & Wong, S. (1998). Psychopathy and recidivism: A review. *Legal and Criminological Psychology, 3*(1), 139–170.

34. Blair, R. J. R., Peschardt, K. S., Budhani, S., Mitchell, D. G. V., & Pine, D. S. (2006). The development of psychopathy. *Journal of Child Psychology and Psychiatry, 47*(3-4), 262–276 ; Blonigen, D. M., Hicks, B. M., Krueger, R. F., Patrick, C. J., & Iacono, W. G. (2005). Psychopathic personality traits: Heritability and genetic overlap with internalizing and externalizing psychopathology. *Psychological Medicine, 35*(05), 637–648.

35. Muhammad, M. (2009). *Scared Silent* (1re édition). Strebor Books.

36. Babiak, P., & Hare, R. D. (2007). *Snakes in suits: When Psychopaths Go to Work.* HarperBusiness.

37. Board, B. J., & Fritzon, K. (2005), et Board, B. The Tipping Point. *The New York Times,* 11 mai 2005, sec. Opinion. http://www.nytimes.com/2005/05/11/opinion/11board.html.

38. Kiehl, K. & Buckholtz, J. Dans la tête d'un psychopathe (novembre-décembre 2011). *Cerveau et Psycho, 48.*

39. Miller, G. (2008). Investigating the psychopathic mind. *Science, 321*(5894), 1284–1286.

40. Harenski, C. L., Harenski, K. A., Shane, M. S., & Kiehl, K. A. (2010). Aberrant neural processing of moral violations in criminal psychopaths. *Journal of Abnormal Psychology, 119*(4), 863 ; et pour une revue de synthèse, Blair, R. J. R. (2010). Neuroimaging of psychopathy and antisocial behavior: A targeted review. *Current Psychiatry Reports, 12*(1), 76–82.

41. Ermer, E., Cope, L. M., Nyalakanti, P. K., Calhoun, V. D., & Kiehl, K. A. (2012). Aberrant paralimbic gray matter in criminal psychopathy. *Journal of Abnormal Psychology, 121*(3), 649.

42. Anderson, N. E., & Kiehl, K. A. (2012). The psychopath magnetized: insights from brain imaging. *Trends in Cognitive Sciences, 16*(1), 52–60.

43. Outre le cortex orbitofrontal et l'amygdale, le système paralimbique comprend le cortex cingulaire antérieur, qui régule les états émotionnels et aide les individus à contrôler leurs pulsions et la survenue d'erreurs dans leur comportement, ainsi que l'insula qui joue un rôle essentiel dans la reconnaissance de la violation des normes sociales, ainsi que dans le ressenti de la colère, de la peur, de l'empathie et du dégoût. Or on sait que les psychopathes sont indifférents aux normes sociales, et ont un seuil de dégoût particulièrement élevé, tolérant les odeurs et les images répugnantes avec sérénité.

44. Raine, A., Lencz, T., Bihrle, S., LaCasse, L., & Colletti, P. (2000). Reduced prefrontal gray matter volume and reduced autonomic activity in antisocial personality disorder. *Archives of General Psychiatry, 57*(2), 119.

45. Miller, G. (2008). *Op. cit.*

46. Cleckley, H. (1941). *Op. cit.* ; Salekin, R. T. (2002). Psychopathy and therapeutic pessimism: Clinical lore or clinical reality ? *Clinical Psychology Review, 22*(1), 79–112.

47. Caldwell, M., Skeem, J., Salekin, R., & Van Rybroek, G. (2006). Treatment response of adolescent offenders with psychopathy features a 2-year follow-up. *Criminal Justice and Behavior, 33*(5), 571–596 ; Caldwell, M. F., McCormick, D. J., Umstead, D., & Van Rybroek, G. J. (2007). Evidence of treatment progress and therapeutic outcomes among adolescents with psychopathic features. *Criminal Justice and Behavior, 34*(5), 573–587.

48. Michael Caldwell, communication personnelle, Madison, octobre 2012.

49. Caldwell, M. F., *et al.* (2006). *Op. cit.* et Kiehl, K. & Buckholtz, J. Dans la tête d'un psychopathe (novembre-décembre 2011). *Cerveau et Psycho, 48.*

50. Témoignage extrait de l'ouvrage d'Andrew Solomon (2002). *Le Diable intérieur : Anatomie de la dépression.* Albin Michel.

51. Milner, J. S., Halsey, L. B., & Fultz, J. (1995). Empathic responsiveness and affective reactivity to infant stimuli in high-and low-risk for physical child abuse mothers. *Child Abuse & Neglect, 19*(6), 767–780. Pour des résultats parallèles obtenus en utilisant des mesures physiologiques, voir Frodi, A. M., & Lamb, M. E. (1980). Child abusers' responses to infant smiles and cries. *Child Development, 51*(1), 238. Cités par Batson, C. D. (2011). *Altruism in Humans.* Oxford Univ. Press.

52. Voir notamment, Schewe, P. A. (2002). *Preventing Violence in Relationships: Interventions across the Life Span.* (vol. viii). Washington, DC, US: American Psychological Association.

53. Voir notamment, McCullough, M. E., Worthington Jr, E. L., & Rachal, K. C.

(1997). Interpersonal forgiving in close relationships. *Journal of Personality and Social Psychology, 73*(2), 321 McCullough, M. E., Rachal, K. C., Sandage, S. J., Worthington Jr, E. L., Brown, S. W., & Hight, T. L. (1998). Interpersonal forgiving in close relationships, II. Theoretical elaboration and measurement. *Journal of Personality and Social Psychology, 75*(6), 1586; Witvliet, C. V. O., Ludwig, T. E., & Vander Laan, K. L. (2001). Granting forgiveness or harboring grudges: Implications for emotion, physiology, and health. *Psychological Science, 12*(2), 117–123. Cité par Batson, C. D. (2011). *Op. cit.*

54. Harmon-Jones et ses collaborateurs ont évalué l'effet de l'empathie sur la colère en mesurant, par un électroencéphalogramme (EEG), l'activité du cortex frontal gauche dont on sait qu'elle est corrélée à l'intensité de la colère. Dans la phase initiale de l'expérience, les expérimentateurs ont influencé le degré d'empathie des membres de deux groupes d'étudiants volontaires (qui participent à l'expérience un par un) en demandant aux uns d'imaginer les sentiments d'une étudiante qui souffre de sclérose en plaques, induisant ainsi une empathie élevée à son égard (il s'agit en fait d'une complice des expérimentateurs), et aux autres de considérer la situation de la malade d'une manière détachée et objective, ce qui n'induit qu'une faible empathie. Peu après, l'étudiante volontaire censée souffrir de sclérose en plaques donne aux volontaires soit un compte-rendu rude et insultant, propre à susciter une réaction agressive, d'un essai que ces volontaires avaient écrit, soit une évaluation neutre. L'activité EEG des volontaires est enregistrée immédiatement après qu'ils ont reçu ces évaluations. Il s'est avéré que l'activité du cortex frontal qui augmente normalement quand quelqu'un est insulté et va de pair avec l'agressivité, augmente bien chez les sujets du groupe à qui on a demandé d'adopter une attitude détachée, mais est inhibée chez ceux chez qui on a induit de l'empathie. Cette expérience est l'une de celles qui montrent le plus clairement que l'empathie peut inhiber directement le désir d'agresser. Harmon-Jones, E., Vaughn-Scott, K., Mohr, S., Sigelman, J., & Harmon-Jones, C. (2004). The effect of manipulated sympathy and anger on left and right frontal cortical activity. *Emotion, 4*(1), 95. Cité par Batson, C. D. (2011). *Op. cit.*, p. 167.

28. À l'origine de la violence : la dévalorisation de l'autre

1. Hare, R. D. (1993). *Without Conscience: The Disturbing World of the Psychopaths among Us.* Pocket Books, p. 33. Cité par Baumeister, R. F. (2001). *Evil: Inside Human Cruelty and Violence.* Barnes & Noble, p. 221.
2. Cité par Pinker, S. (2011). *Op. cit.*, p. 509.
3. Aaron Beck disait cela lors d'une rencontre avec le Dalaï-lama en Suède en 2005. Ce chiffre indique l'importance des surimpositions mentales qui affectent nos perceptions sous l'emprise de la colère, mais ne correspondent pas à une évaluation précise et mesurée des distorsions cognitives.
4. Pour un exposé détaillé de ce mécanisme, voir Beck, A. (2004). *Prisonniers de la haine : Les racines de la violence.* Masson, p. 211-4.
5. Dalaï-lama. (2001). *Conseils du cœur.* Presses de la Renaissance.
6. Pinker, S. (2011). *Op. cit.*, p. 164 et Baumeister, R. F. (2001). *Op. cit.*, p. 157.
7. Pinker, S. (2011). *Op. cit.*, p. 529 et suivantes.
8. Baumeister, R. F. (2001). *Op. cit.*, p. 167.
9. Brezina, T., Agnew, R., Cullen, F. T., & Wright, J. P. (2004). The code of the street. A quantitative assessment of Elijah Anderson's subculture of violence thesis and its contribution to youth violence research. *Youth Violence and Juvenile Justice, 2*(4), 303–328.

10. Courtwright, D. T. (1998). *Violent Land: Single Men and Social Disorder from the Frontier to the Inner City* (nouvelle édition). Harvard University Press. Cité par Pinker, S. (2011). *Op. cit.*, p. 103.

11. La Bible, http://www.info-bible.org/lsg/05.Deuteronome.html.

12. Dalaï-lama, discours à la Sorbonne, à l'occasion d'une rencontre des lauréats du prix de la Mémoire, en 1993. Traduction personnelle.

13. Hillesum, E. (1995). *Une vie bouleversée, Journal, 1941-1943*. Seuil, Points.

14. Dui Hua Foundation, *Reducing Death Penalty Crimes in China More Symbol Than Substance, Dialogue*, Issue 40, 2010.

15. Reportage diffusé sur la radio BBC World Service, 6 octobre 2006.

16. Vergely, B. (1998). *Souffrance*. Flammarion.

17. Baumeister, R. F. (2001). *Op. cit.*, p. 132-134.

18. Goodwin, F. K., & Jamison, K. R. (2007). *Manic-depressive illness: bipolar disorders and recurrent depression* (vol. 1). Oxford University Press, États-Unis.

19. Scully, D. (1990). *Understanding Sexual Violence: A Study of Convicted Rapists*. Routledge. Cité par Baumeister, R. F. (2001). *Op. cit.*, p. 138.

20. Baumeister, R. F. (2001). *Op. cit.*, p. 141, 144.

21. Kernis, M. H. (1993). The roles of stability and level of self-esteem in psychological functioning. In *Self-Esteem: The Puzzle of Low Self-Regard* (p. 167-182). New York, NY, US: Plenum Press. Voir également André, C., & Lelord, F. (2008). *L'Estime de soi : S'aimer pour mieux vivre avec les autres*. Odile Jacob, chapitre 4.

22. Baumeister, R. F. (2001). *Op. cit.*, p. 149.

23. Berkowitz, L. (1978). Is criminal violence normative behavior? Hostile and instrumental aggression in violent incidents. *Journal of Research in Crime and Delinquency*, *15*(2), 148–161.

24. Ford, F. L. (1987). *Political Murder: From Tyrannicide to Terrorism*. Harvard Univ. Press, p. 80. Cité par Baumeister, R. F. (2001). *Op. cit.*, p. 152.

25. Johnson, D. D., McDermott, R., Barrett, E. S., Cowden, J., Wrangham, R., McIntyre, M. H., & Rosen, S. P. (2006). Overconfidence in wargames: experimental evidence on expectations, aggression, gender and testosterone. *Proceedings of the Royal Society B: Biological Sciences*, *273*(1600), 2513–2520.

26. Beck, A. (2004). *Op. cit.*, p. 34.

27. Baumeister, R. F. (2001). *Op. cit.*, p. 39-48.

28. Straus, M. (1980). Victims and aggressors in marital violence. *American Behavioral Scientist*, *23*(5), 681. Cité par Baumeister, R. F. (2001). *Op. cit.*, p. 53.

29. Black, D. (1983). Crime as social control. *American Sociological Review*, 34–45. Cité par Pinker, S. (2011). *Op. cit.*, p. 83.

30. Luckenbill, D. F. (1977). Criminal homicide as a situated transaction. *Social Problems*, 176–186 ; Gottfredson and Hirschi 1991, *A General Theory of Crime*. Cité par Baumeister, R. F. (2001) *Op. cit.*, p. 53.

31. Baumeister, R. F. (2001), *Op. cit.*, p. 117.

32. *Ibid.*, p. 62.

33. Twitchell, J. B. (1985). *Dreadful Pleasures: An Anatomy of Modern Horror*. Oxford University Press Inc. ; Twitchell, J. B. (1985). *Dreadful Pleasures*, cité par Baumeister, R. F. (2001). *Op. cit.*, p. 64, 66.

34. Baumeister, R. F. (2001). *Op. cit.*, p. 77.

35. Norris, J. (1992). *Walking Time Bombs*. Bantam, p. 53.

36. *Ibid.*, p. 18-19.

37. Luc Ferry, La haine, propre de l'homme, *Le Point*, 22 mars 2012, n° 2062.

38. Jankowski, M. S. (1991). *Islands in the Street: Gangs and American Urban Society*. University of California Press, p. 177.

39. Finkelhor, D., & Yllö, K. (1987). *License to Rape: Sexual Abuse of Wives*. Free Press.

40. Toch, H. (1993). *Violent Men: An Inquiry into the Psychology of Violence* (2e édition révisée). American Psychological Association.

41. Baumeister, R. F. (2001). *Op. cit.*, p. 232-236.

42. Gottfredson, M., & Hirschi, T. (1990). *A General Theory of Crime*. Stanford University Press, p. 105.

43. Baumeister, R. F. (2001). *Op. cit.*, p. 106.

44. Gelles, R. J. (1988). *Intimate Violence*. Simon & Schuster.

45. Katz, J. (1990). *Seductions of Crime: Moral and Sensual Attractions in Doing Evil*. Basic Books, ainsi que Baumeister, R. F. (2001). *Op. cit.*, p. 111.

46. Milgram, S. (1963). Behavioral study of obedience. *The Journal of Abnormal and Social Psychology*, *67*(4), 371.

47. «Le Jeu de la mort», diffusé sur France 2, le 17 mars 2010.

48. Zimbardo, P. (2007). *The Lucifer Effect: Understanding How Good People Turn Evil*. Random House.

49. Nous avons même envisagé la possibilité de répéter l'expérience de la prison de Stanford avec uniquement des pratiquants bouddhistes de longue date, et considéré plusieurs variantes : soit tous les gardiens, soit tous les prisonniers pourraient être des méditants bouddhistes, soit encore les deux. On pourrait aussi envisager une population mixte d'étudiants et de méditants. Mais, selon Phil, il serait presque impossible aujourd'hui d'obtenir la permission des comités d'éthique qui passent en revue les propositions de recherches, en raison des effets potentiellement perturbants pour les volontaires.

50. Zimbardo, P. (2007). *Op. cit.*

51. Cité par Pinker, S. (2011). *Op. cit.*, p. 509.

52. Voir Tableau de la revue *New Scientist*, http://www.newscientist.com/embedded/20worst, fondé sur White, M. (2012). *The Great Big Book of Horrible Things: The Definitive Chronicle of History's 100 Worst Atrocities*. W.W. Norton & Co., ainsi que McEvedy, C., Jones, R., & others. (1978). *Atlas of World Population History*. Penguin Books Ltd., pour les chiffres concernant la population mondiale à divers moments de l'histoire.

53. Pinker, S. (2011). *Op. cit.*, p. 196.

54. Fanon, F. (2002). *Les Damnés de la terre*. La Découverte.

55. Baumeister, R. F. (2001). *Evil: Inside Human Cruelty and Violence*. Barnes & Noble, p. 120.

56. Maalouf, A. (1999). *Les Croisades vues par les Arabes* (1re édition). J'ai lu.

57. Rummel, R. J. (1994). *Death by Government*. Transaction Publishers.

58. Freud S. (1915) Considérations actuelles sur la guerre et sur la mort. Trad., in *Essais de psychanalyse*, Petite Bibliothèque Payot, 1963, p. 262.

59. Freud, S. (2002). *Œuvres complètes*. Vol. XVIII, 1926-1930, *Le Malaise dans la culture*, PUF, p. 308.

60. De plus, comme l'explique Jacques Van Rillaer, ancien psychanalyste qui a exploré cette question en détails dans son ouvrage, *Les Illusions de la psychanalyse*, les psychologues récusent aujourd'hui le principe selon lequel les êtres vivants tentent fonda-

mentalement de rechercher un état totalement dépourvu de tension et de réduire toute tension nouvelle qui survient en eux. Au contraire, un animal ou un homme placé dans un lieu confortable, mais parfaitement isolé de toute stimulation propre à engendrer des tensions, ressent vite cette situation comme très désagréable. Van Rillaer, J. (1995). *Les Illusions de la psychanalyse. Op. cit.*, p. 289, et note 94.

61. *Ibid.*, p. 296.

62. Lorenz K. (1969). *L'Agression, une histoire naturelle du mal.* Flammarion, p. 5.

63. *Ibid.*, p. 265.

64. *Ibid.*, p. 232-233.

65. *Ibid.*, p. 48.

66. Waal, F. B. M. de (1997). *Le Bon Singe : Les bases naturelles de la morale.* Bayard, p. 205-208.

67. Eibl-Eibesfeldt I. (1972). *Contre l'agression.* Stock.

68. *Ibid.*, p. 91.

69. Kohn, A. (1992). *The Brighter Side of Human Nature. Op. cit.*, p. 51.

70. Davidson, R. J., Putnam, K. M., & Larson, C. L. (2000). Dysfunction in the neural circuitry of emotion regulation–a possible prelude to violence. *Science, 289*(5479), 591–594; Friedman, H. S. (1992). *Hostility, Coping, & Health* vol. XVI. Washington, DC, US: American Psychological Association.

71. Williams, R. B., Barefoot, J. C., & Shekelle, R. B. (1985). The health consequences of hostility. In Chesney, M. A., & Rosenman, R. H. (1985). *Anger and Hostility in Cardiovascular and Behavioral Disorders.* Hemisphere Publishing Corporation.

72. Douglas, J. E. (1995). Mindhunter: inside the FBI's elite serial crime unit. New York: Scribner. Cité par Baumeister, R. F. (2001). *Op. cit.*, p. 273.

73. Prunier, G. (1998). *Rwanda : le génocide.* Dagorno.

74. Adams, D. B. (2006). Brain mechanisms of aggressive behavior: an updated review. *Neuroscience & Biobehavioral Reviews, 30*(3), 304–318. Cité par Pinker, S. (2011). *Op. cit.*, p. 495-496.

75. Panksepp, J. (2004). *Affective Neuroscience: The Foundations of Human and Animal Emotions*, vol. 4. Oxford University Press, États-Unis.

76. Davidson, R. J., Putnam, K. M., & Larson, C. L. (2000). Dysfunction in the neural circuitry of emotion regulation–a possible prelude to violence. *Science, 289*(5479), 591–594.

77. Conclusion d'un rapport conjoint de six des principales associations médicales américaines, American Academy of Pediatrics, Policy statement. Média violence, in *Pediatrics*, vol. 124, p. 1495-1503, 2009.

78. En contraste avec les milliers d'études qui montrent que les images et jeux vidéo augmentent les comportements violents, pas une seule étude n'a identifié d'effet de défoulement qui réduirait ces comportements (effet cathartique). Pour des articles de synthèse sur l'impact de la violence dans les médias, voir Christensen P. N. & Wood W. (2007). Effects of media violence on viewers' aggression in unconstrained social interaction, in Preiss, R. W., Gayle, B. M., Burrell, N., Allen, M., & Bryant, J. (2007). *Mass Media Effects Research: Advances through Meta-Analysis.* Lawrence Erlbaum, p. 145-168. Cité par Lecomte, J. (2012). *La Bonté humaine. Op. cit.*, p. 316.

79. Desmurget, M. (2012). La télévision creuset de la violence, *Cerveau et Psycho, 8*, novembre-janvier 2012. Desmurget, M. (2012). *TV Lobotomie : La vérité scientifique sur les effets de la télévision.* Max Milo Éditions.

80. Gerbner, G., Gross, L., Morgan, M., & Signorielli, N. (1986). Living with

television: The dynamics of the cultivation process. *Perspectives on media effects*, 17–40. Gerbner, G., Gross, L., Morgan, M., Signorielli, N., & Shanahan, J. (2002). Growing up with television: Cultivation processes. *Media effects: Advances in theory and research*, *2*, 43–67.

81. Cité dans Kohn, A. (1992). *Op. cit.*, p. 37.

82. Mares, M. L., & Woodard, E. (2005). Positive effects of television on children's social interactions: A meta-analysis. *Media Psychology*, *7*(3), 301–322.

83. Christakis, D. A., & Zimmerman, F. J. (2007). Violent television viewing during preschool is associated with antisocial behavior during school age. *Pediatrics*, *120*(5), 993–999.

84. Desmurget, M. (2012). La télévision creuset de la violence, *Cerveau et Psycho*, *8*, novembre-janvier 2012. Ces effets sont indépendants du tempérament habituel, plus ou moins agressif, de la personne.

85. Sestir, M. A., & Bartholow, B. D. (2010). Violent and nonviolent video games produce opposing effects on aggressive and prosocial outcomes. *Journal of Experimental Social Psychology*, *46*(6), 934–942; Bartholow, B. D., Bushman, B. J., & Sestir, M. A. (2006). Chronic violent video game exposure and desensitization to violence: Behavioral and event-related brain potential data. *Journal of Experimental Social Psychology*, *42*(4), 532–539; Engelhardt, C. R., Bartholow, B. D., Kerr, G. T., & Bushman, B. J. (2011). This is your brain on violent video games: Neural desensitization to violence predicts increased aggression following violent video game exposure. *Journal of Experimental Social Psychology*, *47*(5), 1033–1036. Toutefois, pour ce qui est des auteurs d'actes de violence graves, de meurtres notamment, l'influence des médias les affecte surtout lorsqu'ils sont déjà prédisposés à la violence. Comparés au reste de la population, les personnes agressives vont en effet voir plus de films violents et l'influence qu'exercent ces films sur leur tendance à se mettre en colère et à commettre des actes de violence est plus forte que chez les autres personnes. Voir Bushman, B. J. (1995). Moderating role of trait aggressiveness in the effects of violent media on aggression. *Journal of Personality and Social Psychology*, *69*(5), 950.

86. Desmurget, M. (2012), L'empreinte de la violence, *Cerveau et Psycho*, *8*, novembre-janvier 2012.

87. Diener, E., & DeFour, D. (1978). Does television violence enhance program popularity? *Journal of Personality and Social Psychology*, *36*(3), 333. Cité par Lecomte, J. (2012). *Op. cit.*, p. 314.

88. Lenhart, A., Kahne, J., Middaugh, E., Macgill, A. R., Evans, C., & Vitak, J. (2008). Teens, Video Games, and Civics: Teens. *Pew Internet & American Life Project*, 76; Escobar-Chaves, S. L., & Anderson, C. A. (2008). Media and risky behaviors. *The Future of Children*, *18*(1), 147–180.

89. Anderson, C. A., Shibuya, A., Ihori, N., Swing, E. L., Bushman, B. J., Sakamoto, A., ... Saleem, M. (2010). Violent video game effects on aggression, empathy, and prosocial behavior in eastern and western countries: a meta-analytic review. *Psychological Bulletin*, *136*(2), 151.

90. Gentile, D. A., Lynch, P. J., Linder, J. R., & Walsh, D. A. (2004). The effects of violent video game habits on adolescent hostility, aggressive behaviors, and school performance. *Journal of Adolescence*, *27*(1), 5–22.

91. Irwin, A. R., & Gross, A. M. (1995). Cognitive tempo, violent video games, and aggressive behavior in young boys. *Journal of Family Violence*, 10(3), 337–350.

92. Anderson, C. A., Sakamoto, A., Gentile, D. A., Ihori, N., Shibuya, A., Yukawa, S.,

... Kobayashi, K. (2008). Longitudinal effects of violent video games on aggression in Japan and the United States. *Pediatrics, 122*(5),1067–1072.

93. Glaubke, C. R., Miller, P., Parker, M. A., & Espejo, E. (2001). *Fair Play? Violence, Gender and Race in Video Games*. Children NOW.

94. Barlett, C. P., Harris, R. J., & Bruey, C. (2008). The effect of the amount of blood in a violent video game on aggression, hostility, and arousal. *Journal of Experimental Social Psychology, 44*(3), 539–546.

95. Bègue, L. (2012). Jeux video, l'école de la violence, *Cerveau et Psycho, 8*, novembre-janvier 2012.

96. Konijn, E. A., Nije Bijvank, M., & Bushman, B. J. (2007) I wish I were a warrior: the role of wishful identification in the effects of violent video games on aggression in adolescent boys. *Developmental Psychology, 43*(4), 1038.

97. Kutner, L., & Olson, C. (2008). *Grand Theft Childhood: The Surprising Truth About Violent Video Games and What Parents Can Do*. Simon & Schuster.

98. Grossman, D. (2009). *On Killing: The Psychological Cost of Learning to Kill in War and Society* (édition révisée.). Back Bay Books, p. 306, 329.

99. *Ibid.*, p. 325.

100. Bègue, L. (2012), Devient-on tueur grâce aux jeux video? *Cerveau et Psycho, 8*, novembre-janvier 2012, 10–11

101. Anderson, C. A., Gentile, D. A., & Buckley, K. E. (2007). *Violent Video Game Effects on Children and Adolescents: Theory, Research, and Public Policy: Theory, Research, and Public Policy*. Oxford University Press, États-Unis.

102. Green, C. S., & Bavelier, D. (2003). Action video game modifies visual selective attention. *Nature, 423*(6939), 534–537.

103. Bavelier, D., & Davidson, R. J. (2013). Brain training: Games to do you good. *Nature, 494*(7438), 425–426.

104. Les jeux prosociaux incluent *Chibi Robo* dans lequel le joueur contrôle un robot qui aide tout le monde à la maison et ailleurs. Plus le joueur aide, plus il gagne des points, ainsi que dans *Super Mario Sunshine*, les joueurs aident à nettoyer une île polluée. Le but des équipes de chercheurs qui développent maintenant de nouveaux jeux prosociaux est qu'ils soient vraiment attirants et maintiennent l'intérêt du joueur.

105. Saleem, M., Anderson, C. A., & Gentile, D. A. (2012). Effects of prosocial, neutral, and violent video games on college students' affect. *Aggressive Behavior, 38*(4), 263–271; Greitemeyer, T., Osswald, S., & Brauer, M. (2010). Playing prosocial video games increases empathy and decreases schadenfreude. *Emotion, 10*(6), 796–802.

106. Nathan DeWall, C., & Bushman, B. J. (2009). Hot under the collar in a lukewarm environment: Words associated with hot temperature increase aggressive thoughts and hostile perceptions. *Journal of Experimental Social Psychology, 45*(4), 1045–1047; Wilkowski, B. M., Meier, B. P., Robinson, M. D., Carter, M. S., & Feltman, R. (2009). "Hot-headed" is more than an expression: The embodied representation of anger in terms of heat. *Emotion, 9*(4), 464.

107. Bingenheimer, J. B., Brennan, R. T., & Earls, F. J. (2005). Firearm violence exposure and serious violent behavior. *Science, 308*(5726), 1323–1326.

108. Les violences contre les femmes font l'objet de deux rapports d'Amnesty International rendus publics le 6 mars 2001 à Paris et aux États-Unis. Le rapport en anglais est intitulé *Broken Bodies, Shattered Minds. Torture and Ill-treatment of Women*. («Corps brisés, volontés détruites. Torture et maltraitance des femmes»).

109. BBC world service, 5 novembre 2012. http://www.bbc.co.uk/news/world-asia-20202686.

110. Pour un rapport exhaustif sur le harcèlement et ses causes, voir Di Martino, V., Hoel, H., & Cooper, C. L. (2003). *Prévention du harcèlement et de la violence sur le lieu de travail.* Office des publications officielles des communautés européennes. Les victimes de harcèlement réunissent en général quelques caractéristiques telles que la timidité, une faible estime de soi, un sentiment de faible autoefficacité («Je ne vais pas m'en sortir»), de l'instabilité émotionnelle ou encore un caractère lymphatique, marqué par de la passivité. Enfin, le harcèlement est facilité par certaines caractéristiques dites situationnelles de la victime, telles qu'une vulnérabilité liée à une situation économique précaire, à des difficultés socio-familiales, à un niveau de formation soit supérieur, soit inférieur à celui des autres membres du groupe. De telles caractéristiques sont connues pour favoriser des phénomènes de bouc émissaire au sein des groupes.

111. Keinan, G. (1987). Decision making under stress: Scanning of alternatives under controllable and uncontrollable threats. *Journal of Personality and Social Psychology, 52*(3), 639.

112. Zillmann, D. "Mental control of angry aggression", in D. Wegner et P. Pennebaker (1993). *Handbook of Mental Control*, Englewood Cliffs, Pentrice Hall.

113. Hokanson, J. E., & Edelman, R. (1966). Effects of three social responses on vascular processes. *Journal of Personality and Social Psychology, 3*(4), 442.

114. Alain (1985). *Propos sur le bonheur.* Gallimard, Folio.

115. Baumeister, R. F. (2001). *Op. cit.*, p. 313.

116. *Ibid.*, p. 304-342.

117. King, M. L., & Jackson, J. (2000). *Why We Can't Wait.* Signet Classics.

29. La répugnance naturelle à tuer

1. Marshall, S. (1947/2000). *Men Against Fire: The Problem of Battle Command.* Norman. Univ. of Oklahoma Press.

2. Voir notamment les études de Picq, C. A. du. (1978). *Études sur le combat.* Ivrea, sur les guerres anciennes; Griffith, P. (1989). *Battle Tactics of the Civil War.* Yale University Press, sur les guerres napoléoniennes et la guerre de sécession américaine; et Holmes, R. (1985). *Acts of War: The Behavior o fMen in Battle.* The Free Press, sur le comportement des soldats argentins durant la guerre des Falklands. Cités par Grossman, D. (2009). *On Killing: The Psychological Cost of Learning to Kill in War and Society.* Back Bay Books.

3. McIntyre, B. F. (1862/1963). *Federals on the Frontier: The Diary of Benjamin F. McIntyre.* Nannie M. Tilley, University of Texas Press. Cité par Grossman, D. (2009). *Op. cit.*, p. 11.

4. Cité par Grossman, D. (2009). *Op. cit.*, p. 27.

5. *Ibid.*, p. 28.

6. Keegan, J. (1976). Cité par Grossman, D. (2009). *Op. cit.*, p. 122.

7. Giraudoux, J. (2009), *La Guerre de Troie n'aura pas lieu,* acte I, scène 3.

8. Gray, J. G. (1998). *The Warriors: Reflections on Men in Battle.* Bison Books. Cité dans Grossman, D. (2009). *Op. cit.*, p. 39.

9. Grossman, D. (2009). *Op. cit.*, p. 160.

10. Stouffer, S. A., Suchman, E. A., Devinney, L. C., Star, S. A., & Williams Jr, R. M. (1949). *The American Soldier: Adjustment During Army Life.* Princeton University Press.

11. Grossman, D. (2009). *Op. cit.*, p. 212.

12. Strozzi-Heckler, R. (2007). *In Search of the Warrior Spirit.* Blue Snake Books.
13. Hatzfeld, J. (2005). *Une saison de machettes.* Seuil.
14. Abé, N. (14 décembre 2012), Dreams in Infrared: The Woes of an American Drone Operator. *Spiegel Online International.* Version française, *Courrier international,* 3 janvier 2012.
15. Marsh, P., & Campbell, A. (1982). *Aggression and Violence.* Blackwell Publishers.
16. Gabriel, R. A. (1988). *No more heroes: Madness and Psychiatry in War.* Hill and Wang.
17. Dyer, G. (2006). *War: The Lethal Custom.* Basic Books. Cité par Grossman, D. (2009). *Op. cit.*, p. 180.
18. Swank, R. L., & Marchand, W. E. (1946). Combat neuroses: Development of combat exhaustion. *Archives of Neurology & Psychiatry*, *55*(3), 236.
19. Cité dans Grossman, D. (2009). *Op. cit.*, p. 237-238.
20. Dyer, G. (2006). *Op. cit.,* citant un sergent des US marines américains, vétéran de la guerre du Vietnam. In Grossman, D. (2009). *Op. cit.*, p. 253.
21. *Ibid.* Cité par Grossman, D. (2009). *Op. cit.*, p. 19.
22. Grossman, D. (2009). *Op. cit.*, p. 267.
23. Giedd, J. N., Blumenthal, J., Jeffries, N. O., Castellanos, F. X., Liu, H., Zijdenbos, A., ... Rapoport, J. L. (1999). Brain development during childhood and adolescence: a longitudinal MRI study. *Nature Neuroscience*, *2*(10), 861–863.
24. Manchester, W. (1981). *Goodbye, Darkness: A Memoir of the Pacific War.* Michael Joseph. Cité par Grossman, D. (2009). *Op. cit.*, p. 116.
25. Williams, T. (2012) Suicides Outpacing War Deaths for Troops. *New York Times*, 8 juin 2012.
26. Snow, B. R., Stellman, J. M., Stellman, S. D., Sommer, J. F., & others. (1988). Post-traumatic stress disorder among American Legionnaires in relation to combat experience in Vietnam: Associated and contributing factors1. *Environmental Research*, *47*(2), 175–192.
27. Interview BBC World Service. 2003.
28. Paroles prononcées par le XIVe Dalaï-lama à l'occasion de la 25e édition des rencontres de l'Institut Mind and Life, 21 janvier 2003. Inde du Sud.
29. Swofford, A. (2004). *Jarhead: A Soldier's Story of Modern War.* Scribner.
30. Grossman, D. (2009). *Op. cit.*
31. Sur la «juste» guerre, voir : Bible, *Samuel*, XXIII, 8, *Exode*, XX, 13 ; XXXIV, 10-14, *Deuteronome*, VII, 7-26.
32. Torah, *Livre des nombres*, XXXV, 16-23 ; *Lévithique*, XX, 10, *Exode*, XXII, 20 et 32.
33. Coran, XVII, 33 et 186.
34. Boismorant, P. (2007). *Magda et André Trocmé, Figures de résistance.* Textes choisis. Éditions du Cerf, extraits des *Souvenirs*, p. 119.
35. Paul, saint, *Épître aux Romains*, XIII, 8-10.
36. Ces paroles furent prononcées par Desmond Tutu lors d'une rencontre avec un groupe de penseurs et de représentants de diverses religions au Forum économique mondial de Davos, le 26 janvier 2012.

30. La déshumanisation de l'autre : massacres et génocides

1. Beck, A. (2004). *Op. cit.*, p. 25.
2. Cité par Waal, F. D. (2013). *The Bonobo and the Atheist: In Search of Humanism Among the Primates.* WW Norton & Co, p. 212.

3. Miller, S. C. (1982). *Benevolent Assimilation: American Conquest of the Philippines, 1899-1903.* Yale University Press, p. 188-189, cité par Patterson, C. (2008). *Un éternel Treblinka.* Calmann-Lévy, p. 69-70.

4. Hatzfeld, J. (2005). *Une saison de machettes.* Seuil, p. 54.

5. Suarez-Orozco, M., & Nordstrom, C. (1992). A Grammar of terror: Psychocultural responses to state terrorism in dirty war and post-dirty war Argentina. *The Paths to Domination, Resistance, and Terror,* 219–259. Cité par Baumeister, R. F. (2001). *Op. cit.*, p. 226.

6. Binding, K., & Hoche, A. (2006). *Die Freigabe der Vernichtung lebensunwerten Lebens.* Bwv Berliner-Wissenschaft (édition originale, 1920); Schank, K., & Schooyans, M. (2002). *Euthanasie, le dossier Binding & Hoche.* Le Sarment.

7. Cité par Staub, E. (1992). *The Roots of Evil: The Origins of Genocide and Other Group Violence* (réimpression). Cambridge University Press, note 21.

8. Hatzfeld, J. (2005). *Op. cit.*, p. 53.

9. Pinker, S. (2011). *Op. cit.*, p. 326.

10. Chang, I. (1997). *The Rape of Nanking: The Forgotten Holocaust of World War II* (1re édition). Basic Books, p. 56. Cité par Patterson, C. (2008). *Op. cit.*, p. 75.

11. Menninger, K. A. (1951). Totemic aspects of contemporary attitudes toward animals. *Psychoanalysis and Culture: Essays in Honor of Géza Róheim,* 42–74. New York, International Universities Press, p. 50. Cité par Patterson, C. (2008). *Op. cit.*, p. 70.

12. Sémelin, J. (2005). *Purifier et détruire : Usages politiques des massacres et génocides.* Seuil, collection *La Couleur des idées*, p. 290.

13. Cité dans Hodgen, M. (2011). *Early Anthropology in the Sixteenth and Seventeenth Centuries* (vol. 1014). University of Pennsylvania Press, p. 22.

14. Stannard, D. E. (1992). *American Holocaust: The Conquest of the New World.* Oxford University Press, p. 243. Cité par Patterson, C. (2008). *Op. cit.*, p. 64.

15. Prononcé dans un discours en janvier 1886 dans le Dakota du Sud. Hagedorn, H. (1921). *Roosevelt in the Bad Lands.* Houghton Mifflin Company, p. 354-356, édition 2010, Bilbio Bazar).

16. Patterson, C. (2008). *Op. cit.*, p. 54.

17. Gould, S. J. (1996). *La Mal-mesure de l'homme.* Odile Jacob, p. 135. Cité dans Patterson, C. (2008). *Op. cit.*, p. 58.

18. Patterson, C. (2008). *Op. cit.*, p. 54.

19. Levi, P. (1988). *Si c'est un homme.* Pocket, «Appendice», p. 210.

20. Staub, E. (1992). *Op. cit.*, p. 101.

21. Shirer, W. L. (William L. (1990). *Le IIIe Reich.* Stock, William Shirer note, p. 236 : «Le grand fondateur du protestantisme était à la fois un antisémite ardent et un partisan absolu de l'autorité politique. Il voulait une Allemagne débarrassée des Juifs. Le conseil de Luther a été littéralement suivi quatre siècles plus tard par Hitler, Goering et Himmler.» Les nazis célébraient leur *Luthertag* (jour de Luther) et *Fahrenhorst, membre du* Comité d'organisation du Luthertag, faisait de Luther «le premier Führer spirituel allemand».

22. Sémelin, J. (2005). *Purifier et détruire. Op. cit.*

23. Staub, E. (1992). *Op. cit.*, note 2.

24. Convention sur la prévention et la répression du crime de génocide. Résolution 230 de l'ONU le 9 décembre 1948, article 2.

25. Sémelin, J. (2005). *Op. cit.*, p. 391 et 384-385.

26. Staub, E. (1992). *Op. cit.*

27. Glass, J. M. (1997). Against the indifference hypothesis: the Holocaust and the enthusiasts for murder. *Political Psychology*, *18*(1), 129–145.

28. Sémelin, J. (2005). *Op. cit.*, p. 64.

29. *Ibid.*, p. 64 et Nahoum-Grappe, V. (2003). *Du rêve de vengeance à la haine politique.* Buchet-Chastel, p. 106.

30. Drinnon, R. (1997). *Facing West. The Metaphysics of Indian-Hating and Empire-Building* (réimpression). University of Oklahoma Press, p. 449. Cité par Patterson, C. (2008). *Op. cit.*, p. 76.

31. Sémelin, J. (2005). *Op. cit.*, p. 320.

32. *Ibid.*, p. 41.

33. Hatzfeld, J. (2005). *Op. cit.*, p. 58.

34. Lettre de Walter Mattner du 5 octobre 1941, dans Ingrao, C. (2002). Violence de guerre, violence de génocide. Les pratiques d'agression des *Einsatzgruppen*, p. 219-241. Dans Audoin-Rouzeau, S., & Asséo, H. (2002). *La Violence de guerre, 1914-1945 : Approches comparées des deux conflits mondiaux.* Complexe. Cité par Sémelin, J. (2005). *Op. cit.*, p. 299.

35. Hoess, R. (1959). *Commandant at Auschwitz: Autobiography.* Weidenfeld & Nicholson.

36. Bandura, A., Barbaranelli, C., Caprara, G. V., & Pastorelli, C. (1996). Mechanisms of moral disengagement in the exercise of moral agency. *Journal of Personality and Social Psychology*, *71*(2), 364.

37. Todorov, T. (1991). *Face à l'extrême.* Seuil.

38. Tillon, G. (1997). *Ravensbrück.* Seuil, 2e édition, p. 109.

39. Langbein, H. (2011). *Hommes et femmes à Auschwitz.* Tallandier, p. 307. Cité par Todorov, T. (1991). *Op. cit.*, p. 157.

40. Lifton, R. J. (1988). *The Nazi Doctors: Medical Killing and the Psychology of Genocide* (nouvelle édition). Basic Books, p. 418-422.

41. Arendt, H. (1966). *Eichmann à Jérusalem : Rapport sur la banalité du mal* (édition revue et augmentée). Gallimard, p. 143-144. Citée par Todorov, T. (1991). *Op. cit.*, p. 163.

42. Expression proposée par le psychologue américain Léon Festinger, Festinger, L. (1957). *A Theory of Cognitive Dissonance.* Stanford University Press. Voir également Gustave-Nico, F. (1997). *La Psychologie sociale.* Seuil, p. 160. Cité par Sémelin, J. (2005). *Op. cit.*, p. 301.

43. D'après Sémelin, J. (2005). *Op. cit.*, p. 304.

44. Sereny, G. (1975). *Au fond des ténèbres* (édition originale). Denoël, p. 145. Cité par Todorov, T. (1991). *Op. cit.*

45. *Ibid.*, p. 214.

46. Sereny, G. (1995). *Op. cit.*, p. 412.

47. Mark F. No hard feelings. Villagers Defend Motives for Massacres, *Associated Press*, 13 mai, 1994.

48. Grmek, M. D., Mirko D., Gjidara, M., & Simac, N. (1993). *Le Nettoyage ethnique.* Fayard, p. 320. Cité par Sémelin, J. (2005). *Op. cit.*, p. 302.

49. Conversation téléphonique interceptée, entre le colonel Ljubisa Beara (ancien chef de la sécurité militaire de la *Republika Srpska* de 1992 à 1996) et le général Krstic. Voir Srebrenica : quand les bourreaux parlent, *Le Nouvel Observateur*, 18-24 mars 2004. Cité par Sémelin, J. (2005). *Op. cit.*, p. 304.

50. Sémelin, J. (2005). *Op. cit.*, p. 299.

51. D'après Sémelin, J. (2005). *Op. cit.*, p. 312.
52. *Ibid.*, p. 313.
53. Collectif. (1999). *Aucun témoin ne doit survivre : Le génocide au Rwanda.* Alison Des Forges (éd.), Karthala, p. 376. Cité par Sémelin, J. (2005). *Op. cit.*, p. 313.
54. Tillion, G. (1973). *Ravensbruck.* Seuil, p. 214. Citée par Todorov, T. (1991). *Op. cit.*, p. 140.
55. Zimbardo, P. (2011). *The Lucifer Effect.* Ebury Digital, p. 5001-5002.
56. *Ibid.*, p. 5013-5015.
57. Browning, C. (2007). *Op. cit.*, p. 223.
58. Staub, E. (1992). *Op. cit.*
59. Miller, A. G. (2005). *The Social Psychology of Good and Evil.* The Guilford Press.
60. D'après le journaliste Ron Rosenbaum l'expression «solution finale de la question juive» a été utilisée dès 1931 dans des documents du parti nazi. Elle apparaît dans une lettre adressée par Goering à Reinhard Heydrich, le principal adjoint d'Heinrich Himmler, en juillet 1941, et est officiellement reprise lors de la conférence de Wannsee (20 janvier 1942), convoquée par Heydrich où furent réunis les secrétaires d'État des principaux ministères. Selon le procès-verbal de la conférence, rédigé par Eichmann, les 11 millions de Juifs de l'Europe entière doivent être arrêtés et évacués vers l'est où ils trouveront la mort. Le terme fut également utilisé par Hitler lui-même. Rosenbaum, R., & Bonnet, P. (1998). *Pourquoi Hitler?* Le Grand Livre du mois. Browning, C. R. (2004). *The Origins of the Final Solution: The Evolution of Nazi Jewish Policy September 1939-March 1942.* William Heinemann Ltd.; Furet, F. (1992). *Unanswered Questions: Nazi Germany and the Genocide of the Jews.* Schocken Books.
61. Browning, C. (2007). *Op. cit.*
62. *Ibid.*, p. 106.
63. Sémelin, J. (2005). *Op. cit.*, p. 294.
64. Malkki, L. H. (1995). *Purity and exile: Violence, Memory, and National Cosmology among Hutu Refugees in Tanzania.* University of Chicago Press.
65. Straus, S. (2004). How many perpetrators were there in the Rwandan genocide? An estimate. *Journal of Genocide Research, 6*(1), 85–98. Cité par Sémelin, J. (2005). *Op. cit.*, p. 254.
66. Mueller, J. (2000). The banality of «ethnic war». *International Security, 25*(1), 42–70.
67. Langbein, H. (2011). *Op. cit.*, p. 274.
68. Hatzfeld, J. (2005). *Op. cit.*, p. 13.
69. Borowski, T. (1976). *This Way for the Gas, Ladies and Gentlemen.* Penguin Books Ltd., p. 168. Cité par Todorov, T. (1991). *Op. cit.*, p. 38.
70. Levi, P. (1988). *Op. cit.*, p. 115-20.
71. Chalamov, V. (1980). *Kolyma.* François Maspero, p. 11, 31. In Todorov, T. (1991). *Op. cit.*, p. 38.
72. Guinzbourg, E. S. (1980). *Le Ciel de la Kolyma.* Seuil, p. 21, 179. In Todorov, T. (1991). *Op. cit.*, p. 38-39.
73. Martchenko, A. (1970). *Mon témoignage. Les camps en URSS après Staline.* Seuil, p. 108-109. In Todorov, T. (1991). *Op. cit.*, p. 45.
74. *Ibid.*, p. 45-66, 164.
75. Levi, P. (1988). *Op. cit.*, p. 143.
76. Laks, S., et Coudy, R. (1948). *Musiques d'un autre monde,* Mercure de France. Réé-

dité sous le nom : *Mélodies d'Auschwitz* (2004), Cerf. Cité par Todorov, T. (1991). *Op. cit.*, p. 41.

77. Todorov, T. (1991). *Op. cit.*, p. 41.

78. Frankl, V. E. (1967). *Viktor Frankl. Un psychiatre déporté témoigne.* Éditions du Chalet, p. 114. Cité par Todorov, T. (1991). *Op. cit.*, p. 69.

79. Borowski, T. (1964). *Op. cit.*, p. 135. Cité par Todorov, T. (1991), *Op. cit.*, p. 40.

80. Baumeister, R. F. (2001). *Evil: Inside Human Cruelty and Violence.* Barnes & Noble, p. 304.

81. Terestchenko, M. (2007). *Un si fragile vernis d'humanité : Banalité du mal, banalité du bien.* La Découverte.

82. Sereny, G. (2013). *Au fond des ténèbres.* Tallandier.

83. Sereny, G. (1995). *Into That Darkness.* Pimlico (édition originale, 1974), p. 39. Ces extraits et les suivants ont été traduits de l'anglais par Terestchenko, M. (2007). *Op. cit.*

84. Sereny, G. (1995). *Op. cit.*, p. 37.

85. *Ibid.*, p. 51.

86. *Ibid.*, p. 111.

87. *Ibid.*, p. 136.

88. *Ibid.*, p. 157.

89. *Ibid.*, p. 160.

90. Terestchenko, M. (2007). *Op. cit.*, p. 94.

91. *Ibid.*, p. 96.

92. Chalamov, V., & Mandelstam, N. (1998). *Correspondance avec Alexandre Soljenitsyne et Nadejda Mandelstam.* Verdier.

93. Voir chapitre 11, «L'altruisme inconditionnel».

94. Intervention de Xavier Bougarel au groupe de recherche du CERI : «Faire la paix. Du crime de masse au *peacebuilding*», 20 juin 2001.

95. S'étant livré volontairement au Tribunal pénal international de La Haye, son affaire a été la première à être jugée par celui-ci. Voir le compte-rendu de son jugement sur Internet : http://w ww.un.org/icty.

96. L'ONG African Rights a publié en 2002 une brochure présentant ainsi le portrait de dix-neuf «Justes» rwandais ayant sauvé des Tutsis de manière désintéressée durant le génocide : *Tribute to Courage*, Londres, African Rights, août 2002. Cité par Sémelin, J. (2005). *Op. cit.*, p. 266.

97. Sémelin, J. (2005). *Op. cit.*, p. 286.

98. Alexander, E. (1991). *A Crime of Vengeance: An Armenian Struggle for Justice.* Free Press.

99. Baumeister, R. F. (2001). *Op. cit.*, p. 292.

100. Sémelin, J. (2005). *Op. cit.*, p. 110. Après la Nuit de cristal «aucune voix officielle de la hiérarchie religieuse ne s'élève pour protester contre ce qui vient de se passer, pas plus du côté protestant que du côté catholique». Ce silence en 1938 «atteste un effondrement du religieux qui ne sait plus rappeler à tous l'interdit du meurtre». Il en ira de même avec l'Église orthodoxe en Serbie et avec l'Église catholique rwandaise.

101. Sémelin, J. (2005). *Op. cit.*, p. 243.

102. *Ibid.*, p. 180 et 184.

103. Harff, B., Marshall, M. G., & Gurr, T. R. (2005). Assessing Risks of Genocide and Politicide. *Peace and Conflict*, 57–61.

104. Harff, B. (2003). No lessons learned from the Holocaust? Assessing risks of

genocide and political mass murder since 1955. *American Political Science Review*, *97*(1), 57–73.

105. Levi, P. (1989). *Les Naufragés et les Rescapés : Quarante ans après Auschwitz*. Gallimard, p. 43.

106. Li, Zhuisi, & Thurston, A. F. (1994). *La Vie privée du président Mao*. Omnibus.

107. Chang, J., & Halliday, J. (2007). *Mao: The Unknown Story* (nouvelle édition). Vintage, p. 457.

108. Todorov, T. (1991). *Op. cit.*, p. 138.

109. Un concept initialement proposé par Jean-François Revel.

31. La guerre a-t-elle toujours existé ?

1. Hobbes, T. (2002). *Leviathan*. Public Domain Books. Traduction française originale de Philippe Folliot.

2. Buss, D. (1999). *Evolutionary Psychology: The New Science of the Mind*. Allyn & Bacon.

3. Wilson, E. O. (2001). On human nature. In D. Barash (ed.). *Understanding Violence*. Allyn and Bacon, p. 13-20.

4. Fry, D. P. (2007). *Beyond War: The Human Potential for Peace*. Oxford University Press, États-Unis.

5. Wrangham, R., & Peterson, D. (1996). *Demonic Males: Apes and the Origins of Human Violence, 1996*. New York : Houghton Mifflin.

6. Ardrey, R. (1977). *Les Enfants de Caïn*. Stock, p. 299.

7. *Ibid.*, p. 299.

8. 0,009 à 0,016 événement par heure selon les études. Voir Goodall, J. (1986). *Chimpanzees of Gombe*. Harvard University Press. Dans le cas des gorilles, cette fréquence est de 0,20 événement conflictuel par heure. Voir Schaller, G. B. (1963). *The Mountain Gorilla*. University of Chicago Press.

9. Sussman, R. W. & Garber, P. A. (2005), *Cooperation and Competition in Primate Social Interactions*, p. 640.

10. *Ibid.*, p. 645.

11. Strum, S. C. (2001). *Almost Human: A Journey into the World of Baboons*. University of Chicago Press, p. 158.

12. Waal, F. B. M. de, & Lanting, F. (2006). *Bonobos : Le bonheur d'être singe*. Fayard.

13. Pour une recension détaillée, voir Fry, D. (2007). *Op. cit.*, p. 34-39.

14. Dart, R. A. (1953). The predatory transition from ape to man. *International Anthropological and Linguistic Review*, *1*(4), 201–218; Dart, R. A. (1949). The predatory implemental technique of Australopithecus. *American Journal of Physical Anthropology*, *7*(1), 1–38.

15. Travaux de Sherry Washburn et Carlton Coon, passés en revue dans Roper, M. K. (1969). A survey of the evidence for intrahuman killing in the Pleistocene. *Current Anthropology*, vol. 10, 4 : 427–459.

16. Brain, C. K. (1970). New Finds at the Swartkrans Australopithecine Site. *Nature*, *225*(5238), 1112–1119.

17. Fry, D. (2007). *Op. cit.*, p. 38.

18. Waal, F. B. M. de, & Lanting, F. (2006). *Bonobos : Le bonheur d'être singe*. *Op. cit.*

19. Berger, L. R., & Clarke, R. J. (1995). Eagle involvement in accumulation of the Taung child fauna. *Journal of Human Evolution*, *29*(3), 275–299; Berger, L. R., & McGraw, W. S. (2007). Further evidence for eagle predation of, and feeding damage on, the Taung child. *South African Journal of Science*, *103*(11-12), 496–498. Un scénario

similaire se produisit en 1939, après la découverte, dans une grotte au sud de Rome, à Monte Circeo, au milieu d'un cercle de pierres, du crâne d'un homme de Neandertal dont le côté droit était brisé et le trou occipital (le trou à la base du crâne à travers lequel la moelle épinière se connecte au cerveau) artificiellement agrandi. Le directeur des fouilles, Carlo Alberto Blanc, interpréta ces signes comme une preuve indéniable de sacrifice humain et de cannibalisme. Cette interprétation fut ensuite reprise dans de nombreux ouvrages sur la préhistoire. Là encore, des analyses récentes ont montré que la disposition circulaire des pierres pouvait fort bien s'expliquer par des glissements de terrain et que rien n'indiquait qu'il s'agissait là d'un arrangement humain. De plus, d'autres paléontologues notèrent la présence de centaines d'os, souvent rongés, ainsi que d'excréments fossilisés de hyènes. La chambre du meurtre rituel de l'homme de Neandertal s'est révélée être une tanière de hyènes tachetées. Les dommages infligés au crâne sont analogues à ceux causés par les mâchoires d'un carnivore et on n'observe aucune strie d'outil sur les bords du trou occipital élargi. Bref, on n'a pas identifié le moindre indice d'assassinat ou de cannibalisme. Stiner, M. C. (1991). The faunal remains from Grotta Guattari: a taphonomic perspective. *Current Anthropology*, *32*(2), 103–117 ; White, T. D., Toth, N., Chase, P. G., Clark, G. A., Conrad, N. J., Cook, J., ... Giacobini, G. (1991). The question of ritual cannibalism at Grotta guattari [commentaires et réponses]. *Current Anthropology*, *32*(2), 118–138.

20. Voir, par exemple, Prosterman, R. L. (1972). *Surviving to 3000: An Introduction to the Study of Lethal Conflict*. Duxbury Press Belmont, Californie, p. 140.

21. Sponsel, L. E. (1996). The natural history of peace: a positive view of human nature and its potential. *A Natural History of Peace*, 908–12.

22. Selon le United States Census Bureau, la population mondiale il y a dix mille ans comprenait entre 1 et 10 millions d'habitants. http://www.census.gov/population/international/data/worldpop/table_history.php.

23. Haas, J. (1996). War, in Levinson, D., & Ember, M. (1996). *Encyclopedia of Cultural Anthropology* (vol. 4). Henry Holt, p. 1360.

24. Waal, F. B. M. de (2009). *The Age of Empathy: Nature's Lessons for a Kinder Society* (1re édition). Potter Style, p. 22. Traduit de l'anglais (ce passage ne figure pas dans la traduction française publiée). D'ailleurs, la race humaine a bien failli ne pas survivre, puisqu'on sait, par l'étude de l'ADN mitochondrial, que notre espèce a été réduite à un moment de son existence à quelques 2000 individus, dont nous sommes *tous* les descendants à l'heure actuelle.

25. Voir notamment Flannery, K. V., & Marcus, J. (2012). *The Creation of Inequality: How Our Prehistoric Ancestors Set the Stage for Monarchy, Slavery, and Empire*. Harvard University Press ; Price, T. D., & Brown, J. A. (eds) (1985). *Prehistoric Hunter Gatherers: The Emergence of Cultural Complexity*. Academic Press ; Kelly, R. L. (1995). *The Foraging Spectrum: Diversity in Hunter-Gatherer Lifeways*. Smithsonian Institution Press Washington.

26. Knauft, B. M., Abler, T. S., Betzig, L., Boehm, C., Dentan, R. K., Kiefer, T. M., ... Rodseth, L. (1991). Violence and sociality in human evolution [commentaires et réponses]. *Current Anthropology*, *32*(4), 391–428. Cité par Fry, D. (2007). *Op. cit.*

27. Boehm, C., Barclay, H. B., Dentan, R. K., Dupre, M.-C., Hill, J. D., Kent, S., ... Rayner, S. (1993). Egalitarian behavior and reverse dominance hierarchy [commentaires et réponses]. *Current Anthropology*, *34*(3), 227–254. Cité par Sober, E., & Wilsonv, D. S. (1999). *Unto Others: The Evolution and Psychology of Unselfish Behavior*. Harvard University Press, p. 185.

28. Gardner, P. (1999). The Paliyan, in R. Lee and R. Daly (eds.). *The Cambridge Encyclopedia of Hunters and Gatherers,* 261-264.

29. Flannery, K. V., & Marcus, J. (2012). *The Creation of Inequality: How Our Prehistoric Ancestors Set the Stage for Monarchy, Slavery, and Empire.* Harvard University Press.

30. Boehm, C., *et. al.* (1993). *Op. cit.;* Boehm, C., Antweiler, C., Eibl-Eibesfeldt, I., Kent, S., Knauft, B. M., Mithen, S., ... Wilson, D. S. (1996). Emergency decisions, cultural-selection mechanics, and group selection [commentaires et réponses]. *Current Anthropology, 37*(5), 763–793. Cité par Sober, E., & Wilson, D. S. (1999). *Op. cit.*, p. 180.

31. Reyna, S. P., & Downs, R. E. (1994). *Studying War: Anthropological Perspectives* (vol. 2). Routledge ; Boehm, C., & Boehm, C. (2009). *Hierarchy in the forest: The Evolution of Egalitarian Behavior.* Harvard University Press.

32. Haas, J. (1999). *The Origins of War and Ethnic Violence. Ancient Warfare: Archaeological Perspectives.* Gloucestershire, Royaume-Uni : Sutton Publishing.

33. Roper., M. (1975). Evidence of warfare in the Near East from 10,000-4,300 B.C. In M. Nettleship (eds.), *War, Its Causes and Correlates.* Moutton, p. 299-344.

34. *Ibid.*

35. Bar-Yosef, O. (1986). The walls of Jericho: An alternative interpretation. *Current Anthropology, 27*(2), 157–162.

36. Maschner, H. D. (1997). *The Evolution of Northwest Coast Warfare* (vol. 3). In D. Martin & D. Frayer (eds.), *Troubles Times: Violence and Warfare in the Past.* Gordon and Breach, p. 267-302.

37. Wrangham, R., & Peterson, D. (1996). *Demonic Males: Apes and the Origins of Human Violence, 1996.* New York : Houghton Mifflin.

38. Fry, D. P., et Söderberg, P. (2013). Lethal Aggression in Mobile Forager Bands and Implications for the Origins of War. *Science*, 341(6143), 270-273.

39. Keeley, L. H. (1997). *War before Civilization.* Oxford University Press, États-Unis.

40. Fry, D. (2007). *Op. cit.*, p. 16.

41. Ghiglieri, M. P. (2000). *The Dark Side of Man: Tracing the Origins of Male Violence.* Da Capo Press, p. 246.

42. Chagnon, N. A. (1988). Life histories, blood revenge, and warfare in a tribal population. *Science, 239*(4843), 985–992.

43. Chagnon, N. A. (1968). *Yanomamo, the fierce people.* Holt McDougal.

44. Moore, J. H. (1990). The reproductive success of Cheyenne war chiefs: A contrary case to Chagnon's Yanomamo. *Current Anthropology, 31*(3), 322–330 ; Beckerman S., Erickson P. I., Yost J., Regalado J., Jaramillo L., Sparks C., Ironmenga M. & Long K. (2009). Life histories, blood revenge, and reproductive success among the Waorani of Ecuador. *Proceedings of the National Academy of Sciences, 106* (20), 8134–8139.

45. Lecomte, J. (2012). *La Bonté humaine. Op. cit.*, p. 199-204.

46. Good, K., & Chanoff, D. (1992). *Yarima, mon enfant, ma sœur.* Seuil. Cité par Lecomte, J. (2012).

47. *Ibid.*, p. 15.

48. *Ibid.*, p. 90-93.

49. Quatre anthropologues chevronnés firent, en 2001, la déclaration suivante : «Dans son livre *Le Peuple féroce*, Chagnon a fabriqué une image sensationnaliste et raciste des Yanomamis, les qualifiant de sournois, agressifs et redoutables, et affirmant faussement qu'ils vivaient dans un état de guerre chronique. [...] Nous avons, entre nous tous, passé plus de quatre-vingts ans avec les Yanomamis. La plupart d'entre

nous parlent un dialecte yanomami ou plus. Aucun de nous ne reconnaît la société décrite dans les livres de Chagnon.» Albert, B., Ramos, A., Taylor, K. I., & Watson, F. (2001). *Yanomami: The Fierce People?* Londres, Survival International.

50. Lee, R. B., & Daly, R. H. (1999). *The Cambridge Encyclopedia of Hunters and Gatherers.* Cambridge University Press, «Introduction».

51. Endicott, K. (1988). Property, power and conflict among the Batek of Malaysia. *Hunters and Gatherers, 2*, 110–127. Cité par Fry, D. (2007). *Op. cit.*

52. Cité par Fry D. (2005). *The Human Potential for Peace: An Anthropological Challenge to Assumptions about War and Violence*, Oxford, Oxford University Press, p. 73. Voir aussi Robarchek, C. A. (1977). Frustration, aggression, and the nonviolent Semai. *American Ethnologist, 4*(4), 762–77; Robarchek, C. A. (1980). The image of nonviolence: World view of the Semai Senoi. *Federated Museums Journal, 25*, 103–117; Robarchek, C. A., & Robarchek, C. J. (1998). Reciprocities and Realities: World Views. *Aggressive Behavior, 24*, 123–133.

53. Carol Ember, notamment, affirme que les sociétés de chasseurs-cueilleurs n'étaient pas du tout aussi pacifiques qu'on voulait le faire croire et que 90 % d'entre elles pratiquaient fréquemment la guerre. Mais inclus sous l'appellation de «guerre» des comportements hostiles en tout genre (tout comme on qualifiera métaphoriquement de «guerre» une longue série d'hostilités perpétrées entre deux familles dans certaines cultures), y compris les meurtres par vengeance d'un seul individu, ce qui n'a guère de sens. Par ailleurs, la moitié des sociétés analysées par Ember ne sont pas en fait des chasseurs-cueilleurs itinérants, mais des sociétés plus sophistiquées, incluant des chasseurs à cheval, etc. Il n'est pas indifférent de mentionner cet exemple, puisque l'article de Carol Ember fut abondamment cité par la suite. Ember, C. R. (1978). Myths about hunters-gatherers. *Ethnology, 17*(4), 439–448. Cité par Fry, D. (2007). *Op. cit.*, p. 195-196.

54. Ember, C. R., & Ember, M. (1992). Warfare, aggression, and resource problems: Cross-cultural codes. *Cross-Cultural Research, 26*(1-4), 169–226. Cité par Fry, D. (2007). *Op. cit.*, p. 13.

55. Tacon, P., & Chippindale, C. (1994). Australia's ancient warriors: Changing depictions of fighting in the rock art of Arnhem Land, NT. *Cambridge Archaeological Journal, 4*(2), 211–48. Cité par Fry, D. (2007). *Op. cit.*, p. 133-135.

56. Wheeler, G. C. (1910). *The Tribe, and Intertribal Relations in Australia*; Berndt, R. M., & Berndt, C. H. (1988). *The World of the First Australians: Aboriginal Traditional Life: Past and Present.* Aboriginal Studies Press.

57. Warner, W. L. (1937/1969). *A Black Civilization: a Social Study of an Australian Tribe.* Gloucester publications.

58. Fry, D. (2007). *Op. cit.*, p. 102.

59 Pour une série de tableaux rassemblant les diverses données sur ce sujet, voir Pinker, S. (2011). *The Better Angels of Our Nature: Why Violence Has declined.* Viking Adult, p. 49, 53.

60. *Ibid.*

32. Le déclin de la violence

1. Gurr, T. R. (1981). Historical trends in violent crime: A critical review of the evidence. *Crime and Justice*, 295–353. Voir aussi Eisner, M. (2003). Long-term historical trends in violent crime. *Crime & Just., 30*, 83.

2. Tremblay, R. E. (2008). *Prévenir la violence dès la petite enfance.* Odile Jacob, p. 31.

3. OMS : Office des Nations unies contre la drogue et le crime /WHO, United Nations Office on Drug and Crime (UNDOC), 2009.

4. Pinker, S. (2011). *Op. cit.*, p. 89.

5. Durant, W. & A. (1965). *The Story of Civilization IX: The Age of Voltaire*. Simon & Schuster. Cité par Tremblay, R. E. (2008), p. 33.

6. Harris, J. R. (1998). *The Nurture Assumption: Why Children Turn out the Way They Do*. Free Press. Cité par Pinker, S. (2011). *Op. cit.*, p. 437.

7. Finkelhor, D., Jones, L., & Shattuck, A. (2008). Updated trends in child maltreatment, 2010. *Crimes against Children Research Center.* (http://www. unh. edu/ccrc/Trends/index. html).

8. *Washington Post* du 19 juin, 2006, faisant référence à des données du ministère de la Justice américaine, ainsi que Pinker, S. (2011). *Op. cit.*, p. 408.

9. Chiffres sous presse de Matthew White, cités par Pinker, S. (2011). *Op. cit.*, p. 135. Sur le site http://necrometrics.com Matthew White présente d'innombrables statistiques sur la mortalité au cours des siècles.

10. Voir également les gravures rassemblées par Norbert Elias sur lesquelles ont voit, à côté de scènes de la vie paysanne, des gibets, des mercenaires incendiant des chaumières, et toutes sortes de supplices et autres actes de violence, mêlés aux activités de la vie quotidienne. Elias, N. (1973). La civilisation des mœurs. Calmann-Lévy.

11. Held, R. (1985). *Inquisition.* Qua d'Arno. Cité par Pinker, S. (2011). *Op. cit.*, p. 132.

12. Badinter, É. (1999). *Les Passions intellectuelles*, tome II, *Désirs de gloire (1735-1751).* Fayard.

13. The Diary of Samuel Pepys, 13 octobre 1660. http://www.pepysdiary.com/archive/1660/10/13/.

14. Roth, C. (1964). *Spanish Inquisition* (réimpression). WW Norton & Co.

15. Tuchman, B. W. (1978). *A Distant Mirror: The Calamitous 14th Century*. Knopf.

16. Tuchman, B. W. (1991). *A Distant Mirror: The Calamitous 14th Century* (nouvelle édition). Ballantine Books Inc., p. 135, Cité dans Pinker, S. (2011). *Op. cit.*, p. 67.

17. Beccaria, C. (1764/1991), *Traité des délits et des peines*. Flammarion.

18. Rummel, R. J. (1994). *Death by Government.* Transaction Publishers. À cela s'ajoutent les victimes de l'esclavage en Orient, qui n'ont pas été estimées.

19. Les Nations unies ont adopté un moratoire sur la peine de mort en 2007, par 105 voix contre 54 (dont les États-Unis).

20. Payne, J. L. (2003). *A History of Force: Exploring the Worldwide Movement against Habits of Coercion, Bloodshed, and Mayhem.* Lytton Publishing Co., p. 182.

21. Brecke, P. (2001). The Long-Term Patterns of Violent Conflict in Different Regions of the World. Préparé pour la conférence d'Uppsala, 8 et 9 juin 2005; Uppsala, Suède; Brecke, P. (1999). Violent conflicts 1400 AD to the present in different regions of the world. «1999, Meeting of the Peace Science Society», manuscrit non publié.

22. Brecke, P. (1999 et 2001). *Op. cit.* Voir son *Conflict Catalogue.*

23. Pinker, S. (2011). *Op. cit.* Voir en particulier les chapitres 5 et 6.

24. White, M. (2010). Selected death tolls for wars, massacres and atrocities before the 20th century (http://necrometrics.com/pre1700a.htm). Cité par Pinker. S. (2011). *Op. cit.*, p. 194.

25. Voir Tableau de la revue *New Scientist* (http://www.newscientist.com/embedded/20worst) fondé sur White, M. (2012) pour les chiffres concernant la morta-

lité, et sur McEvedy, C., Jones, R., *et al.* (1978), pour les chiffres concernant la population mondiale à divers moments de l'histoire. Pour donner un exemple, les envahisseurs mongols massacrèrent les 1,3 million d'habitants de la ville de Merv et les 800 000 habitants de Bagdad, explorant les ruines pour être sûrs de ne pas laisser de survivants. Voir Pinker, S. (2011), p. 196.

26. White, M. (2012). *The Great Big Book of Horrible Things: The Definitive Chronicle of History's 100 Worst Atrocities.* WW Norton & Co., ainsi que le site http://www.atrocitology.com qui contient des centaines de références.

27. Gleditsch, N. P. (2008). The Liberal Moment Fifteen Years On1. *International Studies Quarterly*, *52*(4), 691–712, et diagramme dans Pinker, S. (2011). *Op. cit.*, p. 366.

28. Human Security Report Project, H. S. R. (2011). Voir aussi l'Institut international de recherche sur la paix (Peace Research Institute of Oslo ou PRIO) qui a également constitué une considérable base de données sur les conflits (http://www.prio.no/CSCW/Datasets/Armed-Conflict/Battle-Deaths/). Voir également Lacina, B., & Gleditsch, N. P. (2005). Monitoring trends in global combat: A new dataset of battle deaths. *European Journal of Population/Revue européenne de démographie*, *21*(2), 145–166 ; Lacina, B., Gleditsch, N. P., & Russett, B. (2006). The declining risk of death in battle. *International Studies Quarterly*, *50*(3), 673–680.

29. Mueller, J. (2007). *The Remnants of War.* Cornell University Press.

30. Global Terrorism Database de l'université de Maryland, voir http://www.start.umd.edu/gtd/.

31. Voir http://www.niemanwatchdog.org/index.cfm?fuseaction=ask_this.view&askthisid=00512.

32. Gigerenzer, G. (2006). Out of the frying pan into the fire: behavioral reactions to terrorist attacks. *Risk Analysis*, *26*(2), 347–351. Cette évaluation est fondée sur l'augmentation soudaine du trafic routier et du nombre de morts sur les routes dans les mois qui ont suivi l'attentat du 11 Septembre.

33. Johnson, E. J., Hershey, J., Meszaros, J., & Kunreuther, H. (1993). Framing, probability distortions, and insurance decisions. *Journal of Risk and Uncertainty*, *7*(1), 35–51.

34. Selon le rapport du National Counterterrorism Center, disponible sur le site http://www.nctc.gov/.

35. Esposito, J. L., & Mogahed, D. (2008). *Who Speaks for Islam?: What a Billion Muslims Really Think.* Gallup Press.

36. Elias, N., & Kamnitzer, P. (1975). *La Dynamique de l'Occident.* Calmann-Lévy. Elias, N. (1973). *Op. cit.*

37. Pinker, S. (2011). *Op. cit.*, p. 64.

38. Putnam, R. D., Leonardi, R., & Nanetti, R. (1994). *Making Democracy Work: Civic Traditions in Modern Italy.* Princeton Universtiy Press. Cité par Tremblay, R. E. (2008). *Op. cit.*, p. 27. Voir également Gatti, U., Tremblay, R. E., & Schadee, H. (2007). Civic community and violent behavior in Italy. *Aggressive Behavior*, *33*(1), 56–62.

39. Pinker, S. (2011). *Op. cit.*, p. 52.

40. Wright, Q. (1942/1983) et Wikipédia, à l'article «Nombre de pays en Europe depuis 1789».

41. CNN, Piers Morgan Tonight, 18 décembre 2012.

42. Thomas, E. M. (1990). *The Harmless People* (2e édition révisée). Vintage Books. Ainsi que Gat, A. (2006). *War in Human Civilization* (édition annotée). Oxford University Press. Cités par Pinker, S. (2011). *Op. cit.*, p. 55.

43. See Pinker, S. (2011). *Op. cit.*, p. 278-87.
44. Pinker, S. (2011). *Op. cit.*, p. 287.
45. Russett, B., Eichengreen, B., Kurlantzick, J., Peterson, E. R., Posner, R. A., Severino, J. M., Ray, O., *et al.* (2010). Peace in the Twenty-First Century? *Current History*.
46. Pinker, S. (2011). *Op. cit.*, p. 76.
47. Stiglitz, J. (2012). *Le Prix de l'inégalité*. Les liens qui libèrent, p. 205.
48. Fortna, V. P. (2008). *Does Peacekeeping Work?: Shaping Belligerents' Choices after Civil War*. Princeton University Press. Cité dans Pinker, S. (2011). *Op. cit.*, p. 314-315.
49. Human Security Report Project (2009).
50. Bertens, Jan-Willem. The European movement: Dreams and realities, article présenté au séminaire "The EC After 1992: The United States of Europe?", Maastricht, 2 janvier 1994.
51. Mueller, J. (1989). *Retreat From Doomsday; The Obsolence of Major War*. Basic Book. Cité dans Pinker, S. (2011). *Op. cit.*, p. 242.
52. Émile Zola, article paru dans *La Patrie,* le journal de la Ligue des patriotes.
53. Souvenirs d'Ephraïm Grenadou, recueillis par Alain Prévost, diffusé par France Culture en 1967 et en 2011-2012. Voir aussi Grenadou, E. (1966), *Vie d'un paysan français*. Seuil.
54. Mueller, J. (1989). *Retreat from Doomsday; The Obsolence of Major War. Op. cit.*
55. Analyse de livres présents sur le site de Google Books. Voir Michel, J. B., Shen, Y. K., Aiden, A. P., Veres, A., Gray, M. K., Pickett, J. P., ... *et al.* (2011). Quantitative analysis of culture using millions of digitized books. *Science*, *331*(6014), 176.
56. Heise, L., & Garcia-Moreno, C. (2002). Violence by intimate partners. *World Report on Violence and Health*, 87–121.
57. Pinker, S. (2011). *Op. cit.*, p. 413.
58. Straus, M. A., & Gelles, R. J. (1986). Societal change and change in family violence from 1975 to 1985 as revealed by two national surveys. *Journal of Marriage and the Family*, 465–479. Et pour les sondages de 1999, PR Newswire, http://:www.nospank.net/n-e62/htm. Cités par Pinker, S. (2011). *Op. cit.*, p. 439.
59. Singer, P. (1993). *La Libération animale*. Grasset.
60. V-Frog 2.0 proposé par Tractus Technology. Pour un rapport scientifique sur l'introduction de cette technique, voir Lalley, J. P., Piotrowski, P. S., Battaglia, B., Brophy, K., & Chugh, K. (2008). A comparison of V-Frog and copyright to physical frog dissection. *Honorary Editor*, *3*(3), 189. Ainsi que Virtual dissection. *Science*, 22 février 2008, 1019.
61. Caplow, T., Hicks, L., & Wattenberg, B. J. (2001). *The First Measured Century: An Illustrated Guide to trends in America, 1900-2000*. American Enterprise Institute Press. Cité par Pinker, S. (2011). *Op. cit.*, p. 392.
62. Cooney, M. (1997). The decline of elite homicide. *Criminology*, *35*(3), 381–407.
63. Pinker, S. (2011). *Op. cit.*, p. 85.
64. http://en.wikipedia.org/wiki/File :1477-1799_ESTC_titles_per_decade_statistics.png.
65. Stowe, H. B., & Bessière, J. (1986). *La Case de l'oncle Tom*. Le Livre de Poche.
66. Swanee Hunt s'exprimait lors de la rencontre pour la paix organisée par le Dalaï-lama Center for Peace and Education à Vancouver en 2009 (Vancouver Peace Summit).
67. Goldstein, J. S. (2003). *War and Gender: How Gender shapes the War System and*

Vice Versa. Cambridge University Press, p. 329-330 et 396-399. Cité par Pinker, S. (2011). *Op. cit.*, p. 527.

68. Pinker, S. (2011). *Op. cit.*, p. 528.

69. Dwigth Garner, After the bomb's shock, the real horror began unfolding. *The New York Times*, 20 janvier 2010.

70. Voir Pinker, S. (2011). *Op. cit.*, p. 686.

71. Potts, M., & Hayden, T. (2010). *Sex and War: How Biology Explains Warfare and Terrorism and Offers a Path to a Safer World*. BenBella Books.

72. Hudson, V. M., & Boer, A. D. (2002). A surplus of men, a deficit of peace: security and sex ratios in Asia's largest states. *International Security*, *26*(4), 5–38.

73. Voir le site http://girlsnotbrides.org/ ainsi que http://theelders.org/article/pour-en-finir-avec-le-mariage-des-filles-que-rien-ne-justifie.

74. Seuls quelques hauts responsables gouvernementaux comme l'ancien président Pieter Botha ne manifestèrent aucun remords et ne fournirent guère d'explications. Le rapport final critiqua également le comportement de certains chefs du mouvement de libération, l'ANC (African National Congress).

75. Pour la guerre d'Irak, voir l'estimation Joseph E. Stiglitz et Linda J. Bilmes, *The Washington Post*, 8 mars 2008. Pour le coût de la guerre en Afghanitsan voir www.costofwar.org, ainsi que le Congressional Research Service, Brookings institution, et le Pentagone, selon un dossier présenté par *Newsweeks* du 10 octobre 2011, compilé par Rob Verger et Meredith Bennett-Smith.

76. De plus ces ressources tombent généralement aux mains de despotes corrompus ou de puissances étrangères peu scrupuleuses. Le film de fiction, *Blood Diamond*, basé sur une situation réelle montre bien la complexité tragique de la situation des pays pauvres riches en ressources minérales précieuses.

77. Human Security Report (2005).

78. Deary, I. J., Batty, G. D., & Gale, C. R. (2008). Bright children become enlightened adults. *Psychological Science*, *19*(1), 1–6.

79. Pinker, S. (2011). *Op. cit.*, p. 668 et suivantes.

33. L'instrumentalisation des animaux : Une aberration morale

1. Jussiau, R., Montméas, L., & Parot, J.-C. (1999). *L'Élevage en France : 10 000 ans d'histoire*. Educagri Editions. Cité par Nicolino, F. (2009). Bidoche. *L'industrie de la viande menace le monde*. Les liens qui libèrent.

2. Émission télévisée « Eurêka » du 2 décembre 1970, intitulée « Sauver le bœuf... », avec des commentaires de Guy Seligman et Paul Ceuzin. Voir les archives de l'INA, http://www.ina.fr/video/CPF06020231/sauver-le-bœuf.fr.html. Cité par Nicolino, F. (2009). *Op. cit.*

3. *National Hog Farmer*, mars 1978, p. 27. Cité par Singer, P. (1993). *Op. cit.*, p. 199.

4. *Poultry Tribune*, novembre 1986, cité par Singer, P. (1993). *Op. cit.*, p. 174.

5. L'espérance de vie d'un veau, d'une vache et d'un cochon est de vingt ans. Les veaux sont abattus à trois, les vaches laitières sont « réformées » (abattues) vers six ans, et les cochons à six mois. L'espérance de vie d'un poulet est de sept ans dans les conditions de vie normale, mais il est abattu à six semaines. Cela concerne donc 1 milliard d'animaux en France.

6. Barrett, J. R. (1990). *Work and Community in the Jungle: Chicago's Packing-House Workers, 1894-1922*. University of Illinois Press, p. 57. Cité dans Patterson, C. (2008). *Un éternel Treblinka*. Calmann-Lévy, p. 59.

7. Sinclair, U. (1964). *The Jungle*. Signet Classic, p. 35-45. Traduction française : Sinclair, U. (2011). *La Jungle*. Le Livre de Poche. Upton Sinclair, jeune journaliste, avait vingt-six ans quand, en 1904, son employeur l'envoya enquêter sur les conditions de travail dans les abattoirs de Chicago. Avec la complicité de quelques ouvriers, il s'introduit clandestinement dans les abattoirs et les usines et découvre qu'à condition de tenir un seau à la main, et de ne jamais stationner, il peut circuler dans les usines sans attirer l'attention. Il va partout. Il voit tout. *La Jungle* conféra à son auteur de vingt-sept ans une gloire instantanée et un comité d'éminents intellectuels, menés par Albert Einstein, le proposa pour le prix Nobel de littérature. *La Jungle* déchaîna un scandale. Best-seller de l'année, l'ouvrage fut traduit en dix-sept langues. Assiégé par les journalistes, poursuivi par les menaces, ou les promesses, des grands trusts, porté par la vague du mécontentement populaire, Upton Sinclair est reçu à la Maison Blanche par le président des États-Unis, Theodore Roosevelt. Une enquête fut ordonnée et l'exactitude des critiques de Sinclair reconnue. (D'après la préface de Jacques Cabau à l'édition française de *La Jungle*.)

8. *Ibid.*, p. 12.

9. Rifkin, J. (1992). *Beyond Beef: The Rise and Fall of the Cattle Culture*. Penguin, p. 120. Cité dans Patterson, C. (2008). *Op. cit.*, p. 115.

10. Sinclair, U. (1964). *Op. cit.*, p. 62-63.

11. David Cantor, Responsible Policies for Animals http://www.rpaforall.org. Cité dans Patterson, C. (2008). *Op. cit.*, p. 114.

12. Foer, J. S. (2012). *Faut-il manger les animaux?* Éd. de l'Olivier, 2011, pour la traduction française, *Points*.

13. *Ibid.*, p. 68 : «Les Common Farming Exemptions [dérogations en matière d'élevage] rendent légale toute méthode d'élevage tant que celle-ci est une pratique courante du secteur. En d'autres termes les éleveurs – «compagnies commerciales» serait un terme plus approprié – ont le pouvoir de définir ce qu'est la cruauté. Si l'industrie adopte une pratique –, par exemple celle de procéder à l'amputation d'un appendice non souhaité sans analgésique – vous pouvez laisser libre cours à votre imagination sur ce point –, cette opération devient automatiquement légale.»

14. *Ibid.*, p. 82.

15. Patterson, C. (2008). *Op. cit.*, p. 166.

16. Eisnitz, G. A. (1997). *Slaughterhouse: The Shocking Story of Greed. Neglect, and Inhumane Treatment inside the US Meat Industry*. Prometheus, p. 181, cité par Patterson, C. (2008). *Op. cit.*, p. 166.

17. *Ibid.*, p. 174.

18. Résumé d'après Singer, P. (1993). *Op. cit.*, p. 163.

19. Foer, J. S. (2012). *Op. cit.*, p. 240.

20. Fontenay, É. de. (2008). *Sans offenser le genre humain : Réflexions sur la cause animale*. Albin Michel, p. 206. Ainsi que Burgat, F. (1998). *L'Animal dans les pratiques de consommation*. PUF, Que sais-je?.

21. Coe, S. (1996). *Dead Meat*. Four Walls Eight Windows. Les citations qui suivent sont des résumés de la version originale anglaise, p. 111-133, traduite par nos soins, avec des extraits de la version qu'en donne Patterson, C. (2008). *Op. cit.*, p. 106-108.

22. Eisnitz, G. A. (1997). *Slaughterhouse. Op. cit.*, p. 182.

23. Coe, S. (1996). *Op. cit.*, p. 120.

24. Carpenter. G. *et al.* (1986). Effect of internal air filtration on the performance

of broilers and the aerial concentrations of dust and bacteria. *British Poultry Journal, 27*, 471–480. Cité par Singer, P. (1993). *Op. cit.*, p. 172.

25. Bedichek, R. (1961). *Adventures with a Texas Naturalist.* University of Texas Press. Cité par Harrison, R. (2013). *Animal Machines: The New Factory Farming Industry* (Rei Upd.). CABI Publishing. Édition originale (1964), p. 154.

26. Breward, J. & Gentle, M. (1985). Neuroma formation and abnormal afferent nerve discharges after partial beak amputation (beak trimming) in poultry. *Experienta, 41*(9), 1132–1134.

27. *National Geographic Magazine*, février 1970. Cité par Singer, P. (1993). *Op. cit.*, p. 177.

28. Foer, J. S. (2012). *Op. cit.*, p. 176.

29. *Ibid.*, p. 65.

30. "Dehorming, castrating, branding, vaccinating cattle", publication n° 384 du Mississippi State University Extension Service, en collaboration avec le USDA ; voir aussi "Beef cattle: dehoming, castrating, branding and marking", USDA, *Farmers' Bulletin, 2141*, septembre 1972. In Singer, P. (1993). *Op. cit.*, p. 225.

31. Foer, J. S. (2012). *Op. cit.*, p. 239.

32. *Stall Street Journal*, novembre 1973.

33. *Ibid.*, avril 1973.

34. Foer, J. S. (2012). *Op. cit.*, p. 284-289.

35. Voir "A shocking look inside Chinese fur farms", documentaire filmé par Mark Rissi pour le compte de Swiss Animals Protection/EAST International, qui peut être visionné sur le site de l'association PETA http://www.peta.org/issues/animals-used-for-clothing/chinese-fur-industry.aspx.

36. Selon les chiffres publiés par *Agreste* (organisme dépendant du ministère de l'Agriculture), on peut raisonnablement estimer qu'en incluant les poissons et animaux marins, au minimum 3 milliards d'animaux sont tués directement et indirectement chaque année en France pour la consommation humaine. Il s'y ajoute environ 30 millions d'animaux tués au cours de la chasse (sans compter les blessés qui agonisent dans les bois) et quelque 3 millions utilisés par la recherche (les animaux invertébrés ne sont pas répertoriés).

37. Mood, A. & Brooke, P. (juillet 2010). *Estimating the Number of Fish Caught in Global Fishing Each Year* (amood@fishcount.org.uk). Ces auteurs ont utilisé les statistiques publiées par la FAO concernant le tonnage des prises annuelles pour chaque espèce et ont calculé le nombre de poissons en estimant le poids moyen des poissons des espèces étudiées.

38. Foer, J. S. (2012). *Op. cit.*, p. 245.

39. Chauvet, D. (2008), La volonté des animaux? *Cahiers antispécistes, 30-31*, décembre 2008.

40. Vergely, B. (1997). *La Souffrance : Recherche du sens perdu.* Gallimard, Folio, p. 75.

41. Lévi-Strauss, C., & Pouillon, J. (1987). *Race et histoire.* Gallimard, p. 22.

42. Terriens, la version française du documentaire *Earthlings*, réalisé par Shaun Monson, disponible sur l'Internet, avec des sous-titres français sur le site www.earthlings.com.

43. Wells, H. G. (1907). *Une utopie moderne*, Mercure de France.

34. Un retour de flamme :
effets de l'élevage et de l'alimentation carnée sur la pauvreté, l'environnement et la santé

1. M. E. Ensminger (1991), *Animal Science.* Danville, IL, Interstate.
2. Rifkin, J. (2012). *La Troisième Révolution industrielle.* Les liens qui libèrent.
3. Doyle, J. (1985). *Altered Harvest: Agriculture, Genetics and the Fate of the World's Food Supply* (2e édition). Viking Press.
4. Le *Worldwatch Institute* est une organisation de recherche fondamentale basée aux États-Unis. L'un de leurs projets actuels est une analyse comparative des innovations agricoles écologiquement durables pour réduire la pauvreté et la faim.
5. D'après le United States Department of Agriculture-Foreign Agricultural Service (USDA-FAS), 1991.
6. D'après Worldwatch.
7. Foer, J. S. (2012). *Faut-il manger les animaux?* Seuil, Points, p. 265 et note 105. Calcul basé sur des sources gouvernementales et celles d'universités américaines.
8. Moore-Lappé, F. (1971). *Diet for a Small Planet.* New York : Ballantine, p. 4-11. Traduction française : Moore-Lappe, F. (1976). *Sans viande et sans regrets.* Montréal : L'Étincelle.
9. McMichael, A. J., Powles, J. W., Butler, C. D., & Uauy, R. (2007). Food, livestock production, energy, climate change, and health. *The Lancet, 370*(9594), 1253–1263.
10. FAO (2006). *L'Ombre portée de l'élevage. Impacts environnementaux et options pour atténuation*, Rome; FAO (2009). *Comment nourrir le monde en 2050.*
11. FAO (2006). *Op. cit.*, et (2003), "World Agriculture Towards 2015/2030".
12. Lambin, É. (2009). *Une écologie du bonheur.* Le Pommier, p. 70.
13. Moore-Lappé, F. (1976). *Op. cit.*, p. 11-12 et 21.
14. FAO (2006). *Op. cit.*
15. http://www.delaplanete.org/article.php3?id_article=148&var_recherche=viande.
16. Boyan, S. (7 février 2005). How Our Food Choices Can Help Save the Environment. Mccffa.com.
17. Pimentel, D., Williamson, S., Alexander, C. E., Gonzalez-Pagan, O., Kontak, C., & Mulkey, S. E. (2008). Reducing energy inputs in the US food system. *Human Ecology, 36*(4), 459–471.
18. "Compassion in world farming." Cité par Marjolaine Jolicœur – AHIMSA, 2004.
19. Kaimowitz, D. (1996). *Livestock and Deforestation in Central America in the 1980s and 1990s: a Policy Perspective.* Cifor; Kaimowitz, D., Mertens, B., Wunder, S., & Pacheco, P. (2004). Hamburger connection fuels Amazon destruction. *Center for International Forest Research,* Bogor, Indonesia.
20. *Amazon Cattle Footprint*, Greenpeace, 2009.
21. Dompka, M.V., Krchnak, K.M. et Thorne, N. (2002). Summary of experts' meeting on human population and freshwater resources. Dans Karen Krchnak (ed.), *Human Population and Freshwater Resources: U.S. Cases and International Perspective.* Yale University.
22. D'après la Banque mondiale et McKinsey Global Institute (2011). *Natural Resources.* http://www.mckinsey.com/insights/mgi/research/natural_resources.
23. International Food Policy Research Institute et Comité des Nations unies pour l'environnement.
24. Borgstrom, G. (1973). *Harvesting the Earth.* Abelard-Schuman, p. 64-65.

25. The Browning of America, *Newsweek*, 22 février 1981, p. 26. Cité par Robbins, J. (1991). *Se nourrir sans faire souffrir.* Alain Stanke, p. 420.

26. Rosegrant, M. W., & Meijer, S. (2002). Appropriate food policies and investments could reduce child malnutrition by 43 % in 2020. *The Journal of Nutrition*, *132*(11), 3437S–3440S.

27. Jancovici, J.-M. (2005). *L'Avenir climatique : Quel temps ferons-nous ?* Seuil.

28. Le chiffre de 18 % donné en 2006 par la FAO a été mis en doute, parce que le chiffre concernant le bétail est calculé sur la base d'une analyse qui inclut le cycle de vie complet du processus, c'est-à-dire qu'il comprend la déforestation, etc. Toutefois la même méthode n'a pas été appliquée pour le transport. Donc cela revient à comparer des pommes avec des oranges. Toutefois, depuis lors, une autre étude a été menée par de très sérieux chercheurs de l'université de Cambridge, de l'Université nationale d'Australie et d'autres, qui ont publié leurs résultats dans le *Lancet.* Cette étude affirme que le chiffre se situerait aux alentours de 17 % (McMichael, A. J., *et al.* [2007]). *Op. cit.* Ceux qui réfutent ce chiffre proposent le taux de 4 % issu de l'IPCC ; mais il s'agit d'émissions directes et non pas du cycle de vie complet. Il est important de considérer l'intégralité du cycle de vie parce que les émissions indirectes provenant du bétail constituent une proportion significative des émissions.

29. http://www.conservation-nature.fr/article2.php?id=105.

30. Desjardins, R., Worth, D., Vergé, X., Maxime, D., Dyer, J., & Cerkowniak, D. (2012). Carbon Footprint of Beef Cattle. *Sustainability*, *4*(12), 3279–3301.

31. FAO (2006). *Op. cit.*, p. 125.

32. D'après l'Institut Worldwatch.

33. Ministère de l'Environnement américain et General Accounting Office (GAO). Cité par Foer, J. S. (2012). *Faut-il manger les animaux ?* Seuil. Points.

34. Steinfeld, H., De Haan, C., & Blackburn, H. (1997). Livestock-environment interactions. *Issues and options. Report of the Commission Directorate General for Development.* Fressingfield, UK, WREN Media.

35. Narrod, C. A., Reynnells, R. D., & Wells, H. (1993). "Potential options for poultry waste utilization: A focus on the Delmarva Peninsula." United States Environmental Protection Agency (EPA).

36. Pauly, D., Belhabib, D., Blomeyer, R., Cheung, W. W. W. L., Cisneros-Montemayor, A. M., Copeland, D., Zeller, D. (2013). China's distant-water fisheries in the 21st century. *Fish and Fisheries.*

37. Foer, J. S. (2012). *Op. cit.*, p. 66. Environmental Justice Foundation Charitable Trust, Squandering the Seas: How Shrimp Trawling Is Threatening Ecological Integrity and Food Security Around the World (London: Environmental Justice Foundation, 2003), 12.

38. EPIC (European Prospective Investigation into Cancer and Nutrition). Rapport préparé sous la direction d'Elio Riboli (2005).

39. Sinha, R., Cross, A. J., Graubard, B. I., Leitzmann, M. F., & Schatzkin, A. (2009). Meat intake and mortality: a prospective study of over half a million people. *Archives of internal medicine*, *169*(6), 562. Cité dans Nicolino, F. (2009). *Bidoche. L'industrie de la viande menace le monde.* Les liens qui libèrent, p. 318.

40. Lambin, E. (2009). *Op. cit.*, p. 78.

41. Pan, A., Sun, Q., Bernstein, A. M., Schulze, M. B., Manson, J. E., Stampfer, M. J., ... Hu, F. B. (2012). Red meat consumption and mortality: results from 2 prospective cohort studies. *Archives of Internal Medicine*, *172*(7), 555. Ces analyses ont pris en compte

les facteurs de risque de maladies chroniques telles que l'âge, l'indice de masse corporelle, l'activité physique, les antécédents familiaux de maladie cardiaque, ou des cancers majeurs.

42. Haque, R., Kearney, P. C., & Freed, V. H. (1977). Dynamics of pesticides in aquatic environments. In *Pesticides in aquatic environments.* Springer, p. 39-52; Ellgehausen, H., Guth, J. A., & Esser, H. O. (1980). Factors determining the bioaccumulation potential of pesticides in the individual compartments of aquatic food chains. *Ecotoxicology and Environmental Safety*, *4*(2), 134–157.

43. Lambin, E. (2009). *Op. cit.*, p. 80.

44. Interview dans le *Telegraph*, 7 septembre 2008.

35. L'égoïsme institutionnalisé

1. Stiglitz, J. (2012). *Le Prix de l'inégalité.* Les liens qui libèrent, p. 17.

2. Oreskes, N., & Conway, E. M. M. (2011). *Merchants of Doubt: How a Handful of Scientists Obscured the Truth on Issues from Tobacco Smoke to Global Warming* (réimpression.). Bloomsbury Press. On consultera également Hoggan, J. (2009). *Climate Cover-up: The Crusade to deny Global Warming.* Greystone Books. Ainsi que Pooley, E. (2010). *The Climate War: True Believers, Power Brokers, and the Fight to save the Earth.* Hyperion.

3. Fred Steitz dirigea notamment, pour le compte de la R. J. Reynold Tobacco Company, un programme qui, de 1979 à 1985, distribua 45 millions de dollars (équivalant à 98 millions d'aujourd'hui) à des chercheurs complaisants pour effectuer des recherches susceptibles d'être utilisées dans les tribunaux pour défendre l'innocuité du tabac. Oreskes, N., & Conway, E. M. M. (2011). *Op. cit.*, p. 6.

4. Lahsen, M. (2008). Experiences of modernity in the greenhouse: A cultural analysis of a physicist "trio" supporting the backlash against global warming. *Global Environmental Change*, *18*(1), 204–219. Cité par Oreskes, N., & Conway, E. M. M. (2011). *Op. cit.*, p. 6.

5. Singer, S. F. (1989). My adventures in the ozone layer. *National Review*, *30*. Cité par Oreskes, N., & Conway, E. M. M. (2011). *Op. cit.*, p. 249.

6. Wynder, E. L., Graham, E. A., & Croninger, A. B. (1953). Experimental production of carcinoma with cigarette tar. *Cancer Research*, *13*(12), 855–864. Cité par Oreskes, N., & Conway, E. M. M. (2011). *Op. cit.*, p. 15.

7. American Tobacco, Benson and Hedges, Philip Morris et U.S. Tobacco.

8. United States of America vs Philips Morris, R. J. Reynolds, *et. al.* (1999), p. 3. Cité par Oreskes, N., & Conway, E. M. M. (2011). *Op. cit.*, p. 15 et note 24, p. 282.

9. En 1957, par exemple, l'un de ces pamphlets, intitulé «Tabac et Santé» (*Smoking and Health*) fut distribué à 350000 médecins. Tobacco Industry Research Committee: BN2012002363. Legacy Tobacco Document Library. Un autre opuscule, édité en 1993 pour la circulation interne de l'industrie du tabac et intitulé *Bad Science: A Resource Book*, contenait une mine d'informations sur les moyens les plus efficaces de combattre et de discréditer les recherches scientifiques démontrant les effets nocifs du tabac, ainsi qu'un carnet d'adresses des chercheurs et des journalistes sympathisants à la cause et susceptibles d'être mobilisés. *Bad science: A Resource Book.* Cité par Oreskes, N., & Conway, E. M. M. (2011). *Op. cit.*, p. 6 et 20.

10. Oreskes, N., & Conway, E. M. M. (2011). *Op. cit.*, p. 34.

11. Michaels, D. (2008). *Doubt is Their Product: How Industry's assault on Science Threatens Your Health.* Oxford University Press, États-Unis.

12. Schuman, L. M. (1981). The origins of the Report of the Advisory Committee

on Smoking and Health to the Surgeon General. *Journal of Public Health Policy*, *2*(1), 19–27. Cité par Oreskes, N., & Conway, E. M. M. (2011). *Op. cit.*, p. 21-22.

13. Selon les données et les références rassemblées par Wikipédia (http://fr.wikipedia.org/wiki/Tabagisme_passif).

14. Hirayama, T. (1981). Passive smoking and lung cancer. *British Medical Journal* (Clinical research ed.), *282*(6273), 1393–1394. Avant cela, la première étude importante remonte à 1980. Portant sur 2100 personnes et publiée en Angleterre, elle montra que les non-fumeurs travaillant dans les bureaux où leurs collègues fumaient manifestaient les mêmes altérations des poumons que des fumeurs légers. Cette étude fut abondamment critiquée par des scientifiques qui, tous, avaient des liens avec l'industrie du tabac. Pour une étude récente, voir Öberg, M., Jaakkola, M. S., Woodward, A., Peruga, A., & Prüss-Ustün, A. (2011). Worldwide burden of disease from exposure to second-hand smoke: a retrospective analysis of data from 192 countries. *The Lancet*, *377*(9760), 139–146.

15. Glanz, S. A. (2004). *The Cigarette Papers online Wall of History.* San Francisco (CA) : UCSF.

16. Non-Smokers' Rights Association. The Fraser Institute: Economic Thinktank or Front for the Tobacco Industry? Avril 1999. Cité par Oreskes, N., & Conway, E. M. M. (2011). *Op. cit.*, p. 140.

17. Cité par Oreskes, N., & Conway, E. M. M. (2011). *Op. cit.*, p. 242; note 6, p. 335.

18. C'est ainsi que furent créés les journaux *Tobacco and Health* et *Science Fortnightly*, pour ne citer que ces deux-là, dans le cas du tabac. Les mêmes méthodes furent utilisées pour les études climatiques. D'autres articles étaient formatés exactement comme ceux du PNAS (les Annales de l'Académie des sciences américaines) et distribués à tous les médias, bien qu'ils n'aient été ni publiés ni même soumis à un journal scientifique. Oreskes, N., & Conway, E. M. M. (2011). *Op. cit.*, p. 244.

19. Associated Press, 27 novembre 2012.

20. OMS. Aide-mémoire, n° 339, mai 2012 (http://www.who.int/mediacentre/factsheets/fs339/fr/index.html).

21. Sans compter le cas de bronchites et pneumonies chez les jeunes enfants, ainsi qu'une aggravation des troubles asthmatiques chez des millions d'enfants. Britton, J., & Godfrey, F. (2006). Lifting the smokescreen. *European Respiratory Journal*, *27*(5), 871–873. Le rapport présenté au Parlement européen est disponible sur le site www.ersnet.org. En France, ce nombre serait de 3000 annuellement. Tubiana, M., Tredaniel, J., Thomas, D., & Kaminsky, M. (1997). Rapport sur le tabagisme passif. *Bull. Acad. Nati. Med.*, *181*, 727–766.

22. Glantz, S. A., & Parmley, W. W. (2001). Even a little secondhand smoke is dangerous. *JAMA*, *286*(4), 462–463.

23. L'Asie fume à pleins poumouns. *GEO*, octobre 2011, *292*, p. 102.

24. OMS. Aide-mémoire, n° 339, mai 2012.

25. *Ibid.*

26. Oreskes, N., & Conway, E. M. M. (2011). *Op. cit.*, p. 241.

27. Jacques Attali, Bien pire que le Médiator : le Tabac. *Social*, 6 février 2011.

28. Pérez, M. (2012). *Interdire le tabac, l'urgence.* Odile Jacob.

29. West, R. (2006). Tobacco control: present and future. *British Medical Bulletin*, *77-78*(1), 123–136.

30. Oreskes, N., & Conway, E. M. M. (2011). *Op. cit.*, p. 171 et note 9, p. 320.

31. *Ibid.*, p. 174, note 20 et p. 321.

32. Une nouvelle commission dirigée cette fois-ci par des scientifiques favorables au *statu quo*, parmi lesquels Thomas Schelling et William Nierenberg, proches des grandes entreprises industrielles qui exerçaient des pressions considérables pour éviter toute réglementation, conclut qu'il suffirait de s'occuper des symptômes en temps utile. La communauté scientifique choisit, à tort, de ne pas réagir à ce rapport : «Nous savions qu'il ne valait strictement rien et nous l'avons simplement ignoré», confia à Oreskes le géophysicien et spécialiste de la physique planétaire Edward Frieman. La Maison Blanche misa donc sur l'adaptation dans un futur encore lointain. Oreskes, N., & Conway, E. M. M. (2011). *Op. cit.*, p.182.

33. Le rapport PDF avec les chiffres et attributions détaillées peut être téléchargé sur le site de Greenpace http://www.greenpeace.org/usa/en/campaigns/global-warming-and-energy/polluterwatch/koch-industries/.

34. Mooney, C. (2006). *The Republican War on Science.* Basic Books, dans le magazine d'investigation *Mother Jones,* mai-juin 2005. http://www.motherjones.com/environment/2005/05/some-it-hot.

35. Wijkman, A., & Rockström, J. (2013). *Bankrupting Nature: Denying Our Planetary Boundaries.* Routledge, p. 96.

36. Les entreprises françaises viennent en 4e position parmi les entreprises étrangères qui ont financé la campagne électorale américaine. Les détails précis des contributions de chaque entreprise à chaque candidat peuvent être consultés sur le site http://www.opensecrets.org/pacs/foreign.php.

37. Cité dans Wijkman, A., & Rockström, J. (2013). *Op. cit.*

38. Santer, B. D., Taylor, K. E., Wigley, T. M. L., Johns, T. C., Jones, P. D., Karoly, D. J., ... Ramaswamy, V. (1996). A search for human influences on the thermal structure of the atmosphere. *Nature, 382*(6586), 39–46.

39. Steitz, F. A Major Deception on Global warming. *Wall Street Journal,* 26 juin 1996. Cité par Oreskes, N., & Conway, E. M. M. (2011). *Op. cit.*, p. 3.

40. Déclaration du 14 mars 2002. http://www.msnbc.msn.com/id/26315908/.

41. Déclaration du 4 janvier 2005. http://inhofe.senate.gov/pressreleases/climateupdate.htm.

42. Déclaration du 28 juillet 2003. http://inhofe.senate.gov/pressreleases/climate.htm.

43. Michelle Bachmann assure que les émissions de CO_2 sont inoffensives. Hermann Cain, l'un des derniers impétrants, parle du «mythe» du réchauffement et Dick Perry, gouverneur du Texas, dénonce lui aussi un «canular» monté par des scientifiques en mal de subventions. Ce sont les mêmes candidats qui veulent aussi interdire l'enseignement de la théorie de l'évolution dans les écoles et enseigner à la place le «créationnisme». Mitt Romney leur fera finalement écho sous la pression des Républicains d'extrême droite.

44. Sondage réalisé par ABC News.

45. Allègre, C. (2012). *L'Imposture climatique ou la fausse écologie.* Pocket.

46. *Ibid.*, p. 8.

47. Claude Allègre : «La glace de l'Antarctique ne fond pas ? Non, elle ne fond pas. Pour l'instant en tout cas.» *Op. cit.*, p. 68. Réponse des scientifiques du CNRS : «La perte de glace en Antarctique se fait principalement par écoulement accéléré. On observe une perte nette de glace depuis plusieurs années. [...] La contribution actuelle de l'Antarctique à la montée du niveau des mers est de l'ordre de 0,55 mm/an, avec

une forte augmentation depuis quelques années. Plusieurs types de données de terrain et satellitaires démontrent une perte de masse au moins équivalente aux pertes du Groenland.» Voir Velicogna, I., & Wahr, J. (2006). Measurements of time-variable gravity show mass loss in Antarctica. *Science*, *311*(5768), 1754–1756 ; Rignot, E., Koppes, M., & Velicogna, I. (2010). Rapid submarine melting of the calving faces of West Greenland glaciers. *Nature Geoscience*, *3*(3), 187–191.

48. Claude Allègre : «Depuis trois hivers, on patauge dans la glace. [...] On a délibéré à Copenhague sur un éventuel réchauffement de la planète de 2 °C, alors qu'une tempête de neige s'abattait sur l'Europe et les États-Unis et qu'en bien des régions il faisait soudain un froid polaire.» *Op. cit.*, p. 8 et 16. Réponse du CNRS : «L'effet des activités humaines sur le climat concerne les cinquante dernières années et les siècles à venir. Une variabilité sur quelques années ou quelques saisons n'a que très peu d'impact sur les tendances à ces échelles de temps.»

49. Rapport du GIEC (2007). Chapitre 9. Disponible sur l'Internet.

50. Sylvestre Huet. Claude Allègre : L'appel des 604 et leurs arguments. *Libération*, 8 avril 2010.

51. Goldacre, B. (2012). *Bad Pharma: How Drug Companies mislead Doctors and harm Patients*. Fourth Estate.

52. Pour donner un autre exemple, en 2006, Robert Kelly et les chercheurs en psychiatrie du Beth Israel Medical Center à New York ont examiné toutes les études faites sur des médicaments utilisés en psychiatrie publiées dans quatre revues académiques, soit 542 études au total. Il est apparu que les études commanditées par l'industrie concluaient à des effets bénéfiques pour leurs médicaments dans 78 % des cas, et que ce pourcentage tombait à 48 % pour les laboratoires indépendants. Kelly, R. E., Cohen, L. J., Semple, R. J., Bialer, P., Lau, A., Bodenheimer, A., ... Galynker, I. I. (2006). Relationship between drug company funding and outcomes of clinical psychiatric research. *Psychological medicine*, *36*(11), 1647.

53. Messica, L. (2011). *Effet placebo : mécanismes neurobiologiques et intérêts thérapeutiques, données actuelles à partir d'une revue de la littérature*. Éditions universitaires européennes.

54. Gøtzsche, P. C., Hróbjartsson, A., Johansen, H. K., Haahr, M. T., Altman, D. G., & Chan, A. W. (2006). Constraints on publication rights in industry-initiated clinical trials. *JAMA*, *295*(14), 1645–1646. Cité par Goldacre, B. (2012). *Op. cit.*, p. 38. Un sondage montre par ailleurs que 90 % des sujets et patients qui se prêtent à ces tests médicaux pensent que leur participation est une contribution importante pour la société, alors que les compagnies pharmaceutiques refusent de rendre publiques leurs données de recherche : Wendler, D., Krohmal, B., Emanuel, E. J., & Grady, C. (2008). Why patients continue to participate in clinical research. *Archives of Internal Medicine*, *168*(12), 1294. Cité par Goldacre, B. (2012). *Op. cit.*, p. 43.

55. Doshi, P. (2009). Neuraminidase inhibitors – the story behind the Cochrane review. *BMJ*, *339*. Cité par Goldacre, B. (2012). *Op. cit.*, p. 365.

56. Godlee, F. (2012). Open letter to Roche about oseltamivir trial data. *BMJ*, *345*.

57. Medicines and Healthcare products Regulatory Agency (MHRA). www.mhra.gov.u. GSK investigation concludes. http:// www.mhra.gov.uk/ Howweregulate/ Medicines/ Medicinesregulatorynews/. Entre 1994 et 2002, GSK a mené neuf séries de tests sur les effets de la paroxétine chez les enfants qui ont montré non seulement que le médicament était efficace pour traiter la dépression chez ces derniers, mais qui ont aussi révélé des effets secondaires nuisibles. GKS a habilement et sciemment utilisé une lacune légale. Les fabricants ne sont tenus de déclarer les effets indésirables,

même sérieux, d'un médicament que pour les utilisations spécifiques («usage pour adultes», par exemple) pour lesquelles il a reçu une autorisation de mise sur le marché. GSK savait que le médicament était prescrit chez les enfants, et il savait également qu'il y avait des problèmes de sécurité pour ces enfants, mais il avait choisi de ne pas révéler cette information. Goldacre, B. (2012). *Op. cit.*, p. 58.

58. Juni, P., Nartey, L., Reichenbach, S., Sterchi, R., Dieppe, P., & Egger, M. (2004). Risk of cardiovascular events and rofecoxib: cumulative meta-analysis. *The Lancet*, *364*(9450), 2021–2029. Voir également *Rédaction* (2005). Comment éviter les prochaines affaires Vioxx. *Prescrire* (2005), *25*(259), 222–225.

59. Psaty, B. M., & Kronmal, R. A. (2008). Reporting mortality findings in trials of rofecoxib for Alzheimer disease or cognitive impairment. *JAMA*, *299*(15), 1813–1817; Le célécoxib encore sur le marché : au profit de qui? *Prescrire* (2005), *25*(263), 512–513.

60. *Prescrire* (2009), *29*(303), 57.

61. En 2004, par exemple, le Comité international des rédacteurs de revues médicales (ICMJE en anglais) annonça qu'à partir de 2005 aucune d'entre elles ne publierait des tests cliniques à moins qu'ils n'aient été correctement enregistrés avant leur mise en exécution (afin que l'on puisse suivre les résultats de ces tests). Le problème semblait résolu, mais tout continua comme avant. Les éditeurs ne mirent pas leurs menaces à exécution, sans doute en raison des rentrées financières, chiffrables en millions de dollars, que ces mêmes éditeurs obtiennent quand ils publient des dizaines de milliers de tirés à part issus des parutions des industries pharmaceutiques. De Angelis, C., Drazen, J. M., Frizelle, P. F. A., Haug, C., Hoey, J., Horton, R., ... Overbeke, A. J. P. M. (2004). Clinical trial registration: a statement from the International Committee of Medical Journal Editors. *New England Journal of Medicine*, *351*(12), 1250–1251. Goldacre, B. (2012). *Op. cit.*, p. 51.

62. Goldacre, B. (2012). *Op. cit.*, p. 71.

63. *Ibid.*, p. 72.

64. *Ibid.*, p. 51-52.

65. Gagnon, M. A., & Lexchin, J. (2008). The cost of pushing pills: a new estimate of pharmaceutical promotion expenditures in the United States. *PLoS Medicine*, *5*(1), e1. Pour les valeurs des PIB nationaux, voir http://www.indexmundi.com/map/?v=65&l=fr.

66. Heimans, L., Van Hylckama Vlieg, A., & Dekker, F. W. (2010). Are claims of advertisements in medical journals supported by RCTs. *Neth. J. Med*, *68*, 46–9.

67. Fugh-Berman, A., Alladin, K., & Chow, J. (2006). Advertising in medical journals: should current practices change? *PLoS Medicine*, *3*(6), e130. Goldacre, B. (2012). *Op. cit.*, p. 305. Une étude récente aux États-Unis a révélé que 60% des chefs de service hospitaliers recevaient de l'argent de l'industrie pour travailler en leur faveur en tant que consultants, conférenciers, membres de conseils consultatifs, etc. Campbell, E. G., Weissman, J. S., Ehringhaus, S., Rao, S. R., Moy, B., Feibelmann, S., & Goold, S. D. (2007). Institutional Academic-Industry Relationships. *JAMA*, *298*(15), 1779–1786. Dans l'ensemble, 17700 médecins ont reçu de l'argent, pour un total de 750 millions de dollars en provenance d'AstraZeneca, Pfizer, GSK, Merck, et bien d'autres. 384 médecins ont reçu plus de 100000 dollars par personne. Voir Goldacre, B. (2012). *Op. cit.*, p. 331. Ces informations sont disponibles sur le site de ProPublica, http://www.propublica.org/series/dollars-for-docs.

68. *Prescrire* (2008), *28*(299), 705.

69. Fugh-Berman, A., & Ahari, S. (2007). Following the script: how drug reps make friends and influence doctors. *PLoS Medicine*, *4*(4), e150.

70. Voir le dossier de Jérémie Pottier pour Réflexiences, www.reflexiences.com/dossier/143/les-medecins-sont-ils-manipules-par-les-laboratoires-pharmaceutiques.

71. D'après le Répertoire partagé des professions de santé (RPPS).

72. Orlowski, J. P., & Wateska, L. (1992). The effects of pharmaceutical firm enticements on physician prescribing patterns. There's no such thing as a free lunch. *Chest*, *102*(1), 270–273.

73. Verispan, Wolters-Kluwer et IMS Health. Cette dernière société détient les données sur les deux tiers de toutes les ordonnances déposées dans les pharmacies.

74. Stell, L. K. (2009). Drug reps off campus! Promoting professional purity by suppressing commercial speech. *The Journal of Law, Medicine & Ethics*, *37*(3), 431–443. Voir également l'interview de Goldacre sur le site du prestigieux journal scientifique *Nature*, 28 septembre 2012 : *http://www.nature.com/nature/podcast/index-goldacre-2012-09-28.html.*

75. Les propositions de Martin Hirsch sont les suivantes : 1) Recréer des laboratoires de recherche médicale publics, sans partenariats avec l'industrie pharmaceutique, afin qu'il puisse y avoir un vivier de chercheurs, totalement indépendant de l'industrie pharmaceutique, pouvant siéger dans les commissions d'expertise, sans conflits d'intérêts. 2) Interdire le financement de l'industrie pharmaceutique des «sociétés savantes», pour qu'elles soient savantes et indépendantes, ce qui ne devrait pas être deux qualités incompatibles entre elles. 3) Financer par des fonds publics la formation médicale continue et les congrès médicaux, et non pas par des participations de l'industrie pharmaceutique qui rendent redevables médecins et chercheurs à l'égard de cette dernière. 4) «Renationaliser» la pharmacovigilance et faire en sorte que les études de risque soient commanditées par les autorités sanitaires directement et non pas confiées au laboratoire dont le médicament est sous surveillance et qui «pilote» les études qui peuvent remettre en cause les médicaments qu'il produit. 5) Avoir une conception beaucoup plus stricte de la prévention des conflits d'intérêts. 6) Assurer l'information des médecins sur les médicaments autrement que parce qu'on appelle de la «promotion», c'est-à-dire par des visiteurs médicaux. http://martinhirsch.blogs.nouvelobs.com/archive/2011/01/23/post-mediator-a-propos-des-visiteurs-medicaux.html.

76. Hollis, A. (2004). Me-too drugs: Is there a problem? *WHO report.* Extrait de http://cdrwww.who.int/entity/intellectualproperty/topics/ip/Me-tooDrugs_Hollis1.pdf.

77. Voir les indications du National Institute for Clinical Excellence (NICE), «CG17 Dyspepsia: full guideline», Guidance/ Clinical Guidelines, http:// guidance.nice.org.uk/ CG17/ Guidance/ pdf/.

78. Goldacre, B. (2012). *Op. cit.*, p. 148.

79. ALLHAT, Antihypertensive and Lipid-Lowering Treatment to Prevent Heart Attack Trial (Étude des traitements contre l'hypertension et l'hypolipidémiant visant à prévenir les crises cardiaques qui dura huit ans, fut menée par le ministère de la Santé des États-Unis).

80. Goldacre, B. (2012). *Op. cit.*, p. 149.

81. Moon, J., Flett, A. S., Godman, B. B., Grosso, A. M., & Wierzbicki, A. S. (2011). Getting better value from the NHS drugs budget. *BMJ*, *342*(7787), 30–32.

82. Helms, R. (2006). *Guinea Pig Zero: An Anthology of the Journal for Human Research Subjects* (1re édition). Garrett County Press. Voir également le site http://www.guineapigzero.com/. Cité par Goldacre, B. (2012). *Op. cit.*, p. 107.

83. Goldacre, B. (2012). *Op. cit.*, p. 342.

84. Robin, M.-M. (2010). *Le Monde selon Monsanto.* La Découverte. Kindle, p. 616-618.

85. *Ibid.*, p. 623.

86. Une exposition régulière à ces produits peut provoquer des cancers, des maladies cardio-vasculaires, du diabète, une réduction des défenses immunitaires, des dysfonctionnements de la thyroïde et des hormones sexuelles, des troubles de la reproduction ainsi que des troubles neurologiques graves. Robin, M.-M. (2010). *Op. cit.*, p. 726.

87. Jensen, S. (1966). Report of a new chemical hazard. *New Scientist*, *32*(612), 247–250.

88. Concernant la pollution par les PCB dans l'ensemble des rivières et sites terrestes en France, voir le rapport «Atlas des sites pollués au PCB», 7e édition, publié en avril 2013 par l'association Robin des Bois. lhttp://www.robindesbois.org/PCB/PCB_hors_serie/ATLAS_PCB.html.

89. Robin, M.-M. (2010). *Op. cit.*, p. 572-579.

90. www.chemicalindustryarchives.org/dirtysecrets/annistonindepth/toxicity.asp. Cité par Robin, M.-M. (2010). *Op. cit.*, p. 7962-7964.

91. Robin, M.-M. (2010). *Op. cit.*, p. 706.

92. *Ibid.*, p. 720.

93. *Ibid.*, p. 685-686.

94. *Ibid.*, p. 823.

95. Propos confié à Robin, M.-M. (2010). *Op. cit.*, p. 806-807.

96. La Charte de Monsanto peut être consultée sur le site http://www.monsanto.com/global/fr/qui-sommes-nous/Pages/notre-charte.aspx.

97. L'agent orange sera aussi produit par d'autres firmes, comme Dow Chemicals, dont une filiale, Union Carbide, sera, en 1984, responsable de la catastrophe de Bhopal en Inde qui tua officiellement 3500 personnes, mais causa sans doute 20000 ou 25000 décès selon les associations de victimes. On estime que 80 millions de litres de défoliants ont été déversés sur 3,3 millions d'hectares de forêts et de terres. 90% des arbres et buissons touchés ont été détruits sur deux ans. Plus de 3000 villages ont été contaminés, et 60% des défoliants utilisés étaient de l'agent orange, contenant l'équivalent de 400 kilos de dioxines. Les dioxines sont des sous-produits hautement toxiques de composés comme les PCB et le 2,4,5-trichlorophénol (2,4,5,-T), la substance principale de l'agent orange. La toxicité varie selon les espèces. Deux microgrammes (0,000002 gramme) par kilo de poids suffisent à tuer la moitié de certains cobayes contaminés, mais il en faut trente-cinq fois plus pour tuer les singes rhésus. Cette toxicité n'a pu être mesurée avec précision chez les humains. Toutefois, selon l'OMS : «Les dioxines sont très toxiques et peuvent provoquer des problèmes au niveau de la procréation, du développement, léser le système immunitaire, interférer avec le système hormonal et causer des cancers.» Stellman, J. M., Stellman, S. D., Christian, R., Weber, T., & Tomasallo, C. (2003). The extent and patterns of usage of agent orange and other herbicides in Vietnam. *Nature*, *422*(6933), 681–687. Cité par Robin, M.-M. (2010). *Op. cit.*, p. 8038-8040; Jane Mager Stellman, The extent and patterns of usage of agent orange and other herbicides in Vietnam, *Nature*, 17 avril 2003.

98. Monsanto's agent orange: The persistent ghost from the Vietnam war. Organic Consumers Association, 2002. http://www.organicconsumers.org/monsanto/agentorange032102.cfm; Le Cao DAI *et al.* A comparison of infant mortality rates between

two Vietnamese villages sprayed by defoliants in wartime and one unsprayed village. *Chemosphere*, vol. 20, août 1990, p. 1005-1012. Robin, M.-M. (2010). *Op. cit.*, p. 8186.

99. Sept sociétés produisaient de l'agent orange : Dow Chemicals, Monsanto, Diamond Shamrock, Hercules, T-H Agricultural & Nutrition, Thompson Chemicals et Uniroyal. Robin, M.-M. (2010). *Op. cit.*, p. 1280-1281.

100. Suskind, R. R. (1983). Long-term health effects of exposure to 2, 4, 5-T and/or its contaminants. *Chemosphere*, *12*(4), 769.

101. Robin, M.-M. (2010). *Op. cit.*, p. 1319.

102. Monsanto fut averti, on ne sait comment, et son vice-président écrivit au président du conseil scientifique de l'EPA pour protester contre «des informations hautement provocatrices et erronées à propos d'études épidémiologiques qui concernent l'usine de Monsanto à Nitro. [...] Nous sommes très perturbés par les accusations infondées contre Monsanto et le docteur Suskind». Frustrée, Cate fait parvenir le rapport à la presse qui s'en émeut. Monsanto ne cessera d'intervenir auprès de l'EPA pour que l'enquête n'aboutisse pas et que Cate soit sanctionnée, voire licenciée. Elle fut finalement mutée et subit des harcèlements pendant des années.

103. Cette liste incluait des cancers (appareil respiratoire, prostate), dont certains très rares comme le sarcome des tissus mous ou le lymphome non hodgkinien, mais aussi la leucémie, le diabète (de type 2), la neuropathie périphérique (dont souffre Alan Gibson, le vétéran que j'ai rencontré) et la chloracné.

104. Robin, M.-M. (2010). *Op. cit.*, p. 1585.

105. Problems Plague the EPA Pesticide Registration Activities, US Congress, House of Representatives, House Report, 98–1147, 1984. Cité par Robin, M.-M. (2010). *Op. cit.*, p. 820. Voir également l'article du *New York Times*, 2 mars 1991.

106. Canada : McDuffie, H. H., Pahwa, P., McLaughlin, J. R., Spinelli, J. J., Fincham, S., Dosman, J. A., ... Choi, N. W. (2001). Non-Hodgkin's lymphoma and specific pesticide exposures in men cross-Canada study of pesticides and health. *Cancer Epiology Biomarkers & Prevention*, *10*(11), 1155–1163. Suède : Hardell, L., Eriksson, M., & Nordström, M. (2002). Exposure to pesticides as risk factor for non-Hodgkin's lymphoma and hairy cell leukemia: pooled analysis of two Swedish case-control studies. *Leukemia & Lymphoma*, *43*(5), 1043–1049. États-Unis : De Roos, A. J., Blair, A., Rusiecki, J. A., Hoppin, J. A., Svec, M., Dosemeci, M., ... Alavanja, M. C. (2005). Cancer incidence among glyphosate-exposed pesticide applicators in the Agricultural Health Study. *Environmental Health Perspectives*, *113*(1), 49.

107. Quand Paul Berg annonce ensuite son intention d'insérer un virus cancérigène issu d'un singe dans une cellule d'*Escherichia coli*, une bactérie qui colonise l'estomac et les intestins humains, la communauté scientifique s'alarme : «Que se passera-t-il, si, par malheur, l'organisme manipulé s'échappe du laboratoire?» demande le généticien Robert Pollack. Un moratoire provisoire sur les manipulations génétiques est décrété. Mais il ne durera pas et les expériences sur le génie génétique se multiplient.

108. Robin, M.-M. (2010). *Op. cit.*, p. 4822.

109. D'autres concurrents sont alors en lice pour déposer les premiers des brevets sur la plupart des grandes cultures du monde : Calgene, une start-up californienne qui vient de réussir à rendre le tabac résistant au glyphosate (le composant du Roundup), Rhône-Poulenc, Hoechst, Dupont et Ciba-Geigy et autres géants de la chimie.

110. CropChoice News, 16 novembre 2003. Robin, M.-M. (2010). *Op. cit.*, p. 8424-8425

111. Food and Drug Administration, "Statement of policy: foods derived from new plant varieties", Federal Register, vol. 57, n° 104, 29 mai 1992, p. 22983. Cité par Robin, M.-M. (2010). *Op. cit.*, p. 8449-8451.

112. «Le principe d'équivalence en substance est un alibi, qui ne repose sur aucun fondement scientifique et qui a été créé ex nihilo pour éviter que les OGM soient considérés au moins comme des additifs alimentaires, ce qui permet aux entreprises de biotechnologie d'échapper aux tests toxicologiques prévus par le Food Drug and Cosmetic Act, mais aussi à l'étiquetage de leurs produits. Robin, M.-M. (2010). *Op. cit.*, p. 3521-3524.

113. Selon le rapport 2007 du Center for Food Safety, Monsanto dispose d'un budget de 10 millions de dollars et d'une équipe de 75 personnes chargées à plein temps de la surveillance et de la poursuite judiciaire des fermiers utilisateurs de ses produits. Jusqu'à juin 2006, Monsanto avait engagé de 2 391 à 4 531 plaintes pour «piraterie de graine» à l'encontre d'agriculteurs dans 19 pays, obtenant d'eux entre 85 et 160 millions de dollars.

114. Detœuf, A. (1962). *Propos de O. L. Barenton, confiseur.* Éditions du Tambourinaire, p. 111.

115. http://www.centerforfoodsafety.org/2012/01/25/genetically-engineered-foods-will-not-feed-the-world-the-center-for-food-safety-pushes-back-against-gates-foundation-feed-the-world-propaganda/.

116. Robin, M.-M. (2010). *Op. cit.*, p. 6082.

117. *Ibid.*, p. 6135.

118. *Ibid.*, p. 6777.

119. Vendana Shiva, From Seeds of Suicide, to Seed of Hope. *Huffington Post*, 28 avril 2009.

120. Shiva, V. J., Kunwar; Navdanya (Organization). (2006). *Seeds of Suicide: the Ecological and Human Costs of Seed Monopolies and Globalisation of Agriculture.* Navdanya.

121. Sophie Chapelle, *Le Journal des Alternatives*, 5 novembre 2012.

122. Issue du GIC (Groupement d'intérêt citoyen), cette association regroupe notamment Greenpeace, ATTAC, et les Amis de la Terre.

VI. Construire une société plus altruiste

36. Les vertus de la coopération

1. Extrait d'un discours à l'Assemblée générale de l'ONU, 24 septembre 2001.

2. Candau, J. (2012). Pourquoi coopérer. *Terrain, 1*, 4–25.

3. Voir également Axelrod R. (1992). *Donnant Donnant. Théorie du comportement coopératif.* Odile Jacob ; Kappeler, P. M., & Van Schaik, C. (2006). *Cooperation in Primates and humans: Mechanisms and Evolution.* Springer Verlag ; Henrich, J., & Henrich, N. (2007). *Why Humans Cooperate: A Cultural and Evolutionary Explanation.* Oxford University Press.

4. Candau, J. (2012). *Op. cit.*

5. Le contenu de cette rencontre a été publié dans l'ouvrage : Goleman, D. & Dalaï-lama (2003). *Surmonter les émotions destructrices : Un dialogue avec le Dalaï-lama*, Robert Laffont. Voir également Ekman, P., Davidson, R. J., Ricard, M., & Wallace, B. A. (2005). Buddhist and psychological perspectives on emotions and well-being. *Current Directions in Psychological Science, 14*, 59–63.

6. Souvenirs d'Ephraïm Grenadou, recueillis par Alain Prévost, diffusé par France

Culture en 1967 et en 2011-2012. Voir aussi Grenadou, E. (1966). *Vie d'un paysan français*. Seuil.

7. Wilkinson, R., & Pickett, K. (2009). *The Spirit Level: Why Equality is Better for Everyone*. Bloomsbury Publishing PLC, p. 209.

8. Candau, J. (2012). *Op. cit.*, p. 40.

9. Carpenter, J., Matthews, P., & Schirm, J. (2007). *Tournaments and Office Politics: Evidence from a Real Effort Experiment* (SSRN Scholarly Paper N°. ID 1011134). Rochester, New York, Social Science Research Network.

10. DeMatteo, J. S., Eby, L. T., & Sundstrom, E. (1998). *Team-Based Rewards: Current Empirical Evidence and Research in Organizational Behavior*, *20*, 141–183. Tamu.edu.

11. Richard Layard, lors d'une conversation avec l'auteur.

12. Mokyr, J. (2009). *The Enlightened Economy: An Economic History of Britain 1700-1850*. Yale University Press, p. 384-385.

13. Wilkinson, R., Pickett, K. (2009). *Op. cit.*

14. Draperi, J.-F. (2012). *La République coopérative*. Larcier.

15. D'après Virginie Poujol, «De la coopération pour la survie à la coopération comme facteur d'émancipation?» In Loncle, P., Corond, M., & collectif (2012). *Coopération et Éducation populaire*. L'Harmattan, p. 135.

16. En France, les secteurs phares des coopératives sont ceux des services industriels (41 %) et de l'agriculture (33 %). On retrouve également le logement (17 %), la banque (5 %), la consommation (3 %) et les pharmacies (1 %). Voir http://www.coopdefrance.coop/fr/96/entreprises-cooperatives-en-europe/.

17. Hardin, G. (1968). The tragedy of the commons. *Science*, *162*(3859), 1243–1248.

18. Cox S. J. (1985). No tragedy on the commons, *Environmental Ethics*, *7*, 49–61 (p. 60).

19. Angus, I. (2008). The Myth of the Tragedy of the Commons. *Monthly Review Magazine*, *25*(08), 08.

20. Engels, F. (1902). *The Mark*. New York Labor News Co.

21. Ostrom E. (2010). *Gouvernance des biens communs : Pour une nouvelle approche des ressources naturelles*, De Boeck.

22. *Ibid.*, p. 90-104. Lecomte, J. (2012). *La Bonté humaine*. Odile Jacob.

23. Elinor Ostrom, citée par Lecomte, J. (2012). *Op. cit.*

24. Rustagi, D., Engel, S., & Kosfeld, M. (2010). Conditional cooperation and costly monitoring explain success in forest commons management. *Science*, *330*(6006), 961–965.

25. Hervé Le Crosnier, *Le Monde diplomatique*, 15 juin 2012.

26. Fehr, E., & Gächter, S. (2000). Cooperation and punishment in public goods experiments. *The American Economic Review*, *90*(4), 980–994; Fehr, E., Fischbacher, U., & Gächter, S. (2002). Strong reciprocity, human cooperation, and the enforcement of social norms. *Human Nature*, *13*(1), 1–25.

27. Fehr, E., & Gächter, S. (2002). Altruistic punishment in humans. *Nature*, *415*(6868), 137–140.

28. Boyd, R., Gintis, H., Bowles, S., & Richerson, P. J. (2003). The evolution of altruistic punishment. *Proceedings of the National Academy of Sciences*, *100*(6), 3531–3535; Flack, J. C., Girvan, M., Waal, F. B. M. de, & Krakauer, D. C. (2006). Policing stabilizes construction of social niches in primates. *Nature*, *439*(7075), 426–429; Mathew, S., & Boyd, R. (2011). Punishment sustains large-scale cooperation in prestate warfare. *Proceedings of the National Academy of Sciences*, *108*(28), 11375–11380.

29. Herrmann, B., Thöni, C., & Gächter, S. (2008). Antisocial punishment across societies. *Science, 319*(5868), 1362–1367.

30. Depuis 1995, l'ONG Transparency International publie chaque année un indice de perception de la corruption (Corruption Perception Index, CPI) qui classe les pays selon le degré de corruption perçu dans un pays par les citoyens. Cet indice est élaboré à l'aide d'enquêtes réalisées auprès d'hommes d'affaires et de sociologues.

31. Nowak, M. A., A. Sasaki, C. Taylor, and D. Fudenberg. 2004. Emergence of cooperation and evolutionary stability in finite populations. *Nature, 428*, 646–50 ; Imhof, L. A., Fudenberg, D., & Nowak, M. A. (2005). Evolutionary cycles of cooperation and defection. *Proceedings of the National Academy of Sciences of the United States of America, 102*(31), 10797–10800 ; Dreber, A., Rand, D. G., Fudenberg, D., & Nowak, M. A. (2008). Winners don't punish. *Nature, 452*(7185), 348–351.

32. Hamlin, J. K., & Wynn, K. (2011). Young infants prefer prosocial to antisocial others. *Cognitive Development, 26*(1), 30–39 ; Hamlin, J. K., Wynn, K., Bloom, P., & Mahajan, N. (2011). How infants and toddlers react to antisocial others. *Proceedings of the National Academy of Sciences, 108*(50), 19931–19936.

33. Singer, T., Seymour, B., O'Doherty, J. P., Stephan, K. E., Dolan, R. J., & Frith, C. D. (2006). Empathic neural responses are modulated by the perceived fairness of others. *Nature, 439*(7075), 466–469.

34. Rand, D. G., Dreber, A., Ellingsen, T., Fudenberg, D., & Nowak, M. A. (2009). Positive interactions promote public cooperation. *Science, 325*(5945), 1272–1275.

35. Ozouf, M. (1997). « Liberté, égalité, fraternité, peuplements de pays paix et la guerre », dans *Lieux de mémoire* (dir. Pierre Nora), Quarto Gallimard, tome III, p. 4353-4389.

36. Attali, J. (1999). *Fraternités.* Fayard, p. 172.

37. *Ibid.*, p. 173.

38. *Ibid.*, p. 174.

39. *Ibid.*, p. 170-171.

40. Martin Luther King, discours prononcé le 31 mars 1968.

41. Tomasello, M. (2009). *Why We Cooperate.* MIT Press.

42. Sober, E., & Wilson, D. S. (1999). *Unto Others : The Evolution and Psychology of Unselfish Behavior.* Harvard University Press, p. 166 ; Boyd, R., & Richerson, P. J. (1992). Punishment allows the evolution of cooperation (or anything else) in sizable groups. *Ethology and Sociobiology, 13*(3), 171–195. Selon Colin Turnbull, chez les Mbutis d'Afrique, « même les actes les plus insignifiants et les plus routiniers de la vie quotidienne de la famille constituent potentiellement une source de préoccupation majeure pour la tribu tout entière. [...] Il est essentiel qu'il y ait, dans la tribu, un schéma de comportement général accepté par tous et s'appliquant à toutes les activités concevables ». Turnbull, C. M. (1965). *The Mbuti Pygmies: an Ethnographic Survey.* American Museum of Natural History New York, vol. 50, p. 118.

37. Une éducation éclairée

1. Seligman, M. (2013). *S'épanouir pour un nouvel art du bonheur et du bien-être.* Traduit par Brigitte Vadé. Belfond, un département de Place des Éditeurs.

2. Dalaï-lama, G. T. (1999). *Sagesse ancienne, monde moderne.* Fayard.

3. Pour une critique du « neutralisme » dans l'éducation et l'enseignement de valeurs universellement acceptables et désirables, voir également White, J. (1991). *Edu-*

cation and the Good Life: Autonomy, Altruism, and the National Curriculum. Advances in Contemporary Educational Thought, vol. 7. ERIC.

4. Greenberg, M. T. (2010). School-based prevention: current status and future challenges. *Effective Education, 2*(1), 27–52.

5. Favre, D. (2006). *Transformer la violence des élèves : Cerveau, motivations et apprentissage.* Dunod; Favre, D. (2010). *Cessons de démotiver les élèves : 18 clés pour favoriser l'apprentissage.* Dunod.

6. Hawkes, N. (2010). *Does Teaching Values Improve the Quality of Education in Primary Shools? A Study about the Impact of Values Education in a Primary School.* VDM Verlag Dr. Müller. Voir également le site www.values-education.com.

7. Farrer, F. (2005). *A Quiet Revolution: Encouraging Positive Values in Our Children.* Rider & Co.

8. Lovat, T., Toomey, R., & Clement, N. (2010). *International Research Handbook on Values Education and Student Wellbeing.* Springer; Lovat, T., & Toomey, R. (2009). *Values Education and Quality Teaching: The Double Helix Effect.* Springer-Verlag New York Inc.

9. Des formes de méditation qui associent l'analyse intellectuelle au développement de l'attention, de la pleine conscience et de la bienveillance sont enseignées dans certains établissements scolaires d'Amérique du Nord et de quelques pays d'Europe. Greenland, S. K. (2010). *The Mindful Child: How to Help Your Kid Manage Stress and Become Happier, Kinder, and More Compassionate.* The Free Press. Également, concernant la pratique de la pleine conscience dans l'éducation parentale : Kabat-Zinn, J. & M. (2012). *À chaque jour ses prodiges.* Les Arènes.

10. Ozawa-de Silva, B., & Dodson-Lavelle, B. (2011). An education of heart and mind: Practical and theoretical issues in teaching cognitive-based compassion training to children. *Practical Matters, 1*(4), 1–28.

11. Pléty, R. (1998). *L'Apprentissage coopérant.* Presses universitaires de Lyon (PUL), p. 7.

12. Johnson, D. W., Johnson, R. T., & Stanne, M. B. (2000). *Cooperative Learning Methods: A Meta-Analysis.* Minneapolis, University of Minnesota. Voir également l'ouvrage de base de deux premiers spécialistes : Johnson, D. H., & Johnson, R. T. (1998). *Learning Together and Alone: Cooperative, Competitive, and Individualistic Learning* (5e édition). Pearson.

13. Slavin, R. E., Hurley, E. A., & Chamberlain, A. (2003). *Cooperative Learning and Achievement: Theory and Research.* Wiley Online Library. Une étude plus récente a confirmé que l'éducation coopérative améliore les résultats scolaires : Tsay, M., & Brady, M. (2010). A case study of cooperative learning and communication pedagogy: Does working in teams make a difference. *Journal of the Scholarship of Teaching and Learning, 10*(2), 78–89.

14. Johnson, D. W., Johnson, R. T., & Holubec, E. J. (1991). *Cooperation in the Classroom* (édition révisée). Interaction Book Company.

15. Cohen, P. A., Kulik, J. A., & Kulik, C. L. C. (1982). Educational outcomes of tutoring: A meta-analysis of findings. *American Educational Research Journal, 19*(2), 237–248. Voir également la section : «Enseignement» sur le site http://www.psychologie-positive.net, fondé par Jacques Lecomte.

16. Barley, Z., Lauer, P. A., Arens, S. A., Apthorp, H. S., Englert, K. S., Snow, D., & Akiba, M. (2002). *Helping At-Risk Students Meet Standards.* Aurora, CO: Mid-continent Research for Education and Learning; Finkelsztein. (1997). *Le Monitorat : s'entraider pour réussir.* Hachette Littérature.

17. Voir http://erdcanada.com/.

18. Topping, K. J., & Trickey, S. (2007). Collaborative philosophical enquiry for school children: cognitive effects at 10–12 years. *British Journal of Educational Psychology*, *77*(2), 271–288 ; Trickey, S., & Topping, K. J. (2004). Philosophy for children: a systematic review. *Research Papers in Education*, *19*(3), 365–380.

19. Aronson, E., & Patnoe, S. (2011). *Cooperation in the Classroom: The Jigsaw Method* (3e édition révisée). Pinter & Martin Ltd.

20. Lucker, G. W., Rosenfield, D., Sikes, J., & Aronson, E. (1976). Performance in the interdependent classroom: A field study. *American Educational Research Journal*, *13*(2), 115–123 ; Fini, A. A. S., Zainalipour, H., & Jamri, M. (2011). An investigation into the effect of cooperative learning with focus on jigsaw technique on the academic achievement of 2nd-grade middle school students. *J. Life Sci. Biomed.* *2*(2), 21-24.

21. Jennings, P. A., & Greenberg, M. T. (2009). The prosocial classroom: Teacher social and emotional competence in relation to student and classroom outcomes. *Review of Educational Research*, *79*(1), 491–525 ; Aspy, D. N., & Roebuck, F. N. (1977). *Kids Don't Learn from People They Don't Like*. Human Resource Development Press Amherst, MA. Pour la version française : Aspy D. & Roebuck F. (1990). *On n'apprend pas d'un prof qu'on n'aime pas*. Actualisation.

22. Lecomte, J. (avril 2009). Les résultats de l'éducation humaniste. *Sciences humaines*, *203*.

23. Aspy, D. N., & Roebuck, F. N. (1977). *Op. cit.*

24. Gordon, M. (2005). *Roots of Empathy: Changing the World Child by Child.* Markham, ON, Thomas Allen & Son.

25. Schonert-Reichl, K. A. (2005). Effectiveness of the roots of empathy program in promoting children's emotional and social competence: A summary of research outcome findings. Appencice B in Gordon, M. (2005). *Op. cit.*

26. Santos R. G., Chartier M. J., Whalen, J. C., Chateau D., Boyd L. Effectiveness of the roots of empathy (ROE) program in preventing aggression and promoting prosocial behavior: Results from a cluster randomized controlled trial in Manitoba. Présentés à la conférence des sciences du comportement. Banff, mars 2008.

27. Rivkin, M. S. (1995). *The Great Outdoors : Restoring Children's Right To Play Outside.* ERIC ; Karsten, L. (2005). It all used to be better? Different generations on continuity and change in urban children's daily use of space. *Children's Geographies*, *3*(3), 275–290.

28. George, D. S. Getting lost in the great indoors. *Washington Post.* 19 juin 2007. Cité par Rifkin, J. (2012). *La Troisième Révolution industrielle.* Les liens qui libèrent, p. 352.

29. Louv, R. (2008). *Last Child in the Woods: Saving Our Children from Nature-Deficit Disorder.* Algonquin Books, p. 10. Cité par Rifkin, J. (2012). *Op. cit.*, p. 353.

30. Kellert S. R., "The biological basis for human values of nature". In Kellert, S. R., & Wilson, E. O. (1995). *The Biophilia Hypothesis.* Island Press.

31. Cité par Rifkin, J. (2012). *Op. cit.*, p. 360.

32. Lewinsohn, P. M., Rohde, P., Seeley, J. R., & Fischer, S. A. (1993). Age-cohort changes in the lifetime occurrence of depression and other mental disorders. *Journal of Abnormal Psychology*, *102*(1), 110.

38. Combattre les inégalités

1. Morin, E. (2011). *La Voie : Pour l'avenir de l'humanité.* Fayard.

2. Pour les détails du calcul et les sources, voir Stiglitz, J. (2011), Stiglitz, J. (2012). *Le Prix de l'inégalité.* Les liens qui libèrent, p. 385, note 4.

3. Stiglitz, J. (2012). *Op. cit.*, p. 9. Voir également Stiglitz, J. (2011). Of the 1 %, by the 1 %, for the 1 %". *Vanity Fair*, mai 2011.

4. Kuroda, H., & Bank, A. D. (2012). Asian Development Outlook 2012 : Confronting Rising Inequality in Asia. Asian Development Bank.

5. Cité par Bourguinat, H., & Briys, E. (2009). *L'Arrogance de la finance : Comment la théorie financière a produit le krach*. La Découverte.

6. Piketty, T., & Saez, E. (2001). *Income Inequality in the United States, 1913-1998*. National Bureau of Economic Research.

7. Données pour 2011, publiées le 11 décembre 2012 par Proxinvest (un partenaire de l'European Corporate Governance Service, ECGS), dans son quatorzième rapport «La rémunération des dirigeants des sociétés du SBF 120». Le niveau record du patron de Publicis est en partie dû au versement anticipé de ses bonus différés, représentant une prime exceptionnelle de 16 millions d'euros.

8. Morin, E. (2011). *La Voie : Pour l'avenir de l'Humanité*. Fayard.

9. Déclaration d'Andrew Sheng dans le documentaire *Inside Job* de Charles Ferguson, qui offre un éclairage saisissant sur les conséquences de la dérégulation et sur la psychologie et le comportement des individus qui furent à la racine de la crise de 2009. Il reçut l'oscar du meilleur documentaire en 2011. Ferguson, C. (2011). *Inside Job*. Sony Pictures Entertainment.

10. Feller, A., Stone, C., & Saez, E. (2009). Top 1 percent of Americans reaped two-thirds of income gains in last economic expansion. *Center on Budget and Policy Priorities*.

11. http://www.statistiques-mondiales.com/part_du_revenu.htm.

12. Enquête de l'INSEE, «Patrimoines des ménages».

13. Kuroda, H., & Bank, A. D. (2012). *Asian Development Outlook 2012: Confronting Rising Inequality in Asia*. Asian Development Bank.

14. Christopher, C., Daly, M., & Hale, G. (2009). Beyond Kutznets: Persistent Regional Inequality in China. FRBSF Working Paper 09-07; Wan, G., Lu, M., & Chen, Z. (2007). Globalization and regional income inequality: empirical evidence from within China. *Review of Income and Wealth*, *53*(1), 35–59.

15. Aux États-Unis, les économistes Emmanuel Saez et Thomas Piketty ont constaté que 93 % des gains lors de la reprise post 2009 sont allés au 1 % les plus riches. Shaw, H., Stone, C., Piketty, T., & Saez, E. (2010). Tax data show richest 1 percent took a hit in 2008, but income remained highly concentrated at the top. *Center on Budget and Policy Priorities*.

16. «Rapport sur le travail dans le monde 2008 : les inégalités de revenus à l'épreuve de la mondialisation financière». Rapport de l'OIT, octobre 2008.

17. Attali, J. (1999). *Fraternités*. Fayard, p. 57.

18. http://www.weforum.org/issues/global-risks.

19. Lustig, N., Lopez-Calva, L., & Ortiz-Juarez, E. (2012). The decline in inequality in Latin America: How much, since when and why. *Since When and Why* (24 avril 2011).

20. Breceda, K., Rigolini, J., & Saavedra, J. (2009). Latin America and the social contract: Patterns of social spending and taxation. *Population and Development Review*, *35*(4), 721–748.

21. Wilkinson, R., Pickett, K. (2009). *Op. cit.*

22. C'est-à-dire si l'index d'inégalité *Gini* passait de 0,36 à 0,29. Cet index est égal à 0 si tout le monde a des ressources égales et à 1 si une seule personne possédait toute la fortune. Kondo, N., Sembajwe, G., Kawachi, I., Van Dam, R. M., Subramanian,

S. V., & Yamagata, Z. (2009). Income inequality, mortality, and self rated health: meta-analysis of multilevel studies. *BMJ*, *339*.

23. National Opinion Research Center. *General Social Survey*. Chicago NORC, p. 1999-2004.

24. Wilkinson, R. (2009). *Op. cit.*, p. 64.

25. Tocqueville, A. de (2010). *De la démocratie en Amérique*. Flammarion, p. 35.

26. Berg, A., Ostry, J. D., & Zettelmeyer, J. (2012). What makes growth sustained? *Journal of Development Economics*, *98*(2), 149–166.

27. Molina, E., Narayan, A., & Saveedra, J; (2013). "Outcomes, Opportunity and Development: Why Unequal Opportunities and not Outcomes Hinder Economic Development" by Ezequiel Molina, Ambar Narayan and Jaime Saveedra. Rapport de la Banque mondiale. Cité par *The Economist*, Special report, 13 octobre 2012.

28. *Ibid.*

29. Morin, E. (2011). *Op. cit.*, p. 114-115.

30. Morin, E., & Hessel, S. (2011). *Le Chemin de l'espérance*. Fayard, p. 44.

31. Berg, A., & Ostry, J. D. (2011). *Inequality and Unsustainable Growth: Two Sides of the Same Coin?* IMF; Berg, A., Ostry, J. D., & Zettelmeyer, J. (2012). What makes growth sustained? *Journal of Development Economics*, *98*(2), 149–166.

32. The next PB Blow up : A 9.9 Billion Tax Credit. *The Wall Street Journal*, 3 février 2003.

33. Stiglitz, J. (2012), *Op. cit.*, p. 92.

39. Vers une économie altruiste

1. Pennac, D. (1997). *La Fée carabine*. Gallimard.

2. Persky, J. (1995). Retrospectives: the ethology of *Homo economicus*. *The Journal of Economic Perspectives*, *9*(2), 221–231.

3. Sur la base de leurs préférences, ils sont censés maximiser leur satisfaction en utilisant les ressources disponibles, en calculant les coûts et les bénéfices. L'ouvrage de Gary Becker (1976). *The Economic Approach to Human Behavior*. Chicago : University of Chicago Press. Cet ouvrage est l'un des plus représentatifs de ce courant de pensée.

4. Samuelson, P. A., & Nordhaus, W. D. (2009). *Economics* (19e édition, revue et corrigée). McGraw Hill Higher Education. La citation est tirée de la 12e édition (1983), p. 903.

5. Kourilsky, P. (2009). *Le Temps de l'altruisme*. Odile Jacob, p. 142.

6. Edgeworth F. Y. (1967). *Mathematical Psychics: An Essay on the Application of Mathematics to the Moral Sciences*. A. M. Kelley, p. 16.

7. Landes, W. M., & Posner, R. (1977). *Altruism in Law and Economics*. National Bureau of Economic Research Cambridge, Mass., États-Unis.

8. Blau, P. (1964). *Exchange and Power in Social Life*, New York : John Wiley and Sons, p. 17.

9. Walster, E. H., Hatfield, E., Walster, G. W., & Berscheid, E. (1978). *Equity: Theory and Research*. Allyn and Bacon.

10. Sen, A. (1993). *Éthique et économie*. PUF, p. 18. Cité par Lecomte, J. (2012). *La Bonté humaine*. *Op. cit.*

11. Kourilsky, P. (2009). *Op. cit.*, p. 145.

12. «L'individu qui ne pense qu'à son propre gain «est conduit par une main invisible à remplir une fin qui n'entre nullement dans ses intentions : [...] Tout en ne cherchant que son intérêt personnel, il travaille souvent d'une manière bien plus efficace

pour l'intérêt de la société, que s'il avait réellement pour but d'y travailler.» – Adam Smith. *Recherche sur la nature et les causes de la richesse des nations*, livre IV, chapitre 2, 1776; d'après réédition, Flammarion, 1991, tome 2, p. 42-43.

13. Smith, A. (1881/2012). *Recherche sur la nature et les causes de la richesses des nations.* Ink book. Trad. G. Garnier. Édition anglaise originale : 1776, tome 1, chapitre 10, p. 10.

14. Waal, F. B. M. de (2010). *L'Âge de l'empathie. Op. cit.*, p. 62.

15. Kolm, S.-C. (1984). *Op. cit.*, p. 34.

16. Smith, A. (2011). *Théorie des sentiments moraux* (2e édition). PUF, I : I : 5.

17. Kahneman, D., Slovic, P., & Tversky, A. (1982). *Judgment under Uncertainty: Heuristics and Biases.* Cambridge University Press; Kahneman, D., & Tversky, A. (1979). Prospect theory: An analysis of decision under risk. *Econometrica*, 47 (2), 263-291.

18. Kuhnen, C. M., & Knutson, B. (2005). The neural basis of financial risk taking. *Neuron, 47*(5), 763–770; Knutson, B., & Bossaerts, P. (2007). Neural antecedents of financial decisions. *The Journal of Neuroscience, 27*(31), 8174–8177.

19. Ariely, D. (2013). *The Irrational Bundle : Predictably Irrational, The Upside of Irrationality, and The Honest Truth About Dishonesty.* Harper.

20. Kahneman, D. (2012). *Système 1 / Système 2 : Les deux vitesses de la pensée.* Flammarion.

21. Soros, G. (1997). The capitalist threat. *The Atlantic Monthly, 279*(2), 45–58. Cité dans Oreskes, N., & Conway, E. M. M. (2011). *Op. cit.*, note 36, p. 338.

22. *Ibid.*

23. Sandel, M. (2012). *What Money Can't Buy: The Moral Limits of Markets* (Open Market edition). Allen Lane.

24. Interview de Michael Sandel par Edward Luce dans le *Financial Times*, 5 avril 2013.

25. *Le Monde*, 9 juin 2009.

26. Stiglitz, J. (2012). *Op. cit.*, p. 254.

27. Sen, A. (2012). *L'Idée de justice.* Flammarion; Sen, A. (2012). *Repenser l'inégalité.* Seuil. Points.

28. Stiglitz, J. (2012). *Op. cit.*, p. 9-10.

29. *Ibid.*, p.11.

30. Pech, T. (2011). *Le Temps des riches : Anatomie d'une sécession.* Seuil.

31. Stiglitz, J. (2012). *Op. cit.*, p. 12-13.

32. *Ibid.*, p. 16.

33. Ferguson, C. (2011). *Op. cit.*

34. Kallas, S. (3 mars 2005). *The Need for an European Transparency.* Discours à Nottingham. Cité par Kempf, H. (2013). *Op. cit.*, p. 78.

35. Galbraith, J. K. (2009). *L'État prédateur : Comment la droite a renoncé au marché libre et pourquoi la gauche devrait en faire autant.* Seuil, p. 185. Cité par Kempf, H. (2013). *L'oligarchie ça suffit, vive la démocratie.* Seuil. Points, p. 69.

36. Cité par Irène Inchauspé, «L'État redéfinit son rôle». *Challenges, 179*, 10 septembre 2009, p. 53.

37. Attali, J. (2012). *Demain, qui gouvernera le monde?* Fayard/Pluriel.

38. Porter, M., & Kramer, M. (janvier-février 2011), How to fix capitalism. *Harvard Business Review*, p. 74.

39. Filippi, C.-H. (2009). *L'Argent sans maître.* Descartes & Cie.

40. Stiglitz, J. (2012). *Le Prix de l'inégalité.* Les liens qui libèrent, p. 222.

41. Selon un communiqué de l'AFP du 10 avril 2013.
42. Frank, R. H. (1988). *Passions within Reason : The Strategic Role of the Emotions.* W. W. Norton & Company, p. 236.
43. Kolm, S.-C. (1984). *La Bonne économie.* PUF, p. 109.
44. *Ibid.*, p. 56.
45. Voir également Kolm, S.-C. (2009). *Reciprocity : An Economics of Social Relations* (Reissue.). Cambridge University Press; Kolm, S.-C., & Ythier, J. M. (2006). *Handbook of the Economics of Giving, Altruism and Reciprocity : Foundations.* North Holland.
46. Detœuf, A. (1962), *Propos de O. L. Barenton, confiseur.* Éditions du Tambourinaire.
47. Kolm, S.-C. (1984). *Op. cit.*, p. 227.
48. Pour plus de détails, voir «Mondragon» sur http://fr.wikipedia.org/wiki/Mondragon, ainsi que l'article de Prades, J. (2005). L'énigme de Mondragon. Comprendre le sens de l'expérience. *Revue internationale de l'économie sociale, 296*, 1–12.
49. Wolff, R. (24 juin 2012). Yes, there is an alternative to capitalism: Mondragon shows the way. *The Guardian.*
50. Morin, E. (2011). *La Voie : Pour l'avenir de l'humanité.* Fayard.
51. Transcrit par l'auteur d'après ses notes.
52. Muhammad Yunus, communication personnelle.
53. Extrait de propos de Muhammad Yunus prononcés à l'université de la Terre, UNESCO, à Paris, le 27 avril 2013.
54. Lecomte, T. (2004). *Le Commerce équitable.* Éditions d'Organisation, p.12, 17.
55. *Ibid.*, p. 20.
56. *Ibid.*, p. 25.
57. *Ibid.*, p. 48-49.
58. Darnil, S., & Roux, M. L. (2006). *80 Hommes pour changer le monde : Entreprendre pour la planète.* Le Livre de Poche.
59. *Ibid.*
60. Selon les chiffres d'Eurosif (European Sustainable Investment Forum) : European SRI Study, 2012. www.eurosif.org.
61. http://www.triodos.com/en/about-triodos-bank/ ainsi que http://www.calvert.com/.
62. Mao, B. (23 février 2009). Banques durable : une alternative d'avenir? *GEO*, www.geo.fr.
63. Document téléchargeable sur le site http://www.amisdelaterre.org/Environnement-mieux-choisir-ma.html.
64. OCDE, *Développement : l'aide aux pays en développement fléchit sous l'effet de la récession mondiale,* communiqué du 4 avril 2012.
65. Sans nier les accomplissements majeurs de la Fondation Gates, de nombreux experts en santé publique soulignent qu'en investissant massivement dans le combat contre certaines maladies comme la malaria et le sida, d'autres aspects ont été négligés par la fondation et, en conséquence, négligés également par les autorités de santé locales mobilisées pour la mise en œuvre des programmes de la Fondation Gates. C'est le cas notamment de la lutte contre la tuberculose ainsi que la santé de la mère et de l'enfant, et autres problèmes qui affectent les plus pauvres. Voir notamment : *The Lancet* (2009). What has the Gates Foundation done for global health? *The Lancet, 373*(9675), 1577.
66. O'Clery, C. (2013). *The Billionaire Who Wasn't : How Chuck Feeney Secretly Made and Gave Away a Fortune.* PublicAffairs, États-Unis.

67. D'après *Forbes Magazine*, 19 février 2013.

68. *France Inter*, infos de 13 heures, 16 août, 2011. Voir également www.Trader-finance.fr. Les Américains donnent leur fortune, pourquoi ?, 7 mai 2013.

69. Voir http://www.recherches-solidarites.org/.

70. Sous l'égide de la fondation Ditchley. http://www.ditchley.co.uk/page/394/philanthropy.htm. Cité par Vaccaro, A. (2012). Encourager le renouveau de la philanthropie, conférence donnée le 15 mars 2012 à l'École de Paris du management.

71. Vaccaro, A. (2012). Le renouveau de la philanthropie. *Le Journal de l'École de Paris du management*, *96*(4), 31–37. Voir également Sandrine L'Herminier, *L'Espoir philanthropique* (2012). Lignes de Repères.

72. Steven Bertoni, Chuck Feeney: The billionaire who is trying to go broke. *Forbes Magazine*, 8 octobre 2012.

73. *Ibid.*

74. About us, Kiva.org.

75. Morin, E., & Hessel, S. (2011). *Le Chemin de l'espérance.* Fayard, p. 29.

76. Giles, J. (13 avril 2013). Wiki-opoly, *New Scientist*, *2912*, 38–41.

77. Babinet, G. (février 2013), *Pour un new deal numérique.* Institut Montaigne, p. 26.

78. Porter, M., & Kramer, M. (janvier-février 2011). How to fix capitalism. *Harvard Business Review*, p. 68.

79. *Ibid.*, p. 71.

80. Greenest companies in America. *Newsweek,* 22 octobre, 2012.

40. La simplicité volontaire et heureuse

1. Gandhi, cité par Varinda Tarzie Vittachi, *Newsweek*, 26 janvier 1976.

2. Stiglitz, J. (2012). *Op. cit.*, p. 318.

3. Elgin, D. (2010). *Voluntary Simplicity: Toward a Way of Life That Is Outwardly Simple, Inwardly Rich.* William Morrow Paperbacks.

4. Elgin, D., & Mitchell, A. (1977). Voluntary simplicity. *The Co-Evolution Quarterly*, *3*, 4–19.

5. Rabhi, P. (2010). *Vers la sobriété heureuse.* Actes Sud.

6. Cité par Scott Russell Sanders, "To fix the economy, we first have to change our definition of wealth". *Orion magazine* July/August 2011.

7. Dalaï-lama, G., T. (1999). *Sagesse ancienne, monde moderne.* Fayard.

8. Sheldon, K. M., & Kasser, T. (1995). Coherence and congruence: Two aspects of personality integration. *Journal of Personality and Social Psychology*, *68*(3), 531.

9. Kasser, T. (2003). *The High Price of Materialism.* MIT Press ; Kasser, T. (2008). Can buddhism and consumerism harmonize ? A review of the psychological evidence. In *International Conference on Buddhism in the Age of Consumerism, Mahidol University*, Bangkok, p. 1-3.

10. Kasser, T. (2003). *Op. cit.* Kindle, p. 813.

11. Schwartz, S. H. (1994). Are there universal aspects in the structure and contents of human values ? *Journal of Social Issues*, *50*(4), 19–45.

12. Schultz, P. W., Gouveia, V. V., Cameron, L. D., Tankha, G., Schmuck, P., & Franvek, M. (2005). Values and their relationship to environmental concern and conservation behavior. *Journal of Cross-Cultural Psychology*, *36*(4), 457–475. Des études transculturelles montrent que plus les gens accordent de l'importance à des objectifs tels que la richesse et le statut, moins ils ont tendance à s'inquiéter de la protection de l'environnement, de l'importance d'avoir « un monde de beauté ». Dans leur comporte-

ment, ils manifestent moins de bienveillance et de sentiment de lien avec tous les êtres vivants : Schwartz, S. H. (1992). Universals in the content and structure of values : Theoretical advances and empirical tests in 20 countries. *Advances in Experimental Social Psychology*, *25*(1), 1–65 ; Saunders, S., & Munro, D. (2000). The construction and validation of a consumer orientation questionnaire designed to measure Fromms (1955) marketing character in Australia. *Social Behavior and Personality: An International Journal*, *28*(3), 219–240.

13. Sheldon, K. M., & Kasser, T. (1998). Pursuing personal goals : Skills enable progress, but not all progress is beneficial. *Personality and Social Psychology Bulletin*, *24*(12), 1319–1331.

14. Paul Mazur dans un article de 1927 de la *Harvard Business Review*, cité par Häring, N., & Douglas, N. (2012). *Economists and the powerful: Convenient theories, distorted facts, ample rewards.* Anthem Press, p. 17.

15. Ruskin, G. (1999). Why they whine: How corporations prey on our children *Mothering*, novembre-décembre 1999. Cité par Kasser, T. (2003). *Op. cit.*, *1127*.

16. Rapporté par Ruskin, G. (1999). *Op. cit.*

17. Rabhi, P. (2010). *Op. cit.*, p. 18.

18. Ellen McArthur Foundation (2012). *Towards a Circular Economy* (« Vers une économie circulaire »).

19. Stahel, W. R. (2010). *The Performance Economy.* Palgrave Macmillan Hampshire, Royaume-Uni.

20. AFP, 23 avril 2013.

21. Pour avoir de plus amples informations sur des livres et articles de synthèse, voir, notamment, Layard, R. (2006). *Happiness : Lessons from a new science.* Penguin. Trad. française : Layard, R. (2007). *Le Prix du bonheur : Leçons d'une science nouvelle.* Armand Colin ; Kahneman, D., Diener, E., & Schwarz, N. (2003). *Well-being: The Foundations of Hedonic Psychology.* Russell Sage Foundation Publications.

22. Myers, D. G. (2000). The funds, friends, and faith of happy people. *American Psychologist*, *55*(1), 56.

23. Graham, C. (2012). *Happiness around the World: The Paradox of Happy Peasants and Miserable Millionaires.* Oxford University Press.

24. Layard, R. (2007). *Op. cit.*

25. Dunn, E. W., Aknin, L. B., & Norton, M. I. (2008). Spending money on others promotes happiness. *Science*, *319*(5870), 1687.

26. Aknin, L. B., Barrington-Leigh, C. P., Dunn, E. W., Helliwell, J. F., Biswas-Diener, R., Kemeza, I., ... Norton, M. I. (2010). *Prosocial Spending and Well-Being : Cross-Cultural Evidence for a Psychological Universal.* National Bureau of Economic Research.

27. Dunn, E. W., Gilbert, D. T., & Wilson, T. D. (2011). If money doesn't make you happy, then you probably aren't spending it right. *Journal of Consumer Psychology*, *21*(2), 115.

28. Brown, K. W., & Kasser, T. (2005). Are psychological and ecological well-being compatible ? The role of values, mindfulness, and lifestyle. *Social Indicators Research*, *74*(2), 349–368.

29. BBC World Service, 15 November 2012, reportage, Vladimir Hernandez, Montevideo.

41. L'altruisme envers les générations futures

1. Rockström, J., & Klum, M. (2012). *The Human Quest: Prospering Within Planetary Boundaries*. Bokförlaget Langenskiöld, p. 112.

2. *Population Bottlenecks and Pleistocene Human Evolution.* Selon une autre théorie, il y a environ soixante-dix mille ans, la population humaine aurait été réduite à une dizaine de milliers de personnes à la suite d'une éruption volcanique catastrophique qui modifia profondément le climat. Voir Dawkins, Richard (2004). *The Grasshopper's Tale. The Ancestor's Tale, A Pilgrimage to the Dawn of Life*. Boston, Houghton Mifflin Company, p. 416.

3. McEvedy, C., & Jones, R. (1978). *Atlas of World Population History*. Penguin Books Ltd.; Thomlinson, R. (1975). *Demographic Problems: Controversy over Population Control.* Dickenson Publishing Company.

4. Richardson, K., Steffen, W., & Liverman, D. (2011). *Climate Change : Global Risks, Challenges and Decisions*. Cambridge University Press, chapitre 1, p. 4.

5. Steffen, W., Persson, Deutsch, L., Zalasiewicz, J., Williams, M., Richardson, K., ... Gordon, L. (2011). The Anthropocene: From global change to planetary stewardship. *Ambio*, *40*(7), 739–761.

6. Ellis, E. C., Klein Goldewijk, K., Siebert, S., Lightman, D., & Ramankutty, N. (2010). Anthropogenic transformation of the biomes, 1700 to 2000. *Global Ecology and Biogeography*, *19*(5), 589–606; Taylor, L. (2004). *The Healing Power of Rainforest Herbs: A Guide to Understanding and Using Herbal Medicinals*. Square One Publishers. Jusqu'à 90 % des forêts tropicales côtières d'Afrique occidentale ont disparu depuis 1900. En Asie du Sud, environ 88 % des forêts tropicales ont été perdues. Une grande partie de ce qui reste des forêts tropicales du monde se trouve dans le bassin de l'Amazone, où la forêt amazonienne couvre environ 4 millions de kilomètres carrés. En Amérique centrale, deux tiers des forêts tropicales de basse altitude ont été transformés en pâturages depuis 1950 et 40 % de toutes les forêts ont été perdus au cours des quarante dernières années. Madagascar a perdu 90 % de ses forêts tropicales de l'Est. Pour l'ensembles des références scientifiques, voir l'article «Deforestation» sur le site anglophone de Wikipedia.

7. Thompson, L. G., Mosley-Thompson, E., & Henderson, K. A. (2000). Ice-core palaeoclimate records in tropical South America since the Last Glacial Maximum. *Journal of Quaternary Science*, *15*(4), 377–394.

8. Wijkman, A., & Rockström, J. (2013). *Op. cit.*; Lenton, T. M., Held, H., Kriegler, E., Hall, J. W., Lucht, W., Rahmstorf, S., & Schellnhuber, H. J. (2008). Tipping elements in the Earth's climate system. *Proceedings of the National Academy of Sciences*, *105*(6), 1786–1793.

9. Wijkman, A., & Rockström, J. (2013). *Op. cit.*, p. 117.

10. Rockström, J., Steffen, W., Noone, K., Persson, Chapin, F. S., Lambin, E. F., ... Schellnhuber, H. J. (2009). A safe operating space for humanity. *Nature*, *461*(7263), 472–475.

11. *Ibid.*

12. Mace, G. *et al.* (2005). *Biodiversity in Ecosystems and Human Wellbeing: Current State and Trends* (Hassan, H., Scholes, R. & Ash, N. [eds.]). Island Press, chapitre 4, p. 79-115.

13. Guinotte, F. (2008), Ocean acidification and its potential effects, *Annals of New York Academy of Sciences*, *1134*, 320–342.

14. Díaz, S. *et al.* (2005). *Biodiversity Regulation of Ecosystem Services in Ecosystems and*

Human Well-Being: Current State and Trends (Hassan, H., Scholes, R. & Ash, N. [eds.]). Island Press, p. 297-329.

15. WWF. (octobre 2004). Bad blood? A survey of chemicals in the blood of European ministers. www.worldwildlife.org/toxics/pubs/badblood.pdf. Cité in Rockström, J., & Klum, M. (2012). *Op. cit.*, p. 209.

16. Rockström, J., Steffen, W., Noone, K., Persson, Chapin, F. S., Lambin, E. F., ... Schellnhuber, H. J. (2009). A safe operating space for humanity. *Nature*, *461*(7263), 472–475.

17. Diana Liverman, communication personnelle lors de la rencontre de l'Institut Mind and Life, « Écologie, éthique et interdépendance », Dharamsala, octobre 2011.

18. D'après une évaluation du Millenium Ecosystem Assesment (MEA), sous l'égide des Nations unies.

19. Pavan Sukhdev, préface de l'ouvrage de Wijkman, A., & Rockström, J. (2013). *Op. cit.* Sukhev est aussi fondateur de *Corporation 2020*, une organisation consacrée à l'économie environnementalement responsable.

20. Battisti, D. S., & Naylor, R. L. (2009). Historical warnings of future food insecurity with unprecedented seasonal heat. *Science*, *323*(5911), 240–244.

21. Shakhova, N., Semiletov, I., Salyuk, A., Yusupov, V., Kosmach, D., & Gustafsson, Ö. (2010). Extensive methane venting to the atmosphere from sediments of the East Siberian Arctic Shelf. *Science*, *327*(5970), 1246–1250.

22. Cazenave, A., & Llovel, W. (2010). Contemporary sea level rise. *Annual Review of Marine Science*, *2*, 145–173 ; Nicholls, R., and Leatherman, S. (1995), Global Sea - Level Rise. In K. Strzepek and J. Smith (eds.), *As Climate Changes : International Impacts and Implications,* Cambridge University Press, p. 92-123 ; Pfeffer, W. T., Harper, J. T., & O'Neel, S. (2008). Kinematic constraints on glacier contributions to 21st-century sea-level rise. *Science*, *321*(5894), 1340–1343.

23. Care, N. S. (2008). Future generations, public policy, and the motivation problem. *Environmental Ethics*, *4*(3), 195–213.

24. Parfit, D. (1984). *Reasons and Persons.* Clarendon Press.

25. Je suis reconnaissant à Clare Palmer, de l'université du Texas, pour ces éclaircissements et références.

26. Degeorge, R. T. (1981). The environment, rights, and future generations. *Responsibilities to future generations*, 157–165.

27. Partridge, E. (1990). On the rights of future generations. In Donald Scherer, ed. (1990), *Issues in Environmental Ethics*, Temple University Press.

28. Weiss, E. (1989). *In Fairness to Future Generations : International Law, Common Patrimony, and Intergenerational Equity.* Transnational Publication and the United Nations University.

29. Kurzban, R., & Houser, D. (2005). Experiments investigating cooperative types in humans: A complement to evolutionary theory and simulations. *Proceedings of the National Academy of Sciences of the United States of America*, *102*(5), 1803–1807.

30. Stephen Forbes, déclaration lors d'un débat sur Fox News, 18 octobre 2009.

31. Pacala, S. Cité par Lambin, É. (2009). *Une écologie du bonheur.* Le Pommier, p. 13.

32. Wijkman, A., & Rockström, J. (2013). *Op. cit.*, p. 145 ; Wackernagel, M., & Rees, W. E. (1996). *Our Ecological Footprint: Reducing Human Impact on Earth* (Vol. 9). New Society Publications.

33. *Ibid.*, p. 154-155.

34. *Ibid.*, p. 156.

35. *Ibid.*, p. 22.

36. *Ibid.*, p. 19.

37. Diamond, J. (2009). *Effondrement : Comment les sociétés décident de leur disparition ou de leur survie.* Gallimard, Folio.

38. Wijkman, A., & Rockström, J. (2013). *Op. cit.*, p. 4.

39. Diamond, J. (2009). *Op. cit.*, pour la civilisation maya. Par ailleurs, les archéologues pensent aujourd'hui que le déclin de la civilisation khmère a été dû à la surpopulation qui aurait provoqué une érosion catastrophique des sols liée à la culture intensive et à l'abandon de la planification agricole et de la gestion des réserves en eau.

40. *Ibid.*, p. 54.

41. Robin, M.-M. (2012). Les moissons du futur : Comment l'agroécologie peut nourrir le monde. La Découverte.

42. Sophie Caillat, Le grand entretien, Rue 89, *Le Nouvel Observateur*, 15 octobre 2012.

43. Schneider, S. H., & Lane, J. (2006). Dangers and thresholds in climate change and the implications for justice. *Fairness in adaptation to climate change*, 23–51. In Adger, W. N. (2006). *Fairness in Adaptation to Climate Change.* W. Neil Adger *et al.* MIT Press; Thomas, D. S., & Twyman, C. (2005). Equity and justice in climate change adaptation amongst natural-resource-dependent societies. *Global Environmental Change*, *15*(2), 115–124.

44. Patz, J. A., Gibbs, H. K., Foley, J. A., Rogers, J. V., & Smith, K. R. (2007). Climate change and global health: quantifying a growing ethical crisis. *EcoHealth*, *4*(4), 397–405; Myers, S. S., & Patz, J. A. (2009). Emerging threats to human health from global environmental change. *Annual Review of Environment and Resources*, *34*, 223–252; ainsi que le rapport du GIEC, 2009, chapitre 10, Jonathan Patz : *Changement climatique.*

45. McMichael, A. J. (2003). *Climate Change and Human Health: Risks and Responses.* WHO.

46. Patz, J. A., Olson, S. H., Uejio, C. K., & Gibbs, H. K. (2008). Disease emergence from global climate and land use change. *Medical Clinics of North America*, *92*(6), 1473–1491.

47. Checkley, W., Epstein, L. D., Gilman, R. H., Figueroa, D., Cama, R. I., Patz, J. A., & Black, R. E. (2000). Effects of EI Niño and ambient temperature on hospital admissions for diarrhoeal diseases in Peruvian children. *The Lancet*, *355*(9202), 442–450.

48. Vittor, A. Y., Gilman, R. H., Tielsch, J., Glass, G., Shields, T. I. M., Lozano, W. S., ... Patz, J. A. (2006). The effect of deforestation on the human-biting rate of Anopheles darlingi, the primary vector of falciparum malaria in the Peruvian Amazon. *American Journal of Tropical Medicine and Hygiene*, *74*(1), 3–1.

49. Guerra, C. A., Snow, R. W., & Hay, S. I. (2006). A global assessment of closed forests, deforestation and malaria risk. *Annals of Tropical Medicine and Parasitology*, *100*(3), 189; Cohuet, A., Simard, F., Wondji, C. S., Antonio-Nkondjio, C., Awono-Ambene, P., & Fontenille, D. (2004). High malaria transmission intensity due to *Anopheles funestus* (Diptera : Culicidae) in a village of savannah-forest transition area in Cameroon. *Journal of Medical Entomology*, *41*(5), 901–905; Coluzzi, M. (1994). Malaria and the Afrotropical ecosystems : impact of man-made environmental changes. *Parassitologia*, *36*(1-2), 223.

50. Sachs, J., & Malaney, P. (2002). The economic and social burden of malaria. *Nature*, *415*(6872), 680–685.

51. WBGU (2011), A vision for a renewable energy future by 2050.

52. Selon un rapport de l'Agence internationale de l'énergie, en 2010, 37 gouvernements ont dépensé 409 milliards de dollars en subsides pour maintenir le prix des énergies fossiles en dessous du prix de revient. IEA (International Energy Agency), *Energy Technology Perspectives*, rapport annuel. Cité par Wijkman, A., & Rockström, J. (2013). *Op. cit.*, p. 78.

53. McKinsey, voir notamment les rapports *CO_2 abatement: Exploring options for oil and natural gas companies*; *Carbon & Energy Economics*; *Roads toward a Low-Carbon Future.* www.mckinsey.com.

54. Association européenne de l'énergie éolienne (Œuropean Wind Energy Association ou EWEA), EWEA : Factsheets, 2010. Cité par Rifkin, J. (2012), *Op. cit.*, p. 63.

55. Selon une estimation de Joseph Stiglitz et Linda Bilmes. The true cost of the Iraq war. *Washington Post*, 5 septembre 2010.

56. TEEB, Sukhdev, 2008. Cité par Wijkman, A., & Rockström, J. (2013). *Op. cit.*, p. 290.

57. Wijkman, A., & Rockström, J. (2013). *Op. cit.*, p. 60.

58. Rockström, J., & Klum, M. (2012). *The Human Quest. Op. cit.*, p. 281.

59. WBGU (2012), *World in Transition – a Social Contract for Sustainability*, Flagship Report 2011. German Advisory Council on Climate Change.

60. Kurokawa, K., Komoto, K., Van Der Vleuten, P., & Faiman, D. (2007). *Energy From the Desert: Practical Proposals for Very Large Scale Photovoltaic Systems.* Earthscan London.

61. Wijkman, A., & Rockström, J. (2013). *Op. cit.*, p. 74.

62. *Ibid.*, p. 65.

63. Rockström, J., & Klum, M. (2012). *Op. cit.*, p. 286-287.

64. Incluant les rapports de l'IAASD, le UN World Water Developpment Report, *Water in a Changing World* (2010); the GGIAR Comprehensive Assessment (CA 2007), cité par Wijkman, A., & Rockström, J. (2013). *Op. cit.*, p. 55; WWAP, United Nations (2009). *Water in a Changing World* (vol. 3). United Nations Educational; Jackson, R. B., Carpenter, S. R., Dahm, C. N., McKnight, D. M., Naiman, R. J., Postel, S. L., & Running, S. W. (2001). *Water in a changing world.* Ecological applications, *11*(4), 1027–1045.

65. Rockström, J., & Falkenmark, M. (2000). Semiarid crop production from a hydrological perspective... FAO 2011. Save and Grow : A policymaker's guide to the sustainable intensification of smallholder crop production. Rome. (7369), 337–342.

66. Carson, R. (1963). *Printemps silencieux.* Plon.

67. Foley, J. A., Ramankutty, N., Brauman, K. A., Cassidy, E. S., Gerber, J. S., Johnston, M., ... West, P. C. (2011). Solutions for a cultivated planet. *Nature*, *478*(7369), 337–342.

68. Voir le rapport de J. Peigné et ses collègues de plusieurs organismes, dont Isara-Lyon et l'INRA : *Techniques sans labour en agriculture biologique et fertilité du sol.*

69. Rabhi, P. (2002). *Du Sahara aux Cévennes : Itinéraire d'un homme au service de la Terre-Mère.* Albin Michel.

70. Voir Dubesset-Chatelain, L. (février 2003). L'homme qui a réussi à faire reculer le désert. *GEO*, *408*, p. 20.

71. Carson, R. (1963). *Op. cit.*

72. Darnil, S., & Le Roux, M. (2006). *80 Hommes pour changer le monde : Entreprendre pour la planète.* Le Livre de Poche.

73. Boys, A. (2000). *Food and Energy in Japan. Entretien avec Takao Furuno.*

74. Furuno, T. (2001). *The Power of Duck: Integrated Rice and Duck Farming.* Tagari Publications. Cité dans Darnil, S., & Le Roux, M. (2006). *Op. cit.*

75. PNUE (2011). Rapport sur le *taux de recyclage des métaux.*

76. Évaluation de l'Agence de protection de l'environnement des États-Unis (EPA). Citée par Wijkman, A., & Rockström, J. (2013). *Op. cit.*, p. 164.

77. How long it will last ? (2007). *New Scientist.* Cité par Rockström, J., & Klum, M. (2012). *The Human Quest. Op. cit.*, p. 221.

78. Rifkin, J. (2012). *La Troisième Révolution industrielle. Op. cit.*

79. *Ibid.*, p. 79, 105.

80. Meyfroidt, P., & Lambin, É. (2008). The causes of the reforestation in Vietnam. *Land Use Policy*, *25*(2), 182–197.

81. Ethical Markets 2012. *The Green Transition Scorecard.* Ethical Markets Media.

82. Portland, la capitale écolo de l'Amérique. *GEO*, *392*, octobre 2011.

83. Morin, E. (2011). *Op. cit.*, p. 256.

84. http://www.energy-cities.eu/Convention-des-maires.

85. Je suis reconnnaissant à Luc Watelle pour ces renseignements.

86. Voir http://www.bbc.co.uk/learningzone/clips/the-beddington-zero-energy-development-a-sustainable-design-solution/6338.html.

87. Sunita Narain. Cité dans Wijkman, A., & Rockström, J. (2013). *Op. cit.*

88. Lomborg, B. (2001). *The Skeptical Environmentalist : Measuring the Real State of the World* (Reprint.). Cambridge University Press, p. 165-172. Traduction française : Lomborg, B. (2004). *L'Écologiste sceptique.* Le Cherche Midi.

89. Rapport *Harmonie avec la nature*, présenté par le Secretaire général des Nations unies lors de l'assemblée générale du 19 août 2010. Cet aspect du rapport fondé sur la contribution d'Éric Chivian (dir.), *Biodiversity: Its importance to Human Health – Interim Executive Summary* (Center for Health and the Global Environment, Harvard Medical School, 2002).

42. Une harmonie durable

1. Partha Das Gupta, cité par Wijkman, A., & Rockström, J. (2013), *Op. cit.*

2. Wijkman, A., & Rockström, J. (2013), *Op. cit.*, p. 37.

3. *Ibid.*

4. Stern, N. (2007). *The Economics of Climate Change : The Stern Review.* Cambridge University Press.

5. Daly, H. E. (1997). *Beyond Growth : The Economics of Sustainable Development* (nouvelle édition). Beacon Press.

6. Jackson, T. (2010). *Prospérité sans croissance : La transition vers une économie durable.* De Boeck.

7. *Ibid.*

8. Speth, J. G. (2009). *The Bridge at the Edge of the World : Capitalism, the Environment, and Crossing from Crisis to Sustainability.* Yale University Press.

9. *Le Monde*, 9 juin, 2009.

10. Kuznets, S., "National Income, 1929-1932", 73e Congrès, 2e session, document du Sénat n° 124, 1934, p. 7.

11. Kuznets, S. How to Judge Quality. *New Republic*, 20 octobre 1962, p. 29-32.

12. Seligman, M. (2013). *S'épanouir.* Belfond. Kindle, loc. 4829-4854 ; Diener, E., & Seligman, M. E. (2004). Beyond money toward an economy of well-being. *Psychological Science in the Public Interest*, *5*(1), 1–31.

13. Kennedy, R. Discours du 18 mars 1968 à l'université du Kansas. In *The Gospel According to RFK.* Westview Press, p. 41. Cité par Jacques Lecomte (http://www.psychologie-positive.net).

14. Leurs travaux sont résumés dans Miringoff, M. L., & Miringoff, M.-L. (1999). *The Social Health of the Nation: How America is Really Doing.* Oxford University Press, États-Unis.

15. Daly, H. E., Cobb, Jr, J. B., & Cobb, C. W. (1994). *For the Common Good: Redirecting the Economy toward Community, the Environment, and a Sustainable Future.* Beacon Press.

16. H. E. Lyonchen Jigme Thinley, communication personnelle.

17. Cité dans Jyoti Thottam. The Pursuit of Happiness. *Time Magazine*, 22 octobre, 2012, p. 49.

18. Les débats peuvent être vus sur le site http://www.gnhc.gov.bt/2012/04/un-webcast-on-happiness-and-wellbeing-high-level-panel-discussion/. Ma modeste contribution se situe à 1 h 58 min 30 s de la partie I.

19. Incluant les prix Nobel Daniel Kahneman, Joseph Stiglitz et George Akerlof, les économistes Jeffrey Sachs et Richard Layard, ainsi que d'éminents scientifiques parmi lesques Richard Davidson, Daniel Gilbert, Martin Seligman, Robert Putnam, John Helliwell et bien d'autres encore.

20. Wijkman, A., & Rockström, J. (2013). *Op. cit.*, p. 3.

21. H. E. Lyonchen Jigme Thinley, «Le Bhoutan sera le premier pays avec des comptes nationaux étendus» ("Bhutan will be first country with expanded capital accounts"). Conférence de presse à l'occasion de la publication des premiers comptes nationaux incluant le capital naturel, social et humain, 10 février 2012.

22. Meda, D. (2008). *Au-delà du PIB : Pour une autre mesure de la richesse.* Flammarion, p. 98.

23. Say, J. B. (2001). *Traité d'économie politique, ou simple exposition de la manière dont se forment, se distribuent, et se consomment les richesses.* Adamant Media Corporation (édition originale, 1803).

24. Wijkman, A., & Rockström, J. (2013). *Op. cit.*, p. 132-133.

25. *Ibid.*, p. 3.

26. Lambin, É. (2009). *Une écologie du bonheur.* Le Pommier. Éric Lambin partage son temps entre le Centre de recherche sur la Terre et le climat Georges-Lemaître, à l'Université catholique de Louvain, et la School for Earth Science à l'université californienne de Stanford.

27. Zidansek, A. (2007). Sustainable development and happiness in nations. *Energy*, *32*(6), 891–897. Cité par Lambin, É. (2009). *Op. cit.*, p. 38.

28. Kellert, S. R., & Wilson, E. O. (1995). *The Biophilia Hypothesis.* Island Press.

29. Lambin, É. (2009). *Op. cit.*, p. 51.

30. Ulrich, R. (1984). View through a window may influence recovery. *Science*, *224*, 224–225. Cité par Lambin, É. (2009). *Op. cit.*, p. 52.

31. Rifkin, J. (2012). *La Troisième Révolution industrielle. Op. cit.*, p. 380.

43. Engagement local, responsabilité globale

1. Comte-Sponville, A. (10 septembre 2009). *Challenges*, 179, p. 51.

2. Lamy, P. (2005). «*Gouvernance globale : Leçons d'Europe*». Conférence Gunnar Myrdal, ONU, Genève.

3. Tubiana, L., Severino, J.-M. (2002). *Biens publics globaux, gouvernance mondiale et aide*

publique au développement, rapport du CAE (Conseil d'analyse économique) sur la gouvernance mondiale.

4. Deneault, A. (2013). *Gouvernance : Le management totalitaire.* Lux.

5. «*Forum pour une nouvelle gouvernance mondiale*». http://www.world-governance.org/spip.php?article144.

6. Jacquet, P., Pisani-Ferry, J., & Tubiana, L. (2003). À la recheche de la gouvernance mondiale. *Revue d'économie financière*, 70, janvier 2003.

7. Attali, J. (2012). *Demain, qui gouvernera le monde?* Fayard/Pluriel.

8. Stiglitz, J. E. (2006). "Global public goods and global finance : does global governance ensure that the global public interest is served?", in Touffut, J.-P. (2006). *Advancing Public Goods.* Edward Elgar Publications.

9. *Ibid.*

10. Jacques Attali, Interview sur 20minutes.fr, le 19 novembre 2006, lors de la parution du livre *Brève histoire de l'avenir.* Fayard.

11. Voir le manifeste «*Rebalancing society*», sur le site http://www.mintzberg.org.

12. Reverchon, A. (21 mai 2012). Henry Mintzberg contre l'entreprise arrogante, *Le Monde/économie. LeMonde.fr.*

13. Rifkin, J. (2012). *La Troisième Révolution industrielle.* Les liens qui libèrent, p. 374.

14. Salamon, L. M. (2010). Putting the civil society sector on the economic map of the world. *Annals of Public and Cooperative Economics*, *81*(2), 167–210. Cité par Rifkin, J. (2012). *Op. cit.*, p. 374 et suivantes. Les huit pays qui ont été le plus complètement étudiés sont les États-Unis, le Canada, la France, le Japon, l'Australie, la République tchèque, la Belgique et la Nouvelle-Zélande.

15. Kurzweil, R. (2007). *Humanité 2.0 : La bible du changement.* M21 éditions, p. 30.

16. *Ibid.*

17. Rifkin, J. (2012). *Op. cit.*, p. 377.

18. Dalaï-lama, G. T. (1999). *Sagesse ancienne, monde moderne.* Fayard.

19. Morin, E., & Hessel, S. (2011). *Le Chemin de l'espérance.* Fayard, p. 11.

20. Stiglitz, J. (2012). *Le Prix de l'inégalité.* Les liens qui libèrent, p. 11-12.

21. Fukuyama, F. Acemoglu and Robinson on Why Nations Fail. *The American Interest*, 26 mars 2012.

22. Stiglitz, J. (2012). *Op. cit.*, p. 212.

23. Rodrik, D. (2011). *The Globalization Paradox: Democracy and the Future of the World Economy.* W. W. Norton & Co.

24. Morin, E., & Hessel, S. (2011). *Le Chemin de l'espérance.* Fayard, p. 12.

25. Pascal Lamy, «Vers une gouvernance mondiale?». Conférence à l'Institut d'études politiques de Paris, 21 octobre 2005. Lamy, P. (2004). *La Démocratie-monde : Pour une autre gouvernance globale.* Seuil.

26. Dalaï-lama, & Hessel, S. (2012). *Déclarons la paix! Pour un progrès de l'esprit.* Indigène Éditions.

27. Winston Churchill, dans un discours prononcé le 11 novembre 1947 à Londres, à la Chambre des communes. *The Official Report, House of Commons* (5e série), 11 novembre 1947, vol. 444, p. 206-207.

28. Présentation de l'atelier de la Fondation sciences citoyennes au Forum social mondial. http://sciencescitoyennes.org/

29. Berggruen, N., & Gardels, N. (2013). *Gouverner au XXIe siècle : La voie du milieu entre l'Est et l'Ouest.* Fayard.

30. *Ibid.*, p. 172-3.

31. *Ibid.*, p. 181.
32. *Ibid.*, p. 183.
33. Attali, J. (2012). *Demain, qui gouvernera le monde ?* Fayard/Pluriel, p. 305-6.

Conclusion : Oser l'altruisme

1. Nowak, M., & Highfield, R. (2011), *SuperCooperators. Op. cit.,* p. 271-2 et 280.
2. L'origine de cette citation célèbre, attribuée à Bertrand Russel, n'a pu être retracée.
3. Albert Schweitzer, tiré d'un discours prononcé à l'école Silcoates en Grande-Bretagne en décembre 1935.

Sources des figures

Chapitre 12, p. 147.

D'après la présentation de Daniel Batson à la conférence «Altruism and Compassion in Economic Systems: A Dialogue at the Interface of Economics, Neuroscience and Contemplative Sciences», organisée à Zurich par le Mind and Life Institute en avril 2009. Basé sur Batson, C. D., Duncan, B. D., Ackerman, P., Buckley, T., & Birch, K. (1981). Is empathic emotion a source of altruistic motivation. *Journal of personality and Social Psychology, 40* (2), 290-302, et Batson, C. D., O'Quint, K., Fultz, J., Vanderplas, M., & Isen, A. M. (1983). Influence of self-reported distress and empathy on egoistic versus altruistic motivation to help. *Journal of Personality and Social Psychology, 45* (3), 706.

Chapitre 24, p. 324.

D'après Twenge, J. M., et Campbell, W. K. (2010). *The Narcissism Epidemic: Living in the Age of Entitlement*, Free Press, p. 32.

Chapitre 32, p. 489.

D'après Pinker, S. (2011). *The Better Angels of our Nature: Why Violence Has Declined.* Viking Adult, p.63. D'après les données de Eisner, M. (2003). Long-term historical trends in violent crime. *Crime & Just., 30*, 83. Table 1, p. 99.

Chapitre 32, p. 490.

D'après Finkelhor, D., Jones, L., & Shattuck, A. (2008). Updated trends in child maltreatment, 2006. *Crimes Against Children Research Center.*

Chapitre 32, p. 495.

D'après Pinker, S. (2011). *Op. cit.*, p. 149. Basé sur Hunt, L. (2008). *Inventing Human Rights : A History.* W. W. Norton & Company, pp. 76, 179 et Mannix, D. P. (1964). *The History of Torture.* Dell paperback pp. 137-38.

Chapitre 32, p. 496.

D'après Brecke, P. (1999). Violent conflicts 1400 AD to the present in different regions of the world. In *1999 Meeting of the Peace Science Society.* (Manuscrit non publié)

Chapitre 32, p. 499.

D'après Lacina, B., & Gleditsch, N. P. (2005). Monitoring trends in global combat : A new dataset of battle deaths. *European Journal of Population/Revue Européenne de Démographie, 21*(2), 145-166.

Chapitre 32, p. 499.

D'après UCDP/PRIO Armed Conflict Dataset, Lacina, B., & Gleditsch, N. P. (2005). Monitoring trends in global combat : A new dataset of battle deaths. *European Journal of Population/Revue Européenne de Démographie*, *21*(2), 145–166. Adapté par le *Human Security Report Project*; Human Security Centre, 2006. Cité par Pinker, S. (2011). *Op. cit.*, p. 304.

Chapitre 32, p. 500.

D'après Pinker, S. (2011). *Op. cit.*, p. 338 (modifié). Les données jusqu'en 1987 proviennent de Rummel (1997), les données d'après 1987 de sources diverses.

Chapitre 32, p. 505.

D'après Pinker, S. (2011). *Op. cit.*, p. 294, basé sur les données de Cederman, L.-E., & Rao, M. P. (2001). Exploring the dynamics of the democratic peace. *Journal of Conflict Resolution*, *45*(6), 818–833.

Chapitre 32, p. 508.

D'après Gleditsch, N. P. (2008). The Liberal Moment Fifteen Years On. *International Studies Quarterly*, *52*(4), 691–712. Fondé sur les recherches de Siri Rustad. Cité par Pinker, S. (2011). *Op. cit.*, p. 314.

Chapitre 34, p. 536.

D'après le FAO (2006) *L'Ombre portée de l'élevage. Impacts environnementaux et options pour atténuation*, Rome ; FAO (2009) *Comment nourrir le monde en 2050*.

Chapitre 36, p. 598.

D'après Fehr, Gächter, S. (2000). Cooperation and Punishurent in Public Good Experiments. *The American Economic Review*, vol. 90, n° 4, p. 989.

Chapitre 38, p. 632.

D'après Gasparini, L. & Lustig, N. (2011). The Rise and Fall of Income Inequality in Latin America. CEDLAS, Working Papers 0118, Universidad Nacional de La Plata.

Chapitre 40, p. 687.

D'après Myers, D. G. (2000). The funds, friends, and faith of happy people. *American Psychologist; American Psychologist*, *55*(1), 56.

Chapitre 41, p. 693.

Stockholm Resilience Center, fondé sur les données du GRIP (Œuropean Greenland Ice Core Project), et sur Oppenheimer, S. (2004). *Out of Eden : The Peopling of the World* (New Ed.). Constable & Robinson Publishing.

Chapitre 41, p. 696.

Source commune à l'ensemble des 12 graphiques

D'après Steffen, W., Sanderson, A., Tyson, P. D., Jäger, J., Matson, P. A., Moore III, B., Oldfield, F., Richardson, K., Schellnhuber, H.-J., Turner, II, BL et Wasson, R. J. (2004) Global Change and the Earth System: A Planet Under Pressure. *The IGBP Book Series, Springer-Verlag, Berlin, Heidelberg, New York*. Cet article contient également les références scientifiques sur lesquelles chacune de ces figure est fondée. Adapté et obligeamment fourni par Diana Liverman.

Chapitre 41, p. 702 et 703.

Stockholm Resilience Center, d'après Rockström, J., Steffen, W., Noone, K., Persson, \AA, Chapin, F. S., Lambin, E. F., Schellnhuber, H. J. (2009). A safe operating space for humanity. *Nature*, *461*(7263), 472–475.

Chapitre 41, p. 706.

D'après NASA Goddard Institute for Space Studies. NASA Earth Observatory / Robert Simmon.

Chapitre 41, p. 707.

D'après Guinehut, S. and G. Larnicol (2008) CLS/Cnes/Legos. NASA Global Change Master Directory.

http://gcmd.nasa.gov/records/GCMD_CLS-LEGOS-CNES_MeanSeaLevel1992-2008.html

Chapitre 41, p. 716.

D'après : Patz, J. A., Gibbs, H. K., Foley, J. A., Rogers, J. V., & Smith, K. R. (2007). Climate change and global health : quantifying a growing ethical crisis. *EcoHealth*, *4*(4), 397–405.

Chapitre 41, p. 718.

Figure fournie par les bons soins de Jonathan Patz.

Bibliographie

Ce qui suit est une sélection des ouvrages qui permettent d'approfondir les sujets abordées dans ce livre. L'ensemble des références bibliographiques, celles, en particulier, des articles scientifiques sur lesquels les arguments de ce livre reposent, se trouve dans les notes à la fin du livre. Un fichier contenant la totalité de ces références arrangées par ordre alphabétique, *Altruisme-bibliographie.pdf*, est disponible sur le site http://www.matthieuricard.org/articles/categories/scientifique.

André, C. (2009). *Imparfaits, libres et heureux : Pratiques de l'estime de soi.* Odile Jacob.

André, C. (2009). *Les États d'âme.* Éditions Odile Jacob.

André, C., & Lelord, F. (2008). *L'Estime de soi : S'aimer pour mieux vivre avec les autres.* Odile Jacob.

Arendt, H. (1966). *Eichmann à Jérusalem : Rapport sur la banalité du mal* (Éd. rev. et augmentée.). Gallimard.

Aron, S. et Passera, L. (2000), *Les Sociétés animales : évolution de la coopération et organisation sociale.* De Boeck.

Aronson, E., & Patnoe, S. (2011). *Cooperation in the Classroom: The Jigsaw Method.* Pinter & Martin Ltd.

Attali, J. (1999). *Fraternités.* Fayard.

Attali, J. (2012). *Demain, qui gouvernera le monde ?.* Fayard/Pluriel.

Attali, J. (2013). *Manifeste pour une économie positive*, Fayard.

Axelrod R. (1992). *Donnant Donnant. Théorie du comportement coopératif.* Odile Jacob.

Babiak, P., & Hare, R. D. (2007). *Snakes in Suits: When Psychopaths Go to Work.* HarperBusiness.

Barber, N. (2000). *Why Parents Matter: Parental Investment and Child Outcomes.* Praeger Publications.
Batson, C. D. (1991). *The Altruism Question : Toward a Social Psychological Answer.* Lawrence Erlbaum.
Batson, C. D. (2011). *Altruism in Humans.* Oxford University Press.
Baumeister, R. F. (2001). *Evil: Inside Human Cruelty and Violence.* Barnes & Noble.
Baumeister, R. F. (2005). *The Cultural Animal: Human Nature, Meaning, and Social Life.* Oxford University Press.
Beck, A. (2004). *Prisonniers de la haine : Les racines de la violence.* Masson.
Beck, A. T., & Collectif. (2010). *La Thérapie cognitive et les troubles émotionnels.* De Boeck.
Begley, S. (2008). *Entraîner votre esprit Transformer votre cerveau : Comment la science de pointe révèle le potentiel extraordinaire de la neuroplasticité.* Ariane.
Bekoff, M. (2013). *Les émotions des animaux.* Rivages.
Berggruen, N., & Gardels, N. (2013). *Gouverner au XXIe siècle : La voie du milieu entre l'Est et l'Ouest.* Fayard.
Berthoz, A., Jorland, G., & collectif (2004). *L'Empathie.* Odile Jacob.
Bierhoff, H. W. (2002). *Prosocial Behaviour.* Psychology Press.
Borgstrom, G. (1973). *Harvesting the Earth.* Abelard-Schuman.
Bourke, A. F. G. (2011). *Principles of Social Evolution.* Oxford University Press.
Bowles, S., & Gintis, H. (2011). *A Cooperative Species: Human Reciprocity and its Evolution.* Princeton University Press.
Burgat, F. (1998). *L'Animal dans les pratiques de consommation.* PUF.
Carey, N. (2011). *The Epigenetics Revolution.* Icon Books.
Carson, R. (1963). *Printemps silencieux.* Plon.
Cavalli-Sforza, F. (2011). *La Science du bonheur.* Odile Jacob.
Chalamov, V. (1980). *Kolyma.* François Maspero.
Chang, J., & Halliday, J. (2007). *Mao : The Unknown Story.* Vintage.
Coe, S. (1996). *Dead Meat.* Four Walls Eight Windows.
Comte-Sponville, A. (2006). *Petit traité des grandes vertus.* Seuil.
Comte, A. (1830). *Œuvres d'Auguste Comte*, vol. 7-10. «Système de politique positive ou Traité de sociologie». Anthropos.
Crocker, J., Moeller, S., & Burson, A. (2010). The Costly Pursuit of Self-Esteem. *Handbook of Personality and Self-Regulation*, 403–429.
Cyrulnik, B., Jorland, G., & collectif (2012). *Résilience : Connaissances de base.* Odile Jacob.

Dalaï-lama & Cutler, H. (1999). *L'Art du bonheur.* Robert Laffont / Le Grand livre du mois.

Dalaï-lama & Vreeland, N. (2004). *L'Art de la compassion.* Éditions 84.

Dalaï-lama & Hessel, S. (2012). *Déclarons la paix ! Pour un progrès de l'esprit.* Indigène.

Dalaï-lama (1999). *Sagesse ancienne, monde moderne.* Fayard.

Dalaï-lama (2001). *Conseils du cœur.* Presses de la Renaissance.

Dalaï-lama & Ekman, P. (2008). *La Voie des émotions.* City Éditions.

Daly, H. E. (1997). *Beyond Growth : The Economics of Sustainable Development.* Beacon Press.

Daly, H. E., Cobb, Jr, J. B., & Cobb, C. W. (1994). *For the Common Good : Redirecting the Economy toward Community, the Environment, and a Sustainable Future.* Beacon Press.

Darnil, S., & Le Roux, M. (2006). *80 Hommes pour changer le monde : Entreprendre pour la planète.* Le Livre de Poche.

Darwin, C. (1877). *L'Expression des émotions chez l'homme et les animaux.* C. Reinwald.

Darwin, C. (1881). *La Descendance de l'homme et la sélection sexuelle.* C. Reinwald.

Davidson, R. J., & Begley, S. (2012). *The Emotional Life of Your Brain: How Its Unique Patterns Affect the Way You Think, Feel, and Live and How You Can Change Them.* Hudson Street Press.

Davidson, R. J., & Harrington, A. (2002). *Visions of Compassion : Western Scientists and Tibetan Buddhists Examine Human Nature.* Oxford University Press.

Dawkins, R. (2003). *Le Gène égoïste.* Odile Jacob.

Decety, J. (2009). *The Social Neuroscience of Empathy.* MIT Press.

Desmurget, M. (2012). *Tv Lobotomie : La vérité scientifique sur les effets de la télévision.* Max Milo Éditions.

Diamond, J. (2009). *Effondrement : Comment les sociétés décident de leur disparition ou de leur survie.* Gallimard. Folio.

Dovidio, J. F., Piliavin, J. A., Schroeder, D. A., & Penner, L. A. (2006). *The Social Psychology of Prosocial Behavior.* Psychology Press.

Doyle, J. (1985). *Altered Harvest: Agriculture, Genetics and the Fate of the World's Food Supply.* Viking Press.

Draperi, J.-F. (2012). *La République coopérative.* Larcier.

Dugatkin, L.A. (1997). *Cooperation among Animals.* Oxford University Press.

Eibl-Eibesfeldt, I. (1972). *Contre l'agression*. Stock.
Eisenberg, N. (1992). *The Caring Child*. Harvard University Press.
Eisenberg, N., & Damon, W. (1998). *Handbook of Child Psychology*. John Wiley & Sons.
Eisnitz, G. A. (1997). *Slaughterhouse: The Shocking Story of Greed. Neglect, and Inhumane Treatment inside the US Meat Industry*. Prometheus.
Ekman, P. (2007). *Emotions Revealed: Recognizing Faces and Feelings to Improve Communication and Emotional Life*. Holt Paperbacks.
Ekman, P. E., & Davidson, R. J. (1994). *The Nature of Emotion : Fundamental Questions*. Oxford University Press.
Elgin, D. (2010). *Voluntary Simplicity: Toward a Way of Life That Is Outwardly Simple, Inwardly Rich*. William Morrow Paperbacks.
Fanon, F. (2002). *Les Damnés de la terre*. La Découverte.
Farrer, F. (2005). *A Quiet Revolution : Encouraging Positive Values in Our Children*. Rider & Co.
Favre, D. (2006). *Transformer la violence des élèves : Cerveau, motivations et apprentissage*. Dunod.
Favre, D. (2010). *Cessons de démotiver les élèves : 18 clés pour favoriser l'apprentissage*. Dunod.
Fehr, B. A., Sprecher, S., Underwood, L. G., & Gordon, L. U. (2008). *The Science of Compassionate Love : Theory, Research, and Applications*. Blackwell Pub.
Filippi, C.-H. (2009). *L'Argent sans maître*. Descartes & Cie.
Foer, J. S. (2012). *Faut-il manger les animaux ?* Seuil. Points.
Fontenay, É. de. (2008). *Sans offenser le genre humain : Réflexions sur la cause animale*. Albin Michel.
Fredrickson, B. (2001). *Positivity: Groundbreaking Research Reveals How to Embrace the Hidden Strength of Positive Emotions, Overcome Negativity, and Thrive*. Crown Archetype.
Fredrickson, B. (2013). *Love 2.0: How Our Supreme Emotion Affects Everything We Feel, Think, Do, and Become*. Hudson Street Press.
Fromm, E. (1967). *L'Homme pour lui-même*. Les Éditions sociales françaises.
Fry, D. P. (2007). *Beyond War: The Human Potential for Peace*. Oxford University Press.
Galbraith, J. K. (2009). *L'État prédateur : Comment la droite a renoncé au marché libre et pourquoi la gauche devrait en faire autant*. Seuil.
Gandhi (1990). *Tous les hommes sont frères*. Gallimard. Folio.

Gandhi (2005). *La Voie de la non-violence.* Gallimard. Folio.
Gilbert, P. (1989). *Human Nature and Suffering.* Lawrence Erlbaum.
Gilbert, P. (2005). *Compassion: Conceptualisations, Research and Use in Psychotherapy.* Psychology Press.
Gilbert, P. (2009). *Violence et compassion : Essai sur l'authenticité d'être.* Cerf.
Gilbert, P. (2010). *The Compassionate Mind: A New Approach to Life's Challenges.* New Harbinger Publications.
Goldacre, B. (2012). *Bad Pharma : How Drug Companies Mislead Doctors and Harm Patients.* Fourth Estate.
Goleman, D. (2003). *L'Intelligence émotionnelle.* J'ai lu.
Goleman, D. (2009). *Ecological Intelligence: How Knowing the Hidden Impacts of What We Buy Can Change Everything.* Crown Business.
Goleman, D. (2011). *Cultiver l'intelligence relationnelle : Comprendre et maîtriser notre relation aux autres pour vivre mieux.* Pocket.
Goleman, D. & Dalaï-lama. (2003). *Surmonter les émotions destructrices : Un dialogue avec le Dalaï-lama.* Robert Laffont.
Good, K., & Chanoff, D. (1992). *Yarima, mon enfant, ma sœur.* Seuil.
Goodall, J. (2011). *Through A Window: Thirty Years with the Chimpanzees of Gombe.* Phoenix.
Goodall, J. (2012). *Ma vie avec les chimpanzés.* L'École des Loisirs.
Goodall, J., & Berman, P. L. (1999). *Reason for hope: A Spiritual Journey.* Grand Central Publishing.
Gordon, M. (2005). *Roots of Empathy: Changing the World Child by Child.* Thomas Allen & Son.
Graham, C. (2012). *Happiness around the World : The Paradox of Happy Peasants and Miserable Millionaires.* Oxford University Press.
Greenland, S. K. (2010). *The Mindful Child: How to Help Your Kid Manage Stress and Become Happier, Kinder, and More Compassionate.* Free Press.
Grossman, D. (2009). *On Killing: The Psychological Cost of Learning to Kill in War and Society.* Back Bay Books.
Guinzbourg, E. S. (1980). *Le Ciel de la Kolyma.* Seuil.
Gunaratana, H. (2013). *Les Huit Marches vers le bonheur.* Marabout.
Gunaratana, H. (2013). *Méditer au quotidien.* Marabout.
Haidt, J. (2012). *The Righteous Mind: Why Good People are Divided by Politics and Religion.* Allen Lane.
Hallie, P. P, & Berger, M. (1980). *Le Sang des innocents : Le Chambon-sur-Lignon, village sauveur.* Stock.
Halter, M. (1995). *La Force du bien.* Robert Laffont.

Hare, R. D. (1999). *Without Conscience : The Disturbing World of the Psychopaths among Us*. Guilford Press.

Harman, O. S. (2010). *The Price of Altruism*. Norton.

Hatzfeld, J. (2005). *Dans le nu de la vie*. Seuil.

Hatzfeld, J. (2005). *Une saison de machettes*. Seuil.

Henrich, J., & Henrich, N. (2007). *Why Humans Cooperate: A Cultural and Evolutionary Explanation*. Oxford University Press.

Herbert, M., & Weintraub, K. (2013). *The Autism Revolution: Whole-Body Strategies for Making Life All It Can Be*. Ballantine Books.

Hessel, S. (2011). *Indignez-vous !* (édition revue et augmentée). Indigène Éditions.

Hillesum, E. (1995). *Une vie bouleversée*. Contemporary French Fiction.

Hobbes T. (1651/1999). *Le Léviathan*. Dalloz.

Hochmann, J. (2012). *Une histoire de l'empathie : Connaissance d'autrui, souci du prochain*. Odilc Jacob.

Hoffman, M. (2008). *Empathie et développement moral : Les émotions morales et la justice*. PUG.

Hoggan, J. (2009). *Climate Cover-Up : The Crusade to Deny Global Warming*. Greystone Books.

Hrdy, S. B. (2009). *Mothers and others : The Evolutionary Origins of Mutual Understanding*. Belknap Press.

Hume, D. (1991). *Enquête sur les principes de la morale*. Garnier-Flammarion.

Hutcheson, F. (2003). *Essai sur la nature et la conduite des passions et affections avec illustrations sur le sens moral*. L'Harmattan.

Jablonka, E., & Lamb, M. J. (2005). *Evolution in Four Dimensions: Genetic, Epigenetic, Behavioral, and Symbolic Variation in the History of Life*. MIT Press.

Jackson, T. (2010). *Prospérité sans croissance : La transition vers une économie durable*. De Boeck.

James, W. (2003). *Précis de psychologie*. Les Empêcheurs de penser en rond.

Jancovici, J.-M. (2005). *L'Avenir climatique : Quel temps ferons-nous ?*, Seuil.

Johnson, D. H., & Johnson, R. T. (1998). *Learning Together and Alone: Cooperative, Competitive, and Individualistic Learning*. Pearson.

Johnson, D. W., Johnson, R. T., & Holubec, E. J. (1991). *Cooperation in the Classroom*. Interaction Book Company.

Kahneman, D. (2012). *Système 1 / Système 2 : Les deux vitesses de la pensée.* Flammarion.

Kappeler, P. M., & Van Schaik, C. (2006). *Cooperation in Primates and Humans: Mechanisms and evolution.* Springer Verlag.

Kasser, T. (2003). *The High Price of Materialism.* The MIT Press.

Kellert, S. R., & Wilson, E. O. (1995). *The Biophilia Hypothesis.* Island Press.

Keltner, D. (2009). *Born to Be Good: The Science of a Meaningful Life.* W. W. Norton & Co.

Kempf, H. (2013). *L'oligarchie ça suffit, vive la démocratie.* Seuil. Points.

Khyentsé, D. (1997). *Audace et compassion.* Padmakara.

Khyentsé, D. (2008). *Au cœur de la compassion : Commentaire des Trente-Sept Stances sur la pratique des bodhisattvas.* Padmakara.

Kiehl, K. & Buckholtz, J. Dans la tête d'un psychopathe (novembre-décembre 2011). *Cerveau et Psycho*, n° 48.

King, M. L. (2006). *Révolution non violente.* Payot.

Kohn, A. (1992). *The Brighter Side of Human Nature: Altruism and Empathy in Everyday Life.* Basic Books.

Kolm, S.-C. (1984). *La Bonne Économie.* PUF.

Kolm, S.-C. (2009). *Reciprocity: An Economics of Social Relations* (réimpression). Cambridge University Press.

Kolm, S.-C., & Ythier, J. M. (2006). *Handbook of the Economics of Giving, Altruism and Reciprocity: Foundations.* North Holland.

Kourilsky, P. (2009). *Le Temps de l'altruisme.* Odile Jacob.

Kourilsky, P. (2011). *Le Manifeste de l'altruisme.* Odile Jacob.

Kropotkine, P. (2010). *L'Entraide, un facteur de l'évolution.* Sextant.

Lambin, É. (2009). *Une écologie du bonheur.* Le Pommier.

La Rochefoucauld, F. de (2010). *Réflexions ou sentences et maximes morales de Monsieur de La Rochefoucauld.* Gale Ecco, Print Éditions.

Laville, J.-L. (2010). *Politique de l'association.* Seuil.

Layard, R. (2007). *Le Prix du bonheur : Leçons d'une science nouvelle.* Armand Colin.

Layard, R., & Dunn, J. (2009). *A Good Childhood: Searching for Values in a Competitive Age.* Penguin.

Lecomte, J. (2007). *Donner un sens à sa vie.* Odile Jacob.

Lecomte, J. (2010). *Guérir de son enfance.* Odile Jacob.

Lecomte, J. (2012). *La Bonté humaine.* Odile Jacob.

Lecomte, T. (2004). *Le Commerce équitable.* Éditions d'Organisation.

Levi, P. (1988). *Si c'est un homme.* Pocket.
Levi, P. (1989). *Les Naufragés et les Rescapés : Quarante ans après Auschwitz.* Gallimard.
Li, Zhuisi, & Thurston, A. F. (1994). *La Vie privée du président Mao.* Omnibus.
Lilly, J. C. (1962). *Man and Dolphin.* Gollancz.
Lipovetsky, G. (1989). *L'Ère du vide : Essais sur l'individualisme contemporain.* Gallimard.
Loncle, P., Corond, M., & Collectif (2012). *Coopération et éducation populaire.* L'Harmattan.
Louv, R. (2008). *Last Child in the Woods : Saving our Children from Nature-Deficit Disorder.* Algonquin Books.
Mandela, N. (1996). *Un long chemin vers la liberté.* Le Livre de Poche.
Maslach, C., & Leiter, M. P. (2011). *Burn-out : Le syndrome d'épuisement professionnel.* Les Arènes.
Masson, J. M., & McCarthy, S. (1997). *Quand les éléphants pleurent.* Albin Michel.
Mauss, M. (2007). *Essai sur le don : Forme et raison de l'échange dans les sociétés archaïques.* PUF.
McDougall, W. (1908). *An Introduction to Social Psychology.* Methuen.
Meda, D. (2008). *Au-delà du PIB : Pour une autre mesure de la richesse.* Flammarion.
Meyer, C., Borch-Jacobsen, M., Cottraux, J., Pleux, D., & Van Rillaer, J. (2010). *Le Livre noir de la psychanalyse : Vivre, penser et aller mieux sans Freud.* Les Arènes.
Miller, A. G. (2005). *The Social Psychology of Good and Evil.* Guilford Press.
Milo, R. D. (1973). *Egoism and Altruism.* Wadsworth Publications.
Monroe, K. R. (1996). *The Heart of Altruism: Perceptions of a Common Humanity.* Princeton University Press.
Monroe, K. R. (2006). *The Hand of Compassion: Portraits of Moral Choice during the Holocaust.* Princeton University Press.
Mooney, C. (2006). *The Republican War on Science.* Basic Books
Moore-Lappe, F. (1976). *Sans viande et sans regrets.* L'Étincelle.
Morin, E. (2011). *La Voie : Pour l'avenir de l'humanité.* Fayard.
Morin, E., & Hessel, S. (2011). *Le Chemin de l'espérance.* Fayard.
Moss, C. (1988). *Elephant Memories: Thirteen Years in the Life of an Elephant Family.* William Morrow & Co.
Nagel, T. (1970/1979). *Possibility of Altruism.* Princeton University Press.

Neff, K. (2011). *Self-Compassion : Stop Beating Yourself up and Leave Insecurity behind.* William Morrow.

Neff, K. (2011/2013). *S'aimer : Comment se réconcilier avec soi-même.* Belfond.

Nicolino, F. (2009). *Bidoche. L'industrie de la viande menace le monde.* Les liens qui libèrent.

Nowak, M. A., & Highfield, R. (2011). *SuperCooperators: Altruism, Evolution, and Why We Need Each Other to Succeed.* Simon & Shuster.

O'Clery, C. (2013). *The Billionaire Who Wasn't : How Chuck Feeney Secretly Made and Gave Away a Fortune.* PublicAffairs.

Oliner, S. P. (2003). *Do unto Others: Extraordinary Acts of Ordinary People* (édition illustrée). Basic Books.

Oliner, S. P., & Oliner, P. M. (1988). *The Altruistic Personality : Rescuers of Jews in Nazi Europe.* Macmillan.

Opdyke, I. G. (1999). *In My Hands: Memories of a Holocaust Rescuer.* Anchor.

Oreskes, N., & Conway, E. M. M. (2011). *Merchants of Doubt: How a Handful of Scientists Obscured the Truth on Issues from Tobacco Smoke to Global Warming.* Bloomsbury Press.

Ostrom E. (2010). *Gouvernance des biens communs : Pour une nouvelle approche des ressources naturelles.* De Boeck.

Patterson, C. (2008). *Un éternel Treblinka.* Calmann-Lévy.

Pech, T. (2011). *Le Temps des riches : Anatomie d'une sécession.* Seuil.

Pérez, M. (2012). *Interdire le tabac, l'urgence.* Odile Jacob.

Piliavin, J. A., Dovidio, J. F., Gaertner, S. L., & Clark III, R. D. (1981). *Emergency Intervention.* Academic Press New York.

Pinker, S. (2011). *The Better Angels of Our nature: Why Violence Has Declined.* Viking Adult.

Pléty, R. (1998). *L'Apprentissage coopérant.* Presses universitaires de Lyon (PUL).

Pooley, E. (2010). *The Climate War: True Believers, Power Brokers, and the Fight to Save the Earth.* Hyperion.

Post, S. G. (2003). *Unlimited Love: Altruism, Compassion, and Service.* Templeton Foundation Press.

Post, S. G. (2011). *The Hidden Gifts of Helping: How the Power of Giving, Compassion, and Hope Can Get Us through Hard Times.* John Wiley & Sons Ltd.

Post, S., & Neimark, J. (2007). *Why Good Things Happen to Good People:*

The Exciting New Research That Proves the Link between Doing Good and Living a Longer, Healthier, Happier Life. Broadway Books.
Rabhi, P. (2002). *Du Sahara aux Cévennes : Itinéraire d'un homme au service de la Terre-Mère*. Albin Michel.
Rabhi, P. (2010). *Vers la sobriété heureuse*. Actes Sud.
Rand, A. (2008). *La Vertu d'égoïsme*. Les Belles Lettres.
Ricard, È. (2012). *La Dame des mots*. NiL Éditions.
Ricard, M. (2003). *Plaidoyer pour le bonheur*. NiL Éditions.
Ricard, M. (2010), *L'Art de la méditation*. NiL Éditions.
Richardson, K., Steffen, W., & Liverman, D. (2011). *Climate Change: Global Risks, Challenges and Decisions*. Cambridge University Press.
Richerson, P. J., & Boyd, R. (2004). *Not by Genes Alone: How Culture Transformed Human Evolution*. University of Chicago Press.
Rifkin, J. (1992). *Beyond Beef: The Rise and Fall of the Cattle Culture*. Penguin.
Rifkin, J. (2012). *La Troisième Révolution industrielle*. Les liens qui libèrent.
Rifkin, J. (2012). *Une nouvelle conscience pour un monde en crise : Vers une civilisation de l'empathie*. Actes Sud.
Robin, M.-M. (2010). *Le Monde selon Monsanto*. La Découverte.
Robin, M. M., (2012). *Les Moissons du futur : Comment l'agroécologie peut nourrir le monde*, La Découverte.
Rockström, J., & Klum, M. (2012). *The Human Quest: Prospering Within Planetary Boundaries*. Bokförlaget Langenskiöld.
Rodrik, D. (2011). *The Globalization Paradox: Democracy and the Future of the World Economy*. W. W. Norton & Co.
Rollin, B. E. (1989). *The Unheeded Cry : Animal Consciousness, Animal Pain and Science*. Oxford University Press.
Salzberg. (1998). *Cœur vaste comme le monde*. Courrier du livre.
Sandel, M. (2012). *What Money Can't Buy : The Moral Limits of Markets* (Open Market). Allen Lane.
Scheler, M. (1954/2008). *The Nature of Sympathy*. Transaction Publishers.
Schumacher, E. F. (1979). *Small Is beautiful*. Seuil.
Seligman, M. (2013). *S'épanouir pour un nouvel art du bonheur et du bien-être*. Belfond.
Seligman, M. E. P. (2002). *Authentic Happiness : Using the New Positive Psychology to Realize Your Potential for Lasting Fulfillment*. Free Press.
Sémelin, J. (2005). *Purifier et détruire : Usages politiques des massacres et génocides*. Seuil, collection «La couleur des idées».
Sen A. (1993). *Éthique et économie*. PUF.

Sen, A. (2012). *L'idée de justice*. Flammarion.
Sen, A. (2012). *Repenser l'inégalité*. Seuil. Points.
Sereny, G. (1975). *Au fond des ténèbres* (édition originale). Denoël.
Shantideva (2008), *L'Entrée dans la pratique des bodhisattvas*. Padmakara.
Sherif, M. (1961). *The Robbers Cave experiment: Intergroup conflict and cooperation*. Wesleyan.
Shirer, W. L. (1990). *Le IIIe Reich*. Stock.
Shiva, V., Kunwar, J., Navdanya (2006). *Seeds of Suicide: The Ecological and Human Costs of Seed Monopolies and Globalisation of Agriculture*. Navdanya.
Sinclair, U. (2011). *La Jungle*. Le Livre de Poche.
Singer, P. (1993). *La Libération animale*. Grasset.
Singer, T., & Bolz, M. (eds.) (2013). *Compassion : Bridging Practice and Science. A multimedia book* [E-book].
Slavin, R. E., Hurley, E. A., & Chamberlain, A. (2003). *Cooperative Learning and Achievement: Theory and Research*. Wiley Online Library.
Smith, A. (1881/2012). *Recherche sur la nature et les causes de la richesse des nations*. Ink Book.
Smith, A. (2011). *Théorie des sentiments moraux*. PUF.
Snel, E. (2012). *Calme et attentif comme une grenouille, La méditation pour les nfants de 5 à 12 ans*. Préface de Christophe André. Les Arènes.
Snyder, C. R., & Lopez, S. J. (2002). *Handbook of Positive Psychology*. Oxford University Press.
Sober, E., & Wilson, D. S. (1999). *Unto Others : The Evolution and Psychology of Unselfish Behavior*. Harvard University Press.
Speth, J. G. (2009). *The Bridge at the Edge of the World: Capitalism, the Environment, and Crossing from Crisis to Sustainability*. Yale University Press.
Staub, E. (1992). *The Roots of Evil: The Origins of Genocide and Other Group Violence* (réimpression). Cambridge University Press.
Stein, E. (1917/1989). *On the Problem of Empathy*. ICS Publications.
Stern, N. (2007). *The Economics of Climate Change: The Stern Review*. Cambridge University Press.
Stiglitz, J. (2012). *Le Prix de l'inégalité*. Les liens qui libèrent.
Stiglitz, J. E. (2005). *Quand le capitalisme perd la tête*. Le Livre de Poche.
Swofford, A. (2004). *Jarhead : A Soldier's Story of Modern War*. Scribner.
Tajfel, H. (1981). *Human Groups and Social Categories: Studies in Social Psychology*. Cambridge University Press.

Taylor, C. (1989). *Sources of the Self: The Making of the Modern Identity*. Harvard University Press.
Terestchenko, M. (2007). *Un si fragile vernis d'humanité : Banalité du mal, banalité du bien*. La Découverte.
Thomas, E. M. (1990). *The Harmless People*. Vintage Books.
Tillion, G. (1997). *Ravensbrück*. Seuil, 2e édition.
Todorov, T. (1991). *Face à l'extrême*. Seuil.
Tomasello, M. (2009). *Why We Cooperate*. MIT Press.
Tremblay, R. E. (2008). *Prévenir la violence dès la petite enfance*. Odile Jacob.
Trivers, R. L. (1985). *Social Evolution*. Benjamin-Cummings.
Turkle, S. (2011). *Alone Together: Why We Expect more from Technology and Less from Each Other*. Basic Books.
Turnbull, C. M. (1972). *The Mountain People*. Simon & Schuster.
Twenge, J. M. (2006). *Generation Me: Why Today's Young Americans Are more Confident, Assertive, Entitled–and more Miserable than ever before*. Free Press.
Twenge, J. M., & Campbell, W. K. (2010). *The Narcissism Epidemic: Living in the Age of Entitlement*. Free Press.
Van Rillaer, J. (1980). *Les Illusions de la psychanalyse*. Mardaga.
Varela, F. J. (1999). *Ethical Know-How: Action, Wisdom, and Cognition*. Stanford University Press.
Vilmer, J.-B. J. (2011). *L'Éthique animale*. PUF.
Waal, F. B. M. de (2002). *De la réconciliation chez les primates*. Flammarion.
Waal, F. B. M. de (1997). *Le Bon Singe : Les bases naturelles de la morale*. Bayard.
Waal, F. B. M. de (2010). *L'Âge de l'empathie : Leçons de nature pour une société plus apaisée*. Les liens qui libèrent.
Waal, F. B. M. de (2013). *The Bonobo and the Atheist: In Search of Humanism Among the Primates*. W. W. Norton & Co.
Waal, F. B. M. de, & Lanting, F. (2006). *Bonobos : Le bonheur d'être singe*. Fayard.
Wallach, M. A., & Wallach, L. (1983). *Psychology's Sanction for Selfishness: The Error of Egoism in Theory and Therapy*. W. H. Freeman San Francisco.
White, J. (1991). *Education and the Good Life: Autonomy, Altruism, and the National Curriculum. Advances in Contemporary Educational Thought* (vol. 7). ERIC.
White, M. (2010). «Selected death tolls for wars, massacres and atrocities before the 20th century». http://necrometrics.com/pre1700a.htm.

White, M. (2012). *The Great Big Book of Horrible Things: The Definitive Chronicle of History's 100 Worst Atrocities*. W. W. Norton & Co.

Wijkman, A., & Rockström, J. (2013). *Bankrupting Nature: Denying Our Planetary Boundaries*. Routledge.

Wilkinson, R., & Pickett, K. (2009). *The Spirit Level : Why Equality Is better for Everyone*. Bloomsbury Publishing PLC.

Wilson, E. O. (2012). *The Social Conquest of Earth*. Liveright.

Zimbardo, P. (2011). *The Lucifer Effect*. Ebury Digital.

Remerciements

Ma gratitude sans limites va en premier lieu à mes maîtres spirituels, qui ont donné une direction, un sens et une joie de chaque instant à mon existence : Sa Sainteté le Dalaï-lama, Kangyur Rinpotché, Dilgo Khyentsé Rinpotché, Dudjom Rinpotché, Trulshik Rinpotché, Pema Wangyal Rinpotché, Jigmé Khyentsé Rinpotché, et Shechen Rabjam Rinpotché.

Les avoir rencontrés est de loin ce qui m'est arrivé de mieux dans cette vie et je ne dois qu'à ma confusion mentale et à ma paresse de ne pas avoir progressé davantage sur le chemin spirituel.

Une immense dette de gratitude va aussi vers mes chers parents à qui je dois la vie, ainsi qu'à ma sœur Ève qui nous a donné une leçon d'humanité.

Ma gratitude va vers mes mentors et amis scientifiques, Daniel Batson, Richard Davidson, Paul Ekman, Tania et Wolf Singer, Antoine Lutz et Richard Layard, ainsi qu'à François Jacob, grâce à qui j'ai pu m'initier à la pensée scientifique.

Je remercie de tout cœur Christian Bruyat, Marie Haeling, Carisse Busquet et Françoise Delivet pour leurs patientes et expertes relectures des diverses versions du manuscrit. En me faisant clairement voir les points faibles de certains arguments, en m'aidant à mettre de l'ordre dans les idées, et en améliorant considérablement le style et la présentation du texte, ils ont vastement contribué à faire de cet ouvrage ce qu'il est aujourd'hui. Les erreurs et imperfections qui subsistent n'incombent qu'à mes propres limites.

Je remercie vivement les experts qui ont bien voulu relire attentivement les chapitres relevant de leur spécialité, en français ou dans une traduction anglaise : Daniel Batson pour les chapitres de la première partie, Tania Singer, Antoine Lutz et Olga Klimecki pour les chapitres sur les neurosciences, Anaïs Rességuier et Patrick Carré pour le chapitre sur la philosophie, Frans de Waal pour les chapitres sur l'évolution et sur les animaux, Jacques Van Rillaer pour le chapitre sur la psychanalyse, Gérard Tardy, Tarek Toubale, Cornelius Pietzner et mon cousin David Baverez pour les chapitres sur l'économie, de même que ceux qui m'ont donné de précieuses suggestions sur de plus grandes sections du texte : Christophe André, Michael Dambrun, Raphaële Demandre, Jean-François Deschamps, Jacques Lecomte, Caroline Lesire, Ilios Kotsou, Yahne Le Toumelin, Michel Terestchenko, ainsi que Barbara Maibach qui m'a aidé à mettre en ordre la bibliographie et à transcrire les enregistrements de conversations avec mes amis scientifiques.

Je suis très reconnaissant à l'Institut Mind and Life, dont je fais partie depuis 2000, et à son fondateur, le regretté Francisco Varela. C'est grâce à cet Institut que j'ai pu participer à une vingtaine de rencontres passionnantes avec des scientifiques, philosophes, économistes et contemplatifs réunis autour de Sa Sainteté le Dalaï-lama pour dialoguer sur des sujets aussi variés que les émotions destructrices, la matière et la vie, la physique quantique, la neuroplasticité, la nature de la conscience, l'éducation, l'altruisme dans les systèmes économiques, l'écologie et l'éthique. Ces rencontres en ont entraîné d'autres, en particulier celles d'*Émergences* à Bruxelles, du forum *Happiness and its Causes* en Australie, du *Forum économique mondial* (World Economic Forum ou WEF) et du *Global Economic Symposiums* (GES), auxquelles j'ai régulièrement participé.

C'est ainsi que j'ai pu rencontrer puis poursuivre un dialogue avec nombre de spécialistes, penseurs et entrepreneurs sociaux cités dans ce livre : Christophe André, Jacques Attali, Aaron Beck, Daniel Batson, Michel Bitbol, Michael Caldwell, Ray Chambers, Richard Davidson, John Dunne, Nancy Eisenberg, Paul Ekman, Abel Fazle, Ernst Fehr, Barbara Fredrickson, Fred Gage, Jane Goodall, Paul Gilbert, Daniel Goleman, Mark Greenberg, Alexandre Jollien, Jon Kabat-Zinn, Serge-Christophe Kolm, Daniel Kahneman, Stephen Kosslyn, Éric Lambin, Richard Layard, Jacques Lecomte, Diana Liverman, Antoine Lutz, Michael Meaney, Kristin Neff, Greg Norris, Clare Palmer, Jonathan Patz, Pierre Rabhi, Charles Raison, Bunker Roy, Jacques Van Rillaer, Bruno Roche, Johan Rockström, Cliff Saron, Phil Shaver, Tania Singer et son équipe, Wolf Singer, Martin Seligman, Dennis Snower, l'archevêque Desmond Tutu, Richard Tremblay, Frans de Waal, B. Alan Wallace, Stewart Wallis, Philip Zimbardo et bien d'autres encore.

Je suis aussi très reconnaissant à mes complices en altruisme, Christophe et Pauline André, qui ont eu la bonté d'ouvrir leur demeure et leur table, en organisant des soirées de dialogues avec des penseurs que je souhaitais rencontrer et écouter parler de l'altruisme, ainsi que les participants conviés à ces dîners pour les connaissances et les points de vue qu'ils ont bien voulu partager : André Comte-Sponville, Alexandre Jollien, David Servan-Schreiber, Tzvetan Todorov et Michel Terestchenko.

J'exprime également ma gratitude envers S. E. Lyonchen Jigme Thinley, Premier ministre du Bhoutan et Dasho Karma Ura, qui dirige la Gross National Happiness Commission au Bhoutan, pour m'avoir inclus dans leur groupe de réflexion et m'avoir permis de participer à leurs débats au Bhoutan et aux Nations unies, ce qui m'a également amené à dialoguer avec d'autres penseurs cités dans ce livre, incluant Jeffrey Sachs et Joseph Stiglitz.

Merci de tout cœur à Jacques Lecomte qui m'a fait l'amitié de m'envoyer le manuscrit de son remarquable livre, *La Bonté humaine*, avant sa parution, alors que je travaillais à l'achèvement du présent ouvrage commencé il y a plus de quatre ans. J'ai été à la fois étonné et réconforté de découvrir que nos livres étaient inspirés par les mêmes réflexions et fréquemment par les mêmes sources. Nous nous en sommes réjouis, car il n'y a certainement pas trop de voix pour donner une idée plus positive de la nature humaine.

Je remercie également toute l'équipe de Karuna-Shechen, l'organisation humanitaire que j'ai fondée il y a douze ans et qui a accompli plus de cent vingt projets au Tibet, au Népal et en Inde, dans les domaines de l'éducation, de la santé et des services sociaux, amis, collaborateurs et bienfaiteurs qui vivent la compassion en action. Merci également à mes amies et collaboratrices qui m'aident grandement dans les diverses activités dans lesquelles je suis impliqué : Patricia Christin, Raphaële Demandre et Vivian Kurz.

Enfin, je ne saurais exprimer suffisamment de gratitude à Nicole Lattès, amie et éditrice de toujours, qui m'a constamment encouragé au cours des ces quatre années de labeur, ainsi qu'à toute l'équipe des Éditions NiL et Robert Laffont, Françoise Delivet, Catherine Bourgey, Christine Morin et Benita Edzard en particulier.

Karuna-Shechen
Compassion en action

Les droits d'auteur issus de ce livre sont entièrement consacrés aux projets humanitaires menés au Tibet, au Népal et en Inde par Karuna-Shechen, une association à but non lucratif qui a accompli plus de 120 projets humanitaires en Inde, au Népal et au Tibet dans la conviction que nul ne devrait se voir privé de services éducatifs et médicaux essentiels par manque de moyens.

Fondée en 2000, Karuna-Shechen développe des programmes en réponse aux besoins et aspirations des communautés locales, les servant dans le respect de leur héritage culturel unique, et accorde une attention particulière à l'éducation et à l'amélioration de la condition des femmes.

Aujourd'hui, Karuna-Shechen traite plus de 100 000 patients par an dans 22 cliniques et éduque 15 000 enfants dans 21 écoles. Karuna-Shechen a également construit des maisons pour les personnes âgées, des ponts, équipé plusieurs villages de l'électricité solaire et des systèmes de collecte d'eau de pluie. Karuna-Shechen a également aidé la renaissance d'une douzaine d'artisanats traditionnels au Tibet, reconstruit des centres de retraite pour les contemplatifs, reproduit plus de 400 volumes de textes anciens et archivé plus 15 000 photographies sur l'art himalayen.

Ceux qui souhaiteraient soutenir notre effort peuvent se mettre en rapport avec l'association Karuna-Shechen, 20 *bis*, rue Louis-Philippe, 92200 Neuilly sur Seine.

www.karuna-shechen.org
europe@karuna-Shechen.org

Table

II
L'ALTRUISME VÉRITABLE EXISTE-T-IL ?

IV
CULTIVER L'ALTRUISME

VI
CONSTRUIRE UNE SOCIÉTÉ PLUS ALTRUISTE

La photocomposition de cet ouvrage
a été réalisée par
GRAPHIC HAINAUT
59163 Condé-sur-l'Escaut

Cet ouvrage a été imprimé
en septembre 2013 par

27650 Mesnil-sur-l'Estrée
N° d'édition : 53310/01
N° d'impression : 118506
Dépôt légal : septembre 2013

Imprimé en France